LES CHRONIQUES
DE THOMAS COVENANT

LIVRE DEUXIÈME

Stephen R. Donaldson

LES CHRONIQUES DE THOMAS COVENANT

**

LA RETRAITE MAUDITE

Traduit de l'anglais (américain)
par Isabelle Troin

LE PRÉ AUX CLERCS
FANTASY

OUVRAGE PUBLIÉ SOUS LA DIRECTION
DE BÉNÉDICTE LOMBARDO

Titre original : *The Chronicles of Thomas Covenant
The Unbeliever – Book Two – The Illearth War*

Édition publiée avec l'autorisation de Ballantine Books,
une marque de Random House Publishing Group,
un département de Random House, Inc.

Pour le Dr James R. Donaldson, M. D.,
dont la vie a exprimé la compassion
et le dévouement mieux que n'importe quels mots.

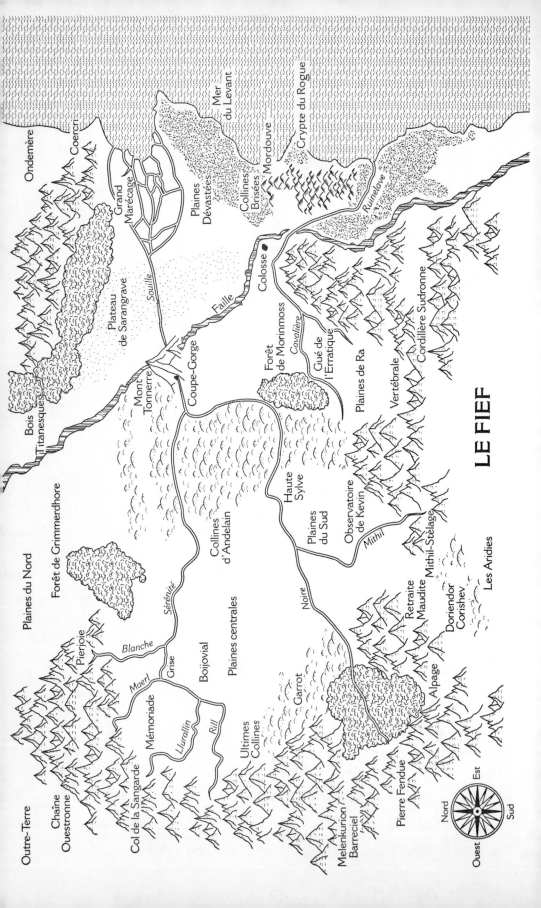

LE FIEF

Que la beauté et la vérité disparaissent à jamais.

Un glossaire en fin d'ouvrage définit les termes spécifiques, ainsi que les noms des personnages et des lieux.

PREMIÈRE PARTIE

PIERJOIE

1

Les rêves des hommes

L E TEMPS QUE THOMAS COVENANT arrive au Refuge, ses souvenirs lui étaient déjà devenus un fardeau insupportable.

En ouvrant la porte de son domicile, il fut de nouveau confronté à l'ordre stérile du salon. Les meubles et les objets étaient exactement là où il les avait laissés – comme si rien ne s'était produit, comme s'il ne venait pas de passer les quatre dernières heures dans le coma ou dans un autre monde, où sa maladie avait été éradiquée... bien que ce fût impossible. Ses doigts et ses orteils aux nerfs morts étaient toujours froids et engourdis. Rien ne pourrait jamais changer cela.

Comme les autres pièces de la maison, le salon était arrangé et capitonné pour protéger Covenant contre le danger omniprésent des meurtrissures, des coupures et des brûlures, potentiellement fatales – car, ne pouvant les sentir, il risquait de les laisser s'infecter. Là, gisant sur la table basse, il aperçut le roman qu'il était en train de lire la veille, alors qu'il hésitait à se rendre en ville. Celui-ci était toujours ouvert à une page qui avait eu un sens très différent pour lui quelques heures plus tôt. « [...] Modeler la matière incohérente et vertigineuse dont les rêves se composent est la tâche la plus difficile qu'un homme puisse

13

entreprendre [...] Les rêves des hommes appartiennent à Dieu. »

Il se sentait aussi las que si la quête du Bâton de la Loi avait réellement eu lieu, que s'il venait juste de survivre à une expédition dans les catacombes et de jouer un rôle involontaire dans la récupération du précieux objet tombé entre les mains d'un lémure fou. Mais croire que de telles choses s'étaient produites eût été pure folie, un véritable suicide. Elles étaient aussi impossibles que la régénération des nerfs ; or, la survie d'un lépreux dépendait de son refus d'accepter l'invraisemblable.

Parce qu'il était épuisé et ne disposait d'aucune autre défense, Covenant alla se coucher et dormit comme une souche, d'un sommeil solitaire et sans rêves.

Pendant les deux semaines suivantes, il vécut dans une demi-somnolence perpétuelle. Il n'aurait su dire combien de fois le téléphone sonna, combien d'interlocuteurs anonymes le menacèrent ou l'injurièrent parce qu'il avait osé s'aventurer parmi eux. Il s'enveloppa d'une hébétude protectrice et ne réagit pas, ne pensa à rien. Il oublia de prendre ses médicaments et négligea la surveillance visuelle des extrémités (SVE), la discipline de constante auto-inspection que lui avaient enseignée ses médecins.

Il passait le plus clair de son temps au lit et même quand il se levait, il restait à moitié endormi. Lorsqu'il se déplaçait dans la maison, il ne cessait de frotter ses doigts contre le bord des tables, l'encadrement des portes ou le dos des chaises comme s'il tentait de s'essuyer les mains.

Un observateur aurait pensé qu'il s'était retiré en lui-même, que la panique avait induit en lui une sorte d'hibernation émotionnelle. Mais il était aux prises avec un dilemme qui continuait de l'assaillir, semblant déployer de vastes ailes autour de lui.

Bientôt, la voix des inconnus qui appelaient se chargea de frustration, puis de colère, l'indifférence muette de Covenant les privant de cible. Dans les profondeurs de son engourdissement, le lépreux sentit quelque chose changer. Souvent, il s'éveillait avec la vague impression qu'il avait rêvé d'un événement dont il ne pouvait ou n'osait se souvenir.

Au bout de quinze jours, la réalité de sa situation reprit ses droits. Pour la première fois, le contenu d'un songe apparut clairement à Covenant. Un petit feu brûlait dans le vide, un minuscule bouquet de flammes ondoyantes et très pures. Tandis qu'il les observait, elles se changèrent en brasier. Et il vit que sa main les nourrissait avec du papier : les pages de son best-seller et celles du nouveau roman auquel il travaillait quand on avait découvert sa maladie.

Cela, au moins, n'était pas une divagation de son esprit enfiévré. Il avait vraiment brûlé ses livres. À son retour de la léproserie – après que sa femme, Joan, eut demandé le divorce et emmené leur fils unique, Robin –, il les avait relus. Et il les avait trouvés si superficiels, si complaisants et potentiellement destructeurs, qu'il les avait jetés dans la cheminée en se jurant de renoncer à l'écriture.

À présent, il regrettait son geste, éprouvait du chagrin et de l'indignation en voyant son œuvre ainsi détruite. Il se réveilla en sursaut, les yeux écarquillés, le corps dégoulinant de sueur, et réalisa qu'il entendait toujours un crépitement affamé.

Un incendie ravageait les écuries qu'occupaient autrefois les chevaux de Joan. Covenant n'y avait pas mis les pieds depuis des mois, mais il savait qu'elles n'abritaient aucun objet, aucune substance susceptible de prendre feu spontanément. C'était du vandalisme, une vengeance, la mise à exécution des menaces téléphoniques.

Le bois sec flambait sauvagement, projetant des langues orangées à l'assaut du gouffre de la nuit. Dans le brasier, Covenant revit brûler la Haute Sylve. Il huma l'odeur de la chair calcinée de ses habitants. Il se sentit massacrer des lémures, les incinérer à l'aide d'un pouvoir insensé qui semblait jaillir de son alliance.

Il tourna les talons et s'enfuit. Regagnant l'abri de la maison, il alluma toutes les lampes, comme si la lumière était un rempart contre la folie et les ténèbres.

Alors qu'il faisait misérablement les cent pas dans le salon, il se remémora ce qui lui était arrivé. Il avait parcouru à pied les trois kilomètres qui séparaient le Refuge du centre-ville pour payer en personne sa facture de téléphone – lui, le lépreux impur ! – et réaffirmer ainsi son humanité face au dégoût et à l'insultante charité de ses concitoyens. En traversant la rue, il s'était écroulé devant une voiture de police... et s'était retrouvé dans un autre monde. Un endroit qui ne pouvait pas exister et dans lequel il n'aurait pas pu se rendre, même s'il avait été réel : un lieu où les lépreux recouvraient la santé.

Ses habitants l'appelaient le « Fief ». Ils avaient traité Covenant comme un héros à cause de son anneau d'or blanc et de sa ressemblance avec Berek Demi-Main, le légendaire père fondateur. Pourtant, Covenant n'avait rien d'un héros. Il avait perdu les deux derniers doigts de sa main droite, non au combat, mais dans une opération chirurgicale : ils avaient été amputés à cause de la gangrène déclenchée par la lèpre. Son alliance lui avait été donnée par une femme qui l'avait quitté parce qu'il était malade. Rien n'aurait pu être moins fondé que la foi placée en lui par les gens du Fief. Et parce que sa position était faussée, il s'était comporté d'une manière qui le faisait frémir rétrospectivement.

Aucune des personnes qu'il avait rencontrées ne méritait l'absence de droiture avec laquelle il les avait traitées. Ni les seigneurs, gardiens de la santé et de la beauté du Fief ; ni Salin Suilécume, le géant qui était devenu son ami ; ni Atiaran Trell-mie, qui l'avait protégé et guidé jusqu'à Pierjoie ; et encore moins sa fille, Léna, qu'il avait violée.

— Léna ! cria-t-il, se martelant les flancs de ses doigts engourdis tandis qu'il arpentait le salon. Comment ai-je pu commettre pareille infamie ?

Mais il ne le savait que trop bien. La santé que le Fief lui avait restituée l'avait pris par surprise. Après des mois d'impuissance et de fureur contenue, il n'était pas préparé à ce brusque regain de vitalité.

Cela avait eu une autre conséquence fâcheuse : il avait accepté de coopérer avec les habitants du Fief sous certaines conditions, même s'il savait que ce qui lui arrivait était un simple rêve. Il avait apporté aux seigneurs de Pierjoie le message d'apocalypse que lui avait confié leur plus grand ennemi, Turpide le Rogue. Et il les avait accompagnés dans leur quête du bâton runique de Berek que Kevin, le dernier des vénérables, avait perdu durant sa bataille contre le Rogue. Ils considéraient cet objet comme leur seul espoir, et à son corps défendant, Covenant les avait aidés à le reprendre. Puis, sans transition ou presque, il s'était réveillé dans une chambre d'hôpital.

À présent, il avait été arraché à sa torpeur somnolente et arpentait la maison illuminée comme si c'était un îlot de raison perdu dans une mer de ténèbres et de chaos.

Il avait été dupé. La seule idée du Fief lui donnait la nausée. La santé était inaccessible aux lépreux ; telle était la réalité dont sa survie dépendait. Les nerfs ne se régénéraient pas et, privé de son sens du toucher, il n'avait aucune défense contre les blessures, l'infection, le démembrement et la mort – rien, excepté la discipline rigoureuse qu'il avait apprise à la léproserie. Là-bas, les médecins lui avaient enseigné que la maladie définissait son existence et que s'il ne se dévouait pas corps et âme à sa propre protection, il deviendrait une hideuse épave mutilée et putrescente avant de connaître une fin horrible.

Cette règle possédait une logique qui lui semblait plus infaillible que jamais. Il s'était laissé séduire, fût-ce partiellement, par une hallucination au résultat meurtrier. Depuis deux semaines, il négligeait sa survie. Il n'avait pas pris de médicaments ni effectué de SVE ; il ne s'était même pas rasé.

La nausée lui tordait l'estomac et lui faisait tourner la tête. Pris d'un tremblement incontrôlable, il commença à s'examiner. Par quelque incompréhensible miracle, il semblait indemne. Sa chair ne présentait ni égratignures, ni brûlures, ni contusions, ni taches violacées indiquant une résurgence du mal. Haletant comme s'il venait de survivre à une horreur indicible, il mit aussitôt en œuvre les mesures nécessaires pour reprendre le contrôle de sa vie. Il avala précipitamment une double dose de diaminodiphényl-sulfone, ou DDS, la drogue salvatrice, puis passa à la salle de bains. Dans la fluorescence blanchâtre du néon, il sortit son vieux coupe-chou et en posa le tranchant sur sa gorge.

Se raser ainsi, en tenant la longue lame avec le pouce et les deux doigts restants de sa main droite, était un rituel que Covenant avait adopté pour discipliner et mortifier son imagination galopante. Cela le calmait presque malgré lui. Le danger constitué par le métal affûté qu'il maniait si gauchement l'aidait à se concentrer, à se débarrasser de ses faux espoirs et de ses rêves trompeurs – projections séduisantes mais suicidaires de son esprit torturé. Les conséquences d'une éventuelle maladresse étaient gravées à l'acide dans son cerveau. Il ne pouvait pas ignorer la loi de la lèpre quand il était si près de se blesser, de s'infliger une plaie qui réveillerait la pourriture dormante de ses nerfs et entraînerait l'infection, la cécité et la putréfaction de ses chairs.

Quand il eut rasé sa barbe de quinze jours, il s'examina dans le miroir. Il vit un homme aux joues creuses et au teint de cendre, dans les yeux duquel la lèpre flottait tel un navire charriant des épidémies sur une mer glacée.

Ce spectacle lui fournit une explication à ses hallucinations. Elles étaient l'œuvre de son subconscient – le désespoir ou la couardise d'un cerveau brutalement privé de tout ce qui avait, jusqu'alors, défini son identité. La répugnance qu'il inspirait à ses semblables lui avait appris à se haïr et ce mépris de soi avait pris le contrôle tandis qu'il gisait, impuissant, après son accident. Il connaissait son nom : c'était une pulsion de mort. Elle agissait par le biais de son subconscient parce que sa conscience était tout entière tendue vers la survie. Mais à présent, il n'était plus impuissant. Il était revenu à lui et avait peur.

Quand le matin arriva enfin, il appela son avocate, Megan Romano, et lui raconta ce qui était arrivé aux écuries. À l'autre bout de la ligne, il perçut clairement l'embarras de son interlocutrice.

— Que voulez-vous que je fasse, monsieur Covenant ? lui demanda-t-elle.

— Poussez la police à ouvrir une enquête. Découvrez le coupable. Assurez-vous qu'il ne recommence pas.

Megan Romano garda le silence pendant quelques secondes. Puis elle lâcha :

— La police refusera. Votre ferme se trouve dans la juridiction du shérif Lytton. Il ne lèvera pas le petit doigt pour vous. Il fait partie de ces gens qui pensent que vous auriez dû être expulsé du comté. Il est en poste depuis

18

longtemps et gère son « territoire » de manière très protectrice. À ses yeux, vous représentez une menace. Entre nous, je pense qu'il ne possède pas plus d'humanité qu'il n'est strictement nécessaire pour se faire réélire tous les deux ans.

Elle parlait très vite, comme pour empêcher Covenant de l'interrompre et de faire la moindre suggestion.

— Mais je crois que je peux l'obliger à agir. Si je lui dis que vous avez l'intention de vous rendre en ville pour porter plainte, il fera en sorte que ce genre d'incident ne se reproduise pas. Il connaît bien le comté. À mon avis, il sait déjà qui a mis le feu à vos écuries.

« Celles de Joan, corrigea mentalement Covenant. Moi, je déteste les chevaux. »

— Il peut empêcher le coupable de recommencer. Et il le fera, si je m'y prends bien.

Covenant capitula. Apparemment, il n'avait pas d'autre choix.

— Pendant que j'y suis… reprit l'avocate. Certains de vos voisins cherchent un moyen légal de vous forcer à déménager. Votre passage en ville les a perturbés. Je leur ai fait croire que c'était impossible – ou, du moins, que ça leur coûterait davantage que ça ne leur rapporterait. Je pense les avoir convaincus… pour le moment.

Covenant raccrocha en frissonnant. Il se livra à une SVE minutieuse, examinant son corps de la tête aux pieds, en quête de la plus minuscule blessure. Puis il s'attela à la lourde tâche de reprendre ses habitudes protectrices.

Pendant une semaine environ, il navigua au milieu de l'ordre stérile de sa maison, tel un robot conscient de la mécanique à l'œuvre en lui et cherchant malgré ses fonctions limitées une bonne réponse à la mort. Quand il sortait pour récupérer les courses que l'épicier avait déposées à l'extrémité de l'allée ou pour se promener dans les bois qui bordaient la ferme, il se mouvait avec une prudence extrême, testant chaque pierre et chaque branche, comme s'il les soupçonnait de dissimuler un piège.

Petit à petit, il s'intéressa au monde extérieur, et ce qu'il vit fit vaciller sa détermination.

On était en avril. Les premiers signes du printemps commençaient à poindre : un spectacle qui aurait dû le réjouir. Mais souvent, le chagrin l'assaillait quand un souvenir du Fief s'imposait à son esprit. Là-bas, la vitalité de la sève et des bourgeons était perceptible à l'œil nu. On pouvait la toucher, la sentir dans l'air. Comparée aux paysages du Fief, cette forêt semblait tristement superficielle. Ici, les arbres, l'herbe et les collines n'avaient pas de saveur, pas de beauté profonde. Ils ne pouvaient lui rappeler que de très loin la splendeur vibrante d'Andelain et le goût succulent de l'*aliantha*.

D'autres images perturbantes revinrent à la charge. Pendant plusieurs jours, Covenant ne put chasser de sa mémoire le visage de la guerrière qui était morte à sa place durant la bataille de la Haute Sylve. Il ne connaissait même pas son nom, n'avait jamais pu lui demander pourquoi elle manifestait un tel dévouement envers lui. À l'instar d'Atiaran, de Suilécume et de tant d'autres, elle partait du principe que l'Incrédule méritait qu'elle lui sacrifiât sa vie.

Comme Léna, à laquelle Covenant s'autorisait rarement à penser, elle lui faisait honte. Et avec la honte venait la colère, cette émotion si familière dont dépendait en grande partie la survie d'un lépreux. « Par les feux de l'enfer ! fulmina-t-il. Ils n'avaient pas le droit. » Puis la rage, vaine, retombait à plat, et il était forcé de se réciter, comme s'il lisait, le catéchisme de sa maladie : « La futilité est la caractéristique première de la vie. La douleur est la preuve de l'existence. » Dans son extrême solitude morale, il n'avait pas d'autre réponse.

En ces moments-là, il trouvait une amère consolation en pensant à ces études psychologiques où un sujet coupé de tout stimulus sensoriel – artificiellement rendu aveugle, sourd, muet et immobile – succombait aux hallucinations les plus atroces. Si des gens normaux et conscients pouvaient être placés à la merci de leur propre chaos intérieur, il était bien compréhensible qu'un misérable lépreux plongé dans le coma fît un rêve taillé sur mesure par son subconscient pour le rendre fou. Du moins ce qui lui était arrivé ne surpassait-il pas l'entendement.

Ainsi Covenant parvint-il à survivre laborieusement pendant près de trois semaines après l'incendie. Parfois, il sentait que le stress croissant le conduisait tout droit vers une crise. Systématiquement, il réprimait cette pensée en l'étouffant sous la colère. Il ne croyait pas pouvoir surmonter une autre épreuve ; il s'était déjà si mal tiré de la précédente !

Mais même la fureur concentrée en lui n'était pas assez puissante pour le protéger indéfiniment. Un jeudi matin, alors qu'il s'apprêtait à se raser, une de ses défenses céda. Sa main se mit à trembler si fort qu'il dut lâcher son coupe-chou pour ne pas se trancher la jugulaire.

Son aventure dans le Fief demeurait inachevée. En récupérant le Bâton de la Loi, les seigneurs avaient fait ce que Turpide attendait d'eux. Ce n'était que la première étape de son plan : une machination complexe, qui s'était mise en branle quand il avait conjuré Covenant et son anneau. Il ne s'arrêterait pas avant d'avoir conquis le pouvoir de vie et de mort sur toute sa dimension. Et pour ce faire, il avait besoin de la magie de l'or blanc.

Les yeux écarquillés, Covenant fixa son reflet dans le miroir et tenta de se raccrocher à sa réalité. Mais dans ses yeux, il ne vit rien qui soit capable de le préserver.

Il avait déjà été abusé. Cela pouvait se reproduire.

— Encore ? gémit-il tel un enfant abandonné.

Il ne pouvait accepter et surmonter ce qui lui était arrivé la première fois ; comment survivrait-il à une seconde ?

Il était à deux doigts d'appeler la léproserie pour supplier les médecins de le reprendre quand il recouvra un peu d'intransigeance. Il n'aurait pas tenu aussi longtemps sans une capacité fondamentale à refuser la défaite, à défaut du désespoir, et cette aptitude l'empêcha de saisir le téléphone. « Pourquoi croiraient-ils mes élucubrations ? Je n'y crois pas moi-même. »

Les habitants du Fief l'avaient appelé l'Incrédule. À présent, Covenant réalisait qu'il devrait mériter ce titre, que le Fief existât ou non.

Pendant les deux jours suivants, il lutta avec une détermination qui lui tint lieu de courage. Il ne fit qu'un seul compromis : à cause du tremblement de ses mains, il utilisa un rasoir électrique et le mania avec autant de rudesse que s'il tentait de remodeler ses traits.

Cela mis à part, il ne céda pas un pouce de terrain. La nuit, son cœur tressaillait si fort qu'il l'empêchait de dormir, mais il serrait les dents et se passait de sommeil. Il érigea un mur de DDS et de SVE contre les hallucinations et quand elles menaçaient d'enfoncer ses défenses, il les repoussait à grand renfort d'imprécations.

Le samedi matin arriva. Covenant n'était toujours pas parvenu à neutraliser la sourde angoisse qui faisait trembler ses mains. Alors, il décida de retourner parmi ses semblables une fois de plus. Il avait besoin de leur présence tangible, et même du dégoût qu'il leur inspirait, comme d'une affirmation de la réalité qui était la sienne. Il ne connaissait pas d'autre antidote à la folie qui le menaçait.

2

Demi-Main

S A DÉCISION REMPLISSAIT COVENANT DE CRAINTE, elle aussi, et il ne la mit pas à exécution avant le soir. Il passa le plus clair de la journée à faire le ménage, comme s'il ne s'attendait pas à revenir et voulait laisser la maison impeccable pour le prochain occupant.

En fin d'après-midi, il se rasa et se doucha méticuleusement. Par prudence, il enfila un jean épais et de lourdes bottes ; mais par-dessus son T-shirt, il mit une chemise de soirée, une cravate et une veste de sport pour contrebalancer la décontraction du reste de sa tenue. Il glissa son portefeuille, dont il avait si rarement l'occasion de se servir, dans une poche de poitrine et fourra dans celle de son jean un petit canif bien aiguisé – au cas où il perdrait le contrôle et aurait besoin de quelque chose de dangereux pour retrouver sa concentration.

Au coucher du soleil, il descendit la longue allée qui conduisait jusqu'à la route et tendit le pouce, dans le geste universel des auto-stoppeurs.

La première ville se trouvait à quinze kilomètres du Refuge ; elle était plus bien grande que la bourgade où Covenant avait eu son accident. Il préférait aller là-bas, car il y avait moins de risque que quelqu'un le reconnaisse. Mais son premier souci serait de dégoter un chauffeur. Si

23

l'un de ses voisins le repérait, il serait dans le pétrin avant même d'être parti.

Durant les premières minutes, trois voitures le dépassèrent sans s'arrêter. Les conducteurs le fixèrent comme s'il était une attraction de foire, mais aucun ne ralentit. Puis, alors que le crépuscule tombait, un gros camion arriva dans sa direction. Covenant agita le pouce et le véhicule s'immobilisa à quelques mètres de lui, dans le sifflement hydraulique de ses freins. Covenant monta sur le marchepied et ouvrit la portière.

Le routier mâchouillait un bout de cigare noirci et une épaisse fumée planait dans la cabine. À travers cette brume bleuâtre, Covenant vit que le bonhomme était grand et costaud, avec l'estomac distendu. Du bras gauche, il manipulait le volant comme un piston, avec une aisance née de l'habitude. Sa manche droite était vide, épinglée à son épaule. Covenant, à qui le spectre de la mutilation n'était pas étranger, éprouva une bouffée de sympathie pour lui.

— Où vas-tu, mon gars ? lui demanda aimablement le camionneur.

Covenant le lui dit sur un ton interrogateur.

— Pas de problème, assura son bon Samaritain. C'est sur mon chemin.

Tandis que la transmission automatique montait les rapports en gémissant, il cracha son mégot par la fenêtre, puis lâcha le volant le temps de déballer un nouveau cigare. Pendant que sa main était occupée, il maintenait la direction en place avec son ventre. La lumière verte du tableau de bord ne montait pas jusqu'à son visage, mais chaque fois qu'il inhalait, le rougeoiement de la braise éclairait ses traits massifs, pareils à un entassement de rochers. Il reprit les commandes et se mit brusquement à parler. On aurait dit que quelque chose le tracassait.

— Tu vis dans le coin ?

— Oui, répondit Covenant sans se mouiller.

— Depuis longtemps ? Tu connais bien les gens ?

— Plus ou moins.

— Tu as entendu parler de ce lépreux, Thomas quelque chose... Thomas Covenant ?

Covenant frémit dans la pénombre de la cabine. Pour dissimuler son malaise, il se dandina comme s'il cherchait une position plus confortable.

— Pourquoi ? Il t'intéresse ? demanda-t-il.

— Moi ? Non. Je ne suis pas d'ici. Je ne fais que passer. Mais tout à l'heure, je me suis arrêté dans un restoroute pour dîner, et il était question de lui. J'ai interrogé la serveuse – mauvaise idée. Une seule petite question et elle m'a rebattu les oreilles de ce Covenant pendant tout le repas. Tu sais ce qu'est un lépreux ?

— Plus ou moins.

— Ben, laisse-moi te dire que ça n'est pas beau à voir. Quand j'étais môme, ma vieille mère me lisait des histoires sur eux. Il y en a plein la Bible. Des mendiants pouilleux. Des sagouins. Je ne savais même pas qu'on trouvait ce genre de rebuts humains en Amérique. Mais voilà ce qui arrive quand on est trop libéral.

« Tu veux mon avis ? Je pense que les lépreux devraient rester à l'écart des gens normaux. Comme cette nana au comptoir du resto. Un vrai moulin à paroles, mais gentille fille. Et elle était complètement chamboulée à cause de ce salaud. Ce Covenant devrait arrêter de ne penser qu'à lui. Les personnes qui l'entourent n'ont pas besoin de ça. Il devrait aller vivre avec les malades de son espèce et ficher la paix aux honnêtes citoyens comme toi et moi. C'est vraiment de l'égoïsme, de s'attendre qu'on le supporte. Tu vois ce que je veux dire ?

Dans la cabine, la fumée, aussi épaisse que de l'encens, faisait tourner la tête de Covenant. Il ne cessait de se tortiller, comme si la fausseté de sa position lui causait autant d'inconfort physique que psychologique. Ajouté aux paroles du chauffeur, ce vertige le mit d'humeur vengeresse. Il fit tourner son alliance autour de son doigt. Alors que le camion passait le panneau d'entrée de la ville, il dit :

— Je vais dans une boîte un peu plus loin. C'est sur ta route. Je t'offre un verre ?

Sans hésitation, l'autre répondit :

— Banco. Je ne refuse jamais un coup à l'œil.

Mais plusieurs feux les séparaient encore de leur destination. Pour meubler le silence et satisfaire sa curiosité,

25

Covenant demanda au camionneur comment il avait perdu un bras.

— À la guerre. (L'homme s'arrêta au rouge et en profita pour rajuster le cigare entre ses lèvres.) Pendant une patrouille, j'ai marché sur une mine antipersonnel. Un vrai feu d'artifice. Je suis rentré au camp en rampant. Ça m'a pris deux jours. J'ai plus ou moins pété les plombs. Par moments, je ne savais même plus ce que je faisais. Le temps que le toubib puisse m'examiner, il était trop tard pour sauver mon bras. Mais qu'est-ce que ça peut faire ? Je n'en ai pas besoin. (Il gloussa.) En tout cas, c'est ce que dit ma bonne femme – et du moment qu'elle est satisfaite...

Sincèrement intrigué, Covenant demanda :

— Tu n'as pas eu de problème pour décrocher ton permis poids lourd ?

— Tu rigoles ? Avec mon bide, je peux conduire ce bahut mieux que toi si tu avais quatre bras.

Le cigare serré entre les dents, le routier sourit de sa propre plaisanterie. Sa simplicité joviale désarma Covenant. Déjà, il regrettait sa duplicité. La colère s'insinua en lui, réflexe conditionné. Quand le camion fut garé sur le parking de la boîte, il ouvrit la portière et sauta à terre, comme s'il était pressé de s'éloigner de son compagnon.

À force de rouler dans le noir, il avait oublié à quelle hauteur il se trouvait. Un bref vertige le saisit. Il atterrit maladroitement et faillit tomber. Ses pieds ne sentirent rien, mais la secousse de l'impact remonta dans ses chevilles gourdes. Alors qu'il reprenait l'équilibre, le routier commenta :

— Tu as déjà pris une longueur d'avance question bibine, hein ?

Pour éviter son regard inquisiteur, Covenant passa devant lui et se dirigea vers l'entrée de l'établissement. En tournant à l'angle du bâtiment, il faillit percuter un vieillard déguenillé qui portait des lunettes noires. Adossé au mur, l'homme tendait une chope en fer-blanc cabossée vers les passants, dont il suivait le déplacement à l'oreille. Son menton était fièrement levé, mais sa tête tremblait sur son cou maigre, et il chantait *Blessed Assurance* comme si c'était un hymne funèbre. Une canne blanche était coincée sous son aisselle droite. Quand Covenant fit un écart pour l'éviter, il agita vaguement sa sébile dans sa direction.

Covenant se méfiait des mendiants. Il ne se rappelait que trop bien l'illuminé qui l'avait accosté juste avant l'accident, tel un prélude à son hallucination. Ce souvenir le sensibilisa à une brusque tension dans l'air nocturne. Il fit un pas vers l'aveugle et le dévisagea.

L'autre continua à chanter sans changer de ton, mais se tourna vers Covenant et lui colla le gobelet contre les côtes.

Le chauffeur s'immobilisa derrière son passager.

— Putain, ils sont partout, grogna-t-il. C'est une véritable infection. Viens. Tu m'as promis un verre.

Covenant voyait bien que ça n'était pas le pauvre diable de la fois précédente. Sa cécité le touchait. La compassion qu'il ressentait envers les handicapés le submergea. Sortant son portefeuille, il en tira deux billets de dix dollars et les fourra dans la chope.

— Vingt sacs ! éructa son compagnon. Tu es cinglé, ou quoi ? Ce n'est pas d'un coup à boire que tu as besoin, c'est d'un tuteur.

Sans s'interrompre, le malheureux tendit une main noueuse, froissa les billets et les fit disparaître sous ses haillons. Puis il se détourna et s'éloigna, impassible, en tapotant le trottoir de sa canne et en fredonnant un couplet sur l'« avant-goût de la gloire divine ».

Covenant le suivit des yeux. Quand la nuit l'eut englouti, il reporta son attention sur le routier. Celui-ci mesurait une bonne tête de plus que lui ; des jambes pareilles à des troncs d'arbre soutenaient sa masse considérable. Dans l'obscurité, l'extrémité de son cigare luisait comme un des yeux de Sialon Larvae. « Sialon le lémure fou, serviteur ou pion du seigneur Turpide » se remémora Covenant. Sialon avait trouvé le Bâton de la Loi et péri à cause de lui. Sa mort avait libéré Covenant en lui permettant de quitter le Fief pour rentrer chez lui.

Il colla un index gourd sur le sternum du chauffeur, comme pour éprouver sa réalité.

— Écoute, j'étais très sérieux à propos de ce verre. Mais

je dois te prévenir... (Il déglutit et se força à articuler :) Je suis Thomas Covenant. Le lépreux dont tu parlais.

Son compagnon ricana.

— Bien sûr, mon pote. Et moi, je suis Jésus-Christ. Si tu as filé tout ton fric à ce vieux déchet, dis-le. Mais n'essaie pas de m'embobiner. Tu as trop bon cœur, c'est tout.

Covenant le fixa quelques secondes, les sourcils froncés. Puis il lâcha résolument :

— Non, je ne suis pas fauché. Du moins, pas encore. Viens.

« La Porte », clamait un néon vert au-dessus d'un large battant de fer forgé, qui aurait aussi bien pu être le portail d'Hadès. En son centre, une affiche éclairée par des spots blancs montrait une jeune femme dans une pose aguicheuse. Mais la photo devait être vieille, car sa pellicule brillante avait viré au gris, conférant au sujet une aura de tristesse. Dessous, de larges caractères noirs clamaient : « Ce soir, pour la dernière fois parmi nous, la nouvelle étoile de la chanson : Susie Thurston. »

Covenant effectua une rapide SVE, rassembla son courage et franchit le seuil en retenant son souffle, comme s'il pénétrait dans le premier cercle de l'enfer.

L'endroit était bondé. De toute évidence, l'ultime représentation de Susie Thurston avait attiré de nombreux spectateurs. Covenant et le routier prirent les seuls sièges qu'ils purent trouver, à une petite table près de la scène. Celle-ci était déjà occupée par un homme d'âge mûr en costume fatigué. Quelque chose dans la façon dont il tenait son verre suggérait qu'il buvait depuis un moment déjà. Lorsque Covenant demanda s'ils pouvaient s'asseoir à côté de lui, il ne réagit pas. Il fixait la scène avec l'air figé d'un hibou.

Le chauffeur eut un geste brusque, comme pour dire à Covenant de ne pas faire attention à lui. Il fit pivoter une des deux chaises libres et s'y plaça à califourchon, calant la masse de son estomac contre le dossier. Covenant s'installa à son tour et se rapprocha de la table pour minimiser le risque de se faire heurter par un autre client.

Le grouillement d'humanité ambiante raviva son angoisse. Il n'avait plus l'habitude d'une telle promiscuité.

28

Il se recroquevilla sur lui-même. La peur d'être découvert affolait son pouls. Il serra les poings et se força à inspirer profondément, comme pour résister à une attaque de vertige. Entouré par une multitude de gens qui ne lui prêtaient aucune attention, il se sentait vulnérable. Il était en train de prendre un gros risque. Mais en apparence du moins, rien ne le distinguait des autres dans l'assemblée. Il réprima son envie de fuir.

Soudain, il réalisa que son compagnon attendait qu'il commande. En proie à une vague nausée, il leva le bras pour appeler le serveur. Le routier commanda un double scotch *on the rocks*. L'appréhension priva momentanément Covenant de voix. Il déglutit et se força à réclamer un gin tonic. Il le regretta aussitôt : c'était la boisson préférée de Joan. Mais il ne se rétracta pas. Ce fut tout juste s'il parvint à ne pas soupirer de soulagement lorsque le garçon s'éloigna.

À travers l'étau de la tension, il lui sembla que les consommations arrivaient avec une promptitude miraculeuse. Se faufilant entre les chaises, le serveur apporta trois verres, qu'il déposa sur la table ; un, rempli d'un alcool incolore, était destiné au type d'âge mûr. Le chauffeur s'empara du sien et engloutit d'un coup la moitié du contenu. Grimaçant, il marmonna :

— Un vrai sirop.

L'inconnu but cul sec. Covenant vit tressauter sa pomme d'Adam. Dans un coin de son esprit, il se demanda s'il allait également devoir payer pour lui.

À contrecœur, il porta le gin tonic à ses lèvres. Une brusque flambée de colère faillit l'étrangler. La tranche de citron vert lui rappelait le goût de l'*aliantha*. « Pathétique ! » se fustigea-t-il. Pour sa punition, il avala d'un trait et héla de nouveau le serveur, décidé à prendre une cuite.

La deuxième tournée arriva. Elle aussi comportait trois godets. Covenant jeta un coup d'œil morne à ses compères. Puis tous trois burent, comme s'ils venaient tacitement de se lancer un défi.

Le camionneur s'essuya la bouche du dos de la main et se pencha vers Covenant.

29

— Mon pote, c'est ton pognon, alors je préfère te prévenir : je peux te faire rouler sous la table.

Pour offrir une ouverture au troisième larron, Covenant lança :

— Je crois que notre ami ici présent nous battra à plate couture.

— Quoi ? Un freluquet comme lui ? s'exclama le chauffeur sur un ton affable. Jamais de la vie ! Jamais de la vie...

Mais l'homme aux yeux de hibou ne cilla même pas. Ignorant cette offre implicite de camaraderie, il continua à fixer la scène déserte comme si c'était un abîme. Pendant un moment, son humeur maussade plana sur le groupe. Covenant rappela le serveur, qui ne tarda pas à les approvisionner à l'identique. Cette fois, le routier lui posa une main sur le bras et, comme s'il se faisait fort de défendre les intérêts de Covenant, désigna l'inconnu du pouce.

— Vous ne pensez pas qu'on va raquer pour lui, j'espère ?

— Ne vous en faites pas, répondit le garçon. Il a une ardoise. (Une expression méprisante plissa son visage.) Il vient ici tous les soirs, juste pour la regarder et pour se mettre minable.

Puis quelqu'un d'autre lui fit signe et il s'en fut.

L'autre garda le silence jusqu'à ce que les lumières se tamisent et qu'un chuchotement excité parcoure la salle. Alors, il croassa :

— Ma femme.

Un projecteur se braqua sur le milieu de la scène. Le présentateur s'avança dans le rond de lumière blanche. Tandis que les musiciens se mettaient en place derrière lui, il commença son laïus.

— Ce soir, je suis très triste, parce que notre enfant chérie va chanter devant nous pour la dernière fois. Nous ne la reverrons pas avant longtemps. Elle nous quitte pour s'envoler vers le firmament où les artistes de talent deviennent des étoiles. Nous ne l'oublierons pas de sitôt. Rappelez-vous : c'est ici, à *La Porte*, que vous l'avez entendue pour la première fois. Mesdames et messieurs, Susie Thurston !

Il sortit de scène et le faisceau lumineux se déplaça pour suivre la chanteuse, qui sortait des coulisses, un micro à la main. Elle était tout de cuir noir vêtue, depuis la minijupe qui dévoilait ses longues jambes jusqu'au gilet sans manches dont les franges, placées stratégiquement, accentuaient le renflement de sa poitrine. Ses cheveux blonds étaient coupés au carré et des cernes prononcés soulignaient ses yeux noirs. Sa silhouette voluptueuse était pareille à une invitation au plaisir, aussitôt démentie par son visage. Elle avait l'expression d'une femme brisée par la vie.

D'une voix pure et fragile comme une supplique, elle entonna une série de chansons d'amour sur un ton presque revendicateur. Un tonnerre d'applaudissements retentissait entre les morceaux, faisant tressaillir Covenant.

Quand l'entracte arriva et que Susie Thurston se retira en coulisse, le lépreux dégoulinait d'une sueur glaciale. Le gin semblait n'avoir aucun effet sur lui. Il avait besoin d'aide. Désespéré, il réclama une nouvelle tournée.

À son grand soulagement, le serveur l'apporta très vite. Après avoir englouti le scotch, le routier rentra la tête dans les épaules et dit sur un ton de conspirateur :

— Je crois que j'ai compris ce que ce salaud essaie de faire.

L'homme d'âge mûr ne prêtait toujours pas la moindre attention à ses voisins de table.

— Ma femme, répéta-t-il d'une voix étranglée, presque douloureuse.

Covenant voulait empêcher son compagnon de parler si ouvertement, mais avant qu'il puisse le distraire, celui-ci enchaîna :

— Il tente de se venger.

— Se venger ? répéta Covenant.

Il ne voyait pas le rapport. Apparemment, l'homme aux yeux de hibou – qui était sans doute marié, et peut-être même heureux en ménage – avait conçu une passion à sens unique pour Susie Thurston. Ce genre de chose arrivait. Tiraillé entre ses vœux de fidélité et son désir lancinant, il se torturait soir après soir et buvait à s'en rendre malade, en observant la créature à jamais hors de son atteinte.

31

Parce qu'il s'était déjà fait une opinion, Covenant ne comprit pas tout de suite où le camionneur voulait en venir. Mais ce dernier poursuivit avec emphase :

— Évidemment. Tu crois que c'est drôle d'être lépreux ? Il doit vouloir partager sa misère. Pourquoi resterait-il tout seul dans sa merde ? C'est ce qu'il se demande. Crois-moi sur parole, mon pote. J'ai tout pigé.

En parlant, il rapprochait de Covenant son visage pareil à un éboulis.

— Alors il se balade dans des endroits où personne ne le connaît et ne sait qu'il est malade. Comme ça, il contamine les autres. Avant de comprendre ce qui se passe, on va se retrouver avec une épidémie sur les bras. Et ça le fait bien marrer, ce fils de pute. Il a l'impression de s'être vengé. Un bon conseil : évite de serrer la main à des inconnus. On ne sait jamais sur qui on peut tomber.

— Ma femme, grogna le bonhomme.

Agrippant son alliance comme si elle avait le pouvoir de le protéger, Covenant fixa le routier et répliqua :

— Peut-être que tu te trompes. Peut-être a-t-il juste besoin de voir du monde. Ça ne t'arrive jamais de te sentir isolé, quand tu as roulé pendant des heures ? Peut-être que ce Thomas Covenant ne supporte plus de vivre à l'écart, sans jamais parler à quelqu'un. Tu y as pensé ?

— Eh bien, qu'il se contente des lépreux ! Pourquoi irait-il embêter les braves gens ? Réfléchis un peu.

« Réfléchis un peu, faillit hurler Covenant. Par les feux de l'enfer ! À ton avis, que suis-je en train de faire ? Tu crois que ça me plaît d'être ici et de t'écouter m'insulter ? »

Une grimace qu'il ne put réfréner lui tordit le visage. Fulminant, il héla le serveur pour qu'il apporte une nouvelle tournée. L'alcool semblait produire l'effet inverse de ce qu'il escomptait, augmentant sa tension au lieu de la dissiper. Le brouhaha ambiant l'enveloppait tel un nuage toxique. Il avait conscience des clients qui se tenaient derrière lui, comme s'il s'agissait d'ur-vils s'apprêtant à lui bondir dessus.

Quand les consommations arrivèrent, il se pencha vers le chauffeur pour réfuter ses arguments. Mais à cet instant, la lumière diminua de nouveau.

— Ma femme, lâcha le type d'âge mûr sur un ton lugubre.

Sa voix était pâteuse ; l'alcool qu'il avait bu commençait enfin à l'affecter.

Dans l'instant d'obscurité qui précéda l'apparition de Susie Thurston, le camionneur s'exclama :

— Tu veux dire que tu es marié avec cette souris ?

Alors, l'homme aux yeux de hibou gémit comme s'il souffrait mille morts.

La chanteuse s'avança dans la lumière du projecteur. Accompagnée par la musique plaintive de l'orchestre, elle mit du mordant dans sa voix pour vitupérer les hommes infidèles. À la fin du deuxième morceau, Covenant vit des larmes s'écouler lentement des deux fentes sombres de ses yeux. Les lamentations de la fille le blessaient et il regretta amèrement de ne pas être ivre. Il aurait aimé oublier les personnes normales, sa propre vulnérabilité et les exigences de sa survie – oublier et pleurer sans retenue.

Mais la chanson suivante le cingla comme un coup de fouet. La tête rejetée en arrière, sa gorge blanche luisant dans l'échancrure de son gilet, Susie Thurston entonna une complainte qui se terminait ainsi :

> Délivre-moi.
> Je ne veux pas te blesser,
> Mais ton amour m'accable ;
> Je ne peux plus supporter
> De me sentir si coupable.
> Alors délivre-moi,
> Quitte-moi.

La dernière note s'était à peine éteinte que le public applaudit à tout rompre, comme s'il s'était délecté de la douleur de l'interprète. Covenant ne put en supporter davantage. Torturé par le vacarme, il jeta une poignée de billets sur la table et repoussa sa chaise pour s'enfuir. Mais alors qu'il longeait la scène pour gagner la sortie, il passa à moins de deux mètres de Susie Thurston. Le regard de celle-ci se posa sur lui. L'incrédulité, puis l'émerveillement se peignirent sur son visage las. Écartant les bras, elle s'écria :

— Berek !

Covenant se figea, sonné et terrifié. *Non !*

Susie Thurston ne se tenait plus de joie. Elle était littéralement transfigurée.

— Hé ! appela-t-elle en agitant les bras pour réclamer le silence. S'il vous plaît, il me faudrait un projecteur par ici ! Éclairez-moi ce monsieur !

Un faisceau de lumière blanche et brûlante s'abattit sur Covenant. Tremblant de peur et de rage, il pivota vers la fille en clignant des yeux. *Non !*

— Mesdames et messieurs, cher public, laissez-moi vous présenter un de mes plus vieux amis, un type formidable, s'enthousiasma Susie Thurston. C'est lui qui m'a appris la moitié de mon répertoire. Il s'appelle Berek. (Elle se mit à applaudir Covenant.) Si nous le lui demandons gentiment, peut-être chantera-t-il pour nous.

Les spectateurs frappèrent complaisamment dans leurs mains.

Covenant tâtonna autour de lui, cherchant quelque chose à quoi se raccrocher. Malgré ses efforts pour se contenir, il fixa sa persécutrice avec une expression douloureuse. Les applaudissements lui martelaient les tympans et lui faisaient tourner la tête. *Non !*

Un long moment, il demeura recroquevillé et frémissant sous le regard de Susie Thurston. Puis, telle une révélation, tous les néons de la salle se rallumèrent. Par-dessus les murmures ébahis de l'assemblée, une voix autoritaire tonna :

— Covenant !

Il pivota comme pour parer une attaque. Deux hommes se tenaient sur le seuil de la boîte. Ils étaient vêtus de la même façon : chapeau noir, uniforme kaki, pistolet à la hanche et badge épinglé sur la poitrine. Mais celui de droite dépassait son collègue d'une demi-tête. Le shérif Lytton. Tandis que Covenant le fixait, bouche bée, il lui fit signe de l'index.

— Toi. Covenant. Amène-toi.

— Covenant ? glapit le routier. C'est vraiment toi, Covenant ?

Le lépreux vacilla sous ce nouvel assaut. Il se tourna

maladroitement vers le colosse au visage empourpré et soutint son regard flamboyant avec tout le courage dont il était capable.

— Je t'avais prévenu.

— Maintenant, je vais choper ta maladie, fulmina l'homme. On va tous la choper ! Espèce de salaud !

Les autres clients s'étaient levés pour voir ce qui se passait. Par-dessus leurs têtes, Lytton hurla :

— Que personne ne le touche !

Jouant des coudes, il se fraya un chemin parmi la foule. Dans la confusion qui suivit, Covenant perdit l'équilibre. Il trébucha, se cogna l'œil contre le coin d'une chaise et s'étala sous une table. Des gens criaient et se bousculaient autour de lui. Lytton rugit pour se faire entendre. Puis, d'une poussée brutale, il renversa l'obstacle qui protégeait le lépreux.

Celui-ci leva vers lui des yeux hagards, dont l'un s'était rempli de larmes qui brouillaient sa vision. Il les essuya d'un revers de manche. À force de concentration et de clignements de paupières, il parvint à distinguer les deux silhouettes qui le surplombaient : le shérif et son ex-compagnon de beuverie. Le type d'âge mûr le fixa en chancelant. Son visage ne trahissait aucune émotion. Sur un ton emphatique, il prononça son verdict.

— Ma femme est la fille la plus formidable du monde.

Lytton le repoussa et se pencha vers Covenant, affichant un rictus mauvais.

— Ça suffit. Je ne cherche qu'un prétexte pour te coffrer, alors, tâche de te tenir tranquille. Tu m'entends ? Lève-toi !

Même si Covenant se sentait trop faible pour bouger, il ne voulait pas du genre d'aide que Lytton aurait pu lui apporter. Rassemblant ses membres sous lui, il se mit à quatre pattes, puis se redressa à grand-peine. Il tenait tout juste debout, mais Lytton ne fit pas mine de le soutenir. Il agrippa le dossier d'une chaise et promena un regard de défi à la ronde. Tout le gin qu'il avait bu commençait enfin à faire effet. Il rajusta sa cravate, tentant de recouvrer un semblant de dignité.

— Allez, bouge-toi, lui intima Lytton en le toisant de toute sa hauteur.

Covenant n'obéit pas tout de suite. Malgré sa vision encore brouillée, il procéda d'abord à une rapide SVE.

— Bouge-toi, répéta Lytton sur un ton égal.

— Une minute. J'arrive.

Quand il eut terminé, Covenant tourna les talons et sortit, le pas raide et la tête droite.

Dehors, il inspira goulûment l'air frais et tenta de se ressaisir. Le shérif et son adjoint le guidèrent – en prenant bien garde à ne pas le toucher – vers une voiture de patrouille dont le gyrophare lançait des éclairs sanglants dans la nuit. Quand ils l'eurent enfermé à l'arrière, derrière la grille de métal protectrice, ils grimpèrent à l'avant. Pendant qu'ils roulaient en direction du Refuge, Lytton lança par-dessus son épaule :

— On peut dire que tu nous auras baladés. Les Miller nous ont prévenus que tu faisais du stop en bas de chez toi et on a compris que tu avais décidé d'aller foutre le bazar ailleurs. Simplement, on ne savait pas où. Tu n'as enfreint aucune loi ; je ne peux pas t'arrêter pour ton escapade. Mais c'est vraiment dégueulasse de ta part. Écoute-moi bien. Veiller sur ce comté, c'est mon boulot. Tâche de ne pas l'oublier. Je ne veux plus être obligé de te chercher comme ce soir. Recommence, et je te jette au trou pour désordre sur la voie publique, résistance à agent et tout le tremblement. Tu piges ?

La honte et la rage se livraient un duel féroce dans le cœur de Covenant et il ne voyait aucun moyen de se soulager. Il avait envie de hurler : « Ce n'est pas contagieux ! Je n'ai pas fait exprès de tomber malade ! » Mais sa gorge était trop serrée pour laisser échapper fût-ce un gémissement. Il finit par marmonner :

— Laissez-moi descendre. Je vais rentrer à pied.

Le shérif pivota dans son siège pour le dévisager. Puis il dit à son second :

— D'accord. Qu'il marche. Avec un peu de chance, il aura un accident.

Ils étaient déjà sortis de la ville. L'adjoint s'arrêta sur le bas-côté et Lytton libéra Covenant. Un instant, les deux hommes se firent face en silence. Lytton fixait intensément le lépreux, comme s'il tentait d'évaluer sa capacité de nuire à autrui. Enfin, il lâcha :

— Rentre chez toi. Et restes-y.

Il se rassit et claqua la portière. Le véhicule fit demi-tour dans un crissement de pneus et repartit en direction de la ville. Un instant plus tard, Covenant bondit au milieu de la chaussée et hurla aux feux arrière qui s'éloignaient :

— Lépreux impur !

La quiétude nocturne engloutit son cri comme une mare le caillou qui vient d'y être lancé. Ses épaules s'affaissèrent. Il tourna les talons et se mit en marche vers le Refuge, dont près de quinze kilomètres le séparaient encore.

La route était déserte. Covenant se sentait minuscule sous le ciel d'un noir d'encre, piqueté de rares étoiles dont le scintillement semblait le ridiculiser. Rien ne bougeait dans la campagne alentour ; il n'entendait aucun bruit d'oiseaux ni d'insectes nocturnes. Il avait l'impression d'être sourd, seul survivant dans un paysage pétrifié, exposé aux vautours qui se pressaient derrière lui.

— Ce n'était qu'une hallucination, protesta-t-il sur un ton de défi.

Mais à ses propres oreilles, sa voix avait le son creux du désespoir, mélange de détresse et d'obstination. À travers elle, il entendait la chanteuse hululer « Berek ! » telle une sirène cauchemardesque.

Puis la route traversa un bosquet qui absorbait la maigre lueur des étoiles. Covenant ne sentait pas le bitume sous ses pieds ; il risquait de perdre son chemin, de tomber dans un fossé ou de se blesser en heurtant un arbre. Il tenta d'abord de maintenir l'allure, mais le danger était trop grand. Bientôt, il se résigna à agiter les bras devant lui et à tester le sol de la pointe de sa botte, tel un aveugle. Jusqu'à la sortie du boqueteau, il avança comme s'il errait dans un rêve, dégoulinant d'une sueur glacée. Dès qu'il put de nouveau voir où il mettait les pieds, il pressa le pas, aiguillonné par les cris qui le poursuivaient. « Berek ! Berek ! »

Quand il atteignit enfin l'allée du Refuge, de longues heures plus tard, il courait presque.

Dans le sanctuaire de la maison, il alluma toutes les lampes et verrouilla les portes. Un coup d'œil à la pendule de la cuisine lui apprit qu'il était un peu plus de minuit. Une journée venait de commencer : dimanche, le jour où les gens normaux allaient à la messe pour rendre grâce au Seigneur.

Covenant mit la cafetière en marche, ôta sa veste, sa cravate et sa chemise blanche, puis porta une tasse fumante au salon. Là, il s'assit sur le canapé, tourna vers lui la photo de Joan posée sur la table basse et mobilisa son courage pour affronter la crise. Il avait besoin d'une réponse. Il avait épuisé ses ressources et ne pouvait pas continuer ainsi.

« Berek ! » L'exclamation de la chanteuse, les applaudissements du public et l'indignation du routier se réverbéraient en lui telles les vibrations étouffées d'un séisme. Le suicide le guettait dans toutes les directions. Il était prisonnier entre une hallucination démente et l'hostilité de ses semblables.

Lépreux impur !

Croisant les bras sur sa poitrine, il agrippa ses épaules comme pour s'étreindre et apaiser les battements douloureux de son cœur. « Je ne le supporte **plus** ! Que quelqu'un me vienne en aide ! »

Soudain, la sonnerie du téléphone retentit, aussi stridente qu'une injure. Covenant se leva d'un bond, tel un pantin désarticulé, puis se figea. Il manquait de courage pour affronter la réprobation et les insultes de son correspondant anonyme.

L'appareil continua à sonner.

La respiration de Covenant devint sifflante. Derrière le verre du cadre photo, le regard de Joan semblait chargé de reproche.

Une autre sonnerie, aussi insistante que des coups frappés à une porte.

Covenant tituba jusqu'au poste, saisit le combiné et le cala contre son épaule.

— Tom ? soupira tristement une voix lointaine. Tom, c'est Joan. J'espère que je ne t'ai pas réveillé. Je sais qu'il est tard, mais il fallait que je t'appelle. Tom ?

Covenant sursauta et se raidit, verrouillant les genoux pour ne pas tomber. Sa bouche s'ouvrit, mais aucun son n'en sortit. Une boule d'émotion lui bloquait la gorge, l'empêchant de parler ou même de respirer. Ses poumons commencèrent à le brûler.

— Tom, tu es là ? Allô ? Tom ? Je t'en supplie, dis quelque chose. J'ai besoin de te parler. Je me sens si seule. Tu... Tu me manques.

Dans l'intonation de Joan, Covenant perçut l'effort que ces paroles lui avaient coûté. Sa poitrine se souleva comme s'il suffoquait. Soudain, il prit une inspiration hoquetante. Mais il ne parvenait toujours pas à articuler le moindre mot.

— Tom, par pitié ! Qu'est-ce qu'il t'arrive ?

Covenant s'empara du téléphone et revint vers le canapé. Il espérait que ce mouvement atténuerait le spasme qui l'enserrait tel un étau et l'aiderait à reprendre le contrôle de ses muscles. « Pourvu qu'elle ne raccroche pas ! Je vous en supplie, faites qu'elle ne raccroche pas... »

Mais il avait pivoté du mauvais côté. Le fil de l'appareil s'enroula autour de sa cheville. Il trébucha et bascula tête la première vers la table basse. Son front heurta le coin du plateau avec un bruit mat. Quand il toucha le sol, il crut se sentir rebondir.

Aussitôt, un voile noir s'abattit devant ses yeux. Le combiné était toujours collé contre son oreille et, pendant un instant d'immobilité semblable à celle de la mort, il entendit clairement Joan. Elle s'énervait au bout du fil.

— Tom, je suis sérieuse. Ne me rends pas les choses encore plus difficiles. Ne comprends-tu pas ? Je veux te parler. Dis quelque chose, Tom. Tom !

Puis un rugissement dans le crâne de Covenant balaya la voix de Joan. « Non ! se lamenta-t-il. Non ! » Mais il était impuissant. Le son le submergea telle une vague ténébreuse et l'emporta.

3

La conjuration

L E RUGISSEMENT SE MODULA. Sur la crête de la vague sonore, une écume gris-vert se déploya telle une étoffe, chassant les ténèbres et recouvrant Covenant. Elle avait une teinte toxique et il se sentit suffoquer dans sa puanteur douceâtre – l'odeur entêtante de l'essence de rose. Mais la note qui emplissait ses oreilles se concentra et monta dans les aigus. Des gouttelettes dorées perlèrent à travers le vert. Puis le son se fit plus doux, plus plaintif, et se changea en gémissement humain. L'or s'imposa. Bientôt, une lueur enveloppa Covenant.

Alors que la plainte se muait en chanson de femme, l'or se répandit et s'épaissit, berçant le lépreux comme s'il le transportait sans heurt sur les flots de la voix inconnue. La mélodie tissait la lumière, lui donnait texture, forme et solidité. Ne pouvant rien faire d'autre, Covenant s'y accrocha, la bouche ouverte en une protestation silencieuse.

Peu à peu, les harmonies se firent plus pressantes. Tandis que le courant l'entraînait vers la source vocale, il commença à capter des paroles dans les vibrations suppliantes.

Sois fidèle, Incrédule
Réponds à notre appel.

40

La vie donne,
La mort reprend tout.
Les promesses sont vérités
Qui, tenues,
Dispersent les malédictions.
Mais de l'âme
Le fléau le plus ravageur
De foi brisée
Et d'infidélité se nourrit,
Propageant les ténèbres.
Garde la foi, Incrédule,
Réponds à notre appel.
Sois fidèle.

La chanson le pénétrait jusqu'aux moindres recoins de son être, remuant ses souvenirs, faisant resurgir de sa mémoire des gens dont il avait jadis cru, dans un instant de faiblesse, qu'ils avaient le droit de lui imposer leurs exigences. Mais il résista, garda le silence et contint ses impulsions.

Il était aspiré vers la source de la lumière dorée. Enfin, celle-ci se précisa. Covenant distingua vaguement une forme trapue dont l'éclat aveuglant le fit larmoyer comme s'il regardait le soleil en face. Quand la voix conclut par « Sois fidèle », une multitude de gorges lui firent écho, et cette adjuration fit vibrer l'âme du lépreux telle une corde tendue à se rompre. Puis l'intensité lumineuse diminua et Covenant put enfin voir au travers.

Il reconnaissait l'endroit. C'était la closerie, l'amphithéâtre situé au cœur de Pierjoie où se réunissait le conseil des seigneurs. Ses sièges disposés en gradins le cernaient de toute part et son plafond de granit le surplombait. Il fut surpris de se retrouver debout au niveau inférieur de la salle. Déséquilibré, il trébucha et bascula vers la fosse aux ignescentes : la source de la clarté. Les pierres de feu brûlaient sans se consumer, emplissant l'atmosphère d'une odeur de terre fraîchement retournée.

Des mains puissantes le saisirent par les deux bras. Il vit des gouttes de sang s'écraser sur le sol.

— Ne me touchez pas ! s'écria-t-il en se redressant.

La confusion et la rage lui faisaient tourner la tête, mais il se campa sur ses deux pieds écartés et porta ses doigts à son front. Quand il les retira, ils étaient rouges. Il s'était fait une vilaine entaille en heurtant l'angle de la table basse. Un instant, il contempla sa main sans réagir.

Une voix calme mais ferme déchira le voile de consternation qui l'enveloppait.

— Soyez le bienvenu dans le Fief, seigneur suprême Thomas Covenant, Incrédule et orréchal. Je vous ai appelé car nous avons grand besoin de vous.

— Qui me parle ? croassa le lépreux.

— Je suis Elena, haut seigneur par le choix du conseil et porteuse du Bâton de la Loi.

Lentement, Covenant leva les yeux. Un liquide épais dégoulinait de ses orbites, comme s'il pleurait du sang. Quelque chose s'effondra à l'intérieur de lui, entraînant le peu de dignité qui lui restait. D'une voix brisée, il lâcha :

— J'étais en train de parler à Joan.

Il distinguait vaguement la femme qui venait de s'adresser à lui. Elle se tenait derrière la table de pierre en forme de croissant, une marche au-dessus de lui. Elle avait un bâton à la main. D'autres gens étaient debout près d'elle ou assis sur les gradins. Tous observaient le lépreux.

— À Joan, vous comprenez ? s'emporta Covenant. C'est elle qui m'a appelé. Après tout ce temps. Et juste quand j'avais besoin de… Vous n'aviez pas le droit. (Il serra les poings.) Vous n'aviez pas le droit ! J'étais en ligne avec Joan ! (Il hurlait de toutes ses forces, mais sa voix ne pouvait rendre justice à ses émotions.) *Joan !* Vous m'entendez ? C'était ma *femme* !

Un homme contourna rapidement la table. Se faufilant, il descendit au niveau de Covenant. Celui-ci reconnut son visage mince, son nez pareil à un gouvernail, ses lèvres à la courbe frémissante, ses yeux pailletés d'or et son regard si dangereux. C'était le seigneur Mhoram. Il posa une main sur le bras du lépreux et lui dit doucement :

— Mon ami, que vous est-il arrivé ?

Covenant se dégagea brutalement.

— Ne me touchez pas, lui cracha-t-il à la figure. Êtes-vous donc sourd autant qu'aveugle ? J'étais au téléphone avec Joan ! (Il agita une main crispée sur un combiné invisible.) Elle avait besoin... (Sa gorge se serra et il déglutit.) Elle a dit qu'elle avait besoin de moi. *De moi !*

Les mots ne lui suffisaient pas pour traduire les trépidations de son cœur. Du dos de la main, il s'essuya rageusement la figure.

L'instant d'après, il saisit Mhoram par le devant de sa robe bleu ciel et siffla :

— Renvoyez-moi chez moi ! Il reste encore un petit espoir, si vous faites vite !

Au-dessus d'eux, Elena articula prudemment :

— Seigneur suprême Covenant, je suis navrée d'apprendre que notre conjuration vous a causé du tort. Mhoram nous a raconté tout ce qu'il savait de vos souffrances et ce n'est pas de gaieté de cœur que nous y contribuons. Malheureusement, nous n'avons pas le choix. Un grand péril menace le Fief.

Repoussant Mhoram pour lui faire face, Covenant éructa :

— Je me moque du Fief comme d'une guigne ! (Ses paroles se déversaient si vite de sa bouche qu'il n'arrivait pas à les hurler.) Je me fiche de vos besoins. Vous pouvez tous crever, pour ce que je m'en soucie. Vous n'êtes qu'une hallucination engendrée par mon esprit malade. Vous n'existez pas ! Laissez-moi ! Il faut que je retourne chez moi pendant qu'il est encore temps !

— Thomas Covenant, dit Mhoram sur un ton si autoritaire que le lépreux se retourna malgré lui. Incrédule, écoutez-moi.

Alors, Covenant remarqua qu'il avait changé. Ses traits étaient les mêmes – la douceur de sa bouche si humaine contrebalançait toujours l'éclat redoutable de ses prunelles –, mais désormais, il semblait assez vieux pour être son père. De fines rides entouraient sa bouche et ses yeux, et sa chevelure était parsemée de blanc. Quand il parla, un rictus gêné tordit ses lèvres, mais il soutint le regard furibond du lépreux sans ciller.

— Mon ami, si ça ne dépendait que de moi, je vous renverrais immédiatement chez vous. Il nous a en beaucoup coûté de faire appel à vous et le Fief se passerait volontiers de services rendus sous la contrainte. Mais, seigneur suprême... (Il agrippa le bras de Covenant.) Ce qui a été fait ne peut être défait.

— Comment ça ? s'exclama le lépreux d'une voix aiguë, presque hystérique.

— Nous ne possédons pas les connaissances nécessaires, révéla Mhoram sur un ton d'excuse. J'ignore comment le temps travaille dans votre monde. Vous ne me paraissez pas différent de la dernière fois où je vous ai vu, mais ici, quarante ans se sont écoulés depuis que vous nous avez aidés à reprendre le Bâton de la Loi sur les pentes du mont Tonnerre. Depuis lors, nous luttons pour...

— Vous ne pouvez pas me renvoyer chez moi ? gronda Covenant, les poings serrés.

— Nous luttons pour maîtriser un pouvoir qui nous dépasse et une Sagesse dont nous n'avons pas réussi à percer les secrets. Quarante années d'étude ont été nécessaires pour trouver un moyen de vous conjurer et de solliciter votre aide une seconde fois. Nous avons atteint la limite de nos capacités.

— Non !

Incapable de supporter la tristesse et la sincérité qu'il lisait sur le visage de Mhoram, Covenant se détourna et hurla à Elena :

— Renvoyez-moi chez moi !

Pendant un long moment, elle le fixa sans réagir. Puis elle dit :

— Je vous supplie de nous comprendre, d'entendre la vérité dans nos paroles. Je perçois votre désarroi et n'y suis pas insensible.

Une dizaine de mètres la séparait du lépreux, mais par-delà la fosse aux ignescentes et la table de pierre, l'acoustique parfaite de la closerie apportait sa voix aux oreilles de Covenant aussi clairement que s'il s'était tenu à côté d'elle.

— Mais je ne puis exaucer votre vœu. Même si j'en avais le pouvoir, le danger qui menace le Fief m'en empêcherait. Le seigneur Turpide le Rogue...

La tête rejetée en arrière, les bras écartés, Covenant hurla :

— Je m'en fiche !

Piquée au vif, Elena rétorqua :

— Dans ce cas, allez-vous-en ! Rentrez chez vous par vos propres moyens. Vous en avez le pouvoir. Vous portez l'or blanc, n'est-ce pas ?

Covenant poussa un cri étranglé et chargea. Mais avant qu'il puisse atteindre Elena, quelqu'un le ceintura par derrière. Il lutta pour pivoter dans l'étreinte d'acier et découvrit le visage de Bannor, le sangarde vigilant qui lui avait servi d'ange gardien durant son précédent séjour.

— Nous sommes la sangarde, dit-il de sa voix étrange, dénuée d'inflexion. Nous veillons sur les seigneurs. Nous ne permettrons à quiconque d'attaquer le haut seigneur.

— Bannor, supplia Covenant. C'était ma femme.

L'autre le fixa sans ciller ni trahir la moindre compassion.

À force de se débattre, Covenant réussit à se tourner de nouveau vers Elena.

— *C'était ma femme !* gémit-il. Renvoyez-moi !

— Assez !

Elena frappa le sol avec l'extrémité ferrée du Bâton de la Loi et des flammes bleues enveloppèrent celui-ci sur toute la longueur. Elles rugissaient, telle une déchirure dans la trame de la lumière dorée laissant apparaître le pouvoir tapi de l'autre côté, et leur puissance repoussa Covenant dans les bras de Bannor.

— Où vous croyez-vous donc ? aboya Elena, dont la main demeurait indemne dans le brasier. Nous sommes à Pierjoie, pas à la Crypte du Rogue. Nous avons prêté le serment de paix.

Elle adressa un signe de tête à Bannor. Il lâcha Covenant, qui tituba en arrière et s'écroula près de la fosse aux ignescentes. Pendant quelques secondes, il resta prostré, haletant. Puis il se redressa en position assise, l'échine courbée sous le poids de la défaite.

— Vous l'aurez, votre paix, cracha-t-il. Il va vous anéantir. Vous avez dit quarante ans ? Il vous en reste neuf. À moins que vous n'ayez déjà oublié sa prophétie...

— Non, murmura Mhoram.

Avec un sourire grimaçant, il se pencha vers Covenant, qui avait recommencé à saigner pendant qu'il se démenait pour échapper à Bannor.

Elena éteignit le Bâton et lança à une personne que le lépreux ne pouvait voir d'où il était :

— Faites amener le prisonnier. Le plus tôt sera le mieux.

Mhoram tamponna doucement le front du blessé avec un linge, examina la plaie, puis se releva et s'éloigna.

Resté seul, Covenant se força à regarder autour de lui. Un instinct indomptable le poussait à évaluer les dangers potentiels qui le menaçaient.

Il se trouvait au niveau le plus bas de la closerie, dont le plafond voûté était éclairé par la fosse aux ignescentes et par quatre grandes torches de *lillianrill* qui brûlaient sans dégager la moindre fumée. Immédiatement au-dessus de lui, il voyait la table en forme de croissant et, par l'échancrure de celle-ci, les deux sangardes postés devant la porte massive, face au siège du haut seigneur. Plus haut, les gradins étaient occupés par des guerriers de la milice, des gardiens de la Loge, des magistères, des ignessires et quelques sangardes.

Derrière Elena, Covenant aperçut deux personnes qu'il connaissait : l'ignessire Thorm, un des hospitaliers de la Citadelle, et Quaan, le galon qui avait participé à la quête du Bâton de la Loi. Ils étaient assis en compagnie de deux autres hommes. À en juger par la cape de sylvestre et le diadème de feuilles qui ceignait son front, le premier devait être un magistère, et probablement un hospitalier. Quant au second, il portait la tenue du dragon de la sangarde. Covenant se demanda vaguement qui avait hérité du poste de Tuvor après sa mort, dans les catacombes du mont Tonnerre.

Il reporta son attention sur la table de pierre. Autour se trouvaient sept seigneurs, sans compter Elena ni Mhoram. Aucun n'était connu de Covenant. Sans doute avaient-ils tous passé les épreuves et rejoint le conseil durant les quarante dernières années.

« Quarante ans », songea le lépreux. Il avait du mal à y croire. Mhoram avait vieilli, mais pas à ce point. Et Thorm, qui sortait tout juste de l'adolescence quand il l'avait rencontré pour la première fois, semblait être encore dans la force de l'âge. Les sangardes n'avaient pas changé du tout – ce qui, évidemment, ne signifiait pas grand-chose, puisque leur espérance de vie se comptait en millénaires. Seul Quaan arborait une chevelure blanche clairsemée qui lui donnait l'air d'avoir soixante ou soixante-cinq printemps. En revanche, son dos était toujours aussi droit, et le temps ne lui avait pas appris à dissimuler ses sentiments : il continuait à fixer Covenant avec la même désapprobation ouverte que dans son souvenir.

Une personne manquait à l'appel. Prothall était le haut seigneur en titre durant la quête du Bâton de la Loi. Il avait survécu à la bataille finale sur les pentes du mont Tonnerre, mais était assez vieux pour avoir péri de mort naturelle depuis lors. Malgré son chagrin, le lépreux se surprit à espérer que sa fin avait été douce.

Il remarqua un homme assis aux côtés des seigneurs. Il était vêtu comme un guerrier : bottes souples sur un pantalon noir moulant, chemise noire sans manches sous un plastron de métal jaunâtre et bandeau jaune. Les deux lignes noires qui lui barraient la poitrine le désignaient comme l'insigne, commandant de la milice de la Citadelle. Accoudé à la table, il se masquait les yeux d'une main. On aurait dit qu'il dormait.

Covenant se détourna et laissa son regard errer au hasard. Elena s'entretenait à voix basse avec ses pairs les plus proches. Mhoram attendait au pied des marches qui conduisaient à l'entrée principale. Les voix des occupants de la closerie faisaient un brouhaha insupportable aux oreilles du lépreux. Distraitement, il essuya le sang qui lui coulait toujours dans les yeux et songea à mourir. « Ça en vaudrait la peine, ne serait-ce que pour m'échapper », songea-t-il. Il n'était pas assez fort pour persévérer alors que même ses rêves se retournaient contre lui. Il devrait laisser le soin de vivre à ceux capables de le supporter.

— Par les feux de l'enfer, marmonna-t-il. Par les feux de l'enfer…

Un grondement sépulcral retentit. Les murmures s'interrompirent aussitôt et tous les occupants du lieu tournèrent la tête vers la porte, dont les deux battants massifs venaient de s'ouvrir. Malgré son épuisement, Covenant les imita. La vision le frappa tel un coup vicieux et le vida de ses dernières forces.

Deux sangardes descendaient les marches, tenant entre eux une créature verte et grise qui semblait en proie à une terreur abjecte. Même s'ils ne la brutalisaient pas, elle tremblait de peur et de dégoût. Sa peau glabre luisait de sueur. Elle avait une silhouette humanoïde, mais avec le torse très allongé et les membres courts de taille égale, comme si elle se déplaçait généralement à quatre pattes dans des cavernes basses de plafond. Ses bras et ses jambes pendaient, inutiles et tordus, sans doute fracturés en plusieurs endroits. Et le reste de son corps était encore en plus piteux état.

Sa tête n'avait rien d'humain. Pas d'yeux. En guise de bouche, une simple fente surmontée par deux narines larges et humides qui palpitaient craintivement. De petites oreilles pointues, perchées très haut sur le crâne chauve, dont tout l'arrière avait disparu. Seule une membrane recouvrait le cerveau.

Covenant l'identifia immédiatement. C'était un repenti. Il en avait déjà vu un, mort sur le sol du gîte dont il avait la garde, un épieu métallique planté dans le cœur. Comme les ur-vils, ceux de son espèce étaient issus des démondims ; mais contrairement à eux, ils avaient choisi de servir le Fief. Celui-ci avait été torturé avec beaucoup de cruauté et d'imagination.

Les sangardes l'amenèrent jusqu'à Covenant et s'immobilisèrent devant lui. Malgré la lassitude qui l'imprégnait jusqu'à la moelle, le lépreux se releva. Déjà, il retrouvait la profondeur de perception en usage dans le Fief. Il pouvait voir à l'intérieur du repenti, sentir ce qu'on lui avait fait. Il goûtait son tourment, humait sa douleur atroce. Une image s'imposa à son esprit : celle du malheureux, prisonnier d'une poigne maléfique qui l'avait broyé avec jubilation. Il tituba. Une brume d'hébétude et de désespoir emplit sa tête.

À travers elle, il entendit Elena dire :

48

— Seigneur suprême Covenant, pardonnez-nous de vous imposer ce spectacle accablant, mais nous devons vous convaincre de nous aider. La gravité de notre situation ne nous laisse pas d'autre choix. Alors que nous hésitions à vous rappeler, la capture de ce pauvre diable a balayé nos scrupules.

« Nous savons depuis bien des années que le Rogue rassemble ses forces pour un ultime assaut contre le Fief et le moment désigné par sa prophétie approche. Nous ne sommes pas restés inactifs en votre absence. Depuis le jour où Mhoram a rapporté à la Citadelle le Bâton de la Loi et le deuxième tabernacle de la Sagesse de Kevin, nous n'avons cessé de nous préparer à l'affrontement. Nous avons gonflé les rangs de la milice, fortifié nos défenses, approfondi nos connaissances et découvert certains usages du Bâton. De leur côté, les gardiens de la Loge ont consacré toute leur sagesse et leur dévouement à l'étude du deuxième tabernacle.

« Mais quarante ans plus tard, nous ignorons toujours les intentions exactes de Turpide. Après la défaite de Sialon Larvae, il a déserté Kiril Threndor pour se replier à Ridjeck Thome, dans la Crypte. Depuis, nos éclaireurs n'ont pas réussi à pénétrer ses défenses. Un pouvoir maléfique est à l'œuvre là-bas, dont même Mhoram n'a pu percer la nature.

« Dans l'intervalle, nous avons observé à travers le Fief des déplacements de mauvais augure. Des *kresh* venus de l'est, des ur-vils du mont Tonnerre, des griffons et autres redoutables créatures issues du plateau de Sarangrave, des lémures et des émanations du Vorace, le grand marécage, convergent régulièrement vers les plaines Dévastées et la Crypte du Rogue. Ils disparaissent derrière les collines Brisées et n'en reviennent jamais.

« Nul besoin de maîtriser toute la Sagesse de Kevin pour comprendre que le Rogue se constitue une armée. Néanmoins, par manque d'informations, nous n'avons pas pu réagir pendant très longtemps. Puis la chance nous a enfin souri. Durant l'été, nos éclaireurs ont trouvé cette pitoyable créature à la lisière ouest de la forêt de Grimmerdhore. Ils

l'ont aussitôt amenée ici afin que nous puissions l'interroger.

— Alors, vous l'avez torturée pour obtenir des renseignements, chuchota Covenant, effaré.

Il avait fermé ses yeux poisseux de sang pour mieux se
barricader en lui-même et s'abandonner à sa vaine colère.

— Nous croyez-vous capable d'une telle infamie ?
s'indigna Elena. Nous ne sommes pas des ravageurs. Jamais
nous ne trahirions le Fief de la sorte. Nous avons fait notre
possible pour soulager le repenti et c'est de son plein gré
qu'il nous a révélé ce qui pouvait nous être utile. À présent,
il nous supplie de l'achever. Écoutez-moi, Incrédule. Ceci
est l'œuvre de Turpide. Il détient la Pierre de Maleterre et,
de toute évidence, sait s'en servir.

À travers la brume qui enveloppait son esprit, Covenant
entendit la porte s'ouvrir de nouveau. Quelqu'un descendit
les marches et s'entretint à voix basse avec Mhoram.

— Haut seigneur, lança celui-ci, j'ai fait apporter de la
panseglaise pour soigner l'Incrédule. Je crains que ses blessures n'aillent bien au-delà de l'entaille qui lui barre le
front. Un autre mal le ronge et il faut l'en guérir sans délai.

— Naturellement, acquiesça Elena.

Covenant entendit Mhoram se diriger vers lui à grandes
enjambées résolues. Il recula en se frottant les yeux.
Mhoram tenait un petit bol de pierre contenant une substance brunâtre, piquetée de paillettes d'or.

— Ne vous avisez pas de me toucher avec ça, chuchota
le lépreux.

— Seigneur suprême, protesta Mhoram, étonné. C'est
de la panseglaise, la boue miraculeuse du Fief. Elle vous
rendra force et santé.

— Je sais très bien de quoi elle est capable ! (Covenant
avait tellement crié que ses cordes vocales étaient à vif et
donnaient à sa voix des inflexions spectrales.) J'ai déjà été
victime de ses effets. Si vous en mettez sur ma tête, je vais
recouvrer les sensations perdues de mes doigts et de mes
orteils, et avant de réaliser ce qui m'arrive, je serai en train
de vi... (Il se reprit de justesse.) De faire du mal à autrui.

— Je sais, murmura Elena.

— C'est ça, le véritable mensonge, aboya Covenant en désignant le bol. L'impression de vigueur que donne cette matière... Je ne puis la supporter. (Il prit une profonde inspiration et dit fermement :) Je n'en veux pas.

Mhoram le dévisagea intensément. Voyant que la résolution du lépreux ne vacillait pas, il lui demanda à voix basse :

— Souhaitez-vous donc mourir, mon ami ?

— Utilisez plutôt la panseglaise pour soigner ce pauvre diable, suggéra Covenant sur un ton morne. Il en a bien plus besoin que moi.

— Nous avons déjà essayé, répliqua Mhoram sans cesser de le fixer. Vous nous connaissez, Incrédule. Vous savez que nous n'aurions pu rester sourds à ses supplications. Mais nos pouvoirs ne peuvent rien pour lui. Nos guérisseurs sont sans recours face à l'envoûtement qui a frappé son âme. Il a failli succomber au contact de la panseglaise.

Malgré cela, Covenant s'obstina à camper sur ses positions.

Derrière lui, Elena ajouta :

— Même le Bâton de la Loi ne peut rivaliser avec la puissance maléfique qui a broyé le repenti. C'est ainsi, seigneur suprême. Nous devons admettre que la Pierre de Maleterre nous surpasse.

« Néanmoins, ce malheureux nous a fourni des informations précieuses. Grâce à lui, beaucoup de choses obscures se sont éclaircies. Jadis, il répondait au nom de *dharmakshetra*, ce qui signifie « le brave » dans sa langue. Désormais, il se fait appeler *dukkha* – « la victime ». Parce que ses semblables voulaient découvrir les plans du Rogue, il s'est rendu à la Crypte. Là-bas, il a été capturé et torturé, puis libéré, sans doute pour servir d'avertissement à son peuple.

« Quand vous avez délivré le message du Rogue au conseil, voilà quarante ans, nous ignorions tout des intentions du Tueur Gris. Pourquoi prévenait-il les seigneurs que Sialon Larvae avait trouvé le Bâton de la Loi dans les entrailles du mont Tonnerre ? Pourquoi nous permettait-il de nous préparer et de mettre au point une stratégie défensive ? Pourquoi avait-il aidé le lémure dans sa quête de puissance pour le trahir ensuite ? Eh bien, nous connaissons la réponse à ces questions ! Une fois en possession du Bâton, Sialon l'avait utilisé pour exhumer un fléau enfoui, la Pierre de Maleterre, dont les pouvoirs mettaient le Rogue à sa merci.

« Mais en compagnie de Mhoram et du haut seigneur Prothall fils de Dwillian*, vous avez récupéré le Bâton et mis un terme à la menace constituée par le lémure. Ainsi la Pierre est-elle tombée entre les mains de Turpide. Il savait que, combinée à ses propres pouvoirs, elle lui confé- rerait une puissance supérieure à celle du Bâton de la Loi. Et il n'ignorait pas que nous ne maîtrisions pas le peu de la Sagesse de Kevin dont nous disposions.

« Pendant ces quarante dernières années, nous avons œuvré sans relâche. Nous avons parlé aux divers peuples du Fief. La Loge a accueilli un nombre d'élèves sans précé- dent pour nous fournir les guerriers, les gardiens et les seigneurs que nous lui réclamions. Les *rhadhamaerl* et les *lillianrill* ont travaillé d'arrache-pied. Et tous se sont dévoués à l'étude des deux premiers tabernacles et du Bâton. Grâce à nos efforts conjugués, la Mémoriade, où fut jadis prêté le serment de guérir la Terre, a refleuri et vu s'accomplir des exploits que nos ancêtres n'auraient jamais pu imaginer. Le Bâton a assouvi maints de nos besoins. Pourtant, nous avons échoué dans notre entreprise.

« Les connaissances et le pouvoir que nous possédons nous viennent de Kevin, haut seigneur parmi les véné- rables. Aujourd'hui, nous affrontons l'ennemi devant lequel il succomba naguère, un adversaire devenu bien plus puis- sant grâce à la Pierre de Maleterre. De notre côté, nous n'avons recouvré que deux des sept tabernacles dans lesquels Kevin a placé les textes sacrés de sa Sagesse et une faiblesse de notre entendement nous empêche de percer leur mystère. Or, tant que nous ne nous serons pas appro- prié leur substance, nous ne pourrons prétendre aux cinq autres. Le pouvoir est dangereux quand il tombe entre les

---

* Tournure de phrase particulière aux gens du Fief. Aucune ponctuation ne sépare le nom du lien de parenté. Exemple : Ahanna fille d'Hanna, Loric Vilmotu fils de Damelon.

mains d'êtres mal informés ou incapables de le contenir. Kevin le savait ; aussi a-t-il caché les tabernacles de telle sorte que la compréhension de chacun d'eux mène à la découverte du suivant.

« Pendant quarante ans, notre échec nous a poursuivis et hantés. Et grâce à ce repenti, nous avons appris que Turpide n'était pas resté inactif, lui non plus. Il a usé de son pouvoir pour rassembler ses troupes. Au-delà des collines Brisées, le paysage disparaît sous des myriades de pauvres créatures difformes, comme *dukkha*, dont Turpide tient l'âme sous l'emprise de la Pierre. Jamais encore le Fief n'avait contemplé armée aussi gigantesque et maléfique. À sa tête, le Rogue a placé ses trois ravageurs, ses serviteurs les plus redoutables. Il se peut que ses hordes soient déjà en marche vers nous.

« Voilà pourquoi nous vous avons appelé, seigneur suprême Covenant, Incrédule et porteur d'or blanc. Vous être notre ultime recours, notre unique espoir de vaincre. Nous savions qu'il vous en coûterait de revenir ici, mais nous avons juré de servir le Fief, et c'était le seul moyen de tenir notre promesse. Alors, Thomas Covenant, nous refuserez-vous votre aide ?

La voix d'Elena avait pris de l'ampleur pendant son discours. Covenant n'avait pu faire autrement que de l'écouter. Ses paroles l'atteignaient droit au cœur et faisaient resurgir les souvenirs enfouis du Fief. Il revoyait la danse ensorcelante des esprits, la beauté vivace et apaisante des collines d'Andelain, l'inquiétante phosphorescence de la forêt de Morinmoss, l'étendue austère des plaines de Ra et le galop des grands chevaux sauvages qui les peuplaient. Avec une acuité poignante, il se rappelait ses sensations retrouvées, le contact de la pierre et de l'herbe sous ses doigts aux nerfs régénérés.

— Votre espoir vous abuse, grommela-t-il dans le silence qui suivit la vibrante supplique d'Elena. Je ne connais pas les secrets de l'or blanc. Ils concernent la vie, or je ne suis qu'un mort en sursis. La vie est sensations, et étant lépreux, je n'en éprouve plus aucune. Je ne peux rien pour vous.

Peut-être se serait-il remis en colère si une voix inconnue ne s'était pas exclamée soudain :

— Alors, pourquoi ne jetez-vous pas votre anneau ?

Pivotant, Covenant se retrouva face à l'homme qui, quelques minutes plus tôt, était assis à la table des seigneurs. Il était descendu au niveau inférieur de la closerie et le toisait, les mains sur les hanches. À sa grande surprise, Covenant vit qu'il portait des lunettes noires dont les verres se prolongeaient le long des branches, masquant totalement ses yeux. Il ne cessait de tourner la tête, comme s'il étudiait tout ce qui l'entourait. « On dirait qu'il garde un secret », songea Covenant. Le léger sourire qui flottait sur ses lèvres avait quelque chose d'insondable, telle une révélation proférée dans une langue étrangère.

L'incongruité de son accoutrement, dans ce décor médiéval, n'avait pas échappé à Covenant, mais il était trop secoué par la question posée pour la relever.

— C'est mon alliance, répondit-il avec raideur.

L'homme haussa les épaules comme pour réfuter l'argument.

— Vous parlez de votre femme au passé. Vous êtes séparé d'elle, ou divorcé. Désormais, vous ne pouvez plus jouer sur les deux tableaux. Vous devez choisir. Débarrassez-vous de l'anneau et accrochez-vous à ce que vous jugez être la réalité, ou laissez le souvenir de votre femme de côté et faites votre devoir ici.

L'affront que constituaient ces paroles pour Covenant lui donna l'énergie de protester :

— Mon devoir ? Et que savez-vous de mon devoir ?

— Je m'appelle Hile Troy, se présenta l'autre en inclinant la tête. Je suis l'insigne de la milice. Ma mission consiste à trouver un moyen de vaincre l'armée de Turpide.

— Hile Troy vient du même monde que vous, Incrédule, ajouta Elena.

Quoi ?

Covenant eut l'impression que le sol se dérobait sous ses pieds. Ses jambes flageolèrent. Le vertige l'assaillit comme s'il se tenait en haut d'une falaise et il trébucha. Mhoram le rattrapa tandis qu'il tombait à genoux.

L'incident détourna un instant l'attention des sangardes qui soutenaient *dukkha*. Avant qu'ils puissent réagir, le repenti se dégagea et bondit vers Covenant en poussant un cri de rage. Mhoram pivota alors et bloqua la charge de la créature avec son bâton. L'instant d'après, les gardes la maîtrisèrent. Mais Covenant ne vit rien. Quand Mhoram l'avait lâché, il s'était affaissé près de la fosse aux ignescentes, aussi faible que s'il s'était vidé de son sang. Pendant quelques secondes, il perdit connaissance.

Il revint à lui au contact d'une douce fraîcheur sur son front. Sa tête reposait dans le giron de Mhoram, qui badigeonnait sa plaie de panseglaise. Déjà, la boue miraculeuse faisait effet. La sensation apaisante se propageait au visage de Covenant, détendant ses traits crispés. Une vague somnolence s'empara de lui comme elle desserrait l'étau de la fatigue et endormait la vigilance de son esprit. À travers sa lassitude, il vit le piège de son hallucination se refermer sur lui.

— Faites-moi sortir d'ici, chuchota-t-il sur un ton implorant.

Mhoram parut comprendre. Il acquiesça et aida le lépreux à se relever. Puis, sans un mot, il tourna le dos à ses pairs et se dirigea vers la porte de la closerie, entraînant Covenant avec lui.

4

« Peut-être perdu »

CE FUT TOUT JUSTE SI COVENANT ENTENDIT le battant se refermer derrière lui. Il était à peine conscient de ce qui l'entourait. Son attention était tournée vers lui-même, vers les effets de la panseglaise, dont la fraîcheur semblait irradier ses chairs. Déjà, un picotement parcourait la peau de sa figure et de son cou. Covenant suivait sa progression, comme si la boue miraculeuse était un poison qu'il avait absorbé pour mettre fin à ses jours.

Quand la douce caresse de la matière gagna sa poitrine, il tituba et perdit l'équilibre. Bannor lui prit l'autre bras. Ensemble, Mhoram et lui portèrent Covenant à travers le dédale de couloirs et d'escaliers qui reliaient entre eux les différents niveaux de la Citadelle. Enfin, ils pénétrèrent dans un appartement spacieux. Ils gagnèrent la chambre, déposèrent le lépreux sur le lit et le déshabillèrent. Puis Mhoram se pencha vers lui et dit sur un ton rassurant :

— Tel est le pouvoir de la panseglaise. Quand le mal est profond, elle induit le sommeil pour hâter la guérison. Reposez-vous. Vous semblez en avoir grand besoin.

Bannor et lui firent mine de sortir. Covenant sentait la fraîcheur picotante lui envelopper le cœur. D'une voix faible, il rappela Mhoram. Une angoisse sourde l'étreignait ; il ne supportait pas l'idée de se retrouver seul. Sans se soucier de ce qu'il disait – car il cherchait juste à retenir le seigneur auprès de lui –, il demanda :

— Pourquoi ce... *dukkha* m'a-t-il attaqué ?

De nouveau, Mhoram parut comprendre ses tourments. Il approcha un tabouret et s'assit au chevet de Covenant.

— La réponse n'est pas simple, mon ami. *Dukkha* a tellement souffert qu'il n'a plus toute sa tête, et je ne puis que deviner les impulsions obscures auxquelles il obéit. Mais vous devez garder à l'esprit l'histoire des repentis. Pendant de nombreux siècles après la profanation, ils ont servi le Fief – non par allégeance envers les nouveaux seigneurs qui s'étaient installés à Pierjoie, mais par désir d'expier les abominations perpétrées par les ur-vils. Une telle créature vit toujours en *dukkha*. Bien que son âme dominée par le pouvoir de la Pierre serve désormais le Rogue, il se souvient de ce qu'il était et hait ce qu'il est devenu. C'est ainsi que Turpide agit en toutes choses : il force ses adversaires à devenir ce qu'ils exècrent et à détruire ce qui leur est cher.

« Mon ami, je vais vous sembler dur, mais... Je pense sincèrement que *dukkha* vous a agressé parce que vous avez refusé d'aider le Fief. Il mesure l'étendue de votre pouvoir potentiel : issu des démondims, il en sait bien plus long que n'importe lequel d'entre nous sur les secrets de l'or blanc. Et il souffre trop pour tenir compte des arguments que vous avez avancés pour justifier votre non-intervention. Les derniers vestiges de sa raison brisée n'ont retenu qu'une chose : vous vouliez abandonner le Fief à lui-même. Alors, la colère l'a galvanisé et, l'espace d'un instant, il a recouvré assez de force pour se jeter sur vous.

« Ah, seigneur suprême... Naguère, vous nous avez dit que le Fief était le produit d'un rêve qui risquait de vous faire basculer dans la folie. Mais les songes recèlent bien d'autres dangers. Comme celui de perdre une idée de soi qui ne pourra jamais être retrouvée.

Covenant soupira. Mhoram venait de lui fournir une explication compréhensible. Mais lorsque sa voix calme se tut, il réalisa à quel point il avait besoin d'elle – combien il était près du précipice vertigineux qui menaçait de l'engloutir. Il tendit une main comme pour se retenir et ses doigts se refermèrent sur ceux du seigneur. Une fois de plus, il tenta de se justifier.

— Joan était ma femme, souffla-t-il. Elle avait besoin de moi. Elle... Jamais elle ne me pardonnera mon silence.

Il était si épuisé qu'il ne voyait plus le visage de Mhoram. Mais tandis que l'inconscience s'emparait de lui, il sentit la ferme pression des doigts du seigneur sur les siens. Réconforté, il s'abandonna au sommeil.

Il se retrouva suspendu sous un ciel immense, à peine éclairé par des étoiles clairsemées. Dans leur lumière diffuse, une myriade de formes noires semblaient planer au-dessus de lui, prêtes à frapper. Il n'avait aucun moyen de se défendre contre ces charognards. Mais telle une ancre, une main le retenait et l'empêchait de partir à la dérive.

Au bout d'un moment, il revint à lui. Sans ouvrir les yeux, il sonda chaque partie de son corps, comme en quête de bubons. Un drap le recouvrait jusqu'à la poitrine. Il en percevait la souplesse et la fraîcheur contre ses orteils. L'engourdissement glacé s'y était dissipé, chassé par la tiédeur bienfaisante qui l'imprégnait jusqu'à la moelle. Le changement était encore plus évident dans ses extrémités supérieures. Son poing droit s'était entortillé dans le drap. Quand il voulut le dégager, il éprouva la texture du tissu. Et dans les jointures de sa main gauche, il sentait battre le pouls de Mhoram, qui le tenait toujours aussi fermement.

« Mais les nerfs ne régénèrent pas ! C'est impossible ! Enfer et damnation ! » En même temps que de sensations, son toucher retrouvé le remplissait de peur. Involontairement, il chuchota :

— Non, non !

— Ah, mon ami, soupira Mhoram. Vos rêves sont pleins d'une rébellion que je ne comprends pas. Votre respiration laborieuse m'a révélé que vous résistiez à la guérison et je ne saurais dire si le traitement vous a été bénéfique ou non.

Covenant leva les yeux vers le visage plein de compassion de Mhoram, qui était toujours assis à son chevet. Il avait posé son bâton ferré contre le mur, à portée de sa main. Plus aucune torche ne brûlait dans la pièce. La lumière du soleil se déversait par une grande fenêtre à encorbellement située non loin du lit.

Sous le regard intense de Mhoram, Covenant prit conscience que celui-ci n'avait pas relâché son étreinte. Gêné, il se dégagea, se redressa sur les coudes et, d'une voix encore enrouée, demanda combien de temps il avait dormi.

— Nous sommes en début d'après-midi, répondit Mhoram. Nous vous avons appelé hier soir.

— Et vous m'avez veillé tout ce temps ? s'étonna Covenant.

Mhoram sourit.

— Non. Pendant la nuit... Comment dire ? Ma présence a été sollicitée ailleurs. Le haut seigneur Elena a pris le relais en mon absence. (Il marqua une pause et ajouta :) Elle souhaiterait s'entretenir avec vous en fin de journée, si vous le voulez bien.

Covenant garda le silence. La mention d'Elena avait réveillé son indignation. C'était elle qui l'avait forcé à revenir dans le Fief, elle qui l'avait arraché à Joan sans son consentement. « Joan ! », gémit-il en son for intérieur. Pour masquer sa détresse, il se leva, ramassa ses vêtements et se mit en quête d'un endroit où faire sa toilette.

Dans la pièce voisine, il découvrit une cuvette et une baignoire de pierre munies d'une série de valves qui permettaient d'y faire couler de l'eau à volonté. Il remplit la cuvette. Quand il y plongea les mains, une sensation glaciale exacerba la vitalité retrouvée de ses nerfs. Furieux, il mit sa tête sous le robinet et ne se redressa que lorsque le froid commença à lui faire mal au crâne. Dégoulinant, il s'approcha de la vasque d'ignescentes posée près de la baignoire.

Tout en séchant, il s'efforça d'apaiser les pulsations douloureuses de son cœur. Il était crucial qu'il reconnût et acceptât les faits. Joan était désormais perdue pour lui ; c'était aussi irréfutable et irrémédiable que la maladie. Comme il ne lui avait pas répondu au téléphone, elle avait sûrement cru qu'il rejetait sa tentative de lancer un pont au-dessus du gouffre de leur solitude respective. Et il ne pouvait rien y faire. Il était de nouveau prisonnier de son hallucination. S'il voulait survivre, pleurer des espoirs envolés était un luxe qu'il ne pouvait pas s'offrir. Les attentes d'un lépreux étaient forcément vaines, donc dangereuses. Elles pouvaient le tuer en l'empêchant de voir la réalité meurtrière.

Et celle-ci posait que le Fief était un mirage. Une illusion dont Covenant se retrouvait captif pour la seconde fois, englué dans la toile d'araignée de ses faiblesses. « Non ! Je ne le supporterai pas ! » protesta-t-il en lui-même, mais sans conviction.

Peu à peu, sa peau se réchauffait. Des sensations guillerettes remontaient le long de ses membres. Les traits tordus par un rictus obstiné, il procéda à une SVE. Puis il s'examina dans un miroir de pierre polie. Son front ne portait plus la moindre marque. La panseglaise avait effacé la plaie.

— Mhoram ! appela-t-il sur un ton plus suppliant qu'il ne l'aurait voulu.

Pour compenser, il se rhabilla avec des gestes raides, pleins de fureur contenue. Quand le seigneur apparut sur le pas de la porte, il ne leva pas les yeux vers lui. Il enfila son jean, son T-shirt et ses bottes, puis passa dans la troisième pièce de l'appartement.

Là, il trouva une ouverture qui donnait sur un balcon. Il sortit à l'air libre. Aussitôt, des perspectives se déployèrent devant lui et le vertige le saisit. La saillie se découpait à mi-hauteur de la face sud de Pierjoie, plus de trois cents mètres au-dessus des collines qui ondulaient à la base des montagnes. Ce fut comme si un gouffre venait de s'ouvrir inopinément sous les pieds de Covenant. Ses oreilles bourdonnèrent ; il se pressa contre la rambarde et l'agrippa de toutes ses forces.

Mhoram, qui l'avait rejoint, lui demanda s'il se sentait bien. Il ne lui répondit pas. Prenant une profonde inspiration, il se redressa et recula pour se plaquer contre le mur, d'une solidité réconfortante. Alors, il balaya le paysage du regard.

Comme dans son souvenir, Pierjoie occupait une large portion des pics qui se dressaient immédiatement à l'ouest. Des siècles plus tôt, à l'époque du vénérable Damelon, les géants avaient taillé la forteresse à même un promontoire rocheux. Au-dessus de celui-ci, un plateau s'étendait vers l'ouest et le nord ; une ou deux lieues plus loin, au-delà des chutes Ferlées, il venait mourir au pied des falaises déchiquetées de la chaîne Ouestronne. Covenant ne pouvait voir les chutes, mais il distinguait la Blanche, qui prenait sa source dans leur bassin et filait rapidement vers le sud.

De l'autre côté de la rivière, au sud-ouest, des collines et des plaines inhabitées séparaient Pierjoie de la Mémoriade. À l'est, en revanche, ce n'étaient que champs cultivés, bosquets d'arbres touffus, torrents joyeux et villages scintillant sous le soleil comme s'ils débordaient de santé. En les observant, Covenant réalisa que l'automne arrivait dans le Fief. Malgré le soleil qui brillait dans le ciel, l'air était plutôt frais, et la brise qui soufflait doucement sur Pierjoie apportait une riche odeur d'humus et de feuilles mortes.

La saison, si différente de celle à laquelle il avait été arraché, raviva son impression de décalage, de brutale et impossible translation. Elle lui rappela de nombreuses choses, mais il choisit de se concentrer sur les événements de la veille.

— Avez-vous songé, demanda-t-il avec raideur à Mhoram, que Turpide a probablement libéré ce malheureux repenti à seule fin de vous pousser à m'appeler ?

— Bien entendu. Il espère que vous serez l'instrument de notre perte.

— Alors, pourquoi avez-vous joué son jeu ? s'exclama Covenant. Par les feux de l'enfer ! Vous savez ce que j'en pense ; je vous l'ai dit et répété assez souvent. Je refuse d'être responsable de votre sort.

Mhoram haussa les épaules.

— Tel est le paradoxe de l'or blanc. L'espoir d'un côté, la trahison de l'autre. Nous étions obligés de courir le risque. Sans aide extérieure, jamais nous ne parviendrons à vaincre le Rogue. Nous voulons croire qu'en dernier ressort, vous ne tournerez pas le dos au Fief.

— Vous avez eu quarante ans pour y réfléchir. Depuis le temps, vous devriez avoir compris que je ne mérite ni ne désire votre confiance.

— Peut-être. En tout cas, c'est l'opinion d'Hile Troy
– même s'il ignore beaucoup de choses à votre sujet. Il
pense que c'est folie de placer notre foi en un homme si
peu disposé à donner de sa personne. Et il n'est pas
convaincu que nous perdrons la guerre. Il échafaude des
plans d'une audace folle. Mais j'ai entendu rire le Rogue.
Pour le meilleur ou pour le pire, je suis le voyant et l'oracle
de ce conseil. Aussi ai-je approuvé le haut seigneur quand
elle a suggéré de vous solliciter.

« Thomas Covenant, nous n'avons pas passé ces
dernières années à nous tourner les pouces en rêvant de
paix pendant que Turpide accroissait sa puissance et
rassemblait ses forces. Depuis votre départ, nous nous
sommes préparés à nous défendre. Avec nos éclaireurs,
nous avons sillonné le Fief d'un bout à l'autre pour mobiliser les habitants et développer nos maigres connaissances. J'ai bravé les collines Brisées et combattu l'ennemi
au bord de Mordouve. Je n'entrerai pas dans les détails ;
sachez seulement que j'ai rapporté de mon périple de
nombreuses informations sur les ravageurs. *Dukkha* n'est
pas la seule raison pour laquelle nous vous avons appelé.

Malgré le soleil qui dardait ses rayons sur lui, Covenant
ne put réprimer un frisson en entendant le mot « ravageurs ». Se souvenant du premier repenti qu'il avait
rencontré, transpercé d'une lance par l'un d'eux, il
demanda :

— Alors ? Qu'avez-vous appris ?

— Beaucoup ou peu de choses, soupira Mhoram, selon
l'usage que nous en ferons. L'importance de ces informations est incontestable, mais leur valeur nous échappe pour
le moment.

« Lors de votre précédent séjour parmi nous, nous avons
découvert que les ravageurs vivaient encore – que, comme
leur maître, ils n'avaient pas été anéantis par le rituel de
profanation. Nous étions déjà instruits de leur existence
par nos légendes, par la Sagesse du premier tabernacle et
par les récits des géants. Nous savions qu'ils se nommaient
Sheol, Jehannum et Herem, et qu'ils ne possédaient pas de
corps. Entités intangibles, ils se nourrissaient de l'âme
d'autrui. Lorsque le Rogue était assez puissant pour leur

prêter sa force, ils possédaient des créatures ou des gens en annihilant leur volonté et en s'appropriant leur chair pour exécuter leurs sombres desseins. Sous ces formes d'emprunt, ils étaient si bien cachés qu'ils pouvaient gagner la confiance de leurs ennemis. Ainsi envoyèrent-ils à la mort maints courageux défenseurs du Fief, du temps des vénérables.

« Aux abords de la Crypte, j'en ai appris bien davantage et j'ai failli le payer de ma vie. Battu à plate couture, je me suis enfui à travers les collines Brisées, avec pour seule arme le bâton de Varil mon père. Je n'ai pu empêcher mon adversaire de porter la main sur moi. Je pensais affronter le vilmestre suprême, mais je me trompais.

Mhoram fixait le ciel sans le voir, des souvenirs funestes défilant dans ses yeux. Au bout d'un moment, il reprit :

— C'était un ravageur dans la peau d'un ur-vil. Son contact odieux m'a révélé son histoire. Au commencement des temps, dans un passé si reculé que nos récits n'en portent même plus la trace, bien avant l'arrivée de l'homme dans le Fief et le saccage cruel de la Forêt primordiale, le Colosse était doué de pouvoir et de volonté. Dressé tel un poing menaçant au bord de la Faille, à l'endroit où la Cavalière prend le nom de Ruinelave, ce monolithe protégeait les Hautes Terres contre toute invasion par les habitants maléfiques des Basses.

Mhoram entonna une lamentation pleine de chagrin et de gloire perdue, qui narrait l'histoire du Colosse telle que les seigneurs la connaissaient avant sa bataille contre le ravageur.

Du temps où la Forêt primordiale dominait encore le Fief, le Colosse détenait le pouvoir de repousser le Mépris. Et il le brandit jusqu'à ce que la barbarie insoupçonnée des hommes ait déjà causé trop de dégâts pour être endiguée. Alors, outré et affaibli par l'inutile massacre des arbres, il baissa sa garde et laissa l'ombre approcher.

Depuis ce jour – depuis l'offense qui avait entraîné sa capitulation –, la Terre avait lentement perdu la capacité et la volonté de se défendre. Ainsi le fardeau de résister au Rogue était-il échu à la race qui avait provoqué le déferlement du Mépris sur elle.

— Mais en réalité, reprit Mhoram à la fin de la complainte, ce n'était pas le Mépris que le Colosse repoussait, car il arriva dans le Fief bien après lui, avec les êtres venus des froides étendues nordiques et des implacables déserts du sud. Non, c'est à un autre ennemi qu'il barrait le passage : trois frères qui sévissaient déjà dans les plaines Dévastées longtemps avant que l'ombre de Turpide ne s'abatte sur elles. Ces triplés répondaient aux noms de *samadhi*, *moksha* et *turiya*. Ils haïssaient la Terre et tous ses fruits de la même façon que Turpide abhorre la vie et l'amour.

« Lorsque le Colosse leva son interdit, ils s'aventurèrent dans les Hautes Terres où, dans leur soif de carnage et de destruction, ils ne tardèrent pas à tomber sous l'emprise du Rogue. À compter de ce jour, ils furent ses serviteurs les plus redoutables. Ils exécutèrent ses basses œuvres, signèrent ses trahisons et commandèrent ses armées quand il ne pouvait ou ne souhaitait pas s'en charger. Ce fut *samadhi*, aujourd'hui appelé Sheol, qui provoqua la défaite de Berek. Après avoir massacré les champions de la Terre, il mutila Cœur-Vaillant et le força à se replier seul sur les pentes du mont Tonnerre. Quant à *turiya* et *moksha*, Herem et Jehannum, ils incitèrent les puissants démondims à engendrer les ur-vils.

« À présent réunis avec Turpide, ils n'aspirent plus qu'à décimer les peuples du Fief, à en arracher jusqu'au dernier arbre et à en calciner le sol. Maudite soit mon ignorance ! Je ne peux prévoir comment ils agiront et où ils frapperont. J'entends leurs voix avides, mais leur stratégie m'échappe. Las, le Fief est en danger de mort parce que ses défenseurs sont trop faibles.

Captivé par l'éloquence de Mhoram, Covenant l'avait écouté sans l'interrompre. La voix vibrante du seigneur l'ensorcelait ; elle semblait assombrir le soleil et ouvrir ses perceptions au mal cruel qui, tapi sous la vigueur apparente du Fief, défiait ses champions vulnérables. Le lépreux avait beau chercher en lui-même, il ne voyait rien qui lui permît de contrer le fléau. D'autres gens lui avaient déjà fait confiance, qui tous avaient souffert de son irréductible impuissance. Sur un ton plus dur qu'il ne l'aurait voulu, il demanda :

— Pourquoi ?

Mhoram s'arracha à la contemplation de ses visions et se tourna vers lui en haussant un sourcil interrogateur.

— Pourquoi êtes-vous trop faibles ? précisa Covenant.

Le seigneur sourit.

— Quelle drôle de question ! Si je le savais, je n'en serais pas réduit à quémander votre aide. (Comme le lépreux le fixait d'un air insistant, il suggéra :) Rentrons. On nous a préparé un repas. Je tâcherai de vous apporter des éléments de réponse pendant que nous dînerons.

Covenant refusa. Malgré la faim, il ne voulait pas faire davantage de concessions au Fief – du moins, tant qu'il ne saurait pas exactement de quoi il retournait.

Mhoram le dévisagea un moment, puis lança sur un ton mesuré :

— Même si vous avez raison, si le Fief n'est rien de plus qu'un rêve dangereux qui menace de vous précipiter dans la folie, cela ne vous dispense pas de vous nourrir. Quel que soit votre trouble mental, vos besoins physiques demeurent.

— Non, contra Covenant.

Alors, les paillettes d'or s'embrasèrent dans les yeux de Mhoram comme si ses prunelles reflétaient l'ardeur du soleil. Mais il se ressaisit et dit calmement :

— Dans ce cas, répondez vous-même à cette question. Répondez-y et sauvez-nous. Si nous sommes impuissants et privés d'alliés, c'est votre faute. Vous seul êtes capable de pénétrer les mystères qui nous entourent.

— Non, répéta Covenant. (Il n'acceptait pas le blâme que Mhoram tentait de lui imputer. C'était aussi injuste que de l'accuser d'être lépreux !) Vous allez trop loin.

— Seigneur suprême, articula patiemment Mhoram. Un péril sans précédent menace le Fief. Aucune distance ne m'arrêtera.

— Ce n'est pas de ça que je parlais. Je voulais dire que vous m'attribuez trop d'importance et de pouvoir. Je ne suis qu'une victime, comme vous. Je ne sais rien d'autre que ce que vous me révélez. Et j'aimerais comprendre pourquoi vous tenez absolument à me rendre responsable de votre sort. Pourquoi vous estimez-vous plus faibles que moi ? Après tout, vous possédez le Bâton de la Loi. Vous maîtrisez le *rhadhamaerl* et le *lillianrill*. Alors, qu'est-ce qui vous empêche de tenir tête au Rogue ?

Le rouge qui était monté aux joues de Mhoram reflua lentement. Il croisa les bras, serrant son bâton sur sa poitrine, et eut un sourire en coin.

— Votre question devient plus complexe chaque fois que vous la reformulez. Si je tarde encore à vous répondre, c'est un récit digne d'un géant qu'il me faudra bientôt pour satisfaire votre curiosité. Pardonnez-moi, mon ami. Je sais que nous ne pouvons placer notre salut entre vos seules mains. Rêve ou pas, ça ne fait aucune différence. Nous devons servir le Fief de notre mieux.

« D'abord, je vous rappelle que le *rhadhamaerl* et le *lillianrill* n'ont pas de rapport avec les seigneurs. Au fil des âges, la tradition de la pierre et celle du bois ont été respectivement préservées par les stèlagiens et les sylvestres. Durant leur exil, après le rituel de profanation, les peuples du Fief ont perdu une grande partie de ce qui faisait naguère la richesse de leur existence. Gravement démunis, ils n'ont pu se reposer que sur ces coutumes pour assurer leur survie. Et quand ils sont revenus dans le Fief, ils les ont rapportées avec eux, incarnées par les ignessires et les magistères. Chargés du bien-être des populations qui se sont rassemblées autour d'eux, ceux-ci leur fournissent désormais chaleur en hiver et abondance en été – en harmonie avec la chanson du Fief.

« La Sagesse de Kevin, en revanche, est l'affaire exclusive de la Loge et des seigneurs. L'époque des vénérables fut la plus glorieuse et la plus prospère de l'histoire du Fief. La santé et la joie fleurissaient partout ; l'étincelant joyau d'Andelain festonnait le cœur de la Terre de pierres et de bois précieux. Tout cela prit fin lorsque Turpide entra en guerre ouverte contre Kevin fils de Loric. Dans son désespoir, ce dernier lança le rituel de profanation. En détruisant ce qu'il aimait, il pensait anéantir le Rogue du même coup.

« Mais au dernier moment, il eut une vision prophétique et trouva le moyen de préserver partiellement la beauté de la Terre. Il prévint les géants et les ranyhyn afin qu'ils puissent fuir. Il ordonna aux sangardes de l'abandonner pour se mettre en sécurité. Et il dissimula sa Sagesse dans sept tabernacles, afin qu'elle subsiste, mais ne tombe pas entre les mains de n'importe qui. Puis il remit le premier d'entre eux aux géants, qui, lorsque l'exil des hommes prit fin, le passèrent à leur tour aux nouveaux seigneurs, les ancêtres du conseil actuel. Afin de se protéger contre la passion dévastatrice de Kevin, ceux-ci conçurent le serment de paix et l'apportèrent aux peuples du Fief.

« Vous savez en quelles circonstances nous avons découvert le deuxième tabernacle. Comme le premier, il abrite maintes connaissances empreintes de pouvoir. Lorsque nous les maîtriserons, elles nous conduiront au troisième tabernacle, et ainsi de suite, jusqu'à ce que nous ayons recouvré l'intégralité de la Sagesse de Kevin. Jusqu'à présent, nous avons traduit le langage des vénérables ; appris les rituels et les chants contenus dans les écrits sacrés ; développé les compétences qu'ils nous enseignaient ; étudié la paix ; et nous sommes consacrés au service du Fief. Pourtant, c'est comme si notre compréhension restait superficielle. Quant aux sept mots qui permettent d'invoquer le Pouvoir de la Terre, nous n'en saisissons pas grand-chose.

« Seigneur suprême, nous ne sommes pas à la hauteur de la tâche qui nous a été fixée. Mon cœur me le dit : quelque défaillance intime nous empêche d'accéder au contrôle de la Sagesse de Kevin.

Mhoram se tut et s'abîma dans une contemplation douloureuse, la joue appuyée contre son bâton. Covenant l'observa pendant un moment. La tiédeur du soleil et la fraîcheur de la brise semblaient souligner le jugement sévère que le seigneur portait sur lui-même et sur ses pairs. L'impressionnante masse de Pierjoie condamnait ses habitants à la modestie.

Pourtant, l'humble aveu de Mhoram força l'admiration de Covenant, qui trouva enfin le courage de lui poser sa question la plus importante.

— Dans ce cas, pourquoi suis-je ici ? Pourquoi Turpide vous a-t-il laissés m'appeler ? Ne désire-t-il pas s'emparer de l'or blanc ?

Sans relever la tête, Mhoram répondit :

— Le Rogue n'est pas prêt à vous affronter. La magie sauvage le dépasse. Au lieu de se mesurer à elle, il va veiller à ce que vous soyez l'instrument de votre propre perte. Je l'ai vu.

— *Vous l'avez vu ?* répéta Covenant tout bas.

— De sombres visions m'ont permis de sonder le fond de son cœur. Je suis absolument sûr de ce que j'avance. Aujourd'hui encore, alors qu'il détient la Pierre de Maleterre, Turpide reste persuadé que sa puissance n'égale pas celle du précieux métal.

« Rappelez-vous : il y a quarante ans, Sialon Larvae détenait à la fois le Bâton et la Pierre. Parce qu'il désirait davantage de pouvoir, il a épuisé ses forces en vous défiant de maintes façons stupides auxquelles le Rogue n'aurait jamais recouru. Sialon était fou, et le Rogue n'avait nul désir de lui enseigner la sagesse.

« Désormais, les choses sont différentes. Turpide ne gaspille jamais ses forces et ne prend que des risques soigneusement calculés pour assouvir ses desseins. Il veut vous forcer à le servir de manière détournée. S'il n'y parvient pas, il vous affrontera, mais seulement quand il sera sûr de vous vaincre. Jusqu'à ce moment-là, il tentera de vous manipuler pour que vous nuisiez au Fief ou, tout au moins, que vous nous refusiez votre aide et qu'il soit libre de nous détruire.

« Pour l'instant, il n'agira pas ouvertement contre vous. Il redoute la magie sauvage. L'or blanc n'est pas soumis à la loi du temps, et tant que le Rogue ne sera pas certain que vous ne l'utiliserez pas contre lui, il veillera à ce que son pouvoir demeure en sommeil.

Covenant perçut la véracité des propos de Mhoram. Turpide lui avait dit plus ou moins la même chose sur l'observatoire de Kevin, la première fois qu'il s'était réveillé dans le Fief. Le terrifiant souvenir de cette rencontre le fit frissonner, comme si la brume glaciale du Mépris se tapissait derrière le soleil qui brillait sur Pierjoie, imprégnant son âme d'une odeur d'essence de rose et emplissant ses oreilles d'un grondement d'avalanche. Il comprit qu'il devait répondre à Mhoram avec la même franchise.

— Je n'ai pas le choix. (La honte lui donnait envie de baisser la tête, mais il se força à soutenir le regard de son interlocuteur.) Je ne changerai pas d'attitude. Même si ce n'est pas la bonne réaction, la réponse valable à la mort, et si la folie n'est pas le seul danger qui guette le rêveur. Même si je croyais en la magie sauvage, j'ignore tout de la façon dont elle est censée fonctionner.

Au prix d'un gros effort, Mhoram lui sourit, mais la dureté de son regard démentait la douceur de son expression. Il demanda sur un ton triste :

— Alors, qu'allez-vous faire ?

L'absence de critique dans sa voix noua la gorge de Covenant. Il n'était pas préparé à une telle compassion. Il déglutit et répondit avec difficulté :

— Je survivrai.

Mhoram acquiesça lentement. Il se détourna, rentra dans l'appartement et se dirigea vers la porte.

— Je suis en retard. Le conseil m'attend. Je dois vous laisser.

Avant qu'il puisse sortir, Covenant, qui cherchait un moyen de le remercier, lança :

— Pourquoi n'êtes-vous pas le haut seigneur ? Ne vous apprécie-t-on pas à votre juste valeur ?

Par-dessus son épaule, Mhoram dit simplement :

— Mon heure n'est pas encore venue.

Puis il sortit et referma la porte sans bruit.

5

Dukkha

COVENANT REPORTA SON ATTENTION SUR LE PAYSAGE. Il devait réfléchir à beaucoup de choses et se demandait par où commencer. Mais déjà, ses perceptions semblaient s'harmoniser avec le Fief. Il humait l'odeur des récoltes dans les champs, à l'est, et voyait la vigueur des arbres lointains. Il sentait l'automne dans la caresse de la brise sur son visage. Tout cela accentuait l'involontaire excitation qui coulait dans ses veines, mais perturbait ses efforts pour tirer la situation au clair. « Personne ne devrait exiger d'un lépreux qu'il vive dans un monde pareil », songea-t-il douloureusement.

Pourtant, l'exposé digne et pathétique de Mhoram l'avait remué ; il ne pouvait le nier. Il était ému par le Fief et ceux qui le servaient, même si leur dévotion avait de quoi donner des complexes à un homme uniquement soucieux de sa survie. Maussade, il regagna le salon, où un plateau de nourriture avait été déposé pour lui sur une table de pierre. La soupe et le ragoût encore fumants lui rappelèrent combien il était affamé.

Non. Il ne pouvait pas s'offrir le luxe de cette concession. Comme la sensibilité retrouvée de ses nerfs, la faim n'était qu'une illusion, un rêve, un leurre. Il ne devait pas...

70

Des coups frappés à la porte interrompirent le cours de ses pensées. Un instant, il hésita à répondre. Il préférait ne parler à personne tant qu'il n'aurait pas eu le temps de réfléchir. D'un autre côté, il n'avait pas envie de rester seul. La solitude amplifiait toujours la menace de la folie. « Continue à avancer, ne regarde pas en arrière », marmonna-t-il pour lui-même, se répétant le mantra d'une efficacité douteuse qu'il avait déjà utilisé lors de son précédent séjour dans le Fief.

Il alla ouvrir la porte.

Hile Troy se tenait sur le seuil de l'appartement. Il portait toujours les mêmes vêtements et lunettes noires qu'auparavant. Un sourire léger, à la fois mystérieux et contrit, jouait sur ses lèvres. À cette vue, l'anxiété saisit Covenant. Depuis son réveil, il s'était efforcé de ne pas penser à ce type.

— Venez, lui dit Hile Troy sur un ton autoritaire. Les seigneurs vont se livrer à une expérience. Vous devez absolument voir ça.

Covenant haussa les épaules pour dissimuler son malaise. Troy était un adversaire, il le sentait. Mais il avait déjà pris sa décision quand il lui avait ouvert. Le menton levé en une attitude de défi, il sortit dans le couloir.

Bannor montait la garde devant sa porte. Hile Troy tourna les talons et s'éloigna à grandes enjambées pleines d'assurance, mais Covenant dévisagea le sangarde. Celui-ci lui rendit son regard et hocha la tête. Un instant, ils se fixèrent. Pour ce que Covenant pouvait voir, Bannor n'avait pas changé d'un iota. Le temps semblait n'avoir aucune prise sur lui. Son visage plat et brun était toujours aussi impassible. Malgré sa posture détendue, il irradiait de lui une impression de solidité physique, de compétence presque palpable qui intimidait Covenant. Et aussi une infinie tristesse.

On racontait que les sangardes avaient deux mille ans. Un vœu solennel et exigeant les liait au service des seigneurs du Fief, les empêchant de vieillir, tandis que les gens qu'ils côtoyaient, y compris les géants, à l'incroyable longévité, tombaient en poussière.

Alors qu'il observait Bannor, pieds nus et vêtu d'une courte tunique brune, étrangement détaché de tout,

Covenant fut soudain frappé par une intuition, comme si une perception jusqu'alors subliminale venait de se cristalliser. Combien de fois Bannor lui avait-il sauvé la vie ? Il ne s'en souvenait même plus. Mais il avait la brusque certitude que le sangarde pouvait lui révéler ce qu'il avait besoin de savoir. Son vœu l'avait privé de foyer, d'amour, de sommeil et même du repos ultime de la mort. En l'espace de deux millénaires, il avait dû acquérir une perspective différente sur la vie, ainsi qu'une grande sagesse.

— Bannor... commença Covenant.

— Seigneur suprême, répondit l'autre d'une voix aussi inflexible que le temps.

Mais Covenant ne savait pas comment tourner sa question. Il n'arrivait pas à formuler ses interrogations d'une manière qui ne semble pas mettre en cause l'infaillible fidélité de son interlocuteur. Aussi se contenta-t-il de murmurer :

— Alors, nous revoilà à la case départ.

— Le haut seigneur m'a désigné pour veiller sur vous.

— Venez ! lança Hile Troy sur un ton péremptoire. Il faut vraiment que vous voyiez ça.

Covenant l'ignora.

— J'espère que ça se passera mieux que la dernière fois, dit-il à Bannor.

Puis il se détourna et emboîta le pas à Hile Troy. Il savait que Bannor le suivait, même s'il se déplaçait sans faire le moindre bruit.

Impatiemment, Troy guida Covenant vers le cœur de la Citadelle. Ils traversèrent de grands halls au plafond voûté, enfilèrent des couloirs interminables et descendirent des escaliers jusqu'à ce qu'ils atteignent un endroit dont Covenant se souvenait bien : le long passage circulaire qui entourait le sanctuaire où se recueillaient les habitants de Pierjoie.

Ils franchirent une porte et débouchèrent sur l'un des sept balcons taillés dans le flanc de la caverne. Celle-ci, immense cylindre au sol plat, était couronnée d'un dôme si haut que Covenant le distinguait à peine. La seule lumière provenait de quatre grandes torches de *lillianrill* dressées aux coins de l'estrade qui occupait le fond de l'espace.

Bannor referma le battant derrière eux et dans la pénombre, Covenant se cramponna à la rambarde pour ne pas être précipité dans la cavité vertigineuse qui s'ouvrait devant lui. Il se trouvait à une bonne centaine de mètres au-dessus de la tribune. Les balcons étaient presque vides, constata-t-il. La cérémonie qui allait commencer revêtait donc un caractère confidentiel. Les neuf seigneurs étaient déjà rassemblés et se tenaient en cercle, dos aux torches et le visage dans l'ombre.

— C'est votre faute, dit Hile Troy sur un ton accusateur. Ils ont tout essayé, hormis cela. Vous devriez avoir honte de les pousser à cette extrémité.

Deux sangardes qui soutenaient une silhouette affaissée s'approchèrent. Covenant sursauta en identifiant le repenti. Il se débattait faiblement, mais ne put empêcher les gardes de le déposer au milieu des seigneurs.

— Ils vont tenter de rompre l'envoûtement de la Pierre de Maleterre, expliqua Hile Troy. C'est très risqué. S'ils échouent, le mal peut se propager à l'un d'entre eux. Ils seront trop épuisés pour le combattre.

Agrippant la balustrade à deux mains, Covenant observa la scène qui se déroulait en contrebas.

Les sangardes abandonnèrent *dukkha* et allèrent se placer contre le mur du fond. Pendant un long moment, les seigneurs demeurèrent immobiles et silencieux. Puis ils levèrent la tête, plantèrent fermement leur bâton devant eux et commencèrent à chanter. Leur hymne se répercuta à travers le sanctuaire comme si la pénombre elle-même résonnait de ses vibrations. Ils paraissaient minuscules, mais leur chant audacieux s'élevait, emplissant l'air de leur autorité et de leur détermination. Lorsque ses échos moururent, Hile Troy chuchota à l'oreille de Covenant :

— Si quelque chose tourne mal, vous le paierez cher.

— Je sais, répondit le lépreux avec amertume. Quoi qu'il advienne, je devrai payer.

Quand le silence fut enfin revenu, Elena lança d'une voix claire :

— Repenti *dharmakshetra*, si notre appel peut

t'atteindre à travers l'aura maléfique de la Pierre de Male-terre, écoute-nous. Nous travaillons à ta délivrance. Aide-nous. Insurge-toi contre l'emprise du Rogue. *Dukkha*, entends-nous ! Retrouve l'espoir et la foi, et résiste au fléau !

Ensemble, les seigneurs levèrent leurs bâtons. La main de Troy saisit convulsivement le bras de Covenant au-dessus du coude.

— *Melenkurion abatha !* hurlèrent les seigneurs à l'unisson.

Ils frappèrent le sol de leurs instruments. Un tintement métallique, pareil au fracas de boucliers qui s'entrecho-quent, résonna. Aussitôt, des flammes bleues jaillirent, dont l'éclat surpassait celui des torches, et le Bâton de la Loi brillait plus vivement que les autres. Le feu seigneurial grondait tel le vent d'une lointaine tempête.

Un des objets incandescents s'inclina vers la tête de *dukkha* et s'arrêta brusquement, comme s'il avait rencontré un obstacle invisible. Lorsque son porteur tenta d'exercer une pression, l'air qui emprisonnait le repenti dans une gangue s'embrasa d'un feu vert qui dévora instantanément la force bleue.

Les doigts de Troy s'enfoncèrent dans le bras de Cove-nant telles des griffes, mais ce fut à peine si le lépreux s'en rendit compte.

Les seigneurs entonnèrent alors une sévère litanie, utili-sant des mots que Covenant ne comprenait pas. Le souffle de leur pouvoir se changea en rugissement. Mais à travers celui-ci, le lépreux entendit les bredouillements incohérents du repenti.

Un par un, les seigneurs ajoutèrent la pression de leur bâton, jusqu'à ce que seul celui de la Loi se tienne encore à l'écart du combat qu'ils livraient au-dessus du crâne de *dukkha*. Chaque fois qu'un bouquet de flammes bleues entrait en contact avec le halo vert, un bruit de succion affamée et d'os écrasés enflait dans les airs, et le sinistre brasier couleur émeraude flamboyait plus vivement, se propageant pour étouffer le feu seigneurial.

Soudain, les flambeaux s'éteignirent, comme soufflés par une bourrasque. L'étau des doigts de Troy se resserra.

Alors, la voix d'Elena s'éleva, couvrant la chanson de ses pairs.

— *Melenkurion abatha ! Duroc minas mill khabaal !*

Le Bâton de la Loi décrivit un large mouvement circulaire et s'abattit sur l'espace vers lequel les autres restaient braqués. La puissance de l'attaque fit battre en retraite les feux qui se livraient bataille. Ils se fondirent et se déchaînèrent au centre du cercle en un holocauste. L'instant d'après, *dukkha* hurla comme si son âme venait de se déchirer et le nuage de flammes explosa. Il y eut un éclair aveuglant, accompagné d'une déflagration qui ébranla le sanctuaire. Puis une obscurité aussi absolue que celle d'une tombe enveloppa l'assemblée.

Le silence revint. Deux petites torches apparurent dans les mains des sangardes. Leur maigre lumière révéla *dukkha* recroquevillé sur la pierre entre deux seigneurs prostrés. Les autres étaient debout, mais s'appuyaient lourdement sur leur bâton.

Hile Troy prit une inspiration sifflante. Ses doigts crochetaient dans la chair de Covenant comme pour dénuder les os de son bras, mais le lépreux endura la douleur sans détacher son regard de l'estrade.

Les sangardes rallumèrent les flambeaux. Sous leur douce caresse dorée, Mhoram s'arracha à l'engourdissement et s'agenouilla près de ses pairs. Il les palpa, utilisant son sens du toucher pour percevoir les dégâts qui leur avaient été infligés, puis se tourna et se pencha vers *dukkha*. Un silence vibrant de crainte l'enveloppait. Quelques instant plus tard, il se releva.

— Trevor et Amhatin vont bien, dit-il d'une voix basse, qui monta néanmoins jusqu'au balcon. Ils ne sont qu'évanouis. (Il inclina la tête.) Quant au repenti, il est mort. Puisse son âme trouver enfin la paix.

— Et puisse-t-il nous pardonner, ajouta Elena, car nous avons échoué.

Avec un soupir de soulagement, Hile Troy lâcha Covenant. Celui-ci sentit soudain la douleur pulser dans le haut de son membre, et réalisa que ses mains lui faisaient mal. Il avait serré la rambarde si fort qu'il avait des crampes dans les doigts. Aussi déplaisant que ce fût, il s'en réjouit.

Il voyait la mort dans les extrémités brisées de *dukkha*. Les meurtrissures de son bras, la raideur de ses paumes étaient des preuves de vie.

— Ils l'ont tué, marmonna-t-il entre ses dents.

— Que vouliez-vous qu'ils fassent ? répliqua Troy, indigné. Qu'ils le gardent prisonnier et en vie, alors qu'il souffrait tant ? Qu'ils le relâchent et s'en lavent les mains ? Qu'ils l'achèvent de sang-froid ?

— Non.

— Dans ce cas, ils n'avaient pas d'autre solution. Il ne restait que cela à tenter.

— Vous ne comprenez pas. (Covenant chercha les mots justes pour lui expliquer, mais ne les trouva pas.) Vous ne saisissez pas ce que Turpide est en train de leur faire.

Il déplia ses doigts crispés, relâcha ses muscles et quitta le sanctuaire. Quand il atteignit son appartement, il était encore très secoué et ne pensa pas à fermer la porte derrière lui. L'insigne entra à sa suite sans lui demander la permission.

Covenant ne lui prêta aucune attention. Il se dirigea vers le plateau de nourriture, saisit la carafe posée parmi les plats et but longuement au goulot, comme s'il tentait d'apaiser la brûlure de son sang. Le guinguet, au léger goût de bière, répandit sa fraîcheur en lui. Le lépreux vida le carafon et demeura immobile, les yeux fermés, pour mieux savourer cette sensation. Lorsque l'étau qui lui comprimait la poitrine se desserra enfin, il s'assit et commença à se restaurer.

— Votre dîner peut attendre, lança Hile Troy sur un ton brusque. Il faut que je vous parle.

— Je vous écoute, répliqua Covenant, la bouche pleine de ragoût.

Malgré l'insistance de son visiteur, il continua à manger très vite, avant que ses doutes puissent le rattraper.

L'insigne faisait les cent pas dans la pièce. Au bout d'un moment, il vint s'asseoir face à Covenant. Ses lunettes noires, dont les verres reflétaient la lumière sans permettre de voir ce qu'ils cachaient, soulignaient la crispation de ses joues et de son front. Ses traits étaient aussi raides que le reste de son corps. Prudemment, il lança :

76

— Vous avez décidé de nous compliquer la vie, n'est-ce pas ? Vous voulez nous en faire baver un maximum.

Covenant haussa les épaules. La chaleur bienfaisante de la boisson irradiait dans ses entrailles et détendait ses muscles, l'aidant à se ressaisir. Mais elle n'effaçait pas sa méfiance instinctive à l'égard de Troy.

— J'essaie de vous comprendre, déclara celui-ci avec un calme forcé. Parce que je suis mieux placé que quiconque pour y parvenir.

Covenant posa sa fourchette de bois et le fixa en silence.

— Il nous est arrivé la même chose, poursuivit Hile Troy. (Voyant l'expression incrédule du lépreux, il grimaça.) Oh, c'est très clair ! Une alliance en or blanc. Des bottes, un jean et un T-shirt. Vous parliez au téléphone avec votre femme. Et la fois d'avant, vous avez été renversé par une voiture, je me trompe ?

— Un véhicule de police, confirma Covenant en plissant les yeux.

— Vous voyez ? Les détails de votre histoire me sont familiers. Et c'est bien normal. Nous venons du même endroit. Le monde réel.

— *Non ! C'est impossible !*

— Tenez, j'avais même entendu parler de vous, poursuivit Hile Troy, comme si c'était un argument irréfutable. J'ai lu... Enfin, on m'a lu votre bouquin. Je m'en souviens encore, parce qu'il m'a fait une forte impression.

Covenant ricana, mais il était troublé. Il avait trop tardé à brûler son roman, qui continuait à le hanter.

— Non, attendez. Votre fichu bouquin a été un best-seller. Il s'est vendu à des centaines de milliers d'exemplaires ; on en a même fait un film. Rien d'étonnant à ce que votre renommée soit parvenue jusqu'à moi. N'en profitez pas pour conclure que je suis un pur produit de votre imagination. Bien au contraire, ma présence ici prouve que vous n'êtes pas fou. Deux esprits indépendants percevant le même phénomène, qu'en dites-vous ?

Hile Troy semblait très sûr de son fait, mais Covenant ne se laissa pas ébranler.

— Vous appelez ça une preuve ? grommela-t-il. Désolé, mais ça ne me suffit pas.

— Voulez-vous que je vous raconte comment je suis arrivé ici ?

— Non. La seule chose qui m'intéresse, c'est la raison pour laquelle vous ne voulez pas repartir.

Un moment, Hile Troy demeura immobile. Puis il se leva d'un bond et se remit à marcher de long en large. Arrivé au mur, il exécuta un demi-tour d'une précision militaire et dit :

— En fait, il y en a deux. La première, c'est que j'aime cet endroit. Ici, je sers une cause digne d'attention. La plupart des guerres ont des enjeux discutables, mais le Fief est magnifique. Sans l'ombre d'un doute, il mérite d'être préservé. Pour une fois dans ma vie, je peux vraiment me rendre utile et apporter quelque chose. Au lieu d'étudier le déploiement des troupes, la capacité de frappe, les paramètres liés au moral ou l'induction nucléaire de phénomènes génétiques mortels, récita-t-il amèrement, je me bats contre un mal véritable. Dans notre monde d'origine, rien n'est aussi tranché. Les couleurs ne sont pas aussi vives. La « réalité » n'est que nuances de gris.

« Et la seconde raison... (Il se laissa tomber dans la chaise et sa voix reprit un ton moins passionné, plus désinvolte.) C'est que je ne savais même pas à quoi ressemblait le gris avant d'arriver ici.

Il ôta ses lunettes. Ses orbites étaient deux trous vides, dénués de paupières et de cils. De la peau lisse recouvrait les cavités où ses yeux auraient dû se trouver.

— Je suis né ainsi, révéla-t-il, comme s'il voyait la stupéfaction de Covenant sur son visage. Une erreur de la nature. Mes parents ont jugé bon de me laisser vivre et le temps qu'ils décèdent, j'avais appris à fonctionner de manière autonome. Je me suis inscrit dans des écoles spécialisées où l'on m'a fourni toute l'aide possible. Il m'a fallu du temps, mais j'ai décroché mon diplôme de fin d'études secondaires. Néanmoins, mon seul talent réel restait la représentation mentale des rapports spatiaux. Par exemple, je peux jouer aux échecs sans échiquier et si quelqu'un me décrit une pièce, je la traverse sans me cogner une seule fois. J'ai développé ce don parce que ma survie en dépendait.

« Finalement, j'ai décroché un boulot au service de recherche du ministère de la Défense. On avait besoin de gens capables de comprendre une situation dans l'absolu et d'utiliser le langage pour traiter des problèmes de nature physique. Je suis devenu leur expert en stratégie et en simulation informatique. Je n'avais besoin que d'informations verbales précises sur la topographie des lieux, la nature des forces en présence et le matériel disponible. Le reste, j'en faisais mon affaire. Et je gagnais toujours. Qu'est-ce que ça me rapportait ? Rien du tout. J'étais juste le singe savant du service.

« Je vivais aussi bien que possible, mais pour le logement, je n'étais guère en mesure de faire le difficile. Je louais un appartement au neuvième étage. Une nuit, un incendie s'est déclenché dans l'immeuble. Les pompiers n'étaient pas encore là quand le feu a atteint mon niveau. À la merci des flammes, j'ai dû enjamber le rebord de la fenêtre et me suspendre dans le vide pendant que la chaleur me léchait les mains. J'étais bien décidé à ne pas lâcher, parce que même sans la voir, je mesurais parfaitement la distance qui me séparait du sol. Mais ça n'a rien changé. Mes doigts ont fini par céder.

« Je me suis retrouvé allongé dans l'herbe. Une brise fraîche me caressait le visage, mais je sentais aussi la tiédeur du soleil sur ma peau. Une odeur de chair brûlée me chatouillait les narines, dont je supposai qu'elle venait de moi. Puis j'ai entendu des voix ; des gens criaient. Ils m'ont récupéré et soigné.

« Plus tard, j'ai appris ce qui s'était passé. Un étudiant de la Loge avait été saisi d'inspiration à la lecture d'un passage du deuxième tabernacle. C'était il y a cinq ans environ. Il pensait avoir trouvé un moyen de vous mobiliser, vous, le sauveur potentiel du Fief. Il voulait essayer sur-le-champ, mais les gardiens de la Sagesse refusèrent. Ils jugeaient ça trop dangereux. Néanmoins, ils promirent d'étudier son idée et dépêchèrent un messager à Pierjoie, afin qu'on leur envoie un seigneur qui déciderait du meilleur moyen de mettre sa théorie à l'épreuve.

« Le jeune homme ne voulait pas attendre. Il quitta la Loge à l'insu de tous et se rendit dans les collines à l'ouest de la Mémoriade. Quand il estima se trouver assez loin pour ne pas être dérangé, il commença le rituel. Les vibrations de pouvoir alertèrent les gardiens de la Sagesse, qui se mirent aussitôt à sa recherche. Mais ils arrivèrent trop tard. L'inconscient avait déjà réussi – façon de parler. Je gisais près de lui et le feu qui aurait dû m'être fatal l'avait consumé.

« Je fus recueilli et soigné. On appliqua de la panseglaise sur mes mains brûlées, et même sur mes orbites vides. Peu de temps après, je commençai à avoir des visions. Des couleurs et des formes, jaillies du néant qui m'enveloppait depuis ma naissance, m'assaillirent de plus en plus régulièrement. Tous les jours, un orbe jaune orangé passait au-dessus de ma tête, mais j'ignorais ce que c'était.

« Finalement, Elena – qui n'était pas encore haut seigneur, à l'époque, mais que le conseil avait envoyée à la Loge en réponse au message des gardiens – m'expliqua que j'apprenais à voir avec mon cerveau. Au début, je ne l'ai pas crue. Mais elle m'a démontré que ma perception des relations spatiales et les informations transmises par mon sens du toucher correspondaient à ce que je "voyais".

Hile Troy marqua une pause, en proie au souvenir.

— Vous savez quoi ? reprit-il brusquement. Jamais je n'ai envisagé de retourner dans notre monde. Comment le pourrais-je ? Le Fief m'a donné la vue. Je ne pourrais pas le payer de retour, dussé-je vivre mille ans. La dette que j'ai contractée envers lui est beaucoup trop élevée. La première fois que je me suis tenu au sommet d'une colline et que j'ai contemplé la vallée où la Rill et la Llurallin se rejoignent – un spectacle dont je n'aurais pu imaginer la beauté, même dans mes rêves les plus fous –, j'ai juré que je remporterais la guerre au nom du Fief. Peu importe si je n'ai ni missiles ni bombes : il existe d'autres moyens de se battre.

« Pour convaincre les seigneurs, j'ai dû leur prouver que je surpassais les meilleurs tacticiens de la milice. Alors, ils m'ont élevé au rang d'insigne. Et je serai bientôt prêt. Il me reste un problème stratégique à résoudre. Nous sommes loin de la meilleure ligne de défense possible : la Faille. Et je n'ai aucune nouvelle de mes éclaireurs.

J'ignore par quelle route Turpide va tenter de nous attaquer. Mais je peux le vaincre en combat loyal. À vrai dire,
j'ai hâte de me mesurer à lui.

« Repartir ? Non. Jamais.

Hile Troy s'était exprimé sur un ton égal, comme s'il ne
voulait pas révéler ses émotions à Covenant. Mais le
lépreux percevait dans sa voix un enthousiasme impossible
à dissimuler.

Troy se pencha vers lui.

— Je ne vous comprends vraiment pas, lâcha-t-il,
frémissant d'indignation. Savez-vous que tout Pierjoie
gravite autour de vous depuis quarante ans ? L'or blanc.
La magie sauvage qui anéantit la paix. L'Incrédule, qui a
découvert le deuxième tabernacle et récupéré le Bâton de
la Loi – à son corps défendant, d'après ce qu'on m'a
raconté. Depuis, la Loge et les seigneurs œuvrent à votre
retour.

« Ne vous y méprenez pas : ils ont fait le maximum pour
trouver d'autres moyens de défendre le Fief. Ils ont gonflé
les rangs de la milice, étudié la Sagesse nuit et jour, risqué
leur vie dans maintes entreprises périlleuses, comme le
voyage de Mhoram à la Crypte. Et ils ont des principes
moraux. Ils acceptent votre ambivalence envers eux. Ils
n'exigent pas que vous les sauviez. Ils espèrent juste que
vous permettrez à l'or blanc de jouer en faveur du Fief,
pour qu'ils n'aient pas à se reprocher d'avoir négligé le
moindre espoir. Mais leur conviction profonde, c'est que
vous êtes leur seule chance de victoire.

« Vous connaissez Mhoram. Vous savez à quel point il
est dur et solide. Il possède des ressources dont il ne soupçonne pas encore l'existence. Et pourtant, il hurle dans son
sommeil. Oui : ses cauchemars sont à ce point terribles.
Une fois, je l'ai entendu. Le lendemain matin, je lui ai
demandé pourquoi il avait crié. Et de sa voix si calme, si
douce, il m'a répondu que le Fief périrait si vous ne le
sauviez pas.

« Tout voyant et oracle qu'il soit, je ne le crois pas. Mais
il n'est pas le seul à nourrir cette illusion. Le haut seigneur
Elena est obsédée par l'Incrédule, la magie sauvage et l'or

blanc. Elle y pense nuit et jour. Parfois, je me demande si elle n'est pas folle.

Covenant ne pouvait plus se taire. Il ne supportait plus d'être accablé par tant de responsabilités.

— Pourquoi ? coupa-t-il sur un ton sec.

— Je n'en sais rien. Elle ne vous connaît même pas.

— Non. Je veux dire, pourquoi a-t-elle été nommée à la place de Mhoram ?

— Quelle importance ? répliqua Troy, irrité. Le conseil l'a choisie. Il y a deux ans, après la mort d'Osondrea, les seigneurs sont entrés en symbiose – vous avez dû remarquer qu'ils pouvaient communier mentalement pour réfléchir comme un seul esprit – et l'ont élue. (L'aveugle se radoucit.) D'après eux, elle a quelque chose de spécial, une ardeur qui la rend plus apte que quiconque à livrer le combat. J'ignore ce qu'ils veulent dire par là, mais je sais qu'elle a un don. Il est impossible de lui refuser quoi que ce soit. Si elle me le demandait, je combattrais Turpide avec des fourchettes et des cuillères.

« Donc, je ne vous comprends pas. Vous êtes sans doute le dernier homme vivant qui ait contemplé la célébration du printemps. Hier, Elena était face à vous, incarnation sublime des vertus du Fief ; elle vous suppliait presque, et vous… (Troy frappa la table de sa paume et braqua ses orbites vides sur Covenant.) Vous lui avez contesté votre aide.

D'un geste brusque, il remit ses lunettes et se leva pour recommencer à arpenter la pièce, comme s'il ne pouvait demeurer immobile face à tant de perversité.

Covenant l'observa en fulminant. Comment Troy osait-il le juger de la sorte ? Sa rectitude morale devait lui monter à la tête, mais ce n'était pas la seule explication. Dans sa voix, le lépreux avait cru déceler autre chose. Et parce que Troy ne l'avait pas ménagé, ce fut sans prendre de gants qu'il lui lança :

— Mhoram est-il amoureux d'elle, lui aussi ?

L'insigne fit volte-face et pointa un index accusateur vers Covenant.

— Vous voulez mon avis ? Vous êtes trop cynique, trop insensible pour percevoir la beauté du Fief. Grâce à vos droits d'auteur, votre avenir est assuré dans le monde « réel ». Certes, vous êtes malade, mais ça ne vous a pas empêché de devenir riche. Vous considérez vos séjours ici comme une entrave à l'écriture de votre prochain roman à succès. Pourquoi combattriez-vous le Rogue ? Vous êtes pareil à lui.

— Sortez d'ici, ordonna Covenant d'une voix rauque. Taisez-vous et sortez d'ici.

— Pas question, répliqua Troy. Je ne partirai pas avant que vous m'ayez donné une bonne raison pour agir comme vous le faites. Je refuse de baisser les bras et de vous laisser détruire le Fief parce que les seigneurs sont trop scrupuleux pour s'appuyer sur vous.

— Ça suffit ! (Furieux, Covenant se leva brusquement.) Savez-vous seulement ce qu'est un lépreux ?

— Quelle différence cela fait-il ? Ce n'est pas pire que de ne pas avoir d'yeux. Le Fief ne vous a-t-il pas rendu la santé ?

Rassemblant sa douleur et son chagrin, Covenant s'exclama :

— Non ! (Il agita les mains.) Vous appelez ça une guérison ? C'est un mensonge !

Troy fut visiblement ébranlé par cet éclat et sembla vaciller sous l'effet du doute. Pour la première fois, il ressemblait à un aveugle.

— Je ne comprends pas, répéta-t-il doucement.

Un instant, il résista à l'assaut du regard flamboyant de Covenant. Puis il se détourna et sortit sans bruit.

6

Elena

AU CRÉPUSCULE, COVENANT SORTIT SUR LE BALCON pour regarder le soleil se coucher derrière la chaîne Oues-tronne. Même si l'automne commençait à peine, une couronne de neige ceignait déjà les pics. En les effleurant, les rayons jaune-orangé faisaient jaillir des éclats d'une blancheur argentée, qui embrasaient l'horizon comme si le froid et le feu se livraient une glorieuse bataille dans le ciel.

Covenant observa ce spectacle magnifique d'un air renfrogné. La rage l'avait tenaillé tout l'après-midi, mais finalement, sa colère contre Troy s'était éteinte, débordée par l'indignation que lui inspirait son retour forcé dans le Fief. À présent, son cœur était un désert de glace dans lequel il se sentait bien seul. La détermination à survivre qu'il avait opposée à la supplique de Mhoram lui semblait prétentieuse – et vaine, aussi. Au-dessus de ses sourcils froncés, des plis barraient son front, comme si la peau qui recouvrait son crâne refusait d'admettre la guérison.

Il envisagea vaguement de se jeter dans le vide. Pour tromper son vertige, il devrait attendre que la nuit soit tombée et qu'il ne puisse plus voir le sol en contrebas. Mais, considérée sous cet angle, l'idée lui répugnait autant qu'elle l'attirait. Elle offensait la discipline à laquelle il se soumettait, ridiculisait les épreuves qu'il avait déjà endurées pour se maintenir en vie et l'emplissait de l'amertume d'une sévère défaite. Néanmoins, il avait besoin que quelque chose le délivrât de son dilemme. « Puisque le Fief n'est pas réel, il ne peut pas me tuer », raisonnait-il. S'il mourait ici, il se réveillerait forcément dans son monde – la seule réalité à laquelle il pouvait croire. Il n'aurait su dire si cet argument révélait du courage ou de la lâcheté.

Lentement, le soleil s'abîma derrière les montagnes et son flamboiement s'estompa. L'obscurité se répandit depuis les sommets, recouvrant les plaines jusqu'à ce que Covenant ne distingue plus que des formes vagues. Les étoiles apparurent l'une après l'autre, tels des points de repère dans l'espace infini des cieux, mais trop de distance les séparait et la carte qu'elles dessinaient demeurait indéchiffrable. Sous le regard stérile du lépreux, elles semblaient briller d'une lueur triste.

Quelqu'un frappa poliment à la porte. Covenant poussa un grognement. Mais parce qu'il ne savait pas quoi faire d'autre, il alla ouvrir.

Le battant de pierre pivota sans bruit sur ses gonds. La lumière du couloir inonda la pièce, éblouissant Covenant. Du coup, il ne reconnut pas tout de suite les deux hommes qui se tenaient sur le seuil. Puis celui de gauche lança :

— Seigneur suprême, excusez-nous de vous déranger.

À sa voix joyeuse, Covenant identifia Thorm.

— Soyez bienvenu parmi nous, bienvenu et fidèle, ajouta son compagnon sur un ton prudent, comme s'il craignait d'offenser l'étranger. Nous sommes les hospitaliers de la Citadelle, chargés de pourvoir à votre confort.

Tandis que ses yeux s'accoutumaient à la vive clarté, Covenant détailla les visiteurs. Ils étaient rasés de près, mais celui de droite était plus grand et plus mince que l'autre. Il portait une cape de sylvestre gris-vert ornée de broderies bleues et un diadème de feuilles dans les cheveux – la marque d'un magistère. Dans ses mains, il tenait plusieurs bâtons de bois lisse. Thorm, lui, avait la carrure trapue et musclée d'un stèlagien ; par-dessus son pantalon souple, il arborait une tunique de couleur mousse aux épaulettes bleues. « Le signe des seigneurs », se dit

Covenant. Dans chaque main, l'ignessire serrait un petit bol de pierre couvert.

Covenant le dévisagea. La bonne humeur qui pétillait dans ses prunelles et retroussait le coin de ses lèvres était à peine moins exubérante que dans son souvenir. Comme Mhoram, Thorm ne semblait pas avoir vieilli de quarante ans.

— Je suis Borillar, récita son compagnon, magistère du *lillianrill* et hospitalier de la Citadelle. Voici Thorm, ignessire du *rhadhamaerl* et également hospitalier de la Citadelle. L'obscurité flétrit le cœur. Nous vous avons apporté de la lumière.

Tandis qu'il parlait, une expression soucieuse passa sur les traits de Thorm.

— Seigneur suprême, vous allez bien ? demanda-t-il.

— Bien ? murmura Covenant, perplexe.

— Je vois sur votre front une tempête qui vous cause de la douleur. Voulez-vous que j'appelle un guérisseur ?

— Quoi ?

— Seigneur suprême, je suis votre obligé. On m'a raconté que vous aviez, au péril de votre vie, arraché mon vieil ami Birinair à un brasier magique dans les entrailles du mont Tonnerre. Même s'il n'a pas survécu, c'était très courageux de votre part. N'hésitez pas à me demander tout ce que vous voudrez. En mémoire de Birinair, je ferai mon possible pour vous servir.

Covenant secoua la tête. Il savait qu'il aurait dû détromper Thorm, lui expliquer qu'il s'était jeté dans les flammes pour s'immoler et non pour sauver Birinair. Mais il n'en avait pas le courage. Sans rien dire, il s'effaça pour laisser entrer les visiteurs.

Borillar se dirigea vers les torchères d'un pas mesuré, presque solennel. Covenant le regarda allumer avec application les bâtons de *lillianrill* qu'il avait apportés.

— Vous impressionnez beaucoup ce brave Borillar, chuchota Thorm avec un léger sourire. Depuis sa plus tendre enfance, on l'abreuve du récit des exploits de l'Incrédule. Et il a été nommé hospitalier très récemment. Son ancien maître a démissionné de ce poste pour superviser la fabrication des quilles et des gouvernails de vermeillan qui ont été promis aux géants par le haut seigneur Loric Vilmotu en personne. Borillar ne se sentait pas encore prêt à assumer de telles responsabilités.

— Il est jeune, acquiesça Covenant. (Puis il se tourna vers Thorm et se força à lui poser la question qui le tourmentait.) Mais vous... Vous n'accusez pas votre âge. Quarante ans se sont écoulés depuis mon précédent séjour dans le Fief. Vous devriez avoir l'air beaucoup plus vieux.

— Seigneur suprême, j'ai vu passer cinquante-neuf étés, dont quarante et un depuis le jour où vous êtes arrivé à Pierjoie en compagnie de Salin Suilécume.

— Vous ne les faites pas.

Thorm eut un large sourire.

— Notre tradition et les murs de la Citadelle nous protègent contre l'usure spirituelle et physique. Sans nous, ces couloirs taillés par les géants seraient bien sombres, et bien froids en hiver. La satisfaction d'accomplir un travail aussi indispensable nous aide à rester jeunes.

Il s'éloigna de Covenant pour poser un des bols sur la table du salon et l'autre sur celle de chevet, dans la chambre. Quand il les découvrit, le tiède rayonnement des ignescentes se joignit à celui des torches, réchauffant et adoucissant l'atmosphère de l'appartement.

D'un air ravi, Thorm inspira à pleins poumons l'odeur de terre fraîchement retournée des pierres de feu. Puis il revint vers Covenant en laissant Borillar encore affairé dans la chambre.

— Seigneur suprême, demanda-t-il à voix basse, auriez-vous la gentillesse de dire quelque chose au brave Borillar ? Il chérira vos paroles jusqu'à la fin de sa vie.

Quelques instants plus tard, celui-ci traversa le salon dans l'autre sens et s'immobilisa devant la porte, aussi raide que s'il avait été au garde-à-vous. Il ressemblait à un acolyte bien décidé à ne pas faillir à ses devoirs envers son dieu. Touché par sa bonne volonté, Covenant lança maladroitement :

— Merci beaucoup, magistère.

Le plaisir transfigura littéralement Borillar. Il tenta de garder l'air digne, mais l'Incrédule et orréchal, ce héros de légende, venait de lui adresser la parole. Il s'écria avec ferveur :

— De rien, seigneur suprême. J'ai foi en vous. Je sais que vous sauverez le Fief.

Thorm haussa un sourcil, amusé, s'inclina devant Covenant avec reconnaissance et sortit en poussant Borillar devant lui. Il s'apprêtait à refermer la porte quand il s'interrompit, adressa un signe de tête à quelqu'un que Covenant ne pouvait voir et s'éloigna en laissant le battant ouvert.

Bannor entra. Fixant le lépreux de ses yeux qui ne dormaient jamais et cillaient rarement, il annonça :

— Le haut seigneur désire s'entretenir avec vous.

— Maintenant ? s'exclama Covenant. Misère...

Par-dessus son épaule, il jeta un coup d'œil plein de regret au balcon et à la nuit qui enveloppait le paysage, au-delà. Puis il emboîta le pas au sangarde.

Tout en marchant, il procéda à une rapide SVE. C'était un exercice futile, mais il ne voulait pas en perdre l'habitude. Il en avait besoin pour se rappeler qui il était et quel était le fait central de son existence. Pourtant, Pierjoie ne tarda pas à reprendre son emprise sur lui. Les couloirs interminables et enchevêtrés de la Citadelle possédaient un étrange pouvoir de persuasion, pareil à un envoûtement, et dégageaient une impression de solidité inébranlable.

Bannor entraîna Covenant au fin fond de la forteresse, où ce dernier ne s'était encore jamais aventuré. Grâce à ses perceptions décuplées, il sentait la masse colossale de la roche, comme s'il était en contact direct avec elle. Et à la limite de son ouïe, à un niveau presque subliminal, il captait la présence des gens qui dormaient ou travaillaient derrière les murs alentour. Il lui semblait presque entendre la Citadelle respirer. Pourtant, aussi impressionnante qu'elle fût, l'architecture du lieu ne lui inspirait aucune crainte. Pierjoie lui communiquait l'assurance d'une inviolable sécurité ; la montagne refusait de le laisser croire qu'elle pouvait s'écrouler ou succomber à un siège.

Bannor et Covenant pénétrèrent dans un hall dont deux sangardes, à la posture typiquement détendue, encadraient la porte. À l'intérieur, il n'y avait ni torches ni vasques d'ignescentes, mais une vive lueur émanait du fond de la pièce. Elle provenait d'une large caverne ronde, dont le plancher incroyablement lisse, qui semblait avoir été poli pendant des lustres, brillait comme si des fragments de soleil avaient été incorporés à la pierre. Elle ne blessait pas les yeux, mais était assez forte pour éclairer l'espace dans son intégralité. Ainsi Covenant put-il voir que des portes flanquées de balcons se découpaient à mi-hauteur des murs.

Bannor fit halte pour lui permettre de regarder autour de lui, puis s'avança, pieds nus, sur le sol scintillant. Covenant hésita avant de le suivre, car il craignait de se brûler. Mais à travers ses bottes, il ne sentit qu'une sourde vibration de pouvoir, qui lui picota les nerfs.

Quand il fut habitué au contact de la pierre, il remarqua les ouvertures largement espacées qui scandaient les parois. Il en compta quinze. Des sangardes se tenaient devant neuf d'entre elles, et devant chacun d'eux, un trépied de bois était planté dans le sol. Trois supportaient un bâton seigneurial, dont l'un était celui de la Loi. Covenant l'identifia à son épaisseur supérieure et aux runes complexes gravées entre ses extrémités ferrées. Guidé par Bannor, il arriva à son niveau. La sentinelle se porta à leur rencontre et salua Bannor d'un signe de tête.

— J'ai amené le seigneur suprême, conformément aux instructions du haut seigneur, annonça Bannor.

— Elle l'attend, acquiesça son compagnon. (Puis il braqua son regard, chargé de menace, sur le lépreux.) Nous sommes la sangarde. Nous veillons sur la sécurité des seigneurs. Je suis Morin, dragon de la sangarde et successeur de Tuvor. Le haut seigneur va s'entretenir avec vous en privé. Ne songez même pas à lui nuire, Incrédule. Nous ne vous le permettrons pas.

Morin s'écarta pour laisser passer Covenant. Celui-ci ouvrit la bouche pour demander comment il pourrait bien s'en prendre à Elena, mais Bannor le prit de vitesse.

— Ici, les seigneurs déposent leur fardeau. Ils abandonnent leur bâton afin de pouvoir, derrière ces portes, se reposer des devoirs de leur charge. Le haut seigneur vous fait un grand honneur en vous recevant dans son sanctuaire, sans attribut pour la protéger ni sangarde pour veiller sur elle. Elle vous traite en ami. Seigneur suprême, je sais que vous n'êtes pas l'ennemi du Fief. Mais votre attitude manque de déférence. Respectez au moins la confiance que vous témoigne le haut seigneur par ce geste.

Il planta ses yeux dans ceux de Covenant, comme pour donner plus de poids à ses paroles. Puis il se détourna et frappa à la porte.

Quand Elena lui ouvrit, Covenant la vit clairement pour la première fois. Elle avait troqué la robe bleue propre à son rang contre la longue tunique foncée des stèlagiennes. Son épaisse chevelure brune, mêlée de mèches couleur miel, cascadait sur ses épaules, dissimulant les motifs brodés sur le fin lainage. Un cordon blanc noué autour de sa taille soulignait ses courbes. Elle paraissait plus jeune que Covenant ne l'imaginait – une trentaine d'années environ –, mais la peau blanche de son front et de sa gorge dégageait une impression de force et d'austère discipline. Elle eut un sourire presque timide en apercevant son visiteur.

Sous la détermination qui marquait ses traits bien dessinés, Covenant perçut quelque chose de vaguement familier, comme si la structure du visage lui rappelait quelqu'un qu'il avait connu autrefois. Ce sentiment était à la fois renforcé et atténué par les yeux, du même gris que les siens. Elena le fixait d'une manière pénétrante et lointaine, semblant contempler un secret à travers lui. Son trouble manifeste éveilla en Covenant des émotions oubliées depuis longtemps.

— Je vous en prie, entrez, dit-elle d'une voix aussi limpide qu'un torrent de montagne.

Covenant s'exécuta d'un pas raide et l'entendit refermer la porte derrière lui. Il s'avança jusqu'au centre de la pièce en regardant autour de lui.

Le sanctuaire d'Elena était une sorte d'antichambre éclairée par quatre pots d'ignescentes posés dans les angles. Il n'abritait que quelques chaises de pierre et une table sur laquelle se trouvait une statuette blanche. Malgré l'ameublement dépouillé et les murs nus, il y régnait une atmosphère de sérénité douillette, que le lépreux attribua à la lumière ambrée. Baignée par la douce tiédeur des pierres de feu, la cavité taillée dans la roche semblait aussi confortable qu'un berceau.

Elena désigna un siège.

— Asseyez-vous donc. Nous avons beaucoup de choses à nous dire.

Mais Covenant détourna les yeux et resta debout. Sérénité ou pas, il se sentait mal à l'aise. C'était Elena qui l'avait arraché à son monde et il se méfiait d'elle. Pourtant, lorsqu'il prit la parole, ce fut pour lui révéler une de ses préoccupations les plus secrètes.

— Bannor en sait plus qu'il ne veut bien le dire, marmonna-t-il en secouant la tête.

— Comment ça ? s'étonna Elena. Qu'a-t-il fait pour vous donner cette idée ?

Mais Covenant s'était déjà ressaisi et garda un silence buté.

— Les sangardes connaissent le doute, reprit Elena sur un ton hésitant. Depuis que Kevin le Dévastateur les a renvoyés pour les protéger, ils sont rongés par le remords, comme s'ils avaient failli à leur serment de fidélité. Pourtant, personne ne songerait à les accuser de quoi que ce soit. Est-ce à cela que vous faites allusion ?

Covenant n'avait pas envie de répondre, mais le regard insistant de la jeune femme l'y contraignit.

— Ils ont déjà vécu trop longtemps et Bannor le sait.

Puis, pour détourner la conversation, il s'approcha de la table afin d'examiner la statuette. Celle-ci représentait un ranyhyn blanc cabré sur un socle d'ébène. C'était une œuvre stylisée, très dépouillée, mais qui rendait à la perfection la puissance du coursier, l'intelligence de ses yeux et le flottement de sa crinière pareille à une oriflamme.

— Elle vous plaît ? demanda Elena, qui était restée près de la porte. C'est Myrha, la jument qui me sert de monture. Je l'ai sculptée dans de l'os.

Le cœur de Covenant se serra. Il ne voulait pas penser aux ranyhyn, mais quelque chose l'intriguait.

— Suilécume m'a dit que la tradition du moellage s'était perdue.

— Il n'avait pas tort. Dans tout le Fief, je suis la seule à pratiquer l'*anundivian yajña*, cette technique jadis développée puis oubliée par le peuple de Ra durant son exil dans la cordillère Sudronne. Je ne dis pas ça pour me vanter ; j'ai seulement eu beaucoup de chance. Quand j'étais enfant, Myrha m'a emmenée dans les montagnes. Mon absence a duré trois jours. Ma mère croyait que j'étais morte. Mais pendant ce temps, Myrha m'a enseigné beaucoup de choses. Et j'ai redécouvert la tradition perdue, l'art de modeler les os séchés. Je viens le pratiquer ici quand je suis trop lasse de ma mission et chaque fois, j'y puise de nouvelles forces.

Covenant tournait le dos à Elena, mais pas pour admirer la sculpture : il étudiait sa voix, comme s'il s'efforçait d'y déceler des accents familiers ou d'en déchiffrer les sous-entendus. Néanmoins ceux-ci se dérobaient à lui.

Brusquement, il pivota vers Elena. Et de nouveau, il eut l'impression qu'elle regardait à travers lui. Il l'observa avec tant de concentration que son front se plissa, jusqu'à ce qu'il porte sa plaie cicatrisée comme une couronne d'épines.

— Que voulez-vous ? s'enquit-il.

— Je vous en prie, asseyez-vous. Nous avons beaucoup de choses à nous dire, répéta Elena.

— Quoi, par exemple ?

Le ton agressif du lépreux ne troubla nullement son interlocutrice.

— J'espère trouver un moyen de vous rallier à notre cause.

— Et jusqu'où seriez-vous prête à aller pour me convaincre ?

Covenant se méprisa aussitôt pour avoir posé cette question.

Le regard d'Elena se planta dans le sien, le brûlant telle une langue de feu. Il sentit le sang lui monter au visage et eut un mouvement de recul en comprenant que la jeune femme, pour le convaincre, irait bien au-delà de tout ce qu'il pouvait imaginer.

Mais avant qu'il puisse préciser cette impression, Elena se détourna et passa dans une pièce voisine. Quand elle revint, elle tenait un coffret en bois orné de ferronnerie, qu'elle portait comme s'il contenait quelque chose de précieux.

— Le conseil a longuement débattu à ce sujet. Certains seigneurs disaient que c'était un cadeau trop lourd à porter pour quiconque et qu'il valait mieux le garder en sécurité le plus longtemps possible. D'autres pensaient qu'il manquerait son but : « L'Incrédule croira que nous cherchons à l'acheter ; il se mettra en colère et refusera. » Mhoram, qui vous connaît mieux que nul autre, était de cet avis. Mais j'ai répliqué que vous n'étiez pas notre ennemi. « S'il ne nous aide pas, c'est parce qu'il est incapable de le faire. Bien qu'il possède l'or blanc, il ignore comment s'en servir. Voici une arme qui nous dépasse, mais peut-être pourra-t-il la maîtriser et l'utiliser en notre faveur. » Finalement, j'ai eu gain de cause. Le conseil m'a chargée de vous remettre ce présent afin que son pouvoir ne soit pas perdu, mais tourné contre le Rogue.

« Après votre départ, il y a quarante ans, le Bâton de la Loi a ouvert des portes, au cœur de Pierjoie, qui étaient verrouillées depuis la profanation. Les seigneurs espéraient qu'elles dissimulaient d'autres tabernacles de la Sagesse de Kevin. Ça n'était pas le cas. Mais parmi de nombreuses reliques désormais inutilisables, nous avons découvert cette arme, que nous vous offrons aujourd'hui.

Elena pressa les parois du coffre. Le couvercle s'ouvrit, révélant un capitonnage de velours sur lequel reposait une courte épée argentée à double tranchant, avec une garde en forme de coquille nervurée. Elle semblait forgée autour d'une gemme blanche, étrangement terne, qui occupait la jonction de la lame et de la poignée. Les ignescentes auraient dû la parer de mille reflets, mais elle semblait incapable d'accrocher et de retenir leur lumière.

— C'est le *krill* de Loric Vilmotu fils de Damelon et petit-fils de Berek, révéla Elena sur un ton plein de respect. Il lui a permis de tailler en pièces l'incarnation démondim du ravageur *moksha* et de délivrer le Fief du premier déferlement des ur-vils. Seigneur suprême Covenant, Incrédule et orréchal, l'acceptez-vous ?

En proie à la fascination que les objets coupants exer-çaient sur lui, Covenant souleva le *krill* du coussin et le soupesa. Il lui parut bien équilibré, même s'il ne pouvait le tenir correctement avec sa main droite mutilée. Il en testa prudemment le tranchant sur son pouce. Il était tout émoussé, comme si personne ne l'avait jamais aiguisé. Ce qui n'empêcha pas le lépreux de se blesser quand même.

— Mhoram avait raison, dit-il, poussé par l'hébétude aride et solitaire de son cœur. Je ne veux pas de cadeau. Vous m'en avez déjà fait plus que je ne puis supporter.

Il lui semblait que les gens qu'il avait rencontrés dans le Fief avaient tenté, d'une manière ou d'une autre, de lui offrir quelque chose : Suilécume, les ranyhyn, Mhoram, Atiaran... Le Fief lui-même lui avait donné la santé en régénérant ses nerfs. Mais le sacrifice de Léna restait le plus terrible de tous. Après que Covenant l'eut violée, elle s'était cachée, afin que son peuple ne découvre pas la vérité. Elle avait fait preuve d'une générosité insoutenable pour que Covenant garde sa liberté et puisse apporter le message d'apocalypse du Rogue aux seigneurs de Pierjoie. Même la retenue d'Atiaran pâlissait à côté de tant d'abnégation.

« Léna ! » gémit Covenant en lui-même tandis que le chagrin et la honte le submergeaient. Avec une expression orageuse, il saisit le *krill* à deux mains, pointe vers le bas, et l'abattit sur la table de pierre pour en briser la lame.

Un éclair blanc l'aveugla l'espace d'une seconde et l'épée lui échappa. Au lieu de chercher à comprendre ce qui s'était passé, Covenant fit face à Elena et haleta :

— Je ne veux plus de vos présents ! Je ne les supporte pas !

Mais la jeune femme ne le regardait ni ne l'écoutait. Les mains plaquées sur sa bouche, elle fixait la table.

— Par les sept tabernacles ! souffla-t-elle. Qu'avez-vous fait ?

« Que... ? » songea Covenant. Il pivota.

La lame du *krill* avait fendu la pierre, dans laquelle elle s'était enfoncée jusqu'à la garde. Et sa gemme flamboyait telle une étoile.

Le lépreux prit vaguement conscience d'une pulsation

dans son annulaire gauche. Son anneau lui paraissait lourd et brûlant, comme si le métal était en fusion. Mais il l'ignora et tendit une main tremblante vers le *krill*.

Une décharge de pouvoir le projeta en arrière.

« Par les feux de l'enfer ! »

Il coinça ses doigts douloureux sous l'aisselle de son autre bras et poussa un grognement.

Aussitôt, Elena reporta son attention sur lui.

— Vous êtes blessé ? s'inquiéta-t-elle. Que vous est-il arrivé ?

— Ne me touchez pas ! aboya Covenant.

La jeune femme hésita, partagée entre son envie d'aider le lépreux et la stupéfaction que lui inspirait le joyau étincelant. Au bout d'un moment, elle s'ébroua, comme pour s'éclaircir les idées, et dit doucement :

— Incrédule, vous avez ramené le *krill* à la vie !

Covenant tenta de se ressaisir, mais ce fut d'une voix frémissante qu'il répliqua :

— Ça ne change rien. Cette arme ne vous sera d'aucun secours. Tout le pouvoir qui compte se trouve entre les mains de Turpide.

— Il ne dispose pas de l'or blanc, contra Elena.

— Au diable l'or blanc !

— Non ! Vous n'avez pas le droit de dire une chose pareille ! Je n'ai pas lutté toute ma vie pour rien. Ma mère, et sa mère avant elle, n'ont pas souffert en vain.

Covenant ne comprenait pas la brusque véhémence d'Elena ; pourtant, il se tut. Coincé entre elle et le *krill*, il se sentait impuissant. Il fixa Elena qui, à son tour, se laissait submerger par ses émotions.

— Vous dites que ça ne change rien, que le *krill* ne nous sera d'aucun secours. Êtes-vous prophète pour affirmer de telles horreurs ? Et si oui, que nous conseillez-vous ? Baisser les bras ? Capituler et accepter la destruction du Fief ? Jamais ! rugit-elle.

Un instant, Covenant crut déceler un accent de haine dans sa voix. Puis elle se ressaisit.

— Non, reprit-elle plus calmement. Nul habitant du Fief ne restera les bras ballants tandis que le Rogue accomplira son œuvre maléfique. Si nous devons souffrir et mourir, il en sera ainsi. Mais nous ne désespérerons pas, même si l'Incrédule en personne prétend que nous le devrions.

De vains sentiments se succédèrent sur le visage de Covenant. Il était incapable de répondre. La conviction et l'énergie l'avaient abandonné. Même la douleur dans sa main s'était presque dissipée. Il se détourna d'Elena et frémit comme son regard se posait sur le *krill*. Avec la lenteur délibérée d'un vieillard, il s'assit sur une chaise.

— Si seulement je savais ce qu'il faut faire... murmura-t-il.

Il eut vaguement conscience qu'Elena quittait la pièce. Mais il ne releva la tête que lorsqu'elle revint et s'approcha de lui. Elle tenait une carafe de guinguet, qu'elle lui offrit. Et dans ses yeux, Covenant lut une inquiétude qu'il ne méritait pas.

Il but longuement au goulot, comme si le breuvage était un baume capable d'apaiser la douleur de son front et de restaurer son courage défaillant. En même temps, il se méfiait des intentions d'Elena, quelles qu'elles puissent être. Celle-ci lui témoignait trop de compassion ; elle faisait preuve de trop d'indulgence face à son agressivité. Malgré la solidité du sol de Pierjoie, Covenant avait l'impression de se déplacer sur des sables mouvants.

Elena prit une profonde inspiration, comme si elle s'apprêtait à faire un aveu difficile. Pourtant, Covenant ne lisait aucune franchise dans son regard étrangement dédoublé.

— Je l'ignore autant que vous, déclara-t-elle enfin. Mais j'ai beaucoup d'autres choses à vous révéler. Il ne sera pas dit que je vous aurai délibérément maintenu dans l'ignorance, car toute dissimulation pourrait être mal interprétée et nuire aux intérêts du Fief. Cependant, le courage me manque, je ne trouve pas les mots appropriés. Mhoram a proposé de s'en charger à ma place. J'ai refusé, estimant que c'était à moi de le faire. Mais je suis perdue et ne sais par où commencer.

Covenant la dévisagea sans rien dire. « Si vous croyez que je vais vous faciliter la tâche, vous vous trompez », semblait exprimer son regard.

— Vous avez parlé avec Hile Troy, reprit Elena sur un ton hésitant, comme si elle doutait de la validité de cette approche. Vous a-t-il décrit son arrivée dans le Fief ?

Covenant acquiesça à contrecœur.

— C'était un accident. Un jeune étudiant de la Loge l'a rappelé à ma place.

Elena ouvrit la bouche pour répliquer. Puis elle se ravisa, réfléchit et attaqua le problème sous un autre angle.

— Je ne connais pas votre monde, mais l'insigne affirme que ce genre de chose n'arrive pas là-bas. Avez-vous bien observé Mhoram, Quaan ou Thorm, que vous aviez côtoyés il y a quarante ans ? Certains d'entre eux ne vous semblent-ils pas un peu trop jeunes ?

— En effet. (Covenant s'agita. La question le tourmentait depuis son retour dans le Fief ; il la considérait comme une anomalie, une erreur de continuité dans son hallucination.) Ça ne colle pas. Ni Mhoram ni Thorm n'ont vieilli dans des proportions normales.

— Moi aussi, je suis plus âgée que vous ne pourriez le croire, avança Elena en le fixant intensément. (Voyant qu'il ne répondait ni ne se départait de son air maussade, elle fit marche arrière.) Il en est ainsi depuis que les différentes traditions ont été développées dans le Fief. Tous les vénérables ont vécu jusqu'à un âge avancé – certes pas autant que les géants, dont la longévité naturelle est bien supérieure à celle des hommes. C'est le service de la Terre qui les préservait.

« Ce phénomène perdure, quoique dans une moindre mesure. Ne maîtrisant pas totalement la Sagesse de Kevin, nous ne pouvons en retirer les pleins bénéfices. Et la tradition de la guerre est moins généreuse avec ses adeptes ; c'est pourquoi, de tous vos compagnons de jadis, seuls Quaan et ses subalternes accusent leur âge véritable. Mais les seigneurs et les adeptes du *rhadhamaerl* et du *lillianrill* vieillissent plus lentement que les autres. C'est un grand privilège, car cela accroît nos forces. Même si c'est aussi pour nous une source de chagrin...

Elena soupira et se tut, comme si elle venait de raviver une blessure très ancienne. Mais quand elle reprit la parole, sa voix était toujours aussi calme et limpide.

— Ainsi en a-t-il toujours été. Mhoram a déjà vu passer dix fois sept étés, et c'est à peine s'il en paraît cinquante. Quant à... (Une fois de plus, Elena s'interrompit et changea de sujet. Fixant Covenant d'une façon inquisitrice, elle demanda :) Avez-vous été surpris d'apprendre qu'un ranyhyn m'avait prise en amitié lorsque j'étais enfant ? Personne ici ne peut en dire autant.

Covenant finit le guinguet, se leva et se mit à faire les cent pas devant Elena. Elle ne cessait de ramener la conversation vers les chevaux sauvages, d'une manière suggestive dans laquelle il percevait d'insondables perspectives de détresse. Plus anxieux qu'irrité, il grogna :

— Par les feux de l'enfer ! Cessez de tourner autour du pot.

Elena se raidit.

— Le récit d'Hile Troy n'est pas tout à fait exact. Je l'ai déjà entendu expliquer comment il était arrivé dans le Fief et il se trompe sur un point. Mais je... nous n'avons pas jugé bon de le corriger. Nous avons préféré garder le secret. Seigneur suprême... (Elena marqua une pause avant de dire prudemment :) Hile Troy n'a pas été ramené par un jeune étudiant qui ignorait les périls du rituel, mais par quelqu'un que vous avez connu autrefois.

« Triock ! » Covenant faillit trébucher. Triock fils de Thuler avait toutes les raisons de haïr l'Incrédule. Il était amoureux de Léna... Mais le lépreux ne pouvait se résoudre à prononcer son nom. Maudissant sa lâcheté, il en choisit un autre, le premier qui lui vint à l'esprit.

— Pietten. Ce pauvre gosse rescapé de l'incendie de la Haute Sylve. Les ur-vils lui avaient détraqué l'esprit. C'était lui ? demanda-t-il en évitant le regard d'Elena.

— Non, Thomas Covenant. Ce n'était pas un homme, mais une femme : Atiaran Trell-mie, qui vous guida, jadis, depuis Mithil-Stèlage jusqu'à la Sérénité, où elle vous confia aux bons soins du géant Salin Suilécume.

— Misère, grogna Covenant.

Il se souvint de l'abnégation avec laquelle la mère de Léna avait renoncé à se venger de lui pour mieux servir le Fief. Et il eut une vision de la stèlagienne tandis qu'elle se sacrifiait en tentant de le motiver – le visage tordu par un rictus de dégoût, les yeux embrasés par les contradictions qui se livraient bataille en elle.

— Pourquoi ? souffla-t-il. Elle avait besoin d'oublier.

— Elle ne le pouvait pas. À l'orée de la vieillesse, maintes raisons l'ont ramenée à la Loge, mais deux d'entre elles ont été déterminantes. D'abord, elle désirait ardemment vous faire revenir. Était-ce pour vous punir ou pour vous supplier d'aider le Fief ? Je l'ignore. Atiaran était une femme meurtrie, partagée ; peut-être ne le savait-elle pas elle-même. Une chose est sûre : jusqu'à la fin, elle est restée persuadée que vous étiez responsable du massacre des esprits d'Andelain.

« Non ! » gémit Covenant en lui-même en continuant à arpenter la pièce, courbé comme sous le poids des ténèbres qui assombrissaient son front. « Oh, Atiaran ! »

— Sa seconde raison était en rapport avec le chagrin auquel je faisais allusion, celui qu'induit la longévité des adeptes. Car son époux était Trell, ignessire du *rhadhamaerl*. Ils formaient un couple extraordinaire. Même si Atiaran avait outrepassé ses capacités et dû quitter la Loge dans sa jeunesse, elle était encore assez robuste pour soutenir Trell dans son œuvre, et tout Mithil-Stèlage bénéficiait de leur union.

« Mais sa faiblesse et son échec la hantaient. Au fond, elle se haïssait. Et sur ses vieux jours, une douleur supplémentaire vint s'ajouter à celle que vous lui aviez infligée. Atiaran vieillissait tandis que, grâce à sa tradition, Trell demeurait jeune et vigoureux. Il l'aimait toujours autant, mais elle sentit qu'elle était en train de le perdre : car désormais, elle semblait assez âgée pour être sa mère plutôt que sa femme.

« Ainsi retourna-t-elle à la Loge, mue par son chagrin et sa douleur – mais aussi par son dévouement, car bien qu'elle doutât d'elle-même, son amour pour le Fief n'avait jamais vacillé. Pourtant, le mal qui la rongeait finit par avoir raison d'elle. Fuyant les gardiens qui tentaient de l'en dissuader, elle se rendit dans les collines pour lancer le rituel qu'elle avait découvert et dont elle connaissait pertinemment les dangers. Elle brisa son serment de paix en se donnant la mort et sa vie s'acheva dans le désespoir.

« Non ! » voulut protester Covenant. Mais il se souvenait des tourments d'Atiaran, du tort qu'il lui avait causé et du prix qu'elle avait payé pour se contenir. Il savait qu'Elena disait vrai.

— À la suite de ce tragique événement, Trell vint s'installer à Pierjoie pour consacrer ses forces et son savoir à la défense du Fief. Il est l'un des plus grands adeptes du *rhadhamaerl* et son aide nous est précieuse. Mais lui aussi connaît l'amertume et je crains que son serment ne lui pèse. Il s'est trop souvent senti impuissant. Je suis persuadée qu'il ne se pardonne pas de n'avoir pu aider ni Atiaran ni ma mère.

Covenant voulut protester que Trell, avec ses larges épaules et son étrange pouvoir, ne pouvait pas connaître la véritable nature de l'impuissance. Mais son objection s'étrangla dans sa gorge quand il entendit le ton sur lequel Elena avait dit « ma mère ». Il s'arrêta, vacillant comme s'il allait s'écrouler, et attendit que la jeune femme lui porte le coup de grâce.

— À présent, comprenez-vous pourquoi je chevauchais un ranyhyn lorsque j'étais enfant ? Chaque année, durant la dernière pleine lune avant le milieu du printemps, un grand coursier venait à Mithil-Stèlage. Dès la première fois, ma mère a compris que c'était un cadeau de votre part. Et elle l'a partagé avec moi. C'était si facile pour elle d'oublier le mal que vous lui aviez fait... Ne vous ai-je pas dit que j'étais plus âgée que vous ne le pensiez ? Je suis Elena fille de Léna et petite-fille d'Atiaran Trell-mie. Aujourd'hui encore, Léna ma mère demeure à Mithil-Stèlage, où elle est persuadée que vous viendrez la rejoindre.

Un instant, Covenant demeura figé, observant les motifs brodés sur les épaules de la tunique d'Elena. Puis un flot de compréhension le submergea. Il se laissa tomber sur une chaise aussi brusquement que si on lui avait rompu la colonne vertébrale. La nausée le gagna et il eut un haut-le-cœur.

— Je suis désolé. (Les mots jaillirent entre ses dents serrées, comme expulsés de sa poitrine par un étau de contrition. Ils étaient beaucoup trop creux, beaucoup trop vides pour exprimer ce qu'il ressentait, mais il n'en trouvait pas d'autres.) Oh, Léna ! Je m'en veux tellement !

Il aurait voulu pleurer, mais avait oublié comment faire.

— J'étais impuissant, se força-t-il à articuler malgré sa gorge nouée. J'avais oublié ce que c'était de tenir une femme dans mes bras et tout à coup, je retrouvais ma virilité. Seulement, je savais que ce n'était qu'une illusion, que j'étais en train de rêver. Ça ne pouvait pas être vrai. Je ne l'ai pas supporté. J'ai perdu la tête…

— Ne me parlez pas d'impuissance, rétorqua sèchement Elena. Je suis le haut seigneur. Je dois vaincre le Rogue sans autres armes que des flèches et des épées.

Dans son intonation dure, Covenant perçut une question accusatrice : « Pensez-vous qu'une explication ou des excuses puissent me suffire ? » Et, sans l'engourdissement nerveux qui justifiait son attitude d'ordinaire, il ne pouvait pas se défendre.

— Je sais que ça ne suffit pas, dit-il d'une voix tremblante.

Au prix d'un gros effort, il releva la tête et dévisagea Elena. À présent, il voyait en elle Léna, la jeune fille de seize ans qu'il avait connue. Voilà pourquoi elle lui semblait familière. Elle avait les cheveux et la silhouette de Léna. Et le motif de feuilles blanches qui ornait sa tunique était celui de la famille d'Atiaran.

Quand il croisa son regard, il vit que ses yeux aussi étaient ceux de Léna. Brillant d'une lueur farouche qui ne devait rien à la colère ni à un quelconque jugement, ils paraissaient démentir l'accusation que le lépreux avait devinée dans la voix quelques instants plus tôt.

— Qu'allez-vous faire de moi ? balbutia-t-il. Atiaran voulait que les seigneurs me punissent.

Elena se leva brusquement et passa derrière lui. Tendrement, elle posa ses mains sur son front et entreprit de le masser, comme pour en effacer les plis de douleur.

— Ah, Thomas Covenant ! soupira-t-elle sur un ton presque mélancolique. Je suis le haut seigneur. Je porte le Bâton de la Loi. Je me bats pour le Fief et ne faillirai pas à ma tâche, dussé-je en mourir. Je suis la digne fille de ma mère. Ne me regardez pas avec cette expression soucieuse. Je ne le supporte pas.

Ses caresses, fraîches et apaisantes, semblaient brûler la peau du lépreux. D'après Mhoram, elle l'avait veillé la nuit précédente – elle l'avait regardé dormir et lui avait tenu la main.

Covenant se releva. Il tremblait de tout son corps. Il savait désormais pourquoi Elena l'avait sollicité. Des implications qu'elle n'avait pas formulées planaient entre eux. Mais c'en était trop pour lui ; il était trop bouleversé, trop épuisé pour digérer ses révélations. Ses traits crispés ne pouvaient produire que grimaces. Sans un mot, il sortit et Bannor le ramena à ses quartiers.

Arrivé dans son appartement, il étouffa les torches et couvrit les pots d'ignescentes. Puis il passa sur le balcon.

La lune se levait sur Pierjoie. Elle était encore dans sa phase ascendante et son mince croissant argenté baignait les plaines d'une lumière très pure. Covenant s'emplit les poumons d'air nocturne et s'accouda à la rambarde, momentanément immunisé contre le vertige. Vidé de tout.

Il ne songea pas à sauter. Au lieu de ça, il se dit qu'il lui était effectivement très difficile de refuser quoi que ce soit à Elena.

7

La mission de Korik

PEU AVANT L'AUBE, COVENANT FUT RÉVEILLÉ par des coups insistants frappés à la porte. Il était en train de rêver de la quête du Bâton de la Loi – de son ami Salin Suilécume, que la compagnie avait abandonné dans le défilé de Coupe-Gorge pour protéger ses arrières pendant qu'elle s'enfonçait dans les entrailles du mont Tonnerre. Depuis, il ne l'avait pas revu. Il ne savait même pas si le géant avait survécu à sa périlleuse mission. Et son cœur battait la chamade, comme si les coups du visiteur faisaient écho à son angoisse.

À moitié endormi, il ôta le couvercle d'un pot d'ignescentes et traîna les pieds jusqu'à la porte.

Un homme se tenait sur le seuil, dans la vive clarté du couloir. Sa robe bleue et son bâton le désignaient comme un seigneur.

— Seigneur suprême Covenant, débita-t-il très vite, je vous prie de m'excuser de vous réveiller. De tous les membres du conseil, je suis le plus embarrassé d'écourter votre nuit. J'aime dormir et manger ; ce sont des plaisirs exquis. Certains affirment d'ailleurs qu'à force de me sustenter, je ne devrais même plus avoir besoin de repos. C'est sans doute ce qui m'a valu d'être choisi pour cette mission, qui s'annonce aussi ardue que déplaisante.

Et il entra sans demander la permission.

Covenant cligna des yeux pour ajuster sa vision encore embrumée par le sommeil. L'inconnu était petit et corpulent. Dans son visage rubicond, ses yeux brillaient de malice, lui donnant l'air d'un chérubin polisson. Son expression ne cessait de changer ; sourires affables, grimaces et froncements de sourcils se succédaient rapidement sur ses traits, empreints d'une profonde bonhomie.

— Je suis Hyrim fils de Hoole, se présenta-t-il en détaillant ouvertement le lépreux. Seigneur du conseil, comme vous le voyez, et grand plaisantin devant l'Éternel, comme vous avez dû le remarquer. Je vous raconterais volontiers ma vie pour satisfaire votre légitime curiosité à mon endroit ; malheureusement, le temps presse. Chevaucher un ranyhyn est un privilège, mais lorsque je l'ai sollicité, je ne pensais pas qu'il serait assorti de si nombreuses et si ennuyeuses obligations. Peut-être consentirez-vous à m'accompagner ?

— À vous *accompagner* ? articula Covenant, étourdi par ce flot de paroles. Où ça ?

— Au moins jusqu'à la cour, si je ne puis vous persuader d'aller plus loin. Je vais tout vous expliquer pendant que vous vous préparerez, promit Hyrim.

Covenant ne comprenait pas ce qu'il attendait de lui. Ce personnage rondouillard voulait qu'il s'habille et le suive quelque part, et après ?

Au prix d'un effort visible, Hyrim adopta une expression plus sérieuse.

— Seigneur suprême, certaines choses sont difficiles à dire. Mhoram et le haut seigneur auraient pu s'en charger. Ils ne désirent nullement vous dissimuler ces informations. Mais frère Mhoram répugne à décrire sa propre douleur. Et le haut seigneur… Je suis convaincu qu'elle rechigne à vous envoyer dans la gueule d'un si grand péril. (Il grimaça.) Pour ma part, je n'ai pas autant de scrupules. L'héroïsme est l'apanage des maigres. L'embonpoint rend circonspect, et c'est bien logique. Nous les gros, hésitons à risquer notre peau sans nécessité, pour la bonne raison que nous en avons davantage à perdre. Bien sûr, on raconte que les épreuves endurcissent le corps – et vous conviendrez avec moi que je fais plutôt dans la mollesse. On prétend aussi qu'elles élèvent l'âme. À cela, les géants répliquent qu'il est bien temps de songer à l'élévation de son âme quand le corps n'a plus d'autre choix. Ce sont des gens pleins de bon sens.

Covenant avait déjà entendu cette phrase dans la bouche de Salin Suilécume. Il secoua la tête pour chasser ce douloureux souvenir.

— Je ne comprends pas, avoua-t-il.

— Et pour cause : je ne vous ai encore rien expliqué. Ah, Hyrim ! s'admonesta-t-il en secouant la tête. La concision est une chose si simple – et pourtant, elle t'échappe en tout. Tu ne sais pas être bref, ni dans tes repas, ni dans ton sommeil, ni dans tes discours. Seigneur suprême, voulez-vous bien vous habiller ? J'ai des nouvelles à vous annoncer. Elles concernent les géants et risquent fort de vous déplaire.

L'anxiété serra le cœur de Covenant. Il se sentait tout à fait réveillé.

— Parlez, ordonna-t-il.

— Je parlerai. Dès que vous aurez commencé à vous vêtir.

Hyrim était peut-être mou, mais il savait aussi se montrer inflexible. Réprimant un juron, Covenant rebroussa chemin vers la chambre. Pendant qu'il enfilait son jean et son T-shirt, Hyrim se lança depuis la pièce voisine. Il choisissait soigneusement ses mots, comme s'il faisait un effort délibéré pour être percutant.

— Seigneur suprême, vous connaissez l'histoire des géants. Salin Suilécume vous a conduit à Pierjoie ; vous étiez présent quand il a révélé au conseil que les présages tant attendus par son peuple s'étaient enfin manifestés.

Covenant s'en souvenait très bien. Du temps des vénérables, les géants sillonnaient les mers à la recherche de leur patrie perdue. Au terme de plusieurs décennies d'errance, ils avaient débarqué sur les rivages du Fief et s'étaient installés dans la région désormais connue sous le nom d'Ondemère, pour y vivre jusqu'au jour où ils pourraient rentrer chez eux. Damelon, le haut seigneur de l'époque, les avait accueillis en frères et leur avait prédit que leur exil s'achèverait un jour.

Depuis, trois millénaires s'étaient écoulés. Les géants n'avaient pas retrouvé le chemin de leur contrée natale – et c'était peut-être la raison pour laquelle leur fertilité avait commencé à décliner. Ils adoraient les enfants, mais ne parvenaient à en concevoir que très peu. Au fil des siècles, leur nombre avait lentement diminué. Mais selon la prophétie de Damelon, un jour, leur semence retrouverait sa vigueur d'antan, et ce serait le signe que leur malheur touchait à son terme, pour le meilleur ou pour le pire.

Durant son règne, Loric fils de Damelon avait fait une promesse à ses amis : lorsque les augures annoncés par son père se présenteraient, les seigneurs fourniraient aux apatrides des puissants gouvernails et quilles en vermeillan pour équiper leur flotte. Quand Covenant avait rencontré Salin Suilécume, il se rendait à Pierjoie pour annoncer au conseil qu'Ondulée Florissante, l'épouse d'Espar Posequille, avait donné naissance à des triplés : un événement sans précédent à Ondemère. Simultanément, des navires envoyés en reconnaissance étaient rentrés au port après avoir découvert un bras de mer inconnu qui pourrait bien permettre le retour des exilés dans leur pays.

— Depuis quarante ans, reprit Hyrim, les *lillianrill* de la Citadelle travaillent d'arrache-pied pour tenir la promesse faite par Loric. Les sept quilles et gouvernails seront bientôt prêts. Mais si la guerre éclate entre-temps, comment les ferons-nous parvenir à leurs destinataires ? Sans compter que nous aurons besoin de l'aide de ces derniers pour combattre Turpide. Malheureusement, il se peut que nous ayons travaillé et espéré en vain. Il se peut que...

— Suilécume, coupa Covenant en se débattant avec les lacets de ses bottes. (L'inquiétude lui ôtait toute patience.) Qu'est-il devenu ? A-t-il survécu à la quête du Bâton de la Loi ?

Hyrim hésita avant de répondre :

— Quand vos compagnons ont rebroussé chemin vers la Citadelle après avoir vaincu Sialon Larvae, ils ont découvert Suilécume vivant et indemne. Il avait réussi à échapper

106

aux lions de feu et à regagner Andelain. Il est rentré à Ondemère ; depuis, il nous a rendu visite deux fois pour aider à la fabrication des pièces en vermeillan. D'autres que lui sont venus et repartis, le cœur en joie.

« Mais aujourd'hui... (Le seigneur s'interrompit, avant de répéter sur un ton chagriné :) Aujourd'hui...

Covenant revint dans le salon et se planta face à Hyrim.

— Aujourd'hui ? lança-t-il, plein d'appréhension.

— Un profond silence s'est abattu sur Ondemère. Depuis trois ans, aucun géant n'a mis les pieds dans les Hautes Terres et nous sommes sans nouvelles d'eux. (Voyant flamboyer le regard du lépreux, Hyrim se hâta d'ajouter :) Oh, nous ne sommes pas restés les bras croisés. La première année, nous n'avons pas réagi : près de quatre cents lieues séparent Pierjoie d'Ondemère, ce qui ne facilite pas les communications. La suivante, nous avons envoyé des messagers à plusieurs reprises. Aucun d'eux n'est jamais revenu. Au printemps dernier, nous avons dépêché une phalange pour voir de quoi il retournait. Vingt guerriers et leur galon ont disparu, comme si la terre les avait engloutis.

« Après cela, le conseil n'a plus voulu risquer la vie de ses miliciens. Cet été, Callindrill et Amhatin ont chevauché vers l'est en compagnie de leurs sangardes. À Sarangrave, ils ont été repoussés par un pouvoir ténébreux et innommable. Sœur Amhatin a failli mourir quand sa monture s'est écroulée, mais le ranyhyn de Callindrill l'a sauvée, puis les a tous deux emmenés en sécurité. Ainsi, une ombre s'est abattue entre nos frères de roc et nous. Nous ignorons ce qu'il est advenu d'eux.

Covenant poussa un grognement. Suilécume était son ami – pourtant, il ne lui avait même pas dit au revoir quand ils s'étaient séparés à Coupe-Gorge. Il s'en voulait beaucoup. Il aurait aimé le revoir, ne serait-ce que pour s'excuser.

Hyrim observait le lépreux. Quelque chose voilait son regard naturellement si gai. De toute évidence, il avait une bonne raison de tirer le seigneur suprême du lit avant l'aube.

Covenant s'ébroua pour chasser ses remords et lança :

— Je ne comprends toujours pas.

— Dans ce cas, je vais être plus direct. La nuit de votre retour, Mhoram a été assailli par une vision qui l'a arraché à votre chevet et a glacé son sang dans ses veines. Elle lui a montré... (Hyrim se détourna brusquement.) Ah, Hyrim ! soupira-t-il. Tu n'es qu'un gros lard doté d'une cervelle d'oiseau. Pourquoi a-t-il fallu que dès ta plus tendre enfance, tu ne rêves que de seigneurs, de Sagesse, de géants et d'exploits audacieux ? Et pourquoi ne t'a-t-on pas envoyé garder les moutons pour te punir, au lieu de prêter l'oreille à tes divagations ? Ta bêtise et ton incompétence déshonorent Hoole Gren-mi ton père, qui a eu la bonté de te faire confiance.

« Mhoram a vu la mort qui marchait vers les géants, lâcha Hyrim d'une voix blanche. Il n'a pas réussi à distinguer son visage. Mais une chose est sûre : si personne ne vient au secours des apatrides dans les plus brefs délais, ils seront anéantis.

« Anéantis ? se répéta Covenant tel un écho silencieux. Anéantis ? Encore une tragédie dont je devrai porter la responsabilité ? » Il déglutit.

— Qu'attendez-vous de moi ? Pourquoi me racontez-vous tout cela ?

— À cause de la vision de frère Mhoram, il a été décidé d'envoyer sur-le-champ une expédition à Ondemère. La guerre est imminente et nous allons avoir besoin de tous nos combattants ; mais selon Mhoram, il s'agit d'aller vite plutôt que de frapper fort. Par conséquent, le conseil a désigné deux des nôtres, élus par les ranyhyn : Shetra Verement-mie, qui connaît le plateau de Sarangrave mieux que quiconque, et Hyrim fils de Hoole, qui a quelque idée de la tradition des géants. Pour nous accompagner, Morin a choisi quinze sangardes qui seront commandés par Korik, Cerrin et Sill. C'est leur mission autant que la nôtre et si nous venons à succomber en chemin, ils la poursuivront sans nous.

« Korik est l'un des membres les plus anciens de la sangarde. (Hyrim semblait digresser, comme s'il hésitait à faire une révélation gênante.) Avec Tuvor, Morin, Bannor et Terrel, il dirigeait l'armée des haruchai, qui marcha jadis sur le Fief. Cerrin est affecté à la protection rapprochée de Shetra, comme Sill l'est à mon encombrante personne. Espérons qu'ils ne failliront pas. Je n'ai aucune envie de perdre d'un coup toute cette chair qu'il m'a fallu tant d'années de siestes et de gueuletons pour accumuler, plaisanta-t-il.

Frustré, Covenant répéta sur un ton sec :

— Qu'attendez-vous de moi ?

Hyrim redevint grave.

— Vous avez bien connu Salin Suilécume. J'aimerais que vous vous joigniez à notre équipée.

Covenant en resta bouche bée. La tête lui tourna. Comme par-delà une très grande distance, il s'entendit demander :

— Le haut seigneur est-elle au courant ?

Hyrim grimaça.

— Sa colère m'incinérera sur place comme un poulet oublié sur une broche quand elle apprendra que je vous ai raconté tout cela. (Il retrouva son sérieux. Son visage était d'une extraordinaire mobilité.) Seigneur suprême, je n'ai jamais dit qu'il était de votre devoir de nous accompagner. Peut-être ai-je tort de vous le demander. Nous savons si peu de choses sur les plans du Rogue pour l'affrontement à venir... De quel côté attaquera-t-il ? Contournera-t-il Andelain par le sud, comme il le fit autrefois, avant de remonter vers le nord en traversant les plaines centrales, ou longera-t-il la Faille en direction du nord pour lancer son offensive par l'est ? Tant que nous n'aurons pas répondu à ces questions, Hile Troy ne pourra pas établir de stratégie et la milice demeurera paralysée.

« Mais si Turpide a déjà massé ses forces à l'est, notre groupe va se jeter dans la gueule du loup. Pour cette raison, ce serait pure folie que d'emmener l'or blanc et son porteur. Je vais être franc : s'il était sage que vous nous accompagniez, frère Mhoram vous en aurait déjà touché deux mots. Ce qui ne va pas m'empêcher d'insister. Seigneur suprême, j'ai une profonde affection pour les géants. Ils sont les alliés les plus précieux du Fief et ses amis les plus fidèles. Pour les aider, je suis prêt à braver la colère du haut seigneur Elena, affirma Hyrim.

L'humble sincérité de sa plaidoirie alla droit au cœur du lépreux. Il venait juste de rencontrer le petit homme grassouillet, mais déjà, celui-ci avait gagné sa sympathie. Covenant avait envie de l'aider. Et le salut des géants était un puissant argument. Covenant ne supportait pas l'idée que Salin Suilécume – si rieur, si vigoureux et si compréhensif – puisse périr faute de renforts. Mais il se sentait fort mal placé pour secourir quiconque. Et il était encore sous le coup de sa rencontre avec Elena. Pour rien au monde il ne voulait contrarier la jeune femme ou lui donner une raison supplémentaire de le haïr.

Hyrim fixait Covenant d'un air candide. Il attendait une réponse. Comme le silence de son interlocuteur se prolongeait, ses yeux se remplirent de larmes. Il se détourna en clignant des paupières pour les chasser.

— Pardonnez-moi de vous enfermer dans un dilemme aussi cruel, seigneur suprême, dit-il doucement.

Dans son ton, Covenant ne décela ni ironie ni jugement : juste du chagrin et de la compassion. Quand Hyrim lui fit de nouveau face, un pauvre sourire tremblait sur ses lèvres.

— Consentez-vous au moins à descendre avec moi dans la cour ? C'est de là que nous partirons au lever du soleil. Votre présence prouvera aux habitants de Pierjoie que vous avez pris votre décision en connaissance de cause.

Covenant ne pouvait pas lui refuser ce minuscule service. Il était trop honteux, trop furieux contre sa propre impuissance.

Il n'avait pas fait deux pas dans le couloir que Bannor apparut à son côté comme par enchantement. Encadré par le sangarde et le seigneur, il se dirigea vers les portes de la Citadelle.

Pierjoie ne possédait qu'une entrée, car les géants l'avaient conçue pour qu'elle fût imprenable. À la pointe du promontoire, ils avaient creusé la roche pour former une cour entre la Citadelle proprement dite et la tour de garde qui surplombait les portes extérieures. Celles-ci – deux énormes battants de pierre au bord dentelé, qui se refermaient comme des mâchoires pour sceller l'accès à la forteresse – donnaient sur un tunnel qui traversait la tour.

À l'extrémité de ce passage, qui débouchait sur la cour intérieure, se dressaient deux vantaux massifs et solides.

La Citadelle était reliée à la tour par une série de passerelles de bois suspendues dans les airs à intervalles réguliers, mais au niveau du sol, on ne pouvait y accéder que par deux petites portes qui encadraient le tunnel. Ainsi, l'ennemi qui réussirait, contre toute attente, à franchir le premier barrage devrait réitérer son exploit à l'intérieur pendant que les défenseurs l'attaqueraient depuis les remparts.

La cour était pavée, à l'exception d'une zone centrale circulaire, où poussait un vieux vermeil abreuvé par deux fontaines. Le reste de l'expédition s'était rassemblé sous ses ramures gigantesques. À l'horizon, le ciel pâlissait déjà.

L'attention de Covenant fut aussitôt attirée par la seule personne présente qui ne fût pas un sangarde : le seigneur Shetra, présuma-t-il. Il la distinguait clairement dans la lumière qui s'échappait par les fenêtres de la Citadelle. C'était une femme de haute taille, dont le visage émacié semblait taillé à la serpe sous les courts cheveux gris. Son regard acéré, braqué sur la forteresse, évoquait irrésistiblement celui d'un faucon en chasse. Mais dans ses prunelles, le lépreux vit quelque chose de douloureux, un désir lancinant qu'elle ne pouvait ni satisfaire ni réprimer.

Hyrim salua aimablement sa consœur. Elle l'ignora, continuant à fixer la Citadelle comme si elle ne supportait pas l'idée de la quitter.

Derrière elle, les sangardes s'affairaient à boucler leur paquetage, qu'ils fixaient ensuite sur leur dos à l'aide de lanières de *glutor* pour conserver leur liberté de mouvement. Bientôt, l'un d'eux s'avança à la rencontre d'Hyrim. Covenant reconnut Korik.

— Nous sommes prêts.

— Ah, si je pouvais en dire autant ! lança Hyrim sur un ton léger. Par les sept tabernacles ! Je suis fait pour applaudir les victoires, pas pour les remporter. Oui, c'est là que réside mon véritable talent. Si vous reveniez couvert de gloire, je boirais à votre santé avec un enthousiasme et une gratitude qui vous bouleverseraient. Mais ça ! Galoper à bride abattue au-devant d'on ne sait quel monstrueux péril... À ce propos, pourriez-vous jeter quelque lumière sur la nature des dangers qui nous attendent ?

— Seigneur ?

— J'ai beaucoup réfléchi, mon cher Korik – et vous imaginez combien cela a pu m'être difficile. Le haut seigneur avait une excellente raison de placer cette opération entre vos mains. Entendez donc mes conclusions ; il serait dommage de gaspiller les fruits d'un si grand effort. De tous les habitants de Pierjoie, seuls les sangardes ont connu le Fief avant la profanation. Vous avez côtoyé Kevin en personne. Vous en savez forcément plus que nous à son sujet – et au sujet du Rogue. Vous avez probablement une bonne idée de la façon dont il livre ses batailles. Peut-être pourriez-vous, mieux que Callindrill, prévoir les obstacles qui risquent de se dresser sur notre route.

Korik eut un léger haussement d'épaules.

— Je suis convaincu, insista Hyrim, que vous êtes en mesure de cerner les périls de l'expédition. Vous devriez partager votre savoir avec nous. Serait-il plus sage d'éviter la forêt de Grimmerdhore et le plateau de Sarangrave ? Devrions-nous les contourner, quitte à perdre un peu de temps ?

— Les sangardes ne connaissent pas l'avenir, répondit Korik, impassible.

Pourtant, Covenant crut l'entendre appuyer légèrement sur le verbe « connaissent », comme pour lui donner une dimension plus large, plus prophétique.

— Peut-être pas, concéda Hyrim. Mais vous ne me ferez pas croire que vous avez survécu au règne de Kevin sans avoir rien appris. Craignez-vous que nous ne puissions encaisser vos révélations ?

— Hyrim, ça suffit, coupa sèchement Shetra. Est-ce ainsi que vous témoignez votre respect aux gardiens du vœu ?

— Ah, sœur Shetra, vous vous méprenez. Je voue un respect absolu aux sangardes. Comment pourrait-il en être autrement, alors qu'ils ont consenti des sacrifices si inhumains pour me maintenir en vie ? S'ils avaient, en plus, fait le serment de m'assurer des repas décents durant ce voyage, ma gratitude ne connaîtrait plus de bornes. Mais vous comprenez sûrement ma position. Le haut seigneur leur a demandé de mener cette mission à son terme coûte que coûte. Autrement dit, s'ils se trouvent devant l'alternative de nous arracher au danger ou de poursuivre seuls leur chemin, ils nous abandonneront à notre sort.

Un instant, Shetra fixa Hyrim avec dureté, presque avec mépris. Mais quand elle parla, sa voix ne contenait aucune accusation.

— Hyrim, ce n'est pas pour votre sécurité que vous vous inquiétez. Vous êtes persuadé que la survie des géants dépend de notre modeste entreprise ; vous avez peur pour eux et cherchez à le dissimuler en feignant de vous alarmer pour vous.

— *Melenkurion Barreciel !* grogna Hyrim pour ne pas éclater de rire. Je n'aspire qu'à préserver la chair qu'il m'a fallu tant d'années pour accumuler. Et vous seriez bien inspirée de prendre exemple sur moi.

— Paix, mon ami. Je n'ai pas le cœur à plaisanter, soupira Shetra.

Puis elle se détourna pour recommencer à fixer la Citadelle d'un air sombre.

Hyrim l'observa en silence pendant quelques instants.

— Bah, finit-il par dire à Korik, elle a moins à perdre que moi. Peut-être ne peut-on développer l'esprit et le cœur qu'au détriment du corps. Il faudra que j'en discute avec nos frères de roc, si jamais nous arrivons jusqu'à eux.

— Nous sommes la sangarde, répondit platement Korik. Nous atteindrons Ondemère.

Hyrim leva les yeux vers le ciel, qui s'éclaircissait peu à peu.

— Vaincre ou périr, dit-il doucement. Si seulement nous étions plus nombreux... Les géants sont immenses et leur besoin doit l'être tout autant.

— Leurs ressources le sont aussi, répliqua Korik.

Hyrim le dévisagea mais ne répondit pas. Rejoignant Shetra, il désigna leurs montures d'un signe de tête.

— Venez, ma sœur. Notre mission nous appelle. La route sera longue ; si nous voulons en voir le bout, il nous faut d'abord commencer par la prendre.

— Attendez encore un peu, protesta Shetra sur un ton

suppliant, plutôt incongru dans sa bouche, vu son apparence si autoritaire.

Hyrim hésita. Puis il acquiesça et revint vers Covenant.

— Elle espère voir Verement son époux avant de partir, expliqua-t-il si bas que le lépreux l'entendit à peine. C'est une bien triste histoire, seigneur suprême. Leur union est troublée depuis qu'ils se sont rendus ensemble dans les plaines de Ra pour s'offrir au choix des ranyhyn. Tous deux semblaient également dignes de l'estime des fabuleux coursiers, mais ceux-ci élirent Shetra et laissèrent Verement rentrer bredouille à la Citadelle. Qui peut dire sur quels critères ils basent leur sélection ? Même le peuple de Ra l'ignore.

« Quoi qu'il en soit, cet événement a provoqué une cassure au sein du couple. Frère Verement est un homme fier ; il a mal supporté l'échec et désormais, doute de sa valeur. Malheureusement, sœur Shetra ne peut rien faire pour le réconforter.

« Cette mission ne va rien arranger, entre eux. Verement aurait dû partir à ma place, mais une monture ordinaire ralentirait l'expédition. Seuls les ranyhyn possèdent la rapidité et l'endurance nécessaires. Je regrette que vous ne puissiez vous substituer à Shetra, ne serait-ce que pour lui épargner un nouveau déchirement.

— Moi non plus, je ne monte pas de ranyhyn, répliqua Covenant, mal à l'aise.

— Ils viendraient, si vous les appeliez, contra Hyrim.

Covenant garda le silence, car il craignait que son interlocuteur n'eût raison. Les ranyhyn avaient offert de le servir. Mais s'ils s'étaient cabrés devant lui, c'était sous l'effet d'une terreur insurmontable, et non par amitié. Le lépreux s'était juré de ne jamais chevaucher l'un d'eux. De nouveau, il n'avait rien d'autre à opposer à Hyrim que son indécision silencieuse.

Quelques instants plus tard, il entendit un mouvement dans le tunnel de la Citadelle. Pivotant, il vit deux seigneurs s'avancer dans la cour : Elena et un homme qu'il n'avait pas encore rencontré.

L'arrivée de la jeune femme le fit frémir. Il lui sembla que l'air s'emplissait de menace. Mais très vite, il reporta son attention sur Verement – car ce ne pouvait être que lui. Le nouveau venu avait les mêmes cheveux gris que Shetra, les traits aussi aigus que les siens et un pli amer identique au coin des lèvres. Il se dirigea vers sa femme d'un pas vif, comme s'il voulait l'étreindre ou la frapper. Arrivé à trois mètres d'elle, il s'immobilisa.

— Es-tu décidée à partir ? demanda-t-il d'une voix sourde.

— Tu sais bien qu'il le faut.

Sans se soucier des gens qui les observaient, ils restèrent plantés face à face pendant une longue minute. C'était comme s'ils se livraient une bataille muette et immobile, chacun refusant de céder et de faire le moindre geste pouvant être interprété comme un compromis ou une abdication.

— Il ne voulait pas venir, chuchota Hyrim, mais le haut seigneur l'y a forcé. Il a honte.

Soudain, Verement lança son bâton à Shetra. Celle-ci le rattrapa au vol et, en retour, lui envoya le sien.

— Porte-toi bien, ma femme, dit Verement sur un ton bourru.

— Porte-toi bien, mon époux.

— Je ne connaîtrai ni repos ni bonheur jusqu'à ton retour.

— Moi non plus, souffla Shetra.

Sans rien ajouter, Verement se détourna et rebroussa chemin vers la Citadelle. Shetra le suivit des yeux. Puis elle se dirigea vers le tunnel. Korik et les autres sangardes lui emboîtèrent le pas. Bientôt, Covenant se retrouva seul avec Hyrim et Elena.

— Eh bien, Hyrim ! fit doucement la jeune femme. Votre tour est venu. Je regrette de devoir vous infliger cette épreuve, mais je sais que vous êtes capable d'en triompher. Vous n'avez pas encore pris la mesure de votre valeur. C'est l'occasion ou jamais.

— Haut seigneur, lâcha très vite Hyrim, j'ai demandé au seigneur suprême Covenant de nous accompagner.

Elena se raidit. Une aura de tension presque palpable l'enveloppa.

— Hyrim, vous vous aventurez en terrain dangereux, dit-elle sur un ton dur.

Mais dans sa voix, Covenant n'entendit ni colère ni menace. Elle respectait l'initiative d'Hyrim. Simplement, elle avait peur. Elle se tourna vers le lépreux et lui demanda prudemment, comme si elle craignait de laisser paraître ses émotions :

— Avez-vous accepté ?

Elle se tenait dos aux lumières de la Citadelle, si bien que son visage était plongé dans l'ombre. Covenant se réjouit de ne pouvoir voir son expression ; il ne voulait pas savoir si son étrange regard était ou non focalisé sur lui. Il ouvrit la bouche pour lui répondre, mais sa gorge était si sèche qu'aucun son n'en sortit.

— Non, parvint-il enfin à articuler. Non. (Par sympathie pour Hyrim, il se força à dire la vérité :) Je ne peux rien faire pour eux.

La vérité, mais pas *toute* la vérité. S'il avait décidé de rester, c'était aussi parce que Elena fille de Léna ne voulait pas qu'il parte.

Dans la pénombre, le soulagement de celle-ci fut aussi évident que sa tension quelques instants plus tôt.

— Qu'il en soit ainsi, seigneur suprême.

Hyrim et elle se firent face en silence, et le lépreux sentit qu'ils communiaient mentalement. Puis Hyrim s'avança et embrassa Elena sur le front. Elle l'étreignit brièvement. Il s'inclina devant Covenant et disparut dans le tunnel.

Elena s'écarta et entra dans la tour par l'une des petites portes. Le lépreux prit une profonde inspiration, tentant de se ressaisir, comme après un interrogatoire. Malgré la fraîcheur de l'aube, il transpirait abondamment. Un instant, il hésita. Puis il entendit un sifflement aigu hors de la forteresse. Les sangardes appelaient les ranyhyn.

Aussitôt, il s'élança vers l'extérieur.

Dehors, loin des ombres de la cour, le ciel paraissait plus clair. À l'est, les premiers rayons du levant nimbaient l'horizon. Dans la lumière matinale qui se propageait vers l'ouest, quinze sangardes et deux seigneurs renouvelèrent leur appel, encore et encore. Les échos de leur troisième cri s'estompaient à peine quand l'air s'emplit d'un grondement de tonnerre. La terre tremblait sous les sabots des ranyhyn.

Soudain, dix-sept coursiers aux membres puissants jaillirent entre les collines et galopèrent vers la Citadelle. Une étoile blanche se détachait sur leur front telle l'écume sur la crête d'une vague et leurs sabots étincelaient. Avec un hennissement joyeux, ils s'immobilisèrent près des cavaliers qu'ils avaient choisis.

Les sangardes et les seigneurs s'inclinèrent.

— Salut à vous, ranyhyn, fiers arpenteurs du Fief ! s'écria Korik. Chair de soleil, crinière de ciel, nous nous réjouissons que vous ayez perçu notre appel. Un indicible fléau menace le Fief ; l'épuisement et le danger guettent les ennemis de l'Équarisseur. Accepterez-vous de nous porter ?

Les grands chevaux hochèrent la tête. Ils franchirent les derniers mètres qui les séparaient des sangardes et les poussèrent doucement du nez. Répondant à leur invitation, ceux-ci bondirent sur leur dos. Ils montaient à cru, car les ranyhyn les servaient de leur plein gré ; il suffisait d'une caresse, d'une pression des genoux ou même d'une injonction mentale pour les diriger. L'étrange faculté qui leur permettait d'anticiper l'appel de leurs cavaliers – de le sentir plusieurs jours à l'avance et d'accourir depuis les plaines de Ra pour y répondre le moment venu – leur permettait également de ne faire qu'un avec eux. C'était une union parfaite, spirituelle autant que physique.

Hyrim et Shetra enfourchèrent leur monture avec plus de dignité. Covenant les regarda faire, la gorge nouée, comme s'ils relevaient un défi qui aurait dû lui échoir. « Suilécume, je t'en prie, pensa-t-il. Je t'en prie... » Mais même dans sa tête, il n'arrivait pas à articuler « pardonne-moi ».

Puis il entendit un cri derrière lui, en hauteur. Se retournant, il aperçut une silhouette mince qui se tenait sur les remparts de la tour : Elena. Tandis que la troupe pivotait dans sa direction, elle brandit le Bâton de la Loi. Une flamme bleue jaillit, si intense qu'elle sembla laisser une traînée lumineuse derrière elle lorsque Elena agita son Bâton par trois fois.

— Salut à vous, nobles défenseurs du Fief !
s'écria-t-elle.

Et elle pointa l'instrument vers le ciel. Un instant, le bois
s'embrasa sur toute la longueur et le feu seigneurial projeta
tant de lumière au pied de la Citadelle que l'aube elle-
même en pâlit ; comme si Elena voulait prouver à l'assemblée qu'elle était assez puissante pour effacer la destinée
inscrite dans les cieux.

En réponse, Hyrim et Shetra déployèrent eux aussi leur
pouvoir, et les sangardes hurlèrent à l'unisson :

— Salut à vous, haut seigneur ! Force et foi !

Puis les seigneurs éteignirent leur bâton. Le groupe fit
demi-tour et s'éloigna au galop dans la clarté du levant.

8

La complainte du seigneur Kevin

LE DÉPART DE L'EXPÉDITION et son entretien avec Elena, la veille au soir, avaient profondément perturbé Covenant. Il était en train de perdre le peu d'indépendance et d'authenticité qu'il possédait. Au lieu de déterminer par lui-même la position qu'il devait adopter, puis d'agir en accord avec sa décision, il se laissait influencer et séduire à un niveau encore plus fondamental que durant son premier séjour dans le Fief. Déjà, il avait accepté sa dette envers Elena, et c'était la seule chose qui l'avait empêché d'assumer ses responsabilités envers les géants.

Il ne pouvait pas continuer ainsi. Sinon, il ressemblerait bientôt à Hile Troy, ce type si émerveillé par le pouvoir de la vision qu'il ne percevait pas combien son désir de servir le Fief était aveugle. Pour un lépreux, ce serait du suicide. S'il échouait, il mourrait. Et s'il réussissait, il ne supporterait plus jamais l'engourdissement de sa vie réelle. Il connaissait des victimes de la maladie de Hansen qui avaient succombé ainsi, mais leur mort n'était jamais rapide ni miséricordieuse. Elle survenait au terme d'une putréfaction si abominable que Covenant en avait la nausée chaque fois qu'il y pensait.

Et ce n'était pas son seul argument. Sa tentation de

119

prendre fait et cause pour le Fief était l'œuvre de Turpide, le moyen par lequel le Rogue voulait assurer la destruction de ce monde. Lorsqu'un homme incompétent accepte un fardeau trop lourd pour lui, son échec ne peut que servir le dessein du Mépris. Covenant ne doutait pas qu'Hile Troy ne soit pas à la hauteur : ne devait-il pas son arrivée dans le Fief qu'au désespoir d'Atiaran ? Malgré tout son talent pour la stratégie, il ne parviendrait pas à vaincre l'armée du Rogue. Quant à lui, Covenant avait conscience de n'être investi d'aucune puissance particulière. Si le pouvoir de l'or blanc existait réellement, il n'en serait jamais le maître. En prétendant le contraire, il ne contribuerait qu'à hâter la chute du Fief.

Il lui fallait réagir, trouver une certitude absolue sur laquelle fonder sa conduite – la preuve irréfutable que le Fief n'était qu'une illusion. Il ne devait pas se fier à ses émotions ; il avait besoin de logique, d'un argument aussi incontournable que la loi de la lèpre.

Pendant longtemps, il fit les cent pas dans son appartement, comme s'il espérait découvrir une réponse dans le sol en pierre. Puis, mû par une impulsion, il alla ouvrir la porte et jeta un coup d'œil dans le couloir. Bannor était là, fidèle à son poste, aussi imperturbable que si rien ne pouvait le faire douter du sens de son existence. Covenant le pria d'entrer un moment.

Tandis que le sangarde attendait, planté là, il passa rapidement en revue ce qu'il savait de lui et de ses semblables. Leur peuple, les haruchai, vivait très haut dans la chaîne Ouestronne, au-delà de la Mémoriade, qui marquait, à l'ouest, la frontière du Fief. De tempérament guerrier et aventureux, les haruchai avaient fini par envoyer une armée vers l'est. Ainsi, peu de temps après que Kevin eut accédé au rang de haut seigneur, ils avaient marché sur le Fief et défié le conseil – sans armes ni tradition, car ils avaient une foi absolue en leurs capacités physiques. Mais Kevin avait refusé de les affronter. À leurs intentions belliqueuses, il avait répondu par des offres d'amitié.

L'étonnement initial des haruchai se changea bientôt en admiration et ils ne voulurent pas demeurer en reste. Les ranyhyn, les géants et Pierjoie elle-même les avaient tant émerveillés qu'ils firent le vœu de servir les seigneurs et invoquèrent le Pouvoir de la Terre, afin qu'il fût témoin de leur engagement. Cela les contraignit à tenir leur promesse au mépris du temps et de la mort. Cinq cents des leurs avaient formé la sangarde. Les autres étaient rentrés chez eux.

Depuis, les effectifs n'avaient guère diminué. Chaque fois qu'un combattant mourait, son ranyhyn ramenait sa dépouille dans la chaîne Ouestronne et un autre haruchai venait prendre sa place. Seuls les défunts dont le corps ne pouvait être retrouvé – comme Tuvor, l'ancien dragon – n'étaient jamais remplacés.

L'anomalie flagrante dans l'histoire des sangardes est qu'ils s'étaient sortis indemnes du rituel de profanation, alors que Kevin, son conseil et presque toutes ses œuvres avaient été détruits. Quand le haut seigneur leur avait ordonné de se replier dans les montagnes, ils lui avaient obéi sans l'interroger sur ses intentions. Après cela, ils avaient douté de leur propre fidélité. Ils avaient fait un vœu ; ils auraient dû périr avec Kevin à Kiril Threndor ou l'empêcher d'y retrouver le Rogue et de lancer la procédure qui avait entraîné la chute des vénérables. Leur engagement défiait même la mort, et pourtant, ils n'avaient pas réussi à préserver les seigneurs.

Covenant voulait demander à Bannor ce qui arriverait si jamais les sangardes réalisaient que leur fidélité était mensongère – que malgré leur serment, ils avaient trahi Kevin autant qu'eux-mêmes. Mais il ne pouvait se résoudre à poser une question aussi insultante. Bannor ne méritait pas qu'il le traite ainsi. Lui aussi avait perdu sa femme ; elle était morte depuis deux mille ans.

Au lieu de ça, le lépreux se focalisa sur la recherche d'une contradiction qui lui prouverait la nature illusoire du Fief. Il réalisa très vite qu'il n'obtiendrait rien de Bannor. De sa voix au timbre assourdi, celui-ci lui fournit les réponses qu'il espérait et redoutait concernant les survivants de la quête.

Il savait déjà ce qu'il était advenu de Mhoram et de Salin Suilécume. Bannor lui révéla que Prothall avait démissionné avant même que l'expédition ait regagné Pierjoie. Il n'avait pu oublier que le vieil hospitalier Birinair était mort à sa place. Et il pensait qu'il avait accompli son destin en récupérant le Bâton de la Loi, qu'il ne lui restait plus rien à donner au Fief. Aussi avait-il confié sa prise et le deuxième tabernacle à Mhoram, avant de prendre la route de son village natal, situé sur les versants nordrons. Les habitants de Pierjoie ne l'avaient jamais revu.

Osondrea avait donc assumé sa charge de haut seigneur. Jusqu'à son dernier souffle, elle avait usé de son pouvoir pour rebâtir le conseil, développer la milice et pourvoir à l'expansion de Boijovial, le nouveau siège de la Loge.

Honteux de ne ramener que la moitié des guerriers qu'on lui avait confiés, Quaan avait également proposé sa démission. Mais connaissant sa valeur, Osondrea l'avait rejetée. À présent, il était le brandebourg de la milice, le bras droit d'Hile Troy. Malgré ses cheveux blancs et son regard à demi éteint par l'âge, il était toujours aussi solide et honnête. Les seigneurs le respectaient. En l'absence de Troy, ils lui auraient volontiers confié le commandement de la milice.

Covenant poussa un soupir contrarié et renvoya Bannor à son poste. Toutes ces informations ne répondaient pas à son besoin. À l'évidence, il ne trouverait pas de solution à son dilemme. S'il voulait une preuve, il devrait la fabriquer. La perspective l'emplissait d'appréhension. Les actions qu'il entreprendrait mettraient du temps à porter leurs fruits ; d'ici là, son hallucination serait terminée et il aurait réintégré le monde réel. Elles ne lui seraient d'aucun secours. Mais il n'avait pas d'autre choix.

Il disposait de trois moyens faciles pour créer une contradiction : détruire ses vêtements, jeter son canif – sa seule autre possession – ou se laisser pousser la barbe. Quand il se réveillerait et trouverait ses habits intacts, son petit couteau toujours dans sa poche ou son menton bien rasé, il tiendrait sa preuve.

La guérison de son front ne lui suffisait pas. Son expérience passée lui faisait craindre de se blesser de nouveau avant la fin de son séjour dans le Fief. Mais il ne pouvait se résoudre à mettre en œuvre les deux premières solutions. S'il déchirait ses vêtements, si solides, ou se débarrassait du canif, qui pouvait lui être si utile, il se sentirait encore plus vulnérable. Pestant contre le sort qui le forçait à abandonner l'une des habitudes cruciales dont dépendait sa survie, il décida d'arrêter de se raser.

Quand, poussé par la faim, il trouva enfin le courage de quitter son appartement, il arbora ses joues piquantes comme un défi.

Bannor le guida jusqu'à l'un des grands réfectoires de Pierjoie et le laissa se restaurer en paix. Mais Covenant n'avait pas encore fini son petit déjeuner que le sangarde revint vers lui d'un pas plus vif que jamais, bondissant presque d'excitation. Pourtant, quand il s'adressa à lui, sa voix était toujours aussi laconique et son regard froid.

— Seigneur suprême, le conseil réclame votre présence à la closerie. Un étranger vient d'arriver à Pierjoie. Les seigneurs vont bientôt le recevoir.

— Quel genre d'étranger ? s'enquit prudemment Covenant. Quelqu'un comme moi – ou Hile Troy ?

— Non.

Dans la réponse de Bannor, Covenant perçut une certitude qui ne devait rien à l'habituelle assurance du sangarde. Comme sa démarche, ce « non » recelait une tension, une nervosité que le lépreux ne s'expliquait pas. Il suivit Bannor hors de la salle et s'enfonça avec lui dans les entrailles de Pierjoie. Comme ils descendaient un large escalier incurvé, il se força à lui demander :

— Pourquoi est-ce si urgent ? Que savez-vous de l'arrivant ?

Bannor l'ignora.

En atteignant la closerie, ils virent qu'Elena, Verement et quatre de leurs pairs les y avaient précédés. Le haut seigneur était assise au milieu de la table en forme de croissant ; le Bâton de la Loi reposait devant elle sur le plateau de pierre. À sa droite, il y avait deux hommes et deux femmes. À sa gauche, trois chaises vides et Verement. Huit sangardes avaient pris place derrière eux, sur le premier gradin. Morin, Thorm et Borillar se trouvaient également là. Il n'y avait personne d'autre. Un silence expectatif planait dans l'immense amphithéâtre. Covenant n'aurait guère été surpris qu'Elena leur annonce le début de l'offensive du Rogue.

Bannor le guida jusqu'à un siège vacant parmi les seigneurs. Il s'y installa en frottant d'une main son menton mal rasé, comme s'il s'attendait que le conseil comprît la signification de son début de barbe. Tous les yeux étaient braqués sur lui et le mettaient mal à l'aise. Il avait presque honte de la sensibilité retrouvée avec laquelle ses doigts percevaient la rugosité de ses poils.

— Seigneur suprême Covenant, lança Elena au bout d'un moment. Pendant que nous attendons Mhoram et Hile Troy, j'aimerais m'excuser pour notre piètre hospitalité et vous présenter les membres du conseil que vous ne connaissez pas encore.

Covenant acquiesça avec soulagement. Tout, plutôt qu'elle continue à le dévisager avec cet air étrange.

La jeune femme commença par sa gauche.

— Voici le seigneur Verement Shetra-mi, que vous avez déjà croisé tout à l'heure.

Verement fixait ses mains, maussade. Il se dispensa de saluer Covenant.

Elena se tourna vers la droite. L'homme assis à côté d'elle était grand et large d'épaules ; une épaisse barbe blonde encadrait son visage au front haut et à l'expression circonspecte.

— Voici le seigneur Callindrill Faer-mi. Faer sa femme est un grand maître du *suru-pa-maerl*.

Callindrill eut un sourire presque timide et inclina la tête.

— Après lui viennent les seigneurs Trevor et Loerya.

Autant Trevor était fluet et affichait une indécision manifeste, comme s'il n'était pas certain de mériter sa place au sein de l'assemblée, autant son épouse semblait épanouie et solide, consciente de sa valeur et de son pouvoir.

— Ils ont trois filles, qui réjouissent nos cœurs, ajouta Elena.

Trevor et Loerya la remercièrent d'un sourire – surpris et fier pour Trevor, calme et confiant pour Loerya.

— Enfin, tout au bout de la table, le seigneur Amhatin

fille de Mhatin, acheva Elena. Voilà un an à peine, elle a réussi les épreuves du Bâton et de l'Épée, et rejoint le conseil. Elle supervise les écoles de Pierjoie et l'enseignement dispensé à nos enfants.

Amhatin s'inclina gravement. Elle était menue, avec des yeux noisette et une expression sérieuse ; elle dévisageait Covenant comme si elle l'étudiait.

Elena marqua une pause, puis souhaita la bienvenue à l'Incrédule dans la Citadelle. Mais avant qu'elle puisse achever la cérémonie rituelle, Mhoram entra par l'une des petites portes situées derrière la table. Covenant décela de la lassitude dans son pas et de la fébrilité dans ses prunelles, comme s'il avait passé la nuit à lutter contre les ténèbres. Il était si fatigué qu'il marchait en s'appuyant sur son bâton.

Le souffle court, il se laissa tomber dans sa chaise. Ses pairs tournèrent leur regard vers lui et le fixèrent intensément. Covenant devina qu'ils lui prêtaient leur force. Lentement, la lueur fiévreuse se dissipa dans les yeux de Mhoram et il commença à distinguer les figures qui l'entouraient.

— Avez-vous réussi ? interrogea doucement Elena. Avez-vous pu retirer le *krill* ?

— Non.

Les lèvres de Mhoram avaient formé le mot, mais aucun son n'en était sorti.

— Cher Mhoram, soupira Elena. Vous devriez vous ménager. Le Rogue se prépare à envahir le Fief. Nous aurons besoin de vous durant la guerre à venir.

Mhoram eut un sourire sans joie. Il ne répondit pas.

Avant que Covenant puisse lui demander ce qu'il avait voulu faire avec le *krill*, la grande porte de la closerie s'ouvrit, livrant passage à Troy et Quaan. L'aveugle vint s'asseoir près de Covenant tandis que Quaan rejoignait Morin et les hospitaliers. Apparemment, ils arrivaient des baraquements de la milice. Ils n'avaient même pas pris le temps d'ôter leur épée, dont le fourreau tinta contre la pierre de leur chaise.

Dès qu'ils furent installés, Elena déclara la séance ouverte. Elle s'exprimait d'une voix basse mais claire, qui portait jusqu'au fond inoccupé de l'amphithéâtre.

— Cette réunion extraordinaire a été convoquée à la suite de l'arrivée impromptue d'un étranger à Pierjoie. Crowl, je vous donne la parole.

Un des sangardes se leva du siège qu'il occupait, près de l'escalier, et vint se planter devant Elena pour faire son rapport.

— Voilà une heure, l'inconnu est subitement apparu aux portes de la Citadelle. Ni les guetteurs ni les sentinelles ne l'ont vu approcher. Il a demandé si les seigneurs étaient là et déclaré que le haut seigneur souhaitait l'interroger. Il est différent des autres hommes. Mais il s'est présenté à nous sans arme et ses intentions sont pacifiques. Nous avons décidé de le laisser entrer. Depuis, il attend d'être reçu par le conseil.

Sur un ton aussi acéré que le bec d'un faucon, Verement lança :

— Comment se fait-il qu'il ait pu tromper votre vigilance soi-disant infaillible ?

— Il était dissimulé à nos yeux. Si nous n'avons rien vu, c'est parce qu'il n'y avait rien à voir, répondit Crowl avec une placidité indiquant que l'attention des sangardes ne pouvait être prise en défaut.

— Magnifique, railla Verement. Un de ces jours, l'armée du Rogue se matérialisera à nos portes comme par enchantement et nous serons réveillés par le fracas des murs en train de s'écrouler !

Il aurait sans doute continué sur sa lancée si Elena ne l'avait pas fermement interrompu.

— Faites entrer l'étranger, ordonna-t-elle.

Tandis que Crowl se dirigeait vers le principal accès de la salle, Amhatin se tourna vers le haut seigneur.

— Est-il venu à votre requête, comme il le prétend ?

— Non. Mais maintenant, j'ai grande envie de l'interroger.

Deux sangardes apparurent, encadrant un homme mince, simplement vêtu d'une robe couleur crème. Bien qu'il fût presque aussi grand que Covenant, il semblait à peine assez âgé pour avoir atteint sa taille définitive. Ses mouvements étaient fluides, son pas était leste et ses cheveux bouclés dansèrent autour de son visage rieur quand il descendit les marches de la closerie. De toute évidence, les précautions prises à son endroit l'amusaient beaucoup.

Grâce à la nouvelle profondeur de sa vision, Covenant comprit aussitôt pourquoi Crowl l'avait jugé « différent des autres hommes ». Sous sa chair juvénile, la vieillesse irradiait de ses os. Son squelette n'était ni friable ni infirme, loin de là, mais il possédait une incommensurable aura d'antiquité, qu'il semblait contenir tel un calice. Il émanait de lui quelque chose d'à la fois glorieux et terrifiant qui affolait les perceptions de Covenant.

L'arrivant s'immobilisa près de la fosse aux ignescentes et s'inclina.

— Salut à vous, haut seigneur ! s'exclama-t-il d'une voix haut perchée.

Elena se leva et répondit gravement :

— Étranger, sois bienvenu dans le Fief ; bienvenu et fidèle. Nous sommes les seigneurs de Pierjoie et je suis Elena fille de Léna, haut seigneur par le choix du conseil et porteuse du Bâton de la Loi. Comment pouvons-nous t'honorer ?

— La courtoisie rafraîchit comme un torrent de montagne. Je suis donc déjà comblé.

— Dans ce cas, peux-tu nous rendre la politesse en déclinant ton identité ?

— Il se peut, en effet, que j'en sois réduit à cette extrémité, gloussa le jeune homme avec un regard pétillant de bonne humeur.

— Pour qui te prends-tu ? aboya Verement. Ton nom, vite !

— Ceux qui ne me connaissent pas m'appellent Amok.

— Et les autres ? s'enquit Elena en jetant un coup d'œil à Verement pour le faire taire.

— Ceux-là n'ont que faire de mon nom, déclara aimablement Amok.

— Étranger, nous ne te connaissons pas, reprit Elena d'une voix où perçait une légère irritation. Un grand péril

127

menace le Fief et nous n'avons pas de temps à perdre en raffinements protocolaires. J'exige de savoir qui tu es.

— Dans ce cas, je crains de ne pouvoir vous aider, répliqua joyeusement Amok.

Un instant, les seigneurs le fixèrent d'un air désapprobateur. Les lèvres minces de Verement pâlirent ; Callindrill fronça pensivement les sourcils et le rouge de la colère monta aux joues d'Elena. Puis Amhatin carra les épaules et demanda :

— Amok, où demeures-tu ? Qui sont tes parents ? Qu'as-tu fait jusqu'à présent ?

Il se tourna vers elle et la gratifia d'une courbette inattendue.

— Je demeure à Pierjoie. Je n'ai pas de parents. Mon passé est vaste et cependant inconsistant, car je me suis contenté de voyager et d'attendre.

Les seigneurs sursautèrent, mais aucun d'eux n'interrompit Amhatin, qui poursuivit son interrogatoire.

— Tu prétends demeurer à Pierjoie. Comment est-ce possible ? Hier encore, nous ignorions ton existence.

— Seigneur, je viens de vous dire que je voyageais. J'ai festoyé avec les Élohim et chevauché des gorgones des sables. J'ai folâtré avec les danseurs de la mer, taquiné le vaillant Kelenbhrabanal dans sa tombe et fait le commerce des apophtegmes avec le désert Gris. J'ai attendu.

Plusieurs membres de l'assistance s'agitèrent et une lueur de compréhension passa dans les yeux de Loerya.

— Pourtant, tout ce qui vit est issu de quelqu'un ou de quelque chose, contra Amhatin. Amok, quelles sont tes origines ?

— Suis-je vivant ? lança le jeune homme sur un ton plein de sous-entendus.

— Il faut croire que non, grogna Verement. Nul mortel n'oserait ainsi abuser de notre patience.

— Calmez-vous, Verement, lui intima Loerya. La question est plus importante qu'elle n'en a l'air. (Sans détacher son regard d'Amok, elle demanda :) Es-tu vivant ?

— Peut-être. Tant que j'ai un objectif, je bouge et je parle. Mes sens perçoivent le monde qui m'entoure. Est-ce cela, la vie ?

La réponse plongea Amhatin dans la plus grande perplexité. Sur un ton hésitant, elle posa l'inévitable question.

— Amok, qui t'a créé ?

— Le haut seigneur Kevin fils de Loric petit-fils de Damelon et arrière-petit-fils de Berek Cœur-Vaillant le père fondateur, répondit Amok d'une traite.

Une déflagration de surprise silencieuse se répercuta à travers la closerie. Les seigneurs en restèrent bouche bée. Puis Verement frappa la table du plat de la main.

— Par les sept tabernacles ! s'exclama-t-il, furieux. Le drôle se paie notre tête !

— Je ne pense pas, le détrompa Elena.

Mhoram acquiesça d'un air las.

— C'est notre ignorance qui se rit de nous, soupira-t-il.

— Mhoram, connaissez-vous Amok ? interrogea Trevor. L'aviez-vous déjà rencontré ?

Comme Mhoram tardait à répondre, Callindrill se pencha en avant.

— Amok, dans quel dessein as-tu été créé ? Quel est ton objectif ?

— J'attends. À l'occasion, je fournis des réponses.

Callindrill eut un hochement de tête contrarié, comme si ses soupçons se trouvaient confirmés. Il n'ajouta rien. Au bout d'un moment, Elena récapitula :

— Ton savoir est immense, mais tu le délivres avec parcimonie, et seulement si ton interlocuteur pose les bonnes questions. C'est bien ça ?

— Oui, approuva Amok avec un sourire éclatant.

— En quoi consiste donc ton savoir ?

— Interrogez-moi et vous le verrez bien.

Elena promena un regard découragé autour de la table.

— Apparemment, ce n'était pas une question judicieuse. Je pense qu'il nous faut connaître la nature des connaissances d'Amok pour l'interroger convenablement.

— De mieux en mieux ! s'écria Verement, sarcastique. Si je comprends bien, l'ignorance accroît l'ignorance.

Amhatin passa outre la fureur que Verement avait tant de mal à réprimer.

— Pourquoi avoir choisi ce moment pour te manifester ? demanda-t-elle à Amok.

— J'ai senti le réveil du *krill* de Loric. C'était le signal
convenu ; j'étais programmé pour y réagir.

À l'instant où Amok prononça le mot *krill*, son aura de
gloire et de terreur s'intensifia. Le cœur de Covenant se
serra. « C'est encore ma faute, grogna-t-il intérieurement.
Dans quel pétrin me suis-je fourré cette fois ? » Puis la
bonne humeur d'Amok masqua de nouveau son rayonnement funeste.

Mhoram se leva avec difficulté, s'appuyant sur son bâton
comme un vieillard.

— Alors, tu as… (Il se reprit.) Amok, écoute-moi. Je
suis le voyant et l'oracle de ce conseil. Il arrive que l'avenir
me soit révélé et que ma bouche sache le décrire. Or, je
n'ai pas été prévenu de ton arrivée. Tu es venu trop tôt.
Ce n'est pas nous qui avons réveillé le *krill*. Nous ne
possédons pas encore la Sagesse nécessaire.

L'expression d'Amok devint brusquement sérieuse,
presque effrayée, révélant pour la première fois la vieillesse
des os de son visage.

— Vous ne la possédez pas encore ? répéta-t-il,
consterné. Dans ce cas, j'ai failli à ma mission. Je dois
repartir sur-le-champ afin de ne pas vous causer un tort
considérable.

Tournant les talons, il se faufila avec aisance entre les
deux sangardes et gravit rapidement l'escalier. Il n'avait
pas encore atteint la porte que tous les occupants de la
closerie le perdirent de vue, comme s'ils l'avaient quitté des
yeux juste assez longtemps pour lui permettre de se cacher.
Stupéfaits, les seigneurs se levèrent. Les sangardes, qui
s'étaient lancés à la poursuite du jeune homme, se figèrent
sur les marches et regardèrent autour d'eux.

— Qu'attendez-vous ? s'exclama Elena. Vite, fouillez
partout ! Il faut le retrouver !

— À quoi cela servira-t-il ? répliqua Crowl. Il est parti.

— Je le vois bien ! s'emporta la jeune femme. Mais où
est-il allé ? Peut-être se trouve-t-il encore à Pierjoie…

— Il est parti, se borna à répéter Crowl.

L'inébranlable certitude du sangarde rappela à Covenant l'excitation contenue de Bannor lorsqu'il était venu le chercher au réfectoire. « Seraient-ils de mèche ? » Dans sa perplexité, ce fut tout juste s'il entendit Hile Troy chuchoter :

— L'espace d'un instant, j'ai cru... J'ai cru le voir.

Sans prêter attention à l'insigne, Elena se rassit et se concentra. Callindrill ferma les yeux ; une expression sereine s'inscrivit sur ses traits. Trevor et Loerya se prirent la main. Verement commença par secouer la tête, puis cessa de résister à la communion dès que Mhoram lui toucha doucement l'épaule. Lorsque leurs esprits ne firent plus qu'un, Elena déclara :

— Chacun de nous doit réfléchir à l'événement qui vient de se produire. La guerre ne va pas tarder à éclater et nous ne devons nous laisser surprendre par aucun facteur imprévu. Mais c'est à vous en particulier, Amhatin, que je confie le soin d'enquêter sur Amok et son mystérieux savoir. Retrouvez-le, si c'est dans le domaine du possible, afin qu'il nous dévoile ses réponses.

Amhatin acquiesça d'un air résolu.

Puis l'intensité de la fusion télépathique, que Covenant percevait sans pouvoir la partager, se dissipa brusquement. En silence, les seigneurs ramassèrent leur bâton et se dirigèrent vers la sortie.

— C'est tout ce que vous comptez faire ? s'exclama le lépreux, surpris.

— Prenez garde à vous, Covenant, gronda Hile Troy.

Le lépreux le foudroya du regard, mais les lunettes noires de Troy semblaient le protéger contre toutes ses manifestations d'humeur. Alors, il interpella Elena :

— N'avez-vous pas envie de découvrir ce qui se trame ici ?

La jeune femme lui fit face.

— Le savez-vous ?

— Non. Bien sûr que non.

Covenant aurait voulu ajouter : « Mais Bannor le sait, lui. » Quelque chose le retint. Il n'avait pas le droit de rendre le sangarde responsable de la situation.

— Dans ce cas, ne soyez pas si prompt à nous juger, répliqua Elena. Bien des points demeurent obscurs et c'est à nous de faire la lumière si nous voulons nous préparer.

« Vous préparer à quoi ? » faillit demander Covenant. Mais il n'avait pas le courage de défier Elena ; son regard lui faisait peur. Aussi bouscula-t-il Bannor pour sortir de la closerie avant Troy et les seigneurs.

Durant les jours qui suivirent, nul événement ne vint soulager son insatisfaction. Elena, Mhoram et Troy semblaient l'éviter. Bannor répondait à ses questions avec une courtoisie un peu brusque, mais sans jamais lui fournir d'éléments utiles. Sa barbe continua à pousser, lui donnant l'aspect d'un dément ; néanmoins, elle ne prouvait ni ne résolvait rien. La pleine lune passa sans que la guerre éclate. On était toujours sans nouvelles des éclaireurs envoyés vers l'est. Pierjoie frémissait d'une tension apparemment sans issue. Covenant arpentait les couloirs de la Citadelle, buvait des quantités inappropriées de guinguet et dormait du sommeil des morts, comme s'il espérait ne jamais être ressuscité. Parfois, il en était réduit à monter sur les remparts pour observer l'entraînement de la milice.

Dans cet océan de frustration statique, un dérivatif lui fut offert par Callindrill et Faer. Un jour, Callindrill emmena le lépreux dans ses appartements privés, au-delà de la caverne au plancher luminescent. Là, Faer – une robuste et aimable stèlagienne – lui servit un repas qui lui fit presque oublier son accablement. « Presque » seulement, car elle étudiait l'ancienne tradition du *suru-pa-maerl*, comme Léna autrefois, et la vue de ses œuvres réveilla en Covenant de pénibles souvenirs. Il ne s'attarda pas chez le couple.

Avant qu'il prît congé, Callindrill lui expliqua les raisons de sa mise à l'écart par les seigneurs. Lorsque Elena l'avait rappelé, le conseil pensait que la guerre était imminente et que tout délai pourrait s'avérer fatal. Malheureusement, Troy ne pouvait déployer ses forces avant de savoir quelle route emprunterait l'armée du Rogue, car s'il fondait sa stratégie sur des suppositions erronées, le Fief courrait au désastre. Les éclaireurs n'étant toujours pas revenus, les seigneurs ne savaient pas quoi faire de Covenant.

Mais s'il avait été rappelé prématurément, ce n'était pas juste à cause de l'inquiétude du conseil, avait ajouté Callindrill. Troy avait insisté pour qu'Elena le requît sans tarder. Covenant avait été très surpris de l'apprendre – du moins jusqu'à ce que Callindrill lui révèle la motivation d'Hile Troy. Celui-ci pensait que Turpide détecterait le rituel et que sa crainte de la magie sauvage l'obligerait à attaquer avant l'achèvement de ses préparatifs. Parce que ses ressources étaient de loin supérieures à celles du conseil, le temps jouait en sa faveur : si on lui laissait le champ libre, il risquait de rassembler une armée que la milice n'aurait aucune chance de vaincre. Ainsi Troy avait-il voulu lui forcer la main.

Enfin, avait expliqué Callindrill, Covenant ne devenait pas paranoïaque : Elena et Mhoram l'évitaient bel et bien. Le lépreux n'avait pas posé la question, mais son hôte semblait capable de deviner, au moins en partie, les causes de sa frustration. Chacun à sa façon, les deux seigneurs se sentaient si responsables du dilemme de l'Incrédule qu'ils se tenaient à l'écart de lui pour ne pas aggraver sa détresse. Ils percevaient que leurs exigences lui étaient plus douloureuses que n'importe quoi. En outre, Elena avait été très secouée par la possibilité qu'il pût partir pour Ondemère, et Mhoram consacrait son temps à l'étude du *krill*. Sans doute attendaient-ils pour le relancer que la guerre fût vraiment aux portes du Fief, ne leur laissant pas d'autre choix.

« Troy m'avait prévenu, songea Covenant en reprenant le chemin de son appartement. Il m'avait dit qu'Elena et Mhoram étaient pleins de scrupules. Mais je me porterais sans doute mieux s'ils cessaient de vouloir me rendre service. »

Malgré tout, le lépreux éprouvait beaucoup de reconnaissance envers Callindrill et Faer. Leur attitude amicale l'aida à endurer la solitude des jours suivants et à ne pas succomber aux ténèbres qui rôdaient toujours autour de lui. Il avait l'impression de pourrir sur pied, mais ne devenait pas fou.

Il savait néanmoins qu'il ne supporterait pas beaucoup plus longtemps cette inactivité forcée. À Pierjoie, l'atmosphère était aussi tendue qu'une corde sur le point de se rompre. Une pression confinant au désespoir enflait en Covenant. Quand Bannor frappa à sa porte un après-midi, il était si angoissé qu'il faillit pousser un cri.

Mais le sangarde n'était pas venu lui annoncer le début des hostilités.

— Plairait-il à l'Incrédule de venir écouter une chanson ? demanda-t-il simplement.

Une chanson ? Étonné, Covenant ne répondit pas tout de suite. Il ne s'attendait pas à une telle proposition, surtout de la part d'un sangarde. Puis il haussa les épaules.

— Pourquoi pas ?

Sans réclamer les raisons de cette étrange initiative, il suivit Bannor dans le couloir.

Celui-ci l'entraîna vers les niveaux supérieurs de la Citadelle, plus près du sommet de la montagne qu'il ne s'était jamais rendu. Au sortir d'une large galerie incurvée, ils débouchèrent à l'air libre, dans un vaste amphithéâtre baigné de lumière. Des rangées de gradins en pierre blanche entouraient une scène centrale ; la plus haute était adossée à la falaise, qui montait encore sur huit ou dix mètres avant de s'interrompre brusquement au niveau du plateau.

Les sièges commençaient à se remplir. Des membres des divers corps de métier – fermiers, cuisinières et guerriers – affluaient par les ouvertures ménagées dans la paroi rocheuse. Parmi eux, Covenant aperçut Trevor et Loerya, accompagnés de leurs trois filles. Mais les sangardes étaient les plus nombreux de tous : près d'une centaine, estima le lépreux. Jamais il n'en avait vu autant à la fois.

— Au fait, de quelle chanson s'agit-il ? demanda-t-il à Bannor.

— *La complainte du seigneur Kevin.*

Covenant hocha la tête. Pas étonnant que les sangardes veuillent l'entendre. Ils ne pouvaient qu'être intéressés par ce qui les aiderait à comprendre Kevin le Dévastateur.

Car c'était Kevin qui avait appelé Turpide à Kiril Threndor pour effectuer le rituel de profanation. Lorsqu'il s'était rendu compte qu'il ne vaincrait pas le Rogue, il avait cédé au désespoir. Il aimait trop le Fief pour le laisser succomber devant son ennemi. Pourtant, il avait échoué et ne pouvait pas non plus le préserver. Torturé par son dilemme, il s'était résolu à libérer un pouvoir destructeur qui anéantirait le conseil de l'époque et ravagerait le Fief d'une extrémité à l'autre. Il savait qu'il ne survivrait pas, mais espérait que le Rogue succomberait lui aussi et que lorsque la vie refleurirait enfin dans le Fief, elle serait débarrassée du Mépris à jamais. Il avait choisi de prendre ce risque plutôt que d'autoriser la victoire du Rogue.

Hélas ! Contrairement à ses prévisions, Turpide n'était pas mort. Il avait été diminué pendant longtemps, mais avait survécu, protégé par la loi du temps qui liait son existence à celle du Fief. Et à présent, les nouveaux seigneurs devaient affronter les conséquences du désespoir de Kevin.

Tandis que Covenant se remémorait les histoires qu'il avait entendues, il aperçut une tache bleue de l'autre côté de la cuvette. Levant les yeux, il vit Elena debout près d'une des entrées. Troy se tenait à son côté.

Covenant hésita à les rejoindre. Mais avant qu'il puisse se décider, la chanteuse pénétra dans l'amphithéâtre. C'était une femme de haute taille, simplement vêtue d'une robe écarlate. Le soleil faisait étinceler sa chevelure dorée. Comme elle descendait vers la scène, les spectateurs se levèrent pour la saluer en silence. Elle ne réagit pas. Très concentrée, elle semblait sourde et aveugle à tout ce qui l'entourait – déjà habitée par la complainte.

Quand elle atteignit le plateau, elle ne se présenta pas et n'annonça pas non plus le titre du morceau. Sans un mot, elle se campa fermement sur ses jambes, prit une profonde inspiration et leva son visage vers le soleil. D'une voix d'abord contenue et aride, elle entonna :

Me voici sur le faîte du monde : le mont Tonnerre
Dont les lions de feu à la flamboyante crinière
Éclairent les horizons que mon regard embrasse.
Les ranyhyn aux sabots jamais entravés
Accourent fièrement pour répondre à mon appel.
Les géants forgés dans l'airain sont venus à moi
Depuis l'autre côté des océans, au-delà du berceau du soleil,
Dans leurs navires aussi massifs que des forteresses ;
Ils ont taillé la mienne dans la pierre du Fief
Et me l'ont offerte en gage d'amitié et d'allégeance.

Sous mon regard, les seigneurs ont œuvré pour découvrir
Le véritable dessein du Créateur de ce monde,
Dissimulé à nos yeux par la puissance même de son dessein :
Le pouvoir gravé dans la chair et les os du Fief
Par la loi immuable du temps qui gouverne sa création.
Face à tant de gloire et de beauté reposant dans l'étreinte de mes bras,
Comment pourrais-je plonger mon regard dans celui du Rogue
Et ne pas être atterré par le Mépris qui brûle dans ses prunelles ?

Puis les inflexions de l'interprète se firent plus riches et plus vibrantes, comme si elle avait ouvert son âme pour donner plus de résonance au texte. Sa voix se chargea d'harmonies multiples et il sembla bientôt à Covenant qu'un chœur entier s'exprimait avec sa seule gorge.

Où est le pouvoir qui préserve la beauté de la décomposition,
Qui protège la vérité contre le mensonge,
Qui garde la fidélité de la lente souillure de la corruption ?
Comment le Mépris peut-il nous diminuer à ce point ?
Pourquoi la pierre ne se soulève-t-elle pas contre le chaos,
Ou ne tombe-t-elle pas en poussière sous le coup de la honte ?

La cantilène pulsait dans l'air telle la douleur d'une blessure. Comme la chanteuse approchait de son terme, les spectateurs se levèrent et entonnèrent avec elle le couplet final.

Créateur ! Quand Tu as profané ce temple,
Quand Tu t'es débarrassé de ce Mépris en l'infligeant au Fief,
Souhaitais-Tu que la beauté et la vérité disparaissent à jamais ?
As-Tu modelé mon destin d'après la loi de la vie ?
Suis-je donc impuissant ? Dois-je présider au châtiment,
Prononcer la sanction sur le ton amer de l'échec,
Approuver et contempler la chute du monde ?

Bannor s'était mis debout, même s'il avait gardé le silence. Mais Covenant n'avait pas bougé. Il se sentait minuscule et inutile à côté de tous ces gens unis par la même émotion. À leur chagrin aigu succéda une onde de sérénité ; elle balaya le désespoir de la chanson, comme si le pouvoir des voix était une réponse suffisante à la complainte de Kevin – comme si la musique était l'ultime acte de résistance. Mais Covenant n'était pas de cet avis et commençait à comprendre le danger qui menaçait le Fief.

Il était encore assis, le regard perdu dans le vague, quand les spectateurs quittèrent l'amphithéâtre à la queue leu leu, le laissant seul dans la lumière et la chaleur du soleil. Il tripota sa barbe et marmonna entre ses dents jusqu'à ce que Troy vînt se planter devant lui. Alors, il leva les yeux.

— Je ne m'attendais pas à vous voir ici, lança Troy.

— Et réciproquement, répliqua Covenant sur un ton bourru.

Mais ses pensées étaient encore tournées vers Kevin. Comme s'il pouvait lire dans son esprit, Troy déclara :

— Tout vient de Kevin, et tout y revient. C'est lui qui a fabriqué les sept tabernacles ; inspiré la création de la sangarde ; effectué le rituel de profanation, alors que ça n'était ni inévitable ni même nécessaire. Il n'aurait pas été contraint à cette extrémité s'il n'avait pas déjà commis sa plus grosse erreur.

En réponse au regard interrogateur de Covenant, Troy expliqua :

— Il avait accueilli Turpide au conseil, l'avait élevé au rang de seigneur. Le temps que celui-ci dévoile son véritable visage, il avait déjà accumulé tant de trahisons qu'il était devenu invincible. Confronté à ce genre de situation, un homme ordinaire se serait probablement suicidé. Mais Kevin était hors du commun ; il avait trop de pouvoir. Il a donc anéanti le Fief. Et seuls ont survécu les gens qui avaient pris la fuite.

« On raconte que juste avant de mourir, Kevin comprit qu'il venait de commettre sa seconde erreur. Il n'avait pas réussi à détruire le Rogue. La dernière chose qu'il entendit, ce fut le rire de son ennemi. C'est pourquoi le serment de paix revêt une telle importance aux yeux des habitants du Fief. Chacun d'eux a juré de résister à ses émotions les plus destructrices – comme le désespoir de Kevin.

— Je sais, soupira Covenant.

Il se souvenait de Triock. Quarante ans plus tôt, ce jeune stèlagien amoureux de Léna avait voulu le tuer, mais

Atiaran l'en avait empêché en invoquant le serment de paix.

— Je vous en prie, ne dites plus rien. Tout cela est déjà assez pénible pour moi.

Troy secoua la tête.

— Vous devriez vous réjouir d'être ici. Comment notre monde peut-il être plus important pour vous que la beauté et la santé du Fief ?

— Parce qu'il est réel. (Covenant se leva péniblement.) Rentrons. Cette chaleur me fait tourner la tête.

Lorsqu'il pénétra dans la fraîcheur de la galerie, il s'en emplit les poumons avec délectation. Il voulait quitter Troy au plus vite pour esquiver les questions qu'il ne manquerait pas de lui poser, mais celui-ci lui emboîta le pas avec une expression déterminée.

— Écoutez, Covenant, dit-il au bout de quelques instants. J'essaye de vous comprendre, mais je n'y arrive pas. Sur notre terre, vous êtes un lépreux. Vous pouvez prétendre à une bien meilleure existence dans le Fief.

— Une illusion. Le Fief n'est qu'un leurre, je vous l'ai déjà dit. Et les lépreux qui se laissent bercer par leurs rêves ne vivent jamais très longtemps.

— Doux Jésus, marmonna Troy. À vous entendre, il n'y a que la lèpre. (Il réfléchit un moment, puis demanda :) Comment pouvez-vous être certain que le Fief n'est pas réel ?

— Parce que dans la vraie vie, les choses ne se passent pas ainsi. Les lépreux ne guérissent pas ; les gens qui n'ont pas d'yeux ne se mettent pas à voir. Nous sommes en train de nous laisser séduire par la réalisation de désirs qui devraient être impossibles à assouvir. En d'autres termes, nous nous abandonnons à la folie.

« Réfléchissez à ce qui vous est arrivé. Vous étiez coincé entre un incendie et une chute de neuf étages – aveugle, impuissant, sur le point de mourir. C'est bien normal que vous ayez craqué. Du moins, ajouta Covenant sur un ton mordant, à supposer que vous existiez réellement. J'ai ma petite idée là-dessus. Mon subconscient a dû vous inventer pour que quelqu'un me contredise et mette en doute mes certitudes.

Troy poussa un juron. Pivotant, il saisit le poignet droit de Covenant et le leva entre eux.

— Regardez-moi ! ordonna-t-il d'une voix impérieuse. Je vous étreins. J'existe. C'est un fait. Je suis réel !

— Je vous sens, je vous vois et je vous entends, concéda Covenant. Mais ça ne prouve rien. Je n'y crois pas.

— Pourquoi ?

Troy semblait le fixer sombrement, mais il le foudroya du regard jusqu'à ce qu'il se détourne de lui. Alors, il se dégagea d'un geste sec et se remit à marcher.

— Justement parce que je vous sens, et que je ne le devrais pas. Je ne peux pas me permettre d'y croire. (Il prit une inspiration tremblante.) Je vais essayer de vous expliquer. En soi, la lèpre n'est pas une maladie fatale, mais elle tue indirectement. Pour rester en vie, ses victimes doivent faire preuve d'une vigilance constante afin de ne pas se blesser, et panser leurs plaies et bosses éventuelles dès qu'elles sont survenues.

« S'il est une chose que nous ne pouvons pas nous permettre, c'est de laisser vagabonder notre esprit. Dès que nous oublions notre condition et cherchons un moyen d'améliorer notre existence, dès que nous nous mettons à rêver à notre vie d'avant, à ce que nous ferions si nous étions guéris ou si les gens cessaient tout simplement de nous considérer comme des parias, nous sommes fichus.

« Accepter la réalité du Fief et la possibilité d'évasion qu'il m'offre équivaudrait, pour moi, à un suicide. Peut-être un aveugle peut-il prendre ce risque, mais un lépreux, non. Si je me laisse aller dans ce monde, je ne tiendrai pas un mois quand je serai revenu dans le nôtre – le seul qui compte. Parce qu'il faudra bien que j'y retourne un jour. Vous comprenez ?

— Oui. Je ne suis pas stupide. Mais réfléchissez une minute. Si le Fief est réel, vous êtes en train de refuser de saisir l'unique chance qui se présentera jamais à vous.

— Je sais.

— Et ce n'est pas tout. Il reste un facteur décisif dont vous ne tenez pas compte : la seule chose qui ne colle pas avec votre théorie. L'or blanc. La magie sauvage. Votre fichue alliance change tout. Elle vous donne le pouvoir. Ici, vous n'êtes pas une victime. Personne ne vous contrôle. Vous êtes responsable de ce qui vous arrive.

— Non, grogna Covenant. (Malgré lui, il frissonna.) Nul ne peut dominer ses rêves.

— Vous avez eu maintes preuves du pouvoir de l'or blanc, insista Troy. Qu'est-ce qui a brisé les défenses du deuxième tabernacle ? Qu'est-ce qui a appelé les lions de feu du mont Tonnerre pour sauver les quêteurs ? Vous détenez déjà la clé de votre dilemme.

— Non, répéta Covenant, plus faiblement cette fois. Vous vous trompez. Si l'or blanc a le pouvoir de provoquer certains événements dans le Fief, je n'y suis pour rien. Je ne maîtrise pas la magie foudroyante contenue dans mon anneau ; j'ignore comment l'activer ou l'influencer et je me contente de la subir. Pour ce que j'en sais, elle pourrait tous nous oblitérer dans les secondes qui viennent ou sacrer Turpide empereur de l'Univers, que je le veuille ou non.

— Bien entendu, ricana Troy. Et puisque vous ne dominez rien, personne ne pourra vous en tenir responsable.

Le ton grinçant de l'insigne fournit à Covenant la cible que sa colère cherchait depuis si longtemps.

— Exactement ! s'emporta-t-il. Laissez-moi vous dire une chose. Dans la vie, pour être vraiment libre, il faut être impuissant, comme moi. À votre avis, qu'est-ce que la véritable liberté ? Un pouvoir illimité ? Non. Quand vous êtes incapable de faire quoi que ce soit, personne n'attend rien de vous. Le pouvoir, même ultime, possède des limites intrinsèques. Seuls les impuissants sont libres.

Troy ouvrit la bouche pour protester.

— Non ! aboya Covenant. Je vais vous dire encore ceci. Vous me demandez d'apprendre à utiliser cette magie sauvage pour semer la mort dans les rangs des misérables créatures embrigadées par Turpide. Mais je m'y refuse. Je ne tuerai plus jamais – et certainement pas au nom d'une cause qui n'est même pas réelle.

— Hourra, murmura Troy, sarcastique. Doux Jésus ! Que sont devenus les idéalistes ?

140

— Ils ont chopé la lèpre et sont morts. Vous n'avez pas écouté la chanson ?

Avant que l'insigne puisse répliquer, les deux hommes atteignirent un croisement. Bannor était planté au milieu comme s'il les attendait, bloquant le passage que Covenant avait l'intention d'emprunter.

— Choisissez un autre chemin, ordonna-t-il d'un air détaché. Faites demi-tour.

Sans hésiter, Troy pivota et s'engagea à droite. Mais Covenant, toujours en proie à la colère et à la frustration, ne le suivit pas. Il se planta devant le sangarde et le toisa d'un air de défi.

— Choisissez un autre chemin, répéta Bannor. Le haut seigneur ne souhaite pas vous rencontrer.

— Covenant ! appela Troy depuis le couloir voisin. Venez !

Sous le regard impérieux de Bannor, le lépreux se dégonfla comme une baudruche. Le sangarde était pareil à un mur de pierre ; aucune rébellion ne pouvait l'ébranler. Marmonnant entre ses dents, Covenant emboîta le pas à Troy. Mais il avait trop tardé. Avant qu'il eût disparu, un homme surgit derrière Bannor. Aussi grand et solide qu'un pilier, il marchait tête baissée, son épaisse barbe rousse reposant sur sa poitrine tel un fardeau. Le hâle de son visage semblait avoir viré comme du lait sous l'effet de trop d'humiliations. Et un motif de feuilles blanches se détachait sur les épaules de sa tunique.

Covenant se figea. Un spasme d'angoisse et de remords lui tordit les entrailles. Il reconnaissait le stèlagien. Il avait ruiné son existence.

Troy rebroussa chemin vers le croisement.

— Je ne comprends pas. Pourquoi devrions-nous éviter cet homme ? C'est un ignessire du *rhadhamaerl*. Covenant, je vous présente…

— Je le connais, coupa le lépreux.

Trell le fixait. Ses yeux, injectés de sang, semblaient rougis par trop d'années de chagrin.

— Et je vous connais aussi, Thomas Covenant, dit-il d'une voix éraillée. Pourquoi êtes-vous revenu ? N'avez-vous pas déjà fait assez de mal ?

Par-dessus les bourdonnements dans ses oreilles, Covenant s'entendit dire :

— Je suis désolé.

— Désolé ? s'étrangla Trell. Ce n'est pas suffisant. Ça ne ramènera pas les morts.

Un frisson le parcourut de la tête aux pieds. D'un geste convulsif, il écarta les bras, comme pour briser les chaînes imaginaires qui le retenaient prisonnier. Puis il s'élança, saisit Covenant et le souleva de terre. Avec un rictus sauvage, il l'étreignit à lui broyer les côtes.

Le lépreux aurait voulu hurler, mais aucun son ne sortait de sa gorge. L'étau des bras de Trell chassait l'air de ses poumons et étouffait son cœur. À travers le voile rouge qui ondulait devant ses yeux, il vit Bannor frapper Trell à la nuque par deux fois. Mais avec un grognement sauvage, l'ignessire continua à serrer.

Quelqu'un – Troy, sans doute – hurla :

— Trell, lâchez-le !

Bannor s'écarta de Trell. Un instant, Covenant craignit qu'il ne l'abandonnât à son sort. Mais le sangarde ne faisait que prendre le recul nécessaire à sa prochaine attaque. Il bondit très haut dans les airs et, en retombant, abattit son coude sur le cou de Trell, qui tituba. Bannor enchaîna en lui passant son autre bras sous le menton et en lui tirant la tête en arrière. Déséquilibré, Trell s'écroula.

Covenant atterrit lourdement sur le flanc, hoquetant. Il entendit Troy crier quelque chose qui sonnait comme un avertissement. Levant la tête, il vit Trell le charger de nouveau. Mais Bannor fut plus rapide. Alors que l'agresseur plongeait vers sa proie, il l'intercepta et lui assena un coup de tête si violent que Trell bascula en arrière, heurta le mur et tomba à quatre pattes.

L'impact l'avait à demi assommé. Sa silhouette massive tressaillait de douleur et ses doigts griffaient la pierre, s'y fichant comme si elle était aussi molle que de l'argile. Soudain, il prit une grande inspiration frissonnante, retira ses mains du sol et fixa les trous qu'il avait creusés d'un air consterné. Quand il releva la tête, il était si essoufflé que les mouvements de sa poitrine semblaient sur le point de déchirer sa tunique.

Bannor et Troy s'interposèrent entre Covenant et lui.

— Souvenez-vous de votre serment ! aboya l'insigne en portant la main à son épée. Ne le trahissez pas !

Des larmes silencieuses coulèrent sur les joues de Trell.

— Mon serment ? articula-t-il, fixant Covenant entre les jambes de Troy. Et lui, quel serment a-t-il prêté ?

Il se releva avec difficulté. Bannor fit un pas en avant pour protéger Covenant contre une nouvelle attaque, mais Trell s'était désintéressé du lépreux. Le souffle court, comme s'il n'y avait pas assez d'air pour lui dans toute la Citadelle, il se détourna et s'enfonça dans un couloir.

Massant sa poitrine endolorie, Covenant se traîna vers le mur et s'assit dos à la roche. Troy le fixait, les lèvres pincées. Quant à Bannor, il ne manifestait aucune émotion.

— Bon sang, Covenant ! lâcha enfin Troy. Pourquoi vous hait-il à ce point ?

Le lépreux attendit que sa toux se fût calmée pour répondre :

— J'ai violé sa fille.

— Vous plaisantez ! s'exclama Troy.

— Non.

Covenant garda la tête baissée, mais c'était pour éviter le regard de Bannor plutôt que celui de Troy.

— Pas étonnant qu'on vous appelle l'Incrédule, murmura Troy d'un air dégoûté. Pas étonnant que votre femme vous ait quitté. Vous êtes ignoble.

« Non ! Je n'ai jamais trompé Joan. Jamais ! » protesta Covenant en lui-même. Mais il ne fit aucun effort pour contrer l'accusation de Troy.

— Soyez maudit, Covenant.

Comme s'il ne supportait plus la vue du lépreux, Troy tourna les talons et s'éloigna à longues enjambées.

— Grands dieux ! tempêta-t-il, incapable de contenir sa fureur plus longtemps. Je ne vois vraiment pas ce qui vous empêche de le jeter dans un cachot et de perdre la clé ! Nous avons déjà bien assez de problèmes sur les bras !

Il ne tarda pas à disparaître, mais sa voix continua à se répercuter derrière lui tel un anathème.

Covenant se releva en tenant ses côtes douloureuses.

— Bannor, dit-il faiblement.

— Seigneur suprême ?

— Allez raconter ce qui vient de se passer au haut seigneur. N'omettez aucun détail.

— Bien.

— Et, Bannor...

Le sangarde attendit la suite sans réagir.

— Au sujet de cette jeune fille. Cela ne m'était jamais arrivé avant, et cela ne m'arrivera jamais plus, dit Covenant comme si c'était une promesse qu'il devait à Bannor pour lui avoir sauvé la vie. Je donnerais tout pour que ça ne se soit jamais produit, mais je ne peux pas effacer le passé.

Bannor ne manifestait aucun signe d'intérêt ni même de compréhension.

— Bannor, reprit Covenant au bout d'un moment. Vous êtes la seule personne ici qui n'ait pas essayé de me pardonner quoi que ce soit.

— Les sangardes ignorent le pardon.

— Je sais. Je n'ai pas oublié. Je devrais m'en estimer heureux.

S'enveloppant la poitrine de ses bras comme pour ne pas tomber en morceaux, Covenant reprit le chemin de son appartement.

9

Scintillia

UNE NUIT S'ÉCOULA ENCORE SANS QUE L'ON REÇOIVE la moindre information sur l'armée de Turpide. Pourtant, la tension monta d'un cran à Pierjoie. L'air frémissait d'appréhension et même les murs de la chambre de Covenant semblaient d'humeur funeste. Aussi celui-ci passa-t-il la soirée sur le balcon, buvant du guinguet pour apaiser la sourde douleur dans sa poitrine et observant les formes vagues que dessinait le crépuscule, comme si elles étaient des armées tapies en embuscade. Après avoir éclusé quelques carafes de breuvage, il eut l'impression que seul le contact de sa barbe sous ses doigts le prémunissait contre les actions – la guerre, le meurtre ! – qu'il se refusait à entreprendre.

Il ne rêva que de carnage, de plaies béantes et de sang coagulé par la mort. Tant de violence était inutile : il savait pertinemment que quelques gouttes suintant d'une égratignure suffisaient à le tuer ; il n'était pas nécessaire de taillader sa chair avec une telle brutalité. Il finit par s'arracher à ce sommeil sans repos pour se réfugier sur son balcon, dans la lumière naissante de l'aube.

Enveloppé par l'atmosphère d'expectative de la Citadelle, il attendit anxieusement la convocation du haut seigneur. Elena ne pouvait pas prendre à la légère sa rencontre avec son grand-père, et afin qu'elle sût où le trouver, Covenant n'avait pas bougé de son appartement depuis que Bannor l'y avait raccompagné, la veille. Pourtant, lorsque quelqu'un frappa à sa porte, il sursauta. Ses doigts et ses orteils le picotaient – il sentait son sang pulser jusque dans leurs extrémités – et, malgré ses côtes meurtries, son souffle était de nouveau saccadé. Une bile amère envahit sa bouche ; il dut déglutir avant de lancer :

— Entrez !

La porte s'ouvrit, livrant passage à Bannor.

— Le haut seigneur désire vous voir. Viendrez-vous ?

« Évidemment. Ce n'est pas comme si j'avais le choix... », songea Covenant. Se tenant la poitrine, il emboîta le pas au sangarde. Il pensait le suivre jusqu'à la closerie : Elena voudrait sûrement le condamner en public, l'humilier en l'exposant à la désapprobation générale. Il aurait pu éviter Trell ; cela ne lui aurait coûté qu'un peu d'obéissance et de considération.

Mais à sa grande surprise, Bannor l'entraîna dans une autre direction. Ils franchirent une petite porte dissimulée par un rideau et descendirent un escalier en colimaçon jusqu'à une partie de la Citadelle où Covenant n'avait jamais mis les pieds. Les marches débouchaient sur un dédale de passages si irréguliers et si mal éclairés qu'il perdit bientôt tout sens de l'orientation. Il ne savait qu'une chose : il se trouvait plus bas que les quartiers privés des seigneurs.

Bannor s'arrêta face à un mur nu. Écartant les bras en un geste invocatoire, il prononça trois mots dans un langage qui lui écorchait visiblement la langue. Un vantail se dessina devant lui. Quand il reprit une position normale, celui-ci pivota vers l'intérieur, révélant une caverne spacieuse. Le sol était soigneusement poli, mais les parois semblaient encore à l'état brut. Des colonnes massives, pareilles à des troncs d'arbre, soutenaient le haut plafond. Des urnes d'ignescentes répandaient partout leur clarté ambrée.

L'espace regorgeait d'œuvres d'art. Des tableaux et des tapisseries recouvraient les murs ; des statues en pied envahissaient le sol ; des sculptures de taille plus modeste reposaient sur des étagères de bois astucieusement fixées aux piliers.

Fasciné, Covenant oublia la raison de sa présence et déambula dans la cavité en promenant un regard avide autour de lui. Il examina d'abord les statuettes. Beaucoup d'entre elles donnaient une impression de mouvement, comme si le modèle avait été capturé en pleine action, mais les matériaux différaient autant que les émotions exprimées. Une pièce de chêne figurait une femme serrant un bébé contre sa poitrine et pleurant sur les tourments de l'enfance ; une autre, de granit, irradiait de puissance protectrice. Une flamme de vermeillan se tendait vers les cieux ; un brasier de *suru-pa-maerl* n'exprimait que confort et chaleur bienfaisante. Les représentations de ranyhyn et de géants abondaient, mais parmi elles, Covenant en distingua de plus inquiétantes : ur-vils malveillants, lémures simples d'esprit, et même Kevin, dont le désespoir avait oblitéré la raison, mais pas le courage. Pour la plupart, ce n'étaient pas des objets figuratifs : les matériaux employés se prêtaient mal à un rendu littéral. Les artistes s'étaient attachés à saisir l'essence des sujets plutôt que leur image.

— Nous sommes dans la salle des offrandes, déclara Bannor. Ces créations ont été réalisées par les habitants du Fief, et offertes aux seigneurs en gage de reconnaissance et d'amour. Au lieu de s'en réserver la jouissance égoïste, ceux-ci ont préféré les rassembler ici, où chacun peut les contempler, car ces trésors sont issus du Fief, et nul ne peut s'arroger ce qui appartient à tous.

Bannor ne paraissait guère touché par tant de magnificence. Pourtant, dans sa voix monocorde, Covenant perçut un frémissement de passion contenue : le fol attachement qui liait les sangardes aux seigneurs. Mais il n'osa pas interroger son compagnon sur un sentiment aussi intime.

Son regard fut attiré par une épaisse tapisserie qu'il reconnut aussitôt. C'était celle qu'il avait, jadis, essayé de détruire en la jetant par une fenêtre. Il ne pouvait pas s'y tromper. La trame s'était effilochée sur le bord et une déchirure soigneusement réparée courait en son centre. Autour de l'ardente et mélancolique figure de Berek Demi-Main, un chapelet de petites scènes évoquait sa fuite éperdue vers le mont Tonnerre et sa découverte du Pouvoir de la Terre. Le héros légendaire dont Covenant était, selon les habitants du Fief, la réincarnation, semblait le fixer.

Le lépreux se détourna brusquement. L'instant d'après, il vit Elena se diriger vers lui depuis le fond de la caverne. Le Bâton de la Loi, qu'elle tenait dans la main droite, accentuait l'autorité majestueuse de sa démarche, mais sa main gauche était ouverte en signe de bienvenue. Sa robe tombait jusqu'à ses pieds, sans dissimuler la souplesse et la vigueur de ses mouvements. Ses cheveux pendaient librement sur ses épaules.

— Thomas Covenant, je vous remercie d'être venu, dit-elle en souriant, comme si elle se réjouissait de le voir.

Surpris, Covenant la dévisagea, tentant de discerner ses véritables sentiments. Le regard d'Elena était toujours aussi étrange ; il passait à travers lui comme si elle ne le voyait pas du tout – ou comme si elle distinguait quelque chose de différent à sa place.

— Comment trouvez-vous cette pièce ? Les habitants du Fief ont beaucoup de talent, n'est-ce pas ? (Puis elle s'immobilisa devant lui et fronça les sourcils.) Vous êtes souffrant ? s'enquit-elle.

Covenant réalisa qu'il respirait bien trop vite. Quand il haussa les épaules, il ne put réprimer une grimace de douleur.

Elena tendit la main vers sa poitrine. Persuadé qu'elle voulait le frapper, il eut un mouvement de recul. Mais la jeune femme se contenta de palper ses côtes avec une grande douceur. Puis elle se tourna vers Bannor.

— Sangarde ! dit-elle sévèrement. Le seigneur suprême est blessé ! Pourquoi ne l'avez-vous pas emmené voir un guérisseur ?

— Il ne l'a pas demandé.

— Depuis quand faut-il demander pour recevoir de l'aide ?

Bannor soutint le regard d'Elena et ne répliqua rien, comme si son attitude était au-delà de tout reproche. Covenant se sentit obligé de le défendre.

— Je n'en avais pas besoin. Bannor a fait son travail. C'est grâce à lui que je suis toujours en vie.

Elena soupira.

— C'est possible. Mais je n'aime pas vous voir dans cet état. (Elle se radoucit.) Bannor, le seigneur suprême et moi-même allons nous rendre sur les hauteurs. En cas d'urgence, que l'on envoie quelqu'un nous chercher.

Bannor acquiesça, s'inclina et sortit.

Lorsque la porte dissimulée se fut refermée derrière lui, Elena reporta son attention sur Covenant, qui se raidit. « Maintenant, songea-t-il. C'est maintenant qu'elle va me fustiger. » Mais toute irritation semblait avoir déserté la jeune femme. Et elle ne fit nulle allusion à la tapisserie ; peut-être ignorait-elle que, quarante ans plus tôt, il avait manqué la détruire dans un accès de fureur.

— Vous n'avez pas répondu à ma question, reprit-elle doucement. Que pensez-vous de la salle des offrandes ?

Covenant l'entendit à peine. Il avait du mal à croire qu'elle ne l'ait pas convoqué pour l'agonir de reproches. Puis il vit l'inquiétude s'inscrire de nouveau sur ses traits et se hâta de répondre.

— Eh bien… Je la trouve très belle. Mais un peu isolée, non ? À quoi sert un musée inaccessible au plus grand nombre ?

— Tous les habitants de Pierjoie en connaissent le chemin. Aujourd'hui, d'autres soucis les retiennent ailleurs, mais en temps de paix, cet endroit grouille toujours de visiteurs. Les enfants de nos écoles viennent y étudier les diverses traditions. Les artisans affluent des quatre coins du Fief pour parfaire leur maîtrise et partager leur savoir. Si cette salle est enfouie dans les tréfonds de la Citadelle, c'est parce que les géants l'ont décidé. Ainsi, au cas où Pierjoie viendrait à tomber, le patrimoine culturel du Fief pourrait être dissimulé et préservé en attendant des jours meilleurs.

Un instant, le regard étrangement dédoublé d'Elena parut se focaliser sur Covenant, comme si elle essayait de lire en lui. Puis elle se détourna et se dirigea vers le mur d'en face.

— Laissez-moi vous montrer le chef-d'œuvre d'une de nos plus brillantes artistes, Ahanna fille d'Hanna.

Covenant la suivit et s'immobilisa avec elle devant une immense toile au cadre d'ébène. C'était une composition assez sombre, mais en son centre, telle une étoile au cœur d'un ciel nocturne, brillait une silhouette que le lépreux reconnut instantanément : celle de Mhoram. Il affrontait une marée de créatures maléfiques qui s'apprêtait à le submerger. Pour toute arme, il n'avait que son bâton. Mais il le brandissait orgueilleusement et ses yeux flamboyaient d'une lueur de triomphe, comme si, poussé dans ses derniers retranchements, il avait découvert en lui quelque chose qui le rendait invincible.

— Ahanna a nommé le tableau *La Victoire du seigneur Mhoram*, révéla Elena sur un ton respectueux. C'est une peinture prophétique, je le sais.

La vision de Mhoram forcé de se battre seul, sans même le secours de l'or blanc, serra le cœur de Covenant comme un reproche muet.

— Cessez de jouer au chat et à la souris avec moi, grommela-t-il sur un ton bourru. C'est insupportable. Si vous avez quelque chose à me dire, parlez ! Ou suivez les conseils de Troy et enfermez-moi.

Elena le dévisagea avec tant d'innocence blessée qu'il se détourna.

— Seigneur suprême, dit-elle en posant une main implorante sur son bras. Thomas Covenant. Comment pouvez-vous croire une chose pareille ? Regardez-moi !

Elle tira sur sa manche jusqu'à ce qu'il obtempère de mauvaise grâce.

— Je ne vous ai pas demandé de venir ici pour vous tourmenter. Je voulais juste partager avec vous ma dernière heure dans la salle des offrandes. La guerre approche et bientôt, mes devoirs m'entraîneront loin d'ici. Quant à Hile Troy... Je n'écoute ses conseils qu'en matière de stratégie. Si quelqu'un est à blâmer pour ce qui s'est passé entre Trell et vous, c'est moi. Je ne vous ai pas expliqué mes craintes. Et je n'ai pas perçu l'étendue du danger, sans quoi, j'aurais mobilisé toute la sangarde pour empêcher votre rencontre.

« Non, seigneur suprême, je n'ai aucun reproche à vous faire. C'est vous qui devriez m'en vouloir. Par ma faute, vous avez été blessé et Trell mon grand-père a perdu les derniers vestiges de sa dignité. Il se dégoûtait déjà parce qu'il n'avait pas pu apaiser les souffrances de sa femme et de sa fille. À présent, il doit se haïr.

Face à la tristesse d'Elena, la méfiance de Covenant tomba en poussière. Il prit une profonde inspiration pour chasser l'air vicié de ses poumons. Mais le mouvement le fit tressaillir. Craignant que la jeune femme n'esquissât à nouveau un geste vers lui, il bredouilla très vite :

— Ne me touchez pas.

Elena se méprit. Elle retira vivement sa main posée sur le bras du lépreux et le foudroya d'un regard féroce. Puis elle réalisa ce qu'il avait voulu dire.

— Je comprends, murmura-t-elle. Mais j'ai besoin de vous sentir. Vous êtes mon seul espoir depuis trop longtemps ; je ne peux pas renoncer à vous.

Lentement, elle tendit le bras et posa sa paume sur la poitrine de Covenant. Il lui prit le poignet avec le pouce et les deux doigts de sa main droite mutilée. Mais il hésita un instant avant de l'écarter.

— Que va-t-il advenir de Trell ? Il a brisé son serment. Qu'allez-vous lui faire ?

— Hélas, nous ne pouvons pas grand-chose pour lui ! Nous essaierons de lui faire comprendre que sa fidélité au serment ne saurait être remise en cause par une brève défaillance. Il n'avait pas l'intention de vous attaquer, j'en suis certaine. Il savait que vous étiez à Pierjoie et n'a pas cherché à vous rencontrer. Mais le hasard vous a mis en présence l'un de l'autre et sa douleur l'a emporté. J'ignore s'il s'en remettra.

Une fois de plus, Covenant était totalement à côté de la plaque. Il pensait « châtiment » là où les habitants du Fief ne songeaient qu'à « guérison ».

— Vous êtes trop généreuse, dit-il, honteux. Après tout, vous auriez de bonnes raisons de me détester.

Elena secoua la tête, exaspérée.

— Comment faut-il vous le dire ? Ni Léna ma mère ni moi ne vous avons jamais haï. Cela nous est impossible.

151

Sans vous, je n'existerais pas. Léna aurait peut-être épousé Triock et donné naissance à une fille ; mais ce serait une autre personne. Je ne serais pas ce que je suis. (Elle sourit.) Thomas Covenant, dans toute l'histoire du Fief, rares sont les enfants qui ont chevauché un ranyhyn.

— J'aurai au moins réussi ça, murmura Covenant.

Elena lui jeta un regard interrogateur, mais il se contenta de hausser les épaules. Il ne se sentait pas capable d'expliquer le marché qu'il avait tenté de passer avec les chevaux sauvages – ni la façon dont cela ne l'avait nullement servi.

Un silence gêné tomba entre eux. Elena se détourna pour reporter son attention sur *La Victoire du seigneur Mhoram*.

— Ce tableau me perturbe, avoua-t-elle. Pourquoi ne suis-je pas à côté de Mhoram ? Qu'est-il advenu de moi pour que je le laisse affronter seul un si terrible danger ? (Du bout des doigts, elle effleura la silhouette assaillie et pourtant invincible de son aîné.) J'ai le pressentiment que je ne verrai pas la fin de cette guerre. (Piquée au vif, elle recula et ses épaules se crispèrent.) Non ! se reprit-elle en secouant la tête. Le jour où nous l'emporterons, je serai là ! Je serai là !

Elle ponctua cette affirmation en frappant le sol avec l'extrémité ferrée du Bâton. Des flammes bleues jaillirent ; la pierre polie vibra sous les pieds de Covenant, qui faillit perdre l'équilibre. Mais presque aussitôt, Elena ravala son pouvoir et saisit le bras du lépreux pour le retenir.

— Pardonnez-moi, lui dit-elle, le regard pétillant de bonne humeur. Je me suis laissée aller.

— La prochaine fois, marmonna Covenant, prévenez-moi pour que je puisse m'asseoir.

Elena éclata de rire, puis redevint brusquement sérieuse.

— Désolée. Je ne voulais pas me moquer de vous. Mais si vous aviez vu votre tête...

— Ce n'est pas grave, lui assura Covenant en se radoucissant. Le ridicule est peut-être la seule bonne réponse.

— Est-ce un proverbe de votre monde, ou êtes-vous prophète ?

— Un peu des deux, je suppose.

— Je vous trouve étrange. Cette façon que vous avez de

mélanger la sagesse et l'humour... (Elena sourit.) Allons, venez. Nous sommes attendus, et je crois que vous n'avez jamais vu les hauteurs.

Elle se dirigea vers la sortie et Covenant la suivit.

— Qui nous attend ? demanda-t-il sur un ton désinvolte.

Elena ouvrit la porte et le précéda dans le couloir. Quand le battant se fut refermé derrière eux, elle répondit :

— J'aurais aimé vous en faire la surprise, mais il me semble plus loyal de vous prévenir. C'est un homme qui étudie les songes pour en découvrir la signification. Un affranchi.

Le cœur de Covenant fit un bond dans sa poitrine. « Par les feux de l'enfer ! Un interprète des rêves. Il ne manquait plus que ça ! »

Jadis, pendant la célébration du printemps, un affranchi avait sauvé sa vie et celle d'Atiaran. Pour leur permettre de fuir, il s'était jeté entre eux et les ur-vils qui les menaçaient. Covenant se souvenait encore de son cri d'agonie et de ce qu'Atiaran lui avait dit après coup : les vivants avaient la responsabilité de se rendre dignes du sacrifice des morts. Il jura tout bas.

Ils remontèrent jusqu'aux niveaux que Covenant connaissait déjà. Au bout d'un moment, ils atteignirent une large galerie haute de plafond et légèrement pentue qui, telle une avenue, semblait traverser la Citadelle. Ils la longèrent en direction de l'ouest. Bientôt, Covenant sentit le poids de la roche diminuer au-dessus de lui et la fraîcheur piquante de l'air lui apprit qu'ils approchaient du toit de Pierjoie.

Après deux virages en épingle à cheveux, le passage déboucha sur un vaste plateau baigné de soleil. Une petite brise charriant un parfum de terre fertile apporta aux narines de Covenant d'odorants augures de récoltes abondantes – épis mûrs et fruits joufflus. Mais autour de lui, il n'apercevait que des arbres à feuillage persistant : mimosas pelucheux, pins élancés et cèdres robustes, qui ne faisaient aucune concession au changement de saison.

Les collines dans lesquelles il se trouvait étaient la force secrète de Pierjoie. Protégées par des falaises abruptes à l'est et au sud, et par des montagnes distantes d'une ou deux lieues au nord et à l'ouest, elles étaient virtuellement inaccessibles, sinon par la Citadelle elle-même, et recelaient assez d'eau et de nourriture pour permettre aux habitants de soutenir un siège. Tant que ses murs et ses portes tiendraient debout, Pierjoie ne tomberait pas et il resterait au moins un bastion d'espoir dans le Fief, expliqua Elena à Covenant.

— Les géants avaient tout prévu. À sa façon, Pierjoie est aussi imprenable que la Crypte de Turpide. Un élément qui pourrait bien s'avérer crucial, car d'après les légendes, l'ombre du Mépris ne disparaîtra jamais tant que Ridjeck Thome perdurera. Aussi, leur amitié sans faille n'est pas le seul bienfait que nous devions à nos frères de roc. Nous avons envers eux une dette que nous ne pourrons jamais rembourser.

Le ton de la jeune femme était plein de reconnaissance, mais cette évocation assombrit son humeur et celle de Covenant. Sans rien ajouter, elle l'entraîna vers le nord.

À mesure qu'ils s'éloignaient du plateau, le paysage devenait plus champêtre. Sur leur gauche, des troupeaux paissaient. Les bouviers saluaient cérémonieusement le haut seigneur, qui inclinait la tête en retour. Enfin, ils arrivèrent au sommet d'une colline, d'où ils purent embrasser la contrée du regard. Au-delà de la rivière aux flots rapides qui filait vers le sud, en direction des chutes Ferlées, s'étendaient des champs de blé et de maïs que la brise faisait onduler doucement. Une lieue plus loin, les montagnes découpaient leur silhouette majestueuse. La neige qui couronnait leurs pics leur donnait un aspect pur et irréprochable. C'était là-bas que vivaient les haruchai.

Covenant et Elena continuèrent à marcher dans un silence amical. Ni l'un ni l'autre n'éprouvaient le besoin de parler. Le lépreux se repaissait littéralement du paysage. La robuste vigueur de l'herbe, les riches teintes du sol et l'inviolabilité de la pierre enchantaient son regard ; le chant guilleret des oiseaux charmait son ouïe. Chaque fois qu'il passait près d'un pin, il lui semblait sentir les palpitations de la sève dans les branches.

Il commençait à se demander jusqu'où Elena comptait l'entraîner quand elle annonça qu'ils avaient atteint leur destination.

— Ah, lâcha-t-elle avec un soupir de bien-être, Scintillia ! Mon cœur se réjouit de te revoir.

Au creux d'un vallon, Covenant découvrit un lac de montagne. C'était là que la rivière qui alimentait les chutes Ferlées prenait sa source. Mais malgré la fougue du courant qui s'en déversait, la surface était aussi plane et limpide qu'un miroir. Elle reflétait les hauteurs et le ciel avec une fidélité irréprochable.

— Venez, lança Elena. Nous devons nous purifier dans Scintillia avant de rencontrer l'affranchi.

Sur ces mots, elle dévala la pente. Covenant la suivit, plus prudemment d'abord. Mais l'herbe, élastique sous ses pieds, semblait le pousser en avant et bientôt, il se mit à trottiner. Arrivée au bord de Scintillia, Elena lâcha son Bâton, resserra la ceinture de sa robe et plongea.

Quand il atteignit Scintillia à son tour, Covenant fut stupéfait de constater que la jeune femme avait disparu. Vue de près, l'eau était si transparente qu'il en distinguait le fond rocailleux dans les moindres détails. Une tache d'ombre s'étendait en son centre. Mais nulle part il n'apercevait la moindre trace d'Elena. Sa compagne semblait s'être volatilisée ou dissoute dans le lac.

Covenant se pencha pour mieux scruter la surface de Scintillia et sursauta en prenant conscience qu'elle ne reflétait pas son image. La lumière du soleil lui passait au travers comme s'il était invisible.

L'instant d'après, Elena resurgit vingt mètres plus loin. Elle secoua la tête pour chasser l'eau qui lui coulait dans les yeux et appela le lépreux pour l'inviter à la rejoindre. Quand elle vit son expression ahurie, elle éclata de rire.

— Scintillia est surprenant, n'est-ce pas ?

Covenant la fixa, bouche bée. Seule était visible la partie émergée du corps de la jeune femme. Sa tête et ses épaules oscillaient comme si elle pédalait pour se maintenir en équilibre, mais en dessous, le lépreux distinguait les rochers à travers l'espace que son buste et ses jambes auraient dû occuper.

— Je croyais qu'il était plus loyal de me prévenir de ce qui m'attendait ! s'exclama-t-il.

— Venez ! insista joyeusement Elena. N'ayez pas peur ; vous ne risquez rien. (Voyant que Covenant ne bougeait pas, elle expliqua :) Ce n'est que de l'eau – plus puissante qu'à l'ordinaire, voilà tout. La matière dont nous sommes faits nous rend trop inconsistants pour elle. Le Pouvoir de la Terre qui imprègne Scintillia nous traverse sans nous voir.

Covenant s'accroupit et tendit une main hésitante vers le lac. Ses doigts disparurent dès qu'il les eut plongés dedans. Quand il les retira d'un geste vif, ils étaient toujours intacts, bien que dégoulinants.

Son émerveillement eut raison de sa méfiance naturelle. Il ôta ses bottes et ses chaussettes, retroussa le bas de son jean et s'avança prudemment. Vu depuis le bord, Scintillia était si limpide qu'il semblait à peine profond d'un mètre. Mais à peine Covenant y avait-il pénétré qu'il perdit pied. La nappe froide et piquante se referma au-dessus de sa tête. D'une ruade, il se propulsa vers la surface et pivota vers Elena.

— C'est ça que vous appelez un avertissement ? s'écria-t-il avec une indignation feinte. (Il ressentait des frissons si délicieux qu'il ne pouvait pas se mettre réellement en colère.) Je vais vous apprendre à vous moquer de moi !

En quelques brasses rapides, il rejoignit la jeune femme et lui appuya sur la tête.

Elena réapparut deux secondes plus tard, riant aux éclats. Covenant voulut se jeter sur elle, mais elle esquiva et lui fit boire la tasse. Quand il refit surface, elle ne se trouvait plus nulle part en vue.

Soudain, il sentit deux mains le saisir par les chevilles. Il prit une profonde inspiration et plongea. Pour la première fois, il ouvrit les yeux sous l'eau et constata qu'il y voyait très bien. Elena le lâcha en grimaçant et nagea vers la surface. À l'instant où elle le dépassait, il la prit par la taille. Mais au lieu de se dégager, elle lui mit les bras autour du cou et l'embrassa sur la bouche.

Les poumons de Covenant se vidèrent comme s'il venait de recevoir un coup de pied au plexus. Il repoussa Elena et remonta à l'air libre. Toussant et crachant, il regagna le bord, se hissa dans l'herbe près de l'endroit où il avait laissé ses affaires et s'écroula face contre terre.

Sa poitrine lui faisait mal. Pourtant, il savait que ça ne venait pas de ses côtes meurtries. La caresse de Scintillia avait effacé ses ecchymoses comme de vulgaires taches d'encre. Non, c'était un autre genre de douleur. Pendant ses ébats aquatiques, il semblait s'être foulé le plus important des muscles : le cœur.

Au bout d'un moment, son souffle s'apaisa et il prit conscience d'autres sensations. La fraîcheur revigorante du bain avait excité ses nerfs ; jamais il ne s'était senti aussi propre depuis que la lèpre s'était déclarée. Le soleil lui réchauffait le dos et l'extrémité de ses doigts picotait.

Elena le rejoignit.

— Es-tu heureux dans ton monde ? lui demanda-t-elle d'une voix douce, passant d'un coup au tutoiement.

Covenant se raidit. Il roula sur le flanc et vit que la jeune femme s'était assise près de lui. Impulsivement, il tendit la main vers ses cheveux mouillés et en saisit une mèche, qu'il caressa entre le pouce et l'index. Puis il leva les yeux vers elle.

— Le bonheur n'a rien à voir là-dedans, dit-il d'une voix sourde. Je n'y pense même pas. J'essaie juste de rester en vie.

— Pourrais-tu être heureux ici ?

— Ce n'est pas juste de me demander ça. Que répondrais-tu si je te retournais la question ?

— Je crois que oui. (Puis Elena comprit ce qu'il avait voulu dire.) Pour moi, le bonheur, c'est de servir le Fief. Mais il est difficile d'être heureux en temps de guerre.

Covenant se rallongea dans l'herbe. Regarder Elena en face lui était trop difficile.

— Dans mon monde, il n'existe rien de comparable à la beauté et à la santé du Fief. Et il y a toujours un conflit quelque part.

Il devina le sourire d'Elena dans sa voix quand elle lança :

— D'après ce que j'ai compris, c'est ce genre de discours qui provoque la colère d'Hile Troy.

157

— Je n'y peux rien. Les faits sont ce qu'ils sont.

— Les faits, la réalité... Es-tu si attaché à ces concepts que tu doives toujours t'incliner devant eux ?

— Je les hais. Mais ils sont tout ce que j'ai.

Un doux silence les enveloppa. Elena se coucha près de Covenant et pendant longtemps, ils demeurèrent immobiles, laissant le soleil sécher leurs vêtements. La tiédeur et le parfum de l'herbe réconfortaient le lépreux, mais son cœur cognait douloureusement dans sa poitrine et il n'arrivait pas à se détendre. Il était trop conscient de la proximité d'Elena.

Petit à petit, il réalisa que les bruits de la campagne alentour s'étaient tus eux aussi. Les oiseaux ne chantaient plus et la brise retenait son souffle.

— Il arrive, déclara Elena.

Elle se leva et alla chercher son Bâton.

Covenant s'assit et promena un regard à la ronde. Soudain, il capta un son doux et léger comme les notes d'une flûte – une chanson qui semblait planer dans l'air et flotter vers lui. Bientôt, il put en distinguer les paroles.

Libre
Affranchi
Absous
Libre.
Songe que les rêves deviendront réalité
Garde les yeux fermés jusqu'à ce qu'ils voient
Chante la prophétie silencieuse
Et sois affranchi
Absous
Libre.

Solitaire
Sans amis
Sans liens
Solitaire.
Bois la coupe de l'absence jusqu'à la lie
Jusqu'à ce que le chagrin se soit évaporé
Et que le silence devienne communion,
Et reste sans amis
Sans liens
Solitaire.

158

Profond
Abyssal
Infini
Profond.
Caresse la fidèle et mystérieuse Citadelle
Dont les murs de servitude rient et pleurent
Tandis que les traîtres ouvrent un gouffre sanglant
Abyssal
Infini
Profond.

— Lève-toi pour saluer l'affranchi, ordonna Elena à voix basse. Sa poursuite d'une vision qui n'appartient qu'à lui l'a entraîné beaucoup plus loin que les gardiens de la Loge sur le chemin de la connaissance.

Covenant obtempéra en continuant à écouter la mélodie dont la qualité hypnotique lui faisait oublier ses questions et ses doutes. Il était si impatient qu'il en trépignait presque.

L'affranchi arriva par les collines qui se dressaient au nord de Scintillia. Il se tut en apercevant Elena et Covenant, mais son apparition ne fit que renforcer l'influence qu'il exerçait sur eux. Il portait une longue robe dépourvue de couleur propre, dont le tissu reflétait les nuances de ce qui l'entourait : vert jusqu'à la taille, azur au niveau des épaules, gris comme la roche et blanc de neige sur le flanc droit. Ses cheveux en bataille étincelaient dans la lumière du soleil.

Il se dirigea droit vers Elena et Covenant, et bientôt, ce dernier put distinguer son visage barbu, aux traits androgynes et aux yeux profondément enfoncés dans leurs orbites. Quand il s'arrêta devant eux, il n'échangea nulle salutation rituelle avec le haut seigneur.

— Laisse-nous, dit-il simplement.

Ce ne fut pas énoncé comme un ordre ou comme un rejet, mais comme une nécessité absolue devant laquelle Elena s'inclina sans discuter. Avant de s'éloigner, toutefois, elle posa une main sur le bras du lépreux et le dévisagea.

— Thomas Covenant, murmura-t-elle d'une voix tremblante. Incrédule, quand l'heure viendra pour moi de marcher au combat, seras-tu à mon côté ?

Incapable de soutenir son regard pénétrant, Covenant baissa les yeux et demeura planté face à elle, aussi immobile que s'il avait pris racine dans le sol. Voyant qu'il ne répondait pas, Elena inclina la tête, lui pressa le bras et s'en fut en direction de Pierjoie. Bientôt, elle disparut entre les collines.

— Suis-moi, lança l'affranchi à Covenant.

Sans attendre de réponse, il tourna les talons et rebroussa chemin.

Le lépreux fit deux pas hésitants. Puis une expression anxieuse tordit ses traits et il promena un regard affolé autour de lui. Repérant ses bottes et ses chaussettes, il se précipita vers elles, se laissa tomber dans l'herbe et les enfila fébrilement. Ainsi protégé de tout contact direct avec le sol, il se releva d'un bond et courut après l'interprète des rêves.

10

Voyant et oracle

TARD DANS LA SOIRÉE DU LENDEMAIN, Mhoram entendit frapper à la porte de ses quartiers privés. Il alla ouvrir. Thomas Covenant se tenait sur le seuil, sa silhouette se découpant contre la lumière du plancher luminescent telle une sombre effigie de détresse. Les privations et la fatigue creusaient son visage, comme s'il n'avait goûté ni nourriture ni repos depuis son départ pour les hauteurs.

Mhoram le laissa entrer sans poser de questions et referma le battant derrière lui. Le lépreux se dirigea vers la table de pierre apportée des appartements d'Elena. Le *krill* flamboyant de Loric était toujours fiché en son centre.

Avisant les muscles noués de sa nuque, Mhoram offrit des rafraîchissements et un lit à son visiteur. Mais malgré la faim, Covenant haussa les épaules en signe de refus.

— Vous vous acharnez sur cette arme depuis que je l'ai… réveillée sans le vouloir, dit-il d'une voix étrangement atone. Ne dormez-vous donc jamais ? Je croyais que les seigneurs venaient ici pour se reposer.

Mhoram traversa la petite pièce austère et contourna la table pour faire face à Covenant. Il voyait bien que celui-ci était troublé, mais ignorait pourquoi et ne voulait pas le brusquer.

— Pourquoi devrais-je me reposer ? répondit-il prudemment. Je n'ai ni femme ni enfants. Mes parents étaient tous deux des seigneurs. La Sagesse de Kevin est la seule tradition que j'aie jamais connue. Et il est difficile de s'arracher à une telle tâche.

— S'il n'y avait que cela ! Mais vous êtes le voyant et l'oracle du conseil. C'est à vous que l'avenir se révèle – même si vous n'avez rien demandé, même si vos visions sont insupportables et vous font hurler dans votre sommeil. (La voix de Covenant s'étrangla dans sa gorge. Il secoua la tête.) Pas étonnant que vous ayez du mal à dormir. À votre place, je ne m'y résoudrais pas non plus.

— Je ne suis pas un sangarde. Que cela me plaise ou non, j'ai besoin de repos.

— Alors, qu'avez-vous découvert ? Savez-vous à quoi sert cette épée et quel rapport elle a avec le fameux Amok ?

Mhoram sourit à Covenant.

— Asseyez-vous donc, mon ami. Vous paraissez bien las et mes réponses risquent d'être longues.

— Je suis en pleine forme, répliqua le lépreux sans conviction.

L'instant d'après, il se laissa tomber sur une chaise. Mhoram l'imita. Le *krill* se dressait entre eux et son rayonnement gênait Mhoram. Mais il ne déplaça pas son siège, faisant appel à ses autres sens pour percevoir ce que la gemme étincelante dissimulait à sa vision.

— Non, je ne comprends toujours pas le pouvoir de l'épée de Loric. Et je n'ai pas réussi à l'extraire de la table. Je pourrais la dégager en brisant la pierre, mais outre le fait qu'un tel acte me répugne, il ne servirait à rien. Je n'en tirerais aucun savoir – juste une arme que je serais incapable de toucher. En l'état actuel des choses, le *krill* ne peut pas nous aider. Nous ignorons tout de ses usages.

« Quant à Amok... C'est un vaste sujet, sur lequel Amhatin doit en savoir plus long que moi.

— Peut-être, mais c'est à vous que j'ai posé la question.

— Soit. Eh bien, il se peut qu'Amok ait été créé par Kevin pour protéger les futurs utilisateurs du *krill*, en empêchant son pouvoir de se retourner contre eux au cas où ils ne posséderaient pas la Sagesse et les connaissances nécessaires pour s'en servir à bon escient. Si tel est le cas, la mission d'Amok consiste sans doute à nous mettre en garde contre un usage irréfléchi de l'épée.

— Comment pouvez-vous proférer ces sornettes avec autant d'aplomb ? N'avez-vous pas écouté Amok ? Il a dit : « J'ai failli à ma mission. »

— Peut-être sait-il que si nous sommes trop faibles pour avoir réveillé le *krill*, nous n'avons aucune chance de l'employer de quelque façon que ce soit, bonne ou mauvaise.

— D'accord. Laissons cela. Oublions qu'une fois de plus, je vous ai causé un problème sans me rendre compte de la portée de mes actes. Qu'est-ce qui vous fait croire que Kevin le Dévastateur est à l'origine de tout ce qui vous arrive, que tel un bon patriarche, il continue à veiller sur vous de loin ? Et surtout, pourquoi êtes-vous à ce point obsédés par sa Sagesse ? Pourquoi tenez-vous tant à percer les secrets de ses tabernacles ? Si vous avez besoin de pouvoir, ne restez pas enfermés dans votre Citadelle. Sortez et allez le débusquer là où il se trouve, au lieu de gaspiller vos forces et votre temps à étudier des papiers incompréhensibles ! Au nom du simple bon sens, sinon de l'efficacité, pourquoi persister dans cette démarche stérile ?

— Seigneur suprême, vos questions me dépassent. En les écoutant, je me sens sourd et aveugle.

— Pas de faux-fuyant, je vous prie. Répondez-moi.

— Ce n'est pas très compliqué. Que nous sachions l'utiliser ou non, le Pouvoir de la Terre est là. Le Fief est là. Et que nous soyons capables de nous défendre contre eux ou non, le mal et les fléaux – le Rogue, la Pierre de Maleterre – sont là aussi. Comment vous expliquer ? Parfois, les choses les plus évidentes sont les plus difficiles à exprimer.

Mhoram marqua une pause pour réfléchir. Mais Covenant s'agita comme si ses paroles étaient une planche de salut dont il ne supportait pas que le seigneur le prive ; aussi reprit-il très vite :

— Disons que l'étude de la Sagesse de Kevin est la seule voie que nous puissions suivre sans nous renier. Nous ne devons pas attendre que la Terre s'adresse à nous comme elle s'adressa jadis à Berek Demi-Main. Ce genre de miracle ne se produit pas deux fois. Si grands que soient notre bravoure et notre besoin, ce n'est pas ainsi que nous sauverons de nouveau le Fief. Pourtant, le Pouvoir de la Terre demeure. Mais comme tout pouvoir, il est neutre et terrible. Employé à bon escient, il peut faire beaucoup de bien. Manipulé par des mains inexpertes, il provoquerait d'épouvantables dégâts. Voilà pourquoi nous ne cherchons pas à nous en emparer par nos propres moyens.

« Seigneur suprême, nous avons prêté un serment de paix qui ne nous autorise aucun compromis. Songez – pardonnez-moi, mon ami, mais c'est l'exemple le plus flagrant qui me vienne à l'esprit – au destin d'Atiaran Trellmie. Elle a voulu utiliser une puissance qui la dépassait et elle en est morte. Mais ç'aurait pu être pire. Son rituel aurait pu détruire des innocents ou porter atteinte à l'intégrité du Fief. Nous autres, seigneurs, avons juré de protéger la vie et la beauté ici-bas. Comment justifierions-nous une telle prise de risque ? Nous n'avons pas le choix : nous devons nous en remettre à la Sagesse de Kevin et aux tabernacles qu'il a créés afin de nous la léguer.

— Cette époustouflante Sagesse qui l'a si bien servi, railla Covenant, exaspéré. Par les feux de l'enfer ! À supposer que vous ayez assez de chance pour retrouver les sept tabernacles et de cervelle pour percer leurs mystères, que se passera-t-il quand vous détiendrez enfin le secret du rituel de profanation ? Que ferez-vous s'il s'avère, une fois de plus, votre unique espoir de barrer la route au Rogue ? Comment légitimerez-vous votre geste auprès des gens qui devront recommencer de zéro d'ici un millénaire ? À moins que vous ne pensiez, le moment venu, vous montrer plus adroits ou plus malins que Kevin !

Covenant s'exprimait avec une impétuosité glacée, mais Mhoram sentait bien que ces questions n'étaient pas sa préoccupation principale. Il lui semblait plutôt que l'Incrédule était en train de le tester. Aussi choisit-il soigneusement ses mots avant de répondre :

— Nous sommes conscients du danger depuis que les géants nous ont apporté le premier tabernacle. C'est pour cela que nous avons prêté le serment de paix, afin que jamais plus le désespoir ne menace la vie du Fief. Si l'évolution du conflit nous place devant l'alternative de profaner ou d'être vaincus, nous continuerons à nous battre jusqu'à la défaite absolue et le sort du Fief tombera entre d'autres mains.

— Je ne fais rien pour vous faciliter la tâche, n'est-ce pas ? La seule présence de l'or blanc soulève des perspectives d'éradication qui ne vous avaient même pas effleurés jusqu'alors. Avant mon arrivée, vous n'aviez pas à vous soucier de sombrer dans le désespoir, puisque vous n'aviez aucun moyen de causer des dégâts au Fief. À présent, Turpide pourrait s'emparer de mon anneau, ou bien je pourrais l'utiliser contre vous par inadvertance ; mais jamais, jamais il ne vous sauvera.

Les mains du lépreux se crispèrent comme si elles cherchaient à saisir quelque chose d'invisible.

— Oublions l'or blanc pour le moment. Voici à quoi je voulais en venir. Vous êtes à la veille d'une guerre totale, sans merci. Rien à voir avec les escarmouches plus ou moins meurtrières qui se sont produites il y a quarante ans. Expliquez-moi : comment comptez-vous livrer le combat alors que tous les habitants du Fief en âge de tenir une arme ont prêté votre fameux serment de paix ? Sauf s'il y a des clauses d'exemption dans vos contrats – des petits caractères au bas de la page, qui vous dégagent de toute responsabilité dans certaines circonstances ?

Mhoram voulait dire à Covenant qu'il dépassait les bornes. Mais les convulsions de ses mains – l'une mutilée, l'autre portant son anneau d'or blanc comme une entrave – lui révélèrent que l'agressivité de son interlocuteur était dirigée contre lui-même, pas contre les seigneurs. Inquiet pour lui, il répliqua avec calme et dignité :

— Mon ami, nous abhorrons le meurtre en toutes circonstances. Seule notre faiblesse nous oblige parfois à y recourir. Vous connaissez le code de Berek :

> Ne meurtrissez pas quand il suffit de retenir,
> Ne blessez pas quand il suffit de meurtrir,
> Ne mutilez pas quand il suffit de blesser,

Et ne tuez pas quand il suffit de mutiler ;
Le plus grand guerrier n'a pas de mort sur la conscience.

« Et vous avez entendu Prothall avancer qu'une effusion de sang motivée par la colère ne servirait pas le Fief. Telle est la quintessence de notre serment. Nous ferons tout ce qui est en notre pouvoir pour défendre le Fief contre le Mépris. Mais jamais nous ne nous laisserons emporter par nos plus sombres passions. Même si nous devons nous battre et tuer, nous prendrons garde à ne pas nous abaisser au niveau de notre ennemi, à ne pas devenir comme lui. Car si nous nous laissions aller à haïr nos adversaires ou si nos actes venaient à compromettre l'intégrité du Fief, notre échec nous plongerait dans une nuit éternelle.

— Pur sophisme.

— Je ne connais pas ce mot.

— Des arguments fallacieux pour justifier une décision déjà arrêtée. Une rationalisation. Faire la guerre au nom de la paix... Comme si ce n'étaient pas des êtres de chair et de sang que vous vous apprêtez à passer au fil de votre épée – des créatures qui ont le droit de vivre autant que vous.

— Entre se battre pour détruire le Fief et se battre pour le sauver, pensez-vous vraiment qu'il n'y a aucune différence ?

— Il s'agit toujours de tuer. Ah, Mhoram... Vous êtes trop doué. Que vais-je devenir si je n'arrive même pas à trouver une faille dans votre raisonnement ? (Les mains de Covenant se mirent à trembler violemment. Agacé, il les cacha sous la table.) C'est ça : je finirai par mourir de froid.

Voûtant les épaules, il s'abîma dans un silence maussade. Mhoram, sentant monter la tension entre eux, décida que le moment était venu de satisfaire sa propre curiosité.

— Vous êtes troublé, mon ami, dit-il doucement. Il est difficile de refuser quoi que ce soit au haut seigneur, n'est-ce pas ?

— Oui. Mais le problème n'est pas là. Tout le Fief exerce sur moi un attrait irrésistible. Je m'y suis habitué, à

166

défaut de l'accepter. (Covenant marqua une pause et reprit :) Savez-vous ce qu'elle m'a fait hier ? Elle m'a emmené dans les hauteurs pour voir cet affranchi, celui qui prétend comprendre les rêves. Je suis resté avec lui pendant plus d'une journée. Mais en tant que voyant et oracle, vous devez bien le connaître. Vous avez souvent dû rechercher ses lumières – même dans le sommeil, l'endurance humaine a des limites quand elle est confrontée à tant de Mépris. Il est donc inutile que je vous décrive la façon dont il vous cloue sur place du regard, comme pour mieux vous disséquer. Il se peut même que vous sachiez déjà ce qu'il m'a dit.

— Non, murmura Mhoram.

— Il m'a dit… Par les feux de l'enfer ! (Covenant secoua violemment la tête.) Il m'a dit que la vérité s'exprimait dans mes songes. J'ai beaucoup de chance, paraît-il. Ceux qui rêvent de telles choses sont les véritables ennemis du Mépris. Ce n'est pas le Bâton de la Loi qui vaincra Turpide ni aucune de vos armes classiques ; non, ce sont la magie sauvage et le rêve. Même si je refuse de le croire. (Il soupira.) Bref, il ne m'a pas beaucoup aidé. Je voudrais juste savoir si je suis un héros ou un lâche… Non, ne répondez pas. Ce n'est pas à vous d'en décider. (Mhoram sourit pour rassurer Covenant.) De toute façon, j'ai déjà une conviction, même si ce n'est pas exactement celle qui vous arrange.

— En êtes-vous bien sûr ? Ni vos paroles ni vos actes n'en témoignent. Est-ce toujours croire que de ne croire en rien ?

Piqué au vif, Covenant se leva d'un bond.

— Vous n'avez pas le droit de me juger ! Si je refuse d'admettre la réalité du Fief et d'embrasser sa cause avec le fanatisme aveugle de Troy, c'est parce que…

Il s'interrompit et déglutit comme si les mots s'étranglaient dans sa gorge. Puis il tendit les mains devant lui pour bloquer la lumière de la gemme, qui l'éblouissait. D'une voix enrouée par toutes les larmes qu'il lui était impossible de verser, il cria :

— Parce que c'est la seule liberté qui me reste ! Et je ne sais même pas pourquoi !

L'instant d'après, il retomba brusquement dans sa chaise et enfouit la tête dans ses bras croisés sur la table.

— « Pourquoi », répéta doucement Mhoram. La question la plus délicate, n'est-ce pas « comment » ? Comment en est-on arrivé là ; comment s'en sortir ? Certaines de nos légendes suggèrent des réponses. Elles racontent que peu après la naissance du temps, le Créateur s'aperçut que son frère et ennemi, le Rogue, avait corrompu son œuvre en y enfouissant des fléaux. Dans son chagrin et sa colère, il le chassa du ciel et le précipita sur Terre pour l'emprisonner dans l'arche du temps. C'est ainsi que le Rogue arriva dans le Fief.

Mhoram savait bien qu'il ne répondait pas à Covenant, mais il n'avait pas d'autre explication à lui offrir. Aussi poursuivit-il :

— Depuis ce jour, le Rogue cherche un moyen de se venger du Créateur. Pendant des millénaires, il a livré des guerres futiles visant à endommager son œuvre faute de pouvoir l'atteindre, lui. Mais aujourd'hui, il a trouvé un moyen de parvenir à ses fins. S'il détruit l'arche du temps, son exil s'achèvera et il pourra regagner le ciel. Quand le Bâton de la Loi est tombé sous son influence, il a saisi sa chance de jeter un pont entre les mondes et d'apporter l'or blanc dans le Fief.

« En résumé, Turpide vise à s'emparer de la magie sauvage – "la clé de voûte de l'arche de la vie qui enjambe et surplombe le temps" – et à l'utiliser pour provoquer la fin du temps. Ainsi pourra-t-il échapper à ses entraves et contaminer l'Univers entier. Mais pour cela, il doit vous vaincre et vous arracher votre anneau. S'il y parvient, le Fief et la Terre succomberont sûrement.

Covenant leva la tête et Mhoram tenta d'anticiper sa question :

— Mais comment le Rogue compte-t-il atteindre cet objectif ? En usant d'artifices si proches de nos désirs que nous ne leur résisterons pas. Croyant servir le Fief, nous le servirons, lui. Et quand nous aurons compris notre erreur, il sera trop tard. Vous seul pourrez encore nous sauver.

— Mais pourquoi ? insista Covenant. Pourquoi moi ?

Une fois de plus, Mhoram n'avait pas de réponse exacte à lui fournir, juste un début de piste, qu'il lui présenta humblement pour apaiser ses tourments.

— Je suis convaincu que vous avez été désigné par le Créateur. Il le faut. C'est notre unique espoir. Turpide a enseigné le rituel de conjuration à Sialon Larvae parce qu'il convoitait l'or blanc. Mais c'est le lémure qui a manié le Bâton. Le Rogue n'a pas pu choisir la cible du rituel. Si quelqu'un vous a retenu, c'est forcément le Créateur.

« Réfléchissez. Il a façonné la Terre de ses mains. Comment pourrait-il assister à sa destruction sans réagir ? Hélas, il ne peut pas nous aider directement, car telle est la règle. S'il brise l'arche pour exercer son pouvoir sur le Fief, le temps prendra fin et le Rogue sera libre. Donc, il ne peut affronter Turpide que par le truchement d'un intermédiaire. Vous, mon ami.

— Malédiction, marmonna Covenant.

— Vous devez comprendre une chose. Pour les raisons mêmes qui lui interdisent de nous aider, il ne peut pas vous guider ni vous enseigner le moyen d'utiliser l'or blanc. Sinon, vous ne seriez pas libre. Vous deviendriez son instrument et votre présence briserait l'arche du temps. Il vous a choisi en pensant que vous décideriez de servir le Fief de votre plein gré et que vous en auriez la force. S'il s'est trompé, il a de son propre chef livré au Rogue l'arme qui provoquera sa destruction.

— C'est un sacré risque, non ?

— Oui. Mais il est le Créateur et ne pouvait pas nous abandonner.

— Qu'est-ce qui l'empêche de tout effacer pour recommencer de zéro ? Vous semble-t-il inconcevable qu'un dieu possède assez d'humilité pour admettre qu'il s'est trompé ? Ou peut-être serait-ce de l'arrogance que d'anéantir son œuvre sans lui laisser la moindre chance de se défendre ? Mais peu importe. Je crois me rappeler que tous les seigneurs ne sont pas persuadés de l'existence du Créateur...

— C'est exact. Mais c'est à moi que vous vous adressez. Je vous réponds selon mes convictions.

— Alors, dites-moi ce que vous feriez à ma place.

— Non. (Mhoram déplaça sa chaise pour pouvoir enfin regarder Covenant sans être gêné par le *krill*.) Je m'y refuse. Le pouvoir est une chose terrible. Comment pourrais-je juger celui qui en est investi à son corps défendant ? Je ne suis pas capable de me juger moi-même...

Covenant garda le silence. Au bout d'un moment, Mhoram risqua :

— Thomas Covenant, pourquoi tant de passion ? Pourquoi tant d'amertume ? Vous dites que le Fief est un songe, une illusion – que nous n'existons pas. Si vous en êtes persuadé, acceptez votre rêve et tournez-le en dérision. À votre réveil, vous serez libre.

— Non. Pourtant, il y a du vrai dans ce que vous dites. Je crois que je commence à comprendre. Écoutez-moi. Les troubles qui agitent le Fief ne sont rien d'autre que l'incarnation de mon déchirement intérieur. Par les feux de l'enfer ! Depuis le temps que je traîne mon existence de paria, j'en suis arrivé à me demander si l'horreur que les lépreux inspirent au reste du monde ne serait pas justifiée. J'ai renoncé à lutter et accepté mon sort. Je suis devenu mon propre ennemi, le complice du Mépris qui me rend l'existence si difficile. Mais cette résignation m'est odieuse. Voilà pourquoi mon subconscient m'envoie ce rêve : pour me donner une chance de résoudre mon dilemme dans mon sommeil.

Covenant se leva brusquement et se mit à faire les cent pas, une lueur fiévreuse dans le regard.

— Bien sûr ! Pourquoi n'y ai-je pas pensé plus tôt ? Depuis le début, je me dis que ce n'est qu'une forme d'évasion, de suicide. Mais je me trompe du tout au tout. C'est de la thérapie. Même si elle m'oblige à abandonner la discipline qui seule peut me maintenir en vie. (Un rictus de douleur tordit ses traits.) Par les feux de l'enfer ! grogna-t-il. Encore une histoire stupide que j'aurais dû brûler avec les autres.

Mhoram entendit l'angoisse dans la voix de Covenant, le chuchotement rauque de l'espoir qui tombait en poussière. Il fit mine de se lever pour aller à sa rencontre, mais n'eut pas à se donner cette peine : les déambulations de Covenant le ramenaient vers lui, comme si le lépreux s'était perdu entre les quatre murs de la petite pièce. Il s'immobilisa près de la table et fixa le *krill*.

— Je ne crois pas un mot de ce que je viens de dire, lâcha-t-il d'une voix tremblante. Ce n'est qu'une nouvelle façon de me laisser mourir, et j'en connais déjà beaucoup trop.

Il chancela et se raccrocha à l'épaule de Mhoram, qui l'aida à se rasseoir.

— Ah ! mon ami, comment puis-je vous aider ? Je ne vous comprends pas.

Au prix d'un effort visible, Covenant se ressaisit.

— Je suis fatigué, c'est tout. Je n'ai rien mangé depuis hier et ma rencontre avec l'affranchi a sapé toutes mes forces. Je ne refuserais pas une petite collation.

L'occasion de faire quelque chose pour son visiteur procura un certain soulagement à Mhoram. Il lui apporta une carafe de guinguet et, pendant que Covenant buvait avidement, passa dans la pièce voisine pour chercher de la nourriture.

Il était en train de disposer du pain, du fromage et du raisin sur un plateau quand il entendit quelqu'un crier son nom à plusieurs reprises. Son cœur se serra et il rebroussa chemin d'un pas vif pour aller ouvrir la porte.

Dans la clarté du plancher luminescent, il avisa un guerrier debout sur un balcon, à mi-hauteur de la caverne. C'était un très jeune homme – trop jeune pour affronter les horreurs de la guerre, songea-t-il –, qui semblait complètement affolé.

— Seigneur Mhoram ! appela-t-il. Venez à la closerie ! Vite !

— Calme-toi, ordonna sévèrement Mhoram.

Le messager frémit, se raidit et ravala les mots qui se bousculaient pour sortir de sa bouche en un tumulte incohérent. Voyant qu'il avait repris le contrôle de lui-même, Mhoram lui intima plus doucement :

— Parle. Je t'écoute.

— Le haut seigneur demande que vous vous rendiez à la closerie sur-le-champ. Un message vient d'arriver des plaines de Ra. Le Tueur Gris est en marche.

— La guerre ? souffla Mhoram, assailli par une vision sanglante.

— Oui.

— Va dire au haut seigneur que j'arrive.

Redressant le torse, il se tourna vers Covenant et lui demanda simplement :

— Viendrez-vous ?

Le lépreux soutint son regard sans ciller.

— Dites-moi une chose, Mhoram. Comment avez-vous survécu à votre duel contre ce ravageur, à l'entrée de la Crypte ?

Avec une sérénité forcée – un refus de s'émouvoir qui fit étinceler ses yeux pailletés d'or –, Mhoram répondit :

— Les sangardes qui m'accompagnaient ont été tués. Mais quand *samadhi* m'a touché, il m'a reconnu. Et son courage l'a déserté. Il s'est enfui.

Covenant continua à le fixer un moment. Puis il baissa la tête. D'un geste las, il posa la carafe presque vide sur la table. Il tira sur sa barbe comme s'il hésitait. Enfin, il se leva. Il ressemblait, songea Mhoram, à une chandelle dont la flamme vacillante, à demi étouffée par la cire fondue, pouvait s'éteindre à tout instant.

— Alors ? Viendrez-vous ? insista le seigneur.

— Oui. Elena me l'a déjà demandé. Cela ne nous avancera à rien, ni vous ni moi... Mais je viens.

DEUXIÈME PARTIE

L'INSIGNE

11

Conseil de guerre

HILE TROY ÉTAIT CERTAIN D'UNE CHOSE : quoi qu'en dise Covenant, le Fief n'était pas un rêve. Cette croyance était ancrée au plus profond de lui, si aiguë qu'elle en devenait parfois douloureuse.

Dans le monde « réel », Troy ne possédait même pas les organes qui auraient pu l'aider à concevoir ce qu'était la vue. Jusqu'au jour où une mystérieuse conjuration l'avait arraché aux deux morts qui le menaçaient et déposé sur l'herbe baignée de soleil de la Mémoriade, la lumière comme les ténèbres étaient demeurées une énigme totale pour lui. Il ne se rendait pas compte qu'il vivait dans une nuit absolue. Contraint de se fier à l'ouïe et au toucher pour percevoir son environnement physique, il avait développé une incroyable sensibilité aux atmosphères, aux résonances de l'espace et à l'interaction des forces, ce qui lui avait permis de devenir un stratège hors pair.

Par conséquent, il était impossible que le Fief fût un produit de son imagination. Son esprit ne disposait pas des éléments fondamentaux qui auraient pu générer ou alimenter un tel rêve. Le Fief ne lui avait pas rendu une faculté perdue : il s'était offert à lui comme une révélation.

Hile Troy savait qu'il était réel – et que son avenir était suspendu au fil de la stratégie qu'il allait mettre en œuvre

175

durant la guerre à venir. S'il commettait la moindre erreur, l'éclat et les couleurs de ce monde seraient condamnés.

Aussi, lorsque Ruel, le sangarde assigné à sa protection, l'informa qu'un écuyer du peuple de Ra venait d'arriver, apportant des nouvelles de l'armée de Turpide, Troy éprouva une brève panique. Le moment était venu où son entraînement, ses calculs et ses espoirs allaient être mis à l'épreuve des faits. S'il avait cru à l'existence du Créateur que Mhoram invoquait parfois, il serait tombé à genoux pour prier.

Mais Troy avait appris à ne compter que sur lui-même. Il se ressaisit très vite. La milice attendait ses ordres et il assumerait pleinement les responsabilités qu'il avait réclamées à cor et à cri. Il prit juste le temps d'enfiler son bandeau et de ceindre son épée d'ébène, puis suivit Ruel vers la closerie.

Malgré les torches qui brûlaient dans les couloirs de la Citadelle, Troy voyait à peine où il mettait les pieds. En plein jour, sa vision était plus acérée et portait plus loin que celle des géants. Le soleil semblait réduire les distances ; parfois, il avait l'intime conviction de percevoir des détails qui échappaient aux autres habitants du Fief. Mais la nuit restaurait sa cécité, comme pour lui rappeler d'où il venait. La lumière des étoiles ne parvenait pas à percer ses ténèbres intimes, et même la pleine lune ne lui apparaissait que comme une tache grisâtre et floue.

Par habitude, il chaussa ses lunettes noires. Depuis le temps qu'il les portait pour épargner aux gens normaux le spectacle de sa hideuse difformité, il avait l'impression qu'elles faisaient partie de son visage. Mais elles n'affectaient pas sa vision, pas plus que n'importe quel objet se trouvant à moins de vingt centimètres de ses orbites vides.

Afin de contrôler sa tension, Hile Troy marchait sans se presser. Quelques chevrons s'arrêtèrent pour le saluer, puis le dépassèrent en courant. Plus tard, Verement jaillit d'un escalier tel un faucon piquant sur sa proie et disparut à un détour du passage. Troy conserva la même allure jusqu'à ce qu'il atteignît la closerie.

Quaan l'attendait devant la grande porte. Dans la pénombre, les cheveux blancs du brandebourg lui donnaient l'air fragile malgré sa carrure toujours robuste. Il exécuta un salut impeccable et rapporta à son supérieur que les cinquante chevrons étaient déjà arrivés.

Cinquante. Troy se récita les chiffres comme un mantra. Cinquante légions rassemblant un millier de phalanges, soit un total de vingt et un mille cinquante miliciens, auquel il fallait ajouter le premier chevron Amorine, Quaan et lui-même. Il hocha la tête comme pour affirmer que cela suffi-rait. Puis il entra dans la closerie et alla prendre sa place à la table des seigneurs.

Autour de lui, l'immense amphithéâtre était presque plein, et si brillamment éclairé qu'il pouvait en distinguer chaque occupant. Elena, Callindrill, Trevor, Loerya et Amhatin étaient assis dans un silence contemplatif, mais il les connaissait assez bien pour deviner à quoi ils pensaient. Malgré les exigences de sa fonction, Loerya espérait que Trevor et elle ne seraient pas obligés de quitter Pierjoie en laissant leurs filles derrière eux. Son mari se rappelait qu'il s'était écroulé en combattant le mal qui habitait le repenti *dukkha* ; il devait se demander s'il aurait la force de livrer cette guerre. Quant à Elena... Troy préférait se garder de toute spéculation à son sujet. Sa beauté le troublait ; il ne voulait même pas envisager qu'il puisse lui arriver quelque chose. Aussi évita-t-il de la regarder.

Mhoram ne tarderait pas à les rejoindre, mais les chaises de Shetra et Hyrim resteraient vides. Troy espéra que les membres de l'expédition conduite par Korik se portaient bien. Quatre jours après leur départ, un messager avait rapporté qu'ils étaient entrés dans la forêt de Grimmer-dhore. L'insigne savait qu'il n'aurait plus de nouvelles d'eux jusqu'à ce que leur mission fût terminée. Se solderait-elle par une encourageante victoire ou par un échec reten-tissant ? Nul ne pouvait le deviner. Au fond de son cœur, Troy rêvait qu'Hyrim et Shetra reviennent accompagnés par les géants. Outre la sincère affection que ceux-ci lui inspi-raient, il craignait d'avoir besoin d'eux.

Thorm et Borillar étaient assis à leur place habituelle, près de Quaan et Morin. Sur la première rangée de gradins, Troy aperçut les sangardes affectés à la protection des seigneurs : Morril, Bann, Howor, Koral, Ruel, Terrel,

Thomin et Bannor. La plupart des autres occupants de la closerie étaient des chevrons. Même s'ils avaient subi un entraînement poussé, beaucoup d'entre eux n'avaient aucune expérience de la guerre et semblaient fort nerveux. Troy espéra que ce qu'ils verraient et entendraient durant ce conseil galvaniserait leur courage, et changerait leur tension en détermination. Ils en auraient besoin pour affronter les épreuves qui les attendaient.

Les quelques gardiens de la Loge actuellement en visite à Pierjoie étaient tous présents, ainsi que les plus doués des *rhadhamaerl* et des *lillianrill* qui résidaient en permanence à la Citadelle. Troy remarqua cependant que Trell manquait à l'appel et en conçut un vague soulagement.

Peu de temps après, Mhoram arriva en compagnie de l'Incrédule. Celui-ci était fatigué ; la faim et l'épuisement creusaient son visage livide, mais cela mis à part, il semblait indemne. Et à la façon dont il s'appuyait sur le bras de Mhoram, Troy comprit qu'il ne constituait pas une menace envers les seigneurs – du moins, pas pour le moment. Tandis que Mhoram aidait Covenant à s'asseoir, puis s'installait à gauche d'Elena, l'insigne reporta son attention sur le haut seigneur.

La jeune femme s'apprêtait à déclarer la séance ouverte. Comme toujours, ses mouvements fascinaient Troy. Lentement, elle balaya la table du regard en s'arrêtant sur chacun de ses pairs. Puis, d'une voix claire et posée, elle lança :

— Mes amis, seigneurs, gardiens de la Loge et serviteurs du Fief, notre heure est venue. L'épreuve que nous nous préparons à affronter depuis des années commence aujourd'hui. Il n'est plus temps de renforcer nos défenses ni de peaufiner notre stratégie, mais de marcher à la guerre. Si notre puissance ne suffit pas à préserver le Fief, nous succomberons, et l'avenir de ce monde tombera entre les mains du Rogue.

« Ne vous méprenez pas : mon discours n'est pas défaitiste. Je souhaite seulement vous mettre en garde contre les vains espoirs et les rêves chimériques qui pourraient affaiblir votre résolution. Nous sommes les champions du Fief. Nous avons lutté pour en être dignes. À présent, nous devons faire la preuve de notre valeur, car nous n'aurons pas de seconde chance. Le sort du Fief repose sur nous.

De nouveau, elle observa les visages attentifs qui l'entouraient. Satisfaite par la détermination qui s'y lisait, elle sourit et ajouta :

— Je n'ai pas d'inquiétude.

Troy hocha la tête. Si ses guerriers étaient habités par la même rage de vaincre que lui, Elena n'avait effectivement pas de souci à se faire.

— Écoutons maintenant celle qui vient de nous apporter la nouvelle tant attendue et redoutée. Faites-la entrer.

Sur l'ordre du haut seigneur, deux sangardes ouvrirent la porte.

Une femme descendit les marches de la closerie. Elle portait une tunique brun foncé qui découvrait ses bras et ses jambes. Ses longs cheveux noirs étaient noués dans sa nuque à l'aide d'une cordelette. Celle-ci et la petite guirlande de fleurs jaunes fanées qui pendait à son cou la désignaient comme un écuyer – le plus haut rang au sein du peuple de Ra. Malgré son port de tête altier, Troy voyait bien qu'elle tenait à peine debout. La grâce innée de ses gestes était comme émoussée par l'âge et l'épuisement. Ses yeux habitués à contempler des horizons immenses se nichaient au creux d'un réseau de fines rides ; la fatigue, due aux centaines de lieues qu'elle venait de parcourir, alourdissait ses membres et pâlissait sa peau bronzée.

Saisi par une brusque anxiété, Troy espéra qu'elle n'arrivait pas trop tard.

Comme la messagère s'immobilisait près de la fosse aux ignescentes, Elena se leva pour l'accueillir.

— Salut à vous, écuyer du peuple de Ra, dévouée soigneuse des ranyhyn ! Soyez bienvenue à la Citadelle ; bienvenue et fidèle. Que vous soyez blessée ou en pleine santé, en proie à l'affliction ou bénie par la Terre, demandez ou donnez. Tant que nous vivrons et aurons le pouvoir de le faire, nous satisferons à vos besoins. Je suis le haut seigneur Elena et je parle en présence de Pierjoie elle-même

Troy reconnut le salut traditionnellement adressé aux amis du Fief. Mais la femme fixa Elena d'un air sombre, comme si elle rechignait à répondre. Puis elle pivota vers sa droite et, d'une voix sourde et amère, dénuée des inflexions hennissantes du peuple de Ra, lâcha :

— Je vous connais, seigneur Mhoram, et vous aussi, orréchal Covenant. Vous avez appelé les ranyhyn de nuit, quand aucun mortel n'a le droit de le faire. Pourtant, ils ont répondu. Une centaine de fiers coursiers sont venus jusqu'à vous et se sont cabrés pour vous rendre hommage. Mais vous avez refusé de les monter. Orréchal Covenant, me reconnaissez-vous ?

Le lépreux la dévisagea, les sourcils froncés, le front barré par un pli comme si son crâne était en train de se fendre. Quelques secondes s'écoulèrent avant qu'il réalise.

— Gayl. Vous êtes... vous étiez le valet Gayl. Vous m'avez servi à Stabula.

— Oui. Quarante et un étés se sont écoulés depuis que vous êtes venu dans les plaines de Ra et avez refusé de manger la nourriture que je vous apportais. Mais vous n'avez pas changé. J'étais encore une enfant, à l'époque ; à présent, je suis une vieille femme lasse, et vous êtes toujours jeune. Ah, orréchal Covenant, vous m'avez traitée bien grossièrement !

Covenant soutint son regard avec une expression blessée, car elle venait de réveiller en lui des souvenirs douloureux. Au bout d'un moment, elle leva les mains de chaque côté de sa tête, paumes tournées vers lui, et s'inclina dans le salut rituel du peuple de Ra.

— Orréchal Covenant, je vous connais. Mais vous ne me connaissez pas. Je ne suis plus le valet Gayl, qui a accédé au rang de pisteur et étudié les ranyhyn du temps où Stabula bourdonnait des récits de votre quête – après que l'écuyer Lithe fut rentrée des catacombes du mont Tonnerre. Et je ne suis plus le pisteur Gayl, qui a appris que les seigneurs demandaient aux siens de fouiller les plaines Dévastées, entre la Faille et les collines Brisées. Ils savaient que notre place est auprès des ranyhyn ; pourtant, ils nous ont lancé un appel et nous les avons entendus.

« Parce que l'écuyer Gayl haïssait Crochal l'Équarisseur, parce qu'elle admirait Lithe, qui avait bravé les ténèbres pour l'amour des seigneurs, et parce qu'elle voulait honorer l'orréchal Covenant, le porteur d'or blanc qui avait refusé de monter les ranyhyn alors que ceux-ci s'étaient dressés devant lui, elle est partie très loin de chez elle avec ses pisteurs. Et aujourd'hui, elle n'existe plus.

Ses doigts se recourbèrent telles des griffes et elle fléchit ses jambes épuisées comme pour adopter une posture de combat.

— Désormais, je suis l'écuyer Rue et j'habite la chair de celle qui se nommait Gayl autrefois. J'ai vu Crochal s'avancer et mes pisteurs périr. (Ses épaules s'affaissèrent et son menton fièrement dressé tomba sur sa poitrine.) Alors, je suis venue ici pour prévenir les seigneurs, qui se prétendent les amis des ranyhyn.

L'assemblée l'avait écoutée dans un silence fébrile, partagée entre le respect qu'elle lui inspirait et le désir d'entendre son message. Mais Troy captait des vibrations dangereuses dans sa voix, une récrimination qu'elle n'osait pas articuler. Il était familier de l'indignation qu'inspirait au peuple de Ra tout humain ayant l'insolence – l'audace quasi blasphématoire – de monter un cheval sauvage. Mais il ne la comprenait pas et avait hâte d'entendre les nouvelles qu'apportait Rue.

Celle-ci parut percevoir la tension autour d'elle. S'écartant de Covenant, elle lança à la ronde :

— Les seigneurs se prétendent nos amis, mais je n'en ai jamais eu la preuve. Quand vous venez chez nous, c'est toujours pour nous confier une mission périlleuse et lointaine, sans vous soucier de notre répugnance à quitter les plaines qui nous ont vus naître. Périodiquement, vous vous offrez au choix des ranyhyn comme si vous leur faisiez un grand honneur. Et quand ils acceptent de vous porter, vous les arrachez à nos soins affectueux pour les utiliser tel du bétail. Vous les jetez dans la gueule du danger, sur des champs de bataille où seule triomphe la mort et où nulle part ne pousse l'*amanibhavam* qui pourrait apaiser leur douleur. Pauvres, pauvres ranyhyn !

« Alors, si quelqu'un a des raisons de se montrer méfiant, ce n'est certes pas vous, seigneurs de Pierjoie. Je vous connais tous !

D'une voix douce, qui ne contenait ni protestation ni excuse, Elena répliqua :

— Pourtant, vous êtes venue.

— Oui, acquiesça Rue, sa véhémence cédant la place à une profonde lassitude. Je n'avais pas le choix, n'est-ce pas ? Malgré votre trahison, Crochal est notre ennemi commun.

Verement se raidit. D'un regard, Elena l'empêcha d'intervenir.

— De quelle trahison parlez-vous ? demanda-t-elle très calmement.

— Le peuple de Ra n'oublie jamais. À travers les légendes qui datent de l'époque du puissant Kelenbhra-banal, nous connaissons Crochal. Nous savons comment vos prédécesseurs l'ont affronté. Chaque fois qu'il levait une armée dans les Basses Terres, les vénérables se rendaient à la Faille pour l'empêcher d'envahir les Hautes Terres. Ainsi préservaient-ils les ranyhyn et leur habitat naturel, car l'ennemi ne pouvait lutter sur deux fronts à la fois. Et en signe de reconnaissance, le peuple de Ra quittait son territoire pour se battre à leurs côtés.

« Mais vous ! s'exclama Rue sur un ton étranglé. Vous ne faites rien. Crochal est déjà en marche et vos troupes n'ont pas encore quitté la Citadelle. Les plaines de Ra se retrouvent sans défense ni alliés face à lui.

— C'est moi qui en ai décidé ainsi, intervint Troy sur un ton plus sec qu'il ne l'aurait voulu.

— Pouvez-vous m'expliquer pourquoi ? demanda Rue en plissant les yeux.

— Les raisons sont multiples. (Très vite, comme pour se rassurer lui-même, Troy débita :) Il est vrai que les vénérables ont toujours tenté d'arrêter le Rogue à la Faille. Et chaque fois, ils ont échoué. D'abord, parce qu'il existe trop de moyens d'accéder aux Hautes Terres. Ensuite, parce que le lieu de l'affrontement était trop éloigné de la Citadelle : mal ravitaillés en hommes, en munitions et en vivres, ils s'affaiblissaient très vite. Certes, ils détournaient l'attention du Rogue, mais perdaient systématiquement. Des légions entières se faisaient tailler en pièces. La milice se repliait au galop et se regroupait un peu plus à l'ouest pour essuyer l'assaut suivant. Ainsi le Rogue se rapprochait-il de Pierjoie.

« Et ce n'est pas tout. Je soupçonne que cette fois, Turpide rassemble ses hordes plus au nord, sur le plateau de Sarangrave. Jusqu'à présent, les géants avaient toujours protégé cette région. Mais là... (Troy frémit.) Là, c'est différent. Si nous vous envoyions des renforts pendant qu'il marche sur nous depuis l'est, nous ne pourrions pas l'empêcher d'attaquer la Citadelle. Pierjoie risquerait de tomber et je ne saurais permettre une telle catastrophe. Aussi ai-je décidé de l'attendre ici.

« Rassurez-vous : il n'est pas question d'abandonner le peuple de Ra. Mais honnêtement, je ne pense pas que vous couriez un très grand danger. Mettons que le Rogue dispose d'une armée de cinquante mille, ou même de cent mille créatures. Combien de temps lui faudra-t-il pour conquérir les plaines de Ra ?

— Il n'y parviendra pas, jura Rue, les dents serrées.

Troy acquiesça.

— Vous êtes de trop bons chasseurs ; il ne peut pas vous vaincre sur votre terrain. Vous décrirez des cercles autour de ses unités, et chaque fois qu'elles vous tourneront le dos, en massacrerez quelques-unes. Même si elles sont beaucoup plus nombreuses que vous. Vous enverrez les ranyhyn à l'abri dans les montagnes et continuerez à saper les forces adverses en livrant des escarmouches chaque fois que l'occasion se présentera. Il leur faudra des années pour venir à bout de vous – à supposer que nous ne les prenions pas à revers entre-temps. Je vous le dis : jusqu'à ce qu'il ait vaincu les seigneurs, Turpide ne pourra pas se permettre de vous attaquer. C'est pourquoi je suis convaincu qu'il cherchera d'abord à prendre Pierjoie.

L'insigne s'interrompit et dévisagea Rue. Dévider le fil de sa logique l'avait calmé. Il savait que son raisonnement était juste. Et son interlocutrice ne pouvait qu'en convenir. Après avoir réfléchi quelques instants, elle soupira.

— Très bien. Je comprends votre stratégie. Mais elle me déplaît. Vous prenez trop à la légère le destin des ranyhyn et le nôtre. (Elle se tourna vers Elena.) Écoutez-moi, haut seigneur, dit-elle d'une voix caverneuse. Je dois vous délivrer mon message sans attendre, car je suis épuisée. Je dois absolument me reposer, advienne que pourra.

« J'ai accouru ici depuis les collines Brisées, qui entourent et protègent la Crypte du Rogue. J'ai quitté cet endroit funeste lorsqu'une immense armée en a surgi pour se diriger en ligne droite vers la Faille et la chute de la Cavalière. Je ne saurais vous dire combien de membres elle comptait ; je ne l'ai pas observée assez longtemps pour ça. Dès que je l'ai aperçue, je me suis enfuie avec mes quatre pisteurs pour tenir la promesse faite aux seigneurs.

— *La voie du sud*, souffla Troy.

Aussitôt, des images des plaines Dévastées et de la Faille emplirent son esprit ; il se mit à calculer l'allure à laquelle les cohortes du Rogue pouvaient bien progresser.

— Mais l'ennemi nous a repérés et poursuivis. Un vent de ténèbres s'est abattu sur nous ; des créatures abominables en ont jailli tels des oiseaux de proie. Mes pisteurs se sont sacrifiés pour protéger ma retraite – et pourtant, j'ai été forcée de faire un large détour, jusqu'aux abords de Sarangrave.

« Désormais, je mesurais l'ampleur et l'imminence du danger. Et je savais que nulle force alliée ne s'était rassemblée dans les Hautes Terres pour venir en aide aux ranyhyn. Une ombre a obscurci mon cœur. J'ai bien failli rebrousser chemin et laisser les seigneurs se débrouiller seuls. Mais je refusais que mes compagnons aient péri en vain.

« J'ai traversé l'ancien champ de bataille, puis longé les verdoyantes collines d'Andelain et la lisière d'une forêt encore plus noire et plus somnolente que Morinmoss. J'ai couru sans relâche au nom de la fidélité qui nous lie, et me voici devant vous. Questionnez-moi si vous le désirez, mais faites vite, car je suis très lasse.

Elena se leva dignement.

— Écuyer Rue, le Fief a une dette incommensurable envers vous. Vous avez payé très cher pour nous porter votre message ; nous ferons de notre mieux pour honorer votre sacrifice et celui de vos camarades. Les seigneurs cesseraient d'être ce qu'ils sont s'ils se détournaient des ranyhyn et du peuple de Ra. Un seul souci a dicté notre conduite : la sauvegarde du Fief. Cette guerre sera la dernière que nous livrerons contre Crochal. Si nous succombons, il ne restera personne pour prendre la relève. Et nous ne possédons pas la puissance des vénérables. Nos faibles moyens doivent être utilisés à bon escient, c'est pourquoi je vous adjure de ne pas nous garder rancune. Tôt ou tard, nous paierons aussi cher que vous pour défendre nos principes et notre foi.

Tenant le Bâton de la Loi au niveau de ses yeux, elle s'inclina devant l'écuyer.

Un léger sourire passa sur les lèvres de Rue ; sans doute était-elle amusée par cette grossière imitation du salut de son peuple, qu'elle rendit aussitôt à Elena, comme pour lui montrer de quelle manière il devait être exécuté.

— Entre autres choses, on raconte que les seigneurs sont des gens courtois. À présent, j'en ai la preuve. Interrogez-moi et je vous répondrai de mon mieux.

Elena se rassit. Une foule de questions brûlaient les lèvres de Troy, mais le haut seigneur ne lui donna pas la permission de parler.

— Avant tout, rassurez-nous sur l'état dans lequel vous avez trouvé Andelain. Les rapports de nos éclaireurs ne sont pas alarmants, mais leur clairvoyance est loin de valoir la vôtre. Qu'en est-il réellement ? Le mal a-t-il déjà corrompu les collines ?

La frustration noua les épaules de Troy, mais il réprima son impatience. Il savait qu'Andelain était un paradis terrestre pour le peuple de Ra et qu'Elena faisait preuve d'un grand tact en abordant le sujet avant tout autre.

Pour la première fois, le visage crispé de Rue se détendit et ses yeux s'emplirent de larmes.

— Les collines sont intactes.

Un murmure de soulagement parcourut la closerie et plusieurs seigneurs hochèrent la tête avec satisfaction. La sagacité d'un écuyer du peuple de Ra ne pouvait être mise en doute. Elena se laissa aller contre le dossier de sa chaise. Du menton, elle fit signe à Troy qu'il pouvait commencer son interrogatoire – et du regard, le pria de procéder avec ménagement.

L'insigne se leva, ignorant l'anxiété qui lui nouait le ventre.

— Vous dites n'avoir pas eu le temps d'évaluer le nombre des créatures qui composent l'armée du Rogue, et je le comprends fort bien. Mais nous devons avoir une idée précise de son avance. Combien de temps s'est écoulé depuis que vous l'avez vue quitter les collines Dévastées ?

— Vingt jours, répondit Rue sans hésiter.

Troy fut si choqué qu'il mit quelques instants à recouvrer l'usage de sa voix.

— Vingt jours ? chuchota-t-il enfin. *Vingt jours ?*

Avec une violence qui lui tordit le cœur, il imagina les troupes du Rogue faisant un bond de trente-cinq lieues en avant – la distance qu'elles parcouraient en cinq jours. Car il avait escompté qu'il ne s'en écoulerait que quinze entre le moment où l'ennemi se mettrait en marche et celui où la nouvelle lui parviendrait. Pour avoir bien étudié le peuple de Ra, il savait à quelle vitesse un écuyer était capable de courir. Rue aurait dû arriver à Pierjoie cinq jours plus tôt.

— Oh, mon Dieu ! souffla-t-il, hébété.

Ses calculs tombaient à l'eau. La horde du Rogue atteindrait les plaines centrales dans dix jours.

Troy s'écroula dans sa chaise et se couvrit le visage de ses mains, comme s'il ne supportait pas de contempler les ruines de sa belle stratégie. Il avait eu raison sur un point au moins, réalisa-t-il : le retour de Covenant avait coïncidé avec le départ du Rogue. Celui-ci avait dû percevoir le rituel lancé par Elena et s'était décidé à attaquer sur-le-champ. À moins que ce ne fût le contraire. Turpide avait-il pu anticiper le geste du haut seigneur ?

— Comment… ? balbutia Troy. (Mais il ne savait même plus ce qu'il voulait demander et se contenta de répéter :) Comment ?

— Je vous écoute, dit Rue.

Troy perçut l'avertissement dans sa voix. Il serait dangereux d'offenser cette femme qui venait de s'infliger une épreuve épuisante dans l'intérêt commun. Du coup, il releva la tête pour la dévisager. Rue le foudroyait du regard et ses mains frémissaient comme si elles voulaient arracher de ses cheveux la cordelette avec laquelle se battaient ses semblables. Mais il devait l'interroger ; il devait être sûr...

— Pourquoi avez-vous mis si longtemps à nous prévenir ?

— Je vous l'ai déjà expliqué, grinça Rue, les dents serrées. J'ai été obligée de faire un détour par le plateau de Sarangrave.

Troy sentait les occupants de la closerie le fixer. Mais il n'arrivait plus à réfléchir. Son cerveau s'affolait. Dans trois jours, le Rogue atteindrait Morinmoss.

Avec un ricanement dédaigneux, Rue se tourna vers Elena.

— Est-ce là l'homme que vous avez placé à la tête de vos troupes ?

— Je vous prie de l'excuser. C'est un étranger dont la façon de voir n'est pas toujours adaptée à ce qui l'entoure. Mais il a reçu le consentement des ranyhyn. En temps voulu, il saura se montrer à la hauteur de sa tâche, affirma le haut seigneur.

Rue haussa les épaules.

— Avez-vous d'autres questions à me poser ? Sinon, laissez-moi me retirer, je vous prie.

— Vous nous avez apporté des renseignements inestimables. Grâce à vous, nous connaissons désormais les mouvements du Rogue. Cependant, vous ne nous avez rien dit de la composition de son armée. Quel genre de créatures a-t-il rassemblées sous sa bannière ? s'enquit Elena.

Rue se raidit.

— Je vous ai déjà parlé du vent de ténèbres et des rapaces qui nous ont attaqués, mes pisteurs et moi. Dans les rangs de l'adversaire, j'ai aperçu des ur-vils, des lémures, une horde de *kresh*, des monstres mi-lion mi-oiseau et quantité d'êtres corrompus. Certains avaient l'apparence d'un chien, d'un cheval ou d'un homme, mais n'étaient pas ce qu'ils semblaient. Je pense qu'il s'agissait d'anciens serviteurs du Fief transformés par l'influence de Crochal.

— L'œuvre de la Pierre de Maleterre, murmura Elena.

Mais Rue n'en avait pas fini.

— Encore une chose. Celui qui les commandait marchait à leur tête. Il les contrôlait à l'aide d'une sinistre lumière

verte et se faisait appeler le Lamineur. Je l'ai vu très nette-
ment. C'était un géant.

Un silence pareil à un coup de tonnerre s'abattit sur la
closerie. Troy se redressa en sursaut, le cœur broyé comme
par un étau. *Les géants !* Turpide les avait-il déjà vaincus et
ralliés à sa cause ?

Morin se leva d'un bond.

— Impossible, affirma-t-il sur un ton qui n'admettait
aucune réplique. Les frères de roc sont la fidélité incarnée.
Ravagez-vous ?

Aussitôt, des exclamations indignées lui firent écho.
L'idée qu'un allié ait pu passer dans le camp du Rogue
choquait profondément l'assemblée ; elle ébranlait ses
convictions les mieux enracinées et la faisait vaciller au
bord de l'hystérie. Livides de colère, plusieurs chevrons
accusèrent Rue de mentir. Deux gardiens de la Loge reprirent en chœur la question de Morin. Même les seigneurs
succombèrent à la confusion générale. Trevor et Loerya
avaient blêmi ; Verement aboyait, sans réussir à se faire
entendre ; Elena et Callindrill étaient pétrifiés, et Amhatin
fondit en larmes.

La parfaite acoustique de l'amphithéâtre amplifiait les
éclats de voix et exacerbait la panique de leurs proprié-
taires qui, du coup, hurlaient de plus en plus fort. Si le
Mépris pouvait faire ployer les géants, personne n'était à
l'abri ; tout le monde devenait suspect. Pour une fois,
même les sangardes paraissaient consternés.

Rue demeura stoïque face à ce déferlement d'émotions.
Silencieuse, elle toisa d'un air orgueilleux ceux qui osaient
la conspuer. Covenant se précipita vers elle.

— Par les feux de l'enfer ! hurla-t-il en brandissant le
poing. Vous ne voyez donc pas qu'elle dit la vérité ?

Sa voix se perdit dans le brouhaha. Mais son intervention
produisit un effet immédiat sur Quaan. Le vétéran connaissait bien le peuple de Ra ; il avait rencontré Rue quand elle
répondait encore au nom de Gayl. Il se leva d'un bond et
tonna :

— Garde à vous !

Instinctivement, les chevrons se raidirent.

Alors, Elena parut prendre conscience de ce qui se passait autour d'elle. Elle frappa le sol de son Bâton et une flamme bleue jaillit tandis qu'elle s'écriait :

— J'ai honte de nous !

Un silence blessé accueillit cette déclaration. Mais elle l'affronta avec une sévérité fiévreuse.

— *Melenkurion abatha !* Sommes-nous tombés si bas ? La peur nous avilit-elle à ce point ? Regardez cette femme ! Elle a menti, affirmez-vous ? Souvenez-vous de votre serment de paix et observez-la bien ! Par les sept tabernacles ! Quel mal voyez-vous en elle ? Je sais que la corruption peut se dissimuler, mais nous nous trouvons dans la closerie de Pierjoie, la salle du conseil des seigneurs. Aucun ravageur ne pourrait proférer de mensonges ici. Si Rue était une simulatrice et un traître, vous l'auriez démasquée sur-le-champ.

Ayant repris le contrôle de l'assemblée, Elena poursuivit plus calmement :

— Mes amis, je n'ai pas d'explication à vous fournir. Il se peut que le Rogue ait capturé et corrompu un géant à l'aide de la Pierre de Maleterre ou qu'il ait créé un simulacre afin de nous plonger dans le désarroi. Nous devrons élucider ce mystère, mais ce n'est ni le lieu ni le moment. Rue se tient face à nous, épuisée de s'être dépensée sans compter pour mieux nous servir. Nous avons envers elle une dette que rien ne pourra jamais effacer. Plutôt que de l'accabler d'injures et de soupçons, manifestons-lui le respect et la gratitude qu'elle mérite. Toute autre attitude serait indigne de nous.

— Absolument.

Troy se leva et fit face à Rue. Son cerveau s'était remis à fonctionner. Il avait honte de sa réaction et de celle de ses chevrons. Il se rappelait – mais un peu tard – que Callindrill et Amhatin n'avaient pu atteindre le plateau de Sarangrave. Pourtant, Rue avait survécu à son incursion en territoire ennemi pour porter son message jusqu'à Pierjoie. Et il lui déplaisait de penser que Covenant s'était mieux comporté que lui.

— Écuyer Rue, acceptez mes excuses et celles de mes hommes. Plus que quiconque dans le Fief, les miliciens devraient vous être reconnaissants pour le service que vous venez de rendre, dit-il en coulant un regard acerbe à ses chevrons. La guerre est un fardeau redoutable que toutes les épaules ne sont pas prêtes à supporter. (Sans attendre de réponse, il se tourna vers Quaan.) Brandebourg, je vous remercie d'avoir gardé la tête froide. Faisons en sorte que ce déplorable incident ne se reproduise pas.

Puis il se rassit et se retrancha derrière ses lunettes noires, cherchant un moyen de sauver son plan de bataille.

— Repos ! ordonna Quaan.

Les chevrons se rassirent à leur tour, l'air penaud et néanmoins plus déterminé qu'avant. Elena ouvrit la bouche, mais Rue la prit de vitesse. Elle tenait à peine sur ses jambes, et Covenant n'était guère mieux en point.

— Plus d'excuses, je vous en prie, souffla-t-elle. Permettez-moi de me retirer.

Elena acquiesça tristement.

— Écuyer Rue, allez en paix, et profitez de l'hospitalité de la Citadelle aussi longtemps qu'il vous plaira. Jamais nous n'oublierons la dette que nous avons envers vous.

Rue toucha son front de ses paumes, puis s'inclina en écartant les bras. Les seigneurs lui rendirent son salut. Alors, elle tourna les talons et remonta l'escalier. Covenant la suivit, marchant près d'elle comme s'il voulait lui prendre le bras, mais n'osant pas le faire.

Arrivés en haut, ils s'immobilisèrent et se firent face.

— Comment puis-je vous aider ? demanda-t-il d'une voix enrouée par l'émotion. Y a-t-il quelque chose que je puisse faire pour que Gayl revive en vous ?

— Vous êtes jeune, et je suis vieille, répondit simplement Rue. Ce voyage a consommé mes dernières forces. Il me reste bien peu d'étés à vivre. Personne n'y peut rien.

— Le temps s'écoule à un rythme différent pour moi. Ne m'enviez pas.

— Vous êtes l'orréchal Covenant. Vous avez le pouvoir. Comment pourrais-je ne pas vous envier ?

Mal à l'aise, le lépreux se déroba au regard inquisiteur de Rue, qui ajouta :

— Les ranyhyn attendent toujours votre appel. Rien n'est perdu. Ils vous ont servi au mont Tonnerre et le referont si vous le désirez – tant que vous ne les relèverez pas de leur obligation.

Puis elle partit, laissant Covenant contempler ses mains douloureusement vides. Au bout d'un moment, il redescendit l'escalier et alla reprendre sa place.

Le silence s'était abattu sur la closerie. Les regards convergeaient sur les seigneurs, absorbés par leur communion télépathique. La vue de leurs visages sereins, tout entiers à l'écoute de leur alchimie intérieure, produisait un effet apaisant sur l'assemblée. Tant que les membres du conseil feraient fusionner leur esprit, leur pouvoir et leur détermination, l'espoir perdurerait dans le Fief. Même Troy se sentait encouragé par le spectacle.

Comme toujours, la rupture s'opéra brutalement. Elena releva la tête.

— Mes amis, guerriers et serviteurs du Fief, le moment est venu de prendre une décision. L'armée du Rogue marche vers nous et nous devons nous porter à sa rencontre. Le choix de notre stratégie incombera à Hile Troy. Il commandera la milice et nous le soutiendrons de notre mieux. Mais avant de lui céder la parole, je voudrais examiner la question du Lamineur. Que fait-il à la tête des troupes ennemies ?

— L'influence de la Pierre de Maleterre n'est pas une explication suffisante, grommela Verement. Les géants sont forts et sages. Je les crois parfaitement capables de résister à la corruption ou de fuir pour l'esquiver.

— Je suis du même avis, renchérit Loerya. Ils sont conscients du péril que représente la Pierre. Je préfère croire qu'ils ont quitté le Fief pour se mettre en quête de leur patrie perdue.

— Sans le vermeillan ? répliqua Trevor d'un air dubitatif. Ça me paraît peu probable. Et ce n'est pas ce que Mhoram a vu.

Ses pairs se tournèrent vers Mhoram.

— En effet, acquiesça celui-ci sur un ton lugubre. J'espère que mon rêve n'était pas prémonitoire ou que je l'ai mal interprété. Quoi qu'il en soit, nous ne pouvons actuellement rien faire pour nos frères de roc, sinon prier pour que Hyrim et Shetra mènent leur mission à bien. Et nous ne pouvons pas non plus nous permettre d'envoyer un autre détachement à Ondemère pour éclaircir ce mystère. Je suis malheureusement convaincu que la réponse se présentera à nous plus tôt que nous ne le souhaiterions.

— Très bien, soupira Elena. Laissons cela de côté pour le moment et occupons-nous de la répartition des tâches. (Elle observa chaque membre du conseil tour à tour comme pour jauger ses capacités.) Trevor et Loerya, vous serez les gardiens de Pierjoie. Accueillir les réfugiés que la guerre aura chassés de chez eux, constituer des stocks de vivres et fortifier les défenses de la Citadelle en vue d'un siège éventuel, telles seront vos responsabilités. Et ne vous y trompez pas : elles sont écrasantes. Vous aurez peut-être besoin de plus de résistance que ceux d'entre nous qui partiront affronter le Rogue, car si nous venons à échouer, c'est à vous qu'il incombera de livrer l'ultime bataille. Vous vous retrouverez dans la même situation que le haut seigneur Kevin lorsqu'il lança jadis le rituel de profanation et devrez résister à la tentation du désespoir. Ne trahissez pas la confiance que je place en vous. L'avenir du Fief en dépend.

Troy hocha la tête. C'était un excellent choix. Loerya se battrait comme une forcenée, mais sans jamais prendre d'initiative irréfléchie risquant de mettre la vie de ses filles en péril. Quant à Trevor, persuadé d'être indigne de la charge qui lui avait été confiée, il se dépenserait au-delà de la limite de ses forces pour se montrer à la hauteur.

Les deux seigneurs acquiescèrent en silence et Elena poursuivit :

— Après Pierjoie, les sites que nous devons protéger en priorité sont la Loge et la Mémoriade – pour des raisons symboliques autant que pratiques. La Loge est le siège de nos traditions, et la Mémoriade servira de sanctuaire aux hommes ou aux animaux qui en auront besoin. Enchâssée dans la vallée des Deux Rivières, elle ne devrait pas être trop difficile à défendre. Callindrill et Amhatin, je vous charge de cette mission.

— Une petite minute, interrompit Troy sur un ton hésitant. Ça ne laisse que Mhoram, Verement et vous pour m'accompagner. Je crains que ça ne suffise pas.

Elena réfléchit un moment.

— Amhatin, vous sentez-vous capable d'assurer seule la défense de la Mémoriade ? Trevor et Loerya vous fourniront toute l'aide possible.

— Nous sommes en guerre, répondit simplement la jeune femme. Il faudra bien que je tienne. Et je pourrai compter sur les gardiens de la Loge pour me soutenir.

— Je n'en attendais pas moins de vous, affirma Elena en souriant. Très bien. Callindrill, Verement, Mhoram et moi-même partirons avec la milice. J'ai encore trois points à régler avant de céder la parole à Hile Troy. Dragon Morin ?

— Haut seigneur.

L'interpellé se leva pour recevoir ses ordres.

— Morin, vous commanderez la sangarde, ainsi que votre vœu l'exige. À ce titre, je vous laisse le soin de gérer ses effectifs. Vous confierez à Hile Troy les hommes dont la présence n'est pas absolument requise à la Citadelle.

— Entendu. Deux cents d'entre nous se joindront donc à la milice.

— C'est une bonne chose, se réjouit Elena. Je voudrais également que vous dépêchiez des cavaliers dans les stèlages et les sylves se trouvant sur le parcours du Rogue. D'une part, il faut prévenir leurs habitants des dangers auxquels ils s'exposent en restant sur place et les informer qu'ils peuvent se réfugier à la Mémoriade s'ils le désirent. D'autre part, les communautés situées sur le trajet de la milice doivent être averties de son prochain passage. Qu'elles préparent des vivres pour les guerriers ; cela leur permettra de n'emporter que le strict nécessaire, et donc de se déplacer plus rapidement. L'*aliantha* seule ne suffira pas à nourrir tant de monde.

— Mes hommes partiront avant le coucher du soleil, promit Morin.

Elena eut un hochement de tête satisfait :

— Notre gratitude envers la sangarde est aussi infinie que sa fidélité envers le Fief.

Morin s'inclina légèrement et se rassit.

Elena fit signe à Troy, qui prit une profonde inspiration et se leva avec raideur. Il était encore en train de jongler avec les données, mais commençait à se ressaisir et à y voir plus clair. Alors même qu'il ouvrait la bouche pour parler, de nouvelles idées germaient dans son esprit.

— Je ne vais pas perdre de temps à m'excuser pour l'erreur de calcul que j'ai commise. J'avais bâti ma stratégie sur la conviction que la nouvelle du départ du Rogue nous parviendrait en quinze jours. À présent, il va nous en manquer cinq, et personne n'y peut rien. Il faudra faire avec.

« La plupart d'entre vous connaissent déjà les grandes lignes de mon plan. D'après ce que j'ai compris, les vénérables se sont heurtés à deux problèmes quand ils affrontaient le Rogue : la distance qui sépare la Faille de Pierjoie et la nature du terrain. Les plaines centrales donnent l'avantage à l'armée la plus nombreuse. Je pensais laisser l'ennemi parcourir la moitié du chemin et le rencontrer à l'extrémité ouest de la vallée de la Mithil, à la frontière sud d'Andelain. Ensuite, nous nous serions repliés vers le sud-ouest pour entraîner le Rogue vers la Retraite Maudite – l'endroit où, de tout temps, se sont regroupées les troupes en déroute. C'est le lieu idéal pour affronter des adversaires jouissant d'une grande supériorité numérique : un goulet d'étranglement qui favorise les premiers arrivés, pour peu qu'ils aient eu le temps de fortifier leur position.

« Ça aurait pu fonctionner. Malheureusement, Turpide a cinq jours d'avance sur mes prévisions. Il atteindra la vallée de la Mithil dans dix jours et infléchira aussitôt sa trajectoire vers le nord pour engager le combat à l'endroit de son choix dans les plaines centrales. Si nous sommes forcés de nous replier, ce sera à la Mémoriade.

Troy marqua une pause. Il s'attendait que l'assemblée pousse des grognements consternés, mais la plupart des gens le fixaient en silence et la confiance brillait dans les yeux des seigneurs. Cela le toucha et il dut ravaler la boule qui s'était brusquement formée dans sa gorge avant de continuer :

— Il reste un moyen de mettre en œuvre ma tactique initiale. Ce sera infernal, mais ça peut marcher.

Il hésita. *Infernal*, c'était un doux euphémisme pour qualifier l'épreuve à laquelle il allait soumettre ses guerriers.

Comment pouvait-il leur imposer une chose pareille, quand il était seul responsable de l'erreur de calcul qui la rendait nécessaire ?

Mais Elena l'observait sans ciller. Depuis le début, elle l'avait soutenu dans son ambition de commander la milice. Hile Troy refusait de la décevoir. Furieux contre lui-même, il poursuivit d'une voix sourde :

— Nous disposons de neuf jours pour nous rendre à l'extrémité ouest de la vallée de la Mithil et en bloquer l'accès avant l'arrivée du Rogue. Dragon Morin, vos deux cents sangardes devront partir dès ce soir. Callindrill, vous les accompagnerez. Avec vos ranyhyn, vous pouvez couvrir la distance en sept jours. Hospitalier Borillar, combien de grands radeaux avez-vous actuellement sur le lac ?

Surpris, le jeune homme bredouilla :

— Trois.

— Combien de guerriers et de chevaux peuvent-ils transporter ?

Borillar jeta un coup d'œil éperdu à Quaan, qui répondit à sa place :

— Chacun peut contenir deux phalanges et leurs galons, soit quarante-deux hommes et autant de montures. Mais ils n'auront guère de place pour remuer à bord.

— Admettons que vous descendiez la rivière jusqu'à Andelain. Combien de temps vous faudrait-il pour rejoindre la vallée de la Mithil ?

— Sauf accident de parcours, les radeaux devraient nous faire gagner quatre jours. Donc, nous pourrions être là-bas dans dix jours.

— Très bien. Nous disposons de douze légions de cavaliers, soit deux cent quarante phalanges. Borillar, il me faudra cent vingt embarcations. Brandebourg Quaan, je vous charge de superviser cette opération. Débrouillez-vous pour amener les douze légions et Verement à destination le plus rapidement possible, afin qu'ils aident Callindrill et les sangardes à repousser l'armée du Rogue. Nous devons l'empêcher de passer coûte que coûte.

Quaan donna un ordre aux chevrons. Douze d'entre eux se mirent en rang derrière lui et le suivirent tandis qu'il quittait la closerie d'un pas vif. Borillar dévisagea Elena d'un air indécis, mais elle lui adressa un hochement de tête. Il sortit à son tour, emmenant les *lillianrill* avec lui.

— Bien. Le reste de la milice se dirigera droit vers la Retraite Maudite, dont nous séparent un peu moins de trois cents lieues. (Troy se tourna vers les chevrons restants et les fit se lever.) Expliquez à vos hommes que nous devons rejoindre cet endroit sous vingt-huit jours maximum. Autrement dit, ils devront parcourir dix lieues par jour. Et ça ne sera que le début des réjouissances.

« Dix lieues par jour pendant vingt-huit jours d'affilée, songeait-il. Dieu du ciel ! La moitié d'entre eux périront d'épuisement avant d'atteindre les plaines du Sud. »

Il dévisagea les chevrons comme pour jauger leur endurance. Puis il appela :

— Premier chevron Amorine !

Amorine fit un pas en avant.

— Insigne Troy.

C'était une femme trapue, dont les traits grossiers semblaient avoir été sculptés dans de la glaise peu malléable – mais aussi un vétéran endurci de la milice. Elle faisait partie des rares survivants de la phalange que Quaan avait commandée durant la quête du Bâton de la Loi.

— Préparez la milice. Nous partirons à l'aube. Faites particulièrement attention aux paquetages ; qu'ils soient les plus légers possible. Utilisez tous les chevaux restants pour transporter le matériel. Si nous n'arrivons pas à temps à la Retraite Maudite, Pierjoie n'aura que faire d'eux. Mettez-vous immédiatement au travail.

Amorine aboya un ordre à ses compagnons, qui saluèrent les seigneurs et quittèrent la closerie sur ses talons. Troy attendit que la porte se soit refermée derrière eux. Puis il se tourna vers Elena et se força à dire :

— Vous savez que je n'ai jamais commandé une armée en temps de guerre. Je suis très calé en théorie, mais je ne possède aucune expérience pratique. Vous prenez un grand risque en me confiant la direction des opérations.

— N'ayez crainte, Troy. Nous connaissons votre valeur, affirma doucement Elena. Nous avons foi en vous.

Muet de gratitude, Troy la salua, puis se rassit et croisa les bras sur la table pour s'empêcher de trembler.

L'instant d'après, Elena s'adressa aux rares personnes qui demeuraient dans l'amphithéâtre.

— Mes amis, nous avons beaucoup à faire et la nuit sera courte. Nous n'avons pas de temps à perdre en longs discours oiseux. Que chacun vaque à ses occupations. À l'aube, je m'adresserai à Pierjoie et à la milice. Hospitalier Thorm ?

— Haut seigneur.

— Je sais que vous connaissez un moyen d'améliorer la stabilité des radeaux. Veillez à les rendre sûrs pour les chevaux, je vous prie. Et envoyez à Borillar les *rhadha-maerl* dont vous n'aurez pas besoin afin qu'ils aident à la construction.

« Mes amis, la guerre est déclarée. Servez le Fief de votre mieux et ne ménagez pas vos forces. Nous devons remporter la victoire.

Sur ces mots, Elena s'inclina devant l'assemblée et sortit par une petite porte située dans le fond de l'amphithéâtre. Les autres seigneurs l'imitèrent et le lieu se vida rapidement. Alors que Troy se dirigeait vers l'escalier, Covenant l'intercepta.

— En réalité, lui dit-il sur le ton de la confidence, ce n'est pas en vous ni en moi qu'ils placent leur foi, mais en celui à qui vous devez d'avoir été appelé.

— Je suis pressé, répliqua Troy sur un ton sec. Je n'ai pas de temps à vous accorder.

— Écoutez-moi quand même, exigea Covenant. J'essaie juste de vous mettre en garde. Ne croyez pas vous en tirer à si bon compte. Un jour viendra où il ne se trouvera plus un seul guerrier pour mettre vos brillantes idées en pratique au péril de sa vie. Alors, vous réaliserez que vous leur avez infligé tout ça pour rien. Cette marche forcée de trois cents lieues, cette bataille dans la vallée… Tant d'efforts si chèrement payés déployés en vain. Vos belles tactiques ne serviront qu'à retarder l'inéluctable. (Il poussa un soupir.) Mon pauvre Troy ! À ce rythme-là, vous finirez dans la peau d'un second Kevin le Dévastateur.

Ignorant l'expression meurtrière de l'insigne, il se détourna et sortit d'un pas zigzagant, comme s'il ne savait pas où il allait et s'en souciait encore moins.

12

En avant !

PEU AVANT L'AUBE, TROY MONTA EN SELLE, franchit les portes de Pierjoie et prit la direction du lac qui s'étendait au pied des chutes Ferlées. La pénombre l'aveuglait telle une brume enveloppant son esprit. Il ne voyait pas où il allait ; c'était tout juste s'il distinguait les oreilles de son coursier. Mais il se sentait en sécurité sur le dos de Mehryl, le ranyhyn qui l'avait choisi.

Pourtant, ce fut en vacillant comme un homme juché en équilibre sur une branche trop petite qu'il longea le mur d'enceinte de la Citadelle. Il avait passé une bonne partie de la nuit à réexaminer les décisions prises durant le conseil de guerre et plus il y pensait, plus elles l'effrayaient. Il venait d'engager les seigneurs et la milice sur un chemin aussi étroit et périlleux qu'une corde raide.

Mais il n'avait pas le choix. Il devait continuer ou abandonner le commandement à Quaan – qui, bien que valeureux, était totalement dénué d'imagination. Aussi n'hésitait-il pas, malgré son anxiété. Il avait la ferme intention de prouver au Fief qu'il était digne de son rang d'insigne.

Le temps pressait. La milice devait se mettre en route le plus tôt possible. Laissant Mehryl le guider à travers son brouillard intime, Troy se dirigea vers le lac, sur le bord duquel Borillar et ses *lillianrill* construisaient les radeaux.

Avant de contourner la dernière colline, il traversa un groupe de guerriers qui tenaient des chevaux par la bride. Des hommes et des femmes le saluèrent tandis qu'il passait parmi eux, mais il n'en reconnut aucun. Il leur répondit d'une main levée et poursuivit son chemin sans un mot. Si son plan échouait, ces miliciens et les deux cents sangardes qui étaient déjà partis avec Callindrill seraient les premiers à payer son erreur de leur vie.

Le rugissement des chutes et les coups de marteau des constructeurs lui apprirent qu'il était arrivé à destination. Il glissa à terre. Lorsqu'une forme sombre s'approcha de lui, il lui demanda d'aller chercher Quaan.

Quelques instants plus tard, la robuste silhouette du vétéran émergea de la brume. Quaan était accompagné par un homme mince qui portait un bâton : Verement. Troy s'adressa directement à son subordonné. Donner des ordres à un seigneur le mettait mal à l'aise.

— Combien de radeaux sont déjà prêts ?

— Vingt-trois ont été mis à l'eau, répondit Quaan. Cinq attendent encore qu'on les équipe d'un gouvernail *rhadha-maerl*, mais ils devraient être achevés d'ici le lever du soleil.

— Et les autres ?

— Borillar m'a promis qu'ils seraient terminés demain matin à la même heure.

— Malédiction ! jura Troy. Encore une journée de perdue ! Impossible d'attendre plus longtemps. Callindrill aura besoin de renforts le plus tôt possible. (Il effectua un rapide calcul mental.) Faites partir les embarcations par groupes de vingt. Si les nôtres rencontrent le moindre problème, je veux qu'ils soient en mesure de se défendre. Vous conduirez la première légion. Seigneur Verement, accepterez-vous de l'accompagner ?

Verement acquiesça d'un air résolu.

— Bien. Quaan, appareillez tout de suite avec votre groupe. Confiez le commandement de la légion suivante à qui vous voulez et dites-lui de vous suivre dès que les vingt prochains radeaux seront prêts. Que les combattants en attente donnent un coup de main aux ouvriers de Borillar.

La brume qui enveloppait l'esprit de Troy se dissipait à l'approche de l'aube. À présent, il distinguait le visage buriné et orgueilleux de Quaan, et il était atterré par ce qu'il exigeait de son vieil ami. Secouant la tête, il se força à continuer.

— Quaan, c'est vous qui écopez de la mission la plus dangereuse – vous, et les sangardes qui accompagnent Callindrill. C'est de vous que dépendra la réussite de mon plan.

— Si c'est possible, nous triompherons, affirma le vétéran sur un ton presque désinvolte.

Mais son expérience des entreprises désespérées renforçait le poids de ses paroles.

— Vous devez absolument barrer le passage à Turpide, insista Troy. Même après l'arrivée de toute la milice, vous vous battrez à un contre dix. Pourtant, il vous faudra conserver assez de forces pour entraîner sa horde vers la Retraite Maudite le moment venu.

— Je comprends.

— Non, vous ne comprenez pas. Je ne vous ai pas encore révélé le pire. Vous devrez retenir l'ennemi dans la vallée pendant huit jours.

— *Huit jours ?* aboya Verement. Vous plaisantez, j'espère !

— Calculez vous-même, répliqua sévèrement Troy. Nous devons marcher jusqu'à la Retraite Maudite. Ce délai nous suffira à peine pour nous mettre en position avant votre arrivée.

— Là, vous exigez l'impossible, murmura Quaan.

— Si un homme peut accomplir cet exploit, c'est bien vous, déclara Troy. Dans ce genre de situation, vous saurez mieux que moi tirer le meilleur de nos miliciens. Et vous pourrez compter sur le soutien de deux seigneurs, plus les sangardes survivants de Callindrill. En vérité, personne n'est apte à prendre votre place.

Quaan ne répondit pas. Malgré son menton fièrement dressé, il semblait hésiter. Troy se pencha vers lui et chuchota sur un ton vibrant de ferveur :

— Brandebourg Quaan, si vous faites ce que je vous demande, je vous jure de remporter cette guerre.

— Vous jurez ? intervint de nouveau Verement. Croyez-vous que le Rogue se sentira lié par vos serments ?

Troy l'ignora.

— Je suis sincère, Quaan. Si vous m'offrez cette occasion, je ne la gaspillerai pas.

Le vétéran grimaça.

— Je n'en doute pas. J'ai éprouvé l'ampleur de votre talent lorsque nous étions tous deux candidats au commandement de la milice. Insigne Troy, vous aurez vos huit jours, s'ils sont à la portée de l'endurance humaine.

— Parfait, se réjouit Troy, soulagé. (Tout à coup, il ne se sentait plus si seul.) Voici comment vous devrez procéder. Quand vous affronterez le Rogue près de la Mithil, repoussez-le le plus loin possible vers les collines au sud. Tenez l'entrée de la vallée jusqu'à ce que son armée se soit regroupée ; puis, quand elle s'apprêtera à contre-attaquer, foncez à bride abattue vers la Retraite Maudite.

— Cette manœuvre coûtera la vie à de nombreux miliciens.

— Ce serait bien pire si le Rogue pouvait marcher vers le nord alors que nous sommes dans le Sud ou s'il atteignait la Retraite Maudite avant nous. Nous devons éviter cela à tout prix, vous m'entendez ? Si vous ne parvenez pas à le retenir pendant huit jours, vous devrez calculer où nous sommes et le conduire vers nous plutôt que vers la Retraite.

Quaan acquiesça, les traits crispés. Afin de détendre l'atmosphère, Troy lança :

— Évidemment, je préférerais que vous l'éliminiez vous-même pour nous épargner cette peine.

Quaan ouvrit la bouche, mais Verement le prit de vitesse.

— Si tel est votre désir, vous ne devriez pas choisir un vétéran et un seigneur sans ranyhyn pour accomplir votre dessein, dit-il amèrement.

Avant de pouvoir répondre, Troy entendit un bruit de sabots approcher. Le soleil se levait ; ses premiers rayons dansaient déjà à la surface miroitante du lac. Quand Troy pivota, il vit Ruel se diriger vers lui.

D'une pression des genoux, le sangarde immobilisa son coursier.

— Insigne Troy, dit-il sans mettre pied à terre, la milice est prête. Le haut seigneur vous attend.

— J'arrive.

Troy reporta son attention sur Quaan, qui soutint son regard. Partagé entre sa résolution et son affection pour le brandebourg, il marmonna :

— Par les dieux, je saurai me montrer digne du mal que vous allez vous donner pour moi.

Puis il bondit sur le dos de Mehryl et s'éloigna.

Dans sa hâte, il faillit renverser Rue, qui était en train d'examiner sa monture de loin, comme si elle craignait qu'il l'eût maltraitée. Mais elle s'écarta souplement de son chemin.

Troy s'immobilisa près d'elle. Surpris, il la salua du chef et attendit qu'elle parle. Après la façon dont il l'avait traitée la veille, elle méritait bien toute sa courtoisie.

Rue tendit la main pour caresser affectueusement Mehryl entre les oreilles.

— J'ai déjà joué mon rôle dans cette guerre, dit-elle sans regarder Troy. Je n'en ferai pas davantage. Je suis vieille et n'aspire qu'au repos. Je vais regagner Andelain à bord d'un de vos radeaux et finirai la route à pied jusqu'aux plaines de Ra.

— Comme il vous plaira.

Troy ne pouvait pas lui refuser la permission d'emprunter une embarcation, mais il sentait que son interlocutrice n'en avait pas terminé.

Après un silence, Rue déclara :

— Je n'aurai plus l'utilité de ceci.

D'un geste brusque, elle défit la cordelette qui attachait ses cheveux et la tendit à Troy.

— Faisons la paix, voulez-vous ? demanda-t-elle doucement.

Parce qu'il ne savait pas quoi lui répondre, Troy prit le lien. Mais son cœur se serra, comme s'il était indigne d'un tel présent. Il la fourra dans sa ceinture et, écartant les bras, exécuta maladroitement le salut du peuple de Ra.

Rue s'inclina à son tour.

— Dites à l'orréchal Covenant qu'il doit vaincre Crochal. Les ranyhyn se sont cabrés devant lui. Ils s'en remettent à lui. Qu'il ne les déçoive pas.

Puis elle tourna les talons, s'élança et disparut.

À la pensée de Covenant, une bile amère envahit la bouche de Troy. Mais il la ravala et, flanqué de Ruel, se dirigea au petit trot vers la Citadelle. La lumière du levant faisait étinceler ses murs ; face à tant de gloire, il se sentait à la fois insignifiant et plus déterminé que jamais. Il était prêt à se sacrifier pour le Fief, si nécessaire, et espérait que cela suffirait. Dans le fond, la seule chose qu'il ne pouvait pardonner à l'Incrédule, c'était son refus de se battre pour sauver tant de beauté.

Franchissant le sommet de la dernière colline, il découvrit les seigneurs rassemblés sur l'esplanade, devant les portes de Pierjoie. À la vue de la milice massée derrière eux, une sensation de joie l'envahit. C'était son armée, l'instrument qu'il avait façonné, la lame qu'il avait affûtée et appris à manier. Chaque guerrier se tenait à sa place au sein de sa phalange ; chaque phalange était en position autour de l'étendard de sa légion et les trente-huit légions se déployaient au pied de la forteresse tel les plis d'un manteau. Plus de mille cinq cents plastrons métalliques reflétaient le feu du soleil.

Tous les hommes étaient à pied, à l'exception des chevrons et d'un tiers des galons. Ces sous-officiers avaient des chevaux pour porter les étendards et les tambours, et pour pouvoir relayer ordres et messages dans les rangs. L'absence de moyen de communication instantanée était la plus grande faiblesse de la milice ; Troy en avait conscience. Privé d'une telle ressource, il se sentait plus vulnérable qu'il ne voulait l'admettre. Aussi avait-il mis au point un système de sémaphore, dispositif complexe à base de drapeaux et de signaux lumineux. Mais cela ne lui suffisait pas. Des milliers de vies reposaient entre ses mains. Et tandis qu'il balayait ses troupes du regard, il lui sembla qu'un vent funeste s'abattait sur lui.

Il reporta son attention sur le groupe de cavaliers. Seuls Trevor et Loerya manquaient à l'appel. Amhatin et Mhoram se tenaient au milieu d'une vingtaine de sangardes, d'une poignée de magistères et d'ignessires, de tous les gardiens de la Loge en visite à Pierjoie et d'Amorine. Covenant était juché sur un des mustangs de la Citadelle ; on lui avait même fourni une selle de *glutor*, constata Troy. À côté de lui, le haut seigneur montait Myrha, à la robe dorée. Elle ressemblait plus que jamais à une noble héroïne : la légendaire reine pour laquelle Berek avait guerroyé autrefois. Penchée vers le lépreux, elle l'écoutait avec une attention soutenue, presque déférente.

Cette vision consterna Troy. Il éprouvait pour Elena des sentiments assez confus, auxquels il aurait été bien en peine de donner un nom. La jeune femme lui avait appris la signification de la vue, et l'avait guidé dans sa découverte du Fief avec un ravissement si doux qu'elle et ce monde étaient désormais indissociables dans son esprit. Elle en incarnait en quelque sorte l'essence. Quand il avait compris quel péril menaçait le Fief et cherché un moyen de le servir, c'était elle qui avait insufflé vie à ses idées. Réalisant ses talents de stratège, elle avait placé sa foi en lui et donné à sa voix le Pouvoir du Commandement. Grâce à elle, il dirigeait désormais la milice et défendait une cause pour laquelle il n'aurait pas honte de mourir.

Pourtant, Covenant ne semblait nullement affecté par son charme, comme si son aura de défaitisme l'immunisait contre toute influence positive. La barbe qu'il laissait pousser depuis son retour assombrissait encore son visage perpétuellement maussade. Il ressemblait bien à ce qu'il était : un incrédule, un infidèle. Sa présence souillait la glorieuse beauté d'Elena et inspirait à Troy une foule d'amères réflexions. Il devait parler au lépreux, décida-t-il. Pas pour le bénéfice de celui-ci, mais parce qu'il voulait qu'aucun doute ne subsistât dans son esprit.

Il attendit qu'Elena se fût éloignée pour s'entretenir avec Mhoram. Alors, il fit avancer Mehryl jusqu'à Covenant et lança sans préambule :

— J'ai quelque chose à vous dire avant que nous partions. Sachez que je vous ai dénoncé aux seigneurs. Je leur ai raconté ce que vous aviez fait à la fille de Trell.

Covenant haussa un sourcil.

— Et vous avez découvert qu'ils étaient déjà au courant.

— En effet. J'ai voulu savoir pourquoi ils montraient une telle mansuétude à votre égard. « À quoi bon perdre un temps précieux à réhabiliter cet individu quand Turpide menace de vous anéantir ? » leur ai-je demandé.

— Et qu'ont-ils répondu ?

— Ils vous ont trouvé mille excuses. Selon eux, tous les crimes ne sont pas nécessairement commis par des gens mal intentionnés ; la douleur peut faire perdre la tête à un homme décent et le pousser à agir de manière inconsidérée – comme Trell quand il vous a attaqué. Mhoram a même affirmé que votre incrédulité était une arme à double tranchant.

— Et cela vous a surpris ?

— Oui.

— Vous auriez dû vous y attendre. À votre avis, quelle est donc la nature de leur serment de paix ? C'est une promesse de pardon pour les lépreux, pour les Kevin et les Trell de ce monde. Comme si le pardon n'était pas le dernier souci des lépreux et des criminels...

Troy scruta le visage gris et décharné de Covenant. Malgré le cynisme de ses paroles, il décelait dans sa voix une détresse et un accablement qui le désarçonnaient. Une fois de plus, il se sentait partagé entre la colère que lui inspirait son entêtement et une vague compassion pour cet homme qui avait tant souffert. Pour un peu, il lui aurait présenté des excuses.

Il poussa un soupir.

— Mhoram m'a conseillé de faire preuve de patience avec vous. Mais je ne suis pas certain d'en être capable. Le fait est...

— Je sais, coupa Covenant. Le fait est que vous commencez tout juste à mesurer l'ampleur de vos responsabilités. Quand vous réaliserez que vous en êtes indigne, prévenez-moi : nous nous apitoierons ensemble sur notre sort.

— Je n'échouerai pas, aboya Troy, piqué au vif.

Covenant grimaça.

— Alors, prévenez-moi quand vous aurez réussi, et nous trinquerons ensemble à votre victoire.

Au prix d'un gros effort, Troy ravala sa colère. L'Incrédule ne méritait pas qu'il le ménage, mais dans son propre intérêt – et dans celui d'Elena –, il se força à articuler :

— Je ne vous comprends vraiment pas. Néanmoins, si je peux vous aider de quelque manière que ce soit, je le ferai.

Covenant baissa les yeux.

— Oh, j'en aurai probablement besoin, murmura-t-il, sarcastique.

Mais Troy comprit que c'était de lui-même qu'il se moquait.

Il allait rejoindre Amorine quand il vit Thorm se diriger vers eux. Retenant Mehryl, il attendit l'hospitalier. Celui-ci le salua, puis se tourna vers Covenant.

— Seigneur suprême, puis-je vous parler ? lui demandat-il avec une gravité fort inhabituelle chez lui.

Covenant le fixa sans répondre.

— Bientôt, vous quitterez Pierjoie. Qui sait si quarante années ne s'écouleront pas de nouveau avant que vous reveniez parmi nous ? D'ici là, je ne serai peut-être plus de ce monde. Et j'ai toujours une dette envers vous. C'est pourquoi je voudrais vous faire un cadeau.

D'une poche de sa robe, il sortit un galet de forme irrégulière, large comme sa paume. Troy comprit tout de suite qu'il ne s'agissait pas d'un vulgaire caillou. À première vue, il semblait transparent ; pourtant, le regard ne parvenait pas à le traverser. On aurait dit qu'il s'ouvrait sur d'insondables profondeurs, tel un trou dans la main de Thorm.

Covenant sursauta.

— Qu'est-ce que c'est ?

— De l'*orcrest*, un fragment de la pierre primordiale qui forme le noyau de la Terre, révéla Thorm. Il recèle un grand pouvoir et pourra vous servir de maintes façons. L'acceptez-vous ?

Covenant fixa le cadeau comme s'il était déplacé.

— Je n'en veux pas.

— Vous n'en voyez pas l'utilité, n'est-ce pas ? Je sais que vous détenez l'or blanc et n'avez besoin de rien d'autre, dit humblement Thorm. Mais j'espérais que vous voudriez bien considérer mon modeste présent comme un témoignage de ma gratitude pour votre geste héroïque de jadis.

— Héroïque ? Croyez-vous vraiment que je me sois jeté dans ce brasier pour sauver Birinair ? Je ne l'ai pas fait pour lui.

— Mais vous l'avez fait quand même et vous étiez seul capable de le tirer des flammes. Je vous en prie…

Lentement, Covenant tendit la main gauche. Lorsque ses doigts se refermèrent sur le galet, celui-ci changea de couleur, comme s'il reflétait la lueur argentée de l'alliance. Voyant cela, le lépreux le fourra très vite dans la poche de son jean. Puis il se racla la gorge.

— Si j'en ai l'occasion, je vous le rendrai un jour, promit-il.

Le visage de Thorm s'éclaira.

— La courtoisie est pareille à l'eau rafraîchissante d'un torrent de montagne, déclara-t-il en recouvrant sa bonne humeur coutumière. Seigneur suprême, je suis convaincu que derrière votre front ombrageux, vous n'en manquez pas.

— Vous vous moquez de moi, grommela Covenant.

L'hospitalier éclata de rire comme si c'était une excellente plaisanterie. Puis il s'éloigna d'un pas guilleret et disparut dans la Citadelle.

Troy fronça les sourcils. Les gens qui l'entouraient semblaient voir en Covenant quelque chose qui échappait à ses propres perceptions. Sans un mot, il talonna Mehryl et quitta Covenant pour se diriger vers ses troupes.

Amorine vint à sa rencontre. Tous deux s'entretinrent brièvement avec les tambours de la milice. Troy leur indiqua l'allure qu'ils devraient donner à la marche : une cadence plus rapide que celle qu'ils avaient apprise à l'entraînement. Le temps leur était compté ; le soleil avait déjà franchi l'horizon et l'insigne ne comprenait pas pourquoi les seigneurs retardaient leur départ.

Soudain, un murmure parcourut les rangs des guerriers, qui se tournèrent vers la Citadelle. Loerya et Trevor venaient d'apparaître au sommet de la tour de garde, portant entre eux un gros ballot de tissu bleu. Le long du mur sud de la forteresse, les habitants sortaient sur les balcons et les remparts, se massaient derrière les fenêtres et au bord du plateau dans un brouhaha vibrant d'excitation.

Laissant Amorine avec les tambours, Troy rejoignit les seigneurs tandis que Loerya et Trevor s'affairaient près de la hampe qui surplombait la tour. Son sang bouillonnait d'impatience et il avait envie de hurler un cri de guerre, tel un défi jeté à la figure du Rogue.

Lorsque Loerya et Trevor furent prêts, ils firent signe à Elena. Elle lança Myrha au galop et s'éloigna de ses compagnons. Arrivée à mi-chemin entre l'armée et le mur de la Citadelle, elle s'arrêta et fit pivoter sa monture en brandissant le Bâton de la Loi à deux mains.

— Salut à vous, habitants de Pierjoie et fiers guerriers !

Sa voix si limpide se répercuta sur le flanc de la falaise et aussitôt, une myriade de gorges lui firent écho.

— Salut à vous, haut seigneur !

— Mes amis, dévoués serviteurs du Fief, notre heure est venue. Nous partons livrer bataille au Tueur Gris. N'ayez nulle crainte : si c'est en notre pouvoir, nous vaincrons – moi, Elena fille de Léna, haut seigneur par le choix du conseil et porteuse du Bâton de la Loi, je vous l'affirme.

Le soleil levant faisait étinceler ses cheveux comme un halo et sa jument dorée la portait telle une offrande faite au jour, une victime sacrificielle prête à être immolée. La peur de la perdre noua la gorge de Troy.

— Ne vous méprenez pas : le danger est immense, bien pire que toutes les menaces jamais affrontées en cet âge. Il se peut que le monde que nous connaissons et chérissons n'y survive pas. Pour le préserver, nous devons anéantir le Rogue et réussir là où les vénérables échouèrent jadis. La guerre à venir testera notre résolution et notre force d'âme. Mais elle nous fournira l'occasion de répudier la profanation qui détruit ce qu'elle aime, de modeler la fange de la corruption pour en tirer courage et foi. Même si nous succombons, nous ne céderons pas au désespoir.

« Mais je suis convaincue que nous ne succomberons pas. Renversant la tête en arrière, elle se mit à chanter.

> Amis et camarades, fier peuple du Fief !
> La guerre est sur nous ;
> Le sang, la douleur et le meurtre nous guettent.
> Ensemble, nous affronterons l'épreuve de la mort.

Amis et camarades, souvenez-vous de la paix !
N'oubliez jamais votre serment.
Jusqu'à la fin du temps, ni la fureur, ni le désespoir,
Ni la passion, ni la haine ne guideront notre main,
Car le meurtre et la profanation ne sauraient servir le Fief.
Nous nous battons pour la vie et pour la guérison,
Pour libérer la Terre du Mépris,
Protéger la vigueur du bois et de la pierre,
La beauté des fleurs odorantes et des rivières limpides.
Nous frapperons sans relâche,
Sans perdre la foi, le courage et l'espoir
Et jamais nous ne deviendrons cendres et poussière.
Nous lutterons jusqu'à ce que le Fief
De la corruption et de la douleur ait été purgé,
Jusqu'à ce que nous ayons tenu notre promesse.
Souvenez-vous de la paix et bravez la mort,
Car nous sommes les fiers protecteurs du Fief !

Puis elle fit pivoter Myrha vers la tour de garde et pointa son Bâton vers le ciel. Un grand arbre de foudre bleue déploya ses ramures au-dessus de sa tête. À ce signal, Loerya projeta le ballot de tissu dans les airs et Trevor tira de toutes ses forces sur la corde qui pendait le long de la hampe. Un étendard azur, comme le *ferlé* du haut seigneur, mais barré d'une diagonale noire, se déploya et claqua au vent. C'était le drapeau de guerre de Pierjoie. À sa vue, les guerriers et les habitants de la Citadelle poussèrent des hourras.

Elena attendit que la clameur retombe. Alors, elle se tourna vers les cavaliers qui attendaient sur l'esplanade.

— Insigne Hile Troy, mettons-nous en route !

Troy se reporta en tête de l'armée. Il salua le premier chevron et, d'une voix qui masquait son émotion, la pria de donner l'ordre d'avancer.

Amorine lui rendit son salut et fit pivoter sa monture.

— Miliciens ! cria-t-elle. Garde à vous ! Tambours, à mon commandement !

Les galons chargés de donner la cadence levèrent leurs baguettes. Amorine brandit le poing droit et ils entonnèrent l'air que Troy venait de leur enseigner.

— En avant ! ordonna Amorine en baissant le bras.

209

Près de seize mille hommes se mirent en marche au rythme des instruments. Un instant, Troy observa leur allure impeccable, la gorge nouée de fierté. Puis, flanqué d'Amorine, il descendit la route en direction de la rivière.

Les autres cavaliers lui emboîtèrent le pas. Ensemble, ils suivirent la milice qui longeait le mur sud de la Citadelle en tournant le dos au soleil levant.

13

Le jardin de pierre de la Maerl

QUAND L'ARMÉE FRANCHIT LE LARGE PONT de pierre qui traversait la Blanche, un peu au sud du lac, un chœur d'encouragements monta depuis le chantier où miliciens et *lillianrill* s'affairaient à la construction des radeaux. Hile Troy ne leur accorda pas un seul coup d'œil. Depuis le sommet de l'arche, il regardait les embarcations des deux premières légions s'éloigner en aval. Ce n'était qu'une minuscule fraction des effectifs, mais elle jouerait un rôle crucial dans la bataille à venir. Ces hommes allaient risquer leur vie comme Troy le leur avait ordonné et de leur résistance dépendrait l'avenir du Fief. Troy les suivit des yeux jusqu'à ce qu'ils disparussent à une courbe de la rivière, filant à la rencontre du destin sanglant qu'il leur avait assigné.

Passé le pont, la route virait vers le sud et descendait en pente douce jusqu'aux prairies sauvages qui s'étendaient entre Pierjoie et la Mémoriade. Tandis que les troupes traversaient les collines, Troy dénombra les magistères et les ignessires pour s'assurer que ses guerriers jouiraient du soutien logistique nécessaire. Ce faisant, il s'avisa de la présence d'un ignessire supplémentaire, qui chevauchait en queue de la procession.

C'était Trell.

Le robuste stèlagien demeurait un peu en retrait, mais ne cherchait pas à dissimuler son visage. À sa vue, Troy éprouva un pincement d'anxiété. Il s'arrêta pour attendre Elena et, faisant signe aux autres seigneurs de passer devant lui, demanda à voix basse :

— Vous saviez qu'il nous accompagnait ? Vous avez donné votre accord ?

Elena lui lança un regard interrogateur, auquel il répondit en désignant Trell du menton.

Covenant, qui s'était immobilisé près de la jeune femme, jeta un coup d'œil par-dessus son épaule. Apercevant Trell, il poussa un grognement.

La plupart des cavaliers avaient déjà dépassé Elena, Troy et Covenant ; alors, Trell put voir que tous trois l'observaient. Il s'arrêta à vingt mètres d'eux et soutint le regard du lépreux avec une expression blessée.

Pendant quelques secondes, personne ne bougea. Puis Covenant jura entre ses dents, saisit les rênes de son cheval et rebroussa chemin vers Trell. Bannor fit mine de le suivre, mais Elena le retint.

— Il n'a pas besoin de protection, murmura-t-elle. Gardez-vous d'offenser Trell avec vos doutes.

Covenant atteignit Trell et ils se toisèrent avec raideur. Puis l'Incrédule dit quelque chose que Troy n'entendit pas. L'ignessire le fixa avant de lui faire une réponse aussi inaudible. Sa poitrine se soulevait et s'abaissait comme s'il haletait, et ses membres tremblaient de violence contenue. Troy voyait bien qu'il luttait pour ne pas céder à la colère. Contrairement à Elena, il n'était pas persuadé que Covenant fût en sécurité. Il se pencha vers la jeune femme et chuchota :

— Qu'est-ce qu'il lui a dit ?

— Le seigneur suprême a promis à Trell qu'il ne me ferait pas de mal, répondit Elena avec une certitude absolue.

Troy ne comprenait pas. Pourquoi Covenant avait-il voulu rassurer Trell sur ce point ? Mais ne voyant aucun moyen d'interroger Elena sur ses liens avec ce dernier, il se contenta de demander :

— Et qu'a répondu Trell ?

— Il refuse de le croire.

In petto, Troy le félicita pour son bon sens.

Quelques instants plus tard, Covenant tourna bride et les rejoignit au petit trot. Tirant sur sa barbe d'une main, il haussa les épaules et lâcha :

— Trell n'a aucune raison de me faire confiance.

Puis il talonna son cheval pour rattraper le reste des cavaliers.

Troy voulait attendre Trell, mais Elena l'entraîna sans lui demander son avis. Par respect pour l'ignessire, il se garda bien de discuter.

Quand la milice fit halte en milieu de journée pour prendre un peu de repos et de nourriture, il vit que Trell se sustentait avec les autres *rhadhamaerl*.

L'armée avait déjà atteint les prairies qui s'étendaient à l'ouest de la Blanche. Troy estima la distance parcourue depuis Pierjoie. Jusqu'à présent, ils tenaient l'allure prévue. Mais beaucoup de facteurs pouvaient influer sur la vitesse de leur déplacement. Il passa une bonne partie de l'après-midi avec Amorine, lui expliquant comment calculer la fréquence et la durée des arrêts en fonction du terrain, du nombre de lieues à couvrir et des réserves de vivres. Quand il devrait s'absenter, le premier chevron serait seule en charge de la troupe.

Parler de ses plans de bataille lui mettait le cœur en joie. Il était très fier de sa stratégie – autant que d'une magnifique œuvre d'art dont il aurait été l'auteur. Il renverserait les choses et transformerait la Retraite Maudite en symbole de victoire.

Au bout d'un moment, Amorine lança d'un air sombre :

— Tenir cette allure l'espace d'une matinée, ce n'est pas un grand exploit. Un guerrier bien entraîné peut la supporter sans problème pendant cinq ou six jours, mais vingt ou trente... À la longue, certains risquent de mourir d'épuisement.

— Je sais, soupira Troy. Mais nous n'avons pas le choix. Même à ce rythme, nous n'arriverons pas assez vite pour éviter une hécatombe dans les rangs des nôtres et des sangardes dirigés par Quaan.

— Je comprends, acquiesça Amorine de mauvaise grâce. Nous garderons la cadence.

Dès que la compagnie se fut arrêtée pour la nuit, Mhoram, Elena et Amhatin circulèrent entre les feux de camp, chantant et racontant des histoires empruntées au répertoire des géants pour réjouir le cœur des guerriers. De nombreux jours s'écouleraient avant que les seigneurs puissent de nouveau aider Amorine à leur maintenir le moral, et Troy le déplorait plus que tout autre.

Mais la séparation était nécessaire. Elena avait de bonnes raisons de se rendre à la Loge. Malheureusement, Boijovial se trouvait bien à l'écart du chemin que devaient suivre les miliciens, et il n'était pas question de leur imposer un tel détour. Aussi les seigneurs firent-ils leurs adieux à leurs compagnons le lendemain en début d'après-midi. Accompagnés par Covenant, Troy, les vingt sangardes et les gardiens de la Loge, ils continueraient à suivre la route qui filait vers le sud-ouest, en direction de la Mémoriade et de Boijovial. De leur côté, Amorine, les combattants, les magistères et les ignessires prendraient plein sud.

Troy aussi avait à faire à la Loge, ce qui l'obligeait à déléguer son commandement. Depuis le matin, des nuages au ventre chargé de pluie s'accumulaient dans le ciel automnal, obscurcissant sa vision. Quand il donna ses dernières instructions à Amorine, une brume de sinistre augure enveloppait déjà son esprit.

— Maintenez l'allure. Accélérez encore quand vous aurez franchi la Grise et que le terrain deviendra plus plat. Si vous prenez un peu d'avance, nous pourrons ménager nos forces au moment de franchir les Ultimes Collines. Le haut seigneur a pris ses dispositions pour que vous trouviez de la nourriture en abondance sur votre chemin. Nous vous rattraperons dans les plaines centrales.

Sa voix était tendue par l'appréhension ; il savait qu'il exigeait beaucoup d'Amorine et de ses hommes. Mais le premier chevron se contenta d'acquiescer d'un air résolu.

Une pluie fine se mit à tomber, brouillant les silhouettes des miliciens à la vue de Troy. Il salua Amorine avec raideur ; celle-ci tourna les talons et quitta la route en lançant l'ordre de marche.

Les seigneurs et les gardiens de la Loge les encouragèrent de la voix. Mais Troy garda le silence. Il guida Mehryl jusqu'au sommet d'un promontoire nu et s'immobilisa, tendant son épée d'ébène devant lui pour saluer l'armée qui passait en contrebas, telle une ombre dans le brouillard. Il tenta de se raisonner : la milice ne se battrait pas sans lui ; elle se contenterait de progresser jusqu'à ce qu'il la rejoigne. Mais elle était son instrument, son moyen de servir le Fief, et quand il retourna auprès de son groupe, il se sentait comme amputé. Jusqu'au soir, il chevaucha dans la solitude familière des aveugles.

La bruine continua toute la nuit et la journée suivante. Malgré l'épaisseur des nuages, elle était trop douce pour cingler les visages, mais elle bloquait la lumière du soleil et tourmentait Troy. Au milieu de la nuit, il fut réveillé en sursaut par l'atroce pressentiment que le temps serait couvert quand il engagerait la bataille à la Retraite Maudite. Il avait besoin de soleil, de clarté ! S'il ne voyait rien, comment pourrait-il diriger ses troupes ?

Au matin, il se leva déprimé – et pas seulement à cause de la couverture détrempée qui lui collait à la peau. Il ne retrouva son assurance habituelle que lorsque le ciel s'éclaircit, en fin d'après-midi.

Le lendemain, deux heures après le lever du soleil, les cavaliers arrivèrent en vue de la Maerl. Ils progressaient plus vite depuis qu'ils avaient quitté la milice ; la rivière, qui marquait la frontière nord de la Mémoriade, indiquait qu'ils se trouvaient déjà à mi-chemin de Boijovial. La Maerl descendait depuis les hauteurs de la chaîne Ouestronne et allait se jeter dans la Grise avant de poursuivre sa course vers la Sérénité. Au-delà de sa berge s'étendait la région où les seigneurs concentraient leurs efforts pour réparer les ravages de la Désolation et de la guerre.

Après la chute de Kevin le Dévastateur, la Mémoriade avait porté le nom de Kurash Plenethor, la Pierre Rompue, jusqu'à ce que les nouveaux seigneurs fassent le serment de servir le Fief et la rebaptisent. À l'époque, elle n'était qu'une vaste plaine calcinée, imprégnée de sang et rendue stérile par la dernière grande bataille entre les vénérables et le Rogue, dont elle avait été le cadre. Selon les légendes,

Kurash Plenethor avait fumé et gémi pendant une centaine d'années après l'affrontement. Quarante ans plus tôt, la Maerl charriait encore une boue épaisse qui étouffait toute vie dans son courant et sur ses rives.

À présent, il ne restait plus que de légères traces de limon dans ses eaux. Malgré leur compréhension limitée, les seigneurs avaient beaucoup appris sur la façon de soigner la terre meurtrie dans le deuxième tabernacle. À cause de l'érosion des siècles passés, la Maerl coulait au fond d'un ravin pareil à une fissure dans le sol. Mais les parois étaient désormais couvertes d'herbe et de buissons, et des arbres vigoureux dressaient leurs cimes au-dessus du vide.

Les compagnons firent halte au bord du ravin pour admirer le paysage ressuscité. Elena, Mhoram et Amhatin chantèrent tout bas une partie du serment des seigneurs. Puis ils dévalèrent la pente au galop et traversèrent la Maerl à un endroit où elle était peu profonde, les sabots des ranyhyn soulevant de joyeuses et bruyantes éclaboussures sur leur passage.

Ainsi entrèrent-ils à la Mémoriade. Dans la région délimitée par la chaîne Ouestronne, la Maerl, la Grise et la Rill, les effets du pouvoir des seigneurs étaient visibles partout, en chaque chose. Leurs soins, étalés sur plusieurs générations, avaient changé la Pierre Rompue en paysage boisé et fertile. De petites fleurs bleues et jaunes tapissaient le flanc des collines. Sur des dizaines de lieues au sud et à l'ouest poussaient une profusion de buissons d'*aliantha*, des vermeils aux feuilles dorées et bien d'autres arbres : cerisiers, pommiers, chênes prodigieux, ormes majestueux et érables nimbés de leur gloire automnale. Et l'air dans lequel, pendant des dizaines d'années après le combat, avaient résonné les échos de la violence était désormais si clair et si pur que le chant des oiseaux semblait le faire scintiller.

C'était le premier endroit que Troy avait contemplé quand il avait acquis le don de vue. Tandis qu'il chevauchait Mehryl dans l'atmosphère lumineuse de la Mémoriade, il se sentit plus insouciant qu'il ne l'avait été depuis bien longtemps.

216

En début d'après-midi, le paysage commença à changer. Des éboulis apparurent parmi les végétaux ; des rochers trois ou quatre fois plus hauts que les coursiers pointaient leur tête hors du sol, et des cailloux recouverts de mousse et de lichen jonchaient l'herbe. Bientôt, il sembla aux cavaliers qu'ils escaladaient le flanc d'une montagne tombée en morceaux, un grand pic incongrûment jailli des éminences de Kurash Plenethor et pulvérisé par une force monstrueuse.

Ils approchaient du jardin de pierre de la Maerl.

Troy n'avait jamais pris le temps de l'étudier, mais il avait ouï dire que c'était l'endroit où les adeptes du *surupa-maerl* créaient leurs œuvres les plus audacieuses. Même s'il était souvent passé par là depuis son arrivée dans le Fief, il ne savait toujours pas où, précisément, commençait la zone. Le changement de terrain était assez progressif et aucune barrière ne la délimitait. Mais quand la troupe atteignit un sommet et découvrit la vallée en contrebas, Troy fut certain qu'il était arrivé.

La pente disparaissait presque entièrement sous un stupéfiant chaos rocheux. Aucun bloc n'était poli, sculpté ou modelé, et tous semblaient avoir été choisis pour leur forme naturellement grotesque. On aurait dit qu'ils jaillissaient, s'accroupissaient, s'écroulaient, grimaçaient, vociféraient, hurlaient telle une meute de troglodytes terrifiés ou enchantés de respirer enfin à l'air libre. La voie serpentait entre leurs silhouettes tourmentées comme à travers une forêt de pierre, si dense qu'elle plongeait les cavaliers dans une ombre perpétuelle.

Troy savait que ce fol enchevêtrement minéral ne devait rien au hasard : il avait été conçu et réalisé par des hommes, pour une raison qui lui échappait. Lors de ses précédents passages, il ne s'y était jamais suffisamment intéressé pour s'enquérir de sa signification. Mais cette fois, il n'émit pas d'objection lorsque Elena suggéra que la compagnie prenne le recul nécessaire pour l'admirer dans son ensemble.

De l'autre côté du val se dressait une butte plus haute et plus abrupte, que la route contournait par la gauche. Le haut seigneur proposa qu'ils la gravissent pour embrasser du regard l'œuvre des artisans *suru-pa-maerl*. Elle s'était adressée à l'ensemble du groupe, mais c'était Covenant qu'elle interrogeait du regard. Quand il acquiesça avec un vague haussement d'épaules, elle réagit comme s'il avait exprimé un assentiment général.

Le versant frontal de l'éminence étant trop pentu pour les chevaux, ils durent chercher un autre moyen d'accéder au sommet. Tandis qu'ils grimpaient par-derrière, Troy sentit l'excitation le gagner : Elena était impatiente de montrer la vue à Covenant et cela attisait sa curiosité. Il se souvenait de spectacles dont la beauté enchanteresse l'avait surpris, comme la salle des offrandes, qu'il avait dédaigné de visiter jusqu'à ce que Mhoram l'y traîne pratiquement de force.

Un tertre dénudé couronnait la colline. Les cavaliers finirent le chemin à pied. Contaminés par l'enthousiasme d'Elena, tous marchaient très vite ; il ne leur fallut pas longtemps pour atteindre la crête.

De là-haut, les regards pouvaient de nouveau plonger dans la vallée. Le jardin de pierre s'y déployait tel un bas-relief, et tout ce qui, vu d'en face, avait semblé n'être qu'un capharnaüm gratuit s'ordonnait soudain en un motif cohérent.

Avec ces milliers de roches suppliciées, les adeptes du *suru-pa-maerl* avaient composé un énorme visage bosselé, aux traits saillants et distordus. L'irrégularité de la pierre lui donnait un aspect meurtri et contusionné ; les yeux étaient deux trous déchiquetés pareils à de profondes blessures, et la route le barrait telle une cicatrice. Pourtant, un rictus d'allégresse distendait ses joues. Il rayonnait d'une satisfaction si incongrue que Troy éclata de rire.

Bien que ce spectacle leur fût familier, les seigneurs et les gardiens de la Loge arboraient une expression de contentement. L'hilarité de l'effigie était contagieuse. Elena pressait les mains sur sa poitrine comme pour contenir son cœur bondissant de joie, et les yeux de Mhoram brillaient de plaisir. Seul Covenant ne souriait pas ; sa figure restait morne et son regard était toujours celui d'un naufragé. De sa main droite mutilée, il tripotait nerveusement son alliance. À travers les murmures ravis de la compagnie, Troy l'entendit marmonner :

— Les géants doivent être fiers de vous.

Son ton était ambigu, comme s'il tentait d'exprimer deux idées contradictoires. Mais la seule référence aux apatrides produisit l'effet d'un éteignoir. Amhatin se rembrunit. Mhoram fixa le lépreux d'un air scrutateur. Elena se tourna vers lui et ouvrit la bouche. Avant qu'elle pût parler, Covenant poursuivit :

— Ce visage me rappelle celui d'une femme que j'ai connue autrefois. (Il tentait de prendre un ton désinvolte, mais une douleur sourde y perçait.) À la léproserie.

Troy étouffa un grognement.

— Elle était très belle. Ou du moins, elle l'avait été avant que je la rencontre, selon les médecins. Je n'ai jamais vu de photos d'elle – si elle en avait, elle se gardait bien de les montrer. Je pense qu'elle ne supportait même plus de se regarder dans un miroir. Mais il lui restait son sourire, identique à celui-ci.

Du menton, il désigna le jardin de pierre. Il était perdu dans ses souvenirs.

— C'était un cas classique de la maladie de Hansen, reprit-il, de plus en plus dur et amer, et articulant les mots comme s'ils avaient des extrémités coupantes. Elle avait passé sa jeunesse aux Philippines, où son père, militaire, était en poste, et elle avait été exposée à la lèpre là-bas. L'infection se déclara peu de temps après son mariage. Elle perdit toute sensation dans les orteils. Elle aurait dû consulter immédiatement, mais c'était l'une de ces personnes toujours en mouvement, que rien ne semble pouvoir ralentir. Elle avait trop à faire avec son mari et ses amis pour se soucier de quelques engourdissements.

« Quand les crampes devinrent si sévères qu'elle pouvait à peine marcher, elle se décida à s'en préoccuper. On l'envoya à la léproserie, où les médecins durent l'amputer. Cela l'arrêta un moment, mais son énergie étant irrépressible, peu de temps après, elle retourna auprès de son mari.

« Elle savait désormais qu'elle ne pourrait pas avoir d'enfants – c'eût été une folie quasi criminelle. Son mari le comprenait, mais il voulait être père et finit par demander le divorce. Même si cela lui fit très mal, elle surmonta son chagrin et se bâtit une nouvelle vie. Qui dura jusqu'à ce qu'elle doive retourner à la léproserie. Dans son optimisme et sa vitalité débordante, elle avait négligé de prendre soin d'elle-même.

« Cette fois, elle perdit deux doigts. Et son travail – car elle était secrétaire et avait besoin de ses mains. Sans compter que son patron ne voulait pas d'une lépreuse dans l'entreprise. Mais une fois la progression de la maladie enrayée, elle apprit à taper à la machine sans utiliser les doigts manquants. Elle déménagea, trouva un autre emploi et continua à vivre comme si de rien n'était.

« Ce fut alors qu'elle se prit de passion pour la danse folklorique. Elle se jeta dans ce nouveau passe-temps à corps perdu. Pour elle, c'était une manière de se faire des amis et de leur montrer son affection. Avec ses vêtements de couleur vive et son sourire éclatant, elle était…

La voix de Covenant s'étrangla dans sa gorge, mais il se ressaisit très vite.

— Deux ans plus tard, elle était de retour à la léproserie. Elle n'avait pas le pied très sûr et tombait souvent. Et elle ne prenait pas assez de médicaments. Il fallut lui couper la jambe droite au niveau du genou. Sa vision commençait à se brouiller ; sa main droite était presque paralysée et sa figure tuméfiée en permanence. Elle perdait ses cheveux par poignées. Mais dès qu'elle sut se déplacer sur son membre artificiel, elle organisa des cours de danse folklorique pour les autres patients.

« Les médecins la gardèrent longtemps, jusqu'à ce qu'elle les convainque de la renvoyer chez elle. Elle leur jura que cette fois, elle ferait plus attention, qu'elle avait bien retenu la leçon. Et pendant très longtemps, ils ne la revirent pas. Mais ce n'était pas parce qu'elle n'avait plus besoin d'eux. Petit à petit, elle se décomposait. Quand j'ai fait sa connaissance, une clinique privée venait de la jeter dehors et de la renvoyer à la léproserie. Il ne lui restait plus rien d'autre que son sourire.

« J'ai passé beaucoup de temps dans sa chambre. Je l'écoutais parler en essayant de m'habituer à la puanteur qui émanait d'elle. Son visage ne ressemblait plus à rien ; on aurait dit que le personnel médical la rouait de coups chaque matin. Et elle avait perdu la plupart de ses dents. Mais son sourire, lui, n'avait pas changé.

« Elle a essayé de m'apprendre à danser. Elle me faisait mettre debout devant elle, là où elle pouvait encore me voir, et me disait comment placer les pieds, quand sauter et de quelle façon bouger les jambes. Entre les leçons, elle me racontait la vie bien remplie qu'elle avait menée. Elle ne regrettait rien, disait-elle. Elle n'avait même pas quarante ans.

Covenant s'accroupit brusquement, ramassa un caillou et le jeta de toutes ses forces vers la composition rocheuse grimaçante. Le projectile retomba dans la pente, mais au lieu de le regarder rouler jusqu'à la vallée, Covenant se détourna et conclut d'une voix enrouée :

— Si jamais je mets la main sur son mari, je lui tords le cou.

Puis il se dirigea d'un pas rapide vers les chevaux.

Quelques instants plus tard, il se hissait sur le dos de son mustang et s'éloignait au galop vers la route. Bannor le suivit.

Troy prit une profonde inspiration. Le récit du lépreux l'avait touché, mais il ne savait pas quoi dire. Jetant un coup d'œil à Elena, il vit qu'elle communiait avec Mhoram et Amhatin, comme si elle avait besoin de leur soutien pour digérer ce qu'elle venait d'entendre.

Au bout d'un moment, Mhoram déclara :

— Le seigneur suprême Covenant est un prophète.

— Est-ce l'avenir du Fief qu'il vient de nous prédire ? s'enquit Amhatin sur un ton peiné.

— Non ! s'exclama Elena avec force.

— Non, souffla Mhoram comme en écho.

Mais Troy comprit qu'ils ne parlaient pas de la même chose.

Puis la communion prit fin et les cavaliers rejoignirent leurs montures. Peu de temps après, ils avaient regagné la chaussée et galopaient derrière Covenant en direction de Boijovial.

Jusqu'au soir, Troy demeura trop perturbé par la réaction des seigneurs pour se détendre et apprécier le voyage. Mais le lendemain, il trouva un moyen d'apaiser son angoisse diffuse. Il se représenta la progression des différentes factions de l'armée : les sangardes qui accompagnaient Callindrill, les miliciens qui descendaient la rivière à bord des radeaux et ceux qui marchaient derrière Amorine. Sur sa carte mentale du Fief, leurs déplacements présentaient une symétrie réconfortante.

La Mémoriade le rassurait aussi, à sa façon. Au sud du jardin de pierre, le manteau de terre qui recouvrait le sol devenait plus épais et plus fertile ; aucun rocher ne saillait parmi l'herbe drue et les fleurs. Partout où son regard se portait, des bosquets et de longues bandes boisées ponctuaient le flanc des collines ou ondulaient au travers des vallées. Dans la vive lumière du soleil, l'atmosphère automnale était pareille à un baume apaisant ; bientôt, le malaise de Troy se dissipa comme les lambeaux d'un cauchemar.

À ce stade-là, même le problème de la communication ne le préoccupait pas vraiment. Elena lui avait promis que les gardiens de la Loge cherchaient un moyen d'y remédier, et ils ne tarderaient plus à arriver à Boijovial. Avec un peu de chance, les étudiants du Bâton auraient déjà trouvé une solution.

Ce soir-là, quand la compagnie fut réunie autour d'un feu de camp, Troy savoura donc les chansons et les histoires des seigneurs. Enfermé dans son mutisme opiniâtre, Mhoram jetait sur toute chose le regard de celui qui en sait plus long que les autres et se passerait volontiers de ce privilège. Covenant fixait les flammes d'un air lugubre, mais Elena semblait d'excellente humeur. Secondée par Amhatin, elle déployait des trésors de grâce et de gaieté, qui finirent par dérider même les plus taciturnes des gardiens de la Loge. Troy songea qu'il ne l'avait jamais vue aussi rayonnante. Pourtant, ce fut le cœur lourd qu'il alla se coucher. Il savait très bien que si Elena se donnait tout ce mal, c'était pour Covenant et non pour lui.

Il s'endormit aussitôt, comme pour échapper à la jalousie. Mais durant l'heure la plus sombre de cette nuit sans lune, des éclats de voix et un bruit de sabots le réveillèrent en sursaut. À travers la maigre lueur projetée par les braises, il distingua un sangarde monté sur un ranyhyn qui s'était immobilisé au milieu du camp. Les flancs du coursier fumaient dans l'air froid : il avait galopé ventre à terre pour atteindre les seigneurs.

Morin et Mhoram étaient déjà debout ; Elena et Amhatin repoussaient hâtivement leurs couvertures pour se lever. Troy jeta une poignée de petit bois dans le feu et le brusque embrasement lui permit de mieux voir le nouveau venu. Son visage meurtri accusait une immense fatigue et ses vêtements déchirés étaient maculés de sang. Il mit pied à terre avec raideur et une répugnance qui – Troy le devinait – ne pouvait pas être entièrement imputée à la lassitude.

L'insigne vacilla, comme écrasé par les efforts qu'il déployait pour sauver le Fief. Il reconnaissait cet homme. C'était Runnik, un des membres de l'expédition de Korik à Ondemère.

14

Le récit de Runnik

U N INSTANT, TROY TÂTONNA EN AVEUGLE, cherchant à
retrouver l'équilibre. Runnik n'aurait pas dû se
trouver là ; c'était trop tôt. Vingt-trois jours à peine
s'étaient écoulés depuis le départ de l'expédition de Korik.
Même le plus fougueux des ranyhyn ne pouvait galoper
jusqu'à Ondemère et en revenir aussi vite. Donc, la
présence du sangarde à la Mémoriade signifiait... Avant
même qu'Elena pût parler, Troy s'entendit demander
d'une voix tendue :

— Que s'est-il passé ?

Sur un ton cinglant, la jeune femme lui imposa le
silence. Il voyait bien qu'elle aussi avait compris et se
préparait à entendre le pire. Elle avait planté le Bâton de
la Loi dans le sol devant elle et une expression orageuse
assombrissait son beau visage.

À son côté, Covenant semblait sur le point de vomir.
Avec l'air d'un homme qui veut savoir s'il est atteint d'une
maladie mortelle, il s'enquit d'une voix étranglée :

— Ont-ils tous péri ?

Runnik ignora Troy et Covenant. Il adressa un signe de
tête à Morin, puis s'inclina légèrement devant le haut
seigneur. Malgré son impassibilité, son attitude trahissait
une réticence qui arracha un grognement à l'insigne.

— Parlez, Runnik, ordonna sévèrement Elena. Quelle nouvelle nous apportez-vous ?

Mais Runnik garda le silence. Dans ses yeux qui ne cillaient pas, Troy décela une souffrance qu'il n'aurait jamais cru voir chez un sangarde, et cela ne fit qu'accroître son appréhension.

— Doux Jésus, souffla-t-il. C'est donc si terrible ?

Alors, Mhoram prit la parole.

— Runnik, fit-il doucement. Nous avons demandé aux sangardes d'assurer coûte que coûte la réussite de la mission à Ondemère. C'était un lourd fardeau, car votre vœu vous oblige à préserver la vie des seigneurs avant toute autre chose. Si les deux impératifs sont entrés en conflit et vous ont contraints à sacrifier l'un au profit de l'autre, personne ne vous en tiendra rigueur. Quel que soit le malheur qui vous a conduit à nous dans cet état, au beau milieu de la nuit, jamais nous ne douterons de la compétence et du dévouement de la sangarde.

Runnik hésita encore un moment avant de lâcher :

— J'arrive tout droit de la Souille, qui coule dans les profondeurs du plateau de Sarangrave. J'en suis parti après que Korik nous a ordonné, à Pren, Porib et moi : « Retournez auprès du haut seigneur. Racontez-lui ce qui s'est passé. Rapportez-lui les paroles du galon Hoerkin. Relatez-lui le combat des ranyhyn et les embuscades dont nous avons été victimes. Révélez-lui le sort de Shetra. »

Amhatin poussa un gémissement et Mhoram se raidit. Mais Elena continua à fixer Runnik, l'obligeant à continuer :

— « Elle saura interpréter cette histoire de géants et de ravageurs. Dites-lui que la mission n'échouera pas. — Par la force et la foi, avons-nous répondu, nous ne faillirons pas. »

« Mais pendant quatre jours, nous avons lutté contre Sarangrave et Pren a succombé face à la menace dormante qui venait de se réveiller. Enfin, nous avons atteint l'extrémité ouest du plateau où nous attendaient nos ranyhyn et galopé ventre à terre vers Pierjoie. À peine étions-nous entrés à Grimmerdhore que nous avons été assaillis par des loups et des ur-vils dont nous n'avions pas décelé la présence à l'aller. Porib et sa monture se sont sacrifiés pour me permettre de passer, et j'ai poursuivi mon chemin.

« À l'ouest de Grimmerdhore, j'ai croisé des éclaireurs de la milice. Ils m'ont appris que la Corruption était en marche et que le haut seigneur faisait route vers Boijovial. Aussi ai-je infléchi ma trajectoire pour vous rejoindre ici. J'ai tant de choses à vous dire...

— Et nous allons écouter jusqu'au bout, dussiez-vous parler toute la nuit, promit Elena. Venez.

Elle se détourna et alla s'asseoir près du feu. Mhoram et Amhatin l'imitèrent. À son invitation, Runnik s'installa face à elle. Un des gardiens de la Loge, qui était aussi un guérisseur, entreprit aussitôt de panser ses blessures. Troy rajouta du bois dans le feu pour mieux y voir, puis se plaça à l'opposé de Covenant.

Les regards étaient braqués sur le sangarde, qui commença son récit sur un ton emprunté. Il n'avait pas l'éloquence des géants ; souvent, il se contentait d'effleurer des éléments cruciaux, négligeant de fournir à ses auditeurs les détails qu'ils attendaient. Mais les seigneurs l'interrogeaient avec un soin méticuleux et Covenant ne cessait de l'interrompre pour réclamer des précisions – comme s'il voulait retarder une révélation qu'il devinait funeste.

Troy écoutait attentivement. Peu à peu, les événements décrits par Runnik prirent forme dans son esprit. Il ne distinguait rien au-delà du cercle de lumière projeté par les flammes ; nulle distraction ne venait donc troubler sa concentration. Malgré l'intonation monocorde du sangarde, il voyait les scènes décrites par celui-ci aussi clairement que si elles défilaient sur un écran.

L'expédition était partie vers l'est. Après avoir traversé Grimmerdhore, elle avait cheminé sous la pluie pendant trois jours. Lorsque les nuages s'étaient enfin dissipés, Korik et ses compagnons se trouvaient en vue du mont Tonnerre. Ils étaient passés à vingt-cinq lieues au nord de son pic et avaient atteint le point culminant de la Faille en fin d'après-midi. À cet endroit, les falaises hautes de plus de quatre mille pieds étaient aussi abruptes que si les Basses Terres avaient été détachées du reste du Fief à coups de hache. Et en contrebas, au-delà d'une prairie vallonnée large de cinq lieues environ, s'étendait le plateau de Sarangrave.

C'était une région humide, à travers laquelle courait un lacis de voies d'eau pareilles à des veines exposées dans la chair du sol. Sa végétation luxuriante grouillait de dangers subtils. D'étranges animaux aquatiques, allergiques à la présence de l'homme, se tapissaient en son sein. Les saules et les cyprès antédiluviens, à demi rongés par la pourriture, exhalaient un chant doux et sournois comme celui des sirènes. Des bassins d'eau croupie, si bien recouverts de vase, de boue et de plantes qu'ils donnaient l'illusion de la terre ferme, voisinaient avec des poches de sables mouvants. Des fleurs aux couleurs éclatantes déployaient leurs pétales baignés d'une rosée capable de rendre fou celui qui en humait le parfum.

Les sangardes connaissaient toutes ces menaces. Aussi inhospitalier soit-il, Sarangrave n'abritait aucun maléfice ; il ne recelait que des périls d'ordre naturel. Mais à cause d'eux, il attirait les créatures corrompues qui n'avaient pas pu trouver refuge ailleurs. Or, malgré leur optimisme, les géants savaient faire preuve de prudence lorsque les circonstances l'exigeaient. Depuis leur arrivée dans le Fief, ils arpentaient librement Sarangrave et avaient balisé un chemin pour les autres voyageurs, qui pouvaient donc traverser la contrée sans prendre trop de risques.

Ce jour-là, cependant, un péril indéfinissable assombrissait l'horizon qui s'offrait aux sangardes. Un mal dormant s'était réveillé au cœur de la vaste zone marécageuse. Bien que consterné, Hyrim n'osa pas réitérer sa proposition de contourner Sarangrave : personne n'aurait admis un tel détour d'une centaine de lieues. Au matin du neuvième jour suivant son départ de Pierjoie, l'expédition était donc descendue en empruntant le raidillon jadis taillé à flanc de falaise par les vénérables. Puis elle avait traversé la prairie en direction de la route tracée par les apatrides.

Dans les Basses Terres, l'air était plus chaud et plus dense. Il semblait chargé de fibres invisibles, lourdes et mouillées, qui laissaient comme un résidu visqueux dans les poumons. Bientôt, des broussailles et des buissons torturés apparurent. Des flaques dissimulées clapotaient sous les sabots des ranyhyn. Des arbres rabougris, couverts de lichen, étendaient leurs branches drapées de mousse au-dessus de leur tête. Le chemin s'engagea entre deux plans d'eau à la surface immobile, puis vira légèrement vers le nord à l'approche d'une jungle en apparence impénétrable. Les ranyhyn ralentirent, car l'herbe leur arrivait au poitrail. Quand les cavaliers regardèrent derrière eux, ils ne purent apercevoir la moindre trace de la route des géants. Sarangrave s'était refermé sur eux telle une gueule monstrueuse.

Les sangardes ne s'en inquiétèrent pas – d'autant que la piste était toujours visible devant eux. Ils continuèrent à avancer. L'étau naturel se resserra jusqu'à ce qu'ils ne puissent plus se déplacer qu'à trois de front, mais l'herbe ne tarda pas à reprendre une taille plus raisonnable.

Leur progression, forcément bruyante, troublait la secrète harmonie de Sarangrave. Oiseaux et singes clabaudaient sur leur passage ; de petits animaux poilus, qui glapissaient comme des hyènes, détalaient devant eux. Et quand, ici et là, la végétation cédait la place à des nappes stagnantes ou à des ruisseaux paresseux, des poules d'eau au plumage irisé s'envolaient à tire-d'aile. Des éclaboussures troublaient soudain la surface du cloaque et des formes pâles, vaguement humaines, filaient sous les ondulations qu'elles venaient de provoquer.

Pendant toute la matinée, l'expédition suivit la voie sinueuse qui s'offrait à elle. Nul danger ne la menaçait. Pourtant, les ranyhyn montraient une nervosité croissante. Lorsque les cavaliers firent halte près d'un petit lac pour se restaurer et se reposer, les coursiers donnèrent des signes de fébrilité alarmants. Certains renâclaient ; leurs oreilles dressées se tournaient dans toutes les directions. L'un d'eux – un jeune étalon qui portait le sangarde Tull – frappait le sol du sabot selon une cadence décousue.

Les seigneurs et leur escorte se remirent en route, les sens en alerte. Ils avaient à peine couvert deux lieues quand Sill attira l'attention de ses camarades sur Hyrim. Il avait le visage rouge et le regard brillant de fièvre ; de la sueur dégoulinait sur ses joues et il respirait avec difficulté. Il n'était pas le seul. Shetra aussi transpirait et haletait.

Puis les sangardes réalisèrent qu'eux-mêmes étaient affectés. L'air, de plus en plus lourd, regimbait à pénétrer dans leurs poumons et semblait les remplir de sable. La sensation d'étouffement devint vite intolérable.

Soudain, un silence fort peu naturel s'abattit sur Sarangrave. Les voyageurs se remémorèrent le récit de Callindrill, mais firent confiance aux ranyhyn et continuèrent à avancer. Les grands chevaux progressaient lentement, le cou tendu, les oreilles rabattues, les naseaux frémissants et les flancs blancs d'écume. Pendant quelques centaines de mètres encore, ils se frayèrent un chemin à travers l'atmosphère aussi épaisse que de la poix. Puis ils émergèrent brusquement de la touffeur végétale et débouchèrent sur une crête pareille à un barrage dressé entre deux étangs à la surface immobile. Le premier, bleu et miroitant, reflétait le ciel et la lumière du soleil. Mais le second était noir comme de l'encre et nauséabond.

La compagnie avait atteint le milieu de l'arête quand le bruit se fit entendre. Cela commença par un gémissement sourd, pareil à un râle d'agonie, qui semblait provenir du bassin le plus sombre. Les cavaliers se figèrent, aux aguets.

La plainte enfla. En un lent crescendo, elle escalada la gamme jusqu'à atteindre l'aigu le plus déchirant et se mua en un hurlement sauvage qui couvrit les incantations seigneuriales.

— *Melenkurion abatha ! Duroc Minas mill khabaal !*

Alors, l'étalon de Tull paniqua. Terrifié, il fit volte-face et fonça vers la nappe bleue. Tull eut juste le temps de plonger sur le côté pour se jeter dans l'herbe.

L'eau engloutit immédiatement le ranyhyn jusqu'au Garrot. Avec un hennissement de douleur presque aussi terrible que le cri qui résonnait à travers Sarangrave, il s'en arracha et détala vers l'ouest, rebroussant chemin le long de la route des géants.

Ce fut le signal de la débandade. Les ranyhyn se cabrèrent, pivotèrent et s'élancèrent à la suite de leur frère. Hyrim fut précipité à bas de sa monture et s'il n'avait pas instinctivement planté son bâton dans le sol pour se retenir, il aurait piqué une tête dans le cloaque. Shetra se porta à son secours. Sill, Cerrin et Korik firent de même, ce dernier criant aux autres sangardes de protéger les ranyhyn.

Runnik et ses camarades s'accrochèrent à l'encolure de leurs chevaux, qui galopaient sur les traces de l'étalon blessé. Derrière eux, le hurlement s'affaiblissait et l'air redevenait respirable. Mais il leur fallut un moment pour reprendre le contrôle de leurs ranyhyn. Ceux-ci fonçaient sur un chemin qui ne leur était pas familier et comprirent très vite qu'ils s'étaient écartés de la route des géants.

Puis le meneur escalada une petite butte et disparut soudain de leur vue, englouti par une énorme fondrière. Les coursiers suivants purent s'arrêter à temps. Leurs cavaliers mirent pied à terre et sortirent des cordes de *glutor* de leur paquetage. Lorsque Korik, Cerrin, Sill, Tull et les seigneurs les rejoignirent, les ranyhyn avaient déjà tiré leur malheureux cadet du bourbier dans lequel il avait chu.

Constatant qu'il était le seul blessé, les seigneurs lui accordèrent toute leur attention. Il claquait des dents et secouait la tête. Sous sa robe, la chair de ses jambes et de son ventre était couverte d'ampoules et de cloques, comme rongée par l'acide. Du sang ruisselait de ses blessures, dont certaines étaient creusées jusqu'à l'os. Malgré la détermination de son regard, il gémissait de douleur.

Les seigneurs furent profondément émus par sa souffrance. Des larmes brillaient dans les yeux d'Hyrim et Shetra jura amèrement. Mais ils ne pouvaient rien faire. Ils n'appartenaient pas au peuple de Ra et nulle part ils ne voyaient d'*amanibhavam*, l'herbe aux fleurs jaunes qui guérissait les chevaux et faisait sombrer les humains dans la folie.

Bientôt, tous les ranyhyn eurent regagné la terre ferme. Ils se débarrassèrent de la boue de la fondrière, mais ne purent se défaire aussi aisément de la honte. Leur comportement dévoilait qu'ils se sentaient déshonorés d'avoir cédé à la panique.

Quand ils entendirent les plaintes de leur frère, ils dressèrent l'oreille, piaffèrent et se poussèrent du nez. Le plus âgé d'entre eux s'approcha de l'étalon et, naseaux contre naseaux, conféra avec lui pendant quelques instants. Le jeune mâle hocha la tête. Alors, son aîné se cabra dans l'attitude ancestrale de l'hommage. Et quand il retomba, il frappa le crâne du blessé de ses deux sabots antérieurs. Sous la force de l'impact, l'animal au corps torturé fut parcouru par un frisson, puis s'écroula, raide mort.

Ses semblables avaient observé la scène en silence. Quand leur aîné revint vers eux, ils poussèrent de doux hennissements d'approbation et de chagrin.

À leur façon, les sangardes étaient émus. Mais le haut seigneur Elena avait remis le sort des géants entre leurs mains.

— Nous devons repartir immédiatement, déclara Korik. Notre mission ne saurait souffrir le moindre délai. Tull montera en croupe de Doar.

— Non ! protesta Shetra. Les ranyhyn ne feront pas un pas de plus.

— Mon ami, vous devez connaître aussi bien que nous la force qui nous interdit de traverser Sarangrave, ajouta Hyrim. Vous savez que pour nous arrêter, elle doit nous voir – ou, à tout le moins, nous localiser. (Korik acquiesça.) Et vous savez également qu'il n'est pas aisé de détecter la présence d'êtres humains au milieu de la faune grouillante de Sarangrave. L'homme est une créature insignifiante ; il ne dégage aucun rayonnement spécifique. En revanche, la vitalité et la noblesse des ranyhyn les signalent sur-le-champ. Leur remarquable aura risque d'agir comme un aimant sur l'énergie qui nous menace. Voilà pourquoi nous devons continuer sans eux.

— Notre mission exige la plus grande rapidité, protesta Korik. À pied, jamais nous n'arriverons à temps pour sauver les géants.

— Je sais, soupira Hyrim. Même si aucun obstacle ne nous retarde, il nous faudra un cycle lunaire complet pour atteindre Ondemère. Mais contourner le plateau serait encore plus long.

— En effet. C'est pourquoi nous devons continuer comme nous avons commencé. Au besoin, nous nous battrons pour passer.

— Et comment ? aboya Shetra. Comment affronte-t-on

un ennemi invisible ? Si nous le savions, nous aurions déjà livré bataille. Je vous le dis sans détour, Korik : si cette force nous attaque de nouveau, nos pertes seront bien plus sévères. Nous devons trouver un autre moyen de poursuivre notre route – sans les ranyhyn, et sans perdre de temps.

— Lequel ?

Les deux seigneurs échangèrent un regard.

— Nous allons construire un radeau et descendre la Souille, décida Shetra.

Les sangardes furent surpris. Même les géants, ces navigateurs nés, préféraient traverser Sarangrave à pied plutôt que de se risquer dans le courant de la Souille.

— Croyez-vous que ce soit possible ? demanda Korik, dubitatif.

— Il le faudra bien, répliqua Shetra.

Et sa détermination était telle que les sangardes s'inclinèrent sans plus discuter.

— Dans ce cas, profitons de ce que les ranyhyn sont encore avec nous et hâtons-nous de sortir de cette jungle, suggéra Korik.

Pour les coursiers, c'était l'occasion de racheter leur défaillance. Avec d'infinies précautions, ils remontèrent le sentier jusqu'à la crête encadrée par les deux bassins. Puis, ayant regagné la route des géants, ils abandonnèrent toute prudence et s'élancèrent à un train d'enfer en direction du couchant.

Ils galopaient ventre à terre, sans jamais ralentir ni ménager leurs forces, à une allure qu'aucun cheval ordinaire n'aurait pu tenir très longtemps. Peu avant l'apparition de la lune, ils émergèrent de Sarangrave au pied de la Faille et infléchirent leur trajectoire vers le sud-est en longeant la falaise.

Une fois en terrain découvert, ils accélérèrent encore. Les collines défilaient sous leurs sabots tels des plis dans le manteau de la terre, les forçant à dévaler puis à gravir des pentes incertaines vingt fois en l'espace d'une lieue. Plus ils progressaient vers le sud, plus le sol devenait accidenté. L'herbe ne tarda pas à disparaître, cédant la place à des gravillons et de la roche nue.

Dans l'éclat de la lune presque pleine, la silhouette du mont Tonnerre se découpait contre le ciel. Déjà, elle dominait presque l'horizon, plongeant les cavaliers dans son ombre gigantesque.

Les ranyhyn galopèrent toute la nuit, l'écume aux lèvres, les flancs trempés de sueur et les muscles tendus par l'effort. Quand l'aube se leva, ils se trouvaient à moins de cinq lieues de la Souille. Alors seulement, ils commencèrent à donner des signes de fatigue. Ils glissaient et, parfois, trébuchaient et s'écorchaient les genoux. Mais ils refusaient de faillir à leur mission.

En milieu de matinée, ils franchirent péniblement une dernière crête et dévalèrent le flanc opposé pour rejoindre l'étroite vallée qui serpentait au pied du mont Tonnerre. Sur leur droite, un flot sombre et nauséabond jaillissait de la base d'une paroi. Loin en amont, ce torrent hideux avait pour nom Sérénité – la merveilleuse rivière dont les eaux limpides baignaient les collines d'Andelain. Après avoir été engloutie par la montagne au lieu-dit Coupe-Gorge, elle plongeait dans les profondeurs de la Nécropole. Son courant s'alourdissait des immondices récoltées dans les décharges et les charniers des lémures, se mêlait aux lacs sulfureux et recueillait la lie de tous les fléaux qui y étaient enfouis. Quand Gravin Threndor la vomissait enfin, huileuse et fétide, elle charriait la pestilence des sédiments de mort que des siècles de pratiques infernales avaient accumulés dans les catacombes.

Depuis le mont Tonnerre jusqu'au Vorace, le grand marécage des Basses Terres, rien ne vivait sur les berges de la Souille à l'exception de Sarangrave, dont la végétation malsaine se repaissait avidement des eaux noires. Mais un peu plus haut sur les flancs de la cuvette, deux ou trois ruisseaux limpides abreuvaient de l'herbe, des buissons et mêmes quelques arbres. Là, les ranyhyn purent enfin se reposer. Tremblant d'épuisement, ils plongèrent leur nez dans un torrent pour se désaltérer.

Sans se soucier de leur propre fatigue, les seigneurs se mirent immédiatement en quête d'*amanibhavam*. Peu de temps après, Shetra revint avec une brassée d'herbe curative et pendant qu'elle la distribuait aux ranyhyn, Hyrim en apporta davantage. Quand les coursiers furent rassasiés, tous deux s'autorisèrent enfin à se laisser choir sur le sol.

De leur côté, les sangardes s'étaient attelés à la construction du radeau. Les seuls arbres assez robustes pour pousser dans le coin étaient des tecks, dont les trois plus grands avaient péri lorsque leurs racines avaient atteint les couches de terre contaminées par la Souille. Ils les abattirent à coups de machette et les débitèrent en quatre parties de longueur à peu près égale. Puis ils les firent rouler jusqu'à la rive et entreprirent de les attacher à l'aide de cordes de *glutor*.

Les rondins étaient lourds et peu maniables, et les sangardes procédaient avec soin pour façonner une embarcation sûre. Mais à eux quinze, ils progressèrent rapidement. Aux alentours de midi, il ne leur restait plus qu'à tailler quelques perches pour la manœuvre.

Les seigneurs communièrent brièvement et, après avoir fait leurs adieux aux ranyhyn, descendirent vers la berge.

Sur l'ordre de Korik, deux sangardes fixèrent des cordes au radeau pendant que les autres se positionnaient sur les côtés. Ensemble, ils soulevèrent l'engin massif et le mirent à l'eau. Le courant tumultueux s'en empara aussitôt, mais il était fermement arrimé. Cerrin et Sill sautèrent à bord pour tester sa solidité. Quand ils hochèrent la tête, Korik invita les seigneurs à passer devant lui.

Shetra obtempéra et planta son bâton entre les madriers médians afin de pouvoir l'utiliser comme gouvernail. Hyrim la rejoignit, bientôt suivi des autres sangardes – à l'exception de ceux qui tenaient les cordes. Shetra se mit à chantonner tout bas pour invoquer le pouvoir de son bâton. Enfin, elle se déclara prête.

Korik fit signe aux deux derniers sangardes, qui bondirent dans l'embarcation ballottée par la rivière. Elle piqua du nez avant de se redresser et les eaux bouillonnantes l'entraînèrent vers le milieu de la Souille.

Dès que Shetra eut rétabli l'équilibre, elle empoigna son bâton, dont le pouvoir agit comme celui d'un gouvernail de vermeillan manœuvré par un géant. Le radeau commença par lui résister, mais très vite, il se stabilisa.

Ainsi l'expédition fut-elle précipitée hors de la vallée et de nouveau jetée dans la gueule de Sarangrave.

Libérée de la gorge qui l'enserrait comme un étau, la Souille s'élargissait et s'apaisait avant de se disperser dans de multiples canaux. Son lit décrivait des courbes sinueuses, ponctuées d'îlots rocheux, et peu à peu, elle s'effilochait en se mêlant à la trame de la jungle.

Pendant le reste de l'après-midi, Shetra demeura à la poupe, guidant le radeau dans un courant toujours plus languissant, au point qu'elle dut utiliser son bâton comme un propulseur. Lorsque le soir tomba, la lassitude creusait ses traits. Elle céda la place à quatre sangardes munis de perches, dont la vue perçante leur permettrait d'éviter les écueils dans l'obscurité. Après avoir dévoré le repas qu'Hyrim avait préparé sur un petit feu de *lillianrill*, elle sombra dans un profond sommeil.

À l'aube, elle reprit son poste. Toute la journée, Hyrim et elle se relayèrent à la barre. Le ciel était dégagé et des papillons dansaient dans la lumière du soleil. Malgré l'inertie de la Souille, le radeau progressait rapidement. La nuit, les deux seigneurs dormirent tandis que les sangardes naviguaient à la perche. Ainsi poursuivirent-ils leur descente de la Souille sans interruption jusqu'au lendemain soir.

Mais la douzième nuit de leur expédition, des nuages noirs masquèrent la lune ; une pluie torrentielle s'abattit sur Sarangrave, empêchant Shetra et Hyrim de prendre le moindre repos. Quand Korik les appela juste avant l'aube, ils repoussèrent aussitôt leurs couvertures et se levèrent pour le rejoindre.

Le sangarde désigna un îlot à la végétation touffue qui se dressait un peu en aval. En son centre, une lueur palpitait et vacillait, évoquant un feu de bois mouillé, sans réussir à dissiper les ténèbres alentour. Les seigneurs l'observèrent en silence pendant quelques instants. Puis Shetra chuchota :

— Ce n'est pas une lumière naturelle.

Korik acquiesça. Aucune des créatures phosphorescentes de Sarangrave ne pouvait se promener dehors par un temps pareil.

235

— Approchez-vous, souffla Shetra. Nous devons découvrir qui l'a allumée.

Sur l'ordre de Korik, les sangardes manœuvrèrent en direction de l'îlot. Quand ils furent à moins de dix mètres, Doar et Pren se laissèrent glisser dans l'eau. Ils gagnèrent la berge à la nage et le fouillis végétal les engloutit.

Les barreurs conduisirent le radeau à portée de saut de la rive et l'immobilisèrent sous le couvert des branches basses.

Peu de temps après, le rayonnement suspect s'éteignit. Instinctivement, les seigneurs levèrent leur bâton. Les sangardes poussèrent sur les perches et ils accostèrent. Moins d'une minute plus tard, Doar et Pren se hissèrent à bord, traînant entre eux le corps d'un homme inerte. Leurs compagnons dégagèrent immédiatement l'embarcation et la propulsèrent de nouveau vers le milieu du courant.

Hyrim alluma une torche de *lillianrill*. Dans son éclat fluctuant, les voyageurs découvrirent l'état pitoyable du rescapé. Son visage et ses membres étaient couverts de crasse et de sang séché provenant d'une multitude de petites plaies, coupures et égratignures. Ses vêtements en lambeaux attestaient la longue bataille qu'il avait livrée pour survivre à Sarangrave. Seul son plastron métallique était encore à peu près intact, et sous la boue qui le maculait, les seigneurs distinguèrent une diagonale noire sur fond jaune.

— Par les sept tabernacles ! s'écria Shetra. Un galon !

Elle saisit l'homme par les épaules, puis se rejeta en arrière comme s'il l'avait brûlée.

— *Melenkurion !* Que vous est-il arrivé ? Vous êtes glacé !

L'autre ne parut pas l'avoir entendue. Il était resté debout, immobile, là où Doar et Pren l'avait déposé. Sa tête pendait sur un côté et il respirait avec difficulté. Parfois, il clignait des paupières.

— Hyrim, ce malheureux est en train de geler sur pied ! s'écria Shetra.

Elle ramassa sa couverture et en drapa le survivant. De son côté, Hyrim alluma une vraie flambée, sur laquelle il fit bouillir de l'eau de la Souille pour la désinfecter. Shetra installa le galon devant le feu et lui prit le menton d'une main tandis que de l'autre, elle portait une gourde de guinguet à ses lèvres pour le forcer à boire. La chair du milicien était si froide que des cloques se formèrent instantanément à l'extrémité de ses doigts.

Les seigneurs s'enveloppèrent les mains de chiffons et étendirent le miraculé pour le débarrasser de ses haillons. Puis ils le nettoyèrent avec l'eau bouillie. Quand il fut propre, Shetra tira de sa robe un flacon de panseglaise et en étala un peu sur ses lésions les plus profondes.

L'aube se leva à travers les rideaux de pluie grise. Dans sa pâle lumière, Shetra et Hyrim constatèrent que leurs soins étaient demeurés vains. La peau du galon ressemblait à celle d'un cadavre. La boue miraculeuse était impuissante à soigner ses blessures et ni le feu ni les couvertures n'avaient réussi à chasser le froid de sa chair.

Pourtant, il respirait et clignait des yeux. Quand les seigneurs le redressèrent en position assise, il ferma les paupières. Des larmes roulèrent sur ses joues et vinrent former des perles de glace dans sa barbe.

— Par les sept tabernacles ! gémit Shetra. Il est mort, et pourtant il vit. Que lui a-t-on fait ?

Hyrim ne répondit pas. Mais Korik s'approcha et prit la parole au nom de la sangarde.

— Il s'appelle Hoerkin. Il commandait la première phalange de la dixième légion. Le haut seigneur avait dépêché son unité à Ondemère pour s'enquérir du sort des géants.

— Je m'en souviens, murmura Hyrim. Comme ils ne revenaient pas, Elena a envoyé Callindrill et Amhatin à leur recherche dans Sarangrave. Ils n'ont retrouvé aucune trace d'eux. Vingt et un guerriers disparus corps et biens.

— Hoerkin, dit Shetra en s'accroupissant face à lui. Hoerkin, m'entendez-vous ? Je suis Shetra Verement-mie, seigneur du conseil de Pierjoie. Je vous conjure de parler.

L'homme ne réagit pas tout de suite. Puis sa mâchoire remua et un bruit sourd monta de sa gorge.

— Je suis *ahamkara*, la Porte. J'ai été envoyé…

Ses larmes l'étranglèrent.

— Envoyé ? répéta Shetra, perplexe. La Porte ? Hoerkin, racontez-nous ce qui s'est passé !

Le galon garda le silence. Alors, Hyrim lui ordonna :

— *Ahamkara*, répondez !

Hoerkin déglutit et dit :

— Je suis *ahamkara*, la Porte. J'ai été envoyé pour témoigner de... (Sa voix s'étrangla dans sa gorge.) J'ai été envoyé pour témoigner de la chute des géants.

— Tu mens ! s'exclama Korik.

Shetra se jeta sur Hoerkin. Sans se soucier de sa douleur, elle lui prit le visage à deux mains et hurla :

— Turpide !

Le rescapé poussa un cri et se dégagea brusquement. Puis il se recroquevilla en position fœtale et se mit à sangloter comme un enfant.

Consternée, Shetra recula jusqu'à Hyrim.

Une longue minute s'écoula avant que Hoerkin se redresse maladroitement. Ses joues étaient toujours baignées de larmes.

— ... De la chute des géants, balbutia-t-il. Ils étaient trois, nés le même jour. Messagers du destin, ils obéissent à Sanguinaire Pulvérâme.

De nouveau, il s'interrompit.

— C'est impossible, affirma Korik avec force. Les géants d'Ondemère sont les amis du Fief, ses frères de roc.

Immobile comme une statue de glace, Hoerkin fixait le radeau.

— ... Pulvérâme. Les deux premiers ont pour nom le Lamineur et le Pilonneur, et le dernier ne doit pas être nommé. Ils sont les ravageurs.

Personne ne dit mot. Seigneurs et sangardes étaient trop choqués pour prononcer le moindre son. Shetra fut la première à se ressaisir et à tenter de soutirer d'autres informations à Hoerkin. Peine perdue. Prostré, il restait sourd à toutes ses questions, replié en lui-même et hors d'atteinte. Découragée, elle se tourna vers Hyrim.

— Qu'en pensez-vous ? Comment interprétez-vous ses paroles ?

— Je pense qu'il nous a dit la vérité et qu'il faut nous attendre au pire, répondit Hyrim d'un air sombre.

— Non. Par le vœu, c'est impossible, s'obstina Korik.

— Ne jurez pas sur votre vœu, le rabroua vivement Hyrim. Pas dans ce lieu impie.

Le reproche était fondé. Conscient d'avoir commis une faute, Korik se renferma dans son silence habituel.

— Tout de même... Je suis d'accord avec lui, déclara Shetra. Qu'un ravageur ait pu avoir raison du moindre géant... Cela dépasse l'entendement. Si les serviteurs du Rogue possèdent un tel pouvoir, pourquoi a-t-il tant tardé à réduire les apatrides en esclavage ?

— Vous avez raison, acquiesça Hyrim. Seuls, les ravageurs ne sont pas de force à perpétrer une telle infamie. Mais désormais, Turpide dispose de la Pierre de Maleterre, ce qui n'était pas le cas à l'époque des vénérables. Combinée à l'habileté des ravageurs, sa puissance a pu venir à bout de la résistance de nos alliés.

— Mais si une telle calamité s'était abattue sur eux, ils nous auraient sûrement fait parvenir un message !

— En effet. Je me demande ce qui les a retenus...

— Demandez-vous plutôt ce qui est arrivé à Hoerkin. Quel maléfice a pu le réduire à l'état de mort-vivant, et dans quel dessein ?

— C'est ainsi qu'œuvre le Rogue. Ne raconte-t-on pas que durant la bataille de la Haute Sylve, il a envoûté l'aubier Llaura et le jeune Pietten afin qu'ils l'aident à détruire ce qu'ils aimaient ?

— Il s'est servi d'eux comme appât... (Shetra sursauta.) Hyrim, nous sommes tombés dans le piège !

Sans attendre de réponse, elle bondit vers la poupe du radeau, planta son bâton entre les madriers et commença à incanter. Son pouvoir seigneurial se propagea à travers le bois de teck et l'embarcation se mit à filer sous la pluie.

— Aidez-moi ! cria-t-elle à Hyrim. Nous devons fuir cet endroit au plus vite !

— Si je me souviens bien de la tragédie de la Haute Sylve, le traquenard aurait fonctionné sans le concours de Llaura et de Pietten, objecta Hyrim. En définitive, les tortures que le Rogue leur a infligées n'étaient qu'une provocation, une manifestation d'arrogance superflue.

Brutalement, sa respiration se fit lourde. L'effort qu'il faisait pour inhaler tendit les muscles de son cou. Quelques instants plus tard, il tomba à genoux en se tenant la poitrine. Les sangardes haletaient, eux aussi, et le souffle de Shetra s'était changé en râle. Un silence irréel s'était abattu autour d'eux ; même les gouttes d'eau ne faisaient aucun bruit en touchant la surface de la rivière.

Soudain, Hoerkin se leva d'un bond. Une plainte sourde s'échappa de ses lèvres entrouvertes. Il rejeta la tête en arrière et son gémissement se mua en un cri terrible, que les autres passagers du radeau reconnurent avec horreur : c'était celui qui avait provoqué la débandade des ranyhyn.

De tous les sangardes, Korik fut le premier à se ressaisir. D'une violente bourrade, il jeta Hoerkin à l'eau.

Celui-ci coula comme une pierre et la Souille engloutit sa voix. Pourtant, l'air continua à s'épaissir, se refermant comme un poing autour des voyageurs.

Hyrim lutta pour se redresser.

— Le feu, le feu d'Hoerkin... Est-ce vous qui l'avez éteint ? demanda-t-il à Doar.

— Non. Il est mort à l'instant où nous avons posé les mains sur le blessé.

— Par les sept tabernacles ! C'est donc vous, et non les ranyhyn, qui avez permis à l'ennemi de nous repérer ! Cette force maléfique a capté votre rayonnement, le pouvoir de votre vœu qui brille comme un fanal !

Les sangardes restèrent silencieux. Nul ne pouvait mettre en doute l'intensité de leur serment, que rien n'aurait su dissimuler. Mais sous l'effet de la surprise, Shetra relâcha sa concentration. Livré à lui-même, le radeau se mit à dériver lentement.

Korik ordonna à quatre sangardes de reprendre les perches et de pousser l'embarcation vers la rive nord de la Souille. S'ils devaient se battre, autant que ce fût sur la terre ferme. Au reste de ses hommes, il confia la protection rapprochée des deux seigneurs.

Brusquement, la Souille parut exploser. Une gerbe d'eau souleva l'esquif et le retourna. Puis un monstrueux tentacule noir jaillit des profondeurs, fouetta l'air et vint s'enrouler autour de Shetra.

La plupart des sangardes avaient plongé pour ne pas finir écrasés. Korik, Pren et Tull nagèrent aussitôt vers l'endroit où Shetra avait disparu. Hélas, l'eau sombre les aveuglait ; ils n'y voyaient rien, ne distinguaient aucune silhouette humaine ou autre dans les flots ténébreux. La rivière semblait n'avoir pas de fond.

Korik prit le parti de renoncer. Le haut seigneur lui avait confié la responsabilité de l'expédition. Sur un ton qui n'admettait aucune réplique, il enjoignit à ses hommes de regagner le bord.

Peu de temps après, la troupe se regroupa sur la berge nord de la Souille. Deux des barreurs amarrèrent le radeau tandis que les autres récupéraient les paquetages qui flottaient.

De Cerrin et Shetra, il ne restait aucune trace. Hyrim avait bu la tasse avant que Sill le repêche et le remorque jusqu'à la terre ferme. Il toussait éperdument, mais entre deux quintes, il parvint à articuler :

— Que faites-vous ? N'arrêtez pas les recherches ! Il faut la retrouver !

Les sangardes ne bronchèrent pas. Entre le sauvetage plus qu'aléatoire d'un seigneur et la poursuite de leur mission, ils avaient choisi. Et ils savaient que Cerrin au moins était toujours vivant. Il pouvait les appeler à l'aide s'il jugeait que leur intervention valait le prix à payer.

— J'ai essayé, hoqueta Hyrim, mais je ne sais pas nager ! Quelle indignité ! (Un frisson le parcourut. Écartant les bras, il hurla :) Shetra !

Un éclair fusa de son bâton et alla frapper la rivière. Hyrim s'écroula dans les bras de Sill.

À l'endroit où Shetra avait disparu, l'eau se mit à bouillonner. Du sang mêlé de morceaux de chair noire jaillit et retomba en pluie. Une déflagration bleutée illumina brièvement les profondeurs de la Souille. Puis un grondement de tonnerre ébranla le sol et la Souille émit un sifflement de douleur. Tout à coup, l'air redevint respirable, comme si une rafale avait emporté au loin le mucus dont il semblait chargé.

Alors, les sangardes surent que Cerrin était mort.

Unique signe de la lutte acharnée de Shetra, son bâton refit surface. Porib le vit le premier et plongea pour le repêcher. Sans mot dire, il le tendit à Hyrim. Entre les deux extrémités ferrées, le bois complètement brûlé s'effritait déjà. Il se brisa entre les mains du seigneur telle une vulgaire brindille.

Hyrim se laissa lourdement tomber au pied d'un arbre. Des larmes roulaient sur ses joues. Il serra les morceaux de l'instrument détruit contre sa poitrine.

— La menace qui nous guette n'a pas été anéantie, affirma Korik. Elle a juste subi un revers. Nous devons continuer.

— Continuer ? se lamenta Hyrim. Shetra n'est plus. Comment pourrais-je suffire ? Depuis le départ, je craignais que le mal tapi à Sarangrave ne perçoive votre vœu. Mais je n'ai rien dit. (Une grimace amère tordit sa bouche.) Je pensais que si mes appréhensions étaient justifiées, vous nous mettriez en garde.

Korik et ses compagnons n'avaient aucune réponse à lui offrir. Ils ne pouvaient pas savoir à l'avance que l'ennemi capterait leur présence. Par respect pour le chagrin d'Hyrim, ils le laissèrent seul pendant qu'ils préparaient le radeau, miraculeusement intact. Les sangardes avaient pu récupérer les perches et la nourriture, ainsi que la plupart des ballots de *glutor* et des torches de *lillianrill*, mais pas les couvertures ni les vêtements de rechange.

Ce fut alors que Korik chargea Runnik, Pren et Porib de retourner à Pierjoie pour avertir Elena du décès de Shetra. Tous trois acceptèrent cette nouvelle mission sans discuter.

Les préparatifs achevés, Korik et Sill relevèrent Hyrim et le guidèrent jusqu'à l'embarcation comme un enfant à la démarche encore incertaine. Il semblait nauséeux – affecté, sans doute, par l'eau contaminée qu'il avait avalée. Tandis que les barreurs propulsaient l'esquif vers le milieu de la Souille, il murmura :

— Ce n'est pas terminé. Avant la fin de cette histoire, nous subirons des pertes bien pires que celle-ci. Hyrim fils de Hoole, tu n'es qu'un lâche.

Puis l'expédition s'éloigna au fil du courant. Runnik, Pren et Porib tournèrent les talons et s'enfoncèrent dans la jungle.

Du feu, il ne restait plus que quelques braises rougeoyantes. Troy était de nouveau aveugle. Rien ne venait effacer les images de chagrin et de mort que le récit de Runnik avait tissées dans son esprit. Il savait qu'il aurait dû demander des précisions au sangarde, mais l'obscurité intime qui l'assaillait engloutissait toutes les questions qu'il aurait pu lui poser. Il n'arrivait pas à admettre que la disparition de Shetra fût survenue dix jours auparavant. Pour lui, la nouvelle était encore trop fraîche.

Les seigneurs gardaient le silence – parce qu'ils étaient sous le choc ou peut-être parce qu'ils communiaient. Gagné par l'émotion générale, Covenant ne disait rien non plus. Mais au bout d'un moment, Elena murmura d'une voix tremblante :

— Verement, trouverez-vous la force de le supporter ?

Si Troy avait pu voir ses yeux, il aurait été stupéfié par la colère qui y brûlait.

D'une voix douce, Mhoram entonna :

> La mort n'est qu'un passage,
> Elle fait de la place et du temps pour la vie.
> Il faut haïr l'agonie et le meurtre,
> Mais pas la mort.
> Sois sage, mon cœur,
> Ne te révolte pas.
> Berce ta paix et ta douleur
> Et sois sage.

15

Boijovial

LE HAUT SEIGNEUR ET SON ESCORTE arrivèrent à la Loge au soir du sixième jour suivant leur départ. Sur les dernières lieues, la route n'avait cessé de descendre en pente douce et, alors que le soleil disparaissait derrière la chaîne Ouestronne, les cavaliers pénétrèrent dans la vallée des Deux Rivières.

À son extrémité la plus étroite, la Rill et la Llurallin se rejoignaient en formant un large V. La Llurallin, qui filait plein est à partir de la Mémoriade, prenait sa source très haut dans les montagnes, au-delà du col de la Sangarde. Sa pureté la rendait réfractaire à toute pollution et ni le sang ni la terre calcinée de Kurash Plenethor n'étaient jamais venus souiller ses eaux cristallines. Quant à la Rill, elle marquait la frontière méridionale de la Mémoriade. Comme la Maerl, elle avait recouvré sa vitalité grâce aux soins prodigués par les seigneurs et ne méritait désormais plus le surnom de Grise.

Au centre de la combe, dans le triangle dessiné par la jonction des deux cours d'eau, se dressait Boijovial, la sylve qui abritait la Loge. Cet immense banian devait sa taille prodigieuse aux traitements reçus depuis que le deuxième tabernacle et le Bâton de la Loi retrouvés avaient accru le savoir, et fortifié le pouvoir des seigneurs et des magistères.

De ses branches aussi larges que des routes tombaient six énormes racines pareilles à des troncs, qui s'étaient à leur tour ancrées dans le sol et avaient développé des ramifications ; si bien que l'arbre original était entouré par six autres, reliés entre eux et formant un seul et même spécimen. Une fois cette structure établie, les architectes de Boijovial avaient empêché les nouvelles racines d'atteindre la terre en les tissant pour former des habitations et des salles d'étude destinées aux pensionnaires de la Loge. Sous le couvert des larges ramures s'étendaient des jardins et des terrains d'entraînement pour les étudiants de l'Épée et du Bâton.

Sise dans les prairies fertiles de la Mémoriade, Boijovial était une cité florissante, et jamais dans toute son histoire la Loge n'avait compté autant de résidents. Les gardiens et les apprentis effectuaient eux-mêmes les diverses tâches afférentes à la vie communautaire – culture, élevage et corvées domestiques –, mais ils n'étaient pas les seuls habitants de la sylve. Un groupe de *lillianrill* installé à demeure veillait sur la bonne santé du banian. En outre, Boijovial accueillait tout au long de l'année des voyageurs en provenance des quatre coins du Fief : émissaires chargés par leur village de soumettre un problème à la sagacité des gardiens de la Loge, magistères souhaitant étudier le prodigieux végétal, ignessires profitant du gîte pour visiter le jardin de pierre, très proche, et enfin, seigneurs soucieux de se replonger dans l'étude des textes sacrés.

Les larges feuilles vernissées reflétant la lueur orangée du couchant, Boijovial semblait flamboyer au-dessus des ombres qui s'allongeaient dans la vallée. À cette vue, les cavaliers poussèrent des cris de joie. Talonnant leurs montures, ils dévalèrent la pente et se dirigèrent au galop vers le gué de la Llurallin.

Par mesure de sécurité, Boijovial ne disposait que de deux accès : un gué pour chaque rivière qui l'encadrait, et dont le lit était submergé. Pour l'emprunter, il fallait donc le faire monter au-dessus du niveau de l'eau. À l'exception de Covenant, tous les membres de l'escorte d'Elena en étaient capables ; aussi Troy fut-il vaguement surpris quand elle s'immobilisa sur la berge de la Llurallin et, l'air grave, demanda à Trell d'ouvrir le gué. Par ce geste, il comprit qu'elle voulait honorer l'ignessire, mais il se demandait bien pourquoi. Cela ne fit que renforcer sa curiosité à l'égard du colosse qui avait attaqué l'Incrédule.

Se dérobant au regard d'Elena, Trell mit pied à terre et s'approcha de la rive. Troy avait appris à dégager le passage en prononçant quelques mots dans une langue étrange et en effectuant deux gestes rapides, mais Trell choisit d'employer un autre moyen. Planté sur le bord de la Llurallin comme s'il s'offrait au courant profond, il entonna une chanson pareille au grondement d'un éboulis. Ses compagnons l'observèrent dans un silence respectueux. Troy ne comprit pas ses paroles à la résonance antique et caverneuse, mais perçut leur pouvoir vibrant. Un instant, elles lui donnèrent envie de pleurer.

Sa chanson achevée, Trell leva les bras et des roches plates émergèrent du fond de la Llurallin. Espacées de façon à ne pas endiguer le flot, elles séchèrent instantanément, bien que le soleil se fût déjà abîmé à l'horizon.

Tête baissée, l'ignessire revint vers son cheval.

Quand le dernier cavalier eut traversé, le gué se referma de lui-même. Impressionné, Troy songea que Covenant avait de la chance d'être toujours en vie et réalisa qu'il ferait bien de lever le voile sur le mystère qui entourait Trell avant leur départ de la Mémoriade.

Toutefois, il ne pouvait rien faire dans l'immédiat. La pâle lumière du crépuscule s'écoulait de la vallée, comme emportée au fil de l'eau, et il devait se concentrer pour ne pas perdre ses marques. Des torches avaient été allumées, mais leur éclat ne pouvait en aucun cas rivaliser avec celui du soleil. Aussi Troy se plaça-t-il entre Ruel et Mhoram pour se laisser guider jusqu'à Boijovial.

Un comité d'accueil attendait les voyageurs au pied du banian. Sept gardiens de la Loge saluèrent solennellement les seigneurs et étreignirent leurs camarades enfin de retour après une longue visite à Pierjoie. Ils sourirent à Troy, qu'ils connaissaient bien. Mais quand leur regard se posa sur Covenant, ils se tournèrent vers lui et bombèrent le torse comme s'ils s'apprêtaient à subir une inspection.

— Salut à vous, porteur d'or blanc, vous que l'on

nomme seigneur suprême Thomas Covenant, Incrédule et orréchal. Soyez le bienvenu à Boijovial. Vous êtes la pierre de voûte et le pivot de cette époque, le détenteur de la magie sauvage qui détruit la paix. Faites-nous l'honneur d'accepter notre hospitalité.

Troy redoutait une réponse sarcastique de Covenant, mais le lépreux se contenta de marmonner d'un air embarrassé :

— Tout l'honneur sera pour moi.

Ses hôtes s'inclinèrent devant lui et le plus âgé d'entre eux s'avança. C'était un vieillard chenu, au visage sillonné de rides et aux paupières tombantes.

— Je suis Corimini, se présenta-t-il d'une voix chevrotante, l'aïeul de la Loge. Je parle au nom de tous ceux qui cherchent la Sagesse à travers le Bâton et l'Épée. Accepter ce qui est offert honore le donneur.

En parlant, il tendit la main à Covenant pour l'aider à descendre de cheval. Mais celui-ci se méprit sur son geste – à moins qu'il n'ait instinctivement vu au-delà. Au lieu de se laisser glisser à terre, il arracha brusquement son alliance de son doigt et la fit tomber dans la paume ouverte de Corimini.

Celui-ci retint son souffle et ses yeux s'écarquillèrent de stupeur. Il pivota pour montrer l'anneau aux autres gardiens. Ce fut la ruée. Marmottant des bribes d'incantations ou de prières, tous se pressèrent autour de lui pour contempler le métal précieux et pour l'effleurer de leurs doigts tremblants.

Corimini reporta son attention sur Covenant. Les yeux humides d'émotion, il lui rendit son bien.

— Seigneur suprême, vous nous avez comblés. Plusieurs générations ne nous suffiront pas pour vous rendre la faveur que vous venez de nous faire. Ordonnez, et nous vous obéirons.

— Je n'ai pas besoin de vos services, mais d'une solution, répliqua Covenant sur un ton bourru. Trouvez un moyen de sauver le Fief sans ma participation.

— Je crains de ne pas vous comprendre, s'excusa Corimini. Toutes nos forces sont tendues vers la préservation du Fief. Si cela peut vous être d'un quelconque secours, nous en serons enchantés. (Il se tourna vers les autres cavaliers.) Venez. Nous vous avons préparé des rafraîchissements.

Elena le remercia d'un gracieux signe de tête et sauta légèrement à terre. Les membres de l'escorte l'imitèrent. Aussitôt, des élèves sortirent de l'ombre du banian pour prendre leurs montures en charge. Puis les gardiens entraînèrent les visiteurs vers le tronc central. De nombreuses lumières apparaissaient peu à peu dans la ramure et leur éclat combiné restaura partiellement la vision d'Hile Troy.

Emboîtant le pas aux seigneurs, il leva un regard affectueux vers la sylve familière. D'une certaine façon, il se sentait chez lui à Boijovial – bien plus qu'à Pierjoie. C'était ici qu'il avait appris à voir. À ce souvenir, son cœur se gonfla de reconnaissance. Il était dans de si bonnes dispositions qu'avisant la mine déconfite de Covenant au moment d'escalader l'arbre, il trouva la magnanimité de lui adresser quelques mots d'encouragement.

— Vous ne comprenez pas, grommela le lépreux. J'ai le vertige.

Raide d'appréhension, il se força à empoigner les montants de l'échelle. Bannor se plaça derrière lui, prêt à le retenir en cas de défaillance.

Pour sa part, Troy se mouvait avec aisance. Outre l'impression de sécurité qu'ils lui donnaient, les barreaux robustes et lisses semblaient le pousser vers le haut, comme si Boijovial était impatient de l'accueillir en son sein. Il ne lui fallut que quelques instants pour atteindre le dernier degré.

Les architectes de Boijovial avaient fait en sorte que la face supérieure des branches fût plate. Certaines étaient si larges qu'on pouvait y marcher à trois ou quatre personnes de front. Tandis qu'il longeait l'une d'elles, Troy agita la main pour saluer les gens qu'il connaissait : la plupart des gardiens de l'Épée et quelques étudiants originaires de Pierjoie.

Arrivée à l'intersection de plusieurs ramifications, la procession se dirigea vers l'un des troncs périphériques, dans lequel s'ouvrait une vaste cavité. Lorsque Troy y pénétra, il vit que c'était une salle de banquet brillamment éclairée par des torches de *lillianrill*. Des tapis de mousse recouvraient le plancher et de longues tables y étaient dressées. Des élèves de tous âges s'affairaient autour, portant des plateaux chargés de carafes ou de plats fumants.

Drinishok, le doyen de l'Épée, vint à la rencontre de l'insigne, dont il avait été le premier professeur. À l'exception de ses sourcils grisonnants et broussailleux, il n'avait rien d'un guerrier ; ses bras fluets ne semblaient pas assez robustes pour manier une arme. Mais il avait formé trois seigneurs et les trois quarts des miliciens, et ses membres bronzés étaient couverts de cicatrices blanchâtres. Troy le salua avec chaleur, et après avoir observé la minute de recueillement traditionnelle pour remercier la Terre de ses bienfaits, ils s'assirent pour se restaurer.

La nourriture était simple, mais aussi savoureuse qu'abondante. Les convives dévorèrent de bon cœur la viande, le riz, le fromage, le pain et les fruits qu'on leur avait servis. Le guinguet coula à flots tandis que rires et plaisanteries fusaient en tout sens.

Le repas achevé, Elena présida le petit spectacle mis au point par les étudiants. Des champions de l'Épée firent des démonstrations de gymnastique et d'escrime ; des apprentis du Bâton racontèrent l'histoire de Bahgoon l'Insupportable et de Thelma Deux-Poings qui l'avait apprivoisé. Troy, qui l'entendait pour la première fois, s'en délecta.

Souhaitant prolonger ce répit dans la tristesse et l'angoisse, il ne suivit pas les seigneurs quand ils se retirèrent avec leurs hôtes pour discuter de la désastreuse nouvelle rapportée par Runnik et préféra accepter l'invitation de Drinishok, qui lui proposait de dormir chez lui.

Près de la cime d'un des troncs extérieurs, dans une petite pièce aux murs de branchages et de feuilles tissées, les deux hommes continuèrent à boire et à bavarder très tard dans la nuit. Drinishok était tout excité par la perspective de la bataille imminente ; il jura que seule la défense de la Loge le retenait à Boijovial et l'empêchait de rejoindre la milice. Comme toujours, il manifesta une compréhension intuitive de la stratégie de Troy et quand celui-ci alla enfin se coucher, seul le mystère de Trell entachait encore sa satisfaction.

Bercé par la douce brise qui soufflait au-dehors, il sombra dans un profond sommeil, dont il s'éveilla à l'aube, impatient d'attaquer une nouvelle journée. Il ne fut guère surpris de constater que Drinishok était déjà parti : il connaissait son emploi du temps rigoureux. Il se leva, se vêtit, enfila ses bottes de cuir par-dessus son pantalon noir et chaussa soigneusement ses lunettes. Puis il avala un rapide petit déjeuner et passa quelques minutes à polir son plastron et son épée d'ébène. Ainsi paré d'un uniforme impeccable, il se dirigea vers le tronc central, qu'il escalada jusqu'au poste de guet.

Deux étudiants montaient la garde sur une petite plateforme perchée au sommet du banian. Après les avoir salués, Troy contempla la vallée des Deux Rivières qui s'étendait en contrebas. Il ne cherchait pas de signe de danger : simplement, il aimait cette région riante et voulait en graver les paysages dans son esprit pour ne jamais les oublier.

Il était encore en train d'admirer le panorama quand il entendit le signal du rassemblement. Aussitôt, il prit congé des sentinelles et descendit vers le *viancome*, une large cuvette à ciel ouvert, formée par un filet de lianes et de racines suspendu à quatre branches maîtresses de l'arbre original. La moitié des habitants de la sylve pouvaient aisément y tenir. Les gens s'asseyaient en laissant leurs pieds pendre dans le vide par les mailles du treillis. Celles-ci mesuraient rarement plus de quinze centimètres de large, mais elles rendaient le déplacement périlleux pour les novices. Par chance, Troy avait le pied sûr et leste d'un aveugle ; d'une démarche assurée, il rejoignit Drinishok et les autres gardiens de l'Épée, qui s'étaient perchés à mi-hauteur de l'amphithéâtre végétal.

Les sangardes avaient pris place sur le pourtour. Amhatin et Mhoram étaient déjà là, en grande discussion avec quelques gardiens du Bâton. Elena arriva en compagnie d'Asuraka, la doyenne du Bâton. Surpris, Troy haussa les sourcils : il s'était attendu que la jeune femme passât la nuit chez Corimini. Mais quand ce dernier fit son apparition, il était flanqué de Covenant.

Alors, Troy comprit ce qui s'était passé. La Loge considérait l'Incrédule comme étant d'un rang supérieur à celui d'Elena ; aussi lui avait-elle accordé l'hospitalité de son aïeul : le plus grand honneur qui puisse être fait à un visiteur. Troy en fut consterné : c'était un affront envers le haut seigneur. Mais il se consola en observant l'expression d'épouvante de Covenant lorsqu'il découvrit la structure de l'installation et le vide qui béait en dessous.

Refusant de suivre Corimini, le lépreux alla s'asseoir à l'aplomb d'une des branches de soutènement et se cramponna des deux mains à la racine qui soutenait son poids. Bannor s'accroupit tant bien que mal près de lui.

Le *viancome* fut bientôt plein. Les seigneurs, l'insigne et les doyens de la Loge s'étaient disposés en éventail. Debout face à eux, Corimini balaya l'assemblée du regard. Dès qu'il eut obtenu le silence, il commença la cérémonie.

Elena et lui échangèrent les salutations traditionnelles et chantèrent à tour de rôle les invocations qu'ils jugeaient appropriées aux circonstances. Cette alternance hypnotique tissa une atmosphère de concentration, liant tous les participants comme pour les inclure dans la trame de la merveilleuse et funeste histoire du Fief. Envoûté, Troy en oublia presque que la moitié de ce qui était dit et chanté ne visait qu'à honorer le porteur d'or blanc.

Mais Covenant n'avait pas l'air touché. Il était raide et crispé, comme si on lui pressait la pointe d'un couteau dans les reins.

Quand Corimini et Elena se turent enfin, l'aïeul de la Loge jeta un coup d'œil à Covenant pour lui donner la parole. Mais celui-ci se contenta de le foudroyer du regard. Frémissant, le vieillard se détourna.

— Haut seigneur Elena, seigneur Mhoram, seigneur Amhatin, insigne Troy, soyez les bienvenus dans le *viancome* de Boijovial. Nous sommes la Loge, étudiants et serviteurs de la Sagesse de Kevin. Nous nous sommes rassemblés pour vous honorer et vous offrir notre soutien durant la guerre à venir. La préservation du Fief et de la Sagesse est entre vos mains, comme leur compréhension est entre les nôtres. Si nous pouvons vous aider de quelque manière que ce soit, demandez, et nous emploierons notre science et notre ardeur à vous exaucer.

Elena s'inclina profondément et répondit :

— Je suis très honorée de parler devant la Loge et les habitants de Boijovial. Aïeul, doyens, gardiens, étudiants de l'Épée et du Bâton, amis du Fief, au nom des seigneurs, je vous remercie. Tant que perdureront votre foi et votre dévouement, jamais nous ne serons vaincus.

Troy songea qu'il ne la connaissait pas aussi radieuse.

— Je ne m'étendrai pas sur les dangers que le conflit provoquera à Boijovial. La Sagesse de l'Épée pourvoira à votre défense. Et Amhatin restera parmi vous ; elle fera tout ce qui est en son pouvoir pour protéger la vallée des Deux Rivières.

Des vivats montèrent de l'assemblée, mais la jeune femme les fit taire d'un regard impérieux et poursuivit :

— Je ne m'attarderai pas davantage sur le sort des stèlages et des sylves qui seront détruits pendant la bataille. Je sais que leurs habitants trouveront ici un refuge et la consolation qu'un cœur humain peut désirer ; nul besoin que je vous recommande de les accueillir comme il se doit.

« Je n'insisterai pas non plus sur la nécessité de maîtriser la Sagesse de Kevin. Vous y avez déjà consacré toute votre application et avez accompli beaucoup. Votre fidélité vous poussera d'elle-même à continuer dans cette voie. J'ai foi en vous.

« Il reste cependant deux questions que je souhaite aborder. La seconde concerne un étranger qui nous a rendu visite à Pierjoie. La première vous a déjà été soumise voilà un an, à la requête d'Hile Troy. Nous espérons que la Loge a trouvé un moyen de transmettre et de recevoir des messages par-delà de grandes distances. Cela nous assurerait un avantage considérable durant l'affrontement qui s'annonce.

L'expression satisfaite de Corimini parla pour lui avant qu'il se soit exprimé. Le cœur de Troy fit un bond dans sa poitrine et il agrippa la poignée de son épée.

— Haut seigneur, nous avons réussi, exulta le vieillard. Plusieurs de nos meilleurs étudiants et gardiens, secondés

par des magistères du *lillianrill*, se sont dévoués à la poursuite de cette tâche. Ainsi ont-ils découvert qu'il est
possible de communiquer par l'intermédiaire du *lomillialor*. C'est une entreprise difficile, qui exige une grande
force ; mais elle ne devrait pas tenir en échec les seigneurs,
habitués à manier le Pouvoir de la Terre. Asuraka vous
montrera comment faire. Nous avons préparé trois
baguettes de *lomillialor* à cette fin. Nous n'avons pu faire
davantage, car le haut bois est malheureusement très rare.

Le *lomillialor*. Troy en avait entendu parler. C'était le
pendant *lillianrill* de l'*orcrest*, un bois puissant issu de
l'Arbre primordial, dans lequel Berek Demi-Main avait
taillé le Bâton de la Loi. Entre autres choses, les magistères l'utilisaient pour administrer le test de vérité. On
racontait qu'il donnait toujours des résultats fiables, à
condition que le pouvoir du sujet ne surpasse pas celui de
l'examinateur. Durant son premier séjour dans le Fief,
Covenant avait subi une telle épreuve à la Haute Sylve,
avant que celle-ci fût incendiée par les sbires du Rogue.

Troy se leva et joignit ses remerciements à ceux d'Elena.
Avant de se rasseoir, il jeta un coup d'œil à l'Incrédule
pour voir comment il prenait la nouvelle. Ce qu'il découvrit le fit sursauter. Il secoua la tête, rajusta ses lunettes et
regarda de nouveau. Pas de doute. La poitrine de Covenant ondulait telle la surface d'un étang sous la brise – ou
tel un mirage. Pourtant, le reste de son corps semblait
parfaitement solide.

Troy avait déjà observé ce genre d'effet. Il se tourna vers
Elena, qui haussa un sourcil interrogateur. Elle était
intacte, comme les autres occupants du *viancome*.

Covenant ne paraissait pas conscient de ce qui lui arrivait, mais les sangardes s'étaient levés et, malgré son
expression impassible, Bannor se tenait prêt à bondir sur
l'Incrédule.

Alors, la zone de distorsion se détacha du lépreux et
flotta paresseusement vers Elena. La seule fois où Troy
avait été témoin d'un pareil phénomène, celui-ci s'était
évanoui si vite qu'il l'avait attribué à une défaillance
momentanée de sa vue. À présent, il savait à quoi il était
dû.

— Continuez, haut seigneur, dit-il avec une nonchalance étudiée pour donner le change. Vous vouliez aborder une question...

En parlant, il fit un pas vers Elena comme pour lui manifester sa déférence. Le mirage se rapprochait de la jeune femme.

« Finalement, l'or blanc de Covenant aura peut-être servi à quelque chose », songea Troy, tout excité.

L'instant d'après, il bondit. En trois enjambées rapides, il rejoignit Elena et plongea sur l'illusion, qui tenta d'esquiver. Mais il la percuta de plein fouet et s'écroula en la tenant dans ses bras. Elle se débattait, et Troy sentait des bras et des jambes invisibles le repousser de toutes leurs forces. Mais il tint bon et resserra son étreinte jusqu'à ce que la créature cesse de résister, puis se redressa en l'entraînant à sa suite.

— Tu as perdu, mon ami, triompha-t-il. Montre-toi, si tu ne veux pas que je demande au haut seigneur de te caresser les côtes avec le Bâton de la Loi.

Covenant fixait l'insigne comme s'il avait perdu la raison. Mais Amhatin l'observait d'un air avide et Elena s'avança pour donner plus de poids à sa menace.

Un éclat de rire juvénile résonna à travers le *viancome*.

— Très bien, je me rends, lança une voix désincarnée, pétillante de gaieté. Lâchez-moi ; je vous promets que je n'essaierai pas de me sauver.

Troy obtempéra.

L'air tourbillonna et Amok apparut devant lui, toujours aussi jeune et antique à la fois.

— Salut à vous, haut seigneur ! s'écria-t-il joyeusement. (Il pivota vers celui qui l'avait capturé.) Salut à vous, insigne ! Vous avez une vision étonnante, mais une poigne un peu brutale. Est-ce ainsi qu'on accueille les visiteurs à Boijovial ? Tant de violence n'est pas nécessaire. Je suis là.

— Par l'enfer ! s'exclama Covenant.

— Vous croyez ? répliqua Amok avec un sourire éblouissant, qui parut faire étinceler ses boucles. Ce n'est pas à moi de le dire. Vous portez l'or blanc. C'est pour vous que je suis ici.

Les occupants du *viancome* s'étaient levés, et les gardiens de la Loge avaient formé un cercle autour de Troy et de son prisonnier. Corimini et Asuraka bombardaient Elena de questions. Mais le haut seigneur s'effaça devant Amhatin, qui fit un pas vers Amok.

— Tu es revenu pour l'Incrédule ? Explique-toi, exigea-t-elle.

— Seigneur, la proximité de l'or blanc bouleverse l'échéance qui m'avait été fixée. Quand le *krill* de Loric est revenu à la vie, j'ai aussitôt ressenti l'urgence de me manifester. Je me suis donc présenté à Pierjoie, où vous m'avez révélé que les héritiers de la Sagesse de Kevin n'étaient pas responsables du réveil de l'épée. J'ai alors craint d'avoir failli à ma mission. Depuis ce jour, j'ai parcouru le Fief et mesuré l'ampleur du danger qui le menace. On m'a parlé de l'or blanc et je sais désormais que lui seul a pu tirer le *krill* de son sommeil. Grâce soit rendue au discernement qui présida à ma création. L'événement qui devait mettre un terme à mon attente ne s'est pas produit ; pourtant, ma présence s'est avérée nécessaire. Me voici donc !

— As-tu changé ? s'enquit Amhatin. Consens-tu maintenant à nous révéler ce que tu sais ?

— Je suis ce que je suis et pour autant que je le respecte, l'or blanc n'y change rien.

— Qui est ce garçon ? insista Corimini.

En lui répondant, Elena fournit à Amhatin le temps de préparer la suite de son interrogatoire.

— Il se nomme Amok. Il est le dépositaire d'une partie de la Sagesse de Kevin, qui l'a créé pour... pour répondre à certaines questions. Notre glorieux ancêtre pensait que lorsque ses héritiers maîtriseraient le *krill*, ils seraient prêts à entendre les révélations d'Amok. Mais c'est l'Incrédule qui a réveillé l'épée de Loric et nous ignorons les questions qu'il faudrait poser.

Un murmure de stupéfaction parcourut le *viancome*. Mais Troy vit que les gardiens saisissaient la situation beaucoup mieux que lui. Des perspectives qui lui échappaient totalement faisaient briller leurs yeux.

Sur un signe de Corimini, Drinishok et Asuraka vinrent encadrer Amhatin. Tacitement, cela signifiait qu'ils mettaient leur science à sa disposition. La jeune femme les remercia d'un sourire, puis leva son visage à l'expression concentrée vers Amok.

— Étranger, qui es-tu ?

— Seigneur, je suis ce que vous voyez. Ceux qui me connaissent n'ont que faire de mon nom.

— Qui t'a créé ?

— Le haut seigneur Kevin fils de Loric petit-fils de Damelon et arrière-petit-fils de Berek Cœur-Vaillant le père fondateur.

— Pourquoi as-tu été créé ?

— J'attends. À l'occasion, je fournis des réponses.

Le jeune homme grimaça, comme pour railler le manque de pertinence des questions d'Amhatin.

— Mon garçon, connais-tu des secrets qui appartiennent à la tradition de la guerre ? intervint Drinishok, irrité.

Amok éclata de rire.

— J'étais déjà un vieillard quand le grand-père du grand-père de votre grand-père tétait encore le sein. Ai-je l'air d'un guerrier ?

— Peu m'importe ton âge, aboya Drinishok. Tu te conduis comme un galopin !

— Je suis ce que je suis. Je me conduis comme je suis censé le faire.

Amhatin fixa intensément Amok.

— Puisque tu n'es pas humain, qu'es-tu donc ?

La réponse fusa, brutale, directe :

— Je suis le septième tabernacle de la Sagesse de Kevin.

Un silence choqué accueillit cette révélation. Les deux doyens hoquetèrent et Corimini dut se raccrocher à l'épaule d'Elena. Une joie sauvage illumina le visage de la jeune femme. Des visions prophétiques embrasèrent les prunelles de Mhoram. Et Amhatin resta bouche bée, émerveillée ou consternée, Troy n'aurait su le dire. Quant à lui, même s'il n'avait pas consacré toute son existence à étudier les textes sacrés, il se sentait brusquement déséquilibré, comme si une force mystérieuse venait de l'ébranler.

Puis la tension se dissipa et l'assemblée laissa éclater sa joie. Les étudiants trépignaient et poussaient des vivats ; les gardiens se pressaient autour d'Amok pour vérifier qu'il était bien réel. À travers la clameur, Troy entendit Elena s'exclamer :

— Nous sommes sauvés !

— Sauvés ? répéta Covenant d'une voix rauque. Vous ne savez même pas en quoi consiste le septième tabernacle !

Elena ignora sa remarque. Elle félicita chaudement Amhatin, puis leva les bras pour réclamer le silence.

— Amok, tu as bien fait de revenir, dit-elle lorsqu'elle eut rétabli un semblant d'ordre. Grâce à toi, nous ne serons plus aussi désarmés face au Rogue.

Mais Corimini s'était ressaisi et se souvenait du peu de résultats produits par l'étude acharnée des deux premiers tabernacles. D'une voix chevrotante, il fit remarquer :

— Nous ignorons toujours les questions nécessaires pour déverrouiller son savoir.

— Nous les trouverons, affirma Elena sur un ton qui n'admettait aucune réplique.

Amhatin réfléchit.

— Amok, les tabernacles dont nous disposons déjà embrassent quantité de sujets. En va-t-il de même pour le septième ?

Amok dut trouver la réflexion judicieuse, car son visage d'ordinaire espiègle se fit grave.

— Seigneur, celui-ci possède de nombreux usages, mais je ne représente qu'un de ses aspects.

— Lequel ?

— Je suis la voie et la porte.

— Explique-toi.

— Je vous ai donné ma réponse.

Amhatin consulta Elena et Mhoram du regard, et Troy en profita pour demander :

— La voie et la porte qui conduisent à quoi ?

Amok gloussa.

— Ceux qui me connaissent n'ont que faire de mon nom.

— Et ceux qui ne te connaissent pas t'appellent Amok... Je sais, grogna Troy. Trouve autre chose à dire.

— Trouvez autre chose à me demander, répliqua impudemment le jeune homme.

Désarçonné, Troy se tut.

— Amok, le savoir est la voie et la porte du pouvoir, reprit Amhatin au bout d'un moment. Le Pouvoir de la Terre répond à ceux qui connaissent son nom. Quel est l'étendue de celui-ci du septième tabernacle ?

— Il est le point culminant de la Sagesse de Kevin, grimaça Amok comme s'il venait de faire une excellente plaisanterie.

— Peut-il être employé pour vaincre le Rogue ?

— Il n'est qu'un moyen ; c'est à son utilisateur qu'il appartient de déterminer la fin à laquelle il désire l'employer.

Amhatin hésita. Elle semblait presque effrayée par la question qu'elle s'apprêtait à poser, mais affermit sa résolution et demanda :

— Le septième tabernacle contient-il le secret du rituel de profanation ?

— Seigneur, la profanation ne requiert aucune connaissance particulière, affirma Amok. Elle est à la portée de tous ceux qui souhaitent la perpétrer.

Amhatin soupira, puis se tourna vers Asuraka pour lui demander conseil. À son tour, la doyenne du Bâton consulta Drinishok, mais le guerrier était hors de son élément et n'avait pas de suggestion à faire. Mue par une impulsion, Amhatin s'approcha de Corimini. Tous deux discutèrent à voix basse pendant quelques instants, puis la jeune femme revint vers Amok.

— Les autres tabernacles nous enseignent comment manipuler différentes facettes du pouvoir. Es-tu l'incarnation de celui du septième ?

— Je suis la voie et la porte.

— Cela signifie-t-il que tu es un initiateur ?

— Je suis la voie et la porte, répéta Amok.

Une lueur de compréhension s'alluma dans le regard d'Amhatin.

— Tu es un guide ! s'exclama-t-elle.

— Oui.

— As-tu été créé pour nous révéler le chemin menant au pouvoir ?

— C'est possible. Si vous êtes capables de le suivre.

— Où se trouve ce pouvoir ?

— Il est caché, comme il se doit.

— En quoi consiste-t-il ?

Amok éclata de rire.

— Chaque chose en son temps, seigneur. Ceux qui me connaissent n'ont que faire de mon nom.

Les épaules d'Amhatin s'affaissèrent et elle tourna vers Elena un visage sur lequel se lisait l'aveu de la défaite. Un murmure de déception parcourut l'assemblée. Mais Elena s'avança calmement et planta le Bâton de la Loi dans le sol. D'une voix douce et confiante, elle demanda :

— Amok, me guideras-tu ?

Le jeune homme s'inclina devant elle avec un sérieux inattendu.

— Oui, haut seigneur. Si l'or blanc m'y autorise.

— Ce n'est pas à moi de te donner la permission, dit très vite Covenant.

Mais personne ne l'écouta.

— Où irons-nous ? s'enquit Elena en souriant.

Amok eut un geste vague en direction de la chaîne Ouestronne.

— Et quand partirons-nous ?

— Quand vous le désirerez. (Amok rejeta la tête en arrière et s'esclaffa, comme incapable de contenir plus longtemps le torrent de sa bonne humeur.) Il vous suffira de penser à moi et je vous rejoindrai aussitôt.

Puis il exécuta une série de gestes complexes et disparut.

Cette fois, Troy ne distingua aucun flottement rémanent. Il regrettait déjà l'intervention d'Amok. Vers quels périls cet être étrange allait-il entraîner Elena ? Il n'en avait pas la moindre idée, mais une sourde appréhension lui serrait le cœur.

Peu de temps après, l'assemblée se dispersa. Les gardiens et les étudiants du Bâton avaient hâte de s'isoler pour discuter de ce qui venait de se produire. Drinishok ordonna à ses pairs et à leurs élèves de se rendre au terrain d'entraînement. Elena, Mhoram et Amhatin partirent pour la bibliothèque de la Loge en compagnie de Corimini et d'Asuraka. Bientôt, Troy, Covenant et Bannor se retrouvèrent seuls dans le *viancome*.

Troy sentait qu'il aurait dû parler avec l'Incrédule ; il avait encore tant de choses à lui demander... Mais craignant de ne pouvoir conserver son sang-froid face à la morgue du lépreux, il sortit sans lui accorder le moindre regard. Il voulait s'entretenir avec Elena, lui demander pourquoi elle avait si imprudemment proposé à Amok de le suivre. Mais là encore, il redoutait que ses émotions ne le trahissent. Aussi regagna-t-il les quartiers de Drinishok.

Là, il mangea un peu de pain et de viande, qu'il arrosa d'une copieuse quantité de guinguet – espérant que l'ivresse dissiperait le funeste pressentiment qui le taraudait depuis le départ d'Amok. L'idée qu'Elena puisse partir avec le jeune homme en quête d'un pouvoir mystérieux et probablement inutile, alors qu'on avait tant besoin d'elle ailleurs, le faisait grincer des dents. Quelque chose lui disait qu'il allait la perdre – que le Fief allait la perdre. Hélas, loin de restaurer son équilibre, la boisson lui fit tourner la tête, comme si des vents menaçants l'assaillaient de toute part.

En début d'après-midi, il se lança à la recherche des seigneurs. Un des gardiens lui apprit qu'ils s'étaient enfermés avec Asuraka pour étudier les baguettes de *lomillialor* censées leur permettre de communiquer à distance. Alors, il regagna le sol, siffla pour appeler Mehryl et s'éloigna, flanqué de Ruel. Il voulait se rendre sur la tombe de l'étudiant qui l'avait amené dans le Fief.

« Ce n'est pas en vous ni en moi qu'ils placent leur foi, mais en celui à qui vous devez d'avoir été appelé », avait dit Covenant. Depuis, cette phrase lui trottait dans la tête. Une des raisons pour lesquelles il se méfiait de l'Incrédule était qu'à l'origine, celui-ci avait été amené par Sialon Larvae, à l'instigation du Rogue. Existait-il un rapport entre la nature de ce dernier et le mérite de Covenant ? Troy avait eu l'impression bizarre que celui-ci en savait plus long que lui sur le jeune étudiant et voulait tirer au clair le mystère de son arrivée dans le Fief. En outre, revoir l'endroit où il s'était réveillé cinq ans plus tôt dissiperait peut-être l'angoisse diffuse qui le tenaillait. Il avait besoin de retrouver son assurance. S'il ne croyait pas en lui, comment pourrait-il contester la décision d'Elena ?

Mais quand il atteignit la tombe nichée au cœur des collines, il eut la surprise de trouver Trell agenouillé au pied du monticule, comme en prière. L'ignessire leva vers lui un visage bouffi de chagrin. Troy en fut abasourdi. Avant qu'il puisse lui demander une explication, Trell s'était relevé et se dirigeait en toute hâte vers sa monture, attachée à un arbre voisin. Troy voulut le rappeler, mais Ruel l'en empêcha.

— Laissez-le partir.

Le sangarde suivit Trell des yeux et Troy fut stupéfait de déceler une lueur de compassion dans son regard.

— Que faisait-il ici ? Je ne comprends pas…

— Si vous voulez le savoir, demandez-le au haut seigneur, répondit Ruel, impassible.

— C'est à vous que je pose la question ! s'emporta Troy.

— Je n'ai rien à vous dire.

Au prix d'un gros effort, l'insigne se ressaisit. Visiblement, Ruel avait reçu des instructions de la part d'Elena et, tant que celles-ci ne mettraient pas en danger la vie de la jeune femme, rien ne pourrait le persuader de lui désobéir.

— Très bien, lâcha Troy avec raideur.

Et il reprit aussitôt le chemin de Boijovial.

Drinishok l'attendait au pied du banian. Les seigneurs avaient annoncé qu'ils partiraient le lendemain matin, et le doyen voulait que Troy discute de la défense de la sylve avec les gardiens et les étudiants de l'Épée. C'était une responsabilité à laquelle Troy ne pouvait se dérober. La mort dans l'âme, il suivit Drinishok.

Tandis que la brume qui l'emprisonnait se changeait en ténèbres épaisses, il s'adressa aux adeptes rassemblés devant lui. Il n'avait pas besoin de voir de quoi il parlait ; sa stratégie était gravée dans sa mémoire. Mais quand le conseil de guerre s'acheva enfin, il réalisa qu'il avait laissé passer sa chance de s'entretenir en privé avec Elena. Le courage semblait l'avoir déserté en même temps que la vision. Il raccompagna Drinishok chez lui et tous deux soupèrent dans un silence incommodant.

Troy alla se coucher de bonne heure. Il ne supportait plus l'obscurité, que la lumière des torches avait tant de mal à pénétrer. Drinishok respecta son humeur taciturne et se garda bien de lui poser la moindre question. Resté seul dans le noir, Troy tenta vainement de recouvrer son calme. Il était certain qu'il allait perdre Elena. Il brûlait d'envie de lui parler, de la dissuader de se lancer dans cette folle entreprise, de s'accrocher à elle pour la garder près de lui.

Mais le lendemain matin, quand les cavaliers se rassemblèrent peu après l'aube au pied du banian, Troy fut incapable de s'ouvrir de ses craintes à celle qui en était l'objet. Majestueusement juchée sur le dos de Myrha, Elena incarnait l'autorité. Il se sentait incapable de l'accabler ou même de la contredire, et trop de gens l'entouraient pour qu'il l'interroge au sujet de Trell. Aussi s'efforça-t-il de penser à autre chose jusqu'à ce qu'il puisse la prendre à part.

En balayant leur groupe du regard, il aperçut Trell, qui se tenait un peu en retrait. L'ignessire fixait Elena d'un air anxieux, comme s'il attendait qu'elle prononce un verdict.

— Mes amis, déclara la jeune femme d'un air grave, je laisse Boijovial sous votre garde. Protégez-le bien ! C'est l'une de nos plus grandes réussites, un symbole éclatant de notre dévouement envers le Fief. Soyez vigilants et surveillez les plaines centrales. Si les hostilités viennent jusqu'à vous, qu'elles ne vous prennent pas au dépourvu. N'oubliez pas : même si la Loge succombe, la Sagesse de Kevin devra être préservée à tout prix, et Pierjoie immédiatement prévenue. N'hésitez pas à vous y réfugier en cas de besoin.

« Sœur Amhatin, c'est une bien lourde responsabilité que je vous confie. Mais je suis sans crainte. Elle ne vous dépasse pas. Pour la mener à bien, vous bénéficierez de l'aide inestimable de l'aïeul Corimini, et des doyens Asuraka et Drinishok. J'ai foi en la milice et en sa capacité à triompher du Rogue. Que cela ne vous empêche pas, cependant, de vous préparer au pire. Vous n'échouerez pas, j'en suis convaincue.

Amhatin cligna des yeux pour en chasser les larmes et s'inclina en silence devant Elena. Alors, celle-ci leva la tête et haussa la voix pour se faire entendre par les habitants de Boijovial.

— Amis, camarades, fier peuple du Fief ! La guerre est déclarée. C'est ensemble que nous allons affronter la plus grande épreuve de notre temps, même si nos tâches respectives nous appellent en des lieux différents. N'aspirez pas à échanger votre place contre celle d'autrui : les diverses missions se valent et vous exposeront à la mort. Ne vous lamentez pas, non plus, sur notre séparation. C'est nous que le destin a choisis pour relever le défi suprême et repousser nos limites au service du Fief.

« Gardez courage. Même si vos forces vous trahissent, ne désespérez pas. Souvenez-vous de votre serment et raccrochez-vous à votre foi. Mieux vaut mourir en paix que de profaner de nouveau le Fief. Mes amis, je suis honorée d'avoir partagé votre vie.

Très haut dans les ramures du banian, une voix stridente lança :

— Salut à vous, haut seigneur, porteuse du Bâton de la Loi !

Et tous les habitants de la sylve reprirent en chœur :

— Salut à vous, haut seigneur !

Elena s'inclina profondément devant Boijovial. Puis elle fit pivoter Myrha vers les cavaliers.

— Mhoram, mon ami le plus précieux, c'est ici que nos routes se séparent. Hile Troy et vous allez rejoindre la milice pour la mener au combat. En ce qui me concerne, ma décision est prise : je vous quitte pour suivre Amok.

Troy poussa un grognement involontaire et s'accrocha à la crinière de Mehryl pour ne pas tomber.

— Loin de moi le désir de me dérober aux périls de ce conflit, poursuivit Elena. Mais vous êtes plus expérimenté que moi, plus compétent pour superviser le déroulement des opérations. Et vous savez que nous n'aurons pas de meilleure occasion de récupérer le septième tabernacle, qui pourrait bien s'avérer la clé de notre victoire. Je n'ai pas le choix.

Mhoram la fixa intensément.

— Prenez garde, haut seigneur, dit-il sur un ton plein de sous-entendus. Même ce tabernacle n'est pas tout-puissant.

Elena ne se déroba pas au regard de Mhoram, mais le sien s'était de nouveau dédoublé, comme si elle observait une autre dimension à travers lui.

— Il n'était peut-être pas suffisant pour Kevin le Dévastateur, répliqua-t-elle d'une voix douce, mais je m'en contenterai.

— Non ! Le danger est trop grand. Réfléchissez ! Pourquoi Kevin ne l'a-t-il pas utilisé ? De deux choses l'une : ou bien il ne pouvait lui être d'aucune utilité, ou bien l'étendue de son pouvoir est si effrayante qu'il n'a pas osé le libérer ! Je vous en conjure, ne prenez pas ce risque.

— Est-ce le prophète qui me le demande ? Avez-vous vu quelque chose ?

— Non, admit Mhoram à regret. Mais je suis intimement persuadé qu'à cause de cet objet, la mort décimera les enfants du Fief.

— Mon ami, vous vous inquiétez beaucoup trop des dangers encourus par d'autres que vous, dit tendrement Elena. Si vous étiez à ma place – si vous déteniez le Bâton de la Loi –, vous suivriez Amok jusqu'au bout de la Terre. Croyez-vous vraiment que nous sauverons le Fief avec notre seule armée ? Kevin n'y est pas parvenu. Je me refuse à laisser passer la moindre chance de découvrir un autre moyen pour vaincre le Rogue.

Trop ému pour répondre, Mhoram baissa la tête. Elena et lui communièrent en silence, et au bout d'un moment, ses traits se détendirent. Quand il releva les yeux, il jeta un regard éloquent à Covenant et à Troy.

— Si vous insistez pour y aller, à tout le moins, ne partez pas seule. Emmenez quelqu'un sur qui vous pourrez vous appuyer en toute circonstance.

L'espace d'un fol instant, Troy crut qu'Elena allait lui demander de venir. Malgré son devoir envers la milice, la réponse était déjà sur ses lèvres. *Oui.*

— Telle était bien mon intention, répliqua la jeune femme. Seigneur suprême Covenant, m'accompagnerez-vous dans cette quête ?

— Vous pensez réellement que je pourrai vous être utile ? bredouilla l'Incrédule, embarrassé.

Elena eut un léger sourire.

— L'avenir dira si j'ai eu raison.

Covenant la dévisagea longuement. Puis il détourna les yeux et haussa les épaules.

— D'accord. Je viendrai.

Cette question ainsi réglée, Elena et Corimini se saluèrent une dernière fois. Les gardiens de la Loge entonnèrent une brève chanson d'encouragement, puis les cavaliers firent leurs adieux à leurs hôtes. Mais de tout cela, Troy n'entendit rien. Quand Elena lui souhaita bonne chance, ce fut à peine s'il trouva la force de s'incliner pour la remercier. Un oui figé sur les lèvres, il la regarda talonner Myrha et s'éloigner en direction de l'ouest, flanquée de Covenant, Bannor et Morin.

Il se sentait comme paralysé, dégringolant, immobile, dans un abîme sans fond. À l'intérieur, il hurlait de tout son être : « Je ne veux pas vous perdre ! » Mhoram s'approcha de lui et lui dit quelque chose. Mais il ne s'arracha à son hébétude qu'en constatant que Trell n'avait pas suivi Elena.

Il pivota vers lui. Au même moment, Trell empoigna les rênes et partit au galop vers le gué de la Llurallin. Troy le prit en chasse. Mehryl fila comme une flèche sous les frondaisons de Boijovial et rattrapa le cheval de Trell bien avant qu'il atteignît la rivière. Troy ordonna à l'ignessire de s'arrêter. Comme Trell refusait d'obtempérer, il pria Mehryl de bloquer sa monture. Le ranyhyn poussa un bref hennissement et l'étalon s'immobilisa si brusquement que son cavalier faillit vider les étriers.

Quand Trell leva la tête, ses yeux étaient baignés de larmes et il haletait comme s'il suffoquait.

— Que faites-vous ? lui demanda l'insigne. Où allez-vous ?

— Je rentre à Pierjoie, croassa Trell. Je n'ai plus rien à faire parmi vous.

— Et alors ? Nous nous rendons dans le sud, vous le savez bien. N'est-ce pas là que se trouve votre stèlage ? Ne voulez-vous pas participer à sa défense ?

Ce n'était pas ce que Troy voulait lui demander, mais la détresse de son interlocuteur l'empêchait d'aller droit au but.

265

— Non, répondit Trell.

— Pourquoi ?

— Je ne peux pas retourner chez moi. Elle est là-bas et je ne supporterai pas de paraître devant elle. Pas après ce qui vient de se passer.

À cet instant, Mhoram rejoignit les deux hommes. Il ouvrit la bouche, mais Troy l'interrompit d'un geste impérieux.

— « Elle » ? De qui parlez-vous ? De votre fille ?

Trell déglutit et acquiesça.

— Je ne comprends pas. (Troy fronça les sourcils.) Pourquoi ne voulez-vous pas la rejoindre ? Elle va avoir besoin de vous plus que jamais.

— *Melenkurion !* Je ne peux pas, gémit l'ignessire. Où trouverai-je la force de l'affronter ? Que répondrai-je à ses questions ? Cessez de me tourmenter !

— Insigne ! aboya Mhoram. (Le mot claqua comme un avertissement, ou peut-être une menace.) Laissez-le partir. Rien de ce qu'il pourra vous dire ne vous apportera le moindre réconfort.

— Elle a choisi, éructa Trell. (Il serra les dents comme s'il était sur le point d'imploser.) *Elle l'a choisi, lui !*

— Trell, répondez-moi, le pressa Troy. Que faisiez-vous hier devant la tombe de cet étudiant ?

À travers ses larmes, l'ignessire le foudroya du regard.

— Vous n'êtes qu'un imbécile ! siffla-t-il. Un aveugle ! En vous sollicitant, elle a sacrifié sa vie pour rien !

— Elle ? hoqueta Troy. Elle ? Je croyais que…

— Vous vous trompiez, coupa Mhoram. La tombe dont vous parlez est celle d'Atiaran Trell-mie. Elle est morte en vous amenant dans le Fief. Elle voulait rappeler le seigneur suprême Covenant et a échoué. Votre présence parmi nous est le fruit de son inextinguible chagrin et de sa soif de vengeance.

La douleur tordit le visage de Trell. Il talonna sauvagement son étalon qui, effrayé, s'élança vers le gué de la Llurallin. Mais Troy ne lui prêta aucune attention. Il se tourna vers l'est. Dans le lointain, il aperçut Elena, Covenant et les deux sangardes qui filaient vers l'extrémité de la vallée. Une cinquième silhouette gambadait au côté du haut seigneur. Amok.

Atiaran Trell-mie... Troy avait entendu parler d'elle. Depuis le temps qu'on lui rebattait les oreilles avec le récit des exploits de l'Incrédule, il savait que c'était la femme qui l'avait guidé de Mithil-Stèlage jusqu'à la Sérénité. Mais on s'était bien gardé de lui préciser qu'elle était mariée à Trell.

Puis une autre pièce du puzzle se mit en place dans son esprit. Le lépreux avait violé la fille de Trell, donc, celle d'Atiaran, celle qui avait...

— Covenant, espèce de salaud ! hurla-t-il.

Mais il savait que les cavaliers ne pouvaient plus l'entendre ; le murmure des deux rivières engloutirait sa voix avant qu'elle leur parvienne. Accablé, il ravala ses insultes et ses questions.

Pas étonnant que Trell se sente incapable de rentrer chez lui et d'affronter sa descendante. Comment aurait-il pu lui annoncer qu'au lieu de punir son agresseur, le haut seigneur s'était prise d'amitié pour lui ? Troy ne comprenait pas qu'Elena ait pu sciemment infliger un tel tourment à l'ignessire.

Quelques secondes s'écoulèrent encore avant qu'il saisisse le reste des paroles de Mhoram. Atiaran était morte en le conjurant. Son arrivée dans le Fief n'était pas l'œuvre d'un jeune étudiant inspiré, mais la conséquence d'une insondable douleur.

« Ce n'est pas en vous ni en moi qu'ils placent leur foi... » Covenant avait-il vu juste ? Ses plans n'étaient-ils qu'une entreprise désespérée, le prolongement du désir morbide d'Atiaran ?

— Insigne, vous avez mal agi, déclara Mhoram sur un ton sévère. Trell souffrait déjà bien assez.

— Je suis désolé, souffla Troy. Mais pourquoi ne m'avez-vous rien dit ? Vous étiez au courant...

— Les membres du conseil ont décidé, ensemble, de vous dissimuler une vérité qui n'aurait pu que vous blesser, expliqua Mhoram. Nous voulions vous épargner un déchirement inutile – et espérions qu'à la longue, vous finiriez par accorder votre confiance au seigneur suprême Covenant.

— Vous rêviez. Il prend le Fief pour une illusion, une émanation de son esprit malade. Du coup, il se croit tout permis. Vous ne pouvez pas vous fier à lui – et, de toute évidence, pas à moi non plus. Sinon, vous m'auriez mis au courant depuis longtemps. C'est Covenant qu'Atiaran visait. À vos yeux, je ne suis qu'un substitut, lâcha amèrement Troy.

— Vous vous méprenez, protesta Mhoram.

— Non. C'est très clair.

Troy sentait des forces meurtrières à l'œuvre autour de lui. Déjà, elles choisissaient leurs victimes, manipulaient les événements et déterminaient l'issue du conflit. Ce fut d'une voix tremblante qu'il articula :

— Le haut seigneur est en danger. Il va lui arriver quelque chose de terrible, je le sais.

Puis, incapable de supporter la compassion qui adoucissait le regard de Mhoram, il flatta l'encolure de Mehryl et revint au petit trot vers Boijovial. Contournant le banian pour éviter les gardiens de la Loge – car il ne se sentait pas d'humeur à leur faire ses adieux –, il intima aux sangardes de le suivre et fila en droite ligne vers le gué. Il avait hâte de retrouver l'armée et de se jeter à corps perdu dans la guerre.

16

Marche forcée

MALGRÉ SON HUMEUR MASSACRANTE, ce ne fut pas sans regret qu'il franchit le gué de la Rill et quitta la Mémoriade. Il aimait la beauté radieuse de Boijovial et l'amitié sans détour des gardiens de la Loge ; il ne voulait pas les perdre. Pourtant, il ne regarda pas en arrière. Il ne comprenait pas pourquoi Elena avait ignoré la juste rage de Trell. Et plus que jamais, il sentait qu'il allait devoir faire ses preuves durant la guerre à venir : montrer qu'il était le fruit de l'espoir, pas celui du désespoir.

Il n'avait pas le choix. Il devait vaincre. Un échec serait l'aveu non seulement de son incompétence, mais de sa vocation maléfique. Un échec désignerait sa présence dans le Fief comme une trahison perpétrée contre lui, malgré l'amour qu'il lui portait et la détermination qu'il mobilisait pour servir sa cause. Un échec le mettrait plus bas encore que Covenant, car celui-ci n'avait jamais cherché à prétendre qu'on pouvait lui faire confiance, alors que lui, Hile Troy, avait réclamé des responsabilités et affirmé qu'il était digne de les assumer.

Lorsqu'il eut franchi la crête de la première colline, il ralentit pour permettre à Mhoram et aux dix-huit sangardes restants de le rattraper. Serrant les dents et contrôlant sa voix pour ne pas y laisser transparaître la moindre accusation, il demanda :

— Pourquoi l'emmène-t-elle ? Il a violé la fille de Trell.

— Troy, mon ami, vous devez comprendre que le haut seigneur n'avait guère le choix, répondit doucement Mhoram. La route de son devoir est étroite et semée d'embûches. Elle doit absolument retrouver le septième tabernacle et le seigneur suprême Covenant était le plus qualifié pour l'accompagner. En outre, elle doit s'assurer que son anneau d'or blanc ne tombera pas entre les mains du Rogue. Et si par malheur l'Incrédule venait à se retourner contre le Fief, elle l'arrêtera d'autant mieux qu'elle sera près de lui.

Troy hocha la tête. Ça, c'était un raisonnement qu'il pouvait comprendre et accepter. Ravalant sa méfiance instinctive envers Covenant, il soupira :

— Je vais vous dire quelque chose. Quand j'en aurai fini avec cette guerre – quand je pourrai en mon âme et conscience affirmer que le sacrifice de la pauvre Atiaran n'a pas été vain –, je prendrai deux ou trois ans de vacances. J'irai m'asseoir à Andelain et n'en bougerai plus jusqu'à ce que j'aie contemplé la célébration du printemps. Sans ça, je ne pourrai jamais pardonner à Covenant d'avoir été plus chanceux que moi.

Mais la chance dont il tenait rancune à l'Incrédule ne concernait pas que ce phénomène-là. Même s'il réalisait qu'Elena n'avait pas eu les coudées franches, l'idée qu'elle lui eût préféré Covenant le blessait profondément.

Mhoram était sans doute assez clairvoyant pour savoir ce qui perturbait Troy, mais assez diplomate pour s'en tenir au strict contenu de ses paroles.

— Si nous remportons la victoire, répliqua-t-il en souriant, vous ne serez pas le seul. La moitié de la population du Fief se trouvera à Andelain la prochaine fois que la pleine lune tombera au milieu du printemps. Très peu de nos contemporains ont eu déjà la joie de contempler la danse des esprits.

— Mais j'arriverai le premier, se força à plaisanter Troy. (Malgré lui, il ne put s'empêcher de revenir au sujet qui le préoccupait.) Mhoram, comment pouvez-vous ne pas lui en vouloir après tous les crimes qu'il a commis ?

— Qui suis-je pour lui reprocher ses actions ? Il faut être puissant pour juger et condamner les faiblesses d'autrui. Je n'ai pas tant de vertu.

Cette réponse surprit Troy. Mais il voyait bien que le seigneur était sincère, qu'il pensait chacun des mots qu'il venait de prononcer. Confondu, il se détourna.

Flanqués de leur escorte, Mhoram et lui traversèrent les collines en direction du sud-est pour intercepter la milice.

Au fil des heures, il parvint à oublier l'Incrédule pour se concentrer sur sa stratégie. Mille questions se bousculaient dans son esprit. Les villages situés sur le trajet de l'armée pourraient-ils fournir des vivres en quantité suffisante ? Amorine avait-elle réussi à maintenir l'allure souhaitée ? Ces inquiétudes lui permirent de refouler son chagrin et l'obscur pressentiment qui le taraudait – de laisser derrière lui l'étranger infirme et ignorant des coutumes du Fief pour redevenir le digne commandant de la milice.

Il aurait voulu presser le pas, mais résista à cette tentation pour ménager les ranyhyn. Pourtant, lorsque le crépuscule tomba sur le huitième jour écoulé depuis leur départ de Pierjoie, Mhoram et lui étaient déjà loin des paysages riants de la Mémoriade. Le terrain changeait rapidement ; à l'est et au sud-est, ils apercevaient déjà l'étendue austère des plaines centrales.

Cette région rude et sauvage, où la pierre semblait affleurer, entretenait la vie sans l'encourager. Elle donnait naissance à des femmes et des hommes robustes, dotés d'un solide sens pratique, qui depuis toujours composaient l'essentiel de la milice. Chaque fois que le Rogue déclenchait un nouveau conflit, ses hordes devaient traverser la contrée pour aller mettre le siège devant Pierjoie. Sylves et stèlages envoyaient donc leurs enfants à la Loge pour qu'ils y apprennent la tradition de la guerre et soient en mesure de les défendre lors du prochain affrontement.

Ce soir-là, alors que Troy tentait de trouver le sommeil, il se sentit plus que jamais responsable de ses guerriers. La préservation de leur foyer et la survie de leur famille dépendaient de lui, et c'était sur son ordre qu'ils enduraient cette cadence infernale.

Il savait que la première bataille éclaterait le lendemain, quand les cohortes du Rogue atteindraient la vallée de la Mithil et y rencontreraient les troupes de Quaan, Callindrill et Verement. Alors, les premières victimes tomberaient. Miliciens et sangardes succomberaient par dizaines. Pendant ce temps, leurs camarades poursuivraient leur marche forcée vers la Retraite Maudite. L'épuisement ne tarderait pas à éclaircir leurs rangs et ils laisseraient derrière eux un sillage de cadavres. À cette pensée, Troy roula sur le flanc et pressa son visage contre la terre comme si c'était le seul moyen de conserver l'équilibre.

Il passa le plus gros de la nuit à examiner chaque facette de son plan pour s'assurer qu'il n'avait commis aucune erreur. Au matin, un sentiment d'urgence le poussa à éperonner Mehryl. Il galopait sur une courte distance, se souvenait de sa résolution d'épargner les montures et s'arrêtait pour attendre le reste du groupe. Quelques minutes plus tard, il recommençait. À la fin, il supplia Mhoram de lui parler pour le distraire de son impatience.

Sur un ton chantant, le seigneur lui narra les légendes entourant divers lieux célèbres situés entre la Mémoriade et la Retraite Maudite. L'une d'elles concernait la Forêt primordiale, qui recouvrait tout le Fief bien avant l'époque de Berek Demi-Main. Du temps où les arbres étaient toujours éveillés, les forestals chérissaient leur conscience et les aidaient à se défendre contre les ravageurs *turiya*, *moksha* et *samadhi*. Aujourd'hui, le seul vestige encore actif de ces bois antédiluviens était le sinistre Garrot, que l'on disait protégé par Caerroil Folbois. Nul voyageur n'était jamais revenu de ses sombres profondeurs.

Puis Troy prit le relais. Il parla de lui et évoqua ses réactions face au Fief. Parce qu'il se sentait proche de Mhoram, il lui révéla qu'Elena incarnait, à ses yeux, la beauté et la santé de ce monde. Peu à peu, il se détendit et recouvra son assurance coutumière. « Qu'importent l'identité et les motivations de la personne qui m'a appelé, se dit-il. Je suis ce que je suis. Et je vais réussir. »

Quand Mhoram et lui rattrapèrent la milice en milieu d'après-midi, sa surprise n'eut d'égale que sa consternation. Les guerriers avaient pris près d'une demi-journée de retard. Ils l'accueillirent avec un enthousiasme forcé, qui s'évanouit très vite lorsqu'ils réalisèrent l'absence du haut seigneur. Ignorant leur désarroi, Troy se porta à la rencontre d'Amorine et aboya :

— Vous marchez trop lentement ! Dites aux tambours d'accélérer la cadence ! À cette allure, nous arriverons un jour et demi trop tard !

Le sourire de bienvenue d'Amorine mourut sur ses lèvres. Avec une expression chagrinée, elle fit pivoter son cheval pour transmettre les ordres de l'insigne.

Un soupir douloureux monta de chaque poitrine et les hommes allongèrent le pas. À présent, ils couraient presque.

Troy longea les rangs au galop pour les aiguillonner de la voix et du geste. Une phalange traînait en arrière ; il hurla à la face de son galon :

— Du nerf ! Je refuse de perdre cette guerre à cause de vous !

Et il frappa la cadence dans ses mains jusqu'à ce que les instruments l'eussent reproduite très exactement.

Il ne prit conscience de l'état des effectifs que lorsque sa colère fut quelque peu retombée. Alors, il regretta la dureté de ses paroles. Les miliciens marchaient déjà depuis neuf jours. Presque tous boitaient et chancelaient sur leurs jambes endolories, l'air hagard. Les plus fatigués avaient cessé de transpirer ; la poussière qui maculait leur visage congestionné leur donnait un teint jaunâtre et un aspect dément. Leurs épaules, meurtries par les bretelles de leur paquetage, saignaient sous leur tunique. Envolé le bel ordre dans lequel ils avaient quitté Pierjoie ; désormais, c'était tout juste s'ils arrivaient à mettre un pied devant l'autre. Et cent quatre-vingts lieues les séparaient encore de la Retraite Maudite.

Pourtant, ils avancèrent vaillamment jusqu'au crépuscule. Quand ils s'arrêtèrent pour la nuit, Troy était anéanti. Il sentait que la détermination pure ne suffirait pas et cherchait désespérément un moyen de sauver les troupes.

Dès que les magistères et les ignessires eurent allumé des feux, Mhoram fit le tour des bivouacs. Dans chaque marmite, son feu seigneurial jeta des étincelles bleues pour rehausser le goût et la valeur énergétique de la nourriture. Le repas terminé, il circula parmi les groupes pour leur dispenser le baume de sa présence ; il leur lança des encouragements, aida les blessés à panser leurs plaies et plaisanta avec ceux qui avaient encore la force de rire.

Pendant ce temps, Troy et les officiers se réunirent. Après leur avoir expliqué l'absence d'Elena, l'insigne récapitula les raisons qui faisaient de cette marche forcée une nécessité impérieuse. Puis il enchaîna sur les mesures pratiques à mettre en œuvre de toute urgence. Les gourdes d'eau devaient circuler plus vite pour prévenir l'échauffement excessif des guerriers ; les paquetages des hommes et des femmes aux épaules meurtries seraient confiés aux chevaux de bât ; à l'exception des tambours, les cavaliers prendraient en croupe les fantassins les plus éreintés et se chargeraient de ramasser de l'*aliantha* sur le bord de la route. Quant aux sangardes, ils assumeraient désormais les tâches de reconnaissance et de ravitaillement.

Une fois ses instructions distribuées, Troy congédia les officiers. Seule Amorine s'attarda auprès de lui. À son air peiné, mais résolu, il devina aussitôt ce qu'elle allait lui dire.

— Non, l'arrêta-t-il avant qu'elle puisse ouvrir la bouche. Je ne vous remplacerai pas. Tout à l'heure, j'ai dû donner l'impression que je vous tenais responsable du retard pris par les nôtres. Mais si quelqu'un a commis une faute, c'est moi. Vous êtes la seule qualifiée pour mener cette action à bien. Les miliciens vous respectent comme ils respectent Quaan. Ils ont foi en votre expérience et votre honnêteté. (Il se rembrunit.) Après ce qui s'est passé aujourd'hui, ça m'étonnerait qu'ils soient dans d'aussi bonnes dispositions vis-à-vis de moi.

Aussitôt, l'expression maussade d'Amorine se dissipa.

— Vous êtes l'insigne de la milice. Qui a osé mettre votre jugement en doute ? gronda-t-elle sur un ton impliquant que l'impudent devrait d'abord en découdre avec elle.

Sa loyauté toucha Troy. Il n'était pas vraiment certain de la mériter, ferait tout pour en être digne. Ravalant son émotion, il répliqua :

— Personne ne dira rien tant que nous maintiendrons l'allure. Et croyez-moi, nous la garderons jusqu'au bout.

« Je l'ai promis à Quaan », ajouta-t-il par-devers lui.

— Nous allons récupérer le temps perdu, annonça-t-il, et ici même, dans les plaines centrales. Le terrain devient beaucoup plus accidenté au sud de la Noire.

Amorine hocha la tête. Elle le croyait.

Après qu'elle se fut retirée, Troy gagna son couchage et passa la nuit à sonder ses ténèbres intimes, en quête d'une autre solution. Mais il ne voyait aucun moyen d'éviter cette marche forcée. Quand il s'endormit enfin, il rêva de guerriers qui titubaient vers la Retraite Maudite comme vers une tombe béante.

À l'aube suivante, lorsque les miliciens se levèrent péniblement et s'ébranlèrent sans aucun entrain, Hile Troy marcha avec eux. Ignorant Mehryl, il se força à observer la cadence inflexible qu'il imposait à ses hommes. Il passa dans les rangs pour soutenir chaque phalange et encourager chaque galon en l'appelant par son nom. À travers le brouillard de leur hébétude, les hommes furent touchés par sa présence. De toute évidence, il se sentait suffisamment concerné par leur sort pour le partager, bien que rien ne l'y obligeât. Il n'était pas préparé à subir une telle épreuve physique et pourtant, il voulait les stimuler en leur donnant l'exemple.

Au soir de cette première journée, il était si las qu'il parvint à peine à se traîner jusqu'à sa couche. Mais le lendemain, il se força à se lever et à réitérer la performance de la veille, masquant sa fatigue sous la commisération qu'il témoignait, d'une façon ou d'une autre, aux membres de la milice.

Ainsi procéda-t-il pendant quatre jours. Chaque soir, il craignait d'avoir dépassé ses limites et songeait à renoncer. Mais chaque soir, Mhoram aidait à préparer le repas, puis dispensait du réconfort sous forme de paroles bienveillantes ou de chansons. À deux reprises, les sangardes rapportèrent de grandes quantités de nourriture préparée par les habitants des plaines. La fraîcheur et l'abondance des vivres ragaillardirent les miliciens.

Enfin, le soir du treizième jour depuis leur départ de Pierjoie, Troy s'autorisa à penser que le moral des troupes était stabilisé. Il avait parcouru plus de quarante lieues à pied – et avait l'intention de continuer pour ne pas compromettre l'équilibre qu'il venait de rétablir à grand-peine. Mhoram et Amorine le supplièrent de renoncer : ils s'inquiétaient de sa condition générale, de ses pieds ensanglantés et de son pas vacillant. Mais il réfuta leurs arguments. Il aurait eu honte de monter à cheval pendant que ses hommes souffraient.

Hélas ! Le lendemain matin, il connut une honte bien pire. Quand les premières lueurs de l'aube l'éveillèrent, il s'extirpa des couvertures et découvrit Amorine plantée devant lui. D'une voix tendue, elle rapporta que la milice avait été attaquée pendant son sommeil.

Peu après minuit, les éclaireurs avaient rapporté que des *kresh* rôdaient autour des chevaux de bât. L'alarme avait été donnée immédiatement, mais seuls les cavaliers avaient eu le temps de se porter au secours des malheureux animaux.

Ils s'étaient retrouvés face à une meute de grands loups jaunes – au moins deux cents, avaient-ils estimé. Les sangardes avaient encaissé la première vague d'assaut, mais leurs adversaires étaient dix fois plus nombreux. Paniqués par l'odeur des *kresh*, les chevaux de bât avaient refusé de se laisser monter ou entraîner à l'écart. Un ranyhyn, cinq étalons et près d'une douzaine de galons et de chevrons avaient péri avant qu'Amorine et Mhoram réussissent à organiser la riposte. Avant de battre en retraite, une vingtaine de *kresh* avaient enfoncé les défenses adverses et chargé un bivouac où quelques guerriers, assommés par l'épuisement, dormaient encore. Dix d'entre eux ne se relèveraient plus jamais.

Troy blêmit.

— Pourquoi ne m'avez-vous pas réveillé ? gronda-t-il, les poings serrés de colère et de frustration.

Amorine baissa les yeux.

— Je vous ai appelé. Je vous ai secoué. J'ai hurlé dans vos oreilles. Mais vous n'avez pas bronché. Les nôtres avaient besoin de moi. Je suis allée au combat.

Après ça, Troy n'osa plus marcher. Il refusait d'être de nouveau trahi par sa faiblesse physique. Juché sur le dos de Mehryl, il remonta la piste des *kresh* en compagnie de Ruel ; et quand il fut certain que les animaux n'appartenaient pas à une armée organisée, il revint prendre sa place à la tête de la colonne. De temps en temps, il galopait autour des hommes comme s'il avait l'intention de les protéger à lui seul.

Les *kresh* revinrent à la charge les deux nuits suivantes. Chaque fois, Troy les attendit de pied ferme. Incapable de voir à deux pas devant lui, il laissa aux autres le soin de se battre, mais étudia le terrain et choisit l'emplacement des bivouacs avant le crépuscule. Il organisa les défenses, posta des sangardes et des archers en embuscade et fit installer des pièges. Beaucoup de loups périrent et la milice n'encaissa plus une perte.

Après leur troisième assaut, les *kresh* disparurent. Mais ce danger était à peine écarté qu'une nouvelle menace surgit à l'horizon. Durant la matinée du seizième jour, un mur de nuages noirs apparut à l'est et se dirigea vers la compagnie. Peu avant midi, des rafales se mirent à souffler, ébouriffant les marcheurs et couchant les hautes herbes de la plaine. Le vent forcit tandis que le front orageux se rapprochait. Bientôt, la pluie commença à tomber.

L'intense noirceur des nuages promettait une averse meurtrière. Les magistères et les ignessires allumèrent des feux en guise de points de repère, afin que nul ne se dispersât sous le déluge. Mais le gros de la tempête n'approcha pas ; son centre paraissait focalisé sur un point un peu plus à l'est, à l'aplomb duquel elle s'immobilisa.

L'armée longea la lisière de ce déchaînement céleste. L'eau giflait le visage des miliciens, les gênant plus qu'elle ne les faisait souffrir – du moins, physiquement. Car tous devinaient quelle force maléfique se cachait derrière le phénomène, et quelle était sa cible : les légions commandées par Quaan.

Lorsque le ciel se dégagea enfin, le lendemain soir, Troy avait perdu presque une phalange entière. Les ténèbres et la peur avaient eu raison de dix-huit soldats ; tandis que leurs camarades luttaient pour avancer contre le souffle funeste, ils avaient capitulé et s'étaient allongés dans la boue, où la mort n'avait pas tardé à les prendre.

Mais près de seize mille guerriers avaient survécu et continuaient à avancer. Chevauchant Mehryl comme si son courage n'avait pas de limite, Troy les emmena toujours plus au sud sans jamais ralentir l'allure.

Trois jours plus tard – le lendemain de la pleine lune –, la troupe arriva sur le bord de la Noire, qui marquait la frontière méridionale des plaines centrales. Née dans la chaîne Ouestronne, la rivière filait vers le nord-est et rejoignait la Mithil à mi-chemin d'Andelain. Selon la légende, quand elle avait pour la première fois jailli de la Pierre Fendue, la face orientale de Melenkurion Barreciel, ses eaux étaient aussi rouges que du sang. Mais en traversant les Ultimes Collines, elle s'engouffrait dans le Garrot et passait au pied de Montgibet, la butte sur laquelle les forestals procédaient jadis aux exécutions. À partir de là, elle prenait la couleur de la rouille. De mémoire d'homme, jamais ses flots impétueux n'avaient toléré d'être enjambés par un pont ou ralentis par un gué. Ils emportaient irrémédiablement la moindre construction. Aussi les miliciens durent-ils les traverser à la nage.

Quand ils se hissèrent sur la berge sud, ils semblaient exténués, comme si le courant avide et sombre avait aspiré leurs dernières forces et les vestiges de leur détermination. Ils avançaient telles des coquilles vides poussées par un vent aveugle. Seule la flamme de la volonté de Troy les animait encore.

Une nouvelle difficulté les attendait dans les plaines du Sud, où les Ultimes Collines prenaient brusquement de l'altitude et s'élargissaient, arc-boutées contre la courbe du Garrot, pour former un vaste triangle de cimes déchiquetées qui courait de la Retraite Maudite jusqu'à l'Alpage, la porte des Aridies. Il n'était pas question de se lancer à l'assaut des sommets – seulement des contreforts abrupts qui barraient le passage. Mais après deux jours d'escalade, les guerriers ressemblaient à des zombies. Ils avaient de plus en plus de mal à suivre la cadence des tambours, et ce n'était qu'une question de temps avant qu'ils décrochent tout à fait.

Lorsque le soleil se coucha et que sa vision se voila, Troy prit sa décision. L'état pitoyable de ses hommes lui tordait le cœur ; il sentait qu'ils approchaient du point de rupture. Cinq terribles jours les séparaient encore de la Retraite Maudite. Et il ignorait où se trouvait Quaan. Faute de connaître la position du brandebourg et celle des troupes du Rogue, il ne pouvait pas se préparer pour la suite. Le moment était venu d'agir.

Bien que la milice eût encore une lieue à couvrir – selon ses calculs –, il donna le signal de la halte. Pendant que les hommes s'affairaient à dresser le campement, il entraîna Mhoram à l'écart.

— Seigneur, souffla-t-il d'une voix pressante, vous devez faire quelque chose pour eux. Utilisez votre bâton ou vos chansons, mais aidez-les, je vous en conjure ! Il doit forcément y avoir un moyen...

Dans la pénombre, c'était à peine s'il distinguait les traits de Mhoram. Celui-ci le dévisagea attentivement avant de répondre :

— En effet, il existe un moyen de dissiper l'accablement provoqué par le contact des eaux de la Noire. Mais je répugne à y recourir, car il ne pourra être utilisé qu'une fois. Nous ne sommes pas au bout de nos peines ; si nous épuisons d'ores et déjà nos ressources, comment résisterons-nous au plus fort de la bataille ?

— Encore faudrait-il que nous tenions jusqu'à ce moment-là, fit valoir Troy. C'est maintenant que les nôtres ont besoin d'aide. Il se peut que nous soyons attaqués avant d'atteindre la Retraite Maudite ou que nous devions courir pour l'atteindre dans les délais. Si vous n'agissez pas ce soir, vous n'aurez pas d'autre occasion avant le début du combat.

— Pourquoi donc ?

— Parce que demain à l'aube, je partirai pour l'observatoire de Kevin. Je veux espionner l'armée du Rogue et déterminer combien de temps Quaan va pouvoir gagner.

Et vous allez m'accompagner : vous seul savez utiliser la baguette de haut bois pour communiquer à distance.

Mhoram eut l'air surpris.

— Vous voulez que nous abandonnions la milice ? Si près du but ? Est-ce bien sage ?

— Il le faut, affirma Troy. Je suis resté trop longtemps dans le brouillard. À compter de maintenant, nous ne pouvons plus permettre au Rogue de nous prendre par surprise. (Il grimaça.) Et on ne le dirait pas, mais moi seul possède une vision assez perçante pour repérer l'ennemi d'aussi loin.

D'un geste brusque, Mhoram se passa la main sur le visage comme pour en effacer les marques de fatigue.

— Très bien, capitula-t-il. Je ferai ce que vous me demandez. Voici en quoi va consister mon intervention. Les ignessires ont emporté de la panseglaise, et les magistères une poussière d'un bois très rare qu'ils nomment *rillinlure*. Je pensais que nous nous en servirions pour soigner les blessés durant l'affrontement. Mais je veillerai à ce qu'on les incorpore au repas de ce soir. Priez pour que cela suffise.

Sans rien ajouter, il s'éloigna pour donner ses ordres aux ignessires et aux magistères. Ceux-ci firent le tour des feux, versant dans chaque marmite une pincée de substance miraculeuse, dont ils décuplèrent les propriétés à grand renfort de chants et d'invocations. Chaque guerrier n'en ingéra qu'une infime quantité ; pourtant, la dernière bouchée avalée, tous sombrèrent dans un sommeil profond et, pour la première fois depuis leur départ de Pierjoie, ils sourirent dans leurs rêves.

Pendant le repas, Troy donna ses instructions à Amorine. Après avoir discuté de la gestion des vivres et de la cadence à respecter jusqu'à la fin de la marche, ils abordèrent le sujet de la Retraite Maudite. Le premier chevron ne cachait pas sa répugnance pour ce lieu. Les légendes parlaient des corbeaux qui nichaient dans les hauteurs, au-dessus des éboulis, n'attendant qu'une occasion de picorer la chair des morts. Mais Troy lui répéta que c'était l'endroit idéal pour vaincre un adversaire en écrasante supériorité numérique. Il suffisait de l'attirer dans le défilé pour le massacrer, une unité après l'autre.

— C'est là toute la beauté de mon plan, se félicita-t-il. Nous allons retourner la stratégie du Rogue contre lui et changer sa malédiction en bénédiction. Avec un peu de chance, Turpide ne se rendra pas compte de notre présence avant qu'il soit trop tard. Mais quand bien même il serait prévenu, il n'aura pas d'autre choix que de nous affronter. Il ne pourra pas se permettre de nous tourner le dos. Tout ce qui vous reste à faire, c'est donner un dernier coup de collier. Plus que cinq jours, Amorine !

L'expression renfrognée de son interlocutrice lui rappela qu'il lui en demandait beaucoup. Mais au matin, il se sentit conforté dans son optimisme. Galvanisées par la panse-glaise et le *rillinlure* ingurgités la veille, les troupes faisaient montre d'une énergie stupéfiante. Elles s'activaient comme au premier jour de leur longue marche, et la détermination brillait dans leurs yeux.

Quand Troy grimpa au sommet d'une butte voisine pour s'adresser à elles, elles se pressèrent autour de lui et l'acclamèrent avec un tel enthousiasme que son cœur se gonfla de fierté. Il aurait voulu étreindre chaque soldat. Dos au soleil levant, il attendit de distinguer les visages à travers la brume, puis réclama le silence.

— Mes amis, écoutez-moi ! hurla-t-il alors. Je vais me rendre à l'observatoire de Kevin pour étudier l'avancée des troupes du Rogue. Nous ne nous reverrons probablement pas avant le début de la bataille et je tenais à vous avertir. Depuis vingt-deux jours, nous nous la coulons douce. Mais à présent, les choses sérieuses vont commencer. Nous allons enfin mériter notre solde.

Ce ne fut pas sans une certaine appréhension qu'il risqua cette plaisanterie. Si les hommes la comprenaient, ils se détendraient et se rapprocheraient les uns des autres. En revanche, s'ils se sentaient insultés par son humour noir, il les aurait perdus.

Quand il vit un sourire fleurir sur de nombreux visages, le soulagement et la gratitude le submergèrent. Plus que jamais, il se sentait en harmonie avec l'armée, instrument

de sa volonté. Il était persuadé que sous son commandement, elle triompherait du Rogue.

— Nous ne sommes plus qu'à cinq jours de la Retraite
Maudite, reprit-il. Il nous reste très exactement quarante-
huit lieues à parcourir. Après ce que vous venez d'endurer,
vous devriez y arriver les yeux fermés. Sachez que vous
avez déjà fait plus que toute autre milice dans l'histoire du
Fief. Aucune n'avait jamais couvert une telle distance en
si peu de temps. Je ne dis pas ça pour vous flatter, mais
parce que c'est la stricte vérité. Quoi qu'il advienne, votre
longue marche vous a fait entrer dans la légende.

« Toutefois, votre mission ne s'achèvera que lorsque
vous aurez remporté la victoire. La Retraite Maudite est un
endroit parfait pour tendre une embuscade. Une fois
retranchés là-bas, nous pourrons aisément affronter une
force cinq fois plus nombreuse. Et en nous dirigeant vers
elle – en entraînant le Rogue vers le sud –, nous avons déjà
sauvé des dizaines de stèlages et de sylves des plaines
centrales. Ce qui signifie, pour beaucoup d'entre vous, que
votre foyer et votre famille seront épargnés.

Il marqua une pause pour que son assurance se commu-
nique aux miliciens.

— Mais il nous faut encore arriver à temps à la Retraite
Maudite. Quaan compte sur nous. Ses hommes et lui se
battent comme des forcenés pour que nous disposions des
cinq jours dont nous avons besoin. Si nous n'atteignons
pas le défilé avant eux, ils mourront jusqu'au dernier.

« Ça va être serré. Une chose est sûre, cependant : le
brandebourg nous a déjà offert trois de ces cinq jours, à
tout le moins. Vous vous souvenez de la tempête ; vous
savez que c'était une attaque dirigée contre ses légions. Ce
qui signifie qu'il y a six jours, il retenait encore le Rogue
dans la vallée de la Mithil. Et vous le connaissez : il ne
nous laissera pas échouer à quarante-huit heures près.
Nous n'allons pas pouvoir nous accorder beaucoup de
repos, mais lorsque nous aurons investi la Retraite
Maudite, l'issue de la guerre ne fera plus le moindre doute.

Une véritable ovation lui répondit. Il la reçut tête
baissée, bouleversé par le courage des hommes. Quand

ceux-ci se turent enfin, il dit d'une voix enrouée par l'émotion :

— Mes amis, je suis fier de vous.

Puis il se détourna et s'éloigna en courant presque.

Mhoram le rejoignit alors qu'il bondissait sur le dos de Mehryl. Accompagnés par Ruel, Terrel et huit autres sangardes, ils partirent au galop en direction de l'est. Quand les collines eurent dissimulé la milice derrière eux, Troy fit ralentir son ranyhyn. Au trot, il leur faudrait trois jours pour atteindre Mithil-Stèlage et l'observatoire de Kevin.

— Insigne Troy, cette fois, vous avez su toucher leur cœur, commenta Mhoram.

— Vous vous méprenez, répliqua Troy sur un ton bourru. C'est eux qui ont su toucher le mien.

— Désormais, leur loyauté vous est acquise.

— Elle est dans leur nature. Mais je vois ce que vous voulez dire. Si je commets la moindre erreur, fût-elle humainement compréhensible, ils se sentiront trahis. J'en suis conscient. J'ai focalisé leur courage et leurs espoirs sur moi et sur mon plan. Mais si ça peut leur permettre d'arriver à temps à la Retraite Maudite, le jeu en aura valu la chandelle.

Mhoram hocha la tête.

— Quelle que soit l'issue de ce conflit, vous aurez fait du bon travail. Je dois vous avouer une chose : votre idée de gagner la Retraite Maudite dans un délai aussi court m'a d'abord paru insensée.

— Alors, pourquoi m'avez-vous laissé faire ? s'étonna Troy. Pourquoi n'avez-vous rien dit ?

— Parce que seuls les exploits qu'on ne tente pas s'avèrent effectivement impossibles, grimaça Mhoram. Si je vous en parle maintenant, c'est pour vous manifester ma reconnaissance et ma confiance. J'ai foi en vous. Commandez, et contre vents et marées, je vous suivrai.

De nouveau, la gratitude étreignit Troy.

— Je ne vous décevrai pas, murmura-t-il.

Mais plus tard, lorsque l'émotion fut retombée, il réalisa qu'il avait fait bien des promesses semblables – et avec une facilité déconcertante. Chaque étape de la marche semblait lui en arracher une nouvelle ; son discours à la milice n'était qu'un exemple parmi tant d'autres. Sans s'en rendre compte, il s'était porté garant de la victoire devant tout le Fief, ou presque. Il s'était lui-même acculé dans une impasse où défaite et trahison devenaient synonymes.

La simple pensée d'un échec éventuel lui faisait tourner la tête. Si l'incrédulité de Covenant découlait de ce genre de raisonnement, elle n'était peut-être pas dénuée de sens. Mais Troy la tenait néanmoins pour de la lâcheté et refusait de s'y abandonner. Ravalant son inquiétude, il tourna son attention vers les plaines du Sud.

Au-delà des montagnes, le terrain s'aplanissait et se changeait en lande recouverte d'herbe drue et coupante, parsemée de fougères grises et de bruyère violacée. Cette région ingrate, qui n'abritait pas plus de cinq stèlages, dégageait la même vigueur brute que ses robustes habitants. Son austérité seyait à l'humeur de Troy, qui songea qu'elle ferait un parfait champ de bataille.

Mais durant la seconde nuit depuis qu'il avait laissé la milice derrière lui, un nouvel incident vint ébranler son optimisme. Peu après l'apparition de la lune, Mhoram se réveilla en sursaut et poussa un hurlement si terrible qu'il lui glaça le sang dans les veines. Troy tâtonna dans l'obscurité pour le rejoindre. Le seigneur le frappa avec son bâton et se mit à décocher des éclairs flamboyants vers les cieux, comme pour se défendre contre une agression. Il ne s'arrêta que lorsque Terrel lui saisit le bras et lui cria à la figure :

— Seigneur ! Vous allez nous faire repérer par la Corruption !

Au prix d'un immense effort, Mhoram se ressaisit et fit taire son pouvoir.

Les ténèbres enveloppèrent Troy, qui attendit en retenant son souffle. Enfin, Mhoram articula :

— C'est fini. Merci, Terrel.

À bout de forces, il ne put ou ne voulut pas répondre aux nombreuses questions dont Troy l'assaillit. La violence de son hallucination l'avait comme anéanti. Frissonnant, il se contenta de balbutier quelques mots pour rassurer ses compagnons.

Peu convaincu, Troy réclama de la lumière. Lorsque Ruel jeta du bois dans le feu, il vit la lueur fiévreuse qui embrasait les prunelles de Mhoram et comprit qu'il ne pourrait lui offrir ni soutien ni réconfort. L'oracle devait affronter seul les tourments de ses visions – comme l'aveugle ceux de la cécité.

Anxieux, Troy ne parvint pas à se rendormir. Mais quand l'aube se leva, Mhoram semblait avoir surmonté la crise. Dans ses yeux, la douleur avait été remplacée par un éclat dur et sauvage – un avertissement destiné à quiconque serait assez fou pour le défier. Son expression rappela à Troy le tableau qu'il avait contemplé, jadis, dans la salle des offrandes : *La Victoire du seigneur Mhoram*.

Pas plus que durant la nuit, Mhoram ne paraissait disposé à satisfaire la curiosité de l'insigne. Les deux hommes se mirent en route sans avoir échangé une parole.

Vingt-deux lieues les séparaient encore de Mithil-Stèlage ; pourtant, à l'horizon, Troy distinguait déjà l'observatoire de Kevin, pareil à un doigt noir et maigre tendu vers le ciel. Toujours troublé par l'attaque nocturne de Mhoram, il était plus impatient que jamais de l'escalader pour embrasser du regard l'armée du Rogue et déterminer les chances de réussite de son plan. Mais soucieux de ménager les forces des ranyhyn, il se retint de lancer Mehryl au galop. Aussi les ombres du crépuscule s'allongeaient-elles déjà dans la vallée quand Mhoram et lui atteignirent la berge de la Mithil, et la longèrent en direction de la cordillère Sudronne.

Depuis le sommet de l'arche qui enjambait la rivière, Troy eut juste le temps d'apercevoir un cercle de huttes de pierre un peu plus à l'est, sur la rive d'en face. Puis sa vision déclinante l'abandonna et il pénétra à l'aveuglette dans le village.

Ses compagnons et lui mirent pied à terre sur la grand-place. Cinq stèlagiens apparurent, portant une vasque d'ignescentes qu'ils déposèrent sur une estrade au centre de l'espace dégagé. La tiède lumière des pierres de feu restaura partiellement la vue de Troy.

Il dévisagea les membres du comité d'accueil. Celui-ci se composait de trois femmes et de deux hommes. Quatre d'entre eux étaient des vieillards aux cheveux blancs et au visage ridé, mais le dernier semblait encore dans la force de l'âge. Seuls quelques fils gris striaient son abondante tignasse noire, et sa tunique brune aux épaules ornées d'un motif d'éclairs entrecroisés avait bien du mal à contenir sa puissante silhouette. Ses traits étaient empreints d'amertume comme si un drame l'avait brisé dans sa jeunesse, ternissant à jamais la suite de son existence. Les autres le traitaient avec déférence, observa Troy, et ce fut lui qui parla le premier.

— Salut à vous, Mhoram fils de Varil, seigneur du conseil de Pierjoie. Salut à vous, insigne Hile Troy. Soyez les bienvenus à Mithil-Stèlage. Je suis Triock fils de Thuler, chef du cercle des anciens. Il n'est pas dans nos habitudes d'interroger nos invités avant qu'ils aient pu se rafraîchir et se reposer de la fatigue du voyage, mais nous vivons en des temps troublés. Un sangarde est venu nous prévenir que l'armée du Tueur Gris était en marche. Quel dessein vous amène parmi nous ?

— Triock, votre accueil nous honore, répondit Mhoram. Tout comme le fait que vous nous connaissiez alors que nous ne nous sommes jamais rencontrés.

— Jadis, j'ai étudié à la Loge où l'on m'a beaucoup parlé des seigneurs et de leurs amis, expliqua Triock en désignant Troy du menton.

— Dans ce cas, je vous dirai sans détour que des heures terribles se préparent. En ce moment même, les hordes du Tueur Gris traversent les plaines du Sud et la milice se porte à leur rencontre pour les affronter à la Retraite Maudite. Hill Troy désire se rendre sur l'observatoire de Kevin pour étudier les mouvements de l'ennemi.

— Sa vue doit être remarquablement perçante s'il peut les observer par-delà une telle distance. Mais ne raconte-t-on pas que Kevin embrassait tout le Fief du regard depuis son perchoir ? Je vous prie d'accepter l'hospitalité de Mithil-Stèlage. De quelle façon pouvons-nous vous servir ?

Mhoram sourit.

— Un repas chaud serait un bon début, suggéra-t-il. Nous n'avons mangé que des provisions de route depuis notre départ de Pierjoie.

L'une des femmes s'avança.

— Seigneur Mhoram, je suis Teras Slen-mie. Notre maison est grande, et Slen mon mari se flatte d'être un excellent cuisinier. Accepterez-vous de partager notre souper ?

— Avec joie, Teras Slen-mie.

— Accepter ce qui est offert honore le donneur, déclara gravement la stèlagienne.

Flanquée de ses concitoyens, elle entraîna Mhoram et Troy vers sa demeure : une large bâtisse de plain-pied qui avait été taillée à même un énorme bloc de pierre. Après les présentations d'usage, la compagnie prit place autour d'une longue table brillamment éclairée par plusieurs vasques d'ignescentes.

Les mets furent à la hauteur des prétentions de Slen. Une fois les convives rassasiés et les assiettes débarrassées, Mhoram se déclara prêt à répondre aux questions des anciens. Teras commença par l'interroger au sujet de la guerre imminente, mais très vite, Triock l'interrompit.

— Seigneur Mhoram, vous n'avez pas encore mentionné le haut seigneur Elena. Comment va-t-elle ? Compte-t-elle prendre part à la bataille de la Retraite Maudite ?

Quoique agacé par le ton brusque du stèlagien et par l'impolitesse dont il faisait preuve, Troy garda le silence.

— Le haut seigneur se porte bien. De récentes découvertes l'ont lancée sur la piste d'un des tabernacles de la Sagesse de Kevin, révéla prudemment Mhoram, comme s'il se méfiait de son interlocuteur.

— Et qu'en est-il de Thomas Covenant l'Incrédule ? Le sangarde nous a dit qu'il était revenu dans le Fief.

— En effet.

— Je vois. Que devient Trell Atiaran-mi ? Pendant des années, il fut l'ignessire de Mithil-Stèlage. Comment réagit-il face au danger qui menace le Fief ?

— Trell se trouve actuellement à Pierjoie, où il œuvre à la défense de la Citadelle.

Triock sursauta.

— Il n'est pas avec le haut seigneur ? demanda-t-il sur un ton coupant.

— Non.

— Pourquoi ?

Mhoram hésita. Il dévisagea longuement le stèlagien avant de répondre :

— Parce que le seigneur suprême Covenant, Incrédule et orréchal, chevauche avec elle.

— Avec elle ? s'écria Triock en se levant brusquement. Et Trell a permis une telle ignominie ?

Il foudroya Mhoram du regard, puis se détourna brusquement et sortit d'un pas rageur.

Un silence embarrassé s'abattit sur la pièce. Au bout d'un moment, Teras le rompit d'une voix douce.

— Seigneur, il faut lui pardonner. Triock est un homme inconsolable, en deuil d'un bonheur à jamais perdu. Peut-être connaissez-vous son histoire...

Mhoram acquiesça et rassura la stèlagienne : il n'était nullement offensé. Mais la réaction de Triock, si semblable à celle de Trell, avait plongé Troy dans la plus grande perplexité.

— Moi, je ne la connais pas, lança-t-il tout de go. En quoi cet homme est-il concerné par les décisions du haut seigneur ?

— Ah, insigne Troy ! soupira Teras. Il n'aimerait pas que je vous en parle. Je...

D'un regard, Mhoram lui imposa le silence. Troy se tourna vers ce dernier.

— Avant l'arrivée du seigneur suprême Covenant dans le Fief, il y a de cela quarante ans, Triock était amoureux de la fille de Trell, révéla Mhoram en choisissant soigneusement ses mots.

Troy serra les poings. Maudit Covenant ! N'y avait-il donc aucune limite à ses crimes ? Mais ne voulant pas froisser ses hôtes, il ravala le juron qui lui brûlait les lèvres.

— Comment va la fille de Trell ? s'enquit Mhoram. Puis-je faire quoi que ce soit pour elle ?

Teras secoua tristement la tête.

— Son corps est solide, mais son esprit fragile nourrit toujours les mêmes chimères. Elle n'a jamais cessé d'espérer que l'Incrédule reviendrait la chercher. Quand la nouvelle de son retour nous est parvenue, elle a demandé au conseil des anciens la permission de l'épouser. Aucun guérisseur ne peut rien contre une telle maladie et votre intervention ne ferait que raviver le souvenir de celui qu'elle aime.

— J'en suis désolé, murmura Mhoram. Jadis, il y avait une guérisseuse affranchie capable d'atténuer les souffrances du cœur, mais nul n'a plus entendu parler d'elle depuis la bataille de la Haute Sylve. L'impuissance des seigneurs face à de tels tourments est pour nous une leçon de modestie.

Il baissa les yeux vers ses mains, qu'il avait croisées sur la table. Puis, s'arrachant à la morosité, il demanda :

— Anciens de Mithil-Stèlage, quelles dispositions avez-vous prises pour assurer la défense de votre communauté ? Vous êtes-vous préparés à soutenir un siège ?

— Oui, seigneur, répondit une autre femme. Nous n'avons pas à redouter la destruction de nos maisons ; si le conflit arrive à nos portes, nous partirons nous cacher dans les montagnes, où nous avons dissimulé des vivres en quantité suffisante pour tenir plusieurs mois. De là, nous harcèlerons les serviteurs du Tueur Gris jusqu'à ce qu'ils tournent les talons.

— Parfait.

— Seigneur, insigne, pouvons-nous vous offrir le gîte pour la nuit ? s'enquit Teras. Nous serions honorés de vous fournir un lit. Auparavant, auriez-vous la bonté de dire quelques mots à l'ensemble du stèlage ?

— Non, dit sèchement Troy. (Prenant conscience de sa grossièreté, il se radoucit.) Merci, mais je préfère décliner votre invitation. Je dois me rendre sur l'observatoire de Kevin le plus tôt possible.

— En pleine nuit ? s'étonna Teras. Vous ne verrez rien. Pourquoi ne pas profiter de l'obscurité pour prendre un peu de repos, quitte à partir avant le lever du soleil ?

Troy refusa de se laisser fléchir. La colère que lui inspirait Covenant ne faisait qu'attiser son impatience, son sentiment d'une crise imminente. Mhoram vint à sa rescousse et, avec une ferme courtoisie, parvint à convaincre les stèlagiens que la plus grande hâte était nécessaire. Les deux hommes prirent congé, acceptèrent le pot d'ignescentes qu'on leur offrait, et se mirent en route après avoir chargé les sangardes de veiller sur leurs chevaux et sur la vallée en leur absence. Accompagnés des seuls Terrel et Ruel, ils se dirigèrent vers la berge de la Mithil.

Troy ne discernait pas grand-chose au-delà du cercle de lumière projeté par les pierres de feu, mais quand il fut certain que les stèlagiens ne pouvaient plus l'entendre, il demanda :

— Pourquoi ne m'avez-vous rien dit au sujet de Triock ?

— Je ne mesurais pas la véritable ampleur de sa détresse, avoua Mhoram. Et pourquoi vous aurais-je encombré de ce fardeau inutile ? Néanmoins, je regrette de l'avoir si mal traité. J'aurais dû lui parler franchement. Ma méfiance n'a fait qu'aviver sa douleur.

— On en revient toujours au même point, grommela Troy. Sans Covenant, vous ne vous sentiriez pas obligé de prendre un tel luxe de précautions.

Mhoram ne répondit pas.

Ils traversèrent les collines et entreprirent de gravir la piste qui les conduirait jusqu'à l'observatoire. L'escalade était ardue ; ils devaient marcher en file indienne, encadrés par les sangardes. Troy distinguait à peine où il mettait les pieds, mais bientôt, il sentit que l'atmosphère fraîchissait et que l'air se raréfiait. Son cœur se mit à battre plus vite. Arrivé à deux mille pieds d'altitude, il commença à capter le parfum piquant des premières neiges.

Peu de temps après, ses compagnons et lui s'engagèrent dans un dédale de crevasses et de vallées dissimulées entre les montagnes. Lorsqu'ils en émergèrent, ils durent longer une corniche à flanc de falaise, qui les conduisit au pied de l'observatoire de Kevin. L'éperon rocheux, d'une hauteur vertigineuse, jaillissait du sol presque à la verticale. Un escalier taillé sur sa face supérieure permettait d'accéder à la plate-forme qui le couronnait.

Au terme d'une lente et périlleuse ascension, les quatre hommes atteignirent enfin le sommet de l'aiguille. Troy s'assit dos au parapet pour reprendre son souffle. Il n'était encore jamais monté sur l'observatoire de Kevin, mais savait, d'après les descriptions qu'on lui en avait faites, qu'il se trouvait à plus de quatre mille pieds au-dessus des collines – et il ne voulait pas donner à sa cécité une occasion de le trahir.

Malgré la solidité du mur de pierre, il fut saisi de vertige. Il se sentait à la dérive dans les cieux infinis, irrémédiablement isolé du reste du monde. Aussi déposa-t-il le pot d'ignescentes devant lui pour pouvoir, à tout le moins, apercevoir le visage de ses compagnons.

La brise soufflait depuis les hauteurs, charriant un avantgoût hivernal qui le fit frissonner. Il se mit à parler très vite, comme pour réchauffer l'atmosphère avec le son de sa voix. Cette impression d'être suspendu au-dessus du vide meurtrier lui rappelait ses derniers instants dans le monde que Covenant s'obstinait à qualifier de « réel », ces terribles minutes où il avait lutté pour ne pas lâcher le bord de la fenêtre tandis que l'incendie ravageait son appartement. Alors, il dévida le fil de ses souvenirs jusqu'à ce que la tapisserie de sa vie antérieure ait perdu couleur et substance.

— Mhoram, mon ami, je ne pourrai jamais vous exprimer ma reconnaissance, conclut-il sur un ton vaguement embarrassé. (Mais ces choses-là étaient trop importantes pour qu'il les passât sous silence.) Elena, Quaan, Amorine et vous êtes… tout ce que je possède. Quant à la milice, je serais capable de me jeter dans le vide pour la sauver.

Il se tut. Malgré le vent toujours aussi froid, sa tirade décousue l'avait quelque peu réconforté. Il tenta de se concentrer sur la bataille à venir, mais faute de savoir ce qu'il découvrirait à l'aube, il eut bien du mal à la visualiser. Autour de lui, l'obscurité demeurait aussi impénétrable que le chaos. Il croyait capter un bruit de galop dans le lointain ; ses compagnons, eux, n'entendaient rien.

— Je déteste l'aube, grommela-t-il. J'ai eu tout le temps de m'habituer à la nuit, mais je ne supporte pas d'attendre pour y voir. Le ciel est-il dégagé ?

— Oui, répondit Mhoram.

291

Troy poussa un soupir de soulagement et se détendit.

Les heures s'écoulèrent. Il frissonnait de plus en plus fort. La pierre à laquelle il était adossé demeurait glaciale, comme imperméable à la chaleur de son corps, et il n'osait pas se lever pour faire les cent pas. Au bout d'un moment, n'y tenant plus, il demanda au seigneur s'il avait des nouvelles d'Elena.

— A-t-elle tenté de vous contacter ? Où en est-elle de la quête ?

Mhoram secoua la tête.

— Je l'ignore. Le haut seigneur n'a pas de baguette de *lomillialor*.

Troy en fut atterré. Jusqu'à présent, il s'était raccroché à l'idée qu'il pourrait communiquer avec Elena par l'intermédiaire de Mhoram. Il voulait savoir si elle allait bien et être en mesure de la rappeler auprès de l'armée, si nécessaire. Et il réalisait qu'elle était perdue pour lui – aussi sûrement que si la mort la lui avait déjà arrachée.

— Mais pourquoi ? balbutia-t-il.

— Nous ne disposions que de trois baguettes, lui rappela Mhoram. Nous avons envoyé la première à Pierjoie et laissé la deuxième à Boijovial, afin que la Loge et la Citadelle puissent œuvrer de concert à leur défense. D'un commun accord, nous avons décidé que j'emporterais la dernière, puisque j'accompagnais le gros de nos troupes.

— Pauvre fou !

Troy ne savait pas s'il parlait de Mhoram ou de lui. Pas une fois il n'avait pensé à s'enquérir de la répartition des instruments : il attendait de voir l'armée du Rogue pour évaluer l'aide dont il aurait besoin.

— Pourquoi ne m'avez-vous rien dit ?

Mhoram le fixa sans répondre, mais Troy ne parvint pas à déchiffrer son expression.

— Pourquoi ne m'avez-vous rien dit ? répéta-t-il amèrement. Et que m'avez-vous caché d'autre ?

Mhoram soupira.

— Pour ce qui est du *lomillialor*, vous n'avez rien demandé. Vous seriez incapable d'utiliser les baguettes : elles ont été conçues pour les seigneurs ; il nous appartenait donc de décider comment les employer. L'idée que vous puissiez avoir un avis différent ne nous a même pas effleurés.

Il semblait excessivement las, comme absent. Pour la première fois, Troy prit conscience qu'il avait traversé la journée avec une mine de somnambule. Un nouveau frisson le parcourut. Qu'est-ce que Mhoram avait bien pu voir en rêve la nuit précédente ? Que savait-il pour se comporter de manière aussi étrange ? Saisi par un mauvais pressentiment, Troy ouvrit la bouche pour l'interroger. Mais le seigneur l'interrompit d'un geste.

— Silence. Quelqu'un approche.

Troy se releva d'un bond et tendit l'oreille.

— Qui est-ce ? souffla-t-il.

L'espace de quelques secondes, personne ne répondit. Puis Ruel lâcha, d'une voix aussi lointaine et impassible que les ténèbres :

— C'est Tull, qui faisait partie de l'expédition de Korik à Ondemère.

17

Le récit de Tull

L E CŒUR DE TROY FIT UN BOND dans sa poitrine. Après le choc provoqué par le récit de Runnik, il avait banni l'expédition de ses pensées. Son inquiétude pour les géants ne pouvait que le distraire ; or, il avait besoin de se concentrer sur sa stratégie, sur quelque chose qui dépendait concrètement de lui.

Fébrile, il effectua un rapide calcul mental. La milice avait quitté Pierjoie vingt-cinq jours plus tôt ; Hyrim, Shetra et leur escorte étaient partis dix-huit jours avant. C'était presque suffisant. Les apatrides ne pouvaient pas se déplacer aussi vite que des sangardes montés sur des ranyhyn, mais ils ne devaient pas être loin derrière.

Troy devinait pourquoi Tull les avait rejoints : il était venu les prévenir que des renforts arrivaient. Ça semblait logique. L'ennemi marchait déjà vers les plaines centrales ; par conséquent, il était inutile que les frères de roc se rendent à Pierjoie. Au lieu de remonter vers le nord, ils avaient dû contourner Sarangrave en direction du sud. Les sangardes, qui connaissaient le plan de bataille de Troy, les avaient sûrement entraînés dans les traces de l'armée du Rogue. Après avoir longé Morinmoss et traversé la vallée de la Mithil, ils fileraient vers la Retraite Maudite. « Leur trajectoire a dû les amener aux abords de Mithil-Stèlage, où on les aura prévenus que Mhoram et moi étions partis pour l'observatoire de Kevin », raisonna Troy.

Quand Tull apparut au sommet des marches de pierre, il était si excité qu'il se dispensa de toute question préliminaire pour en venir au fait.

— Où sont-ils ? À quelle distance d'ici ?

Le sangarde l'ignora.

— Seigneur Mhoram, Korik nous a chargés, Shull, Vale et moi, de rendre compte au haut seigneur du bilan de l'expédition à Ondemère. Mais l'escorte que vous avez laissée à Mithil-Stèlage m'a appris que le haut seigneur s'était rendue dans la chaîne Ouestronne en compagnie d'Amok. C'est pourquoi je me présente devant vous. Consentirez-vous à écouter mon rapport ?

Troy capta quelque chose d'étrange dans la voix de Tull, une intonation qui ressemblait fort à de la douleur. Incapable d'attendre, il réitéra néanmoins sa question.

— Où sont-ils ?

— « Ils » ? répéta Tull sur un ton morne.

— Les géants ! s'impatienta Troy. À quelle distance d'ici ?

Tull lui tourna délibérément le dos.

— Parlez, ordonna Mhoram sans hésitation. En l'absence du haut seigneur, j'assume les décisions relatives à la sauvegarde du Fief et de ses habitants.

— Seigneurs, ils… Nous n'avons pas pu… Les géants…

La voix de Tull vibrait d'un chagrin si aigu qu'il ne parvenait pas à le contenir. Troy en fut choqué. Habitué à l'équanimité caractéristique des sangardes, il avait depuis longtemps cessé d'attendre qu'ils expriment ce qu'ils ressentaient – en avait même oublié qu'ils éprouvaient, eux aussi, des émotions. Et il était tellement persuadé que Tull leur apportait une bonne nouvelle…

Avant que Mhoram puisse réagir, Terrel fit deux pas vers son camarade et le gifla à toute volée. Son geste fut si vif que Troy vit à peine partir le coup. En revanche, il l'entendit claquer dans l'air nocturne.

Aussitôt, Tull se ressaisit et se mit au garde-à-vous.

— Seigneur Mhoram, Korik nous a chargés, Shull, Vale et moi, de rendre compte au haut seigneur du bilan de l'expédition à Ondemère. Avant l'aube du vingt-quatrième jour de notre voyage, nous avons quitté Coercri pour nous mettre en route vers la Retraite Maudite. Mais le mal qui s'est réveillé à Sarangrave nous a obligés à le contourner à pied. Ainsi, nous avons perdu douze jours. Nous nous sommes trop approchés des Ultimes Collines ; Shull et Vale ont succombé face aux éclaireurs de la Corruption. Moi seul ai survécu et galopé vers les Hautes Terres sur les traces de l'armée ennemie. Afin de la doubler, j'ai coupé à travers les collines de la cordillère Sudronne et suis arrivé en vue de Mithil-Stèlage. Cela fait maintenant huit jours que mon ranyhyn n'a pas pris le moindre repos.

« Seigneur… (Sa voix s'étrangla, mais il se reprit très vite.) Je dois vous raconter ce qu'il est advenu de l'expédition à Ondemère et vous révéler le sombre fléau qui s'est abattu sur la Désespérance.

— Je vous écoute, dit Mhoram douloureusement. Laissez-moi juste m'asseoir. (Tel un vieillard, il s'aida de son bâton pour se laisser glisser sur le sol, le dos contre le parapet.) Le courage me manque pour encaisser debout le coup que vous allez nous porter.

Tull s'installa face à lui, de l'autre côté du pot d'ignescentes, et Troy l'imita.

— Runnik nous a rejoints à la Mémoriade, révéla Mhoram. Il nous a déjà parlé d'Hoerkin, de la mort de Shetra et du mal tapi à Sarangrave. Vous pouvez reprendre à partir de là.

— Très bien.

L'obscurité enveloppait le visage de Tull tel un linceul. Troy ne distinguait pas ses traits et quand le sangarde prit la parole, les mots parurent émaner de la nuit elle-même.

Mais son récit fut aussi clair et cohérent que s'il l'avait maintes fois répété dans sa tête depuis son départ de Coercri. En l'écoutant, Troy se rappela qu'il était le plus jeune membre de la sangarde, venu à la Citadelle pour remplacer l'un des haruchai de l'escorte de Mhoram qui s'était fait tuer durant l'exploration des collines Brisées. Son vœu était encore récent ; cela expliquait peut-être son émotivité et sa capacité à raconter une histoire d'une manière accessible à ses auditeurs.

Après la disparition de Shetra et de Cerrin, un déluge glacé et impitoyable s'était abattu sur Sarangrave, aggravant l'état d'Hyrim. Les sangardes n'avaient pu lui procurer aucun soulagement. L'eau viciée de la Souille avait englouti leurs couvertures, gâté les vivres qui n'étaient pas enfermés dans des récipients hermétiques et privé les torches de *lillianrill* de leur pouvoir. Elle avait même teinté de noir les vêtements détrempés des voyageurs.

Le soir venu, Hyrim n'avait plus la force de propulser ni de manœuvrer leur embarcation. Ses yeux étaient brûlants de fièvre, ses lèvres bleuies et tremblantes de froid. Assis au milieu du radeau, il serrait son bâton contre lui comme pour se réchauffer. Durant la nuit, il se mit à divaguer. Il parlait tout seul, alternant injures et supplications comme s'il s'adressait à un bourreau invisible. Parfois, il sanglotait éperdument. En le privant de ses moyens et de sa dignité, son délire l'anéantissait. Et ses protecteurs ne pouvaient rien faire pour lui.

Peu avant l'aube, la pluie cessa et les nuages se dissipèrent. Korik donna l'ordre d'accoster et, malgré le danger, envoya la moitié de ses hommes chercher du bois et de l'*aliantha* dans la jungle.

Après avoir avalé une poignée de baies prodigieuses, Hyrim trouva la force de faire jaillir une flamme de son bâton. Korik s'en servit pour allumer un feu sur l'esquif. Puis quatre sangardes recommencèrent à naviguer à la perche.

Durant la journée, ils sortirent enfin de Sarangrave. Au fil des lieues, la Souille s'élargit et se subdivisa en un labyrinthe de canaux entrecoupés d'îles, de bancs de vase et d'amas de bois flotté qui rendirent la progression encore plus périlleuse. La végétation touffue céda la place à de grands arbres dont les branches drapées de mousse se déployaient en éventail au-dessus de troncs sombres et lisses. Partout, des fougères et autres buissons s'accrochaient à la pierre de leurs racines pareilles à des doigts crochus, et semblaient aspirer l'élément liquide par chacune de leurs feuilles. Des serpents d'eau s'enfuyaient à l'approche du radeau. La puanteur de la Souille se changea lentement en une odeur de pourriture stagnante, aussi déplaisante mais bien plus naturelle.

Ainsi l'expédition entra-t-elle dans la gueule du Vorace.

Chaque fois qu'un embranchement se présentait à eux, les barreurs optaient pour le canal situé le plus au nord, conformément aux instructions de Korik. Ainsi leur chef espérait-il à la fois garder le cap sur Ondemère et éviter le cœur du grand marécage.

Par chance, le ciel resta dégagé toute la nuit et la lumière des étoiles leur permit de se diriger. Ils se trouvaient dans l'une des zones les plus praticables du Vorace, où l'eau s'écoulait encore malgré la boue et le limon. Un peu plus à l'est, le sol l'absorbait lentement et le terrain se changeait en un immense cloaque, sur lequel il était impossible d'évoluer.

Plus inquiétant était l'état de santé d'Hyrim. Malgré l'*aliantha* dont Sill le nourrissait, il dépérissait à vue d'œil. Sa chair semblait fondre sur ses os et il tremblait de tous ses membres. Sans le pouvoir de son bâton, les sangardes n'avaient aucune chance d'échapper au Vorace. Déjà, la vase aspirait goulûment leurs perches chaque fois qu'ils les plongeaient dans la rivière. Si le ventre du radeau venait à toucher le fond, jamais ils ne réussiraient à le dégager.

Même au milieu du canal, où c'était le plus profond, leur progression était menacée par les étranges arbres que les géants avaient baptisés « marchemarais ». En dépit de leur taille prodigieuse, ils ne disposaient d'aucun terrain solide dans lequel s'ancrer. Les voyageurs auraient pu jurer qu'ils se déplaçaient au gré de courants invisibles. Des passages que l'on aurait dit ouverts s'avéraient infranchissables lorsque l'embarcation les atteignait ; des canaux jusqu'alors indécelables apparaissaient brusquement. Quand l'esquif arrivait à leur niveau, les arbres se rapprochaient parfois comme pour le capturer.

Au fil des jours, la situation empira. Le niveau de l'eau baissait et les sangardes ne parvenaient pas à s'arracher au Vorace. La terre ferme se trouvait à peine une demi-lieue sur leur gauche, mais ils ne voyaient aucun moyen de la rejoindre. Nuit et jour, ils poussaient inlassablement sur leurs perches, ne s'arrêtant que pour ramasser de l'*aliantha* et du bois. En vain. Ils avaient besoin du pouvoir d'Hyrim, qui n'était plus en état de le leur fournir.

Durant l'après-midi du dix-huitième jour, le radeau s'englua dans la boue. Les filets liquides qui s'écoulaient encore entre les arbres ne lui permettaient pas de flotter. La vase le tenait dans son emprise et, malgré les efforts acharnés des barreurs, l'entraînait lentement vers le cœur du Vorace.

Korik avait abandonné tout espoir. Mais Sill refusait de sombrer dans le défaitisme. À l'intérieur de son corps malade, l'esprit d'Hyrim était toujours vivace, insistait-il. Quand il posait la main sur le front du seigneur, il sentait que quelque chose en lui luttait contre la fièvre. Toute la journée, il s'obstina à le nourrir avec des baies prodigieuses et au crépuscule, le miracle s'accomplit. Hyrim cessa de trembler et se mit à transpirer abondamment comme pour évacuer le mal qui le rongeait. Son souffle s'apaisa. À la tombée de la nuit, il s'endormit paisiblement.

Mais son rétablissement survenait peut-être trop tard. À la faveur des ténèbres, le Vorace attira l'embarcation au centre d'une immense nappe limoneuse dans laquelle ne poussait nulle végétation. Des remous s'y formaient et le courant s'enroulait sur lui-même pour décrire un lent tourbillon qui retenait l'expédition prisonnière.

Ni la fidélité ni la force des sangardes ne pouvaient lutter contre la toute-puissance du Vorace. Le sort commun reposait désormais entre les mains d'Hyrim, qui était encore très faible. Mais quand Korik le réveilla, il constata avec soulagement que son regard avait recouvré sa lucidité.

— Quelle distance devons-nous parcourir pour nous soustraire à l'étreinte du marécage ? s'enquit Hyrim après que le sangarde lui eut exposé les faits.

— Une lieue, seigneur.

— Tant que ça ? (Il poussa un gros soupir.) Korik, mon ami, un jour, il faudra que vous me racontiez comment nous en sommes arrivés là.

Aidé par Sill, il se releva et planta son bâton entre les madriers. Dès qu'il commença à chanter, le bois vibra entre ses mains. Mais l'esquif continua à tournoyer sur lui-même et à s'enfoncer dans l'infâme *magma*. L'odeur de putréfaction et de mort s'intensifia. Les dents serrées, Hyrim poussa un grognement et banda sa volonté.

Des étincelles bleues jaillirent de son bâton et s'enfoncèrent dans la vase. Avec un grand bruit de succion, le radeau se dégagea et s'éloigna vers le nord.

Hyrim le propulsa ainsi jusqu'aux marchemarais qui bordaient la masse boueuse. Alors, les sangardes déroulèrent des cordes de *glutor* et les lancèrent autour des troncs pour haler l'embarcation à la force des bras. Hyrim relâcha sa concentration et s'écroula. Sill le porta jusqu'au feu. Il avait fait sa part du travail ; désormais, ses compagnons pouvaient se débrouiller sans lui.

Quand la matière devint si compacte que les liens cédèrent sous la tension, ils se décidèrent à poursuivre à pied. Sill chargea Hyrim sur son dos et se mit à patauger dans la gadoue en tirant sur les cordages que ses camarades tendaient entre les arbres à mesure qu'il avançait.

Aux premières lueurs de l'aube, la glaise apparut enfin ; les marchemarais cédèrent la place à des bouquets de roseaux et à de l'herbe spongieuse, et bientôt, les sangardes retrouvèrent le contact de la terre ferme sous leurs pieds nus.

Ils avaient échappé au Vorace.

À l'horizon se profilaient les collines abruptes qui formaient la frontière sud d'Ondemère. Ils avaient perdu trois jours dans le marécage. Pourtant, ils prirent le temps de préparer un repas chaud avec leurs dernières provisions. Hyrim titubait de fatigue ; ses yeux paraissaient immenses dans son visage émacié. Il avait besoin de nourriture et de repos. Désormais, les sangardes progresseraient à bonne allure – quitte à ce qu'ils portent le seigneur jusqu'à Coercri.

Son repas achevé, Hyrim se releva et prit la direction des collines. Il marchait lentement et devait observer de fréquentes haltes. Les sangardes calculèrent qu'à ce rythme-là, il leur faudrait une journée pour couvrir les cinq lieues qui les séparaient d'Ondemère. Mais Hyrim refusait obstinément leur aide.

— À quoi bon nous presser ? répliquait-il chaque fois que Sill lui offrait le soutien de son bras. Je n'en ai nulle envie.

Ses protecteurs furent d'abord surpris par sa réaction, jusqu'à ce que Korik leur rappelle les paroles d'Hoerkin. Apparemment, Hyrim était persuadé que le malheureux avait dit vrai et qu'ils arriveraient trop tard pour sauver les géants.

Pourtant, le lendemain, il se lança à l'assaut des collines comme s'il avait changé d'avis durant la nuit. Maugréant et haletant, il repoussa l'extrême limite de ses forces pour se hisser jusqu'à la crête. Là, le groupe fit halte pour contempler Ondemère.

La terre d'asile que les vénérables avaient offerte aux apatrides était une large plaine côtière cernée au sud par des buttes, à l'ouest par les montagnes et à l'est par la mer du Levant. Séduits par ce havre verdoyant, les naufragés n'en avaient pas pour autant oublié leur patrie perdue. S'ils avaient cultivé la terre d'Ondemère, planté d'immenses vignobles, fait pousser des forêts entières de tecks et de séquoias, dont le bois était le mieux adapté à la construction de leurs immenses navires, ils avaient toujours refusé de s'y établir définitivement. Marins dans l'âme, ils avaient taillé leurs habitations dans les falaises, face au large, à quarante lieues de l'endroit où se tenaient les voyageurs.

Durant l'époque de Damelon Gigamis, les exilés s'étaient répandus d'un bout à l'autre du front de mer. Puis une inéluctable dégénérescence avait lentement divisé leur nombre par trois. Sociables et dotés d'une longévité exceptionnelle, ils avaient alors abandonné les villages situés au nord et au sud pour former une communauté unique, au sein de laquelle ils pourraient partager leurs récits, leurs chansons et leurs rares enfants. Malgré leur habitude d'attribuer aux choses des noms très longs qui racontaient leur histoire, ils avaient simplement baptisé cette cité troglodytique Coercri, « la Désespérance ». C'était là qu'ils vivaient depuis le temps de Kevin le Dévastateur.

Une plaine sourde monta de la gorge d'Hyrim.

— Korik, priez pour qu'Hoerkin ait menti ! Priez pour que son message n'ait été qu'une horrible feinte destinée à jeter l'horreur dans nos âmes ! Ah, mon pauvre cœur !

Et il dévala la pente en direction de Coercri.

Il courut ainsi toute la journée, ne se reposant que lorsque la douleur dans sa poitrine devenait insupportable. Les sangardes ne tentèrent pas de le retenir. Mhoram avait dit qu'ils disposaient de vingt jours pour secourir les géants d'Ondemère ; or, ce délai précis s'était écoulé depuis leur départ de Pierjoie.

Le lendemain matin, ils atteignirent les premiers vignobles. Des outils aussi grands que des hommes gisaient entre les rangées de ceps ; des sacoches de cuir abandonnées sur le sol vomissaient provisions et effets personnels. De toute évidence, ceux qui travaillaient là avaient reçu un signal et tout lâché pour y répondre. Les profondes empreintes qu'ils avaient laissées dans la terre meuble se dirigeaient vers Coercri.

Dans les champs voisins, le même spectacle attendait les voyageurs. Mais le lendemain, une averse tomba et la pluie effaça les traces qui auraient pu les renseigner sur le sort de leurs alliés.

Pendant la nuit, les nuages se dissipèrent et la brise marine apporta une odeur d'iode à leurs narines. Le ciel dégagé semblait promettre une belle journée, mais l'aube du vingt-troisième jour se leva rouge et sanglante, parée de reflets verdâtres de sinistre augure. Après avoir mangé les baies prodigieuses que Sill lui tendait, Hyrim s'enveloppa les genoux de ses bras et refusa de bouger.

— Seigneur, nous devons y aller, le pressa **Korik**. La Désespérance est toute proche.

Hyrim ne releva pas la tête.

— Êtes-vous donc immunisé contre la peur ? demanda-t-il d'une voix étouffée. Ignorez-vous ce que nous allons découvrir ou n'éprouvez-vous qu'indifférence pour le sort des géants ?

— Nous sommes la sangarde, répliqua Korik.

— Je sais, soupira Hyrim. Et je suis Hyrim fils de Hoole, seigneur du conseil de Pierjoie. J'ai juré de servir le Fief. J'aurais dû mourir à la place de Shetra. Si j'avais eu sa force... (Il se releva brusquement et écarta les bras.) Nous sommes les nouveaux protecteurs du Fief, clama-t-il, les adorateurs et les serviteurs du Pouvoir de la Terre, qui ont juré de consacrer leur existence à retrouver la Sagesse de Kevin et à guérir le Fief des ravages de la corruption. Nous ne connaîtrons pas de repos jusqu'à ce que... Jusqu'à ce que... *Melenkurion !* gémit-il en agrippant le devant de sa robe noire. Aide-moi !

— Il faut partir, insista Korik. Les géants ont peut-être besoin de nous.

— *Les géants ?* Personne ne peut plus rien pour eux, hoqueta Hyrim.

Il se baissa pour ramasser son bâton et, prenant une inspiration sifflante, s'y accrocha comme si le bois pouvait lui insuffler un peu de courage.

— Mais vous avez raison, nous devons quand même aller là-bas, pour découvrir quelle puissance a perpétré cette abomination et en informer le haut seigneur.

Une ombre s'était abattue sur son regard. Tremblant, il se détourna et se mit en route vers Coercri.

À présent, les voyageurs ne se pressaient plus. Ils avançaient prudemment pour se garder contre une éventuelle embuscade. Pourtant, la matinée s'écoula très vite.

Peu avant midi, ils atteignirent le phare de la Désespérance, que les apatrides avaient construit sur la dernière et plus haute des collines qui entouraient Coercri afin de guider leurs navires. Un gardien s'y trouvait à demeure, veillant sur le fanal.

En approchant du pied de l'ouvrage, les sangardes virent que le feu était mort. De la coupole ouverte ne s'échappait ni lumière ni fumée. Sur les marches qui conduisaient à l'entrée, ils découvrirent du sang noir et séché, déjà si vieux que la pluie n'avait pas réussi à le diluer.

Sur l'ordre de Korik, Vale s'élança dans l'escalier en colimaçon qui conduisait au sommet du bâtiment. Les autres attendirent dehors, le regard braqué sur Coercri.

Le soleil, alors à son zénith, faisait étinceler la mer du Levant et les vagues, dissimulées à leur vue, rugissaient en s'écrasant contre les jetées de la Désespérance. Là-bas se nichait la cité des exilés, dont les remparts, les accès et les innombrables galeries avaient été taillés à même la falaise. Ses halls pouvaient accueillir des conclaves de cinq cents membres, ses quais abriter jusqu'à dix fiers vaisseaux et ses demeures loger l'intégralité de la population. Pourtant, aucun signe d'occupation n'était visible depuis la plaine. À l'exception de quelques mouettes qui survolaient la côte, l'endroit semblait totalement désert. Mais Coercri avait été bâtie face à la mer et les sangardes espéraient encore trouver des habitants de l'autre côté de la falaise.

Vale rejoignit ses compagnons.

— J'ai trouvé une géante là-haut, annonça-t-il en désignant la coupole du menton. Elle est morte. (Il marqua une pause avant de préciser :) Elle a été assassinée. Son visage et le sommet de son crâne ont été pulvérisés, et sa cervelle consumée.

Hyrim fixa Vale. Un rictus tordit son visage aux joues creuses et un grondement sourd monta de sa gorge. Ses jointures blanchirent sur son bâton. Sans un mot, il se détourna et se dirigea vers la Désespérance.

Korik ordonna à cinq de ses hommes – dont Vale, Doar et Shull – de rester au phare pour monter la garde, les avertir en cas d'attaque et mener la mission à son terme si leurs camarades ne revenaient pas. Puis il envoya trois autres sangardes vers le nord pour commencer à explorer Coercri pendant que lui-même, Tull et Sill aborderaient la cité du côté sud en compagnie d'Hyrim.

Tous quatre s'engagèrent dans un tunnel en pente douce qui traversait la falaise et débouchait sur un chemin de ronde surplombant la mer. Depuis leur perchoir, ils purent contempler la façade de Coercri. Les remparts inférieurs étaient inoccupés, la digue et les quais absolument déserts. Seul le bruit du ressac brisait le silence.

Quand Hyrim poussa la lourde porte d'un des appartements qui bordaient le passage, il découvrit deux géants raides morts, gisant dans une mare de sang coagulé. Leur crâne avait été pulvérisé comme par une implosion. Trois autres cadavres reposaient dans le logement voisin et trois encore dans le suivant, dont celui d'un garçon. Ils avaient la tête fracassée et baignaient dans leur sang. Toutefois, ils n'avaient pas encore commencé à se décomposer. Leur mort ne devait pas remonter à plus de trois jours, estima Korik.

— Trois jours, répéta amèrement Hyrim.

Ils poursuivirent leurs recherches, fouillant les logis de l'étage. Dans chacun d'eux, ils trouvèrent deux ou trois corps mutilés. Ceux des enfants étaient figés dans d'épouvantables contorsions ; les adultes, en revanche, semblaient n'avoir opposé aucune résistance, comme s'ils s'étaient laissé foudroyer sans esquisser le moindre geste.

Le seigneur et les trois sangardes passèrent dans un réfectoire, vide, ainsi que les cuisines attenantes, où les cendres s'étaient depuis longtemps refroidies dans les foyers.

— Ils sont rentrés chez eux pour mourir, grogna Hyrim, consterné. Ils étaient conscients du danger et au lieu de lutter, de prendre la fuite ou de réclamer des secours, ils l'ont attendu sans broncher. *Melenkurion abatha !* Seuls les gamins se sont débattus. Quelle atrocité a pu ainsi les stupéfier ?

Les sangardes n'avaient pas de réponse à lui offrir. Ils ne connaissaient aucun fléau assez puissant pour anéantir toute réaction chez ses victimes.

En sortant de la salle, Hyrim donna libre cours à ses larmes.

Les quatre hommes empruntèrent un escalier qui descendait vers les niveaux inférieurs. Partout, le même spectacle morbide les attendait. Vêtus de leur robe noire, ils s'enfoncèrent dans les entrailles de Coercri tels des corbeaux fondant sur un champ de bataille.

Ils avaient déjà exploré la moitié de la cité quand Korik s'immobilisa et huma l'air. Une odeur subtile, qu'il ne parvenait pas à identifier, lui chatouillait les narines. Soudain, il se précipita dans l'appartement le plus proche, fonça vers l'unique corps qui occupait la pièce du fond et toucha le sang du bout des doigts. Ce géant-là avait été tué plus récemment, constata-t-il ; quelques-unes des flaques sombres n'étaient pas tout à fait sèches. L'assassin rôdait peut-être encore dans les parages, traquant ses dernières proies.

— Il faut gagner le rez-de-chaussée au plus vite, chuchota Hyrim. Si des géants ont échappé au massacre, c'est là que nous les trouverons.

Korik acquiesça et ils rebroussèrent chemin vers l'escalier. Tull partit en éclaireur tandis que les autres s'arrêtaient à chaque niveau pour examiner un cadavre. Le sang était de plus en plus frais. Au deuxième étage, ils découvrirent un gosse dont la chair morte retenait encore quelques vestiges de chaleur et au premier, une géante qui venait apparemment d'être massacrée.

Ils descendirent les dernières marches avec d'infinies précautions. Elles aboutissaient au tronçon de plage délimité par la naissance des quais. Le reflux de la marée avait emporté la mer au loin, mais le bruit du ressac résonnait dans la crique. À cette heure avancée de l'après-midi, la promenade qui longeait la base de la cité était plongée dans l'ombre, et sa pierre froide humide d'embruns.

Dans le flanc de la falaise se découpaient de nombreux vantaux de pierre dont la plupart étaient ouverts. Ils donnaient sur les ateliers où les géants façonnaient les planches et les aussières de leurs navires. Comme les diverses parties communes de Coercri, les lieux étaient déserts. Mais contrairement aux vignobles et aux champs, ils n'avaient pas été abandonnés à la hâte. Les outils étaient soigneusement rangés à leur place, les établis débarrassés et le sol avait été balayé. De toute évidence, les ouvriers avaient pris le temps de faire le ménage avant de rentrer chez eux pour mourir.

Seule une petite porte située à l'extrémité sud de la crique demeurait hermétiquement close. Hyrim tenta de l'ouvrir, mais elle n'avait pas de poignée et sa surface lisse n'offrait aucune prise. Korik et Tull glissèrent leurs doigts dans les interstices et tirèrent de toutes leurs forces. Avec un raclement pareil à un hoquet de douleur, le battant pivota vers l'extérieur.

La pâle lumière du dehors s'insinua dans une cellule froide et sombre d'où s'exhalait une forte odeur de renfermé. La petite pièce était entièrement nue, à l'exception d'un lit placé contre le mur de droite.

Un géant était recroquevillé dans le fond, les genoux

ramenés contre la poitrine. Même dans cette position, il dépassait les sangardes d'une bonne tête. Son regard était perdu dans le vague. Un mince filet de salive coulait depuis le coin de sa bouche et disparaissait dans les poils de sa barbe grisonnante. Sa respiration sifflante attestait qu'il n'était pas mort, mais il ne broncha pas lorsque les quatre hommes entrèrent dans sa cellule.

Hyrim se précipita vers lui et s'arrêta net en voyant son expression horrifiée. À son tour, Korik s'approcha et toucha un de ses bras nus. La peau était tiède ; ils n'avaient donc pas affaire à un second Hoerkin.

Le sangarde secoua le malheureux, mais celui-ci ne réagit pas. Alors, il le gifla violemment. La tête du colosse partit sur le côté. Il la redressa sans ciller et se remit à fixer la porte d'un air absent. Korik leva la main pour le frapper de nouveau ; Hyrim le retint.

— Ne vous acharnez pas sur lui, je vous en prie. Il est hors de notre atteinte.

— Il faut pourtant le ramener à lui, insista Korik.

— En effet. (Hyrim se planta devant le géant.) Frère de roc, écoute-moi ! Je suis Hyrim fils de Hoole, seigneur du conseil de Pierjoie. Au nom de tous les apatrides et de l'amitié du Fief, je te conjure de reprendre tes esprits !

L'autre resta de marbre.

Hyrim recula d'un pas pour mieux l'étudier.

— Libérez une de ses mains, ordonna-t-il à Korik. (Il frotta l'extrémité de son bâton et une flamme bleue jaillit du bout ferré.) Je vais tenter la *caamora*, l'épreuve du feu.

Korik hocha la tête. La *caamora* était le rituel que les géants utilisaient pour combattre les tourments de l'âme. Aucun feu ordinaire ne pouvait les blesser, mais la douleur les aidait à se ressaisir. D'un geste vif, Korik saisit le poignet droit de l'affligé et lui déplia le bras pour présenter sa main au seigneur.

— Par la pierre et la mer, frère de roc ! psalmodia Hyrim. Par la pierre et la mer !

Il plaça la flamme sous la paume du géant et le feu seigneurial lui enveloppa les doigts.

Au début, rien ne se produisit ; la main du colosse demeurait inerte. Soudain, ses doigts se crispèrent. Il serra le poing, le rouvrit et prit une inspiration tremblante. Sa tête partit en arrière, heurta le mur et retomba sur ses genoux. Mais il ne se déroba pas. Quand il se redressa, ses yeux étaient pleins de larmes.

Haletant, il esquiva enfin la morsure du feu seigneurial. Sa main était indemne. Aussitôt, Hyrim éteignit la flamme.

— Frère de roc, pardonne-moi ! s'écria-t-il.

Le géant contempla sa main d'un air hagard. Lentement, il parut revenir à lui. Son regard se focalisa sur le seigneur et les sangardes, puis il frémit.

— Je suis vivant ? hoqueta-t-il. (Avant qu'Hyrim puisse répondre, il bredouilla :) Et les autres ? Qu'est-il advenu de mon peuple ?

Hyrim agrippa son bâton.

— Ils sont tous morts.

Le géant poussa un gémissement et se laissa aller. Sa tête roula contre le mur. Les larmes ruisselèrent sur ses joues comme du sang. En silence, Hyrim et les sangardes attendirent qu'il se ressaisisse. Lorsque le flot de son chagrin se fut enfin tari, il murmura sur un ton vaincu :

— Il m'a gardé pour la fin.

— Qui ça ? se força à demander Hyrim.

— Lui, souffla son interlocuteur, accablé. Il est venu peu après que nous avons appris ce qu'étaient devenus les triplés dont la naissance devait, selon la prophétie de Damelon Gigamis, mettre un terme à notre exil. Au printemps dernier... Ah, j'ai du mal à croire que si peu de temps se soit écoulé depuis lors !

Sa voix s'étrangla dans sa gorge.

— Au printemps dernier, reprit-il, nous avons senti que l'antique fléau de Sarangrave était sorti de son sommeil. Nous avons voulu envoyer un message à la fière Citadelle des seigneurs... C'est alors que nous avons perdu les trois frères. Un beau matin, nous nous sommes levés, et ils n'étaient plus là. Nous nous sommes ravisés. Comment aurions-nous pu annoncer aux seigneurs que notre unique espoir avait disparu ? Plutôt que de nous y résoudre, nous avons cherché. Pendant tout l'été, nous avons fouillé le Fief depuis les versants nordrons jusqu'aux plaines Dévastées. Mais nous n'avons rien trouvé. En désespoir de cause, nous sommes rentrés à Coercri, l'ultime demeure des apatrides.

« La dernière à revenir fut Ondulée Florissante, celle qui avait donné le jour aux triplés. Parce qu'elle était leur mère, elle continua à se démener quand tous les autres avaient déjà renoncé, et sa quête l'emmena jusque dans les collines Brisées. Avant de mourir, elle nous réunit pour nous révéler le sort de ses fils. Elle était si grièvement blessée...

Le géant poussa un grognement.

— À présent, je suis le dernier de mon espèce. Ah ! mes pauvres frères !

S'aidant d'une main posée contre le mur, il se redressa et entonna l'ancienne complainte de son peuple.

À présent, nous sommes les apatrides,
Privés de racines, d'ancêtres et de frères.
Abandonnant les mystères d'autres délices,
Nous avons hissé nos voiles pour retracer notre chemin.
Mais les vents de la vie ne nous ont pas portés dans la bonne direction
Et nous n'avons jamais retrouvé notre pays par-delà les mers.

Puis il se tut et son menton retomba sur sa poitrine.

— Qui est-il ? insista Hyrim.

Pour toute réponse, le géant reprit le fil de son récit.

— Ce fut alors qu'il arriva, présage de notre fin imminente, anéantissement de tous nos espoirs de retour au pays. Et nous comprîmes enfin la vérité. Nous l'avions déjà entrevue en des temps plus riants, quand nous aurions pu tenter de réagir ; mais nous avions choisi de l'ignorer. Malgré nos funestes pressentiments, nous pensions pouvoir échapper au mal qui nous menaçait et retrouver le chemin de notre patrie perdue. Pauvres fous que nous étions ! Lorsqu'il est apparu devant nous, nous avons réalisé que notre obstination aveugle nous avait rendus semblables à ce que nous haïssions. Nos cœurs sont devenus cendres et nous avons regagné les confins exigus de ce que nous appelions nos foyers sans y croire.

— Pourquoi n'avez-vous pas fui ?

— Certains l'ont fait, quatre ou cinq d'entre nous qui ignoraient le nom si long du désespoir ou refusaient de l'entendre. Peut-être ressemblaient-ils déjà trop à notre tourmenteur pour le juger... Sarangrave les a emportés.

— Pourquoi n'avez-vous pas lutté ? s'enquit Korik.

— À quoi bon ? Notre faiblesse nous avait déjà dénaturés. La mort valait mieux que la honte.

— Qu'importent vos sentiments ! À l'heure du péril suprême, est-ce ainsi que vous manifestez votre dévouement au Fief et votre amitié à son peuple ? Avez-vous donc oublié vos promesses ? Par le vœu ! Vous vous laissez détruire au lieu d'affronter l'ennemi ! Même Kevin le Dévastateur n'était pas si lâche !

Emporté par son indignation, Korik avait oublié sa réserve habituelle. Ses camarades, surpris, mirent quelques instants à réagir lorsqu'une voix glaciale de mépris s'éleva derrière eux, balayant la pièce telle une bourrasque.

Pivotant, ils découvrirent un autre géant debout sur le seuil. Plus jeune que le premier, il aurait néanmoins été son portrait craché, sans la haine qui brûlait dans ses yeux et lui tordait la bouche. Il serrait dans sa main droite une pierre d'un vert incandescent. Quand ses doigts se crispèrent dessus, elle se mit à fumer.

Il empestait le sang frais, en était couvert de la tête aux pieds. Mais le plus inquiétant, c'était la présence malveillante qui se tapissait en lui, imprégnant chacune de ses fibres sans réussir à s'ajuster à sa forme et parant son regard de l'éclat de la corruption.

— Mmmh, lâcha-t-il sur un ton sardonique. Un seigneur et trois sangardes. Je pensais que mon camarade de Sarangrave vous aurait anéantis, mais je serai ravi d'achever le travail à sa place. Tout de même, je vois que vous ne lui avez pas échappé indemnes. Le noir vous va si bien ! De combien d'amis portez-vous donc le deuil ?

Et il éclata d'un rire pareil au grincement de la roche que l'on broie.

Hyrim s'avança, planta son bâton dans le sol et lança courageusement :

— Ne fais pas un pas de plus, ravageur *turiya* ! Je suis Hyrim, seigneur du conseil de Pierjoie. *Melenkurion*

310

abatha ! Duroc minas mill khabaal ! Je ne te laisserai pas passer.

L'autre frémit en entendant les mots sacrés. Mais très vite, il se ressaisit et s'esclaffa de nouveau.

— Pauvre petit seigneur ! Ton pouvoir se limite-t-il donc à ces quelques bribes d'incantation que tu ne peux prononcer sans les écorcher ? J'admets cependant que tu m'as reconnu. Oui, je suis *turiya* Herem – ou du moins, je répondais, jadis, à ce nom. Désormais, on m'appelle le Massacreur, et mes frères sont le Lamineur et le Pilonneur.

Son aîné poussa un grognement. Le ravageur lui jeta un coup d'œil et eut un rictus satisfait.

— Ah, le voici enfin ! Petit seigneur, je vois que tu t'es entretenu avec Espar Posequille. T'a-t-il dit qu'il était mon géniteur ? Père, n'es-tu pas content de revoir ton fils ? Ne te reste-t-il donc aucune tendresse pour moi ?

Les sangardes n'osèrent pas détourner leur attention du Massacreur, mais ils entendirent la douleur de Posequille et la comprirent. Quelque chose en lui venait de se briser. Soudain, il poussa un rugissement féroce et, bousculant tout le monde, chargea le Massacreur.

Ses doigts se refermèrent sur sa gorge et son élan les emporta tous deux dehors. Au début, le ravageur ne fit pas mine de se débattre. Mais dès qu'il eut retrouvé l'équilibre, il tendit la pierre verte vers le front de son adversaire. Son poing entier lui traversa le crâne.

Espar Posequille hurla. Ses mains retombèrent ; son corps s'affaissa. Seul le pouvoir qui l'empalait le tenait encore debout.

Pendant quelques secondes, le Massacreur le contempla avec une grimace hideuse. Puis il se concentra. Un flamboiement émeraude enveloppa la tête d'Espar Posequille, et elle explosa dans une gerbe de sang et de cervelle. Alors, le ravageur lâcha le cadavre mutilé de son père et piétina allègrement ses restes.

Croyant qu'il les avait oubliés, les sangardes en profitèrent pour passer à l'attaque. Mais lorsque Korik et Tull bondirent vers le Massacreur, il pivota et leur décocha un éclair. Tous deux auraient été foudroyés avant d'atteindre la porte si Hyrim n'avait pas plongé pour intercepter la décharge. L'embout métallique de son bâton concentra sur lui la salve d'énergie malfaisante. L'emblème seigneurial se brisa net, avec une déflagration si violente qu'elle fit voler les humains en arrière. Ils heurtèrent le mur de la cellule et s'affaissèrent, assommés par l'impact.

Korik fut le premier à reprendre connaissance, ramené à lui par le rugissement des vagues. Malgré son hébétude, il réalisa bientôt que ça n'était pas le bruit habituel du ressac. Le son était beaucoup plus chaotique, féroce.

Korik ouvrit les yeux. Il s'était attendu à découvrir l'obscurité propre à la tempête, mais par l'encadrement de la porte, il n'aperçut qu'un ciel dégagé, piqueté d'étoiles. Pas un nuage à l'horizon. Pourtant, un éclair couleur d'émeraude zébra la nuit et explosa avec tant de force qu'il sentit ses vibrations jusque dans sa poitrine.

Dehors, le vent hurlait et la mer en furie assaillait les quais. Le ravageur était planté sur la digue. Brandissant la pierre, il projetait de la foudre verte et gesticulait comme un chef d'orchestre. Trois silhouettes prostrées gisaient derrière lui : les cadavres des sangardes partis explorer l'extrémité nord de Coercri.

Tout d'abord, Korik ne comprit pas ce que faisait le Massacreur. Puis il réalisa que les flots lui obéissaient, qu'ils se dressaient et s'amoncelaient selon le mouvement de ses bras. Au large, un mur d'eau frissonnante était en train de se former. L'océan se cabrait pour répondre à l'appel du ravageur et une gigantesque lame de fond se dirigeait vers la côte.

Korik secoua ses compagnons. Sill et Tull reprirent très vite leurs esprits, mais Hyrim demeura évanoui. Un peu de sang coulait au coin de sa bouche. Au terme d'un examen rapide, Sill annonça qu'il n'avait rien de plus grave que quelques côtes cassées. Korik lui frotta les poignets, lui massa le cou et lui tapota les joues. Enfin, Hyrim cligna des paupières et ouvrit les yeux. Hagard, il sembla ne pas comprendre ce que les sangardes lui racontaient. Mais un regard vers l'extérieur lui suffit pour appréhender la situation. Déjà, la paroi liquide culminait presque aussi haut que la falaise et projetait une ombre funeste sur le rivage.

312

Hyrim tourna alors vers ses compagnons un visage animé par une terrible résolution.

— Nous devons l'arrêter coûte que coûte ! hurla-t-il pour se faire entendre par-dessus le tumulte de l'ouragan. Il viole la mer ! S'il réussit à la plier à sa volonté, la loi qui la préserve depuis la nuit des temps sera brisée et elle deviendra le quatrième ravageur au service du Rogue !

Korik, Sill et Tull acquiescèrent. La fureur qui brillait dans leur regard disait clairement qu'ils auraient désobéi à toute autre décision.

— Il a la Pierre de Maleterre, fit pourtant remarquer Sill.

— Non. Il n'en détient qu'un fragment.

Hyrim tâtonna autour de lui, ramassa les deux moitiés de son bâton et, à l'aide d'une cordelette de *glutor*, les attacha tête-bêche, un embout métallique contre l'autre.

— La Pierre est beaucoup plus grosse que ça, reprit-il. Mais même dans nos pires cauchemars, jamais nous n'aurions imaginé que le Rogue la fragmenterait et distribuerait les morceaux à ses serviteurs. J'ai du mal à concevoir qu'il soit parvenu à une telle maîtrise. C'est ainsi qu'il a pu soumettre les géants : face au pouvoir combiné de la Pierre et des ravageurs, nos frères de roc n'avaient aucune chance. Il faut absolument prévenir le haut seigneur ; vous m'entendez, Korik ?

— Oui, seigneur.

Frémissant de douleur, Hyrim se releva et se traîna dehors. Les trois sangardes le suivirent.

Sur la digue, le Massacreur était en transe, éperdu d'extase et d'orgueil. De sa voix de stentor, il invoquait le tsunami qui, bien qu'encore loin des quais, dominait déjà son corps d'emprunt de toute sa hauteur prodigieuse.

> Viens à moi, océan !
> Obéis-moi !
> Dresse-toi et frappe !
> Brise la pierre
> Et broie la chair !
> Pulvérise les cœurs
> Et avale les âmes !
> Engloutis les morts

Et ravage leurs demeures !
Viens à moi, océan !
Obéis-moi !

Les sangardes voulaient attaquer immédiatement, mais Hyrim les retint.

— Laissez-moi porter le premier coup. Sans cela, vos efforts ne serviront à rien.

Et il s'engagea sur la digue aussi vite que le lui permettaient ses côtes brisées.

Le mur d'eau semblait sur le point de basculer. Seule la volonté du Massacreur le maintenait encore à la verticale. Le géant, subjugué par son propre pouvoir, n'entendit pas approcher les quatre hommes. Mais au dernier moment, son instinct le prévint. Il fit volte-face et découvrit Hyrim à quelques mètres de lui. Avec un rugissement furieux, il brandit la Pierre pour le foudroyer.

Tandis qu'il armait son bras, Hyrim franchit d'un bond la distance qui les séparait encore et frappa de toutes ses forces. Les parties métalliques de son bâton s'abattirent sur le poing du Massacreur.

Les deux pouvoirs se percutèrent dans une explosion verte et bleue. Hélas ! celui du géant était bien supérieur. Il consuma très vite le feu seigneurial, enveloppant d'abord les bras d'Hyrim, puis sa tête et le reste de son corps. Quand les flammes s'éteignirent, Hyrim s'effondra, la cervelle et le cœur calcinés. Mais le choc avait meurtri la main du colosse, qui chancela et lâcha la Pierre. Celle-ci tomba sur la digue et roula un peu plus loin.

Les trois sangardes s'élancèrent comme un seul homme. Privé de sa magie, le Massacreur était une proie facile pour ces adversaires déchaînés, dont le vœu retrouvait tout son caractère offensif. Il mourut bien avant que son corps s'écroule dans les flots.

Mus par la rage et le dégoût, Korik, Sill et Tull s'acharnèrent sur lui pendant un long moment. Puis la fraîcheur des embruns apaisa leur fureur brûlante et ils s'aperçurent que l'ouragan s'atténuait. Sans l'énergie de la Pierre comme aiguillon, le vent retomba et le tonnerre se tut. Avec un grondement d'avalanche, le tsunami s'écroula sur lui-même et les vagues provoquées par la chute de l'énorme masse d'eau vinrent lécher les cuisses des sangardes. Enfin, le calme revint.

Les trois hommes reportèrent leur attention sur Hyrim ; il s'accrochait encore à la vie, mais n'en avait plus pour longtemps, car le feu du ravageur l'avait brûlé jusqu'à la moelle. Ses yeux s'étaient consumés dans leurs orbites et de minces volutes de fumée verte s'échappaient de ses paupières. Lorsque Sill le redressa, il tâtonna autour de lui comme en quête de son bâton et dit faiblement :

— Ne la touchez pas... Jamais, sous aucun prétexte.

Puis il exhala son dernier soupir et mourut dans les bras de Sill.

Les sangardes se relevèrent. Immobiles, tête baissée, ils rendirent un dernier hommage muet au seigneur.

Plus tard, Korik alla chercher le fragment de la Pierre de Maleterre. Sans volonté pour l'animer, ce n'était plus qu'un caillou terne dont le cœur jetait parfois des étincelles. Pourtant, quand il la saisit, un froid mordant enveloppa sa main.

— Nous allons la rapporter au haut seigneur, décida-t-il. Peut-être pourra-t-elle s'en servir pour affronter les autres ravageurs.

Sill et Tull acquiescèrent. Leur mission avait échoué et il ne leur restait pas d'autre espoir.

— Alors, nous renvoyâmes chez nous les corps de nos camarades, conclut doucement Tull. Il était inutile de nous presser : nous savions que les ranyhyn trouveraient un chemin sûr au nord de Sarangrave. Puis nous rejoignîmes ceux que nous avions laissés au phare. Korik chargea deux d'entre eux de regagner Pierjoie à bride abattue pour prévenir ses défenseurs. Parce qu'il estimait que la guerre avait déjà éclaté et que le haut seigneur devait faire route vers la Retraite Maudite avec la milice, il nous demanda, à Shull, Vale et moi, de galoper vers les plaines du Sud pour lui rendre compte de notre mission. Il voulait se charger lui-même de rapatrier le fragment de Pierre à la Citadelle, en compagnie de Sill et de Doar.

Son récit achevé, le sangarde se tut.

Pendant un long moment, Troy fixa la paroi rocheuse sans réagir. Il se sentait sourd et muet, trop choqué pour entendre le gémissement de la brise ou percevoir sa caresse glaciale. La douleur l'engourdissait jusqu'à la moelle. Lorsqu'il releva enfin la tête, il aperçut face à lui le visage crispé de Mhoram. Même à travers la brume qui l'enveloppait, il distingua ses joues baignées de larmes. Il déglutit et, d'une voix enrouée par l'émotion, s'enquit :

— Ce que vous avez vu la nuit dernière dans votre cauchemar... C'était ça ?

— Non, répondit Mhoram sur un ton brusque. J'ai vu des sangardes se battre au service du Rogue.

Il y eut une pause déchirante. Puis Tull grogna :

— C'est impossible.

— Ils n'auraient pas dû toucher la Pierre, haleta Mhoram. Hyrim les avait mis en garde !

Troy voulut lui demander ce que ça signifiait. Mais soudain, il réalisa que sa vision s'éclaircissait. Il se dressa sur les genoux et pivota vers le bord du parapet.

À l'horizon, le soleil se levait.

18

La Retraite Maudite

TROY SE RELEVA D'UN BOND.
Ses compagnons l'imitèrent dans un silence tendu, comme pour partager sa découverte. Il savait pourtant que l'acuité de sa vision mentale surpassait largement celle des sangardes. Tout entier concentré sur les révélations progressives de l'aube, il ne leur prêta aucune attention.

Il ne distingua d'abord qu'une nappe grise et pourpre qui pâlissait à l'est. Puis les rayons du levant frappèrent la plate-forme et le paysage alentour émergea lentement de la brume. Pour la première fois, Troy put contempler l'abîme vertigineux au-dessus duquel l'observatoire de Kevin se dressait tel un doigt accusateur pointé vers le ciel. À l'ouest, par-delà une distance que seul son regard pouvait embrasser, il aperçut les pics enneigés qui décrivaient une large courbe scintillante entre les plaines du Sud et le Garrot.

Bientôt, la lumière révéla les collines qui délimitaient la frontière méridionale d'Andelain et Troy put suivre la progression de la Mithil vers le nord, jusqu'à l'endroit où elle se jetait dans la Noire. Perché sur l'observatoire de Kevin comme au sommet du monde qui s'étendait à ses pieds, il se sentait étrangement soulevé et puissant.

317

Mais le soleil continuait à grimper dans le ciel. Une marée lumineuse envahit les plaines, balayant les derniers lambeaux d'obscurité. Et ce que Troy découvrit alors le fit chanceler tel un coup au plexus. L'épouvante le saisit dans son étau. C'était plus terrible que tout ce qu'il avait imaginé.

Il identifia d'abord la milice. Elle venait juste de se mettre en route, longeant le pied des montagnes en direction du sud. Elle ne formait qu'une vague tache parmi les collines, mais il pouvait estimer sa vitesse. Elle se trouvait encore à deux jours de marche de la Retraite Maudite.

Plus proches de l'observatoire de Kevin, les forces de Quaan lui apparaissaient très clairement. D'instinct, il évalua les pertes considérables qu'elles avaient subies. Un tiers des deux cents sangardes et la moitié des douze légions manquaient à l'appel. Les survivants menaient leurs montures à bride abattue, dans un désordre qui évoquait une débandade plutôt qu'une charge. Non sans raison. Car sur leurs talons déferlait une horde de *kresh* : au moins dix mille grands loups jaunes. Les plus massifs, montés par des ur-vils, s'étaient regroupés à l'avant de la meute en formations triangulaires et les vilmestres, placés à la pointe, projetaient des flots de ténèbres vers tout adversaire que l'éreintement de son cheval précipitait dans leur sphère d'influence.

Dans un effort désespéré pour contrôler leur allure et ne pas s'abandonner à une fuite éperdue, vingt ou trente cavaliers faisaient parfois volte-face et chargeaient leurs poursuivants afin de les ralentir. Des éclairs bleus jaillissaient alors, témoignant que Verement et Callindrill étaient toujours vivants. Mais deux seigneurs ne pouvaient suffire à endiguer un tel raz de marée. Et le groupe avait déjà dépassé la Mithil depuis longtemps. À ce rythme, il atteindrait la Retraite Maudite bien avant le reste de la milice.

Quaan n'avait pas pu gagner la dernière journée nécessaire aux fantassins pour rejoindre le champ de bataille choisi par leur commandant.

Ce n'était pas tout. Les *kresh* ne constituaient que l'avant-garde d'une armée monstrueuse. Le géant qui la guidait était la moindre de ses horreurs. Derrière lui avançaient une multitude de lémures : au moins vingt mille fouisseurs de roche à la silhouette dégingandée mais puissante, suivis par un nombre égal d'ur-vils, qui couraient à quatre pattes pour prendre toujours plus de vitesse. Parmi eux, Troy apercevait des centaines de griffons trottant ou volant en rase-mottes. Enfin, fermant la marche, venait une myriade d'humains, de repentis, d'animaux des bois et de créatures de Sarangrave, tous corrompus par la main perverse du Rogue et l'influence de la Pierre de Maleterre.

Le plus gros de cette force prodigieuse avait déjà traversé la Mithil sur les traces de Quaan et de ses hommes. À ce rythme, il ne lui faudrait pas trois jours pour gagner la Retraite Maudite. Amorine n'aurait jamais le temps de dresser l'embuscade... Mais c'était sans importance désormais, car le mieux conçu des pièges n'aurait pu avoir raison d'effectifs si considérables.

Troy tomba à genoux.

— Dieu tout-puissant, gémit-il. Qu'ai-je fait ?

— Insigne, qu'y a-t-il ? interrogea Mhoram sur un ton pressant. Qu'avez-vous vu ?

Troy ne répondit pas. La tête lui tournait, et à travers le vertige dû à son impuissance, une pensée accablante dominait son esprit : c'était sa faute. L'échec de la mission de Korik, la mort des géants, le massacre imminent des miliciens, il en était seul responsable. On lui avait confié le soin d'organiser la défense du Fief et une fois sa débâcle consommée, ce monde ne pourrait plus opposer aucune résistance à son pire ennemi. Sans s'en rendre compte, lui, Troy, servait le Rogue depuis le début. Ainsi, Atiaran Trell-mie n'était pas morte pour rien, songea-t-il amèrement. En l'appelant, elle avait fait le jeu de Turpide malgré elle.

L'impardonnable erreur de jugement que venait de commettre Troy allait coûter la vie à ses hommes – et, bien davantage encore, au Fief. Il voulait hurler, mais l'horreur qui serrait sa gorge ne l'y autorisait pas. Il ne comprenait pas comment le Rogue avait pu rassembler autant de combattants – une multitude qui surpassait ses plus terribles cauchemars. Suffoquant, il se releva en portant les mains à son cou. Le rugissement de la défaite emplit ses oreilles et il bascula en avant.

Il ne réalisa qu'il avait tenté de se jeter dans le vide que lorsque Terrel et Ruel le saisirent par les jambes pour le ramener sur la plate-forme. Puis il sentit une brûlure sur sa joue gauche. Mhoram venait de le gifler. Quand il frémit, le seigneur lui hurla en pleine face :

— Insigne Troy ! Écoutez-moi ! J'ai tout compris ! La troupe du Rogue est immense et la milice n'atteindra pas la Retraite Maudite en temps voulu ! Je peux vous aider !

Instinctivement, Troy voulut rajuster ses lunettes. Mais elles n'étaient plus là. Il les avait perdues dans sa tentative de suicide.

— *Écoutez-moi !* répéta Mhoram. Je peux envoyer un message. Si Callindrill ou Verement vit encore, il m'entendra et préviendra Amorine. (Il agrippa l'épaule de Troy.) Tout n'est pas perdu ! Mon pouvoir demeure intact, mais il se nourrit d'espoir. Vous êtes l'insigne de la milice ; vos hommes comptent sur vous ! Fournissez-moi l'espoir nécessaire à leur salut !

— Impossible, chuchota Troy. Ce serait vain. Aucune armée au monde ne pourrait vaincre celle du Rogue.

Il voulait pleurer, mais Mhoram ne lui en laissa pas le loisir.

— Trouvez un moyen, insista-t-il. Sinon, ils vont se faire massacrer ! Vous devez les sauver !

Face à cette insoutenable exigence, Troy sentit la colère le gagner.

— Je ne peux rien pour eux ! cracha-t-il. Ce que nous avons devant nous, c'est l'apocalypse en marche. De toute façon, les nôtres arriveront trop tard ! La seule solution pour retarder l'inévitable serait qu'ils traversent la Retraite Maudite sans s'arrêter et continuent à courir jusqu'à ce qu'ils meurent d'épuisement ! Ils ne trouveront pas de meilleur endroit pour affronter le Rogue : les Aridies ne sont que désert et ruines...

Soudain, son cœur fit un bond dans sa poitrine. La plate-forme parut tanguer sous ses pieds et il saisit le poignet de Mhoram pour se retenir.

— Doux Jésus, souffla-t-il. Il reste peut-être une chance ! ,

— Parlez ! ordonna le seigneur.

— Une chance minuscule, oui, murmura Troy, émerveillé. (Il se força à se concentrer sur Mhoram.) Mais vous devrez accomplir un miracle.

— Si je le dois, j'y arriverai, affirma Mhoram. Dites-moi ce qu'il faut faire.

Troy mit quelques instants à lui répondre. Il se sentait étourdi de soulagement, comme un condamné à mort auquel on vient d'accorder un sursis inopiné.

— Ça va être l'enfer, lâcha-t-il enfin. Vous ne pouvez même pas imaginer. (Mhoram le secoua impatiemment.) D'accord, d'accord. Puisqu'il n'y a pas d'autre moyen... (Troy réfléchit.) D'abord, il faut envoyer un message à Callindrill et à Verement.

— Sont-ils encore en vie ?

— Oui. J'ai vu leur feu seigneurial. Pouvez-vous communiquer avec eux ? Ils n'ont pas de baguette de haut bois.

Mhoram grimaça.

— Que dois-je leur dire ?

Troy dévisagea son interlocuteur. Sans ses lunettes, il se sentait vulnérable, incapable de se barricader contre le reproche. Pourtant, il ne distingua nulle aversion dans le regard de Mhoram : juste une flamme pure et indomptable. Face à tant d'héroïsme, il se sentit plus faible, plus infirme que jamais. Il se détourna pour contempler les plaines. Les hordes du Rogue progressaient rapidement et à leur vue, il éprouva un brusque regain de panique. Mais il s'accrocha à ses responsabilités pour la maintenir à distance.

— Très bien. Tull, redescendez au stèlage et amenez les ranyhyn à la sortie du col. Nous avons une longue route devant nous.

— Oui, insigne.

Le sangarde s'éclipsa sans bruit. Troy reporta son attention sur Mhoram.

— Vous aviez raison. Il faut prévenir Amorine. Elle doit absolument atteindre la Retraite Maudite avant Quaan. (L'idée l'effleura que le brandebourg n'était peut-être déjà plus de ce monde, mais il la refoula aussitôt.) Peu m'importe comment elle s'y prendra : l'embuscade doit être prête quand les cavaliers arriveront. Sinon... (Il serra les dents pour empêcher sa voix de trembler.) Pouvez-vous transmettre ce message ?

Il frissonna en pensant au martyre qui attendait ses hommes. Après vingt-cinq jours de marche forcée, ils devraient couvrir encore cinquante lieues au pas de course pour découvrir à l'arrivée que rien n'était joué et que nombre d'entre eux allaient se faire massacrer.

Pour toute réponse, Mhoram sortit sa baguette de *lomillialor* et la fixa sur son bâton à l'aide d'une cordelette de *glutor*.

— Mon ami, vous devriez redescendre, vous aussi, suggéra-t-il. Vous serez plus en sécurité en bas.

Troy acquiesça. Il jeta un dernier coup d'œil aux deux forces pour s'assurer qu'il les avait bien jaugées, souhaita bonne chance à Mhoram et se dirigea vers l'escalier abrupt. Les marches étaient glissantes, mais la présence de Ruel au-dessous de lui le rassurait. Bientôt, il atteignit la base de l'aiguille et leva la tête vers Mhoram.

Au terme d'une pause qui lui parut durer une éternité, des bribes d'incantation parvinrent à ses oreilles. Puis le silence retomba. Des flammes jaillirent autour de Mhoram, enveloppant l'observatoire et emplissant l'air d'une réverbération muette, comme si la falaise renvoyait l'écho d'un cri prolongé et inaudible. Les ondes silencieuses brûlèrent les tympans de Troy et lui donnèrent envie de se couvrir les oreilles, mais il se força à les endurer sans bouger.

Peu de temps après que la dernière vibration se fut dissipée, Terrel redescendit, soutenant Mhoram à demi affaissé. Troy craignit que le seigneur ne se fût infligé quelque dommage irrémédiable, mais il ne souffrait que d'épuisement. Bien que chancelant et dégoulinant de sueur, il lui adressa un faible sourire.

— Je plains quiconque se dressera en travers du chemin de Callindrill, murmura-t-il. C'est un vrai seigneur de guerre. Ses émissaires sont déjà en route pour prévenir Amorine.

— Tant mieux, lâcha Troy d'une voix enrouée par l'affection et le soulagement. Mais si nous n'atteignons pas la Retraite Maudite d'ici demain après-midi, ça n'aura servi à rien.

Mhoram acquiesça. S'accrochant à l'épaule de Terrel, il rebroussa chemin le long de la corniche. Troy et Ruel lui emboîtèrent le pas.

La fatigue de Mhoram les força à progresser d'abord très lentement. Mais bientôt, ils traversèrent une petite vallée ceinturée de pins où l'*aliantha* poussait en abondance. Ragaillardi par une collation de baies prodigieuses, Mhoram put reprendre une allure normale.

Troy marchait comme poussé par un vent d'impérieuse nécessité. Dès qu'il aperçut Tull et les autres sangardes à l'entrée du col, il se précipita vers Mehryl, l'enfourcha et partit au trot vers Mithil-Stèlage. Il voulait gagner au plus vite les plaines, où les ranyhyn pourraient galoper en toute liberté. Mais les anciens s'étaient postés à l'entrée du village. À contrecœur, il s'arrêta et les salua.

— Insigne Troy, seigneur Mhoram, vous devez être pressés de rejoindre vos troupes, aussi ne vous retiendrons-nous pas longtemps, promit Teras Slen-mie. Triock fils de Thuler souhaite vous parler.

— Vous nous avez honorés de votre hospitalité ; nous serions bien ingrats de ne pas accéder à votre requête, répondit Mhoram. Triock fils de Thuler, nous vous écoutons. Mais faites vite, car dans cette guerre, le temps œuvre contre le Fief.

L'intéressé s'avança.

— Rassurez-vous, ce n'est rien de grave, dit-il sur un ton bourru. Je voulais seulement solliciter votre indulgence pour ma conduite d'hier soir. J'avais de bonnes raisons d'être bouleversé, mais cela n'excuse rien. Jadis, Atiaran Trell-mie a retenu ma main quand j'étais sur le point d'enfreindre mon serment de paix. Succomber à la violence maintenant serait un affront envers sa mémoire.

« J'espérais que l'ignessire Trell demeurerait auprès du haut seigneur pour la protéger. Mais il se trouve à Pierjoie et moi, je suis ici. J'ai peur pour Elena. Cela dit, je regrette ma grossièreté. Seigneur, pardonnez-moi.

— Il n'y a rien à pardonner, dit doucement Mhoram. C'est mon manque de confiance qui a excité votre colère.

Si cela peut atténuer vos craintes, sachez néanmoins que Thomas Covenant est l'ami du Fief. Le souvenir de ses crimes le tourmente et je suis convaincu qu'il cherchera à se racheter en assistant le haut seigneur dans sa quête.

Triock eut une moue sceptique, mais n'osa pas contester le jugement.

— Triock fils de Thuler, reprit Mhoram, j'aimerais vous faire un cadeau au nom du haut seigneur, bien-aimée de tous les habitants du Fief.

Plongeant la main dans sa poche, il en sortit la baguette de *lomillialor*.

— C'est du haut bois, révéla-t-il. Pour avoir étudié à la Loge, vous devriez connaître certains de ses usages. Je n'aurai plus l'occasion de m'en servir.

Ces derniers mots, prononcés avec force, plongèrent Troy dans la plus grande perplexité.

— En revanche, vous en aurez besoin, poursuivit Mhoram. Je ne sais ni quand ni pourquoi, mais j'ai le pressentiment que cette baguette vous sera d'une très grande utilité. Acceptez-la comme un gage de ma contrition. Je n'aurais jamais dû douter de vous.

Triock écarquilla les yeux et son visage crispé se détendit brièvement. L'espace d'une seconde, Troy entrevit l'homme qu'il aurait été si Covenant n'avait pas ravagé son existence. Puis le stèlagien prit le présent que Mhoram lui tendait et se renfrogna de nouveau.

— Je lui trouverai peut-être une utilisation qui vous surprendra, marmonna-t-il.

Sur ces paroles sibyllines, il s'inclina devant le seigneur et les autres anciens l'imitèrent.

Troy n'attendait que cela. Sans perdre de temps à s'interroger sur l'étrange cadeau de Mhoram ou la non moins étonnante promesse de Triock, il éperonna Mehryl et entraîna ses compagnons vers la sortie de la vallée.

Peu de temps après, ils contournèrent la montagne et déboulèrent dans les plaines. Troy fut surpris de constater que le ranyhyn de Tull tenait si bien l'allure. Il galopait ventre à terre depuis huit jours ; pourtant, sa tête était toujours fièrement dressée, son regard étincelait d'orgueil et sa crinière flottait au vent tel un noble étendard. Alors,

Troy comprit pourquoi le peuple de Ra vénérait tant les grands coursiers.

Mais il ne fit aucune concession à la fatigue de l'étalon et mena un train d'enfer pendant toute la journée. Il brûlait de rejoindre ses soldats, de partager leur lutte et surtout, de leur montrer l'unique moyen par lequel ils arracheraient peut-être la victoire face à la monstrueuse armée du Rogue.

Le lendemain matin, Ruel le réveilla avant l'aube. Ils déjeunèrent rapidement et s'élancèrent de nouveau vers l'ouest, longeant la cordillère Sudronne. Quand le soleil se leva, Troy aperçut les falaises de la Retraite Maudite devant eux. Leur trajectoire allait les rapprocher dangereusement de l'avant-garde ennemie ; du moins cela leur permettrait-il d'évaluer les pertes subies par les leurs depuis la veille.

Quaan et ses légions furent en vue bien plus tôt qu'ils ne s'y attendaient. Le brandebourg avait dû faire un détour par le sud afin d'entraîner ses poursuivants le plus loin possible du parcours de la milice. Peu après midi, Troy gravit une colline qui surplombait la contrée. Une lieue au nord, les survivants fuyaient devant l'ennemi. Troy fut d'abord soulagé de voir Quaan chevaucher à leur tête, près du porte-étendard. Dans les rangs, il repéra au moins cent vingt sangardes, et les robes bleues de Callindrill et de Verement, qui faisaient tache au milieu de la sombre coulée des uniformes.

Puis il vit dans quel désordre se déplaçaient les troupes. Leur déroute était presque totale. Les cavaliers ne cessaient de se bousculer, de pivoter sur le dos de leur monture et de pousser des cris apeurés. Derrière eux, les *kresh* déferlaient telle une lame de fond jaune mouchetée de noir.

Néanmoins, la distance qui séparait les adversaires ne variait pas. Au bout d'un moment, Troy comprit que les hommes de Quaan luttaient pour reproduire très exactement l'allure des grands loups, ralentis par la fatigue et le poids des ur-vils. Ils ne les laissaient pas approcher, mais prenaient garde à ne pas les distancer ; ainsi, les *kresh* continuaient à les suivre sans se préoccuper de la direction dans laquelle ils les entraînaient.

C'était une stratégie habile, mais périlleuse. Les guerriers ne pouvaient pas se reposer et ceux qui se faisaient désarçonner étaient aussitôt taillés en pièces. Une phalange entière avait déjà succombé de la sorte. Mais si Quaan réussissait à tenir une demi-journée de plus, la milice aurait jusqu'au soir pour atteindre la Retraite Maudite et s'y positionner.

Troy dévala la pente pour rejoindre Quaan. Quand ils aperçurent l'insigne et Mhoram, les fuyards les accueillirent par de maigres acclamations. L'heure n'était pas aux retrouvailles chaleureuses. En vérité, les rescapés offraient un bien pitoyable spectacle. Les chevaux, fourbus, tenaient à peine sur leurs jambes ; seule la terreur les poussait encore en avant. Leurs cavaliers semblaient tout aussi mal en point. Ils n'avaient pas dormi ni fait un repas décent depuis plusieurs jours. La poussière des plaines maculait leur visage et s'agglutinait dans leurs plaies. Troy eut beaucoup de mal à détacher son regard d'eux pour saluer le brandebourg.

— Ravi de vous revoir, insigne ! hurla Quaan pour se faire entendre par-dessus le fracas des sabots. Et navré de n'avoir pas tenu huit jours !

Troy fit volter sa monture pour se mettre botte à botte avec lui.

— Vous avez prévenu Amorine ?

— Oui.

— Alors, tout va bien. Sept jours suffiront.

Il donna une tape sur l'épaule de Quaan et ralentit pour s'immerger dans le flot tumultueux de la troupe. Aussitôt, la panique et la tension le saisirent à la gorge tel le souffle brûlant des *kresh*. À présent, il entendait leurs grognements et les braillements des ur-vils. Il percevait leur présence comme une conséquence directe de sa mégalomanie, le fruit d'une trahison perpétrée à l'encontre du Fief. Pourtant, il se força à sourire et à crier des encouragements aux guerriers. La culpabilité était un luxe qu'il ne pouvait s'offrir. Désormais, la charge de sauver la milice reposait sur ses seules épaules.

Il jeta un rapide coup d'œil aux parois escarpées distantes de deux lieues à peine. À cet endroit, la pointe ouest de la cordillère Sudronne s'infléchissait vers le nord pour rencontrer le coin sud-est du triangle montagneux qui se dressait entre les plaines du Sud et le Garrot. Le défilé de la Retraite Maudite courait entre les deux chaînes telle une fissure béante dans la roche, fournissant l'unique accès aux Aridies et au désert Gris.

Le regard de Troy se porta vers l'entrée du canyon. Les derniers miliciens ne l'avaient pas encore atteinte. Faute d'un répit supplémentaire, ils se feraient surprendre à découvert par les *kresh* et l'embuscade échouerait.

Troy n'hésita pas une seule seconde. Quand il fut certain que les miliciens avaient aperçu le groupe de Quaan, il remonta la colonne et héla le brandebourg. Il fallait faire volte-face et attaquer. Il n'y avait pas d'autre solution.

Malgré l'état pitoyable de ses hommes, Quaan admit la décision de l'insigne. Il émit un sifflement strident pour attirer l'attention des officiers et, utilisant les signaux mis au point par Troy, leur relaya les ordres.

Les cavaliers réagirent aussitôt. Ceux qui se trouvaient sur les côtés s'écartèrent pour manœuvrer tandis que les autres luttaient pour maîtriser leurs montures et pivoter sur place.

Ils n'en eurent pas le temps. À peine avaient-ils ralenti que les *kresh* arrivèrent au contact. L'arrière-garde s'écroula sous leur assaut. Les vilmestres firent tournoyer leurs bâtons métalliques, éclaboussant de leur pouvoir acide les humains et les chevaux tombés à terre. Des hennissements de douleur résonnèrent par-dessus le vacarme. En quelques secondes, une large bande de fougères grises vira à l'écarlate.

Mais l'abrupte profusion de cadavres stoppa les *kresh* dans leur élan. Les chefs de meute s'arrêtèrent pour achever les blessés et les dévorer, plongeant leurs congénères dans la confusion. Seuls les triangles d'ur-vils continuèrent à charger.

Les sangardes se précipitèrent au secours des miliciens. Les trois seigneurs se jetèrent sur les ur-vils les plus proches. D'autres combattants se rallièrent pour frapper. Au cœur de la mêlée, Troy se démenait comme un fou furieux, abattant son épée sur chaque loup qui passait à sa portée.

Un instant, ils parvinrent à tenir les *kresh* en respect. Les guerriers se battaient avec la rage du désespoir et les sangardes, toujours maîtres d'eux-mêmes, éparpillaient les loups dans toutes les directions. Œuvrant de concert, les seigneurs firent exploser une formation d'ur-vils, puis une autre. Mais il en restait encore dix-huit, qui se regroupèrent et entreprirent de restaurer l'ordre dans les rangs des *kresh*. Quelques chevaux perdirent l'équilibre sur le sol détrempé. D'autres, paniqués, échappèrent au contrôle de leur partenaire et tentèrent de s'enfuir.

Troy réalisa qu'ils ne tiendraient pas longtemps. Il se fraya un chemin vers les seigneurs. Mais soudain, vingt ou trente *kresh* l'encerclèrent. Mehryl fit volte-face, esquivant leurs crocs et distribuant force ruades. Déséquilibré, Troy faillit chuter à deux reprises. Un loup lui bondit dessus ; au dernier moment, il le transperça de son épée. Puis une charge de dix sangardes conduite par Ruel assaillit les *kresh* et les dispersa. Troy se redressa, fit mine de rajuster ses lunettes absentes, jura et pivota en direction des seigneurs. Par-dessus son épaule, il jeta un coup d'œil à la Retraite Maudite. Les derniers miliciens venaient de s'engouffrer dans le canyon.

— Faites quelque chose ! s'époumona-t-il en rejoignant Mhoram. Ils sont en train de nous massacrer !

Mhoram se porta en avant pour passer le message à Callindrill et Verement, puis revint vers Troy.

— À mon signal, fuyez ! hurla-t-il.

Sans attendre de réponse, il poussa son ranyhyn au galop et s'élança vers la Retraite Maudite avec ses pairs.

Cent mètres plus loin, Verement s'arrêta et fit volte-face pendant que Mhoram fonçait vers le nord et Callindrill vers le sud. Quand ils furent en position, tous trois formaient une ligne devant les abords du défilé.

Ils mirent pied à terre. Au centre, Verement planta son bâton dans le sol, tandis que Mhoram et Callindrill faisaient tournoyer le leur et criaient d'étranges incantations par-dessus le vacarme de la mêlée. Pendant qu'ils se préparaient, Troy rejoignit Quaan et lui transmit les instructions de Mhoram. Le brandebourg les accepta sans discuter. Puis ils se séparèrent pour faire passer le mot.

Troy craignait que le signal de Mhoram n'arrive trop tard. Déjà, les *kresh* s'organisaient, sous l'autorité brutale des ur-vils. Les vilmestres arrachaient les loups aux carcasses sanguinolentes et les forçaient à se regrouper pour livrer un nouvel assaut. Face à eux, les cavaliers reculaient en s'efforçant de resserrer les rangs.

Puis Mhoram agita son bâton. Les guerriers voltèrent brusquement et s'élancèrent vers la Retraite Maudite. Derrière eux, les *kresh* bondirent, et les retardataires furent submergés par une vague de griffes et de crocs. Cette fois, leurs camarades ne tentèrent pas de riposter. Lâchant la bride à leurs montures affolées, ils détalèrent de plus belle.

Leur fuite soudaine ouvrit, entre eux et la meute, une brèche qui s'élargit lentement comme les chevaux donnaient libre cours à leur puissance. En quelques secondes, Troy, Quaan, les trois dernières légions et à peine plus d'une centaine de sangardes eurent franchi la ligne des seigneurs. Dès que tout le monde fut passé, Verement saisit son bâton à deux mains, le brandit telle une massue et l'abattit sur le sol.

Instantanément, un écran d'énergie scintillante jaillit entre Mhoram et Callindrill. Lorsque les premiers *kresh* se jetèrent dessus, des flammes bleues aveuglantes les firent voler en arrière. Voyant que la magie tenait bon, Mhoram enfourcha son ranyhyn et s'élança sur les traces des guerriers. Verement le suivit aussi vite que son robuste mustang pouvait le porter.

— Hâtez-vous ! hurla Mhoram en rejoignant Troy et Quaan. Le rebutant ne tiendra pas longtemps ! Les ur-vils finiront par le briser ! Fuyez !

Cette recommandation était bien superflue. Les chevaux, emballés, filaient comme le vent en direction de la Retraite Maudite. Soudain, les deux seigneurs se figèrent en pleine course et les sangardes rebroussèrent chemin ventre à terre. Troy poussa un juron consterné et pivota sur le dos de Mehryl pour voir ce qui se passait.

Plusieurs cavaliers gravement blessés avaient chuté juste derrière le mur défensif et Callindrill était resté sur place pour les secourir. Indifférent au danger, il circulait parmi eux, déchirant leurs vêtements pour en faire des garrots et des bandages.

Déjà, les ur-vils se préparaient à abattre le rebutant. Ils envoyèrent les *kresh* le contourner par les deux bouts, puis ordonnèrent à trois formations triangulaires de demeurer près d'eux et à toutes les autres de se regrouper un peu en retrait.

Alors que Troy éperonnait Mehryl pour rattraper les seigneurs et les sangardes, les trois triangles les plus proches du mur protecteur attaquèrent. Les vilmestres croisèrent leurs bâtons avec fracas. Un flot de pouvoir ténébreux en jaillit, percuta le rempart d'énergie de plein fouet et le traversa.

De grands jets de fluide corrosif s'écrasèrent aux pieds de Callindrill sans le toucher, mais l'impact souleva le seigneur et les blessés comme de vulgaires poupées de chiffon. Ils retombèrent brutalement et ne bougèrent plus.

Les ur-vils s'effacèrent et la force massée en arrière se précipita à l'assaut du rebutant. Au même moment, les premiers *kresh* atteignirent ses extrémités.

Mhoram sauta à terre. Un regard lui suffit pour comprendre que les guerriers étaient morts : la commotion les avait achevés. Aussi se concentra-t-il sur Callindrill. Il s'agenouilla près de lui et lui palpa le torse. Un souffle de vie palpitait encore dans sa poitrine, mais son cœur avait cessé de battre.

Troy rejoignit Mhoram tandis que les sangardes se déployaient autour d'eux. Juché sur le dos de son mustang, Verement luttait pour renforcer le rebutant. Mais celui-ci ne résisterait pas au pouvoir combiné des mille cinq cents ur-vils, qui ne se trouvaient plus qu'à vingt mètres de lui. Quant aux *kresh* qui l'avaient contourné, ils fonçaient vers les seigneurs pour les prendre en tenaille.

— Fuyez ! glapit Mhoram. Sauvez votre peau ! Il ne servirait à rien que nous mourions tous ici !

Personne ne lui obéit.

Il reporta son attention sur Callindrill. Se mordillant la lèvre inférieure, il lui massa la poitrine pour faire repartir son cœur. Sans résultat. Alors, il leva le poing et l'abattit sur le pectoral gauche de Callindrill. Le cœur fit une embardée, puis se remit à battre faiblement.

Mhoram héla Morril, qui souleva le rescapé et le jeta en travers de l'encolure de son ranyhyn. Voyant que Callindrill était sauvé, Verement se détourna et fila en direction de la Retraite Maudite. Mhoram et Troy se remirent rapidement à cheval et l'imitèrent. À leur tour, les sangardes se replièrent en formant un cercle défensif autour du groupe.

L'instant d'après, les ur-vils percutèrent le mur, qui céda sous l'impact. Un sombre pouvoir fit voler les flammes bleues en éclats. La marée des *kresh* se rua à la poursuite des fuyards et ceux qui avaient évité le barrage infléchirent leur trajectoire pour les intercepter. Mais les ranyhyn, bien plus rapides qu'eux, n'eurent guère de mal à les distancer.

Plus loin, dans l'ombre des falaises, Quaan encourageait les retardataires de la voix. Le gros de ses troupes s'était déjà engouffré dans le canyon.

Furieux de voir tant de proies leur échapper, les *kresh* poussèrent des hurlements sauvages et convergèrent sur Verement. Sa monture galopait courageusement, mais elle était déjà épuisée, et les loups ne cessaient de gagner du terrain. Troy comprit qu'il allait se faire rattraper à mi-chemin de la Retraite. Il appela à l'aide, mais les sangardes ne réagirent pas. Seul Thomin, l'ordonnance de Verement, était restée avec lui. Fou de colère, Troy fit mine de retourner chercher le seigneur, mais Mhoram l'en dissuada en criant :

— C'est inutile !

Au dernier moment, alors que les *kresh* talonnaient déjà le mustang, Thomin saisit Verement à bras-le-corps, le déposa sur le dos de son ranyhyn et l'emmena au galop vers la Retraite Maudite. Derrière eux, le mustang disparut sous une avalanche jaune avec un hennissement déchirant.

Un instant, la brume du crépuscule se teinta de rouge dans l'esprit de Troy. Puis, sans transition, le sombre défilé l'engloutit. À l'exception d'un trait de lumière vertical, droit devant lui, il ne voyait rien. Au-delà de l'écho de la cavalcade que les parois rocheuses renvoyaient en le démultipliant, il capta les croassements moqueurs des corbeaux. Il lui sembla que des eaux ténébreuses se refermaient au-dessus de lui. Quand il émergea enfin dans la maigre clarté du couchant, le soulagement lui fit presque tourner la tête.

Amorine aboya un ordre. Des milliers de guerriers jaillirent du pied des falaises et formèrent un arc à la sortie du canyon pour verrouiller le piège. Quelques secondes plus tard, les premiers *kresh* surgirent à leur tour de la gorge et se jetèrent sur eux. La ligne défensive recula sous l'impact, mais ne céda pas.

Sur le côté, Troy entendit Verement protester :

— Lâche-moi ! Je ne suis pas un enfant pour qu'on me porte ainsi !

Il grimaça, puis amena Mehryl derrière ses hommes pour pouvoir leur prêter main forte en cas de besoin. Il brûlait de voir le résultat de sa stratégie, mais les ténèbres du lieu l'aveuglaient.

Bientôt, des bruits de combat s'échappèrent du goulet. Les *kresh*, qui se bousculaient à l'intérieur, poussèrent des glapissements lorsque les soldats postés au sommet des escarpements les attaquèrent. Leur réaction trahissait la surprise plutôt que la peur : ils étaient trop frustes pour comprendre le danger qui les menaçait. Les ur-vils, en revanche, l'appréhendaient parfaitement. Ils se mirent à vociférer pour ramener l'ordre au sein de la meute. Bientôt, les hurlements des loups changèrent de tonalité.

Les voix des ur-vils se firent plus brusques, plus désespérées. L'exiguïté du passage les empêchait d'utiliser la puissance offensive de leurs formations et, sans ce paramètre nécessaire à leur pouvoir, ils se retrouvaient à la merci des flèches, des lances et des pierres qui pleuvaient sur eux.

Dans la confusion générale, les unités se brisèrent. La crainte et l'incertitude prirent le pas sur la soif de sang des *kresh*. Ceux-ci tentèrent de décamper, mais ils étaient si nombreux que leur masse grouillante entravait leurs mouvements. Et la mort s'abattait sur eux sans relâche. Affolés par les cris des corbeaux et incapables d'atteindre l'ennemi, ils se retournèrent contre les ur-vils qui tentaient de les encadrer.

Aucun d'eux n'en réchappa. À la fin de l'affrontement, l'avant-garde de l'armée du Rogue gisait, décimée, dans les confins de la Retraite Maudite.

Le silence retomba. Puis des acclamations rauques s'élevèrent de part et d'autre du défilé, bientôt reprises en chœur par les guerriers qui scellaient la sortie du canyon. Alors, les corbeaux fondirent vers le festin de *kresh* et d'ur-vils dressé à leur intention.

Amorine rejoignit Troy.

— Nous n'avons subi que très peu de pertes, rapporta-t-elle d'un air satisfait. Félicitations, insigne. C'était un plan remarquable.

Mais Troy savait qu'ils n'avaient remporté qu'une bataille. Quoique amputé, l'armée du Rogue demeurait monstrueuse. Il secoua la tête.

— Rien n'est encore gagné, murmura-t-il. La milice n'est pas au bout de ses peines, loin s'en faut. Vous transmettrez mes encouragements aux hommes. Dites-leur de dresser le camp pour la nuit ; nous serons tranquilles jusqu'à demain. Après le repas, nous nous réunirons pour discuter de la suite des opérations.

Le regard d'Amorine disait clairement qu'elle ne comprenait pas sa réserve, mais elle salua sans poser de questions et s'éloigna pour répercuter les ordres. Les ténèbres l'engloutirent.

Troy appela Ruel et lui demanda de le conduire à Mhoram.

Ils le trouvèrent installé devant un petit feu de camp en compagnie de Callindrill. Le blessé avait repris connaissance, mais son teint gardait une blancheur de craie et il semblait encore très faible. Après s'être assuré qu'il était en bonne voie de rétablissement, Troy entraîna Mhoram à l'écart.

— Que voulez-vous faire au sujet de Verement ? lui demanda-t-il. L'un de nous doit lui apprendre que sa femme est morte. Si vous voulez, je m'en chargerai. Je l'ai sans doute bien mérité...

— Non, je m'en occupe, murmura Mhoram.

— Entendu, acquiesça Troy, soulagé. Et pour... ce que Tull nous a raconté ? Il me répugne d'annoncer aux soldats que… (Il ne put se résoudre à achever sa phrase : « Les géants sont morts. ») Je crains que cette nouvelle ne soit trop difficile à accepter, qu'elle ne les prive du courage nécessaire pour affronter la suite de leur calvaire. Découvrir que trois géants ont été possédés par des ravageurs les affectera déjà bien assez.

— Ils méritent de connaître la vérité, objecta calmement Mhoram.

La culpabilité de Troy se changea en colère.

— Ce qu'ils méritent, c'est la victoire, cracha-t-il. Depuis quand vous embarrassez-vous de scrupules, vous qui m'avez caché tant de secrets depuis mon arrivée dans le Fief ? Nos guerriers ont atteint la limite de leur résistance. Leur moral est fragile. Je vous demande de ne rien leur dire.

— La décision de vous tenir dans l'ignorance a été prise par le conseil, se justifia Mhoram. Aucune personne seule n'a le droit de dissimuler la vérité, parce que nul ne possède assez de sagesse pour choisir à la place d'autrui.

— Vous voulez parler de droits ? Très bien ! Vous n'avez pas celui d'anéantir l'armée.

— Mon ami, avez-vous eu à souffrir de notre décision ? Vous a-t-elle porté un quelconque préjudice ?

— Comment pourrais-je le savoir ? Si vous m'aviez révélé les choses à propos d'Atiaran, peut-être n'en serions-nous pas là aujourd'hui. Peut-être n'aurais-je pas cherché à devenir l'insigne de la milice et à prendre la responsabilité de la défense du Fief. À vous de me dire si ça vaudrait mieux pour tout le monde. (Troy se radoucit.) Mhoram, nos hommes sont à bout. Et ce n'est pas terminé. Je veux seulement les ménager en leur épargnant une nouvelle qui pourrait les plonger dans le désespoir.

— Très bien, capitula Mhoram. Je ne leur parlerai pas de nos frères de roc.

— Merci, dit Troy avec chaleur.

Mhoram le dévisagea, mais dans l'obscurité, il n'arrivait pas à déchiffrer son expression. Un instant, il craignit que le seigneur ne soit sur le point de lui dévoiler quels liens mystérieux unissaient Trell, Covenant et Elena. Il ne se sentait pas de taille à encaisser une telle révélation – pas alors qu'il était déjà si accablé. Finalement, Mhoram se détourna sans rien dire et retourna auprès de Callindrill. Troy lui emboîta le pas. Mais en chemin, il s'arrêta pour échanger quelques mots avec Terrel, le sangarde le plus gradé en l'absence de Morin et de Korik.

— Terrel, je veux que vous envoyiez des éclaireurs dans les plaines du Sud. Je n'attends pas les hordes du Rogue avant demain midi, mais je préfère ne pas courir le moindre risque.

— Oui, insigne.

— Encore une chose : si jamais l'ennemi effectuait une reconnaissance dans les parages, faites-lui connaître notre présence. Je veux que le Rogue et ses commandants sachent où nous trouver.

Terrel salua et s'éloigna pour prendre les dispositions nécessaires, tandis que Troy et Mhoram regagnaient le feu de camp.

Ils trouvèrent Verement auprès de Callindrill. Comme s'il donnait la becquée à un nourrisson, le seigneur au visage de faucon présentait une cuillère en bois aux lèvres du blessé. Il ne cessait de maugréer, mais ses gestes étaient pleins de tendresse et il refusa de confier à Mhoram le soin de nourrir Callindrill. Lorsque le brouet tiède eut enfin ramené un peu de couleur aux joues de ce dernier, il se leva et lâcha :

— Vous seriez moins intrépide si vous ne montiez pas un ranyhyn. Un cheval ordinaire vous apprendrait à respecter les limites de votre endurance.

Dans sa voix, Mhoram entendit comme l'écho inversé des griefs qu'il nourrissait à l'égard de lui-même. Un gémissement s'échappa de sa gorge et ses yeux se remplirent de larmes. Un instant, son courage parut l'abandonner. Puis il se ressaisit et, voyant l'expression surprise de Verement, lui adressa un piteux sourire.

— Venez, mon frère. J'ai à vous parler.

Les seigneurs s'éloignèrent, laissant Troy seul avec Callindrill.

— Que se passe-t-il ? interrogea le convalescent d'une voix faible. Quel funeste événement trouble ainsi Mhoram ?

335

Avec un gros soupir, Troy se laissa tomber près de lui. Le remords l'étranglait et il dut déglutir avant d'articuler :

— Runnik est revenu de l'expédition à Ondemère. Shetra a péri durant la traversée de Sarangrave.

Alors, il se réjouit que Callindrill soit trop mal en point pour parler. Il se faisait déjà bien assez de reproches sans que son interlocuteur vienne y ajouter celui de sa douleur.

Tous deux gardèrent le silence jusqu'au retour de Mhoram. Celui-ci se traînait avec difficulté, comme si on l'avait roué de coups. Ses yeux étaient rouges et bouffis de chagrin ; pourtant, une détermination implacable animait toujours son regard. Il ne fit aucun commentaire. Les mots étaient superflus : son expression disait clairement de quelle façon Verement avait réagi en apprenant la mort de sa femme.

Pour se distraire, Mhoram prépara lui-même son souper et celui de Troy. Pendant qu'ils se restauraient, les traits de son visage se détendirent peu à peu. Mhoram ne pouvait pas se permettre de donner libre cours à ses émotions, et il le savait. Aiguillonné par son exemple, Troy tenta de rassembler l'assurance dont il aurait besoin pour s'adresser aux troupes. Il ne laisserait pas paraître le doute qui le rongeait ; les combattants n'avaient pas à payer pour son incompétence et ses tourments intimes.

Lorsque Quaan vint leur annoncer que les officiers attendaient leur bon vouloir, les deux hommes étaient de nouveau maîtres d'eux-mêmes. Ils répondirent calmement que les chevrons pouvaient approcher.

Mhoram jeta du bois dans le feu pendant que les arrivants se disposaient en cercle autour d'eux. Malgré la vive lueur des flammes, Troy distinguait à peine ses subalternes. Une peur irrationnelle le saisit. N'étaient-ils pas de simples illusions qui se dissiperaient quand il leur annoncerait ce qu'il exigeait d'eux ? Très vite, il se reprit. Quaan et Amorine l'encadraient tels des piliers, et Mhoram le fixait. Il se racla la gorge, puis déclara la séance ouverte.

— Camarades, en dépit de tout, nous avons accompli l'impossible. Avant de poursuivre, je tiens à vous féliciter pour ce que vous avez déjà fait. Jamais je ne pourrai vous dire à quel point je suis fier de vous.

Tout en parlant, il résistait à la tentation de baisser la tête. Qui pouvait dire l'effet que sa figure sans yeux produirait sur les officiers ?

— Cependant, je vais être franc avec vous : nous sommes encore très loin d'avoir remporté la guerre. La victoire d'aujourd'hui était un bon début, mais les prochaines batailles s'annoncent beaucoup plus meurtrières. Malheureusement, rien ne se passe comme je l'avais estimé. Mes prévisions étaient erronées et je vais devoir modifier ma stratégie. (Il prit une profonde inspiration.) Commençons par le commencement. Nous avons des rapports à écouter. Quaan, si vous voulez bien…

Le brandebourg s'inclina et s'avança. Malgré la poussière et le sang qui maculaient son visage aux mâchoires carrées, et la fatigue qui creusait ses traits, son regard était toujours vif et résolu. Sans ambages, il décrivit ce qui était arrivé à son détachement depuis le départ de Pierjoie : la descente en radeau jusqu'à la vallée de la Mithil, le déploiement des guerriers et le combat contre la bande commandée par le Lamineur – le géant corrompu qu'avait décrit Rue. Pendant cinq jours, sangardes, miliciens et seigneurs avaient affronté des lémures, des *kresh*, des ur-vils et une horde de hideuses créatures sous l'emprise de la Pierre de Maleterre.

— Le sixième jour, le Lamineur en personne s'est dressé contre nous. À l'aide d'un pouvoir que je n'ose nommer, il a invoqué une monstrueuse tempête. Des oiseaux abominables sont tombés du ciel, semant la panique parmi nos montures. Nous avons été forcés de battre en retraite.

« Alors, le Lamineur a brisé notre rebutant, et lancé des *kresh* et des ur-vils à nos trousses. Régulièrement, nous faisions volte-face pour riposter et retarder l'ennemi, et régulièrement, nous étions mis en déroute. À plusieurs reprises, nous avons envoyé des messagers pour avertir Amorine, mais les oiseaux maléfiques les ont massacrés.

« Puis nous sommes arrivés en vue de la Retraite Maudite. La suite, vous la connaissez. La moitié des sangardes et huit légions ont succombé en chemin. Nos chevaux sont à bout de forces. Beaucoup d'entre eux ne pourront plus jamais porter un cavalier et tous auront besoin de plusieurs journées de repos pour récupérer. C'est à pied que nous serons forcés de livrer les prochaines actions.

Son rapport achevé, Quaan reprit sa place dans le cercle. Son courage était évident, mais ses larges épaules semblaient porter un fardeau déjà trop lourd pour elles.

Parce que Troy ne trouvait pas de mots capables d'exprimer son respect et sa gratitude au vétéran, il garda le silence et fit signe à Amorine de prendre le relais.

Le premier chevron résuma les dernières étapes du parcours de la milice, puis rendit compte de sa situation actuelle.

— Dans cette région, l'eau et l'*aliantha* sont rares. Nous avons assez de provisions pour tenir cinq jours – peut-être six, en nous rationnant. Les guerriers ont beaucoup souffert de la marche forcée. La plupart d'entre eux sont blessés aux pieds et aux épaules ; faute de repos et de soins appropriés, les plaies ne se refermeront pas. Parmi les plus faibles, soixante ont péri durant la course finale vers la Retraite. Et les survivants ne tiendront guère plus longtemps si nous ne les laissons pas récupérer.

C'était une constatation et non un reproche ; pourtant, Troy frémit comme si Amorine l'avait giflé. Il était l'insigne de la milice. Plusieurs fois déjà, il avait promis la victoire à des gens qui lui faisaient confiance. À présent... Il brûlait de faire son mea-culpa, de révéler aux chevrons l'ampleur de sa faute.

Callindrill le prit de vitesse.

— Je dois vous parler du pouvoir que le brandebourg n'a pas osé nommer, lança-t-il d'une voix faible. Je ne comprends toujours pas comment le Rogue a pu se rendre maître d'un frère de roc ; cela dépasse mon entendement. Mais le Lamineur est bel et bien un géant, et pis encore, il détient un fragment de la Pierre de Maleterre.

Mhoram hocha la tête.

— Las, mes amis... C'est une bien sombre époque pour tous les habitants du Fief. Le danger et la mort nous guettent à chaque tournant, et notre ennemi se rit de nos défenses. Écoutez-moi attentivement. Je sais comment le Lamineur a été retourné contre nous : par l'influence combinée de la Pierre et des ravageurs. Séparément, ces facteurs n'auraient pas suffi, car les apatrides sont fidèles et robustes. Mais ensemble... Qui dans le Fief peut espérer leur résister ? Ainsi le Rogue fait-il porter un fragment de la Pierre au Lamineur afin que son emprise sur lui ne se relâche pas. *Melenkurion abatha !* En vérité, j'ignore comment nous pourrons venir à bout de ce fléau.

Le seigneur se tut, comme anéanti, et l'espace d'un instant, sa détresse se communiqua aux chevrons. Puis il se redressa et promena un regard farouche à la ronde.

— Mais il en a toujours été ainsi avec le Rogue. Il cherche à pervertir ce qui est beau et bon dans le Fief. Aussi, notre mission est claire. Nous devons trouver la force de renverser le cours de la corruption, car si nous faiblissons et renonçons à nous battre, nous deviendrons, comme le Lamineur, des ennemis du Fief malgré nous.

Ses paroles sévères cinglèrent les officiers tel un coup de fouet, raffermissant leur résolution. Avant que Mhoram puisse continuer, Verement aboya :

— Et les géants, Mhoram ? Qu'est devenue l'expédition envoyée à Ondemère ? Combien d'autres âmes ont déjà été emportées par le Rogue ?

Troy l'avait vu arriver face à lui pendant que Callindrill parlait. S'il ne parvenait pas à distinguer son expression, il ne put se méprendre sur l'amertume tranchante de sa voix.

— Répondez, vous que l'on dit voyant et oracle ! insista Verement. Hyrim est-il mort, lui aussi ? Reste-t-il encore un seul géant indemne dans le Fief ?

Piqué au vif par ce qu'il interprétait comme une attaque contre la milice, Troy répondit à la place de Mhoram :

— Que nous importe leur sort ? Nous ne pouvons plus rien pour eux. En revanche, nous pouvons encore essayer de nous sortir de ce guêpier. Nous avons une guerre à mener et devons la livrer sans nous soucier de ce qui arrive ailleurs, car toute distraction risquerait de nous être fatale. Est-ce bien clair ?

— Tout à fait, murmura Verement, comme s'il avait compris la véhémence de l'insigne.

Celui-ci en profita pour enchaîner :

— Voici ce que nous allons faire. J'ai un plan, et avec

l'aide du seigneur Mhoram, je devrais pouvoir le mettre à exécution. (Il marqua une pause, puis annonça tout de go :) Nous allons abandonner notre position. Le Lamineur et son armée n'arriveront probablement pas avant demain midi. D'ici là, nous serons déjà loin.

Les chevrons hoquetèrent de surprise et clignèrent des yeux en réalisant ce qu'il leur demandait. Plusieurs d'entre eux grognèrent, d'autres reculèrent comme s'il les avait frappés. Même Quaan frémit ouvertement. Troy voulait s'expliquer très vite, mais il attendit qu'Amorine fasse un pas en avant et proteste :

— Insigne, pourquoi dévier de votre stratégie originelle ? Nos hommes ont souffert mille morts pour gagner la Retraite Maudite dans les délais que vous leur aviez imposés. Pourquoi devraient-ils se replier maintenant ?

— Parce que l'armée du Rogue est colossale ! ne put s'empêcher de hurler Troy. Nous avons tué dix mille *kresh* et peut-être deux mille ur-vils, mais c'est une peccadille, comparé à ce que nous devrons affronter si nous restons ici ! L'ennemi n'est pas trois, ni même cinq fois plus nombreux que nous ! Pour chacun des nôtres, le Lamineur commande à vingt créatures ; vingt, vous m'entendez ? Je les ai vues. (Au prix d'un gros effort, il baissa la voix.) « Ma tactique initiale n'était pas mauvaise, mais ne prévoyait pas un adversaire d'une telle envergure. À présent, l'alternative est la suivante. Ou le géant lancera ses effectifs en vagues successives, et le siège de la Retraite Maudite durera plusieurs semaines quand nous avons juste assez de vivres pour tenir six jours ; ou il déploiera ses forces d'un coup, et nous serons balayés. Écoutez-moi bien ! Jamais je ne me résoudrai à laisser massacrer les troupes. Tant qu'il restera une chance de salut, si infime soit-elle, je la saisirai. Or, il me reste une dernière carte à jouer, et je l'abattrai, quoi qu'il en coûte à chacun d'entre vous ! (Levant fièrement le menton, il conclut sur un ton sans appel :) Nous partirons demain à l'aube.

De toute évidence, Quaan luttait pour accepter la nouvelle. Il baissa brièvement les paupières et tous les chevrons l'observèrent avec anxiété, comme s'il tenait leur courage en sa garde et qu'il lui appartenait de le leur rendre ou de le leur refuser. Quand il rouvrit les yeux, son visage était plus flasque que jamais, mais ce fut d'une voix ferme qu'il demanda :

— Où irons-nous, insigne ?

— Pour le moment, vers l'ouest. Ça ne devrait pas être trop ardu. Si nous nous débrouillons bien, nous pourrons marcher plus lentement que vous ne l'avez fait jusqu'alors.

— Nous révélerez-vous votre plan ?

— Non. (« Si je vous le dévoilais, vous seriez si horrifiés que vous refuseriez de me suivre », songea Troy. Mais il se contenta de dire :) Pas encore. Il me reste quelques détails à peaufiner. Faites-moi confiance.

— C'est ce que nous avons fait jusqu'à présent, et c'est ce que nous continuerons à faire, répondit Quaan avec raideur.

Une brusque lassitude envahit Troy. Il était déjà tombé de si haut depuis son départ de Pierjoie ! Ses erreurs de calcul avaient dépouillé ses idées de leur vitalité et de leur pouvoir salvateur. Un long moment s'écoula avant qu'il trouve assez d'énergie pour dire :

— Encore une chose. Que cela nous plaise ou non, nous n'avons pas le choix. Nous devons laisser des gens sur place pour ralentir le Lamineur en lui faisant croire que nous sommes toujours là. C'est une mission suicidaire ; aussi, je ne la confierai qu'à des volontaires. Deux légions devraient suffire.

Quaan et Amorine encaissèrent la nouvelle sans broncher. En tant que vétérans, ils en avaient vu d'autres. Mais Verement bondit à l'intérieur du cercle.

— Non ! rugit-il en frappant le sol de son bâton. Vous n'abandonnerez personne en arrière. Je vous l'interdis !

La lumière du feu découpait son visage aux arêtes saillantes et faisait flamboyer son regard. À cette vue, la gorge de Troy se serra.

— Seigneur Verement, articula-t-il avec difficulté, je suis désolé. Ce sacrifice est malheureusement indispensable. S'ils sont obligés d'aller au pas cadencé, nos hommes n'y résisteront pas. Quelqu'un doit retenir le Lamineur pour leur permettre de prendre un peu d'avance.

— Alors, c'est moi qui m'en chargerai, croassa Verement. Je tiendrai la Retraite Maudite. C'est un endroit tout désigné pour ma fin.

— Impossible, balbutia Troy. Je ne peux pas vous laisser faire. J'ai encore besoin de vous à mon côté.

Du regard, il quêta l'aide de Mhoram.

— L'insigne a raison, déclara prudemment Mhoram. La mort ne guérira pas votre chagrin et vos pouvoirs nous seront indispensables durant les jours à venir. Vous devez nous accompagner.

— Par les sept tabernacles ! s'exclama Verement. N'avez-vous pas entendu ce que j'ai dit ? Je resterai ! Shetra n'est plus, elle que j'aimais de toutes mes forces, ô combien dérisoires ! *Melenkurion !* Ne me parlez pas de devoir ! Moi, l'imparfait, je choisis mon destin. Aucun guerrier ne prendra ma place.

— Frère Verement, vous croyez-vous donc capable de vaincre le Lamineur ? insista Mhoram.

Le seigneur ignora la question :

— Remettez Callindrill sur pied, ordonna-t-il sur un ton brusque. J'aurai besoin de votre aide à tous deux. Et rappelez les sangardes que vous avez envoyés dans les plaines. Je me mettrai au travail à l'aube.

Sur ces mots, il les quitta.

Cet éclat avait complètement épuisé Troy. Plus que jamais, il se sentait accablé par le fardeau de ses responsabilités, courbé sous leur poids tel un vieillard décrépit. Il congédia les chevrons avec l'impression de manquer à tous ses devoirs. Il aurait voulu leur parler encore pour les galvaniser, leur offrir le spectacle d'un commandant robuste autour duquel se rallier, mais il n'en avait pas la force. Il alla se coucher, comme s'il espérait trouver dans ses rêves le courage qui semblait l'avoir déserté.

Il s'endormit aussitôt, et ne se réveilla que lorsque le soleil levant emplit son esprit de formes et de couleurs. La milice s'était déjà mise en marche ; traînant les pieds, la dernière légion s'éloignait en direction des Aridies, aux paysages délavés par la chaleur.

Maudissant sa faiblesse, Troy avala rapidement le petit déjeuner que Ruel lui offrait. Puis il rejoignit les seigneurs.

Perchés sur les éboulis qui encadraient la sortie du canyon, Mhoram et Callindrill avaient tendu un rideau de brume entre eux. Plus loin, Verement arpentait la Retraite Maudite, agitant son bâton enflammé comme une torche pour dissiper l'ombre des parois. Seul Thomin l'accompagnait.

Troy dévisagea Callindrill. Le convalescent ne paraissait guère vaillant. Son front pâle luisait de sueur, mais sa main ne tremblait pas. Il le salua et escalada la pente d'en face pour s'asseoir à côté de Mhoram. En silence, il regarda les seigneurs modeler la brume qui tournait lentement, telle une énorme roue bloquant la sortie du défilé. Sa circonférence s'adaptait parfaitement à l'ouverture, et son pivot était situé à mi-chemin des seigneurs. Au-delà, il distinguait les ossements des loups et des ur-vils, qui témoignaient de la voracité des corbeaux.

Leur œuvre achevée, Mhoram et Callindrill plantèrent leur bâton entre les rochers et s'adossèrent à la paroi pour se reposer. Du menton, Troy désigna Verement.

— Que fait-il ?

Mhoram ferma les yeux.

— Nous avons façonné un anathème, un mot d'avertissement.

Il avait éludé la vraie question. Sans insister, Troy en posa une autre :

— À quoi servira-t-il ?

— En temps voulu, il scellera la Retraite Maudite.

— Mais ce n'est pas un piège, puisque je le vois. Il ne prendra pas le Lamineur par surprise.

— Votre vue est très perçante. Moi, je ne le distingue pas.

— Reste-t-il encore quelqu'un dans les parages, hormis Verement et son ordonnance ?

— Non. Les guerriers sont partis. Nous avons rappelé les éclaireurs. Désormais, plus personne ne pourra franchir le passage sans se heurter à l'anathème.

— Verement est donc coincé à l'intérieur.

— Oui, acquiesça Mhoram sur un ton dur.

— Qu'espère-t-il gagner en se suicidant ?

— Du temps pour la milice. N'est-ce pas ce que vous

désiriez ? Et la paix de son âme. C'est un bien faible prix à payer pour mettre fin à son chagrin...

Troy reporta son attention sur Verement ; il ne ressemblait guère à un homme en quête d'apaisement. Il s'agitait tel un possédé, escaladant et dévalant les contreforts, se frayant un chemin parmi les cailloux, les squelettes ennemis et le lourd silence ambiant. Les arabesques invisibles de son feu recouvraient à peine un tiers du goulet et déjà, il chancelait. Mais une volonté inextinguible le poussait en avant. Il progressa ainsi pendant deux bonnes heures, ne s'interrompant que pour avaler un peu d'eau ou une poignée d'*aliantha*.

En milieu de matinée, il dut ralentir et accepter le bras que lui offrait Thomin. Son feu seigneurial vacillait et fumait, mais sa détermination était intacte. Quelques corbeaux se laissèrent tomber de leur perchoir et décrivirent des cercles autour de lui comme pour tester son endurance. Il les chassa d'un geste irrité.

Il lui restait encore quelques mètres à couvrir lorsque Thomin désigna un nuage de poussière, au loin. L'armée du Rogue approchait. Renonçant à achever sa tâche, Verement bomba le torse et, flanqué de son ordonnance, sortit de la Retraite Maudite pour attendre l'ennemi.

Une horde de *kresh* se rua vers ces proies apparemment faciles. Au dernier moment, les loups jaunes hésitèrent, troublés par leur attitude pleine de défi. Au lieu d'attaquer les deux hommes, ils les encerclèrent en hurlant à la mort et attendirent que le reste des troupes les rejoignissent.

Elles déferlèrent depuis le nord-est, emplissant l'horizon d'un bout à l'autre et faisant trembler le sol sous leurs pieds. Bientôt, elles recouvrirent la totalité des plaines tel un monstrueux océan.

Écartant à coups de pied les *kresh* qui se dressaient sur son chemin, le Lamineur se dirigea vers Verement. Face à sa silhouette massive, le seigneur paraissait minuscule et insignifiant. Mais il leva fièrement le menton et traça un symbole de pouvoir dans les airs.

— Arrière, ravageur *moksha* ! cria-t-il d'une voix rauque. Je te connais, Jehannum le Lamineur ! Retourne dans le cloaque qui t'a engendré ! Moi, Verement

Shetra-mi, seigneur du conseil de Pierjoie, je te refuse le passage et te donne l'ordre de rebrousser chemin !

Le géant s'immobilisa à dix mètres de lui.

— Oh ! un seigneur, lâcha-t-il en plissant les yeux comme si Verement était un vulgaire moucheron qu'il avait du mal à distinguer. Quelle surprise !

Un rictus de douleur tordit ses traits ; sa chair ne pouvait dissimuler le tourment infligé par la présence corruptrice qui l'habitait. Mais sa voix sifflante n'exprimait que dérision et avidité.

— Es-tu venu saluer l'exterminateur de ton armée ? Si tant est qu'on puisse qualifier ainsi ce pathétique ramassis d'humains, ricana-t-il. Je vous cours après depuis Andelain, mais n'imaginez pas une seule seconde que je sois dupe de votre manœuvre. Vous m'avez entraîné vers la Retraite Maudite parce que vous étiez trop faibles pour m'affronter ailleurs. Qu'espériez-vous donc ? Me tendre un piège ? Mais peut-être es-tu moins fou que tes semblables. Peut-être désires-tu te rendre et m'offrir tes services…

— Imbécile ! aboya Verement. Depuis le temps, tu devrais savoir qu'aucun serviteur du Fief ne se rangera jamais sous la bannière du Rogue, à moins d'y être forcé par des manigances. Accepte la vérité et renonce à nous harceler. *Melenkurion abatha !* (Saisissant son bâton à deux mains, il le brandit au-dessus de sa tête.) *Duroc minas mill khabaal !* Contre toi j'invoque la puissance de la Terre contenue dans ces mots ! La Retraite Maudite ne sera pas le théâtre d'une nouvelle victoire de Turpide. Va-t'en !

Frémissant, le Lamineur glissa la main dans son pourpoint de cuir et en tira une pierre d'un vert phosphorescent, presque aussi grosse que son poing. Quand il serra les doigts dessus, de la fumée s'en échappa.

— Pendant près de cent lieues, je vous ai forcés à fuir devant moi telles des fourmis, gronda-t-il. Pourquoi te montres-tu soudain si hardi ?

— Parce que tu as tué ma femme ! glapit Verement. Parce que j'ai toujours été indigne d'elle ! Et désormais, me voici libéré de toute contrainte ! Ni la terreur ni l'amour ne m'entravent plus ! Ma haine vaut bien la tienne, ravageur *moksha* ! *Melenkurion abatha !*

Il fit tournoyer son bâton. Un éclair bleu fusa vers son adversaire. Au même moment, Thomin s'élança, les doigts recourbés comme des griffes, et se jeta à la gorge du colosse.

D'un air dédaigneux, celui-ci leva la Pierre pour intercepter la flamme seigneuriale, qui vira à l'émeraude et se dilata. De sa main libre, le Lamineur assena à Thomin un revers qui le fit voler en arrière. Puis il renvoya la décharge à son expéditeur.

Tout entier habité par une fureur dévastatrice, Verement ne cilla même pas. Il tendit son bâton devant lui et la flamme s'écrasa sur son extrémité ferrée. Le bois plia et craqua, mais tint bon. Le seigneur hurla des mots de pouvoir pour reprendre le contrôle de l'énergie. Lorsqu'elle fut redevenue bleue, il la projeta de nouveau vers son ennemi.

Le Lamineur éclata de rire. La flamme vint s'accrocher à la Pierre comme à une mèche et, décuplée par son pouvoir, se changea en une colonne verte crépitante.

Sans cesser de s'esclaffer, le ravageur la balança à Verement. Cette fois, elle fit exploser le bâton seigneurial et enveloppa instantanément son porteur. Les bras de Verement retombèrent ; sa tête s'affaissa sur sa poitrine, ses yeux se fermèrent et il demeura suspendu au centre du halo tel un papillon épinglé sur du liège.

— Où est ta morgue, Verement Shetra-mi ? exulta le colosse. Se serait-elle évaporée comme neige au soleil ? Mais tout n'est pas encore perdu pour toi. Il se peut que je te laisse la vie sauve – à condition, évidemment, que tu prêtes allégeance à mon maître. Répète après moi : « Je vénère le seigneur Turpide le Rogue, car il est l'unique vérité en ce monde. »

Les joues de Verement se crispèrent et ses lèvres demeurèrent obstinément closes.

— Parle ! tonna le ravageur.

D'une pression sur la Pierre, il resserra l'étau de feu émeraude. Le seigneur laissa échapper un gémissement. Ses mâchoires se desserrèrent et il articula :

— Je... vénère...

Il ne put achever sa phrase. Derrière lui, Thomin se détendit comme un ressort et lui brisa la nuque d'un coup de pied. Verement s'écroula et mourut avant de toucher le sol. Le sangarde avait accompli son dernier devoir, mais il lui en avait coûté. Avec une expression meurtrière, il sauta à la gorge du géant.

Cette fois, son attaque fut si rapide et brutale qu'elle brisa les défenses du Lamineur. Il tenta de l'arracher à lui, mais en vain. Les doigts de Thomin étaient comme incrustés dans la chair de son cou épais et commençaient à l'étrangler.

Alors, le ravageur fit appel au pouvoir de la Pierre. D'une impulsion, il calcina les os de son agresseur à l'intérieur de son corps. Thomin retomba en un pitoyable tas de chair molle.

Saisi d'une joie délirante, le Lamineur sauta sur son cadavre et, rugissant son extase, le piétina jusqu'à ce qu'il n'en reste que des traînées sanglantes dans l'herbe. Puis il vociféra un ordre et les *kresh* s'élancèrent dans le canyon.

Le premier qui toucha l'anathème déclencha le piège. Les pierres entassées dans la gorge parurent exploser et les parois abruptes s'écroulèrent instantanément. Une pluie de roche meurtrière s'abattit sur la meute, l'ensevelissant en un clin d'œil.

Quand la poussière retomba, le Lamineur constata l'ampleur de la catastrophe. La Retraite Maudite était désormais bouchée par des milliers de tonnes de gravats.

Au lieu de l'exaspérer, ce revers apaisa sa folie meurtrière, et ce fut d'une voix maîtrisée qu'il lança ses nouvelles instructions. Les griffons alourdis par des cavaliers ur-vils volèrent à l'assaut de l'anathème tandis que les lémures entreprenaient de dégager le passage. Totalement sous l'emprise du Lamineur, ils œuvrèrent avec un acharnement qui leur fit oublier toute prudence. Quelques griffons se jetèrent sans réfléchir sur la trame de Verement et furent aussitôt détruits. Animés d'un zèle excessif, des dizaines de lémures s'entre-tuèrent dans leur hâte de déblayer le goulet.

Enfin, les vilmestres parvinrent à désamorcer le piège. Les lémures, qui, en nombre suffisant, pouvaient déplacer une montagne pour peu qu'on leur en laissât le temps, s'en donnèrent alors à cœur joie. Ils travaillèrent sans relâche toute la nuit ; à l'aube, ils avaient ouvert un couloir de dix mètres de large au centre du défilé.

Brandissant la Pierre, le Lamineur s'avança à la tête de son armée. Mais à l'extrémité sud de la Retraite, il ne trouva personne. Au loin s'enfuyait un dernier groupe de cavaliers, parmi lesquels il distingua deux seigneurs. Agitant le poing dans leur direction, il les maudit et jura de les traquer jusqu'à ce que mort s'ensuive.

Puis sa vision perçante discerna le gros des forces ennemies, sept ou huit lieues en avant des retardataires. Il prolongea leur trajectoire du regard et comprit vers quelle destination elles filaient. Alors, il renversa la tête en arrière et de grands éclats de rire triomphants se répercutèrent sur les falaises ravagées.

La milice faisait route vers le Garrot.

19

Les ruines des Aridies

QUAND LE GALOP DE SON RANYHYN l'emporta loin de la Retraite Maudite en compagnie de Mhoram, de Callindrill et de quelques sangardes, Hile Troy avait surmonté son anxiété, et l'horreur qui l'avait paralysé juste après la mort de Verement. Pendant la nuit, il les avait refoulées dans les tréfonds de son esprit, tandis que les seigneurs luttaient pour maintenir l'anathème.

À présent, il se sentait immunisé contre l'émotion et de nouveau en pleine possession de ses moyens. Il évaluait froidement le temps que ses hommes mettraient pour atteindre leur destination, comparait leur vitesse avec celle de l'armée du Rogue et anticipait les pertes qu'ils subiraient en cours de route. Il était l'insigne de la milice. Les troupes avaient besoin d'un chef et, quoi qu'il lui en coûtât, il assumerait jusqu'au bout les responsabilités qu'il avait réclamées à cor et à cri.

Quelques lieues devant lui, les fantassins avaient viré vers le sud pour longer les collines. Même en terrain plat, leur allure ne leur permettrait pas de couvrir plus de sept lieues par jour. Car dans les Aridies bien nommées, nulle fraîcheur automnale ne venait adoucir le vent chaud et sec qui soufflait depuis le désert Gris. L'herbe était rare et les quelques filets d'eau qui s'écoulaient depuis les montagnes s'évaporaient rapidement. Le sol raviné était aussi dur que la pierre ; pourtant, à chaque pas, les guerriers en faisaient jaillir une poussière épaisse et suffocante. Dans ces conditions, ils ne risquaient pas de remarquer que malgré sa rudesse, le paysage alentour n'était pas dénué d'une certaine beauté sauvage.

L'insigne et ses compagnons chevauchaient depuis une heure lorsqu'ils atteignirent la dépouille du premier soldat : un sylvestre aux lèvres noircies, dont les yeux grands ouverts fixaient le ciel sans le voir. Troy réprima son désir de s'arrêter pour l'ensevelir. Il était certain de ses calculs ; dans ce climat hostile, les pertes doubleraient chaque jour. Les vivants n'auraient ni le temps ni la force de s'occuper des morts.

Avant que les cavaliers rattrapent le gros de la troupe, ils avaient croisé dix autres cadavres. Ce qui, d'après les estimations de Troy, signifiait que près de sept cents des leurs succomberaient avant même de toucher au but. Mais une fois de plus, il se força à ravaler son chagrin et sa culpabilité pour écouter le rapport des officiers.

Quaan et Amorine détaillèrent les mesures prises pour assurer la survie collective. La nourriture était rationnée et les gourdes remplies à chaque cours d'eau, si maigre fût-il. Les sangardes se chargeaient des missions de reconnaissance et de ravitaillement. Les chevrons et les galons allaient à pied, laissant leurs montures à ceux qui ne tenaient plus sur leurs jambes. Si l'un d'eux demandait grâce, on lui donnait de quoi subsister et on l'envoyait chercher refuge dans les montagnes.

Le miracle, c'était qu'il y eût aussi peu d'abandons. Quand Quaan révéla à Troy le nombre des hommes et des femmes qui avaient volontairement quitté les rangs, une gratitude douloureuse lui serra le cœur. C'était à la fois terrible et merveilleux que tant de combattants fussent prêts à le suivre jusqu'au bout. En retour, il leur devait le meilleur de lui-même.

Il se prépara à répondre aux inévitables questions de Quaan et d'Amorine. Fidèle à son habitude, le brandebourg alla droit à l'essentiel.

— Le Lamineur est-il à nos trousses ?

— Oui. Grâce à Verement, nous avons une journée d'avance sur lui. Mais lorsque nous avons quitté la Retraite Maudite, son armée en avait déjà presque atteint le bout.

— Quand nous rattrapera-t-elle ?

— Demain dans l'après-midi. Au crépuscule, dans le meilleur des cas.

— Alors, nous sommes perdus, intervint Amorine d'une voix tremblante. Nous ne pouvons pas marcher plus vite et les nôtres sont trop faibles pour faire face. Insigne, je vous supplie de me relever de mon poste. Nommez quelqu'un d'autre à ma place. Je ne veux plus donner d'ordres à ces fantômes.

Troy tenta de la rassurer.

— Ne vous en faites pas. Nous ne sommes pas encore vaincus. Et je n'ai pas l'intention de presser le pas. Nous allons juste infléchir notre trajectoire vers le sud et tâcher d'atteindre l'ancienne citadelle de Doriendor Corishev. Si tout va bien, nous devrions y être demain avant midi.

Il expliqua son plan à Quaan et Amorine. Leur réaction le soulagea. Le premier chevron prit une profonde inspiration, comme si elle venait de trouver en elle quelques vestiges de courage, et les yeux du brandebourg étincelèrent.

— Cette fois, qui se chargera de faire diversion ? demanda-t-il simplement.

— Moi ! s'écria Amorine. Je suis lasse de marcher et n'aspire plus qu'à me battre.

Quaan ouvrit la bouche pour protester, mais Troy l'interrompit d'un geste. Il réfléchit, évaluant les risques encourus par chaque groupe et cherchant un point d'équilibre, puis déclara :

— Les seigneurs et moi-même resterons en arrière avec Amorine. Nous aurons besoin de huit légions de volontaires et des chevaux qui tiennent encore debout. Nous pourrons probablement compter sur le soutien des sangardes. Si nous nous débrouillons bien, la plupart d'entre nous survivront.

Quaan se rembrunit. Bien que désapprouvant la décision de l'insigne, il l'accepta sans discuter. Amorine salua et partit aussitôt rassembler les hommes pour ne pas perdre de temps le lendemain. Son empressement et sa vigueur retrouvée apprirent à Troy qu'il avait fait le bon choix. « Pour une fois… », songea-t-il, amer.

Cependant, Quaan n'en avait pas encore terminé avec lui.

— Au nom de l'amitié et de l'estime réciproque qui nous lient, j'espère que vous me pardonnerez de vous poser cette question. Vous avez refusé que nous nous battions à la Retraite Maudite et vous prenez la même décision concernant Doriendor Corishev. Pourquoi devons-nous poursuivre cette épouvantable marche ?

— Au nom de l'amitié et de l'estime réciproque qui nous lient, j'espère que vous me pardonnerez de ne pas vous répondre, répliqua Troy. Sachez néanmoins que Doriendor Corishev ne ferait pas un champ de bataille approprié. Nous pourrions tenir les ruines un jour ou deux ; après quoi, le Lamineur nous encerclerait et nous massacrerait jusqu'au dernier. Nous devons trouver mieux que ça.

Quaan acquiesça d'un air morose. Sans doute interprétait-il la dérobade de son supérieur comme un manque de confiance. Pourtant, il le gratifia d'un léger sourire.

— Insigne, verrons-nous jamais l'aboutissement de votre plan ?

— Nous le saurons quand nous aurons atteint notre objectif final, soupira Troy. Après ça, tout reposera entre les mains de Mhoram. Il a promis…

Incapable de soutenir plus longtemps le regard de Quaan, il fit volter Mehryl et se mit en quête des seigneurs. Il voulait leur expliquer ses intentions, et leur demander quel genre d'aide Mhoram et Callindrill pourraient apporter aux guerriers.

Durant le reste de la journée et la matinée suivante, les éclaireurs lui apportèrent des nouvelles alarmantes. La horde du Lamineur semblait infatigable ; elle progressait lentement, mais avait marché toute la nuit, ne s'octroyant qu'un bref repos aux premières lueurs de l'aube. Si elle continuait ainsi, elle atteindrait Doriendor Corishev en milieu d'après-midi.

Troy eut la tentation de presser l'allure. La vue des soldats l'en dissuada. Trop d'entre eux avaient abandonné ou péri depuis la veille. Les pertes ne doublaient pas chaque jour, elles triplaient. Il effectua un rapide calcul mental. Onze, trente-trois, quatre-vingt-dix-neuf... À ce rythme-là, l'exténuation provoquerait plus de quatre mille victimes d'ici la fin du sixième jour. Sans compter les miliciens qui succomberaient à Doriendor Corishev. L'équation de mort devenait de plus en plus complexe et Troy n'osait aggraver aucun de ses facteurs.

Aussi la milice n'avait-elle qu'une lieue d'avance sur ses poursuivants quand elle attaqua la pente qui conduisait à la citadelle. Adossée à l'imprenable rempart des montagnes, Doriendor Corishev se dressait sur la crête qui séparait, en les dissimulant l'une à l'autre, les moitiés est et ouest des Aridies. Pendant des siècles, sa position stratégique et ses fortifications massives lui avaient permis de régner en maître sur le royaume natal de Berek Demi-Main.

En ce temps-là, la Forêt primordiale recouvrait la totalité du Fief. Au sud des montagnes, il n'y avait pas de désert, mais une région verdoyante menacée de surpeuplement. Peu à peu, certains habitants s'aventurèrent vers le nord. À l'origine, ils ne voulaient que du bois pour alimenter leur civilisation. Puis ils trouvèrent l'endroit agréable et les bûcherons se muèrent en colons. L'abattage des arbres s'intensifia : les hommes avaient besoin de poutres pour leurs maisons, de terres arables et de pâturages pour leurs bêtes.

À la même époque, une seconde vague d'immigrés venue du nord s'abattit sur l'autre extrémité de la Forêt. Attaquée sur tous les flancs, celle-ci ne tarda pas à dépérir.

Les conséquences furent désastreuses. Le Colosse leva l'interdit qu'il avait, jusqu'alors, fait peser sur les Basses Terres. Les ravageurs envahirent les Hautes Terres et, au terme d'une guerre acharnée contre Berek, anéantirent la monarchie de Doriendor Corishev.

Parallèlement, l'équilibre de la Terre fut altéré. Le déboisement systématique provoqua l'assèchement des nappes souterraines qui, pendant des millénaires, avaient protégé le sud du Fief contre la désertification. Le changement ne s'opéra pas en un jour, mais, plusieurs siècles après le massacre de la Forêt, de l'ancienne splendeur du royaume ne subsistaient, dressés au-dessus d'une mer de sable comme l'avant-poste du néant, que les vestiges d'une capitale anéantie.

Troy aurait pu cacher l'armée dans ce dédale de murs rongés par l'érosion et y soutenir un siège pendant plusieurs jours – fût-ce contre un ennemi jouissant d'une écrasante supériorité numérique. Il espérait que le Lamineur en était conscient. Son plan dépendait en grande partie de sa capacité à convaincre le géant que la milice avait choisi de livrer son baroud d'honneur à Doriendor Corishev plutôt que dans l'impasse du Garrot, où l'attendait une mort certaine.

Arrivé au sommet de la longue pente, il entraîna ses hommes dans la gueule édentée de la citadelle. Ils traversèrent les ruines et en ressortirent par la porte du couchant. Là, Troy donna ses dernières instructions à Quaan, lui souhaita bonne chance et lui fit ses adieux. Puis il regarda le gros de l'effectif redescendre derrière la crête qui le dissimulait aux yeux de l'adversaire. Quand il se fut éloigné, Troy rebroussa chemin vers le cœur de Doriendor Corishev avec les deux seigneurs, Amorine, les sangardes, huit légions et les chevaux encore capables de porter un cavalier.

Au milieu des murs à demi effondrés, il s'adressa à ses compagnons.

— Vous êtes tous volontaires, commença-t-il, la gorge sèche. Aussi, je ne vous prie pas de m'excuser pour le sacrifice que je vous demande. Mais je tiens à vous en expliquer les raisons. Elles sont au nombre de deux. D'abord, je veux donner au reste de nos troupes la possibilité de mettre un peu de distance entre le Lamineur et elles. Ensuite, je compte préparer à nos ennemis une petite surprise qui nous permettra peut-être d'emporter une victoire à l'arraché. Certaines unités du Rogue se déplacent plus vite que d'autres, mais si elles se déploient sur une trop grande distance, mon piège ne fonctionnera pas. Nous allons donc tenter de les rassembler ici.

Il marqua une pause pour observer les soldats. Sur leur visage, la lassitude le disputait à une détermination résignée. Alors, il comprit pourquoi Mhoram avait dit qu'ils méritaient de connaître la vérité. Tous lui étaient dévoués corps et âme ; ils avaient déjà été au bout de leurs forces pour le servir et s'apprêtaient à faire davantage encore. D'une voix enrouée par l'émotion, il poursuivit :

— Beaucoup d'entre vous étiez avec Quaan durant cette fameuse tempête – vous voyez de quoi je veux parler. Le géant détient un terrible pouvoir et a bien l'intention de s'en servir. Nous allons lui en donner l'occasion. Nous lui fournirons une cible afin qu'il concentre sa fureur sur nous plutôt que sur l'ensemble de la milice. Avec un peu d'habileté, nous devrions nous en sortir vivants. Mais ce n'est pas gagné d'avance.

Pour couper court aux questions éventuelles, il se tourna vers Amorine et lui ordonna de déployer les hommes le long du flanc est de la citadelle.

— Que chacun garde présent à l'esprit le chemin qu'il devra parcourir pour faire retraite jusqu'à la porte du couchant. Il est facile de s'égarer dans ce labyrinthe et quand le moment viendra de vider les lieux, il faudra faire vite.

Puis il chargea Terrel d'envoyer certains sangardes en reconnaissance à l'extérieur des murs et de poster des sentinelles aux angles de la forteresse.

— Si le Lamineur tente de nous encercler, prévenez-moi immédiatement.

Terrel acquiesça et s'éloigna avec ses hommes. Amorine partit avec les huit légions. Tous laissèrent leurs chevaux à la porte du couchant sous la protection de plusieurs sangardes. Accompagné par les autres, Troy et les deux seigneurs se rendirent à pied jusqu'aux remparts de la façade est.

— Insigne, qu'est-ce qui vous fait croire que le Lamineur pourrait choisir de ne pas nous encercler ? interrogea Mhoram alors qu'ils traversaient les ruines.

— Mon instinct, répondit Troy. À mon avis, il prendra soin de nous laisser nous échapper. Vous l'avez entendu rire à la Retraite Maudite quand il a vu la direction que nous prenions. Ce qu'il veut vraiment, c'est nous acculer au Garrot. C'est un ravageur. Il doit trouver hilarante l'idée d'utiliser la Forêt contre nous.

Il fut reconnaissant à Mhoram de ne pas lui demander comment lui-même escomptait tourner la difficulté. Il n'avait aucune envie d'y penser. Au lieu de ça, il se concentra sur la disposition du site pour pouvoir retrouver son chemin de nuit, si nécessaire. Mais le cœur n'y était pas. Trop d'autres questions se bousculaient dans son esprit, ravivant son anxiété.

En atteignant la muraille à demi écroulée, il grimpa sur un amas de décombres pour observer l'approche de l'ennemi.

L'armée du Lamineur se détachait telle une ecchymose sur le sol pâle des Aridies. Son front était plus large que la citadelle, dont moins d'une lieue la séparait encore, et son immensité proprement vertigineuse. Troy ne comprenait pas comment le Rogue avait pu rassembler autant de créatures sous sa bannière. Il agrippa la poignée de son épée comme si c'était la seule chose qui l'empêchait de céder à la panique. Machinalement, il leva son autre main pour rajuster les lunettes qu'il ne portait plus.

Arrivées au pied de l'éminence de Doriendor Corishev, les cohortes monstrueuses s'immobilisèrent. Troy retint un cri de soulagement. Le Lamineur leva la main et une onde de choc parcourut ses troupes, comme si la force qui les poussait en avant venait de heurter un mur. Les loups, qui humaient déjà le parfum de leurs proies toutes proches, poussèrent des hurlements de frustration. Les ur-vils, mécontents, aboyèrent ; les humains corrompus grognèrent et les lémures sautillèrent impatiemment d'un pied sur l'autre. Mais le Lamineur les tenait en son pouvoir. Ils se déployèrent pour former un arc le long du flanc est de la colline et s'installèrent comme pour livrer un siège.

Satisfait, le géant pivota vers la place forte et, posant les poings sur ses hanches, apostropha ses occupants.

— Seigneurs ! Miliciens ! Je sais que vous m'entendez ! Vous ne pouvez pas vous échapper ; vous êtes coincés entre le désert et la forêt. Un dixième de mon armée me suffirait pour vous effacer de la surface de la Terre.

Rendez-vous ! Si vous me rejoignez, peut-être me montrerai-je miséricordieux !

Un brouhaha de protestations affamées s'éleva derrière lui. Il attendit que la clameur retombe avant de poursuivre :

— Si vous refusez, je vous anéantirai. Je réduirai vos maisons en cendres. Je ferai de Boijovial un charnier et de Pierjoie un abattoir. Je ravagerai tant et si bien le Fief que le temps lui-même finira par voler en éclats ! Écoutez-moi, et tremblez ! L'heure est venue pour vous de ramper ou de mourir !

Face à tant d'arrogance et de mépris, le sang de Troy ne fit qu'un tour. Il bondit au sommet du rempart, se campa sur ses pieds écartés et brandit le poing.

— Lamineur ! hurla-t-il. Sale vermine ! Je suis l'insigne Hile Troy, commandant de cette armée. Je te crache à la figure, ravageur ! Tu n'es qu'un esclave. Et ton maître aussi : soumis à sa propre cupidité, il ronge le néant de son âme comme un os avarié. Rebrousse chemin ! Laisse le Fief en paix ! Nous sommes un peuple libre et le désespoir n'a pas de prise sur nous. Mais si tu t'obstines à me défier, je saurai bien te l'enseigner !

Le colosse aboya un ordre. Une douzaine de cordes d'arc vibrèrent et des flèches sifflèrent aux oreilles de Troy tandis que Ruel le tirait vivement en arrière. Il trébucha, mais son ordonnance le retint.

— Vous venez de prendre un bien grand risque, lui reprocha Mhoram. Qu'y avez-vous gagné ?

— Je l'ai fait sortir de ses gonds, répondit Troy, un peu secoué. C'est excellent. Plus il sera furieux, plus mon plan aura des chances de fonctionner.

— Êtes-vous certain de pouvoir prévoir ses réactions ?

— Oui. Déjà, il se comporte comme je l'avais escompté. Il a fait arrêter ses troupes au lieu de donner l'assaut. S'il se déchaîne complètement, il est capable de nous attaquer à lui seul ! Il se croit assez fort pour nous tuer tous. Qu'il vienne !

— Si c'est ce que vous souhaitiez, je crois que vous avez réussi, intervint Callindrill qui, planté derrière la fortification, observait le ravageur.

Mhoram et Troy reportèrent leur attention sur la plaine et comprirent aussitôt ce que le seigneur blond avait voulu dire.

Le Lamineur s'était replié pour ménager un vaste espace entre lui et la butte. Plusieurs milliers d'ur-vils en formations triangulaires vinrent se ranger de part et d'autre de la zone ainsi dégagée. À l'aide du bâton emprunté à l'un de leurs vilmestres, le géant traça un large rond dans la poussière et ordonna au reste de la horde de reculer.

Une psalmodie sourde et discordante comme les gémissements d'une meute de chiens monta de la plaine. Les ur-vils unissaient leur puissance pour la remettre entre les mains des meneurs. Ceux-ci plantèrent leurs bâtons sur le pourtour du cercle. Lentement, le sol se mit à vibrer et à bourdonner. On aurait dit qu'un essaim d'abeilles géantes se trouvait enfermé sous terre et s'agitait désespérément pour en sortir. Puis la surface du cercle vira au rouge incandescent ; la poussière palpita et ondula tel du métal en fusion.

Le processus fut long et laborieux, mais, tout à leur fascination horrifiée, les occupants de la citadelle ne virent pas passer le temps. Au crépuscule, la lumière déclina, comme aspirée du ciel par le pouvoir des vilmestres, qui arrachait aux profondeurs de la Terre un vrombissement pareil à un cri de douleur. Ce bruit contre nature torturait les tympans de Troy, lui agaçait la peau tel un grouillement d'insectes. De la sueur dégoulinait de son front et il se retenait de hurler. Enfin, la vibration atteignit une fréquence inaudible pour lui et ses épaules s'affaissèrent de soulagement.

Les ur-vils se retirèrent, laissant le Lamineur seul face au cercle. Un rictus démoniaque tordit ses traits tandis qu'il contemplait le sol écarlate et bouillonnant. Dans ses mains puissantes, il tenait un vilmestre qui se débattait sans réussir à briser son étreinte. Avec un grand éclat de rire, il le souleva à bout de bras et le projeta au centre du rond. Un éclair de feu engloutit la créature. Quand la fumée se dissipa, il ne restait d'elle que son bâton en train de fondre doucement à la surface du magma.

Alors, le Lamineur brandit la Pierre et entreprit de remodeler la matière.

— Que fait-il ? souffla Troy comme s'il craignait que le géant ne l'entende.

— Il se façonne un instrument, répondit Mhoram à voix basse. Un moyen d'accroître ou de concentrer son pouvoir.

La nouvelle rassura l'insigne autant qu'elle raviva son inquiétude. Ainsi, il aurait bel et bien réussi à épargner au gros des troupes les horreurs qui allaient suivre. Mais ça ne suffirait pas. La dernière carte qu'il gardait en réserve pesait comme un poids mort dans son estomac. Il s'attendait à être déchu de son commandement dès qu'il la révélerait ; ses hommes, épouvantés, se rebelleraient contre lui – et non sans raison, après toutes les promesses de victoire qu'il leur avait faites. Pourtant, son plan restait le seul espoir de la milice et du Fief.

Il pria pour que Mhoram fût à la hauteur.

Au coucher du soleil, sa vision l'abandonna. Il dut s'en remettre à ses compagnons pour lui relater les mouvements du ravageur. Dans l'obscurité, il se sentait prisonnier, impuissant. Il ne distinguait que l'éclat terne et amorphe de la terre en fusion. Parfois, un éclair vert embrasait brièvement le rouge sans qu'il discerne sa provenance ni ses effets. Sa seule consolation était que les préparatifs du Lamineur lui coûtaient un temps précieux.

Autour de lui, les miliciens se pressaient contre la muraille. Aucun d'eux ne songeait à dormir. Médusés, ils observaient les manœuvres du géant. La lune s'était levée, mais son pâle croissant ne parvenait pas à éclipser le rayonnement de la forge improvisée.

À minuit passé, le Lamineur avait achevé son œuvre. Il s'était confectionné un sceptre, qu'il ramassa et agita au-dessus de sa tête pour le faire refroidir. Puis il enchâssa le fragment de Pierre à l'une des extrémités et hocha la tête d'un air réjoui.

Jusqu'au lever du jour, il resta planté devant le cercle, gesticulant, chantant et lançant des incantations dans l'éclat du magma. Mais de tout cela, Troy ne vit rien. Dans les ténèbres, ses calculs étaient la seule réalité pour lui et il les récitait comme s'ils pouvaient le protéger contre les assauts de la nuit. Quand les premières lueurs de l'aube nimbèrent l'horizon, il eut l'impression qu'on lui ôtait un grand poids de la poitrine.

Il fit appeler Amorine.

— Écoutez-moi bien, lui dit-il. Ce monstre vient de commettre une grosse erreur. Il a perdu trop de temps et nous allons le lui faire payer en le privant de l'essentiel de ses victimes. Conservez autant d'hommes qu'il nous reste de chevaux valides et renvoyez les autres. Qu'ils rejoignent leurs camarades partis avant eux.

— Peut-être devrions-nous tous partir avant que le ravageur attaque, suggéra Amorine.

Cette idée arracha une grimace à Troy. Il imaginait bien la fureur du colosse s'il trouvait Doriendor Corishev déserte. Mais il n'avait pas encore gagné assez de temps. Il secoua la tête.

— Je veux lui soutirer une demi-journée de plus. Pour ça, les sangardes et deux cents miliciens devraient nous suffire.

— Entendu.

Amorine s'éloigna et bientôt, Troy entendit la plupart des guerriers se retirer. Agrippant le bord de la muraille, il fit face au soleil levant et attendit le retour de sa vision.

Soudain, le vent chaud et sec qui soufflait depuis le sud se fit cinglant. La brume se dissipa dans son esprit. Il put d'abord distinguer les contours du rempart, puis le flanc de la colline et enfin, l'armée stationnée dans la plaine. Elle n'avait pas bougé d'un pouce pendant la nuit.

Le Lamineur se dressait toujours près de son cercle de terre, dont la surface était désormais calcinée. Il s'était enveloppé d'un cocon de pouvoir scintillant, au cœur duquel, son sceptre brandi au-dessus de la tête, il se tenait aussi raide qu'une statue. Mais à la seconde où le soleil l'effleura, une bourrasque violente s'abattit, comme si le désert se vidait brusquement les poumons.

Puis un soldat poussa une exclamation étouffée et Troy se tourna vers lui.

Une tornade fonçait droit vers Doriendor Corishev. Son immense colonne ondulante dégageait une telle impression de puissance que l'insigne mit quelques secondes à réaliser qu'il ne s'agissait pas d'un phénomène naturel. Elle n'apportait avec elle ni nuages ni pluie, ne charriait ni sable ni poussière. Entièrement composée d'air, elle n'aurait pas dû être visible. Pourtant, il percevait sa force cataclysmique jusque dans la moelle de ses os.

Hagard, il la fixa sans réagir. Il tenta de crier un avertissement, mais saisi par une quinte de toux, se détourna… et reçut de plein fouet la gifle du sirocco. Le cyclone progressait dans le sens contraire du vent, ce qui ne fit qu'accroître son affolement. Déséquilibré, il faillit tomber. Ruel le remit d'aplomb. Prenant appui sur l'épaule du sangarde, il plongea vers Mhoram.

— Qu'est-ce que c'est ? hurla-t-il en se couvrant le bas du visage avec la main.

— Que le Créateur nous protège ! s'exclama le seigneur, consterné. C'est un vortex de trépidation.

Sa voix fut emportée et Troy capta à peine ses paroles.

— Qu'est-ce que ça fait ? s'époumona-t-il pour se faire entendre.

— Ça sème la terreur sur son passage !

Mhoram saisit le bras de l'insigne et désigna le sommet du tourbillon. Celui-ci avait déjà parcouru la moitié de la distance qui le séparait de Doriendor Corishev. Du coup, Troy n'eut pas de mal à distinguer les créatures qui le chevauchaient. C'étaient des oiseaux noirs gros comme des *kresh*, dotés d'un faciès grimaçant de chauve-souris et d'ailes semblables à celles d'un aigle. Leur gueule béante d'avidité laissait entrevoir une double rangée de crocs et leurs pattes se terminaient par d'énormes serres dentelées.

Troy n'avait encore jamais contemplé de monstres aussi terrifiants. Il les fixa en tentant d'évaluer leur vitesse et de planifier une défense. Mais son esprit, incapable d'assimiler une vision si effroyable, se rebellait contre lui – ou plutôt, contre une réalité qui permettait l'existence de telles horreurs.

Il tenta de se ressaisir. Ce n'étaient là que les premiers effets du vortex de trépidation, raisonna-t-il. Il voulut se porter vers ses hommes, mais son corps refusa de lui obéir. Il était comme paralysé.

Des éclats de voix parvinrent à ses oreilles. Dans la plaine, la horde du Lamineur ovationnait les infâmes volatiles – ou, peut-être, hurlait-elle l'épouvante qu'ils lui inspiraient également.

Puis Ruel lui saisit le bras et l'entraîna tout en lui criant à l'oreille :

— Venez, insigne ! Nous devons organiser notre protection !

C'était bien la première fois que Troy entendait un sangarde élever la voix. Pourtant, Ruel ne semblait pas affecté par la panique ambiante. Il voulut regarder autour de lui, mais le vent brouillait la réalité des choses. Les deux seigneurs avaient disparu. Les guerriers s'éparpillaient, courbés en deux. Au milieu de toute cette agitation, les sangardes se déplaçaient avec l'impassibilité de morts vivants. Leur immunité à la peur avait quelque chose de terrible, songea Troy.

— Il faut sauver les chevaux ! s'exclama Ruel. Sinon, nous ne pourrons jamais repartir !

Un instant, Troy souhaita qu'Elena soit à son côté. Il aurait voulu lui dire que ça n'était pas sa faute... Puis il réalisa qu'il venait de commettre une nouvelle erreur. Une légitime appréhension l'avait empêché de révéler son plan à quiconque. S'il se faisait tuer, il emporterait avec lui l'unique moyen de sauver la milice. Cette idée l'atteignit comme un coup au plexus. Suffoquant, il tomba à genoux.

— Insigne ! hurla Ruel. La Corruption attaque !

La Corruption... Ce nom fatal arracha Troy à l'apathie. La panique s'engouffra en lui, éclatante – et avec elle, une nouvelle clairvoyance aussi incisive qu'un scalpel. Dans un sursaut, il comprit que Ruel était son ennemi. Ne venait-il pas de mettre en doute ses capacités de commandement ?

Tout à coup, il se sentait parfaitement lucide, en pleine possession de ses moyens. Ruel s'avançait pour le neutraliser. Au-dessus de sa tête, les oiseaux noirs piquaient vers les ruines. Il ramassa une pierre et se releva. Lorsque le sangarde tendit la main vers lui, il eut un brusque mouvement du menton comme pour désigner une menace tapie dans son dos. Ruel pivota. Il le frappa à l'arrière du crâne et celui-ci s'écroula.

Au lieu de lutter contre le sirocco, Troy s'élança de biais. Un bâtiment éventré jaillit devant lui. Comme il se dirigeait vers l'entrée la plus proche, il faillit percuter Amorine. Elle lui saisit le bras et l'agonit de hurlements pareils à des reproches. Elle aussi menaçait son autorité. Sans hésiter, il lui donna un grand coup d'épaule qui l'envoya rouler à terre. Puis il franchit la porte et se rua dans le labyrinthe de la citadelle.

Les murs étaient creusés de trous béants par lesquels la tourmente s'engouffrait avec une force redoutable. Troy tomba plusieurs fois, mais toujours il se relevait et continuait à avancer. La terreur lui permettait enfin de voir clair en lui-même ; il savait ce qu'il avait à faire.

Au terme d'une lutte brève, mais acharnée, il déboucha dans un espace étrangement vide : une ancienne salle de réunion, sans doute. Ici, nul obstacle n'empêchait le vent de le harceler cruellement. Il s'abandonna à ses assauts avec délice. Tel un fanatique exalté, il se planta au milieu de la pièce et leva les yeux vers le ciel pour voir combien de temps il lui restait à attendre.

Son cœur fit un bond dans sa poitrine. Un oiseau noir glissait vers lui comme si la tornade n'avait pas de prise sur son vol, se laissant porter avec la grâce d'un nuage ténébreux. Ravi, Troy se ramassa sur lui-même pour bondir dans sa gueule.

Mais lorsque la créature arriva à sa hauteur, il vit qu'elle tenait Ruel dans ses serres. Si la mort n'avait pas dépouillé le sangarde de son impassibilité, son corps disloqué semblait hurler à la trahison. Une convulsion saisit Troy. Brusquement, il se rappela qui il était. L'épouvante le galvanisa ; il arracha son épée du fourreau et frappa avec la force de dix hommes.

Son coup fendit le crâne de la bête, qui s'abattit sur lui de toute sa masse. Du sang vert éclaboussa sa tête et ses épaules, le brûlant comme de l'acide et emplissant ses narines d'une macabre odeur d'essence de rose. Il poussa un cri étranglé et, d'un geste frénétique, tenta de s'essuyer le front. Trop tard. Le liquide corrosif avait déjà rongé son bandeau et s'attaquait à sa boîte crânienne. Il perdit connaissance.

Il s'éveilla dans les ténèbres.

Quand il redressa la tête, le sable dont il était recouvert se répandit doucement autour de lui. Un peu de poussière s'insinua dans son nez et sa bouche. Réprimant une quinte de toux, il tendit l'oreille.

Autour de lui, Doriendor Corishev était aussi calme et immobile qu'une tombe. Le sirocco et le vortex s'étaient évanouis, laissant derrière eux un sillage de mort. Un silence lourd enveloppait les ruines tel un linceul.

Troy réalisa qu'il n'avait pas lâché son épée. Instinctivement, il l'agrippa un peu plus fort. Son premier réflexe fut de maudire sa cécité. Puis il songea que l'obscurité était sa seule alliée.

Son visage pulsait douloureusement. Il l'ignora et se força à réfléchir.

Il était resté évanoui plusieurs heures. Ses compagnons avaient dû périr ou détaler depuis longtemps. Si le vortex et son cortège infernal ne les avaient pas tués, le Lamineur les avait sans doute chassés des lieux. Ils ne risquaient donc pas de l'aider.

Troy ignorait si tout ou partie de l'armée ennemie campait sur place. Et n'y voyant rien, il demeurerait vulnérable jusqu'aux premières lueurs du jour. Il pensa d'abord à rester où il était et à prier pour que personne ne le découvre. Mais dans le meilleur des cas, ça ne ferait que retarder sa mort. À l'aube, il serait toujours seul contre un nombre inconnu d'adversaires. Non ! Son unique chance était de se faufiler hors de la citadelle sous le couvert des ténèbres. Dans les Aridies, il trouverait peut-être un ravin ou un trou dans lequel se cacher.

Une chose jouait en sa faveur : à l'exception des ur-vils, aucune des créatures qui accompagnaient le Lamineur ne pouvait se déplacer aussi facilement que lui de nuit. Et le ravageur n'avait sûrement pas laissé les ur-vils en arrière ; ils étaient trop précieux. En faisant appel à sa mémoire du terrain et à ses perceptions aiguisées, Troy parviendrait à se diriger. Mais il devrait s'en remettre à son ouïe pour déceler une éventuelle présence ennemie.

Il commença par ranger son arme dans son fourreau, puis se mit à quatre pattes et tâtonna autour de lui pour vérifier où il se trouvait. Les dalles de pierre étaient rugueuses, comme rongées par l'acide. Il porta les doigts à son nez et les renifla. Pas de doute : il reconnaissait l'odeur de l'essence de rose.

Un peu plus loin, il trouva le cadavre calciné de Ruel. L'oiseau noir avait dû se consumer. Pris de nausée, Troy recula. De la sueur dégoulinait sur son front et ses plaies le brûlaient. Dans les Aridies, la température ne baissait guère durant la nuit.

Il se releva en se tenant le ventre. Vacillant sur ses jambes mal assurées, il chassa de son esprit le souvenir de Ruel et du gigantesque vampire. Il devait rassembler ses anciennes capacités d'aveugle pour réussir à s'orienter. Par où était-il arrivé ? Il ne s'en souvenait même plus. Agitant les bras devant lui, il se mit en quête d'un mur.

Il avançait maladroitement, ignorant où il mettait les pieds. Son sens de l'équilibre semblait s'être évanoui. Son visage lui faisait mal, mais il se força à se concentrer et à compter ses pas.

Vingt mètres plus loin, il trouva deux parois qui se rencontraient à angle droit. Il en choisit une au hasard et la longea. Peu après, il trébucha sur un petit tas de gravats et localisa une ouverture. La pierre était un peu plus chaude à l'intérieur de la pièce qu'à l'extérieur, décida-t-il après l'avoir palpée des deux côtés. Sans doute parce qu'elle avait bénéficié plus longtemps du soleil de l'après-midi. Donc, il tournait le dos au couchant.

Il ne lui restait plus qu'à décider quelle direction prendre. Vers l'est, il courrait moins de risques de croiser l'ennemi, qui l'avait peut-être déjà dépassé sans le voir. Mais si Mehryl et ses compagnons étaient toujours vivants, c'était à l'ouest qu'il avait les meilleures chances de les rejoindre. À quoi bon s'en tirer indemne si c'était pour se retrouver seul dans les Aridies, sans eau, sans nourriture et sans cheval ?

L'espace d'un instant, il s'adossa au mur pour goûter sa tiédeur. Puis il respira à fond, comme un nageur avant de plonger, et se lança dans la traversée de la pièce en sens inverse.

Il allait lentement. Ses pas, incertains, le faisaient sans cesse dévier du droit chemin, mais il corrigeait la trajectoire de son mieux. Il ne tarda pas à perdre toute notion d'équilibre. À peine avait-il couvert trente mètres qu'il sentit la tête lui tourner. Il tomba à genoux et dut se plaquer une main sur la bouche pour étouffer un cri de désarroi. Quand il se releva, il entendit quelqu'un rire sous cape. D'autres gloussements s'élevèrent, moqueurs et cruels. Les murs renvoyaient leur écho, de sorte que Troy ne parvenait pas à localiser leur source. Il se figea et, impuissant, pria pour que les ténèbres le dissimulent. Son espoir fut de courte durée.

— Regardez, mes frères. Un homme seul, se réjouit une voix nasillarde.

— Visez-moi ces belles frusques. C'est un ennemi.

— Un homme, ça ? Il n'a pas d'yeux !

— Alors, c'est peut-être un ur-vil ?

— Non, juste un homme sans yeux. Mes frères, on va bien rigoler !

Sans perdre de temps à se demander comment ces êtres avaient pu le repérer dans l'obscurité, Troy fit demi-tour et détala.

Ils se lancèrent à ses trousses. Derrière lui, il entendit des halètements et des pieds nus sur la pierre. Un de ses poursuivants le dépassa et lui fit un croc-en-jambe. Il s'étala de tout son long.

— Doucement, mes frères. Si vous le tuez trop vite, où sera le plaisir ?

— Qui parle de l'éliminer ? On veut juste s'amuser avec lui.

— Moi, je veux le tuer et le manger.

— Le géant voudra qu'on le lui ramène.

— D'accord, mais plus tard, quand on aura fini de jouer.

— Pourquoi le montrer au géant ? C'est un goinfre !

— Ouais, il nous pique notre bouffe.

— Moi, je dis qu'on devrait le garder pour nous.

— Que le Tueur Gris emporte le géant !

— Lui et ses précieux ur-vils ! Quand il y a du danger, c'est toujours les humains qu'on fait passer devant.

— Entendu. Ce gars est pour nous, mes frères.

Alors qu'il se redressait, Troy capta l'expression « passer devant » à travers le babillage des créatures. Si elles faisaient partie de l'avant-garde, l'armée du Lamineur devait encore se trouver derrière elles, réalisa-t-il. Ravalant son angoisse, il dégaina son épée.

— Regardez, mes frères ! L'homme sans yeux se rebiffe !

— C'est gentil à lui de vouloir faire durer notre plaisir.

Troy entendit claquer un fouet et sentit une lanière s'enrouler autour de ses poignets. Une brusque secousse le souleva de terre tandis que des mains puissantes lui arrachaient son arme. Quelque chose le frappa en pleine poitrine et il bascula en arrière. Par chance, son plastron absorba l'essentiel de l'impact.

— Aïe ! Mon pied !

— Idiot ! Tu n'as pas vu qu'il portait une armure ?

— Allons-y, tuons-le !

Un objet métallique choqua la poitrine de Troy avec fracas et tomba près de lui. Il tâtonna dans la poussière pour s'en saisir, mais ses tourmenteurs le repoussèrent brutalement. La tête rentrée dans les épaules, il se remit de nouveau sur pied. Le fouet lui cingla les chevilles ; cette fois, il parvint à conserver l'équilibre.

— À mort ! réclama une créature.

— Non, pas tout de suite, protesta une autre. Pour une fois qu'on peut s'amuser...

— Faisons-le plutôt danser.

— Vas-y, homme sans yeux, danse pour nous !

La lanière mordit le cou de Troy. Il chancela.

— Mieux que ça ! Saute, tourne et bondis ! Sinon, on te livre au Tueur Gris !

— À quoi ça sert de le faire danser ? Je veux le manger. Ça fait trop longtemps que je n'ai pas eu de viande saignante à me mettre sous la dent.

— Tu parles ! Le géant ne nous donne que du sable à bouffer !

— Danse, je te dis ! Es-tu aveugle, homme sans yeux ? Le soleil t'éblouit, peut-être ?

Les bourreaux s'esclaffèrent.

Troy se figea. *Le soleil ?* Ainsi, il avait choisi la mauvaise direction et marché vers l'est au lieu de l'ouest. Il s'était jeté dans les pattes de l'ennemi. La lumière de sa nouvelle vie l'abandonnait. Il réprima un hurlement de frustration et, de ses mains tremblantes, fit le geste de rajuster ses lunettes.

— Dieu tout-puissant, marmonna-t-il.

Sans réfléchir, il porta ses mains à sa bouche et émit un sifflement aigu. Le fouet s'enroula autour de sa taille, le flanquant à terre.

— Danse ! hurlèrent en chœur ses tortionnaires.

Comme Troy se relevait, il capta un bruit de sabots martelant la pierre. L'instant d'après, le hennissement de Mehryl couvrit les jacassements malveillants. Troy redressa la tête, attentif. De quel côté venait le salut ?

— Un ranyhyn ! s'exclamèrent les créatures.

— Encore de la viande fraîche !

— Tuez-le !

Troy fut empoigné sans ménagement. Tandis qu'il luttait pour repousser une main armée d'un couteau, le galop de Mehryl enfla tel un grondement de tonnerre. Un impact fit voler l'assaillant en arrière. Troy tenta de saisir la crinière du coursier pour se hisser sur son dos, mais ne réussit qu'à se mettre sur son chemin. Emporté par l'élan, Mehryl le percuta de l'épaule. Il s'écroula.

Il entendit ses agresseurs passer à l'attaque. Un fouet claqua ; des lames sifflèrent. Mehryl fut forcé de battre en retraite. Avec un hululement de triomphe, les monstres se lancèrent à sa poursuite. Les bruits s'éloignèrent.

Troy se redressa avec difficulté. Son cœur battait la chamade et son front écorché pulsait douloureusement. Malgré tout, il se força à demeurer immobile, aux aguets. L'avait-on laissé seul ? Il agita les bras pour s'en assurer. Ses mains ne rencontrèrent que le vide.

Puis une inspiration sifflante brisa le silence.

Un tremblement parcourut Troy. Pourtant, il résista à l'envie de détaler et se concentra afin de localiser l'origine du son. Mehryl avait semé les créatures ; déjà, Troy les entendait rebrousser chemin.

— Je vais te tuer, souffla une voix haineuse. Tu m'as fait mal au pied. Que le Tueur Gris les emporte tous ! Tu es à moi.

Il perçut le déplacement de l'adversaire comme une pression sur son visage. Sa respiration rauque lui emplit les oreilles. À chaque pas qu'il faisait, son aura devenait plus menaçante. La tension était quasi insoutenable ; pourtant, Troy le laissa approcher sans bouger.

Soudain, il le sentit se ramasser sur lui-même pour bondir. Il porta la main à sa ceinture. D'un geste vif, il saisit la cordelette offerte par Rue et en fit une boucle, qu'il jeta autour du cou de l'assaillant. À l'instant où celui-ci le percuta, il serra de toutes ses forces. L'impact le déséquilibra. Il s'écroula sous sa victime et, sans relâcher son étreinte, lutta pour reprendre le dessus.

Enfin, le corps de l'agresseur se détendit entre ses jambes. Pour plus de sûreté, Troy lui cogna violemment la tête contre le sol. À travers ses halètements, il entendit les autres créatures le charger, mais continua à s'acharner sur sa prise.

Puis un éclair de pouvoir crépita dans les airs et des flammes explosèrent autour de lui. Des cris résonnèrent, suivis par un fracas d'épées qui s'entrechoquaient. Des cordes d'arc vibrèrent. Des monstres hurlèrent et s'effondrèrent lourdement.

Des mains empoignèrent Troy pour le relever et arrachèrent le lien à ses doigts crispés.

— Insigne ! s'exclama Amorine. Le Créateur soit loué : vous êtes sain et sauf !

Le premier chevron sanglotait de soulagement. D'autres gens entourèrent Troy.

— Mon ami, vous pouvez vous vanter de nous avoir fait courir, lui reprocha doucement Mhoram. Sans l'aide de Mehryl, jamais nous ne vous aurions retrouvé à temps.

La voix du seigneur montait des ténèbres, comme désincarnée. Troy fut incapable de lui répondre. Un étau lui broyait le cœur et il hoquetait éperdument.

— Insigne, que vous est-il arrivé ? s'inquiéta Amorine.

— Le soleil, balbutia-t-il. Est-ce qu'il brille ? Le jour s'est-il levé ?

Amorine poussa un gémissement.

— Miséricorde ! Que vous a-t-on fait ?

— *Le soleil*, éructa Troy en secouant la tête et en tapant du pied.

— Il est au-dessus de nos têtes, confirma Mhoram. L'armée du Lamineur est sur le point d'entrer à Doriendor Corishev. Nous devons partir immédiatement.

Troy fut saisi par une quinte de toux.

— Mhoram, articula-t-il d'une voix brisée. Mhoram…

Il fit un pas vers le seigneur, vacilla et lui tomba dans les bras. Sans un mot, Mhoram le serra contre lui jusqu'à ce que son souffle s'apaise. Puis il dit posément :

— Je vois que vous avez tué un des oiseaux du Rogue. Vous pouvez être fier de vous. Callindrill et moi sommes indemnes. Soixante-dix sangardes ont survécu à la bataille et le premier chevron a pu sauver une poignée de guerriers. Les ranyhyn sont revenus après le passage du vortex ; ils ont réussi à protéger les autres chevaux.

Réconforté par le calme qui émanait du seigneur, Troy parvint à se ressaisir. Il ne voulait surtout pas être un fardeau. Lentement, il s'écarta de Mhoram et se couvrit le visage de ses mains comme pour dissimuler ses orbites vides.

— Je dois vous révéler la suite de mon plan, lâcha-t-il.

— Cela ne peut-il pas attendre ? objecta Mhoram. L'ennemi est aux portes de la citadelle. Il faut fuir.

— Mhoram, gémit Troy. Je n'y vois plus rien.

20

Le Garrot

DEUX JOURS PLUS TARD, peu après midi, la milice atteignit l'Alpage. Accablés par la chaleur, les guerriers contournèrent les collines d'une démarche de zombies pour s'arrêter enfin dans une vaste prairie à l'herbe foisonnante – la première végétation digne de ce nom qu'ils foulaient depuis leur départ des plaines du Sud. Devant eux s'étendait la forêt. Une demi-lieue de chaque côté, à l'est et à l'ouest, les pics déchiquetés se dressaient tels des crocs menaçants garnissant la gueule du Garrot. Et sur leurs talons avançait l'armée de *moksha* le Lamineur.

Le géant aiguillonnait ses troupes sans relâche, si bien que malgré le retard pris à Doriendor Corishev, il ne se trouvait qu'à deux lieues en arrière. Sa proximité emplissait Mhoram d'une angoisse glaciale. Il avait si peu de temps pour mettre le plan de Troy à exécution ! Une fois l'Alpage franchi, la milice n'aurait plus aucune possibilité de fuite et aucun autre espoir que celui conçu par son chef. Si Mhoram échouait, elle se retrouverait prise au piège entre le ravageur et la forêt.

Hélas ! Quand bien même il aurait disposé d'une année entière pour se préparer, le seigneur aurait douté de sa réussite. Ce que Troy attendait de lui n'était rien moins qu'un miracle. Il se sentait plus impuissant que face au vortex de trépidation, dont le souvenir le faisait encore frissonner.

La ruse de Troy lui avait permis de sauver le gros de la troupe, mais à quel prix ! Les volontaires avaient été massacrés. Humilié par la terreur contre laquelle il n'avait pu se défendre, Callindrill avait perdu toute confiance en lui ; un voile de douleur assombrissait son regard jadis limpide et quand il communiait avec Mhoram, aucune force n'émanait plus de lui.

Amorine n'avait pas davantage été épargnée. Durant l'assaut, elle avait vu ses hommes succomber un à un et surmonté sa panique par devoir envers les survivants. Puis elle s'était lancée à la recherche de Troy dans les ruines envahies par d'immondes créatures humanoïdes. Certaines avaient des griffes en guise de doigts ; d'autres, des membres couverts de ventouses ou un troisième œil au milieu du front. Elle les avait combattues avec férocité, concentrée sur la mission qu'elle s'était fixée. C'était elle qui avait eu l'idée de suivre Mehryl.

Mais la cécité de Troy avait eu raison de son courage. Au premier coup d'œil, elle avait compris que le sang corrosif de l'oiseau avait ravagé son visage, le privant du don de vue accordé par le Fief. Ni le pouvoir des seigneurs, ni la panseglaise, ni le *rillinlure* n'avaient pu y remédier. Depuis, toute volonté semblait avoir déserté Amorine. Jusqu'à ce que les cavaliers rattrapent le reste de la milice, elle avait transmis ou exécuté les ordres de Mhoram tel un pantin dénué d'autorité propre. Dès qu'elle rejoignit Quaan, elle sombra dans une passivité absolue, exposant le plan de Troy d'une voix atone, comme si rien ne pouvait plus la toucher.

Quant à l'insigne, il n'avait pas prononcé un mot depuis qu'il leur avait révélé sa stratégie. Barricadé dans ses ténèbres intimes, il avait laissé Mhoram le hisser sur le dos de Mehryl. Seule la rapidité des ranyhyn l'avait empêché de tomber entre les mains du Lamineur avec ses compagnons ; pourtant, il n'avait pas demandé de nouvelles de l'armée ennemie. Même les cris de frustration qui avaient retenti derrière eux ne l'avaient pas arraché à la torpeur.

Mhoram souffrait, lui aussi. L'épuisement et l'épouvante avaient insinué leurs tentacules jusque dans les moindres anfractuosités de son âme ; il n'arrivait plus à s'en défaire. Néanmoins, il soutenait Amorine et Callindrill de son mieux, conscient que seuls le temps et la victoire cicatriseraient leurs blessures. Il les déchargeait des responsabilités qu'il pouvait assumer afin d'alléger leur fardeau.

En revanche, il ne put rien faire pour atténuer le choc que le rapport d'Amorine causa à Quaan. Au fur et à mesure que le premier chevron parlait, révélant le plan de Troy, l'inquiétude du vétéran se changea en une irrépressible colère.

— C'est de la folie ! tonna-t-il, livide. Les hommes se feront massacrer jusqu'au dernier ! Qu'est-ce qui vous prend, insigne ? Par les sept tabernacles ! Ravagez-vous ? (Il saisit son supérieur par les épaules et le secoua.) Comment pouvez-vous envisager une chose pareille ?

— Je suis aveugle, lâcha Troy d'une voix caverneuse. Je n'y peux rien.

Il s'arracha à l'étreinte de Quaan et s'assit près du feu. Repérant les flammes à la chaleur qu'elles dégageaient, il se pencha vers elles comme s'il essayait d'y lire l'avenir.

Quaan se tourna vers Mhoram.

— Seigneur, dites-le-lui vous-même, implora-t-il. Son plan nous condamnera tous à mort et entraînera la destruction irrémédiable du Fief !

Le cœur de Mhoram se serra. Il ne savait pas quoi répondre au brandebourg, ne voyait aucun moyen d'apaiser sa détresse. Il cherchait encore une réponse à lui faire quand Troy reprit la parole.

— Contrairement à vous, Quaan, Mhoram ne pense pas que je sois un ravageur. En revanche, il est persuadé que le Rogue est à l'origine de mon arrivée dans le Fief, qu'il a interféré avec l'invocation d'Atiaran pour que je me manifeste, en lieu et place d'une autre personne bien moins disposée à servir votre cause. Il voulait que les seigneurs me fassent confiance parce qu'il voyait clair en moi. Il savait que j'étais le genre d'homme qui se laisse acculer dans des circonstances où l'incompétence devient synonyme de trahison et pressentait que la haine que je lui vouerais ne m'empêcherait pas de devenir son allié malgré moi. (La douleur rendait sa voix tranchante comme un scalpel.)

« Cela dit, l'issue de cette guerre ne dépend plus de moi. J'ai déjà joué mon rôle en vous conduisant au pire. À présent, c'est à Mhoram qu'il incombe de vous sauver. Votre sort est entre ses mains.

Partagé entre la consternation et la sollicitude, Quaan hésita un instant avant de marmonner :

— Même un seigneur peut être vaincu.

— Il ne s'agit pas de n'importe quel seigneur, répliqua Troy, mais de Mhoram.

— Bien entendu, je ferai tout mon possible, déclara l'intéressé sur un ton las. Mais si le Rogue vous a choisi pour être l'instrument de notre perte, mon intervention ne servira à rien. C'est à vous seul qu'il reviendra de mener votre plan à son terme.

— Non, contra Troy en gardant le visage tourné vers le feu, comme s'il cherchait à se mortifier par d'autres brûlures. Vous avez dédié votre existence à la protection du Fief. C'est le moment de lui consentir le sacrifice ultime.

— Le Rogue me connaît bien, souffla Mhoram. Il se rit de moi dans mon sommeil. (Assailli par les échos d'une hilarité méprisante, il lutta pour les maintenir à distance.) Ne vous y méprenez pas, insigne. Je ne me dérobe pas à l'épreuve que vous me déléguez. Sur l'observatoire de Kevin, je vous ai fait une promesse, en vertu de laquelle vous avez imaginé l'impossible. Je ne vous le reproche pas ; cependant, je dois vous révéler le fond de ma pensée. Vous êtes le commandant de la milice. Je suis convaincu que son destin repose sur vos épaules.

— Je suis aveugle, insista amèrement Troy. Que puis-je faire d'autre ? Le Rogue lui-même ne peut plus rien exiger de moi.

La lueur des flammes soulignait ses blessures comme des plaies à vif, changeant sa figure en un masque de mort écarlate.

Consterné, Quaan jeta à Mhoram un regard qui semblait demander : « Ai-je eu tort de lui faire confiance ? »

— La présence de Troy parmi nous est une énigme que seul le dénouement de la guerre résoudra, dit le seigneur. D'ici là, tâchons de garder la foi.

— Très bien. (Quaan poussa un gros soupir.) Quoi qu'il en soit, si nous avons été trahis, il ne nous reste aucun recours. Fuir dans le désert ne ferait que retarder notre mort. Tant qu'à périr, l'Alpage est un lieu ni meilleur ni pire que les autres. Et il serait idiot de nous entre-déchirer alors que l'ultime bataille est proche. Je soutiendrai donc l'insigne.

Puis il se dirigea vers sa couche pour chercher le sommeil, malgré le tumulte de ses craintes. Amorine le suivit sans un mot, laissant les seigneurs seuls avec Troy.

Callindrill, qui n'était pas intervenu pendant la discussion, ne tarda pas à s'assoupir et Mhoram était trop épuisé pour rester éveillé. Mais Troy demeura assis devant les braises du feu agonisant, immobile, telle une statue de glace attendant la délivrance par la fonte.

Sa longue veille lui permit sans doute de trouver les réponses qu'il cherchait. Quand Mhoram ouvrit les yeux le lendemain matin, Troy était fièrement planté au milieu du bivouac, les bras croisés sur la poitrine. Le seigneur ne put deviner quel cheminement intime l'avait transformé à ce point ; aussi se contenta-t-il de le saluer d'une voix douce.

Troy se tourna vers lui, la tête penchée sur le côté comme pour mieux tendre l'oreille.

— Faites venir Quaan, réclama-t-il sèchement. Je veux lui parler.

Le brandebourg n'était pas loin ; il l'entendit et s'approcha aussitôt.

— Guidez-moi, ordonna Troy. Je vais passer les troupes en revue.

— Pourquoi vous torturer inutilement ? murmura Quaan.

— Je suis toujours l'insigne. Je veux montrer aux guerriers que la cécité ne m'empêchera pas de les commander.

Mhoram sentit des larmes lui picoter les yeux, mais il les refoula et hocha la tête pour signifier son assentiment.

Alors, Quaan salua son supérieur qui ne pouvait pas le voir et lui prit le bras.

Le cœur gros, Mhoram les regarda s'éloigner et circuler à travers le campement, Troy drapé dans l'inflexible raideur de l'exigence, Quaan le guidant avec une compassion respectueuse. Fort heureusement, ce spectacle pénible ne se prolongea guère : l'armée du Lamineur était proche et la milice ne pouvait s'attarder. Bientôt, Mhoram enfourcha son ranyhyn, Drinny fils d'Hynaril, et prit la direction de l'Alpage.

Il passa le plus clair de la journée à surveiller l'insigne. Mais le lendemain matin, comme la compagnie approchait du Garrot, il dut tourner son attention vers la tâche que Troy lui avait confiée. Il communia avec Callindrill ; tous deux fouillèrent leurs connaissances et sondèrent leurs intuitions en quête d'un moyen qui permettrait à Mhoram de tenir sa promesse. Il espérait tirer quelque courage de cette fusion mentale, mais Callindrill était toujours aussi désemparé. Au lieu de puiser de la force dans son esprit, Mhoram finit par lui en donner.

Avec l'aide de son pair, il définit plusieurs stratégies, puis les classa selon leur probabilité de réussite et les dangers qu'elles entraîneraient. Lorsque midi arriva et que la milice fit halte à la lisière du Garrot, il n'avait encore rien arrêté de définitif.

Face au dernier vestige de la Forêt primordiale, il prit la mesure de son insuffisance. Les premiers arbres se dressaient à une douzaine de mètres de lui. Pareils à des colonnes irrégulières, ils jaillissaient de la terre dans un élan tout-puissant dont aucune broussaille, aucun buisson ne pouvait contrarier l'énergie brute. Ils étaient trop espacés pour bloquer la lumière du soleil ; pourtant, une ombre épaisse s'étendait sous leurs branches, telle l'incarnation de la rage atavique qui animait leur conscience, menace tangible envers les intrus.

Mhoram avait l'impression de scruter les profondeurs d'un abysse. L'idée de conclure une alliance avec le Garrot relevait de la pure folie ou, à tout le moins, d'une vanité tissée d'illusions, réalisa-t-il tandis qu'il contemplait ce lieu funeste et qu'une angoisse sourde étreignait son cœur.

Bien sûr, Troy ne voyait rien de tout cela. Quand Quaan lui annonça qu'ils étaient arrivés, il fit volter Mehryl et lança ses ordres sans la moindre hésitation.

— Commencez les préparatifs. Distribuez les vivres restants ; nous n'en aurons plus besoin. Que les hommes se dépêchent de se restaurer. Quand ils auront fini, faites-les reculer hors de portée des flèches ennemies et déployez-les en arc de cercle autour de Mhoram. La ligne devra être aussi large que possible, mais assez épaisse pour repousser les assauts du Lamineur. Callindrill, je suggère que vous vous battiez avec la milice. Quaan, je vais m'adresser aux hommes pendant leur repas. Je veux leur expliquer ce qui nous attend.

— Entendu, acquiesça le vétéran d'un air distant.

Mais la détermination crispait ses traits. Il rendit son salut à Troy, puis s'en fut relayer les instructions à Amorine.

L'insigne pivota pour faire face à Mhoram.

— Vous devriez commencer tout de suite. Vous n'avez pas beaucoup de temps devant vous, lui rappela-t-il.

— J'attendrai que vous ayez parlé à la milice, répliqua le seigneur. J'ai besoin de quelques minutes pour me concentrer.

Troy grimaça en réalisant qu'il s'était trompé dans son estimation. Vexé, il acquiesça avec raideur et se détourna comme pour observer les préparatifs des troupes.

Callindrill s'attarda un instant auprès des deux hommes.

— Mhoram, mon frère, le haut seigneur ne doute pas que vous soyez capable d'affronter cette épreuve. Son jugement n'a encore jamais été pris en défaut. Votre foi suffira, je le sais.

Son ton exprimait clairement que c'était plus qu'il ne pouvait en dire de sa propre conviction. Tandis qu'il s'éloignait, Mhoram dut une fois de plus refouler ses pleurs.

Quaan revint pour annoncer que les miliciens attendaient l'allocution de leur chef. Troy lui demanda de le conduire jusqu'à un endroit approprié et ils partirent ensemble au petit trot. Mhoram leur emboîta le pas. Il était curieux d'entendre les mots que l'insigne allait choisir pour faire passer son plan suicidaire.

Troy s'immobilisa au centre du camp. Il n'eut pas besoin de réclamer le silence. Les guerriers, qui marchaient et souffraient dans un mutisme hébété depuis trois jours, étaient bien trop épuisés pour bavarder. Ils mâchaient mécaniquement, poussés par la force de l'habitude plutôt que par un quelconque appétit. Avec leurs joues creuses et leurs yeux hagards, ils ressemblaient à des squelettes poussiéreux mus par une volonté extérieure.

Mhoram sentit des larmes tièdes couler jusqu'à son menton et éclabousser ses mains crispées sur son bâton. Il se réjouit que Troy ne puisse pas voir à quelle terrible extrémité sa géniale stratégie avait réduit l'armée.

L'insigne se tenait très droit sur le dos de Mehryl, le menton fièrement levé comme pour exposer ses brûlures à l'inspection. Par sa posture, il niait l'abjecte hideur de son visage. Il prit la parole d'une voix rauque et mal assurée, qui trouva peu à peu sa juste tonalité.

— Camarades ! Nous voici au pied du mur. Aujourd'hui, nous remporterons la victoire ou serons anéantis. Pour le meilleur ou pour le pire, la fin est imminente.

« Notre situation est désespérée, vous en êtes tous conscients. Le Lamineur ne se trouve plus qu'à une lieue ; nous sommes coincés entre la forêt et lui. Sachez que ce n'est pas un accident. Nous ne sommes pas venus au Garrot parce que le ravageur nous y a forcés. Vous n'êtes pas des victimes. Lorsque je suis monté sur l'observatoire de Kevin, j'ai réalisé combien l'armée du Rogue était colossale, si monstrueuse que nous n'aurions pas eu la moindre chance si nous l'avions affrontée à la Retraite Maudite. Aussi vous ai-je sciemment amenés ici.

« Nous allons gagner, j'en ai la conviction. Nous allons précipiter dans la mort les hordes infernales qui s'avancent sur nous. (Il marqua une pause.)

« Vous vous demandez sans doute comment nous allons bien pouvoir accomplir un tel miracle. Je vais vous le dire. J'ai chargé le seigneur Mhoram d'une mission. La vôtre consistera à le protéger jusqu'à ce qu'il ait fini en ralentissant l'adversaire. À mon signal, vous désengagerez le combat et filerez droit vers le cœur du Garrot.

Il s'attendait à un chœur de protestations, mais les combattants n'avaient plus la force de crier. Néanmoins, Mhoram vit l'angoisse s'inscrire sur les visages torturés.

— Je sais qu'à première vue, le remède semble pire que le mal, enchaîna très vite Troy. La forêt interdite a toujours englouti ceux qui osaient la braver. Mais Turpide est un adversaire coriace. Notre seule chance de le vaincre, c'est d'accomplir l'impossible. Je suis persuadé que nous en sommes capables et, mieux encore, que nous survivrons à notre exploit.

« Car pendant que nous nous battrons, le seigneur Mhoram invoquera le forestal du Garrot et lui demandera de nous aider. Caerroil Folbois acceptera, j'en suis sûr. Il n'a aucun grief contre nous, tandis qu'il a toutes les raisons du monde de haïr le Lamineur. Pour l'atteindre, il n'aura pas d'autre choix que de nous accorder le passage. Rassuré de nous voir courir indemnes au milieu des arbres, le géant se lancera sans hésiter à notre poursuite. Il ne ratera pas une si belle occasion de nous anéantir. Et le forestal le détruira avec toute sa horde.

« Je vous l'affirme : mon plan fonctionnera. La seule difficulté, c'est de convaincre Caerroil Folbois de répondre à notre appel. Telle est la mission cruciale que j'ai confiée à Mhoram. (Il s'interrompit de nouveau, soupesant ses mots avant de conclure :) « Beaucoup d'entre vous le connaissent depuis plus longtemps que moi. Vous savez de quelle trempe il est. Il réussira. Tout ce que je vous demande, c'est de le garder en vie pendant qu'il invoquera Caerroil Folbois. Ce sera très dur, j'en suis conscient. Vous êtes déjà à bout de forces. Mais vous êtes des guerriers. Vous trouverez en vous les ressources nécessaires. J'ai confiance. Quoi qu'il arrive, je serai fier de me battre à vos côtés et n'aurai pas peur de vous conduire dans les entrailles du Garrot. Vous êtes les véritables protecteurs du Fief.

Il se tut et attendit la réaction des soldats.

Il n'y eut ni hourras, ni cris, ni démonstration bruyante d'aucune sorte. Une incommensurable fatigue privait la milice de sa voix. Mais douze mille hommes et femmes se levèrent pour saluer leur insigne.

Troy parut capter leur mouvement et le comprendre. Il leur rendit leur salut. Puis il fit volter Mehryl et rebroussa chemin vers l'endroit où il avait laissé Mhoram – si vite que celui-ci ne put l'intercepter.

— J'espère que vous comprenez ce qui arrivera si vous échouez, lança-t-il dans le vide. Nous n'aurons pas le choix : nous devrons quand même nous replier dans la forêt – et prier pour que Caerroil Folbois ne nous massacre pas avant que le Lamineur nous ait suivis. Nous mourrons de toute façon, mais ainsi, nous entraînerons le colosse et ses cohortes avec nous.

Mhoram se hâta de rejoindre Troy, mais Terrel était plus proche de lui et parla avant que le seigneur puisse l'en empêcher.

— Nous ne le permettrons pas, déclara-t-il sans la moindre trace d'émotion. Ce serait du suicide. La milice fera ce qu'elle voudra, mais nous sommes la sangarde. Nous ne laisserons pas les seigneurs provoquer leur propre mort. Nous n'avons pas réussi à empêcher le haut seigneur Kevin de se détruire. Nous ne faillirons pas de nouveau à notre devoir.

— Je comprends, acquiesça Mhoram. Mais nous n'en sommes pas encore là. Voyons d'abord si mon invocation portera ses fruits. (Il se tourna vers Troy.) Mon ami, voulez-vous bien rester avec moi pendant que je tenterai d'appeler le forestal ? Votre soutien me serait précieux.

Troy vacilla sur le dos de Mehryl et se raccrocha à sa crinière pour ne pas tomber.

— Si je peux faire quoi que ce soit, ce sera bien volontiers, dit-il d'une voix rauque en tendant la main à Mhoram.

Celui-ci l'aida à descendre de cheval, puis se détourna et jeta un coup d'œil aux miliciens : ils se préparaient à soutenir la charge du Lamineur. Comme il reportait son attention sur le Garrot, l'angoisse l'étreignit. Il craignait que Caerroil Folbois ne le foudroie sur place pour avoir eu l'audace de l'invoquer – ou pis, qu'il ne terrasse l'armée du Fief. Refoulant son appréhension, il fit un pas en avant, leva son bâton au-dessus de sa tête et entama le rituel.

— Salut à toi, Garrot, vestige de la Forêt primordiale, ennemi de nos ennemis ! Nous sommes les seigneurs, ennemis de tes ennemis et étudiants du *lillianrill*, et te prions humblement de nous laisser traverser.

« Entends-nous, Caerroil Folbois ! Nous haïssons la hache et le feu qui t'ont meurtri. Jamais nous n'en avons usé, et jamais nous n'en userons. Forestal, écoute notre supplique et livre-nous passage !

Il n'y eut pas de réaction. Les arbres engloutirent la voix de Mhoram sans restituer le moindre écho et rien ne bougea dans leurs profondeurs ténébreuses. Le seigneur eut beau écarquiller les yeux et tendre l'oreille, il ne perçut aucun signe.

Il réitéra son appel, encore et encore. À chaque tentative, le silence méprisant de la forêt semblait s'épaissir. Plus il suppliait les arbres, plus ils s'enfermaient dans un mutisme chargé de menace.

Puis un cri triomphant retentit derrière lui comme la horde du Lamineur arrivait en vue de la milice. Le sang de Mhoram se glaça dans ses veines et la panique menaça de le submerger. Ses jointures blanchirent sur son bâton. Alors, il planta l'instrument du pouvoir seigneurial dans le sol et tenta une autre approche.

Tandis que le soleil cheminait paresseusement dans le ciel, il lutta pour faire entendre sa requête. Il s'adressa aux forestals disparus dont le *lillianrill* avait préservé le souvenir. Il récita les formules et chanta les hymnes enseignés à la Loge. Il cisela des mélodies autour d'adjurations familières, les détournant de leur emploi traditionnel dans l'espoir d'obtenir une réponse. Pour servir son dessein, il alla même jusqu'à adapter l'invocation dont Elena s'était servie pour ramener Thomas Covenant dans le Fief. En vain. Le Garrot demeurait impénétrable et muet.

Derrière lui, les soldats avaient engagé leur ultime combat. Lorsque les sbires du Lamineur se ruèrent vers eux, ils poussèrent un bref cri de défi. Puis ils se turent, préférant conserver le peu d'énergie qui leur restait pour se battre.

L'épée au poing, ils firent face à la sombre marée que vomissaient les Aridies. Les archers décochèrent une pluie de flèches pour tenter de briser la charge ennemie, mais sans grand résultat. Piétinant les cadavres des ur-vils et des lémures abattus en pleine course, les créatures du Rogue percutèrent violemment leurs adversaires.

L'impact enfonça la ligne défensive et des milliers de monstres s'engouffrèrent dans la brèche. Aussitôt, Quaan rallia un des flancs tandis qu'Amorine rameutait l'autre. Pour la première fois depuis qu'elle avait quitté Doriendor Corishev, elle réagissait en digne officier et, brisant l'étau de son apathie, se démenait pour ramener l'ordre dans les rangs. Au centre, Callindrill n'avait pas cédé un pouce de terrain ; il faisait tournoyer son bâton au-dessus de sa tête, projetant des éclairs bleus dans toutes les directions. Déjà, des dizaines d'ur-vils jonchaient le sol autour de lui.

Malgré l'épuisement qui les imprégnait jusqu'à la moelle, les miliciens avaient trouvé en eux la force de riposter. Exaltés par leur amour pour le Fief et par la haine que leur inspiraient les créations perverses du Rogue, ils se défendaient rageusement. Des centaines d'entre eux tombèrent en l'espace de quelques minutes, mais les survivants parvinrent à repousser le premier assaut du Lamineur.

Le géant poussa un rugissement et ses cohortes battirent en retraite pour se regrouper. Les ur-vils formèrent un triangle face à Callindrill tandis que les lémures passaient au premier rang pour encaisser le choc de l'attaque suivante.

Afin de perturber ces préparatifs, Quaan engagea une action. Ses hommes se lancèrent aux trousses des créatures qui reculaient devant eux. Callindrill et une légion se ruèrent vers les ur-vils pour briser leur formation. À grand renfort de moulinets furieux, ils réussirent à semer le chaos parmi les noirs rejetons des démondims.

Puis le Lamineur sollicita le pouvoir de la Pierre et des décharges vertes forcèrent la milice à se replier.

C'était une lutte aussi féroce que muette. Seuls le martèlement des pieds, le cliquetis des armes, les râles des mourants et les ordres vociférés ponctuaient l'affrontement. Pourtant, ces sons étouffés résonnaient aux oreilles de Mhoram tel un brouhaha assourdissant – l'écho de son agitation intérieure. L'effort qu'il devait faire pour se concentrer l'inondait de sueur et affolait son pouls.

Ayant épuisé son répertoire d'invocations traditionnelles, il se rabattit sur des symboles, qu'il traça dans l'herbe avec la pointe de son bâton. Puis il mit le feu aux pentacles et aux cercles et, gesticulant au-dessus d'eux, entonna des incantations de plus en plus complexes.

Peine perdue. Le Garrot semblait se rire de lui.

Derrière lui, le combat se rapprochait. Malgré leur vaillance, les guerriers se faisaient refouler.

Troy ne put se contenir plus longtemps.

— Pour l'amour du ciel, Mhoram ! chuchota-t-il sur un ton pressant. Les nôtres se font massacrer !

Le seigneur pivota rageusement vers lui.

— Croyez-vous que je n'en sois pas conscient ?

À la vue de l'insigne, il s'arrêta net. Sur le visage ravagé et aveugle de Troy, les brûlures palpitaient d'une impuissance douloureuse. Il était le plus grand stratège que le Fief ait jamais connu, et néanmoins incapable de mettre à exécution la plus simple de ses idées.

Mhoram ravala sa colère.

— Très bien, soupira-t-il. Je pourrais tenter d'autres approches, mais une seule d'entre elles est assez périlleuse pour nous offrir quelque chance de réussite. Tenez-vous prêt. Si je viens à tomber, vous devrez prendre ma place. Selon nos légendes, le recours à ce chant est passible de mort.

Il s'avança vers la forêt et sentit le calme l'envahir. Maintenant qu'il se forçait à affronter la peur, il la reconnaissait pour ce qu'elle était : une simple émanation de l'esprit. Il l'avait déjà vaincue, jadis, lorsqu'un ravageur avait posé les mains sur lui. Aujourd'hui, le savoir qu'il avait retiré de ce contact allait peut-être lui permettre de sauver la milice.

Le regard étincelant, il s'immobilisa sous le couvert des premiers arbres. Il enflamma son bâton et le brandit au-dessus de sa tête en prenant bien garde de le tenir à l'écart des branches basses. Puis il se mit à chanter.

Sa langue malhabile écorchait les mots et butait sur les accents. Aucun seigneur avant lui n'avait osé entonner ces strophes pourtant très simples : selon la Sagesse de Kevin, les forestals les chérissaient comme un trésor et foudroyaient les mortels qui les profanaient de leur bouche impie. Néanmoins, il haussa la voix et les récita courageusement.

> Tombe la pluie, soufflent les vents,
> Mes troncs s'élancent vers le firmament ;
> Tremblent les montagnes, débordent les océans,
> Mes ramures s'épanouissent au soleil levant.
> Depuis la naissance de la Terre,
> Avant que ne commence la fuite du temps,
> Du monde je recouvre la pierre,
> Me dresse contre la mort et le néant.
> J'aspire le souffle des agonisants
> Et exhale la vie par mes verts poumons.
> Du Créateur je suis l'instrument,
> Source d'apaisement et de guérison.

Tandis que le Garrot engloutissait la mélopée, une réponse lui parvint, gracieux écho de sa piètre tentative. Elle semblait se détacher des ramures telle une nuée de feuilles scintillantes de rosée et, portée par la mélodie, venir tournoyer autour de Mhoram. Aussi douce et cristalline que le clapotis d'un ruisseau, elle s'insinuait dans les moindres recoins de son être et le paralysait.

> Mais la hache et le feu m'ont ravagée ;
> J'ai goûté l'avidité destructrice des hommes.
> Pour sauver la rouge sève de votre cœur, fuyez
> Car désormais ma haine ne connaît plus de bornes.

La forêt miroita brièvement au rythme de ses modulations. Quand tout redevint net, Mhoram vit Caerroil Folbois s'avancer vers lui.

C'était un homme de haute taille, à la longue barbe blanche et à la crinière de neige. Il était vêtu d'une robe de brocart et tenait dans le creux de son bras un bâton noueux en guise de sceptre. Une guirlande d'orchidées blanches et pourpres pendait à son cou, soulignant son austère dignité.

Il émergea de la pénombre comme si un rideau s'était ouvert devant lui. Les arbres s'inclinaient sur son passage.

À chacun de ses pas, sa chanson éclaboussait le sol et les troncs alentour. Sa voix limpide atténuait la sévérité de son port de tête, mais sous ses épais sourcils blancs, ses yeux dénués de pupille et d'iris jetaient un éclat argenté, primitif et impitoyable.

Sans cesser de fredonner, il s'approcha de Mhoram et s'immobilisa à moins d'un mètre de lui. Le seigneur sentit son étrange regard le sonder. Envoûté, il mit quelques secondes à réaliser que le forestal lui parlait.

— Qui ose profaner mon hymne ?

Au prix d'un gros effort, Mhoram s'arracha à l'enchantement qui le pétrifiait pour répondre :

— Caerroil Folbois, forestal et serviteur de l'âme du Garrot, je t'implore de pardonner mon audace. Loin de moi l'intention de t'offenser ou de souiller ce qui t'appartient de toute éternité. Oubliant la peur et la prudence, je me présente à toi car j'ai grand besoin d'aide. Je suis Mhoram fils de Varil, seigneur du conseil de Pierjoie, défenseur du Fief, dont les arbres et les pierres me sont sacrés. Je suis venu te demander une faveur.

— Une faveur ? répéta Caerroil Folbois d'une manière chantante. Tu apportes une flamme dans mon domaine et tu as le culot de solliciter une *faveur* ? Tu n'es qu'un sot, Mhoram fils de Varil. Jamais je ne conclurai d'alliance avec une créature capable d'allumer un feu ou de manier une hache. Va-t'en.

Il n'avait pas élevé le ton, mais son autorité fit tituber Mhoram.

— Écoute-moi, je t'en prie. Je n'ai utilisé cette flamme que pour attirer ton attention. (Éteignant le bâton, il le planta dans le sol et s'y accrocha comme pour éviter d'être balayé par le refus de Caerroil Folbois.) Depuis le commencement de leur lignée, les seigneurs ont juré de se consacrer à la protection de la terre et de la Forêt. Nous les aimons et les honorons de notre mieux. Jamais je n'ai fait de mal aux arbres, ni ne leur en ferai, même si, en refusant de m'accorder le passage, tu condamnes le Fief à la destruction et à la mort.

— J'ignore tout des seigneurs, fredonna Caerroil Folbois. Ils ne sont rien pour moi. En revanche, je connais

385

les hommes. Le Garrot n'a pas oublié le rituel de profanation.

— Écoute-moi tout de même. (Mhoram sentait les vibrations du combat dans son dos, mais il se souvint de l'histoire de la Forêt primordiale et demeura serein.) Je ne viens pas mendier. En échange de ton aide, je t'offre un ravageur.

Lorsque Caerroil Folbois entendit ce nom, l'aura scintillante qui l'enveloppait s'assombrit. Ses yeux s'obscurcirent tels des nuages gris chargés de foudre et des volutes de brume s'en échappèrent. Pourtant, il garda le silence. Mhoram poursuivit :

— Les habitants du Fief sont en guerre contre le Rogue, pourfendeur d'arbres et ennemi de la beauté en ce monde. Son armée nous a poursuivis jusqu'ici ; en ce moment même, l'ultime bataille fait rage dans la prairie. Si tu nous interdis la traversée du Garrot, nous périrons sûrement et notre mort laissera le Fief sans défense. Après notre défaite, aucun obstacle n'empêchera plus le Rogue de détruire les vestiges de la Forêt primordiale : les arbres de la douce Andelain, ceux de Grimmerdhore l'assoupie et de Morinmoss l'agitée. Pour finir, il s'attaquera au Garrot. Il faut l'arrêter pendant qu'il en est encore temps.

Le forestal ne parut guère touché par cette plaidoirie.

— Tu as parlé d'un ravageur, lança-t-il en un trille féroce.

— En effet. Le commandant adverse n'est autre que l'un des trois exterminateurs de la Forêt primordiale.

— Prouve-moi que tu dis vrai.

Mhoram ne pouvait se permettre la moindre hésitation. Il foulait un chemin que nul n'avait arpenté avant lui ; aussi s'en remit-il à son intuition.

— C'est le ravageur *moksha*, qui répond également aux noms de Jehannum et de Lamineur. Jadis, son frère *turiya* et lui enseignèrent le mépris des arbres aux démondims, et *samadhi* son autre frère excita la folie aveugle du monarque de Doriendor Corishev quand celui-ci décida de s'attaquer à la Forêt primordiale.

— *Moksha*, susurra Caerroil Folbois sur un ton menaçant. J'ai toujours été avide de ravageurs...

— Ses frères et lui sont plus forts que jamais. Le Rogue a partagé entre eux le pouvoir corrupteur de la Pierre de Maleterre, révéla Mhoram.

— Ces détails ne m'intéressent pas, coupa le forestal. Tu m'as offert *moksha*. Comment comptes-tu me le livrer alors qu'il est en train de massacrer les tiens ?

Derrière Mhoram, les bruits de combat cédaient rapidement la place à ceux d'un carnage pur et simple, tandis que la milice, débordée, reculait. Le seigneur entendait Troy haleter d'angoisse, mais il parvint à conserver son calme pour répondre :

— Tout dépend de toi, Caerroil Folbois. Permets-nous de traverser le Garrot, et le Lamineur se livrera de lui-même. En voyant qu'il ne nous arrive rien, il pensera que ton pouvoir a décliné ou que tu as disparu. Mû par la haine, il nous suivra avec ses ur-vils, ses lémures et ses créatures corrompues, et tombera entre tes mains.

Caerroil Folbois prit le temps de la réflexion. Dans les tempes de Mhoram, le sang battait les secondes pendant lesquelles les soldats se faisaient décimer. Il ne resterait bientôt plus une légion à sauver...

— C'est un marché équitable, décida enfin Caerroil Folbois. Les arbres ont soif de vengeance et j'attends ce moment depuis très longtemps. Mais il y aura un prix à payer pour mon aide... et pour l'usurpation de mon hymne.

Un frémissement d'angoisse fit vaciller l'espoir de Mhoram. Il pivota vers Troy, mais avant qu'il puisse l'arrêter, celui-ci s'écria avec ferveur :

— Tout ce que vous voudrez ! Dites votre prix, et je le paierai ! Je ne supporte pas d'entendre l'armée se faire massacrer.

C'était une promesse irrévocable, Mhoram le savait. Il voulut protester, mais le forestal fredonna gaiement :

— Marché conclu. Faites avancer vos hommes, mais sans précipitation.

Aussitôt, Troy fit volte-face et bondit sur le dos de Mehryl. Guidé par l'instinct, il l'enfourcha aussi sûrement que s'il avait recouvré la vue et le lança au galop vers la mêlée.

— Quaan ! s'époumona-t-il. Donnez le signal de la retraite !

Les rangs de la milice s'étaient disloqués et les cohortes du Lamineur se déchaînaient. Plus des deux tiers des guerriers avaient déjà succombé face à elles. Mais la voix de leur chef galvanisa les survivants. Tournant les talons, ils s'élancèrent vers la forêt.

Leur soudaine fuite ouvrit une brèche entre leurs adversaires et eux. Protégé par un cercle de sangardes, Callindrill fit fuser de son bâton une langue de flammes qui embrasa l'espace découvert et vint mourir en crépitant aux pieds de l'ennemi. Le feu ne causa guère de dommages, mais il fit hésiter un instant les forces du ravageur. Callindrill en profita pour rattraper les rescapés – à peine plus de dix légions – qui fonçaient déjà vers Mhoram.

Le seigneur se porta à la rencontre de Troy. Il l'arracha au dos de Mehryl, lui prit le bras et l'entraîna vers les arbres, dont les branches basses auraient risqué de le désarçonner. Les miliciens les avaient presque rejoints quand l'ombre du Garrot se referma sur eux.

Caerroil Folbois avait disparu, mais sa chanson demeurait ; elle semblait ricocher doucement sur chaque feuille. Mhoram sentait qu'elle le guidait et se fiait implicitement à elle. Derrière lui, les hommes consumaient leur ultime énergie dans une course folle vers le salut ou la mort. Il entendit Quaan hurler que tous les leurs avaient atteint la lisière des arbres, mais ne se retourna pas pour s'en assurer. Le chant du forestal exerçait sur lui une fascination à laquelle il ne pouvait ni ne voulait s'arracher. Tenant le bras de Troy et plissant les yeux pour scruter la pénombre, il avançait d'un pas rapide, stimulé par la mélodie.

Accompagné de Callindrill, Troy, Quaan, Amorine, d'une quarantaine de sangardes, des ranyhyn et de plus de quatre mille guerriers, il glissa pour un temps hors du monde des humains.

Lentement, la musique transmua sa vigilance lucide en une sorte de transe. Il avait encore conscience de ce qui l'entourait, mais rien ne semblait plus le toucher. Il voyait les ténèbres s'épaissir et devinait que le soleil s'était couché ; pourtant, il ne sentait pas le passage du temps. Des trouées entre les ramures lui permettaient d'apercevoir la chaîne Ouestronne dans le lointain. Les pics enneigés se déplaçaient à une vitesse surprenante. Apparemment, il filait à l'allure d'un ranyhn lancé au galop, et sans éprouver la moindre fatigue. Le souffle de la chanson le portait comme si le Garrot l'aspirait dans ses profondeurs. C'était une expérience quasi onirique, un voyage plus spirituel que physique dont il avait du mal à saisir toutes les répercussions.

Malgré l'absence de la lune dans le ciel, il n'avait aucun mal à se diriger : le doux rayonnement de l'herbe et des feuilles éclairait son chemin. Il marchait d'un pas sûr et inlassable. La mélopée le délivrait des entraves de la mortalité, l'enveloppait d'une insouciante sérénité.

Pendant la nuit, elle s'altéra sensiblement. Sa modulation fut sans effet sur lui, mais il en comprit instinctivement la signification. Même si la forêt engloutissait les sons et si aucun hurlement ne parvenait à ses oreilles, il sut que le massacre de l'armée du Roque avait commencé. L'air évoquait le souvenir des millions d'arbres assassinés ; il exprimait la rancune accumulée au cours des siècles, scandait la haine dont s'était imprégné le Garrot. Une allégresse sauvage, enfin libérée, vibrait dans ses accents tandis que les racines se déployaient et que les troncs se massaient pour broyer leurs ennemis ancestraux.

Face à l'immense pouvoir de la sylve, la horde du Lamineur était aussi minuscule et vulnérable qu'un esquif ballotté par un océan en furie. Les végétaux se riaient de la magie des ur-vils, de la force des lémures et de la folle terreur des créatures difformes qui les accompagnaient. Mus par la chanson de Caerroil Folbois, ils étranglèrent les envahisseurs, brisèrent leurs lames et piétinèrent leurs flammes. Puis ils burent leur sang et dévorèrent leur corps, éradiquant toute trace de leur passage, dans une apothéose de fureur exquise et trop longtemps contenue.

Quand la chanson retrouva son rythme placide et sinueux, elle semblait exhaler un sinistre triomphe.

Peu après – du moins, il sembla à Mhoram que quelques minutes à peine s'étaient écoulées –, un grondement de tonnerre déferla sur le Garrot. Il crut d'abord que c'était le râle d'agonie du Lamineur. Puis il réalisa son erreur. À l'ouest, les montagnes tremblaient violemment. Du feu liquide jaillissait de leur sommet et après chaque éruption, une fumée noire se répandait dans le ciel nocturne, oblitérant les étoiles. Il observa ce phénomène avec un étrange détachement ; la transe qui s'était emparée de lui le préservait de l'angoisse.

Il ne s'inquiéta pas davantage en constatant que les miliciens avaient disparu. Seuls Callindrill, Troy, Quaan, Amorine, et les sangardes Terrel et Morril le suivaient encore. C'était bien ainsi, songea-t-il, s'abandonnant à la confiance sereine que la mélodie du forestal distillait en lui.

Au lever du soleil, il vit qu'il traversait un sous-bois empli d'une profusion d'orchidées blanches et pourpres. Les fleurs, d'une couleur très pure, ponctuaient le rythme comme autant de notes végétales. Avec un sourire béat, il se laissa emporter par cette harmonie qui apaisait ses souffrances.

Puis les flèches jumelles de Melenkurion Barreciel, les plus hauts pics de la chaîne Ouestronne, se profilèrent à travers le feuillage. Mhoram distingua l'à-pic formidable de la Pierre Fendue, dont le plateau dissimulait l'affrontement qui s'était déroulé toute la nuit. Des explosions étouffées se répercutaient dans les entrailles de la montagne et des projectiles écarlates fusaient vers le ciel à intervalles irréguliers. Pourtant, le seigneur ne se sentait toujours pas concerné. Ivre de vitesse, il savourait son euphorie. Il avait déjà couvert trente ou quarante lieues depuis son entrée dans le Garrot et se sentait prêt à continuer éternellement.

La journée s'écoula dans la même évanescence intemporelle, sans que la faim ni la fatigue ne viennent l'assaillir. Mais au crépuscule, le chant relâcha peu à peu son emprise. À l'idée que l'expérience enchanteresse touchait à sa fin, Mhoram ressentit un regret poignant. La Pierre Fendue et son halo de tonnerre se découpaient désormais au sud-ouest de sa position ; il estima que ses compagnons et lui approchaient de la Noire.

Dans un dernier élan, la mélopée les conduisit jusqu'à une colline pelée qui surgissait telle une île déserte au milieu du foisonnement végétal. La rivière coulait à son pied, mais rien ne poussait à sa surface, comme si, au fil des âges, la mort avait détrempé son sol et l'avait rendu irrémédiablement stérile. À son sommet se dressaient, pareils à des sentinelles, deux grands arbres desséchés et noircis ne possédant plus qu'une branche lancée à l'horizontale. Chacune rejoignait l'autre à cinquante pieds de hauteur et elles s'entrelaçaient pour former la barre d'une potence.

Mhoram reconnut la butte de Montgibet. À l'époque lointaine où la Forêt primordiale luttait encore pour sa survie, c'était ici que siégeaient Caerroil Folbois et ses frères, et qu'ils condamnaient et exécutaient les profanateurs.

Ce jour-là, c'était au tour du ravageur *moksha* de se balancer au bout d'une corde. Une noire fureur congestionnait son visage ; sa langue enflée avait forcé le passage entre ses dents et ses yeux aveugles fixaient le vide. Un rictus haineux distendait ses traits. Il s'était si bien débattu dans l'agonie que la plupart de ses vaisseaux sanguins avaient éclaté et que des taches sombres marbraient sa peau.

Tandis qu'il l'observait, Mhoram se sentit brusquement assoiffé et épuisé. Quelques instants s'écoulèrent avant qu'il remarque la présence de Caerroil Folbois. Il se tenait un peu en retrait, fredonnant tout bas ; ses yeux brillaient comme des braises.

Troy bâilla et s'étira. Il semblait, lui aussi, s'éveiller d'un long sommeil.

— Pourquoi nous sommes-nous arrêtés ? murmura-t-il d'une voix pâteuse. Mhoram, que voyez-vous ?

Le seigneur déglutit avant de répondre :

— Je vois le Lamineur. Caerroil Folbois l'a pendu.

Surpris, Troy sursauta. Puis un large sourire éclaira son visage.

— Dieu merci ! s'exclama-t-il.

— C'était un marché équitable, chantonna Caerroil Folbois. Je sais qu'il est impossible de détruire l'esprit d'un ravageur. Mais assister aux dernières convulsions de son corps d'emprunt m'a quelque peu consolé. Je l'ai garrotté.

(Ses yeux flamboyèrent, puis reprirent leur aspect lisse et métallique.) Par conséquent, n'ayez aucune inquiétude : je ne suis pas revenu sur mon engagement. Vos guerriers sont indemnes. La présence d'un si grand nombre de mortels sans foi ni loi était une telle souffrance pour les arbres que je les ai fait sortir du Garrot au plus vite en les dirigeant vers le nord. Mais à cause de l'accord que nous avions conclu et de ce que vous devez me verser, je vous ai amenés ici. Regardez bien. Voici comment la forêt punit ses ennemis.

Quelque chose dans le timbre limpide de sa voix fit frissonner Mhoram. Mais il se ressaisit et demanda :

— Qu'est-il advenu de la Pierre de Maleterre ?

— C'était un grand fléau, répondit sévèrement Caerroil Folbois. Je l'ai détruite.

Le seigneur hocha la tête.

— Tant mieux !

Puis il tenta d'aborder la question du prix à payer. Il voulait expliquer au forestal que Troy s'était engagé sans comprendre ce qu'on attendait de lui et qu'il serait donc injuste de le forcer à tenir parole. Mais pendant qu'il cherchait ses mots, Terrel attira son attention en pointant l'index vers l'amont de la Noire.

Le soleil s'était couché depuis longtemps et l'obscurité était presque totale. Seuls les yeux de Caerroil Folbois trouaient la pénombre. Quand Mhoram se tourna dans la direction indiquée par Terrel, il aperçut pourtant deux autres sources de lumière. Au loin, un holocauste rageur embrasait la Pierre Fendue, où la débauche de violence semblait sur le point d'atteindre son paroxysme. Les flammes jaillissaient furieusement et un énorme nuage de fumée noire recouvrait le Garrot. Plus près, entre les arbres, un minuscule point blanc brillait d'un éclat austère et constant. Le seigneur le suivit du regard jusqu'à ce qu'il disparût derrière la colline.

Quelqu'un traversait la forêt en longeant la Noire.

Mhoram fut saisi d'une intuition qui le remplit de crainte.

— Qui se dirige vers nous ? demanda-t-il à Caerroil Folbois tandis que des visions, oubliées depuis quelques jours, revenaient à la charge. As-tu conclu d'autres marchés ?

— Quand bien même je l'aurais fait, en quoi cela te concernerait-il ? répliqua le forestal. Sache néanmoins que ces deux-là jouissent d'un statut particulier. Ils ne m'ont rien demandé. Si je tolère leur présence, c'est parce que leur flamme ne représente aucun danger pour cet endroit – et parce qu'ils détiennent un pouvoir devant lequel je dois m'incliner en vertu de la loi de la Création.

— Melenkurion ! souffla Mhoram. Que le Créateur nous préserve !

Saisissant le bras de Troy, il l'entraîna vers le sommet de la butte. Les autres leur emboîtèrent le pas.

Deux hommes étaient en train de gravir le versant opposé. Le plus petit serrait une pierre étincelante dans sa main droite et soutenait son camarade de la gauche. Ils avançaient avec difficulté, comme s'ils luttaient contre une bourrasque. Arrivés au niveau de la potence, ils s'immobilisèrent, surpris de découvrir qu'on les attendait.

Lentement, Bannor leva l'*orcrest* pour qu'elle éclaire le comité d'accueil. Puis il salua les seigneurs d'un signe de tête.

Quand Thomas Covenant réalisa que tous le fixaient, il se dégagea et s'écarta du sangarde. Privé d'appui, il tenait à peine debout. Une cicatrice rouge vif luisait sur son front. Son regard était perdu dans le vague, et pourtant si intense qu'il semblait loucher – comme si, trop conscient de sa propre duplicité, il ne pouvait plus percevoir les choses d'une seule manière. Ses deux mains étaient crispées sur sa poitrine.

Une nouvelle explosion ébranla la Pierre Fendue. Il chancela et tendit instinctivement la main gauche vers Bannor pour se retenir.

À son annulaire, l'alliance palpitait.

TROISIÈME PARTIE

LE SANG DE LA TERRE

21

La fille de Léna

TROY AVAIT QUALIFIÉ SON INCRÉDULITÉ DE BLUFF. Pourtant, Thomas Covenant n'essayait nullement de manipuler les habitants du Fief. Il se contentait de lutter pour sa survie.

L'incrédulité était sa seule défense contre le monde, son unique moyen de contrôler les réactions quasi suicidaires qu'il lui inspirait. Ayant déjà renoncé à toute autre forme de protection, il redoutait de finir comme le vieil homme qu'il avait rencontré à la léproserie – cet infirme fétide à l'insoutenable hideur. La folie lui semblait encore préférable à cette torture de chaque instant : au moins, elle isolerait sa conscience, le rendrait sourd, aveugle et insensible à la pourriture qui le rongeait tel un charognard.

Mais tandis qu'il s'éloignait de Boijovial pour se mettre en quête du septième tabernacle avec Elena, Amok et les deux sangardes, il réalisa qu'un changement irréversible s'opérait en lui. La situation lui échappait peu à peu ; sous ses pieds, le terrain s'altérait comme sous l'influence subtile du Pouvoir de la Terre. Son déséquilibre l'entraînait vers un gouffre sans fond et il n'avait aucune certitude à laquelle se raccrocher.

C'était Elena qui incarnait pour lui la menace la plus grave. Ses origines, sa force intérieure et son étrange capacité de persuasion le troublaient autant qu'elles le séduisaient. Il n'était pas encore sorti de la vallée des Deux Rivières que déjà, il se maudissait d'avoir accepté l'invitation de la jeune femme. La fascination qu'elle exerçait sur lui embrouillait ses émotions et tirait de leur inextricable pelote des fils de consentement inattendu.

Quand Mhoram lui avait demandé d'accompagner la milice, il avait accepté faute d'autre solution satisfaisante : il éprouvait un besoin pressant d'avancer, de chercher activement une issue à son dilemme. En revanche, il n'avait aucune raison logique d'accéder à la requête d'Elena. Il lui semblait au contraire que ce faisant, il se dérobait à une confrontation essentielle avec Turpide, qu'il lui tournait le dos comme un lâche. Mais au moment de prendre sa décision, il n'avait même pas envisagé de refuser. Et il pressentait qu'Elena pourrait l'entraîner beaucoup plus loin encore. Sa beauté, son ascendant, la façon dont elle le traitait sapaient progressivement sa résistance.

Tandis qu'ils traversaient la plaine flamboyante de la Mémoriade, il l'observa avec une vigilance presque craintive. Fièrement juchée sur le dos de Myrha, Elena ressemblait à une vestale couronnée, à la fois puissante et fragile – capable de le foudroyer d'un regard et, la seconde d'après, de s'écrouler sous l'effet d'une simple pichenette. Jamais le lépreux ne s'était senti aussi intimidé par quiconque.

Quand Amok se matérialisa soudain près d'elle, elle le salua le plus naturellement du monde et ils se mirent à bavarder tels de vieux amis, tandis que Boijovial disparaissait dans le lointain derrière eux. Si Amok manifestait une grande réticence à parler du septième tabernacle, il se montrait intarissable sur tout autre sujet. Pendant la matinée, il chanta et babilla gaiement, comme si son unique mission en ce monde était de divertir le haut seigneur.

Absorbé par la contemplation du paysage automnal, Covenant ne l'écoutait que d'une oreille. La compagnie longeait le cours de la Rill en direction de la chaîne Ouestronne. Soixante lieues plus loin, la Mémoriade s'achevait sous la masse orgueilleuse des montagnes, trois mille pieds au-dessus du niveau de la vallée. Le chemin montait progressivement, traversant des bosquets chamarrés et gravissant des collines recouvertes d'épaisses bruyères.

Ici, la végétation foisonnante avait effacé la plupart des cicatrices infligées à la Pierre Rompue par la dernière guerre de Kevin. De temps en temps, les cavaliers apercevaient une zone de terre nue qui semblait résister à la guérison ou une rangée de buttes maladroitement imbriquées, comme des os ressoudés de travers. Mais dans l'ensemble, les efforts des seigneurs avaient été couronnés de succès. L'atmosphère de la Mémoriade vibrait d'énergie et les arbres plongeaient leurs racines dans un sol fertile. Le nouveau conseil avait fait du bon travail.

Parce que la région avait souffert, elle touchait plus que toute autre le cœur du lépreux. Il s'y sentait comme chez lui. Durant l'après-midi, il se surprit à regretter de la quitter bientôt. Il aurait aimé l'arpenter sans but précis, de préférence seul, sans avoir à se soucier de la milice, de la quête ni de la guerre qui menaçait le Fief. C'eût été un répit bienvenu.

Amok était un guide merveilleux, dont l'irrépressible bonne humeur et le pas bondissant faisaient oublier à ses compagnons l'allure soutenue qu'il leur imposait. Il chantait d'étranges odes aux paroles incompréhensibles qu'il prétendait tenir des Élohim, racontait l'histoire intime des étoiles en décrivant leur danse comme s'il y avait pris part. Ses inflexions joyeuses formaient un parfait contrepoint à la limpidité de l'air et au charme du paysage ; telle une envoûtante incantation, elles captivaient ses auditeurs.

Au crépuscule, le jeune homme disparut brusquement. Covenant s'arracha à la rêverie.

— Où est-il passé ?

— Il reviendra, affirma Elena. Il s'est esquivé pour la nuit. Il est temps que nous fassions halte, qu'en dis-tu ?

Dans l'obscurité grandissante, Covenant ne distinguait pas si les yeux de la jeune femme étaient posés sur lui, plongeaient en lui ou le traversaient.

Elena se laissa souplement glisser à terre. Il l'imita et confia sa monture à Bannor. Myrha et les deux autres ranyhyn s'éloignèrent au galop, ravis de se détendre après la longue journée de marche.

Morin se dirigea vers la Rill pour y puiser de l'eau pendant qu'Elena dressait le campement. Elle sortit de son paquetage une petite vasque d'ignescentes sur lesquelles elle mit à chauffer un repas frugal. Tandis qu'elle s'activait, son regard suivait le mouvement de ses mains mais demeurait étrangement lointain, comme si la lumière ambrée des pierres de feu lui révélait des événements en train de se produire à l'autre extrémité du Fief.

Covenant l'observait, fasciné par ses gestes les plus anodins. Mais tout en l'étudiant, il tentait de se ressaisir, de comprendre sa position face à elle. Elena était un mystère pour lui. Le Fief ne manquait pas de gaillards solides et compétents prêts à tout sacrifier sur un simple mot d'elle, et c'était lui qu'elle avait choisi – lui le violeur, l'incapable, le lépreux. À Scintillia, elle l'avait embrassé ; ce souvenir lui serrait encore le cœur. Elle avait jeté son dévolu sur lui, non par désir de vengeance ni pour quelque raison que Trell aurait pu approuver. Elle ne nourrissait nulle rancœur envers lui : il le voyait dans ses sourires, l'entendait dans sa voix, le percevait dans chacune de ses attitudes. Alors, pourquoi avait-elle souhaité qu'il l'accompagnât dans sa quête ? Quelle grandeur d'âme, quelle secrète passion la motivait ? Il avait besoin de le savoir autant qu'il redoutait de le découvrir.

Après le dîner, pendant qu'il sirotait sa ration de guinguet, il rassembla son courage pour l'interroger. Les deux sangardes s'étaient retirés et leur absence le soulageait. Caressant sa barbe, il commença par lui demander si elle avait pu soutirer des renseignements à Amok.

Elena secoua la tête avec insouciance et ses cheveux ondoyèrent tel un halo dans la lueur des ignescentes.

— Ne t'en fais pas. Plusieurs jours de voyage nous séparent sans doute de notre destination. J'aurai tout le temps de le questionner avant que nous atteignions le septième tabernacle.

Covenant accepta cette réponse qui n'était pas celle qu'il cherchait. Malgré son appréhension, il inspira profondément et se lança.

— Pourquoi ton choix s'est-il porté sur moi ?

Elena le dévisagea, songeuse.

— Je ne t'ai pas *choisi*, Thomas Covenant, et tu le sais bien. Aucun des actuels seigneurs de Pierjoie n'a eu voix au chapitre. C'est Sialon Larvae qui, agissant sous l'emprise du Rogue, t'a amené dans le Fief la première fois. Mhoram prétend que le Créateur a influé sur cette décision. Il se peut également que Kevin le Dévastateur ait manipulé les événements par-delà la mort. Non, Incrédule, je ne t'ai pas choisi. (Sa voix se chargea d'une étrange émotion.) Toutefois, si j'avais été consultée...

— Ce n'est pas ce que je voulais dire, coupa Covenant. La lèpre est seule responsable de cette aventure invraisemblable ; j'en suis conscient. Un individu normal se contenterait d'en rire, mais laissons cela. Je veux savoir pourquoi tu m'as demandé de t'accompagner quand d'autres étaient infiniment plus aptes que moi.

Il revit l'expression de Troy quand Elena avait prononcé son nom, la douleur muette qui avait crispé son visage sans yeux. À ce souvenir, il frémit.

— Cette maladie dont tu ne cesses de parler, la lèpre, je ne la comprends pas, avoua Elena. Tel que tu me l'as décrit, ton monde d'origine persécute les innocents. Pourquoi ? Comment peut-on tolérer pareille injustice ?

— Les choses ne sont pas si différentes dans le Fief. Songe un instant au destin de Kevin... Mais nous nous écartons du sujet. Pourquoi m'as-tu désigné ? insista Covenant.

— Puisque tu y tiens tellement, je vais te répondre, soupira Elena. Ma décision a été motivée par de nombreux motifs. Es-tu prêt à les entendre ?

— Oui.

— Ah, Incrédule... Je me demande parfois si Hile Troy, tout aveugle qu'il soit, ne t'a pas percé à jour. Tu t'ingénies à esquiver la vérité. Mais soit : je vais t'exposer mes raisons. En premier lieu, je dois parer à toutes les éventualités. Si tu te résolvais à faire usage de l'or blanc, je serais mieux placée que quiconque pour t'aider dans ta tentative. Bien que j'ignore les secrets de la magie sauvage, je commande au Bâton de la Loi. Si, en revanche, tu venais à te retourner contre le Fief, ce même Bâton me permettrait d'affronter le pouvoir libéré par ton anneau.

« En outre, tu n'es pas un guerrier. Comment te serais-tu défendu lors des combats acharnés que livrera la milice ? Je refuse de t'envoyer à la mort. Je suis d'avis qu'il faut te laisser le temps de voir clair en toi-même. Enfin, je n'avais pas le cœur d'entreprendre une mission aussi délicate sans avoir à mon côté un compagnon avec lequel je me sente en harmonie. Or, la place de Troy et de Mhoram est sur le champ de bataille. Ces explications te suffisent-elles ?

Covenant sentait que la jeune femme ne lui avait pas tout dit.

— Un compagnon avec lequel tu te sentes en harmonie ? répéta-t-il. (Un rictus d'amertume et de dégoût lui tordit la bouche.) Après tout ce que j'ai fait… Je te trouve remarquablement tolérante.

— Je ne le suis pas, répliqua Elena. Simplement, je ne prends jamais de décision sans consulter mon cœur.

C'était ce que Covenant désirait et redoutait d'entendre à la fois.

— Tu as brisé celui de Trell, fit-il remarquer d'une voix enrouée par l'émotion. Et celui de ta mère.

Elena se raidit.

— Me tiens-tu responsable des souffrances de mon grand-père ?

— S'il lui restait le moindre espoir, il nous aurait suivis. Désormais, il sait que tu n'as aucune intention de me châtier.

Covenant voulut s'interrompre, mais la douleur qu'il venait d'infliger à Elena le poussa à continuer.

— Quant à ta mère… Je n'ai pas le droit de parler d'elle. Il ne s'agit pas de ce qui s'est passé entre nous. Ça, encore, je peux le comprendre. Elle était si rayonnante de disponibilité, et moi si démuni… Non, je pensais plutôt à cette jument que tu montes. Vois-tu, lors de mon premier séjour dans le Fief, j'ai conclu un marché avec les ranyhyn. Je cherchais un moyen de ne pas sombrer dans la folie. À mes yeux, ils étaient l'incarnation de la beauté et de la santé de ce monde, et ils me haïssaient. (Il cracha ce mot comme une insulte : « Lépreux impur ! »)

« Pourtant, une centaine d'entre eux sont venus se cabrer devant moi. Alors, je leur ai promis que jamais je ne les forcerais à me porter. En échange, j'ai exigé qu'ils répondent à tout appel que je lancerais et que l'un d'entre eux rende visite à ta mère chaque printemps.

— Le pacte tient toujours, affirma fièrement Elena.

— C'est ce que m'a dit Rue, acquiesça Covenant. Mais la question n'est pas là. Ne comprends-tu pas ? Mon geste n'était qu'une misérable tentative pour me réhabiliter à mes propres yeux en rachetant le crime que j'avais commis. Comme s'il suffisait d'offrir des cadeaux à ceux dont on a brisé la vie ! C'était arrogant et stupide de ma part. La preuve, c'est que ça n'a pas marché. Le temps que la quête du Bâton de la Loi arrive à son terme, la situation avait tellement empiré qu'aucun contrat n'aurait pu me sauver.

D'un seul coup, les mots lui manquèrent. Il aurait voulu ajouter qu'il ne portait pas d'accusation contre la jeune femme, car il était trop mal placé pour la juger. Il n'en fit rien : une petite voix intérieure insinuait que le malheur de Léna méritait plus de loyauté de la part de sa fille.

— De toute évidence, tu connais bien mal ma mère, répondit Elena, comme si les pensées du lépreux l'avaient effleurée. Depuis ma venue en ce monde, elle a pris soin de moi ; elle m'a enseigné ce qu'elle savait et croyait juste. Jamais elle ne m'a poussée à exercer quelque représaille que ce soit à ton encontre. Elle ne nourrissait ni colère ni rancœur envers toi. Je suis certaine qu'elle approuverait mon choix.

— Non, haleta Covenant. Non, non !

Une vision sanglante s'imposa à son esprit : le bas-ventre de Léna quand il s'était relevé, son forfait accompli. Il ne supportait pas l'idée qu'elle ait pu lui pardonner.

Il se détourna brusquement. Il sentait qu'Elena l'observait, qu'elle voulait poursuivre leur conversation. Mais il était incapable de soutenir son regard, effrayé par ses motivations, qu'il n'osait nommer. Sans ajouter un mot, il s'allongea sur sa couche et ferma les yeux.

Peu de temps après, il entendit la jeune femme recouvrir la vasque d'ignescentes et s'installer pour la nuit.

Le lendemain matin, à l'aube, Morin et Terrel reparurent, amenant avec eux Myrha et le mustang de Covenant. Le lépreux se leva et partagea un rapide petit déjeuner avec Elena tandis que les sangardes empaquetaient leurs couvertures. Dès qu'ils se remirent en route, Amok se matérialisa près du haut seigneur.

Covenant n'était pas d'humeur à supporter son babillage. Pendant la nuit, il avait pris une décision. Il était conscient du risque, mais espérait que cela l'aiderait à recouvrer une partie de son intégrité. Avant que le jeune homme puisse ouvrir la bouche, il se redressa et, ignorant les battements affolés de son cœur, lui demanda ce qu'il savait de l'or blanc.

— Beaucoup et peu de choses, gloussa Amok. On raconte qu'il contrôle la magie sauvage, destructrice de paix. Mais qui peut définir cette dernière ?

Covenant se rembrunit.

— Une fois de plus, tu joues sur les mots. Je t'ai posé une question très simple ; je te serais reconnaissant d'y répondre sans détour. Que sais-tu de l'or blanc ?

— Mes oreilles ont entendu certaines choses et mes yeux en ont vu d'autres. Mais comment pourrais-je en savoir plus long que vous, son unique détenteur ?

Elena vint au secours de l'Incrédule.

— Amok, l'or blanc est-il lié au septième tabernacle d'une quelconque façon ? Est-il la clé qui permettra de le déverrouiller ou la matière sur laquelle s'exercera son pouvoir ?

— Toutes les choses sont liées entre elles, haut seigneur, répliqua malicieusement Amor. Le septième tabernacle pourrait très bien ignorer l'influence du précieux *métal* comme celui qui le porte n'avoir aucun usage du tabernacle. Chacun d'eux représente une facette différente du pouvoir primordial, une manifestation distincte de l'énergie qui présida à la Création. Sachez néanmoins que le porteur de l'or blanc n'est pas mon maître. Je respecte son anneau, mais ma mission demeure inchangée.

— Dans ce cas, tu n'as nul besoin d'esquiver ses questions, déclara fermement Elena. Dis-lui ce que tu as vu et entendu.

— Je répondrai à ma façon, haut seigneur. Ce que j'ai pu voir ou entendre ne m'a pas appris grand-chose au sujet de l'or blanc. Il est le paradoxe qui imprègne l'arche du temps, le chaos sous-jacent à l'ordre de la Création, le maillon déficient du Pouvoir de la Terre, l'élément solide de l'eau et celui fluide de la pierre. Comme je vous l'ai déjà dit, il contrôle la magie sauvage, destructrice de paix. Les Brathair l'évoquent avec sérénité tandis que les Élohim le redoutent, bien qu'ils ne l'aient jamais vu. Le grand Kelenbhrabanal en rêve dans sa tombe et son seul nom inspire des cauchemars aux redoutables gorgones des sables. Durant ses derniers jours, Kevin le Dévastateur le chercha en vain. Il est l'abysse et l'apogée de la destinée.

Une telle pirouette verbale était prévisible. Covenant soupira. Le lyrisme évasif d'Amok le contraignait à oser l'interrogation tapie aux confins de ses terreurs honteuses, dans le flou où son imagination timorée avait toujours refusé de s'aventurer.

— C'est bon, je vois le tableau, grogna-t-il. Dis-moi juste comment... (Un instant, son courage défaillit, mais il songea à Léna et se força à poursuivre :) Dis-moi juste comment je peux utiliser ce maudit anneau.

Amok éclata de rire.

— Ah, Incrédule ! Demande-le à la mer du Levant ou à Melenkurion Barreciel. Interroge les feux de Gorak Krembal ou le cœur inflammable du Garrot. La Terre entière le sait. Comme les autres pouvoirs en ce monde, celui de l'or blanc répond à l'appel du mystère et de la passion, ces fidèles subterfuges de la conscience humaine.

— Miséricorde, maugréa Covenant afin de dissimuler son soulagement.

Amok ne lui révélerait pas le mode d'emploi de son anneau et tant qu'il demeurerait dans l'ignorance, personne ne pourrait le tenir responsable du sort du Fief. Dans le fond, il n'avait risqué cette question que parce qu'il était persuadé que le jeune homme ne lui fournirait pas de réponse exploitable. C'était perfide de sa part, mais son instinct de survie l'emportait toujours sur la honte.

Détendu, il engagea une conversation badine avec Elena. Il se sentait aussi maladroit qu'un infirme : depuis que sa maladie s'était déclenchée, il n'avait jamais eu l'occasion de bavarder à bâtons rompus avec quiconque. Mais sa bonne volonté enchanta la jeune femme, dont l'éloquence suppléa à ses propres défaillances.

Leurs voix résonnaient dans l'atmosphère riante de la Mémoriade. Tandis qu'ils montaient en altitude, l'air automnal fraîchit et le soleil para la végétation d'un éclat scintillant. Des oiseaux filaient au-dessus de leur tête ; des lapins aux oreilles frémissantes détalaient sur leur passage ; des écureuils et des blaireaux s'ébattaient dans les bosquets ; parfois, un renard pointait furtivement le museau hors d'un buisson.

Le paysage fournissait un parfait écrin à la beauté rayonnante d'Elena. Le haut seigneur du Fief était en totale harmonie avec ce qui l'entourait. Elle répondait volontiers à Covenant, hormis quand cela concernait ses souvenirs d'enfance avec Myrha, comme si c'était là un sujet trop intime pour être abordé à ciel ouvert. En revanche, elle disserta longuement sur son apprentissage à la Loge et sur ses responsabilités seigneuriales. Covenant comprit qu'elle l'aidait de son mieux et lui en fut reconnaissant. Peu à peu, il cessa de trébucher sur les silences suspendus entre eux.

La journée suivante s'écoula dans la même sérénité lumineuse. Mais le surlendemain, l'ombre redescendit sur l'esprit du lépreux. Sa solitude ontologique revint à la charge, paralysant sa langue dans sa bouche, et sa barbe se mit à le gratter comme pour l'avertir d'un péril imminent. « C'est impossible, songea-t-il. Rien de tout cela n'est réel. » Aiguillonné par la maladie et par la discipline cruciale qu'il avait perdue, il aborda la question du haut seigneur Kevin.

— Il me fascine, avoua Elena. De tous les descendants de Berek Demi-Main, il fut le plus grand. Son amour pour le Fief était sans tache ; sa fidélité envers le pouvoir de la terre ne connaissait aucune limite. Son amitié pour les géants a inspiré maintes chansons. Les ranyhyn l'adoraient et sans lui, les haruchai n'auraient peut-être jamais formé la sangarde. Son seul défaut était sa confiance excessive – et qui aurait pu la lui reprocher ? Certes, il commit l'erreur d'ouvrir son cœur à Crochal et de l'admettre au sein du conseil. Mais le Rogue avait triomphé des diverses épreuves de vérité ; il avait été approuvé par l'*orcrest* et le *lomillialor*. Et où serait le mérite de l'innocence si elle n'offrait pas de prise à la trahison ?

« Kevin, cependant, n'était ni aveugle ni imprudent. Quand un terrible doute l'assaillit, il refusa de répondre à l'invitation du Rogue et de se rendre à Coupe-Gorge, où l'attendait un piège mortel. Pressentant ce qui allait arriver, il fit le nécessaire pour assurer l'avenir de ce monde. Il conçut et dissimula les sept tabernacles. Il pourvut à la survie des géants, des ranyhyn et des sangardes. Il avertit les habitants du Fief. Et quand vint le moment de détruire de sa propre main ce qu'il chérissait tant...

« Thomas Covenant, sais-tu que pour certains d'entre nous, le rituel de profanation fut l'expression suprême de la Sagesse de Kevin ? Nous sommes peu nombreux à défendre cette thèse, mais nos arguments sont solides. Selon une opinion très répandue, Kevin s'efforça de résoudre son paradoxe de pureté par une immense destruction et échoua, car toutes les œuvres seigneuriales furent anéanties, tandis que le Rogue survécut. Faut-il pour autant conclure à une défaite ? Nous sommes en droit de penser que le recours au rituel était un sacrifice indispensable, le prix à payer pour une victoire ultérieure, et que Kevin avait prévu l'impérieuse nécessité qui pousserait le Rogue à solliciter un porteur d'or blanc.

— Il devait être encore plus fou que je ne le crois, marmonna Covenant. Ou plus amateur de destruction...

— Ni l'un ni l'autre, répliqua Elena sur un ton sec. C'était un homme digne et courageux qui s'est retrouvé dans une impasse. Tout mortel dont la vigilance se relâche peut être acculé au désespoir ; c'est pour cette raison que nous nous accrochons à notre serment de paix. Kevin a ravagé le Fief afin de le protéger. (Sa voix se fit vibrante d'émotion.) Je n'imagine que trop bien sa souffrance et regrette qu'il n'ait pas survécu. Si seulement il avait pu contempler le résultat de ses efforts, entendre la joie mauvaise du Rogue et lui porter un dernier coup !

« Des cendres du désespoir peut jaillir une force incommensurable, qu'une âme intacte ne saurait concevoir. Si le haut seigneur Kevin pouvait nous parler d'outre-tombe, il jetterait, j'en suis sûre, un mot capable de foudroyer le Rogue sur place.

— C'est de la folie ! hoqueta Covenant. (Incapable de soutenir plus longtemps le regard chaviré d'Elena, il détourna les yeux.) Tu crois vraiment qu'il est possible d'exister par-delà la mort et de revenir se venger après avoir annihilé la vie sur Terre ? Car telle fut très exactement l'erreur de Kevin. En ce moment, il doit rôtir dans les flammes de l'enfer !

— C'est possible, acquiesça doucement Elena. Nous ne détiendrons jamais le pouvoir dont je parle et ne devrions pas en avoir besoin pour accomplir notre destinée. Mais Mhoram est persuadé que le Créateur t'a choisi pour défendre le Fief. Moi, je pense qu'il existe une autre raison à ta venue parmi nous. Peut-être nos morts revivent-ils dans ton monde. Peut-être Kevin est-il là-bas, arpentant les continents en quête d'une voix qui pourrait prononcer ce fameux mot à sa place.

Atterré, Covenant secoua la tête. Il voyait bien quel rapport la jeune femme tentait d'établir entre Kevin et lui, et ses implications potentielles lui serraient le cœur tel un funeste pressentiment. Jusqu'au soir, il chevaucha dans un silence palpitant de frayeur.

Son humeur s'aggrava encore le lendemain. Hébété par l'ampleur des enjeux qu'avait soulevés Elena, il se replia dans son mutisme comme dans une armure. Le souvenir d'Atiaran le poussa à retenir son cheval et à se laisser distancer par Elena afin de retrouver l'ordre de marche que la stèlagienne et lui avaient tacitement adopté quarante ans plus tôt, lorsqu'elle l'avait guidé jusqu'à la Sérénité.

Dans l'après-midi du sixième jour depuis leur départ de Boijovial, il se ressaisit enfin et, levant le nez, aperçut la chaîne Ouestronne qui le surplombait de toute sa masse. Devant lui, la Rill dévalait les contreforts abrupts et des pics enneigés emplissaient l'horizon d'une extrémité à l'autre. Derrière lui, la Mémoriade déployait ses vallons comme pour se soumettre à l'inspection des seigneurs. « Voyez ! semblait-elle dire. J'ai su mettre à profit vos soins attentifs. Vous pouvez être fiers de moi. »

Les cavaliers approchaient du canyon de la Rill, dont le grondement sourd mais continu résonnait tel un bourdonnement subliminal émis par les montagnes, une suggestion d'altitude. Cela rappela à Covenant qu'il se dirigeait vers un des points les plus élevés du Fief – lui qui était si sujet au vertige ! Luttant pour maîtriser la crispation de son visage, il rejoignit Elena. Elle lui offrit un sourire qu'il ne put lui rendre.

En début de soirée, ils dressèrent le camp au bord d'un petit bassin, dans lequel l'eau qui cascadait à flanc de falaise se rassemblait, avant de filer dans le lit de la Rill. Au sud, le canyon marquait la lisière de la Mémoriade ; à l'ouest, la chaîne rocheuse semblait jaillir du sol telle une embuscade figée dans le temps ; au nord-est, Kurash Plenethor étendait ses doux replis. L'agressivité des monts formait avec la sérénité de la Mémoriade un contraste amplifié par le fracas de la Rill, si bien qu'autour de la cuvette régnait une atmosphère de danger presque palpable – une ambiance de poste frontière, au-delà duquel commençait un autre monde, tout de violence et d'austérité.

Covenant se sentait vulnérable en ce lieu. Les cavaliers auraient pu continuer, mais Elena tenait à passer la nuit là. Après avoir congédié Amok et ordonné aux deux sangardes de s'éloigner avec les montures, elle déposa la vasque d'ignescentes sur une pierre plate et demanda au lépreux de la laisser seule : elle désirait prendre un bain.

Covenant obtempéra avec une grimace vexée et alla s'asseoir dos à un gros rocher. Les genoux remontés contre la poitrine, il balaya du regard la Mémoriade, qui s'étendait en contrebas. L'ombre de la cordillère s'allongeait sur les collines boisées, étouffant leur lustre de sa froideur et leur conférant un charme mélancolique. Les hauteurs dégageaient une indéniable majesté, mais le lépreux leur préférait de loin les paysages plus humbles, plus humains, de Kurash Plenethor la convalescente.

Elena le rejoignit, interrompant sa rêverie. Elle s'était enveloppée d'une simple couverture dont elle utilisait un coin pour se sécher les cheveux. Malgré l'épaisseur de la laine qui dissimulait ses courbes, Covenant avait une conscience aiguë de son corps. Quand elle s'assit près de lui, le simple mouvement de ses jambes lui serra la gorge. Comme à Scintillia, la présence de la jeune femme pesait sur lui telle une sensation d'étouffement ; elle lui donnait envie de fuir.

Luttant contre la chaleur traîtresse qui l'envahissait, il se releva et se dirigea rapidement vers le bassin. Les démangeaisons de sa barbe lui rappelaient qu'il avait, lui aussi, bien besoin de se laver. Il se déshabilla et entra dans l'eau. Elle était aussi glaciale que de la neige fondue, mais il s'y immergea tel un pénitent et s'étrilla vigoureusement, comme pour se débarrasser d'une souillure sur sa peau.

Quand il se hissa sur la berge et s'approcha de la vasque d'ignescentes pour se sécher, il réalisa que ses ablutions n'avaient rien résolu. Son corps rougi par le froid lui paraissait plus combatif, sa volonté plus aiguisée ; cependant, la sensation d'impureté subsistait.

Il ne comprenait pas le pouvoir qu'Elena exerçait sur lui, n'arrivait pas à contrôler les réactions qu'elle lui inspirait. Elle était une illusion, un produit de son imagination malade. Il n'aurait pas dû être aussi attiré par elle. Il était déjà responsable de son existence : son seul acte de puissance dans le Fief l'y avait condamné. Comment pouvait-elle ne pas lui en tenir rancune ?

Il se rhabilla avec des gestes saccadés, d'un air de défi, comme s'il se harnachait avant une bataille. Il enfila le jean et le T-shirt qui lui tenaient lieu d'armure, boucla sa ceinture et noua rageusement les lacets de ses bottes. Puis il glissa les mains dans ses poches pour vérifier que son canif et l'*orcrest* de Thorm s'y trouvaient toujours.

Ainsi caparaçonné, il rebroussa chemin vers Elena. Elle admirait la Mémoriade. Un moment, il resta debout deux pas derrière elle. Le ciel était encore trop pâle pour qu'on pût y distinguer des étoiles, mais l'ombre avait déjà envahi la vallée.

Covenant fit tourner son alliance comme pour la visser irrémédiablement à son doigt. L'eau de ses cheveux mouillés lui dégoulinait dans les yeux.

— Par les feux de l'enfer, Elena ! s'exclama-t-il, en proie à une colère qu'il ne pouvait ni soulager ni réprimer. Je suis ton père !

La jeune femme ne réagit pas tout de suite.

— Triock fils de Thuler considérerait ça comme un honneur, lâcha-t-elle enfin sans le regarder. Il ne me le dirait pas, mais le penserait. Sans ton intervention, il aurait épousé Léna ma mère. Il ne se serait jamais rendu à la Loge, car il n'avait pas particulièrement soif de connaissances ; devenir le gardien de Mithil-Stèlage aurait suffi à combler ses ambitions. Si Léna lui avait donné un enfant qui était devenu le haut seigneur du conseil, il en aurait tiré une immense fierté.

« Écoute-moi bien, Thomas Covenant. Triock fils de Thuler est mon véritable père : celui que mon cœur a choisi même si son sang ne coule pas dans mes veines. Malgré ses supplications, Léna ma mère a toujours repoussé ses demandes en mariage. Elle ne désirait rien d'autre que veiller sur ta fille. Elle refusait de partager sa vie avec lui ; pourtant, il a pourvu à nos moindres besoins, et Trell et Atiaran l'ont toujours considéré comme leur gendre.

« Certes, il n'était pas affectueux. Rien ne pouvait apaiser son chagrin et son désir de vengeance. Mais il nous entourait de toute la tendresse, de tout le dévouement dont il était capable. Quand ton souvenir détournait Léna ma mère de moi, quand les tourments d'Atiaran mobilisaient l'attention de Trell, Triock fils de Thuler était toujours là pour moi. Il est le seul père que je me reconnaisse.

— Que ne m'a-t-il tué quand il en avait l'occasion ! cracha Covenant, amer.

Comme si elle ne l'avait pas entendu, Elena poursuivit :

— Il m'a protégée contre les émotions qui torturaient ma famille. Il m'a appris à ne pas me sentir visée par les angoisses et les colères de mes parents et de mes grands-parents, m'a répété mille fois que je n'étais ni responsable de leurs souffrances ni tenue de les apaiser. Il m'a enseigné que j'étais seule maîtresse de mon existence, que je pouvais compatir sans partager la douleur d'autrui et ne devais pas chercher à régenter d'autre vie que la mienne. Sans lui, je ne serais pas ce que je suis devenue.

« Il te hait, Thomas Covenant. Mais s'il n'était pas mon père, je te haïrais aussi.

— En as-tu fini ? grogna le lépreux, les dents serrées. Crois-tu qu'il ne me soit pas pénible d'entendre tout ça ?

Elena se tourna vers lui. Sa silhouette se découpait contre le paysage enténébré de la Mémoriade et ses joues étaient baignées de larmes. En silence, elle le rejoignit, lui passa les bras autour du cou et l'embrassa.

Covenant hoqueta de surprise et le souffle de la jeune femme envahit ses poumons. Une brume noire s'abattit sur son esprit tandis que les lèvres d'Elena caressaient les siennes. Alors, il perdit le contrôle et la repoussa brutalement, comme si sa langue était porteuse d'infection. Levant la main, il lui assena une gifle retentissante. Elena tituba en arrière. Il se jeta sur elle et lui arracha la couverture. Elle n'eut pas un geste pour couvrir sa nudité, reprit l'équilibre et le fixa sans ciller.

Souverainement calme, elle se tenait très droite devant lui, telle une statue virginale et provocante. Au final, ce fut le lépreux qui frémit et battit en retraite.

— N'ai-je pas déjà commis assez de crimes ? haleta-t-il.

La réponse d'Elena fusa, claire et limpide.

— Tu ne peux pas me violer, Thomas Covenant. Tu n'es coupable de rien. Je suis consentante. Je t'ai choisi.

— Tais-toi ! aboya-t-il, s'enveloppant de ses bras comme pour se protéger. Si tu t'offres à moi, c'est pour me rallier à ta cause.

— Non. Je ne suis animée d'aucune arrière-pensée, le détrompa Elena. Je t'ai élu et je veux partager ma vie avec toi. C'est tout.

— Tu ne réalises pas ce que tu dis ! Ne comprends-tu pas que j'ai... ?

« Que j'ai besoin de toi. »

Les mots s'étranglèrent dans sa gorge. Il désirait Elena plus que tout au monde, mais ne pouvait pas le lui dire.

— Comment mon amour pourrait-il te nuire ? s'enquit Elena, perplexe.

— Par les feux de l'enfer ! (Furieux, Covenant écarta les bras tel un homme exposant une hideuse difformité.) Je suis un lépreux ! Ne le vois-tu pas ?

Il connaissait déjà la réponse à cette question. L'innocence empêchait Elena de percevoir la nature et la portée

412

de sa maladie. Il se hâta de les lui expliquer avant qu'elle revienne à la charge et enfonce ses dernières défenses.

— J'ai peur de devenir un autre Kevin, gémit-il. Ce serait si facile ! D'abord, je tomberais amoureux de toi. Puis j'apprendrais à utiliser la magie sauvage et le piège du Rogue se refermerait. Je céderais au désespoir ; c'en serait fini de moi. C'en serait fini de tout, comme il l'a prévu depuis le début. Que je commence seulement à m'attacher à toi ou au Fief, et il n'aura plus qu'à attendre l'inévitable dénouement en se riant de nos efforts !

Elena vint à lui. Du bout des doigts, elle lui caressa le front comme pour effacer les ténèbres qui l'assombrissaient.

— Ah, Thomas Covenant ! murmura-t-elle. Je ne supporte pas de te voir souffrir ainsi. N'aie crainte, mon bien-aimé. Tu ne connaîtras pas le destin de Kevin le Dévastateur. Je t'en préserverai.

Alors, quelque chose se brisa en lui. La sollicitude d'Elena le submergea, balayant la frustration accumulée depuis son arrivée dans le Fief. À travers la jeune femme, il revit sa mère et réalisa soudain que ça n'était pas la colère qui l'avait rendu violent, mais le mépris et la haine qu'il se vouait. Son agression contre Léna n'avait pas été autre chose qu'une tentative complexe d'autodestruction suscitée par la lèpre.

Rien n'était réel. Tout était impossible. Elena n'existait pas. Mais en cet instant, il s'en moquait bien. Elle était sa fille. Il ramassa la couverture, la drapa autour de ses épaules et lui prit le visage entre ses mains en coupe. Comme sa peau était douce et vivante sous ses doigts aux sensations retrouvées ! Il effaça de ses pouces les traces salées de ses larmes. Puis il lui baisa tendrement le front.

22

Anundivian yajña

LE LENDEMAIN MATIN, ils quittèrent la Mémoriade. Amok les conduisit à un pont de pierre qui enjambait le canyon de la Rill à une demi-lieue du bassin. Pour lutter contre le vertige autant que pour rassurer son mustang, Covenant mit pied à terre et traversa en tenant le cheval par la bride. L'arche était assez large pour que les deux sangardes puissent l'encadrer avec leur ranyhyn et il atteignit l'autre bord sans difficulté.

Puis ils entamèrent l'escalade de la cordillère. Passé les premiers contreforts, le terrain se fit plus accidenté et Amok dut ralentir pour négocier les embûches. À sa suite, les cavaliers traversèrent des vallées jonchées d'amas de roche qui semblaient avoir été vomis par les entrailles de la Terre ; ils gravirent des pentes instables et longèrent des corniches pareilles à des balafres zébrant la face de la chaîne montagneuse. Malgré les détours qu'il leur impo-sait, leur guide semblait parfaitement connaître son chemin. Il filait toujours droit vers l'unique sortie d'un défilé apparemment bloqué, dénichait la seule piste prati-cable pour franchir un éboulis abrupt et plongeait sans hésitation dans des crevasses que ses compagnons n'avaient pas même aperçues. Apparemment, ce labyrinthe minéral n'avait pas de secret pour lui.

414

Le premier jour, il se préoccupa uniquement de leur faire gagner de l'altitude. Bientôt, l'air se raréfia et le froid se déversa sur les voyageurs telle une cascade jaillie des pics enneigés. Covenant se mit à frissonner, et même si ce n'était pas entièrement le fait de la température, il accepta avec gratitude la cape de laine que lui tendit Bannor.

Le matin suivant, Amok changea de direction. Au lieu de poursuivre l'ascension, il laissa son compas interne l'entraîner vers le sud, parallèlement à la frontière orientale de la cordillère. Toute la journée, il marcha sans relâche ; le soir venu, il indiqua à ses compagnons une combe abritée du vent, où poussaient de maigres plaques d'herbe dont les chevaux pourraient faire leur dîner. Puis il disparut, les abandonnant à l'obscurité glacée.

Dix jours durant, le haut seigneur et son escorte bravèrent ainsi le rude climat montagnard. Sa robe légère flottant autour de ses chevilles, Amok avançait d'un pas guilleret, comme si le froid et la fatigue n'avaient aucune prise sur lui. Souvent, il devait ralentir pour ne pas semer les ranyhyn et le mustang de Covenant.

Morin et Bannor ne semblaient pas davantage affectés, au milieu de ces sommets qui les avaient vus naître. Bien que pieds nus et vêtus d'une simple tunique, ils ne grelottaient jamais. Leurs yeux vigilants scrutaient sans cesse les falaises inondées de soleil, les vallées dans lesquelles se nichaient de petits lacs scintillants, les torrents alimentés par la fonte des neiges ou les glaciers qui encadraient les cols telles des sentinelles pétrifiées, mais leur visage aux traits lisses ne trahissait nulle exaltation.

Elena et Covenant, quant à eux, devaient s'emmitoufler dans leur cape pour ne pas geler sur le dos de leur monture. Cependant, la jeune femme n'avait pas l'air trop incommodée et, puisqu'elle allait bien, le lépreux supportait tout sans se plaindre. Il ne s'était pas senti aussi serein depuis très longtemps.

Parce qu'il avait enfin trouvé un moyen d'aimer sa fille sans se mépriser, il lui était facile d'oublier le reste pour se concentrer sur elle. Turpide, la milice et même la quête du septième tabernacle lui semblaient aussi intangibles que des songes. Il regardait Elena ; il l'écoutait et s'imprégnait

415

de sa présence. Quand elle était d'humeur bavarde, il lui posait mille questions. Dans le cas contraire, il la laissait en paix. Il était toujours aussi ému par le souvenir de l'offre qu'elle lui avait faite au bord du bassin et qu'il avait déclinée.

Elle ne partageait pas son contentement. Elle s'était donnée à lui et ne comprenait pas pourquoi il l'avait repoussée. Conscient du chagrin qu'il lui avait infligé, le lépreux n'en était que plus attentif envers elle. Il lui témoignait la prévenance dont seul est capable celui qui a goûté les affres de la solitude. Et Elena n'y était pas insensible. Au bout de quelques jours, elle se détendit. Ses sourires recommencèrent à exprimer l'affection sans détour qu'elle dissimulait depuis leur départ de la Mémoriade. Une harmonie parfaite s'instaura entre eux.

Mais bientôt, des préoccupations indépendantes de Covenant assombrirent de nouveau l'humeur de la jeune femme. Comme les voyageurs approchaient de leur destination, elle focalisa son attention sur le but de leur quête. Elle interrogeait Amok de plus en plus souvent, sur un ton de plus en plus pressant. Parfois, son regard se faisait lointain et Covenant devinait qu'elle pensait à la guerre – au devoir dont elle s'était détournée.

Ce fardeau-là, il ne pouvait l'en soulager. Trop de faits cruciaux lui échappaient. La pleine lune arriva et repartit sans qu'Elena réussisse à déverrouiller le mystérieux savoir d'Amok. Finalement, son désir de l'aider poussa Covenant à engager la conversation avec Bannor.

Les sangardes lui étaient toujours apparus comme des êtres menaçants – d'un point de vue émotionnel plutôt que physique. Bannor, en particulier, arborait la mine impassible et hautaine d'un homme qui juge ses compagnons sans daigner leur faire part de son avis. Et Covenant avait d'autres raisons de se sentir mal à l'aise avec lui. Plus d'une fois, ce dernier avait dû assumer les conséquences de sa lâcheté. Malheureusement, il n'avait personne d'autre vers qui se tourner.

Depuis son séjour à Pierjoie, il était conscient d'une subtile anomalie dans le comportement du sangarde envers Amok – qui avait été vérifiée, mais non expliquée, à

Boijovial. Toutefois, il ne savait pas comment aborder le sujet. Soutirer des informations à Bannor était tâche délicate : sa réserve habituelle n'incitait guère à le sonder. En outre, Covenant était déterminé à ne rien dire qui puisse offenser son intégrité. Bannor lui avait déjà prouvé son dévouement dans les catacombes du mont Tonnerre.

Il commença par essayer de découvrir pourquoi la sangarde n'avait pas attribué une escorte plus importante au haut seigneur. D'un air qui se voulait dégagé, il lança :

— Apparemment, vous pensez que nous ne courons guère de danger durant cette quête.

— De danger, seigneur suprême ? répéta Bannor sur un ton impliquant que quiconque était sous la protection de l'unité d'élite n'avait pas à se soucier de ces choses-là.

— Oui, de *danger*, confirma sèchement Covenant. C'est un mot qui revient assez souvent dans les conversations par les temps qui courent.

Bannor réfléchit un moment, puis répondit :

— Nous sommes dans les montagnes. Il y a toujours du danger : des chutes de pierre, des prédateurs... La chaîne Ouestronne regorge de périls.

Dans la voix de Bannor, Covenant crut déceler une étrange satisfaction.

— Dans ce cas, j'aimerais savoir pourquoi vous n'êtes que deux à nous accompagner.

— Parce que c'est bien suffisant.

— Et si nous nous faisions attaquer ? Si nous étions victimes d'une avalanche ?

— Ces pics n'ont pas de secret pour les haruchai, affirma Bannor sans se troubler. Vous n'avez rien à craindre avec nous.

Covenant ne pouvait pas le contredire sur ce point. Aussi opta-t-il pour une approche plus directe.

— Bannor, je commence à connaître les sangardes. Je ne prétends pas vous comprendre, mais j'ai eu maintes fois l'occasion d'éprouver votre sens du sacrifice. Cependant, quelque chose me préoccupe. Nous sommes en train de traverser une région sauvage. Nous ignorons vers quelle destination notre guide nous entraîne et ne savons pas davantage pourquoi il le fait. Néanmoins, vous êtes persuadé que deux sangardes suffiront pour protéger le haut seigneur. N'avez-vous donc pas tiré la leçon de ce qui est arrivé avec Kevin ?

— Le haut seigneur est en sécurité avec Morin et moi, autant qu'il est possible de l'être dans cette contrée. Elle ne courrait pas moins de risques si nous étions une centaine à l'escorter.

— J'admire votre assurance, railla Covenant.

Il marqua une pause et, baissant la tête comme s'il voulait enfoncer la résistance de Bannor à la seule force de son front, demanda tout de go :

— Faites-vous confiance à Amok ?

Le sangarde le dévisagea.

— Jusqu'à présent, il ne nous a exposés à aucun danger. Il a choisi un chemin sûr à travers la cordillère. Et le haut seigneur a décidé de le suivre. Cela nous suffit amplement.

Un indéfinissable malaise continuait à turlupiner Covenant.

— Ça ne colle pas, maugréa-t-il, irrité. Écoutez, Bannor... Je suis las de ces joutes verbales. Dans le temps, j'en retirais une certaine satisfaction, mais ce n'est plus le cas aujourd'hui. Parlons sans détour, je vous en prie. J'ai remarqué la façon étrange dont vous et vos camarades avez réagi lorsque Amok est arrivé à Pierjoie. À Boijovial, vous ne vous êtes pas vraiment bousculés pour prêter main-forte à Troy quand il l'a capturé. Et maintenant... Vous n'êtes que deux à nous escorter. Ça n'a pas de sens !

— Le haut seigneur détient le Bâton de la Loi, dit simplement Bannor. Elle est facile à défendre.

Covenant capitula. Même si la réponse ne le satisfaisait pas, il était incapable de la réfuter. Il ne savait pas quel genre d'aveu il essayait de soutirer à Bannor. Son intuition lui soufflait qu'il avait raison de s'interroger, mais il ne parvenait pas à trouver les bonnes questions. En outre, la droiture morale du sangarde le renvoyait à ses propres motivations douteuses pour accompagner Elena.

Aussi s'écarta-t-il de Bannor afin de rejoindre la jeune femme. Celle-ci n'avait pas eu davantage de chance avec Amok ; quand elle tourna la tête vers Covenant, ce fut avec l'expression déconfite que lui-même avait conscience d'arborer. Ils chevauchèrent donc côte à côte en dissimulant leur anxiété sous un bavardage décousu.

Le onzième soir de leur périple montagnard, Elena acquit une certitude qu'elle se hâta de partager avec Covenant.

— Amok nous conduit à Melenkurion Barreciel. Le septième tabernacle est caché là-bas.

Le lendemain matin, une aube grise et froide se leva sur les hauteurs ; on aurait dit qu'un linceul poussiéreux enveloppait le soleil. Des rafales désordonnées balayèrent le campement tandis qu'Elena et Covenant prenaient leur petit déjeuner, et dans le lointain retentit une détonation sèche, pareille au claquement d'une voile contre un mât. Le lépreux prédit une tempête. Mais Morin secoua la tête et Elena renchérit :

— Ce n'est pas un temps orageux. (Elle leva un regard inquiet vers les pics.) Je capte des vibrations de douleur dans l'air. La Terre souffre.

— Que se passe-t-il ? (Un souffle violent emporta la question de Covenant, qui dut répéter un ton plus haut.) Turpide va-t-il nous attaquer ?

Le vent vira et retomba ; aussi Elena put-elle répondre sans hurler :

— La Corruption a frappé, mais loin d'ici, il y a un certain temps déjà. Je ne perçois aucune menace dirigée contre nous. Le Rogue ignore peut-être notre position et la quête que nous avons entreprise. (Sa voix se durcit.) Il a utilisé la Pierre de Maleterre. Tu sens cette odeur ? Un fléau s'est abattu sur le Fief.

Covenant comprit ce qu'elle voulait dire. La force qui déchaînait une bourrasque et massait les nuages dans le ciel n'avait rien de commun avec une tempête. L'air charriait des cris inaudibles et de légers relents de pourriture, comme s'il avait traversé un charnier avant d'atteindre les montagnes. À un niveau presque subliminal, les escarpements abrupts semblaient frissonner.

Covenant était impatient de se remettre en route. Mais malgré l'appréhension qui crispait ses traits, Elena finit calmement de se restaurer, puis empaqueta les restes de nourriture et la vasque d'ignescentes avant d'appeler

Myrha. Dès qu'elle fut montée sur son dos, Amok se matérialisa près d'elle et s'inclina joyeusement. Elle le salua d'un signe de tête.

— Amok, peux-tu nous expliquer quel mal plane dans l'air ?

Le jeune homme secoua la tête.

— Haut seigneur, je ne suis pas un oracle.

Cependant, ses yeux révélaient combien il était sensible à l'atmosphère. Un éclat coléreux flamboya dans ses prunelles ; il détourna très vite la tête, comme s'il répugnait à exposer ses émotions. D'un geste théâtral, il invita Elena à le suivre.

Covenant se hissa sur sa selle de *glutor*, tentant d'ignorer la morosité ambiante. Il ne put se défendre contre l'impression que le sol frémissait sous lui. Malgré l'expérience acquise depuis son premier séjour dans le Fief, il était toujours un piètre cavalier, incapable de surmonter la méfiance instinctive que lui inspiraient les chevaux, et craignait, en outre, que le vertige ne le fasse tomber du dos de sa monture.

Ce jour-là, par chance, Amok dédaigna les corniches à flanc de falaise pour entraîner ses compagnons sur un chemin encaissé. Les murs de roche qui l'encadraient procurèrent à Covenant un certain sentiment de sécurité, mais au loin, le grondement ne cessait de s'amplifier. Au fil des heures, il devint de plus en plus net et sonore, se répercutant contre les parois du défilé.

En début d'après-midi, le groupe franchit une large courbe et découvrit qu'un monstrueux éboulis lui bloquait le passage. Deux grandes plaies déchiquetées se faisaient face de part et d'autre de la piste ; les gravats qui s'étaient amoncelés entre elles formaient un rempart de plusieurs centaines de pieds de hauteur.

Telle était la source du bruit mystérieux. Aucun mouvement n'était perceptible à l'œil nu, mais dans les profondeurs de l'avalanche, les pierres craquaient comme si elles avaient du mal à s'ajuster à leur nouvelle position.

Tandis que la compagnie s'immobilisait, Amok s'avança pour examiner le barrage. Morin l'étudia de loin, puis déclara :

— Nous ne passerons pas. Il est trop instable. À pied, nous pourrions peut-être l'escalader par les bords, mais le poids des chevaux risque de déclencher un glissement de terrain.

Amok fit signe aux autres de le rejoindre. Morin secoua la tête.

— Nous devons trouver un autre chemin.

Covenant regarda autour de lui.

— Combien de temps cela nous prendra-t-il ?

— Deux ou trois jours.

— Tant que ça ? Ce voyage n'a déjà que trop duré à mon goût. Êtes-vous certain de ce que vous avancez ?

— Nous sommes la sangarde, répliqua Morin, imperturbable.

Et Bannor ajouta :

— Cet éboulement est récent.

— Enfer et damnation ! grommela Covenant.

Amok revint vers eux.

— Nous devons passer par ici, dit-il sur un ton grave et doux, comme pour convaincre un enfant récalcitrant.

— Ce chemin n'est pas sûr, contra Morin.

— C'est exact. Mais il n'y en a pas d'autre. (Se tournant vers Elena, Amok répéta :) Nous devons passer par ici.

Durant cet échange, la jeune femme avait sondé l'amas rocheux du regard. Elle hocha résolument la tête.

— C'est ce que nous allons faire.

— Haut seigneur ! protesta Morin.

— Ma décision est prise, affirma Elena. J'utiliserai le Bâton de la Loi pour stabiliser l'obstacle jusqu'à ce que nous l'ayons franchi.

Ses compagnons reculèrent pour lui laisser la place de manœuvrer. Très droite sur le dos de Myrha, elle leva le Bâton et se concentra. Sa tenue bleue et la robe lustrée du Ranyhyn se détachaient contre la masse grise des rochers, et bien que minuscules dans la profonde vallée, toutes deux rayonnaient de puissance et de pureté.

Lorsqu'elle fut prête, Elena entonna une incantation à voix basse. Elle s'avança vers l'éboulis et le longea d'un bout à l'autre, traçant une ligne dans la poussière avec l'extrémité ferrée du Bâton. Puis elle ramena Myrha au centre et frappa le sol d'un geste décidé.

La ligne s'embrasa sur toute la longueur. Des myriades d'étincelles turquoise jaillirent devant Elena et se fixèrent dans les interstices comme pour faire fusionner les blocs de pierre. Au bout d'un instant, elles se volatilisèrent, ne laissant derrière elles qu'un léger parfum d'orchidée.

Le grondement s'apaisa.

— Venez, ordonna Elena. Ma formule ne tiendra pas longtemps.

Amok et les deux sangardes obtempérèrent sans hésiter. Covenant leva la tête et sentit la nausée lui tordre les entrailles tel un funeste présage. Serrant les dents, il éperonna le mustang et suivit le mouvement.

Les voyageurs s'engagèrent dans le passage en file indienne. Malgré le temps qui jouait contre eux, ils l'escaladèrent de biais. Le cheval de Covenant peinait et écumait. Son allure hésitante contrastait avec celle, assurée, des ranyhyn. À chaque pas, les montures déclenchaient une petite pluie de cailloux et de gravier ; pourtant, elles ne mirent que quelques minutes à atteindre le sommet du barrage.

Covenant s'était attendu que l'extrémité sud du goulet ressemblât à la portion qu'ils venaient de traverser. Mais depuis la crête, il constata que les balafres de la montagne étaient bien trop larges et profondes pour s'expliquer par le phénomène d'éboulement. En contrebas, les roches dégringolaient dans un précipice béant. Ce versant-là était trois ou quatre fois plus haut que l'autre. À son pied s'étendait une vallée parsemée de bosquets de pins et alimentée par un ruisseau limpide. Malheureusement, une longue pente instable séparait encore les cavaliers du riant sanctuaire.

Covenant déglutit.

— Miséricorde. Tu crois que tu peux tenir ce côté ? demanda-t-il à Elena.

— Non. Mais il me reste quelques tours à utiliser, si le besoin s'en fait sentir.

Du menton, la jeune femme fit signe à Amok d'ouvrir la marche. Bannor ordonna à Covenant de rester derrière lui, puis emboîta le pas à Amok. Un instant, l'appréhension paralysa le lépreux. Il voulut pousser un juron, mais sa gorge serrée ne laissait passer aucun son et sa langue pâteuse refusait de former les mots. « Par les feux de l'enfer ! » songea-t-il.

Avec un gros soupir, il s'abandonna. Le regard rivé sur le dos de Bannor, comme s'il s'agissait d'une ancre à laquelle il pouvait se raccrocher, il entama la descente. Il sentit que Morin et Elena le suivaient, mais ne leur prêta pas la moindre attention.

Son mustang était plus nerveux que jamais. À chaque roulement sous ses pieds, ses oreilles frémissaient et ses muscles tressaillaient. En tirant sur les rênes pour l'empêcher de détaler, Covenant ne faisait qu'aggraver sa détresse.

— Au secours, s'entendit-il marmonner. Au secours !

Puis une détonation retentit près de lui. La masse minérale frissonna et commença à glisser. Paniqué, l'animal fit un écart et fonça droit devant lui. Il ne réussit qu'à précipiter les choses. Presque aussitôt, il fut rattrapé par une coulée de pierre qui atteignit rapidement la hauteur de ses genoux. Plus il luttait pour s'en extraire, plus les roches s'accumulaient derrière lui.

Covenant lutta pour dévier le cheval de sa trajectoire, mais ses efforts demeurèrent vains. Bientôt, sa monture eut les jarrets bloqués.

Elena poussa un cri strident. Le ranyhyn de Bannor jaillit devant Covenant et, piétinant l'éboulis, se jeta sur le mustang de tout son poids. L'impact faillit désarçonner le lépreux.

Guidé par Bannor, le coursier força l'animal affolé à infléchir sa course. Trop tard. Un petit rocher heurta sa croupe et il s'écroula. Covenant vola dans les airs et atterrit un peu plus bas, hors d'atteinte de Bannor. Il culbuta sur lui-même, parvint à se redresser et voulut s'écarter. À travers le vacarme ambiant, il entendit Morin hurler :

— Haut seigneur !

Elena le dépassa au galop, fonçant en biais. Elle s'arrêta cinquante pieds en dessous et pivota. Avec un cri sauvage, elle fit tournoyer le Bâton et frappa la pente. Des flammes

bleues fusèrent à travers les cailloux, qu'elles immobilisèrent tel un poing serré autour de Covenant. Emporté par
son élan, le lépreux se sentit basculer. Il se releva à la
seconde où le ranyhyn de Bannor le rejoignait d'un bond.
Le sangarde le saisit d'une main, le hissa devant lui et fit
volte-face.

Quand ils furent à l'abri, Covenant vit qu'Elena l'avait
sauvé au mépris de sa propre sécurité. Sa position ne la
préservait pas du glissement de terrain et, dès que le
charme se brisa, la pierraille reprit sa folle dégringolade.
Elena n'eut pas le temps de lever le Bâton et fut submergée
avec son ranyhyn. Un instant plus tard, elle reparut,
protégée par Myrha. Mais la caillasse s'amoncelait contre le
poitrail de la jument. Instinctivement, Covenant voulut se
porter à son secours. Bannor le retint.

Une longue corde de *glutor* fusa tel un lasso et s'enroula
autour du poignet d'Elena. Son coursier arc-bouté dans la
pente au-delà de Bannor et de Covenant, Morin banda ses
muscles pour tirer la jeune femme hors de l'éboulis.

— Fuis ! hurla Elena à Myrha.

Agrippant le Bâton, elle lutta contre le flot rocheux pour
rejoindre Morin.

Bien que meurtrie et ensanglantée, Myrha n'était pas
disposée à écouter sa cavalière. Le mustang de Covenant
fondait sur elle. Au prix d'un monstrueux effort, elle
s'écarta de sa trajectoire et, comme il la dépassait, pivota
pour saisir ses rênes entre ses dents. L'espace d'une
seconde, elle le retint et le poussa en direction de la falaise.
Puis tous deux furent précipités par-dessus le bord d'une
saillie. Myrha perdit pied. Elle eut juste le temps de
pousser un hennissement déchirant avant que plusieurs
tonnes de roche l'ensevelissent. Le mustang parvint à
s'arracher à l'étreinte des gravats et détala vers le bas.
Myrha ne refit pas surface.

Covenant se plaqua les bras sur l'estomac comme s'il
allait vomir.

— Myrha ! hurla Elena. Myrha !

Bouleversé par le chagrin de la jeune femme, le lépreux
mit quelques secondes à réaliser que son sauvetage avait

entraîné ses compagnons jusqu'aux deux tiers de la descente.

— Venez, seigneur suprême, dit Bannor d'une voix atone. L'équilibre est rompu. Des éboulements identiques ne tarderont pas à se déclencher. Nous ne devons pas rester ici.

Malgré les efforts qu'il venait de déployer, le sangarde respirait régulièrement.

Hébété, Covenant s'accrocha à lui tandis que le ranyhyn se dirigeait vers Elena et Morin. Elena semblait foudroyée. Covenant aurait voulu l'enlacer pour la réconforter, mais Bannor ne lui en laissa pas le loisir et poursuivit son chemin vers la vallée ; Morin le suivit, portant Elena en croupe.

Amok les attendait au pied de la pente. Ce fut avec un regard assombri par l'inquiétude qu'il s'approcha du haut seigneur et l'aida à descendre de cheval.

— Pardonnez-moi, dit-il doucement. C'est ma faute si vous souffrez. Que puis-je faire pour vous ? Je n'ai pas été conçu pour servir en de telles circonstances.

— Hors de ma vue, aboya Elena. Tu en as déjà bien assez fait pour aujourd'hui.

Blessé, Amok frémit. Mais il s'inclina sans un mot et disparut.

Avec un rictus de douleur, Elena reporta son attention sur l'éboulis. Les blocs amoncelés craquaient avec plus de véhémence que jamais. Ignorant le danger, elle s'agenouilla dans l'herbe et courba le dos comme pour s'offrir à la morsure d'un fouet.

— Myrha, ma pauvre Myrha, gémit-elle, des sanglots plein la voix. Ma belle ! Ma faiblesse t'a condamnée.

Covenant se hâta de la rejoindre. Il mourait d'envie de la serrer contre lui, mais sa détresse l'en empêchait.

— C'est ma faute autant que celle d'Amok, articula-t-il péniblement. Je suis si mauvais cavalier…

Il tendit une main hésitante pour caresser la nuque d'Elena.

— Ne me touche pas ! glapit-elle sans bouger. Oui, c'est ta faute ! Jamais tu n'aurais dû envoyer un ranyhyn à Léna ma mère !

Covenant recula comme si elle l'avait frappé. L'adrénaline qui avait envahi ses veines durant sa chute s'embrasa instantanément. Semblables à une étincelle, les reproches brûlants de la jeune femme rallumaient sa colère, apaisée par la sérénité des derniers jours. Tremblant d'indignation, il se détourna et s'éloigna à grandes enjambées.

Bannor et Morin s'affairaient déjà auprès du mustang et des ranyhyn survivants, dont ils lavaient et pansaient les blessures. Ils ne levèrent même pas la tête au passage de Covenant. Telle une braise rougeoyante portée par le vent, celui-ci s'engouffra dans la vallée.

Au bout d'un moment, les grondements s'estompèrent derrière lui. Le doux parfum de l'herbe tentait de l'ensorceler ; les pins agitaient leurs branches comme une invitation au repos, mais il les ignora et continua à marcher d'un pas saccadé, presque mécanique. Une rage aveugle bouillonnait dans son esprit et le poussait en avant. « Encore ! tempêtait-il en son for intérieur. Suis-je condamné à faire souffrir toutes les femmes que j'aime ? »

Une lieue plus loin, il atteignit le ruisseau qui traversait la vallée de part en part et suivit sa berge inégale jusqu'à un ravin assez profond pour lui dissimuler les montagnes. Alors, il se jeta à plat ventre pour s'abandonner à l'indignation.

Le temps passa. Comme le soleil entamait sa descente, les ombres s'allongèrent. Le crépuscule monta du sol telle la brume. Covenant roula sur le dos et, non sans une lugubre satisfaction, regarda les ténèbres escalader la paroi de sa cachette. L'isolement que lui procurerait la nuit conviendrait fort bien au paria impur qu'il était.

Puis le souvenir de Joan l'assaillit de nouveau. La cruauté de l'illusion qui l'avait arraché à elle le fit sursauter.

— Par les feux de l'enfer ! haleta-t-il en se redressant. Tout ça pour ça…

Une colère impuissante brouilla sa vision. Lorsque Elena apparut à l'extrémité de la gorge et se dirigea vers lui, il lui sembla qu'elle se mouvait à travers le brouillard. Il détourna la tête et tenta de focaliser son regard sur la paroi. Sans un mot, Elena vint s'asseoir à ses pieds. Il percevait sa présence dans chaque fibre de son être ; pourtant, il ne bougea pas et la jeune femme finit par dire tout bas :

— Mon bien-aimé, j'ai quelque chose à t'offrir.

À contrecœur, il reporta son attention sur elle. Elena lui tendait une petite sculpture blanche avec un sourire plein d'espoir. Ignorant son cadeau, il la dévisagea.

— Je l'ai modelée pour toi dans les os de Myrha, après l'avoir incinérée pour lui rendre un dernier hommage, expliqua-t-elle sur un ton triste mais conciliant. Je t'en prie, mon bien-aimé, accepte-la.

Malgré lui, Covenant jeta un coup d'œil à la sculpture. C'était un buste d'homme. Au premier abord, il semblait trop épais pour avoir été taillé dans un seul os. Covenant s'en saisit pour l'examiner et remarqua qu'il se composait de quatre os fusionnés. Le visage éveilla sa curiosité. Les traits étaient plus fins, plus détaillés que sur toutes les autres œuvres de *suru-pa-maerl* qu'il avait eu l'occasion d'admirer. Les joues creuses et l'expression déterminée lui conféraient une apparence prophétique.

Quelques instants s'écoulèrent avant que Covenant reconnaisse le sujet.

— C'est Bannor, n'est-ce pas ? lança-t-il sur un ton hésitant. Ou un autre sangarde.

— Ce n'est pas gentil de me taquiner, lui reprocha Elena. Je suis meilleur sculpteur que ça. Mon bien-aimé, c'est ton effigie que j'ai exécutée.

La colère du lépreux s'évanouit. Après tout, Elena était sa fille, pas sa femme. Elle avait bien le droit de lui faire des reproches. Incapable de rester fâché contre elle, il déposa le présent dans l'herbe, lui ouvrit les bras et la serra contre lui dans la lumière mauve du couchant.

Elena s'abandonna à son étreinte avec un soulagement palpable. Mais peu à peu, Covenant sentit son corps se tendre. La jeune femme se pressa ardemment contre lui ; dans son dos, ses doigts avides se recourbèrent comme des griffes.

— Cela aussi, Crochal voudrait le détruire, souffla-t-elle d'une voix tremblante de passion.

Covenant s'écarta d'elle pour la fixer.

Malgré la pénombre, le regard d'Elena le glaça jusqu'à la moelle. Il eut l'impression qu'une mer polaire venait de se refermer au-dessus de sa tête. Les prunelles d'Elena le transperçaient. Un éclat sauvage et irrépressible y brillait telle une promesse d'apocalypse.

Celui de la haine.

23

Révélation

CHOQUÉ, IL SE REDRESSA D'UN BOND et s'éloigna en titubant. Ses jambes refusaient de le porter droit ; il penchait sur le côté tel un navire ayant essuyé une tempête qui l'avait échoué sur un rivage inconnu. Derrière lui, il entendit Elena pousser un cri étranglé :

— Mon bien-aimé ! Ne me laisse pas !

Il l'ignora. Il savait que sa haine n'était pas dirigée contre lui ; pourtant, son regard lui avait ravagé le cœur. Il n'aspirait plus qu'à s'isoler et à se recroqueviller sur lui-même pour bercer sa douleur.

Un voile s'abattit sur sa conscience. Dans sa fuite éperdue, il bouscula Bannor et partit en arrière comme s'il avait heurté un rocher. L'impact l'arracha à l'hébétude ; l'expression sévère du sangarde lui fit l'effet d'une gifle. Instinctivement, il recula.

— Ne me touchez pas ! balbutia-t-il.

Il s'élança dans une autre direction, ne s'arrêtant que lorsqu'il eut mis une butte escarpée entre Bannor et lui. Alors, il se laissa tomber dans l'herbe, s'enveloppa la poitrine de ses bras et fit un effort délibéré pour pleurer.

En vain. Il endiguait son chagrin depuis beaucoup trop longtemps ; la lèpre avait condamné le canal de ses larmes. Seule une rage très ancienne, toujours irrésolue et sans cesse alimentée par la frustration, répondit à l'appel. Même dans ce monde illusoire, il ne pouvait échapper au piège de la maladie. Se relevant brutalement, il brandit les poings vers le ciel, tel un galion solitaire défiant – ô combien futilement ! – l'océan invulnérable.

Enfin, il se ressaisit. Son cri de fureur mourut sur ses lèvres. Il lui semblait s'éveiller après un long sommeil. Jurant entre ses dents, il se dirigea vers le ruisseau.

Sans prendre la peine de se déshabiller, il entra d'un coup dans le courant, comme si la froideur de l'eau pouvait cautériser ses plaies à vif. Mais il ne parvint à la supporter que quelques secondes : elle brûlait sa chair et lui serrait le cœur telle une convulsion d'agonie. Haletant, il se redressa et demeura planté un moment sur son lit rocheux. Le vent transperça son corps dégoulinant jusqu'à la moelle. Saisi d'un violent frisson, il se hissa sur la berge.

L'instant d'après, il revit le regard d'Elena, le sentit incendier sa mémoire. Il se figea. Une idée venait de jaillir dans son esprit, comme si elle avait patiemment mûri dans les ténèbres de sa raison et attendu pendant des jours le moment opportun pour se manifester.

Il s'aperçut qu'il avait accès à une nouvelle sorte de marché, un arrangement plus ou moins semblable, mais bien supérieur, à celui qu'il avait conclu avec les ranyhyn. Les grands coursiers ne possédaient qu'un pouvoir limité ; ils ne pouvaient pas satisfaire toutes ses exigences et l'aider à remplir son contrat de survie. Elena, en revanche, était l'interlocutrice idéale : à la fois le haut seigneur du Fief et sa fille. Peut-être arriverait-il à lui acheter son salut.

Les difficultés inhérentes à l'accord lui apparurent aussitôt. Ignorant ce que contenait le septième tabernacle, il devrait canaliser les impulsions destructrices d'Elena vers un objectif incertain. Toutefois, il pressentait que sa passion pourrait le servir. En s'y prenant bien, il réussirait peut-être à la convaincre de prendre sa place, de jouer le rôle que Turpide lui avait assigné en substituant la puissance ravageuse de ses sentiments à celle de l'or blanc. Ainsi serait-il délivré des responsabilités que le Rogue et le conseil avaient tenté de lui mettre sur le dos. Ainsi préserverait-il sa tête du billot de son hallucination. Pour cela, il lui suffirait de se mettre à la disposition d'Elena, de la servir d'une manière qui focaliserait ses obsessions au lieu de les dissiper.

C'était un pacte plus coûteux que celui qu'il avait passé avec les ranyhyn. Il ne l'autoriserait pas à rester passif ; il l'obligerait à aider et à manipuler délibérément Elena. Mais le jeu en valait la chandelle. Durant la quête du Bâton de la Loi, il avait lutté pour sa survie sans comprendre les implications de son rêve. À présent, le danger qui le menaçait lui apparaissait beaucoup plus clairement.

C'était la première fois depuis bien longtemps que son cœur entrevoyait une possibilité de libération. Son soulagement fut si violent qu'il faillit faire une syncope. Passé l'excitation initiale, il réalisa qu'il tremblait de tous ses membres. Ses vêtements étaient trempés. Claquant des dents, il rebroussa chemin vers l'endroit où il avait laissé Elena.

Il la trouva assise devant un feu de camp, l'air abattu et pensif. Elle s'était enveloppée d'une couverture et en avait étalé d'autres autour d'elle pour les réchauffer. À l'arrivée de Covenant, elle leva les yeux. La honte poussa le lépreux à baisser les siens. Mais Elena ne parut pas remarquer le chagrin que dissimulaient son front crispé et ses lèvres bleuies. Elle lui tendit une couverture, l'invita à s'installer près d'elle et se contenta de murmurer des paroles inquiètes jusqu'à ce qu'il ait cessé de frissonner. Alors, elle se pencha vers lui et l'embrassa timidement, comme pour lui demander où ils en étaient de leur relation.

Covenant lui rendit son baiser. Le mouvement de ses lèvres dissipa ses scrupules et il put enfin dévisager Elena. Elle lui adressa un doux sourire. L'intensité vorace de son regard s'était apaisée ; de nouveau, elle semblait contempler un paysage lointain à travers lui. Elle l'étreignit brièvement et se tourna vers les flammes.

— Tu as été surpris de découvrir de quelle véhémence j'étais capable, n'est-ce pas ? lança-t-elle à voix basse.

— Je ne suis pas habitué à de telles réactions, répliqua Covenant. Tu ne m'as pas prévenu de ce qui m'attendait.

— Pardonne-moi, mon bien-aimé, dit-elle, contrite.

(Elle marqua une pause.) Ce que tu as vu en moi... Cela t'a-t-il choqué ?

Il réfléchit avant de répondre :

— Disons que si j'en viens, un jour, à t'inspirer ce genre de sentiment, je ne donnerai pas cher de ma peau.

— Tu n'as rien à craindre, lui assura Elena avec chaleur.

— Aujourd'hui, non. Mais tu pourrais changer d'avis à mon sujet...

— Ça me peine beaucoup que tu doutes de moi. Mon bien-aimé, tu fais partie de ma vie. Crois-tu vraiment que je te rejetterais ?

— Je ne sais pas ce que je dois croire. (Pour atténuer l'offense de la déclaration, il lui passa un bras autour des épaules et la serra de nouveau contre lui.) Nos rêves nous réduisent en esclavage. Ils émanent de cette partie de nous sur laquelle nous n'avons aucun contrôle. C'est pourquoi la folie est l'unique danger.

Il fut reconnaissant à la jeune femme de ne pas le contredire. La douce chaleur ambiante ne tarda pas à l'engourdir et une délicieuse somnolence s'empara de lui. Elena l'aida à s'allonger. Tandis qu'il se pelotonnait devant le feu, il songea que seule sa propre duplicité l'empêchait de faire totalement confiance à sa fille.

Durant les trois jours qui suivirent, une fièvre sourde maintint cette conviction à distance. Covenant avait pris froid dans le ruisseau. Des taches rouges affleuraient sous la pâleur obstinée de ses joues, une sueur glacée poissait son front et ses yeux brillaient comme sous l'effet d'une excitation secrète. De temps en temps, il s'assoupissait sur le dos de son mustang et se réveillait en plein délire. Des paroles incohérentes s'échappaient de sa bouche sans qu'il puisse les contrôler. Il ne se rappelait pas toujours ce qu'il avait dit, mais mettait un point d'honneur à lutter contre le sommeil. Aucun antiseptique ne pouvait désinfecter les plaies infligées par un rêve.

Quand il ne marmonnait pas, il concentrait son attention sur le chemin. De toute évidence, la destination était proche.

Le lendemain du drame, le soleil s'était levé dans un ciel d'azur très clair, comme si la Terre tentait d'expier la détresse causée aux voyageurs. Quand Amok était apparu pour les guider, Elena avait sifflé et un ranyhyn avait répondu à son appel. Covenant l'avait regardé approcher avec une expression stupéfaite. La fidélité des coursiers dépassait son entendement. Cela lui avait rappelé son premier marché, la promesse que les ranyhyn étaient toujours prêts à tenir, selon Rue et Elena. Puis il s'était hissé en selle tant bien que mal et d'autres préoccupations avaient pris le relais dans son cerveau enfiévré. À peine avait-il eu la présence d'esprit de confier le cadeau d'Elena aux bons soins de Bannor.

Lorsque les cavaliers sortirent de la vallée, l'Incrédule aperçut Melenkurion Barreciel pour la première fois. Quoique encore distants de nombreuses lieues, les pics jumeaux dressaient leur tête au-dessus de la ligne déchiquetée de la cordillère ; la lumière du soleil parait leurs glaciers de reflets bleus, comme si un morceau de ciel était emprisonné dans leurs profondeurs. Elena avait deviné juste : le chemin oblique que suivait Amok les rapprochait peu à peu de ces aiguilles majestueuses. Elles disparurent à leur vue lorsqu'ils longèrent une falaise, mais durant la journée, reparurent avec une fréquence croissante. Le lendemain, elles dominaient déjà tout l'horizon au sud-est.

Ce soir-là, après le dîner, la fièvre de Covenant diminua légèrement. Malgré son affaiblissement, il put enfin réfléchir à sa stratégie. Il n'avait pas besoin du consentement d'Elena ; il le savait et se reprochait d'avance le mauvais tour qu'il allait lui jouer. Pourtant, il n'osait pas s'ouvrir à elle de ses intentions. Son espoir avait reflué face à une culpabilité aiguë, encore avivée par la sollicitude dont l'entourait la jeune femme. À chaque halte, elle lui mitonnait des ragoûts, lui préparait des soupes aux vertus curatives et le gavait d'*aliantha*. Sa tendresse, cependant, ne suscitait plus que des réactions calculées de la part du lépreux.

Lorsque Covenant se coucha, il eut du mal à s'endormir. Sa duplicité lui laissait un goût amer dans la bouche et il frissonnait de nouveau. Ce n'était ni la honte ni la méfiance qui l'empêchaient de parler à Elena, réalisa-t-il, mais la crainte qu'elle ne le rejette et fasse échouer son plan. Une

433

fois de plus, l'implacable logique de sa survie balayait toute considération à l'égard d'autrui.

Puis la fièvre cessa. À la fin de l'après-midi du troisième jour – le vingt et unième depuis leur départ de Boijovial –, Covenant fut pris d'une brusque suée et sentit son corps se détendre. Cette nuit-là, il s'endormit pendant qu'Elena se lamentait de n'avoir toujours pas soutiré la moindre information utile à Amok.

Un long sommeil ininterrompu restaura sa vigueur et le lendemain matin, il examina la situation à tête reposée. Melenkurion Barreciel la bien nommée le surplombait telle une égide, oblitérant l'horizon. Il estima que ses compagnons et lui l'atteindraient avant le crépuscule. Étreint par une sourde angoisse, il interrogea Elena sur leur destination.

— C'est la plus haute montagne du Fief, baptisée d'après l'un des sept mots de pouvoir. Cela mis à part, nous ignorons tout d'elle, avoua la jeune femme. Aucun seigneur n'a bravé ses pentes depuis le rituel de profanation. Je suis persuadée qu'elle marque une confluence de pouvoir bien supérieure à celle de Gravin Threndor ; toutefois, seul le fait que la Sagesse de Kevin demeure muette à son sujet étaye ma théorie. Les deux premiers tabernacles ne la mentionnent que brièvement à travers une poignée de cartes, un fragment de chanson, et deux phrases inexplicables qui parlent de commandement et de sang – si leur traduction est exacte. Dans ces conditions, il n'est guère étonnant que j'aie du mal à déverrouiller le savoir d'Amok.

De nouveau, Elena s'abîma dans un silence contemplatif. Son ignorance la torturait. Covenant chercha un moyen de l'aider, ne serait-ce que pour tenir sa part du marché. Il possédait encore moins qu'elle les connaissances nécessaires, mais ne doutait pas qu'une occasion se présenterait, tôt ou tard.

Leur destination se rapprocha plus vite que prévu. Amok leur fit emprunter un col qui plongeait dans un canyon en pente abrupte, orienté plein est. Lorsque midi arriva, les voyageurs avaient perdu près de deux mille pieds d'altitude.

Ils débouchèrent sur un vaste plateau qui semblait ceinturer Melenkurion Barreciel. Sa surface dénudée évoquait une plate-forme, un socle sur lequel reposaient les sommets jumeaux. À cette vue, les ranyhyn s'élancèrent pour détendre leurs muscles endoloris par de longues journées d'escalade. Amok les imita en riant tandis que Covenant les suivait à une allure plus mesurée.

Le nez en l'air, il observa les pics qui se rejoignaient quelques milliers de pieds plus haut. La ligne de démarcation était très nette, comme si les deux côtés possédaient une texture différente. À l'aplomb, une fissure apparaissait dans la roche lisse du plateau et filait droit vers le bord est.

Les ranyhyn s'étaient immobilisés près de la crevasse. Elena la longea jusqu'à son extrémité et Covenant infléchit sa trajectoire pour rejoindre la jeune femme. Ils mirent pied à terre. Le lépreux s'agenouilla prudemment au bord du précipice.

En contrebas, une forêt sombre et touffue s'étirait aussi loin que portât le regard, telle une épaisse couverture drapée à la base de la chaîne Ouestronne pour dissimuler ses tourments. Au nord-est, la rivière qui jaillissait de la base de la faille dessinait une ligne d'un noir rougeâtre, pareille à une balafre en travers de l'étendue boisée. Elle lui donnait un aspect dur, comme pour rappeler qu'un ennemi l'avait mutilée.

— C'est la Noire, expliqua Elena à Covenant sur un ton révérencieux. (De tous les nouveaux seigneurs, elle était la première à contempler ce spectacle lugubre.) À cent cinquante lieues d'ici, elle rejoint la Mithil sur le chemin d'Andelain. On raconte que sa source gît dans les profondeurs de Melenkurion Barreciel.

« Nous nous trouvons sur la Pierre Fendue, la porte orientale du plus haut sommet du Fief. Cette forêt est le Garrot : dernier vestige de la Forêt primordiale, seul endroit où subsiste une partie de sa conscience et où vit encore un forestal. (La jeune femme inspira l'air vif, puis ajouta :) Mon bien-aimé, nous ne sommes plus très loin du septième tabernacle ; je le sens.

Covenant se releva maladroitement. La brise qui montait à sa rencontre l'assaillait tel un vertige. Il recula avant de répondre :

— Je l'espère bien. Pour ce que nous en savons, la guerre est peut-être déjà terminée. Si le plan de Troy n'a pas fonctionné, Turpide pourrait être à mi-chemin de Pierjoie.

— C'est aussi ce que je redoute, acquiesça Elena. Néanmoins, je reste convaincue que ce n'est pas par la force des armes que nous assurerons l'avenir du Fief. Et l'issue de cette bataille ne dépend pas de nous. Une autre mission nous attend.

Covenant mesura la distance du regard et, malgré sa crainte de l'offenser, demanda :

— As-tu envisagé la possibilité que tu ne réussirais pas à faire parler Amok ?

— Bien sûr, répondit sèchement Elena. Je ne suis pas idiote.

— Que feras-tu, dans ce cas ?

— Je détiens le Bâton de la Loi. C'est une clé puissante. Avec ou sans le concours d'Amok, il nous permettra d'accéder au pouvoir du septième tabernacle.

Covenant détourna les yeux avec une moue sceptique. Il ne pensait pas que ce serait aussi simple.

Elena et lui revinrent vers Amok et les deux sangardes. L'après-midi était à peine entamé, mais déjà, l'ombre de Melenkurion Barreciel s'étirait en travers de la Pierre Fendue, épaississant sa pénombre naturelle et lui donnant l'aspect d'une faille de ténèbres. À son point le plus large, la crevasse ne mesurait pas plus de vingt pieds, mais elle semblait incommensurablement profonde, comme si elle plongeait jusqu'aux racines enfouies de l'éminence.

Mû par une impulsion, Covenant y jeta un petit caillou. Celui-ci rebondit d'une paroi à l'autre dans sa chute ; le lépreux compta vingt-deux battements de cœur avant que ses ricochets deviennent inaudibles. Instinctivement, il demeura à bonne distance du gouffre tandis qu'il rebroussait chemin vers Bannor et Morin.

Les deux sangardes avaient déballé les provisions. Covenant et Elena se préparèrent un repas frugal que l'Incrédule mangea lentement, comme pour repousser le moment d'attaquer la phase suivante. Il ne voyait que trois choix possibles : escalader la montagne, descendre dans la fissure ou la traverser, et aucune ne lui disait rien qui vaille. La simple proximité du vide le rendait nerveux, mais Elena l'attendait. Se remémorant les termes de son marché, il acheva sa collation et tenta de se préparer pour la suite.

Elena se tourna vers Amok.

— Nous sommes prêts, annonça-t-elle. Qu'allons-nous faire des ranyhyn ?

— À vous d'en décider, haut seigneur. S'ils restent, vous n'aurez pas besoin d'eux. S'ils s'en vont, vous serez forcée de les rappeler.

— Donc, nous devons désormais te suivre à pied ?

— *Me suivre ?* Je n'ai aucune intention de quitter cet endroit.

— Le septième tabernacle se trouve-t-il ici ?

— Non.

— S'il est ailleurs, nous devons nous rendre jusqu'à lui.

— C'est exact, acquiesça le jeune homme. Il ne peut vous être apporté.

— Pour nous rendre jusqu'à lui, nous devons nous déplacer.

— Oui.

— À pied ou à cheval ?

Covenant admirait la façon dont Elena menait l'interrogatoire. L'expérience acquise durant le voyage lui avait enseigné comment soutirer des réponses à Amok. Pourtant, celui-ci parvint à esquiver la question une fois de plus.

— Le choix vous appartient. Décidez-vous et partez.

— Ne nous accompagneras-tu pas ?

— Non.

— Pourquoi ?

— J'agis conformément à ma nature. Je fais ce pour quoi j'ai été créé, rien de plus, rien de moins.

— Amok, n'es-tu pas la voie et la porte du septième tabernacle ?

— Si.

— Dans ce cas, tu dois nous guider jusqu'à lui.

— Non.

— Pourquoi ? répéta Elena avec une pointe de déses-poir dans la voix. Ferais-tu un caprice ?

— Haut seigneur, répliqua Amok sur un ton de reproche, je me conforme aux instructions reçues. Si je vous semble peu coopératif, c'est à mon créateur qu'il appartient de vous en expliquer la raison.

— En d'autres termes, intervint Covenant d'un air las, sans les quatre autres tabernacles, nous sommes coincés. Ainsi Kevin protège-t-il le pouvoir qu'il a placé dans le septième. Sans les indices qu'il a disséminés dans les précé-dents, nous nous heurtons à un mur.

— Le *krill* de Loric est revenu à la vie et le Fief est en danger. Par conséquent, je me suis rendu disponible. Je ne peux rien faire de plus.

Elena dévisagea le jeune homme, puis lança sur un ton sévère :

— Amok, mes compagnons seraient-ils incompétents pour servir ton dessein ?

— Je suis la voie et la porte. Je ne suis pas habilité à juger de la compétence des quêteurs.

Les lèvres d'Elena remuèrent en silence, comme si elle énumérait les options qui se présentaient à elle.

— Y a-t-il des conditions à remplir avant que tu puisses nous guider plus avant ?

Amok s'inclina, saluant sa sagacité.

— Oui, haut seigneur.

— Nous conduiras-tu au septième tabernacle lorsqu'elles seront remplies ?

— Telle est ma mission.

— Quelles sont ces conditions ? interrogea Elena d'une voix tendue.

— Il n'y en a qu'une. Si vous en désirez d'autres, vous devrez les concevoir sans mon aide.

— Très bien. Quelle est cette condition, Amok ?

Le jeune homme eut une grimace malicieuse.

— Haut seigneur, répondit-il joyeusement, vous devez nommer le pouvoir du septième tabernacle.

Elena le fixa un instant, bouche bée.

— *Melenkurion !* Tu sais très bien que je l'ignore.

Amok ne se laissa pas troubler.

— Dans ce cas, c'est une bonne chose que les ranyhyn ne soient pas encore partis. Ils pourront vous ramener à Pierjoie. Si vous trouvez là-bas le savoir qui vous fait défaut, vous n'aurez qu'à revenir. Je vous attendrai ici.

Avec une courbette insouciante, il agita les bras et disparut.

Elena continua à fixer l'endroit où il s'était tenu un instant plus tôt, agrippant son Bâton comme si elle voulait frapper le vide. Covenant se tenait derrière elle ; il ne voyait pas son visage, mais la tension de ses épaules lui fit craindre que son regard ne se soit focalisé. À cette pensée, le sang lui martela les tempes. Il tendit une main vers la jeune femme pour l'interrompre ou la distraire.

Elena pivota. La panique creusait ses traits et agrandissait ses yeux ; pourtant, elle ne vint pas se réfugier dans les bras que le lépreux lui tendait. Au lieu de ça, elle ferma les paupières avec une lenteur délibérée. Il sembla à Covenant que sous sa chair tendue à se rompre, les os de sa mâchoire, de ses pommettes et de son front se concentraient sur lui avec une intensité effrayante. La seconde d'après, un abysse s'ouvrit dans son esprit.

Il ne repéra pas tout de suite l'origine de cette sensation ténébreuse et dévorante. Elena se tenait immobile dans l'ombre de Melenkurion Barreciel, telle une icône *surupa-maerl* en robe bleue ; mais derrière elle, l'obscurité s'élargit. Une force irrésistible aspira les pensées de Covenant avec avidité.

Soudain, il comprit. La jeune femme tentait de communier avec lui. Un éclair de peur le traversa, mettant en lumière le péril qui le menaçait. S'il s'abandonnait et ouvrait son esprit à Elena, elle découvrirait la vérité. C'était un plongeon qu'il ne pouvait pas se permettre.

— Non ! s'exclama-t-il dans un brusque sursaut mental.

La pression s'évanouit. Instinctivement, il recula comme pour se mettre hors d'atteinte.

Les épaules d'Elena s'affaissèrent.

— Pardonne-moi, mon bien-aimé, souffla-t-elle avec une expression déçue et chagrinée. Je te demande plus que tu n'es prêt à donner.

Elle marqua une pause pour laisser à Covenant une chance de répondre. Puis, voyant qu'il ne la saisissait pas, elle marmonna :

— Il faut que je réfléchisse.

Elle se détourna et, s'appuyant sur le Bâton, se dirigea péniblement vers le bord du plateau.

Secoué, le lépreux se laissa tomber par terre et se prit la tête entre les mains. Des émotions conflictuelles se bousculaient en lui. Il avait frôlé la catastrophe ; sa faiblesse l'énervait autant qu'elle le consternait. Pour se protéger, il avait blessé Elena. Il songea qu'il devrait aller lui parler, mais quelque chose dans la raideur de sa silhouette l'en dissuada. Le cœur serré, il l'observa pendant une minute, puis se releva en grommelant :

— Il aurait pu avoir la décence de nous en parler avant qu'elle perde Myrha.

À sa grande surprise, Morin riposta :

— Amok agit conformément à la loi de sa création. Il ne peut y contrevenir à seule fin de ménager le haut seigneur.

Covenant leva les mains d'un air dégoûté et s'éloigna en fulminant.

Il passa le reste de l'après-midi à arpenter fébrilement la Pierre Fendue. Petit à petit, il se calma et commença à comprendre le commentaire de Morin. Prisonnier de son vœu, le sangarde était bien placé pour évoquer les contraintes d'une règle implacable. Mais sa sympathie envers Amok lui semblait préjudiciable à leur quête.

Et sa propre impuissance également. L'arrogance de son marché le torturait tel le rire moqueur du Rogue. Comment pouvait-il aider Elena ? Il n'était même pas capable d'appréhender les problèmes soulevés par Amok et la roche nue du lieu refusait de lui dévoiler la moindre piste. Quand les derniers rayons du soleil couchant disparurent à l'horizon, il rebroussa chemin vers la lueur ambrée qui désignait le campement du haut seigneur.

Il trouva Elena près de la vasque d'ignescentes. Sa silhouette solitaire semblait à la fois floue et mieux découpée que jamais, comme si les responsabilités qui pesaient sur elle la modelaient pour satisfaire aux exigences de sa fonction. Une détermination vivace émanait de tout son être. Elle avait accepté toutes les implications de son fardeau.

Covenant se racla la gorge.

— Alors ? lança-t-il sur un ton hésitant. Tu as trouvé un moyen ?

D'une voix distante, la jeune femme demanda :

— Que sais-tu de la stratégie d'Hile Troy ?

— J'en connais les grandes lignes, mais aucun détail.

— Si tout s'est passé comme prévu, la bataille a dû commencer hier.

— Qu'est-ce que ça signifie pour nous ?

— Que nous devons remplir la condition posée par Amok.

— Comment ?

— Je l'ignore. Mais je suis convaincue que c'est faisable.

— Il te manque quatre tabernacles, rappela Covenant.

— Je sais, soupira Elena. Nous n'étions censés découvrir le septième qu'après avoir récupéré et assimilé le contenu des six premiers. Pourtant, Amok est passé outre le souhait de Kevin. Parce qu'il perçoit le danger qui plane sur le Fief, il est revenu vers nous bien que nous ne maîtrisions pas le *krill* de Loric. Cela prouve qu'il jouit d'une certaine liberté, d'une marge de manœuvre, si tu préfères. Il n'est pas totalement lié par la loi de sa création.

— Oui, et je dirais que ça le rend dangereux. Pourquoi nous a-t-il traînés jusqu'ici sachant que nous nous retrouverions coincés sur ce plateau ? À mon avis, il voulait t'empêcher de prendre part à la guerre.

— Amok n'est pas un traître. Je ne perçois nulle duplicité en lui.

— Tu peux te tromper, fit remarquer Covenant. Oublies-tu que Kevin éleva, jadis, le Rogue au rang de seigneur ?

— Et si les six premiers tabernacles ne contenaient pas le nom de ce pouvoir ? suggéra Elena sans se troubler. S'ils révélaient seulement le moyen de forcer Amok à le prononcer ?

Covenant réfléchit et hasarda :

— Dans ce cas, Amok nous aurait amenés ici...

— ... parce que malgré notre ignorance, il existe un moyen pour nous de remplir sa condition.

— Sauras-tu trouver les bonnes questions ?

— Je le dois. Il ne me reste pas d'autre solution. Je ne peux plus rejoindre la milice, déclara Elena sur un ton aussi abrupt qu'une sentence.

Très tôt le lendemain matin, elle appela Amok. Il apparut, une joyeuse grimace sur les lèvres. Elle planta son Bâton devant elle et l'agrippa à deux mains. Ainsi le duel pour l'accès au septième tabernacle s'engagea-t-il dans l'ombre de Melenkurion Barreciel.

Pendant deux jours, le haut seigneur lutta pour soutirer la réponse requise à Amok. Un front orageux se massa au sud-est, mais ne s'approcha pas de la Pierre Fendue et les voyageurs l'ignorèrent. Tandis que Covenant tripotait son anneau, faisait les cent pas à côté des duellistes ou s'éloignait en maugréant pour se soustraire à la pression ambiante, Elena bombardait Amok de questions. Tantôt elle le sondait méthodiquement, tantôt elle se fiait à son instinct. Elle lui soumettait toutes les théories qu'elle pouvait concevoir, le forçait à répéter, en quête d'une ouverture qui lui aurait, jusqu'alors, échappé. Elle lui faisait arpenter un terrain déjà familier, puis, soudain, le projetait vers des horizons inconnus. Elle lui tendait des pièges de logique, tentait de l'acculer dans des contradictions et de sonder les recoins les plus inaccessibles de son esprit.

Elle aurait aussi bien pu se battre contre un mur d'eau. Chacune de ses attaques faisait immédiatement jaillir une réplique, mais quand elle tentait de coincer Amor, il ne lui opposait aucune résistance et l'insinuation d'Elena tombait à plat. Parfois, il s'autorisait une riposte malicieuse ; la plupart du temps, il se contentait de parer avec sa désinvolture habituelle.

Malgré tous ses efforts, Elena voyait la victoire se dérober devant elle. Au coucher du soleil, elle tremblait de frustration et de fureur mal contenue. Covenant la réconfortait de son mieux, passant sous silence ses craintes, ses doutes et sa conviction croissante qu'Amok était impénétrable. Il se gardait bien de parler de lui et concentrait les ressources qu'il possédait sur la jeune femme.

Cependant, il ne pouvait atténuer sa détresse. Elena était en train d'apprendre qu'elle ne pouvait satisfaire le besoin du Fief ; c'était un chagrin auquel il n'existait nulle consolation. Tard dans la nuit, elle marmonnait et grinçait des dents comme pour s'empêcher de fondre en larmes.

Au matin du troisième jour – le trente-deuxième depuis le départ de Pierjoie –, elle atteignit les limites de l'endurance. Son regard avait quelque chose de creux, d'affamé. D'une voix enrouée, Covenant lui demanda ce qu'elle comptait faire.

— Je vais supplier, répondit-elle en frémissant.

Elle semblait aussi frêle qu'un squelette, amas d'os à la fois solide et fragile, dressé sur le chemin d'une créature qui, malgré sa gaieté juvénile, était aussi inébranlable qu'une montagne. Une alarme aux accents de funeste présage résonna dans la tête de Covenant. Elena avait atteint le point de rupture. Si Amok demeurait sourd à son appel, elle pourrait bien se résoudre à employer l'ultime recours de son étrange force intérieure.

La violence de cette possibilité effraya le lépreux. Un instant, il faillit implorer Elena de renoncer. Puis il se souvint de son marché et se mit à chercher fiévreusement des solutions.

Il s'était rangé à l'avis d'Elena : remplir la condition d'Amok devait être chose possible. Toutefois, il ne pensait pas que la jeune femme en trouverait le moyen. Elle attaquait le problème du mauvais côté, mais c'était le seul qui se présentait à elle. Covenant tenta de faire le vide dans son esprit et d'imaginer d'autres approches.

Tandis qu'il tâtonnait en quête d'une inspiration salvatrice, Elena se mit en position et appela Amok. Il apparut aussitôt, la salua d'une extravagante courbette et lança :

— Que désirez-vous faire aujourd'hui, haut seigneur ? Laisserons-nous de côté nos joutes verbales pour chanter des hymnes qui réjouiront notre cœur ?

— Amok, écoute-moi, réclama Elena sur un ton à la fois digne et désespéré. J'en ai fini de jouer avec toi. La menace qui pèse sur le Fief ne m'autorise plus le moindre délai.

Déjà, la guerre se déchaîne au loin. Nos ennemis font couler le sang et sèment la mort dans les rangs de notre armée. Le Rogue a entrepris de détruire ce que Kevin le Dévastateur cherchait à préserver quand il a conçu les tabernacles. En insistant pour que nous remplissions sa condition, tu trahis son dessein initial. Amok, je t'en conjure : au nom du Fief, guide-nous jusqu'au septième tabernacle.

Son expression suppliante parut toucher Amok, qui répondit avec une gravité inhabituelle :

— Haut seigneur, c'est impossible. Si je tentais d'outrepasser les instructions reçues, je cesserais immédiatement d'exister.

— Alors, indique-nous le chemin et nous le suivrons seuls.

— Hélas ! Le résultat serait le même.

Elena baissa la tête, comme vaincue. Puis elle se redressa brusquement et tendit son Bâton à l'horizontale devant elle.

— Amok, pose tes mains sur le Bâton de la Loi.

Le jeune homme soutint son regard autoritaire sans ciller. Lentement, il obtempéra.

Elena poussa un cri perçant. Le haut bois sculpté de runes s'embrasa sur la longueur. Des flammes turquoise enveloppèrent les mains du haut seigneur et celles d'Amok, s'intensifiant comme si elles se nourrissaient de leur chair.

— Amok, voie et porte du septième tabernacle ! tonna la jeune femme. Au nom du haut seigneur Kevin fils de Loric, ton créateur, je t'adjure de me révéler le nom du pouvoir du septième tabernacle !

Covenant se raidit. L'ordre ne lui était pas destiné et il ne touchait pas le Bâton de la Loi ; pourtant, il s'étrangla en essayant de prononcer un mot qu'il ignorait.

Mais Amok ne broncha pas.

— Navré, haut seigneur. Je suis immunisé contre toute coercition. Vous ne pouvez pas me plier à votre volonté.

— Par les sept tabernacles ! tempêta Elena. Vas-tu obéir ? *Melenkurion abatha !* Réponds-moi !

Amok secoua la tête.

— Non.

D'un geste rageur, Elena lui arracha le Bâton des mains. Les flammes se regroupèrent et, avec une détonation qui claqua comme un coup de fouet, fusèrent vers le ciel en un éclair.

Amok haussa les épaules et disparut.

Pétrifiée par le choc, Elena fixa l'endroit où il s'était tenu un long moment. Puis un frisson la parcourut, et elle pivota vers Covenant, comme si elle portait le poids de la montagne sur ses épaules. Son visage ressemblait à un paysage dévasté. Elle fit deux pas chancelants et se retint en plantant le Bâton dans le sol. Son regard était vide et sa force tournée vers l'intérieur, contre elle-même.

— J'ai échoué, hoqueta-t-elle. (Un rictus d'angoisse tordit sa bouche.) J'ai condamné le Fief.

Covenant ne supportait pas de la voir dans cet état.

— Il doit bien y avoir une autre solution, dit-il très vite. Un moyen auquel nous n'avons pas encore pensé…

— Crois-tu en l'or blanc ? susurra Elena avec une grimace démente. Peux-tu l'utiliser pour remplir la condition d'Amok ? (De toutes ses forces, elle frappa le sol de la Pierre Fendue avec le Bâton et hurla :) Alors, fais-le !

Sous l'impact, une large section du plateau tangua telle une embarcation jetée sur une mer déchaînée. La roche se souleva et retomba dans le sillage des ondes invisibles qui se propageaient depuis l'instrument de pouvoir. Déséquilibré, Covenant s'effondra et roula vers la crevasse.

Elena se ressaisit aussitôt et cria le nom des deux sangardes. Mais Bannor ne l'avait pas attendue pour réagir. La plate-forme vacillait encore sous ses pieds lorsqu'il la traversa en quelques bonds gracieux et saisit le bras de Covenant.

Un instant, le lépreux fut trop hébété pour réagir. La violence d'Elena l'avait submergé, balayant toute pensée cohérente de son esprit. Puis il prit conscience que les doigts de Bannor meurtrissaient sa chair et perçut quelque chose de prophétique dans la force très ancienne avec laquelle le sangarde venait, une fois encore, de lui sauver la vie. Sa poigne était infiniment plus solide que la roche de la Pierre Fendue.

— Mon bien-aimé ! gémit Elena. T'ai-je blessé ?

— Attends un peu, marmonna Covenant. Je crois que j'ai une idée.

Bannor le redressa. Elena accourut, lui jeta les bras autour du cou et enfouit son visage dans le creux de son épaule.

— Oui, c'est ça. J'ai trouvé ! jubila-t-il.

— Pardonne-moi, je t'en prie, balbutia la jeune femme.

— Oublie ça, veux-tu ? coupa Covenant. (Il secoua la tête.) Je suis vraiment idiot. J'aurais dû y penser depuis longtemps.

Elena le lâcha et recula. Prenant une inspiration sifflante, elle se passa une main dans les cheveux et, d'une voix tremblante mais lucide, demanda :

— De quoi parles-tu ?

Bannor s'écarta à son tour du lépreux. Celui-ci vacilla. Ses pieds n'avaient plus confiance en la stabilité du plateau, mais il verrouilla ses genoux et tenta d'ignorer cette sensation perturbante. Le problème était dans sa tête : ses certitudes venaient de basculer en même temps que la Pierre Fendue. Il voulait s'expliquer très vite pour apaiser la détresse d'Elena ; cependant, il avait déjà négligé trop d'indices. Il devait aborder sa théorie avec circonspection et méthode.

Il se tourna vers les sangardes et les scruta, cherchant sur leur visage impassible une trace de duplicité qui confirmerait son intuition. Mais si leurs yeux ne révélaient rien, ils ne semblaient rien dissimuler non plus. À l'idée qu'il ait pu se tromper, une brève panique s'empara de Covenant. Il se força à la ravaler et demanda le plus calmement possible :

— Bannor, quel âge avez-vous ?

— Nous sommes la sangarde. Lorsque nous avons fait le vœu de servir les seigneurs, Kevin venait juste d'être nommé à la tête du conseil.

— Donc, c'était avant la profanation ?

— Oui.

— Avant que Kevin découvre la véritable nature de Turpide ?

— Oui.

— Vous me parlez de l'ensemble de la sangarde. Mais vous, Bannor, quel âge avez-vous ?

— Je fus parmi les premiers haruchai qui descendirent dans le Fief, l'un des instigateurs du vœu.

— De nombreux siècles se sont écoulés depuis. Vous souvenez-vous bien de Kevin ? interrogea Covenant.

— Mon bien-aimé, sois prudent, intervint Elena. Ne va pas offenser la sangarde.

Sans prêter attention à la jeune femme, Bannor répondit :

— Nous n'oublions jamais.

Covenant soupira.

— Je veux bien le croire. Quelle existence infernale... (Il laissa son regard dériver vers la montagne, comme s'il espérait y puiser quelque courage, puis reprit sur un ton dur :) Vous côtoyiez Kevin, à l'époque où il a conçu les tabernacles. Vous le connaissiez et votre mémoire est infaillible. Vous étiez avec lui quand il a confié le premier tabernacle aux géants et dissimulé le deuxième dans les catacombes du mont Tonnerre. Combien de fois l'avez-vous accompagné ici, Bannor ?

Le sangarde haussa légèrement un sourcil.

— Le haut seigneur Kevin n'est jamais venu à Melenkurion Barreciel.

— Jamais ? répéta Covenant, surpris. Voulez-vous dire que c'est la première fois que vous mettez les pieds sur ce plateau ?

— Avant nous, aucun sangarde ne s'était tenu sur la Pierre Fendue, confirma Bannor.

— Alors, comment... Attendez ! (Covenant écarquilla les yeux, puis se frappa le front de la paume.) Je vois. Si le septième tabernacle est un phénomène naturel – comme la Pierre de Maleterre –, Kevin n'a pas eu besoin de se déplacer. Loric a pu lui dévoiler son existence. Il a pu la révéler à beaucoup de monde... (Le lépreux prit une profonde inspiration.) Mais tous les gens qui étaient au courant sont morts, du fait du rituel de profanation. Il ne reste que vous.

Bannor le fixa, clignant des yeux comme si ses paroles n'avaient aucune signification pour lui.

— Les pièces du puzzle commencent à se mettre en place, murmura Covenant. (Il haussa la voix.) Vous avez réagi bizarrement quand Amok s'est présenté à Pierjoie et quand Troy l'a capturé à Boijovial. Vous avez laissé le haut seigneur le suivre dans les montagnes avec une escorte de deux sangardes seulement. À présent, nous sommes coincés sur ce maudit rocher et Morin a le front de trouver des excuses à Amok. Par les feux de l'enfer ! Bannor, vous auriez dû révéler au haut seigneur ce que vous savez du septième tabernacle. Est-ce ainsi que vous lui témoignez votre loyauté ?

De nouveau, Elena mit le lépreux en garde. Mais le ton de sa voix avait changé ; elle était curieuse de voir où il voulait en venir.

— Nous sommes la sangarde, répliqua Bannor, imperturbable. Vous ne pouvez pas douter de nous. Nous ne *connaissons* pas les intentions d'Amok.

Covenant entendit la légère emphase avec laquelle son interlocuteur avait prononcé le dernier verbe. Il fut saisi par l'envie de capituler, de le laisser en paix. Pourtant, il se força à insister.

— Je ne vous crois pas. Vous lui témoignez trop de confiance.

— Le haut seigneur a choisi de le suivre. Cela nous suffit, affirma Bannor.

— À d'autres ! s'emporta Covenant. Et cessez de me regarder comme si je délirais, voulez-vous ? Vous êtes venus dans le Fief et avez fait le vœu de protéger Kevin ou de vous sacrifier pour lui, pour les autres seigneurs et pour Pierjoie jusqu'à la fin du temps ; autrement, pourquoi le sommeil et l'oubli se refuseraient-ils à vous ? Mais dans son désespoir, le malheureux vous a bernés. Il vous a sauvés à votre insu avant de se suicider et de détruire ce en quoi il croyait. Il vous a épargné la mort et privés de vos raisons de vivre. Vous vous êtes retrouvés suspendus dans le vide par la force de votre vœu.

« L'arrivée des nouveaux seigneurs vous a fourni une chance de vous racheter. Et comment la mettez-vous à profit ? En laissant une création de Kevin détourner le haut seigneur de son devoir, alors que le Fief est de nouveau en guerre contre le Rogue ? Laissez-moi vous dire une chose, Bannor. Il se peut que vous ne connaissiez pas Amok et que la conduite de Kevin vous ait enseigné la méfiance. Mais vous comprenez ce qu'il est en train de faire – et vous l'approuvez, j'en suis persuadé !

Covenant avait crié la dernière phrase. Bannor le fixait comme s'il le jugeait. Vaguement honteux, Covenant se radoucit et poursuivit :

— Sinon, vous ne risqueriez pas la vie du haut seigneur à l'instigation d'une créature façonnée par le seul homme qui ait jamais réussi à jeter le doute sur votre incorruptibilité.

Sans crier gare, Amok se matérialisa près du lépreux. Celui-ci sursauta, mais prit l'apparition du jeune homme pour le signe qu'il était sur la bonne voie.

— Aussi, je vous le demande : pourquoi n'avez-vous pas raconté au haut seigneur ce que vous saviez sur Amok, au nom de votre vœu ou même de la simple amitié ?

Bannor ne cilla pas.

— Seigneur suprême, répondit-il, nous avons contemplé la profanation. Nous mesurons le danger d'un pouvoir employé à mauvais escient : ce n'est pas la connaissance, mais une arme. En tant que tel, il peut être retourné contre son porteur. Pourtant, les seigneurs aspirent à le posséder et l'utilisent à des fins louables. C'est pourquoi nous ne lui résistons pas, bien que nous refusions de le toucher, de le servir ou de le sauvegarder.

« Le haut seigneur Kevin a conçu les tabernacles pour préserver sa Sagesse et empêcher qu'elle tombe entre des mains incompétentes. Nous approuvons sa décision. Nous sommes la sangarde. Nous ne parlons pas de pouvoir ou de Sagesse ; nous ne parlons que de ce que nous connaissons.

Covenant ne put continuer. Il n'avait déjà que trop offensé Bannor, dont les paroles, malgré le ton atone, l'avaient ému. Toutefois, il avait fourni à Elena la matière nécessaire pour poursuivre son raisonnement. Avec calme mais autorité, elle lança :

— Morin, Bannor, les sangardes doivent prendre une décision. Écoutez-moi. Je suis Elena, haut seigneur par le choix du conseil. Allez-vous continuer à servir Kevin par-delà la mort ou allez-vous me servir ? Jusqu'à présent, les deux causes n'étaient pas incompatibles. Désormais, vous devez faire un choix. L'avenir du Fief est en jeu et nous ne pouvons pas laisser la Corruption prévaloir.

Lentement, Bannor se tourna vers Morin. Ils se dévisagèrent en silence pendant un long moment. Puis Morin fit face à Elena.

— Haut seigneur, dit-il, nous ne connaissons pas le nom du pouvoir du septième tabernacle. Nous en avons entendu beaucoup du temps des vénérables ; certains étaient faux, d'autres se sont éteints depuis. Mais il en est un que le haut seigneur Kevin et les membres de son conseil ne prononçaient qu'à voix basse : le Pouvoir du Commandement.

Alors, le visage d'Amok se fendit d'un large sourire.

24

Descente à Terracine

COVENANT RÉALISA QU'IL TRANSPIRAIT. Malgré la brise, son front était en sueur. Sa barbe le démangeait et des frissons glacés lui parcouraient l'échine. Il se sentait vidé par la capitulation de Morin. Il leva les yeux vers le soleil comme pour lui reprocher de ne pas l'avoir prévenu.

Les pics jumeaux de Melenkurion Barreciel jaillissaient devant lui tels des doigts avides se tendant pour capturer l'astre dont la lumière faisait étinceler leurs glaciers. Ébloui, le lépreux cligna rapidement des paupières et reporta son attention sur Elena.

À travers les taches qui dansaient dans son champ de vision, il ne distingua d'abord que ses cheveux parsemés de mèches dorées. Puis son visage radieux lui apparut. Un espoir retrouvé brillait dans ses prunelles ; une excitation nouvelle animait ses traits. Elle ne dit rien, mais ses lèvres formèrent le mot « bien-aimé ».

Covenant eut l'impression de l'avoir trahie.

Morin et Bannor se tenaient épaule contre épaule derrière Elena. Rien dans leur posture détendue n'exprimait le moindre regret. Pourtant, ils venaient d'altérer la nature de leur service d'une façon fondamentale. Et c'était

451

l'Incrédule qui les y avait poussés. Il ravala ses excuses : les sangardes étaient trop entiers pour accepter sa contrition.

— Le Pouvoir du Commandement, haleta-t-il. Miséricorde...

Incapable de supporter l'expression triomphante d'Elena, il se détourna et se dirigea vers l'extrémité du plateau d'un pas traînant, comme si ses pieds tentaient de redécouvrir la solidité de la roche. Dès que le Garrot se révéla à lui, il s'arrêta, espérant à la fois qu'Elena le rejoindrait et qu'elle n'en ferait rien.

L'air qui montait de la forêt lui arrivait en plein visage et, pour la première fois depuis bien des jours, il capta le parfum piquant de l'automne. Celui-ci avait dépassé le cap de la joie et voguait désormais en des eaux de chagrin et de mélancolie. Ses arômes d'abondance avaient cédé la place au tranchant de l'hiver qui se profilait à l'horizon – augure austère promettant des nuits longues et glaciales dans des paysages dénudés.

Tandis qu'il inspirait à pleins poumons, Covenant réalisa que le Garrot demeurait imperméable aux couleurs vivaces de la saison. Des taches noires marquaient les endroits où les arbres avaient déjà perdu leurs feuilles, mais aucun flamboiement ne trouait les ténèbres de la forêt, comme si elle passait sans transition de l'été à l'hiver. La colère qui habitait sa conscience mobilisait sa volonté, la privant de la capacité et du désir de gaspiller ses forces en un vulgaire étalage de splendeur.

Le lépreux entendit des pas derrière lui et reconnut la démarche légère d'Elena. Redoutant ce qu'elle allait lui dire, il temporisa en lançant :

— Dans le monde d'où je viens, les ravageurs des bois sont appelés « pionniers ». Parce qu'ils massacrent la nature au lieu de s'entre-tuer, nous les considérons comme des héros. Certains affirment même que nos problèmes sociaux viennent du fait qu'il ne nous reste plus de territoires vierges à conquérir.

— Mon bien-aimé, murmura Elena, je sens que tu es troublé. Qu'est-ce qui ne va pas ?

Covenant ne put se résoudre à la regarder. Son marché lui serrait la gorge et il dut déglutir avant de répondre :

— Ne fais pas attention à moi. Je suis comme cette forêt : incapable de me défendre contre les souvenirs et de surmonter le passé.

Elena garda le silence, mais il sentit que l'explication ne la satisfaisait pas. Elle s'était attachée à lui et désirait le comprendre. Toutefois, elle n'avait pas le temps de le sonder : l'urgence de sa mission l'en empêchait.

— Je dois y aller, lâcha-t-elle au bout d'un moment. Le Fief a besoin de moi et je ne puis me dérober à mon devoir. Resteras-tu ici pour attendre mon retour ?

Enfin, Covenant trouva la force de se tourner vers elle et de la dévisager. Soutenant son regard solennel, il bougonna :

— Rester ici, et renoncer à une chance de risquer ma peau ? Tu plaisantes ! Je n'ai pas eu de si belle occasion depuis les catacombes du mont Tonnerre.

Son sarcasme arracha un sourire à la jeune femme.

— Alors, viens, dit-elle en lui posant une main sur le bras. Morin et Bannor sont prêts. Nous devons partir avant qu'Amok dresse d'autres obstacles sur notre chemin.

Covenant voulut lui rendre son sourire et ne réussit qu'à grimacer. Maudissant son impuissance, il la suivit tandis qu'elle rebroussait chemin vers Amok et les sangardes, et tout en marchant, l'observa du coin de l'œil.

Elena avait relégué à l'arrière-plan la tension des trois jours précédents ; sa démarche et son expression résolues exprimaient une nouvelle détermination, une force retrouvée. La résurgence de l'espoir lui permettait d'ignorer la fatigue, mais ses doigts étaient crispés sur le Bâton et son menton projeté vers l'avant selon un angle avide.

À cette vue, le lépreux fut saisi de remords. Il croyait encore sentir la Pierre Fendue basculer sous lui. Il avait besoin de retrouver son équilibre ; sans ça, rien ne pourrait le sauver.

Il nota distraitement que Bannor et Morin avaient empaqueté les provisions et l'équipement, puis fixé les ballots sur leur dos avec des lanières de *glutor*. Amok trépignait d'impatience ; ses boucles dansaient autour de son visage rayonnant. Covenant aurait voulu partager le calme des sangardes ou l'excitation du jeune homme, mais il ne se sentait pas prêt à affronter l'épreuve qui les attendait. Son cœur maussade tressaillait d'anxiété. Il avait besoin de faire quelque chose pour recouvrer son intégrité.

Il regarda le haut seigneur faire ses adieux aux ranyhyn. Ils la saluèrent joyeusement, piaffant et hennissant de plaisir à l'idée de se dégourdir les jambes après trois longues journées d'inactivité. Elena passa les bras autour de l'encolure de chacun d'eux, puis recula et s'inclina à la façon du peuple de Ra. En guise de réponse, les coursiers secouèrent leur crinière et la fixèrent tandis qu'elle s'adressait à eux.

— Fiers ranyhyn, premiers amours de ma vie, je vous remercie de nous avoir portés jusqu'ici. Votre service nous honore, mais désormais, nous devons poursuivre notre route à pied. Si nous survivons à notre quête, nous vous rappellerons afin que vous nous rameniez à Pierjoie. Que nous soyons victorieux ou vaincus, nous aurons besoin de votre force.

« Entre-temps, vous êtes libres. Arpentez le Fief selon le désir de votre cœur et de vos pieds. S'il s'avère que nous ne vous rappelons pas – si vous rentrez dans les plaines de Ra sans nous avoir revus –, racontez la fin de Myrha à vos frères. Dites-leur qu'elle m'a sauvé la vie et a donné la sienne pour un cheval ordinaire. Dites-leur qu'Elena fille de Léna, haut seigneur par le choix du conseil et porteuse du Bâton de la Loi, est fière de l'amitié que vous lui avez toujours témoignée. Vous êtes la queue du ciel, la crinière du monde.

Elle leva son Bâton.

— Salut à vous, ranyhyn !

Les coursiers poussèrent un hennissement qui se répercuta sur la paroi de Melenkurion Barreciel. Puis ils firent demi-tour et s'élancèrent vers le nord, entraînant le mustang de Covenant. Le crépitement de leurs sabots s'estompa dans le lointain comme ils disparaissaient derrière la montagne.

Elena pivota vers ses compagnons. Son visage était tout chiffonné, comme si les ranyhyn lui manquaient déjà.

— Venez, dit-elle tristement. Si nous devons rejoindre le septième tabernacle à pied, nous n'avons pas une minute à perdre. Amok, montre-nous le chemin.

Le jeune homme exécuta une courbette et se dirigea vers la naissance de la crevasse, à l'aplomb des pics. Elena et Morin lui emboîtèrent le pas. Covenant hésita et, machinalement, tripota la barbe qui lui mangeait le bas du visage.

— Attendez ! s'exclama-t-il soudain.

Elena lui jeta un coup d'œil interrogateur par-dessus son épaule.

— Une petite minute. J'ai besoin d'un couteau. Et d'un peu d'eau. Et d'un miroir, si vous en avez un. Je n'ai aucune envie de me trancher la gorge.

— Seigneur suprême, nous ne pouvons pas nous attarder ici, lui rappela la jeune femme. Le temps nous est compté et le Fief a besoin de nous.

— C'est important, aboya Covenant. L'un de vous a-t-il un couteau ? La lame de mon canif n'est pas assez longue.

Elena le dévisagea comme si elle le comprenait de moins en moins. Puis elle se tourna vers Morin et hocha la tête. Le dragon ôta les bretelles de son paquetage, l'ouvrit et en sortit un couteau de pierre, ainsi qu'une outre et un petit bol qu'il tendit à Covenant. Celui-ci s'assit en tailleur sur le sol, versa de l'eau dans le récipient et s'humecta la figure.

Il sentait qu'Elena l'observait, les mains crispées sur le Bâton de la Loi. Mais il l'ignora. Son cœur battait la chamade. Il n'était que trop conscient de la portée de son geste – du renoncement auquel il s'apprêtait. Toutefois, il lui semblait soudain que son marché était voué à l'échec parce qu'il ne lui avait pas coûté assez cher. Quand il saisit le couteau, ce fut comme s'il scellait un pacte avec le destin.

— Thomas Covenant, gronda Elena sur un ton si dur qu'il fut forcé de relever la tête. Ceci ne peut-il pas attendre ? (Elle faisait un effort pour ne pas crier, mais sa voix vibrait d'indignation.) Notre ignorance nous a déjà fait perdre trois jours. Te ris-tu des besoins du Fief ? Essaies-tu délibérément de faire échouer cette quête ?

Une réponse cinglante brûla les lèvres du lépreux, mais les termes de son arrangement le forcèrent à la ravaler. Baissant la tête, il s'éclaboussa les joues.

— Assieds-toi. Je vais tenter de t'expliquer.

Elena obtempéra de mauvaise grâce.

Incapable de soutenir son regard ou de supporter la vue de Melenkurion Barreciel dont la masse froide et sévère se dressait derrière elle, Covenant fixa ses mains qui jouaient avec le rasoir improvisé.

— Je ne suis pas le genre d'homme qui se laisse pousser la barbe, commença-t-il sur un ton bourru. Ça gratte et ça vous fait une tête de fanatique religieux. Mais j'avais une bonne raison de ne pas me raser depuis mon retour parmi vous. Je me disais que quand je me réveillerais dans le monde réel avec le menton et les joues glabres, je tiendrais la preuve que le Fief n'est qu'une illusion. Une barbe de quarante ou cinquante jours ne disparaît pas comme ça – à moins qu'elle n'ait jamais existé.

Elena se radoucit. Elle ne comprenait toujours pas, mais réalisait que c'était important pour lui.

— Alors pourquoi veux-tu l'éliminer maintenant ? interrogea-t-elle.

À la pensée du risque qu'il était en train de prendre, Covenant fut saisi d'un tremblement. Mais il avait besoin de liberté et c'était le seul moyen de l'obtenir. Il pria pour que la jeune femme se contentât de la vérité partielle qu'il allait lui révéler. Si sa clairvoyance lui faisait découvrir le reste, il était fichu.

— J'ai conclu un autre accord, comme celui que j'avais passé avec les ranyhyn lors de mon précédent séjour dans ce monde. Je ne cherche plus à prouver que le Fief est un mirage.

« Je t'en supplie, ne me demande pas de quoi il retourne, ajouta-t-il en son for intérieur. Je ne veux pas être obligé de te mentir. »

Elena le dévisagea.

— Dois-je en déduire que tu acceptes la réalité du Fief ?

Covenant réprima un soupir de soulagement. Ça, c'était une question à laquelle il pouvait répondre en toute franchise.

456

— Non. Mais je n'ai plus l'intention de la nier activement. Toi, Mhoram, Bannor et les autres avez tellement
fait pour moi !

— Ah, mon bien-aimé ! s'écria Elena. Je me suis
contentée de suivre mon cœur.

L'affection qu'elle vouait à Covenant transparaissait
jusque dans la couleur de sa peau. Il voulut se pencher vers
elle pour la toucher, l'embrasser, la prendre dans ses bras,
mais la présence des sangardes l'en dissuada. Au lieu de ça,
il lui tendit le couteau. Par ce geste, il remettait son sort
entre ses mains et elle le comprit.

— N'aie crainte, chuchota-t-elle en rosissant de plaisir.
Je ne te ferai pas de mal.

Très prudemment, comme si elle effectuait un rituel, elle
l'attira à elle et entreprit de le raser.

Le premier contact de la lame fit frémir Covenant. Il
serra les dents et tenta de se raisonner : après tout, Elena
était bien plus habile que lui. Quand il sentit le tranchant
meurtrier l'effleurer, conjurant des visions de plaies
infectées et de gangrène, il ferma les yeux et se força à
rester immobile.

L'ustensile tirait sur les poils, mais il était assez affûté
pour les trancher avant que ça devienne douloureux.
Bientôt, les doigts d'Elena trouvèrent les muscles crispés
de la mâchoire de Covenant et les caressèrent pour les
détendre. Il rouvrit les yeux. Elle soutint son regard et lui
adressa un sourire béat, ivre d'amour. Doucement, elle lui
inclina la tête en arrière et s'attaqua à sa gorge avec des
gestes précis, pleins d'assurance. Quelques minutes plus
tard, elle avait terminé. Le vent froid piquait les joues et
le cou dénudés de Covenant. Il se frotta le visage de ses
mains, savourant la sensation de sa peau de nouveau lisse.

— Maintenant, je suis prêt, déclara-t-il en se levant. On
peut y aller.

Elena lui sourit. Elle saisit le Bâton de la Loi qu'elle
avait posé à côté d'elle et se redressa d'un bond.

— Amok, nous conduiras-tu au septième tabernacle ?

Pour toute réponse, le jeune homme agita gaiement la
main. Puis il se remit en route. Morin refit le paquetage
et le suivit. Elena et Covenant lui emboîtèrent le pas, et

457

Bannor ferma la marche. Ainsi entamèrent-ils la dernière phase de la quête du Pouvoir de Commandement.

Ils traversèrent le plateau d'un pas vif. Bientôt, Amok atteignit la naissance de la crevasse. Il fit signe à ses compagnons et, avec une grimace enchantée, sauta dans le vide à pieds joints.

Covenant poussa un hoquet de surprise et se précipita vers le bord de la fissure. Quinze ou vingt pieds plus bas, Amok se tenait sur une corniche contre la paroi d'en face. La roche était si sombre et la pénombre si épaisse à l'aplomb de l'éminence, que le jeune homme semblait flotter dans les ténèbres.

— Par les feux de l'enfer ! grogna Covenant en plissant les yeux. (Déjà, la tête lui tournait.) Si j'avais su…

— Venez ! lança joyeusement Amok. Suivez-moi !

Sa voix limpide couvrait sans difficulté le grondement souterrain de la rivière. D'une démarche insouciante, il s'enfonça dans les entrailles de la montagne. Le noir l'engloutit aussitôt.

Morin consulta le haut seigneur du regard. Elena hocha la tête. À son tour, le dragon s'élança et atterrit à l'endroit où Amok s'était tenu quelques instants plut tôt. Il fit un pas sur le côté et s'immobilisa.

— Ne soyez pas ridicule, grommela Covenant comme s'il apostrophait la brise humide et glaciale qui montait du gouffre. Je ne suis qu'un homme ordinaire, fait de chair et de sang. J'ai le vertige quand je grimpe sur un tabouret.

Elena ne l'écoutait pas. Elle murmura une incantation. Le Bâton s'enflamma. Alors, elle fit un pas en avant. Morin la rattrapa dès que ses pieds touchèrent la saillie. Elle le dépassa et leva le Bâton pour éclairer la voie à Covenant.

Celui-ci réalisa que Bannor le fixait et qu'il attendait.

— Passez le premier, grimaça-t-il. Laissez-moi le temps de rassembler mon courage. Je vous rejoindrai dans un an ou deux.

Il transpirait de nouveau ; la sueur piquait ses joues et son cou à la peau irritée. Il leva les yeux vers le pic pour se calmer et effacer de son esprit la vision de l'abîme.

Sans crier gare, Bannor le saisit par-derrière, le souleva et le porta au bord de la faille.

— Ne me touchez pas ! cracha Covenant. (Il se débattit, mais le sangarde était trop fort.) Par les feux de l'enfer ! Je... Aaaaaaah !

Bannor venait de le lâcher.

Une seconde plus tard, Morin le rattrapa adroitement et le déposa près d'Elena.

Bannor sauta à son tour. Morin avança pour se placer derrière Amok. Covenant observa leurs mouvements comme à travers un brouillard d'hébétude. Les yeux écarquillés, il se pressa contre la paroi et, tremblant de tout son corps, fixa l'abysse qui avait failli l'aspirer telle une tombe. Au bout d'un moment, il réalisa qu'Elena avait posé une main rassurante sur son bras.

— Ne me touche pas, bredouilla-t-il. Ne me touche pas.

Quand la jeune femme s'éloigna, il la suivit automatiquement, tournant le dos à la lumière du jour et à la fente de ciel qui se découpait au-dessus de lui. Il marchait collé à la roche, au point que son épaule gauche la frottait, et ne lâchait pas Elena d'une semelle. Les flammes du Bâton de la Loi projetaient leur aura turquoise sur le groupe et se reflétaient sur les facettes sombres de la pierre. Elles éclairaient le chemin d'Amok sans toutefois transpercer l'obscurité devant lui.

La corniche, qui ne mesurait pas plus de trois pieds de large, descendait progressivement tandis que le plafond montait et que la fissure s'élargissait comme si le cœur de Melenkurion Barreciel avait été évidé. Covenant sentait le vide l'attirer, l'inviter à s'abandonner aux délices du vertige et à se laisser glisser dans les ténèbres douillettes. Il se rapprocha d'Elena et accrocha son regard à ses omoplates tel un grappin. Autour de lui, le noir et la masse minérale grignotaient le rayonnement du Bâton. Dans son dos, il entendait battre les ailes de vautour de sa damnation.

La dernière fois que Covenant s'était trouvé sous terre – dans les catacombes du mont Tonnerre –, il était tombé au fond d'une crevasse. Il ne pouvait pas l'oublier. L'expérience l'avait forcé à admettre l'échec de son premier compromis, le pacte qu'il avait conclu avec les ranyhyn. Depuis son retour dans le Fief, n'avait-il fait que se préparer à une épreuve similaire ? « Par les feux de l'enfer ! » songeait-il. Pourquoi les quêtes seigneuriales s'achevaient-elles toujours dans des cavernes où le soleil ne pénétrait pas et qui semblaient peuplées d'ombres spectrales ?

Elena suivait Morin et Amok, qui ajustaient leur allure à la sienne. Elle avançait aussi vite que possible sur l'éperon rocheux et Covenant avait du mal à ne pas se laisser distancer. Le rythme qu'elle tenait exacerbait son appréhension et lui donnait l'impression que le gouffre ouvrait grand sa gueule pour l'engloutir au premier faux pas. Déjà, il devait mobiliser sa concentration pour ne pas trébucher.

Il n'avait aucun moyen de mesurer le temps écoulé ou la distance parcourue, sinon à l'accumulation de l'angoisse dans son cœur et de la fatigue dans ses membres. Au bout d'un moment, il remarqua que le plafond se voûtait tel un dôme. Petit à petit, la pierre se couvrit de bosses et d'ondulations comme si la cavité plissait le front. Puis les premières stalactites apparurent, semblables à des larmes pétrifiées. Certaines avaient des facettes plates qui reflétaient la lumière bleue du Bâton et la renvoyaient fragmentée. D'autres s'inclinaient vers la corniche tels des épieux menaçant de s'abattre sur les quêteurs.

Au fil de la progression, les concrétions épaissirent et s'allongèrent jusqu'à masquer le plafond. Quand Covenant trouvait le courage de lever la tête, il croyait contempler une forêt inversée dont les arbres fantastiques plongeaient leurs racines dans le ciel de la grotte. Alors, une crainte irraisonnée de se perdre dans ses profondeurs le faisait tressaillir.

Lorsque Elena s'arrêta brusquement, il faillit se jeter à son cou. Par-dessus son épaule, il vit qu'une stalactite massive s'était accrochée à la saillie comme si une main géante l'y avait plantée violemment. Bien que très ancienne, elle semblait encore frissonner de la force de l'impact. Seul un étroit passage demeurait entre la paroi et elle.

Amok avait fait halte. Il attendit que ses compagnons le rejoignent, puis lança sur un ton respectueux :

— Contemplez la porte de Damelon, l'unique accès au Pouvoir du Commandement, que nul ne peut franchir en mon absence. Le savoir nécessaire pour la déverrouiller n'est contenu dans aucun des tabernacles de Kevin et quiconque ose la passer en force ne trouvera pas derrière elle le Pouvoir qu'il convoite, mais errera à jamais dans les souterrains dont elle garde l'entrée. Vous devrez vous dépêcher, car elle ne restera ouverte que quelques instants.

Elena acquiesça résolument. Covenant vacilla et saisit l'épaule droite de la jeune femme pour se retenir. Il avait le pressentiment que c'était sa dernière chance de rebrousser chemin, de revenir sur les décisions qui l'avaient conduit jusqu'ici.

Amok se planta devant la porte. Avec une lenteur solennelle, il tendit l'index droit vers le centre de l'espace vide, à hauteur de sa poitrine. Un filigrane jaune se déploya autour de son doigt et, telle une délicate trame de lumière cristallisée, alla se fixer à la roche sur le pourtour de l'ouverture.

— Venez, ordonna-t-il.

Il fit un pas en avant. Mais au lieu de déchirer la matière scintillante, il disparut à l'instant où il la toucha. Covenant n'aperçut plus trace de lui.

Morin suivit Amok. Lui aussi se volatilisa dès qu'il entra en contact avec la protection.

Elena s'approcha à son tour et Covenant l'imita. Il ne l'avait pas lâchée, ne voulant pas être séparé d'elle. Le menton fièrement levé, la jeune femme franchit le passage. Le lépreux retint son souffle et traversa en frémissant, mais n'éprouva pas la moindre douleur, juste un bref fourmillement sur la peau.

L'instant d'après, Bannor les rejoignit. Covenant tourna la tête. Le réseau brillant pâlit et s'évanouit.

Il regarda autour de lui. De l'autre côté de la porte, il voyait toujours la corniche et l'abîme. Mais de ce côté-ci, il n'y avait pas de crevasse. Un sol de pierre, recouvert de stalagmites pareilles à des colonnes maladroitement sculptées, s'étendait à perte de vue. Un calme étrange planait dans l'air ; le lépreux mit un moment à réaliser qu'il n'entendait plus le grondement de la rivière.

Amok fit un large geste.

— Contemplez la salle d'audience de Terracine, entonna-t-il sur un ton cérémonieux. Jadis, le lac sans soleil montait jusqu'ici à la rencontre des voyageurs. Aujourd'hui, le Pouvoir de la Terre se dérobe à la connaissance des mortels et la salle n'abrite plus que sécheresse. Néanmoins, elle reste capable d'égarer ceux dont le cœur et l'esprit ne sont pas prêts à accepter ses révélations. (Grimaçant, il se tourna vers Elena.) Haut seigneur, voulez-vous bien faire de la lumière ?

La jeune femme parut deviner ce qui allait se passer. Les yeux brillants de ferveur, elle murmura une incantation et frappa la pierre de son Bâton. Le haut bois s'embrasa ; une langue de feu fusa vers le plafond.

Telle une réaction en chaîne, l'éclat des flammes se propagea à chaque stalactite et stalagmite, qu'il changea en pilier étincelant. Les ondes du pouvoir seigneurial résonnèrent à travers la grotte, qui renvoya leur écho en le démultipliant. Assailli de toute part, Covenant tituba. Il lui semblait être ligoté au battant d'une immense cloche de lumière. Il tenta de se couvrir les yeux, mais la clameur se poursuivit dans son esprit. Haletant, il s'effondra.

Elena éteignit le Bâton et les vibrations moururent dans un dernier chuchotement. Covenant réalisa qu'il était prostré à terre, les mains plaquées sur les oreilles. Il leva craintivement les yeux. Les reflets s'étaient évanouis ; les concrétions avaient repris leur aspect terne et rugueux.

— Par les feux de l'enfer, marmonna-t-il comme Elena l'aidait à se relever.

Elle semblait émerveillée, mais les sangardes demeuraient aussi impassibles que d'ordinaire. Quant à lui… Il ne savait plus où il était. Quand Amok se dirigea vers le fond de la caverne, il le suivit d'un pas chancelant.

De nouveau, il perdit la notion du temps et de la distance. Des étincelles éblouissantes dansaient encore à la surface de ses rétines. Il se sentait totalement désorienté. Il vit Amok descendre une pente pareille à un immense rivage, une plage créée par le retrait d'une mer souterraine. Ses yeux lui disaient que le jeune homme marchait en ligne droite, mais son sens de l'équilibre enregistrait des changements de direction, des modifications subtiles dans l'angle de la trajectoire. Chaque fois qu'il fermait les paupières, l'impression de rectitude s'évanouissait et il vacillait sur le sol inégal.

Il n'aurait su dire combien d'heures s'étaient écoulées ni combien de lieues il avait parcourues lorsque Elena s'arrêta pour déjeuner. Ses perceptions étaient chamboulées. Quand la jeune femme ordonna la halte suivante et lui dit qu'il pouvait se reposer, il s'affala contre une stalagmite et s'endormit sans poser de question.

Dans ses rêves, il erra tel un malheureux ayant franchi la porte de Damelon sans satisfaire à ses exigences. Il s'entendit pousser des cris de détresse aigus, comme s'il appelait ses compagnons ou sanglotait sur son sort, et se réveilla en proie à la confusion la plus absolue.

L'obscurité lui fit d'abord croire que quelqu'un avait retiré les fusibles de sa maison tandis qu'il gisait, ensanglanté et impuissant, près de la table basse du salon. Il tâtonna autour de lui en quête du téléphone, espérant que Joan n'avait pas raccroché. Puis ses doigts reconnurent la texture de la pierre. Avec un grognement étouffé, il se leva d'un bond dans la nuit souterraine de Melenkurion Barreciel.

Aussitôt, le Bâton de la Loi s'enflamma. Dans sa lueur bleue, Elena s'avança pour retenir Covenant de sa main libre.

— Mon bien-aimé, souffla-t-elle. Tiens bon. Je suis là.

Il l'étreignit convulsivement, enfouit son visage dans ses cheveux jusqu'à ce que les battements désordonnés de son cœur s'apaisent. Alors, il la lâcha et recula. Il voulut lui exprimer sa gratitude d'un sourire, mais celui-ci se fendilla et se brisa en mille morceaux.

— Où sommes-nous ? demanda-t-il d'une voix rauque, comme si ses cordes vocales étaient à vif.

— Nous nous trouvons dans la Travée de l'Approche, pépia Amok derrière lui. Bientôt, nous atteindrons l'escalier de Terracine.

— Que... (Covenant secoua la tête pour s'éclaircir les idées.) Quelle heure est-il ?

— Le temps échappe à toute mesure sous Melenkurion Barreciel, répondit gaiement le jeune homme.

Covenant frissonna. Cela lui rappelait une phrase qu'il avait entendue à plusieurs reprises : « L'or blanc est la clé de voûte de l'arche de la vie qui enjambe et surplombe le temps. »

— Misère, grommela-t-il.

Elena vint à son secours.

— Le soleil a déjà accompli le quart de sa trajectoire quotidienne dans le ciel. Ce jour est le trente-troisième écoulé depuis notre départ de Pierjoie. (Elle marqua une pause, puis ajouta :) Ce soir sera une nuit sans lune.

« Ayez pitié de moi ! » gémit Covenant en son for intérieur. Des choses terribles se produisaient ces nuits-là – comme le massacre des esprits d'Andelain par les ur-vils, le crime qu'Atiaran ne lui avait jamais pardonné.

Elena parut lire dans ses pensées.

— Mon bien-aimé, ne sois pas si pessimiste, lui conseilla-t-elle d'une voix douce.

Covenant l'observa tandis qu'elle leur préparait une collation frugale. La force de sa résolution transparaissait même dans ses gestes les plus anodins. Honteux, il serra les dents et garda le silence. Il n'avait pas le choix : son marché l'y obligeait.

Ce fut tout juste s'il réussit à avaler la nourriture que la jeune femme lui tendit. L'effort qu'il faisait pour se taire – pour lui mentir par omission – lui nouait les entrailles et lui donnait la nausée. Pourtant, il mourait de faim. Aussi se força-t-il à manger un peu de pain sec, de fromage et de viande séchée.

Quand Elena se remit en route à la suite d'Amok, il se sentit presque soulagé.

La veille, les quêteurs avaient laissé derrière eux la salle d'audience. Ils cheminaient à présent dans un large tunnel dont le plafond et les parois étrangement lisses semblaient avoir été polis, au fil des siècles, par le passage d'une force brutale. Ce spectacle éveilla la méfiance de Covenant. « Une artère, songea-t-il. On dirait une artère. » Il s'attendait presque à voir un flot de magma – le sang épais et bouillant de la montagne – se précipiter à la rencontre du groupe pour l'engloutir. Saisi par une furieuse envie de prendre ses jambes à son cou, il tripota nerveusement son alliance.

Elena pressa l'allure. La tension de son dos trahissait son impatience grandissante d'atteindre le septième tabernacle.

Brusquement, la galerie décrivit un virage serré vers la gauche ; sur la droite s'ouvrit un précipice. Le passage se changea en une corniche qui rétrécit peu à peu et s'incurva. Des marches grossières et abruptes apparurent sous les pieds des quêteurs. Ils s'engagèrent dans un escalier qui descendait en spirale autour d'un puits central.

Très loin en contrebas, une ardente lueur rougeâtre rayonnait. Covenant eut d'abord l'impression de contempler un abysse infernal. Puis il se souvint d'avoir déjà observé semblable phénomène. C'était de la lumière de roche, comme celle que les lémures utilisaient dans les catacombes du mont Tonnerre.

De nouveau, il fut saisi de vertige. La tête lui tourna. Seuls l'éclat orgueilleux du Bâton de la Loi et la concentration qu'il mobilisa pour négocier les degrés l'empêchèrent de basculer dans le vide. Il était déterminé à ne pas réclamer l'aide d'Elena ou de Bannor. Sa dette envers eux était déjà bien assez lourde ; toute créance supplémentaire révoquerait son arrangement en faisant pencher la balance du mauvais côté. « Cesse de te vautrer dans l'impuissance, s'exhorta-t-il. Garde de quoi négocier. Continue à avancer. »

Il s'entendit marmonner entre ses dents :

— Ne me touchez pas. Ne me touchez pas.

La nausée le submergea. Ses muscles se contractèrent comme pour encaisser l'impact d'une chute. Mais il s'enveloppa de ses bras et accrocha son regard à la flamme d'Elena, cette émanation du pouvoir seigneurial qui dispensait force et courage à la compagnie. Lentement, son éclat bleu se teinta de rouge comme les voyageurs approchaient du fond du gouffre.

Covenant descendait mécaniquement, tel un automate marchant vers le destin qu'on lui a assigné. Bientôt, la lueur écarlate fut si vivace qu'Elena put éteindre son Bâton. Amok accéléra ; sans doute était-il impatient de connaître la résolution de son existence. Le lépreux le suivit d'un pas plus mesuré, imperméable à tout ce qui l'entourait. Il parcourut les dernières circonvolutions de l'escalier avec une démarche de somnambule.

Quand il parvint en bas, il s'arrêta et leva une main pour protéger ses yeux contre la clarté. Il frissonnait de tout son corps et se sentait à deux doigts de sombrer dans l'hystérie.

Devant lui, Amok s'exclama :

— Haut seigneur, contemplez Terracine, sève souterraine de Melenkurion Barreciel, sang et nectar de l'impératrice des montagnes ! N'est-il pas magnifique ? Ah, mon cœur se réjouit ! Ma mission ancestrale touche enfin à son terme.

L'écho limpide de sa jubilation se répercuta alentour comme si des dizaines de voix cristallines reprenaient ses paroles en chœur.

Covenant prit une profonde inspiration et baissa le bras. Il se tenait sur le rivage en pente douce d'un lac qui s'étendait aussi loin que portât son regard. Son plafond de pierre culminait si haut qu'il se perdait dans l'ombre, mais sa surface était irradiée par la lumière de roche que dégageaient d'innombrables piliers vertigineux. Disposés à intervalles réguliers, ceux-ci ressemblaient à des racines minérales venant s'abreuver dans l'onde paisible. Leur éclat rougeâtre, conjugué au silence vibrant, conférait à ce lieu pourtant immense une atmosphère de cloître. Terracine ne pouvait inspirer que respect et dévotion aux simples mortels. L'Incrédule se sentit comme un hérétique, un sacrilège vivant dont la présence souillait l'auguste sanctuaire.

Il émanait des eaux une impression de lourdeur massive et antique. Elles ressemblaient à du bronze fluidifié, couverture liquide dissimulant les abysses insondables de la Terre. La lumière de roche s'y reflétait comme sur du métal poli.

— Est-ce ici… commença Covenant.

Le début de sa question ricocha à la surface de Terracine, se répétant sans diminuer de volume. Il ne put se résoudre à continuer. Même le frottement de ses bottes sur la roche produisait un écho aux résonances prophétiques.

Mais Amok devina la suite sans peine.

— Est-ce ici que se trouve le Pouvoir du Commandement ? (Il partit d'un rire joyeux dont les vibrations enveloppèrent l'Incrédule.) Non. Terracine n'est qu'une étape. Le cœur du septième tabernacle nous attend au-delà de ses rivages. Nous devons traverser.

— Comment ? chuchota Elena, intimidée par tant de majesté.

— Ne vous inquiétez pas, haut seigneur. Je suis la voie et la porte ; je ne vous aurais pas conduite dans une impasse. Un moyen vous sera fourni... Mais c'est à vous qu'il appartiendra d'en trouver la clé. C'est la dernière épreuve imposée aux quêteurs. Je ne puis ajouter qu'une chose : ne touchez l'eau sous aucun prétexte. Terracine est puissant et sévère. Il ne fera aucun cas de votre chair mortelle.

— Que devons-nous faire ?

— Rien, gloussa Amok. Il vous suffit d'attendre. Rassurez-vous : ça ne devrait pas être long. En vérité, le moyen dont je vous parlais approche déjà.

Le jeune homme se tenait dos à Terracine. Il tendit un bras derrière lui. Comme en réponse à son signal, un bateau apparut au détour d'un pilier.

C'était une pirogue de bois brun clair, aux lignes gracieuses et épurées. À l'exception d'un filet doré qui courait le long de son plat-bord, elle ne possédait aucun ornement. Elle semblait bien assez longue pour que cinq personnes puissent y tenir assises ; pourtant, elle était inoccupée. Elle glissait sans produire le moindre clapotis, la moindre ondulation. Covenant ne fut guère surpris de constater l'absence de rames. C'était une embarcation étrange, mais tout à fait à sa place en ce lieu sacré.

Il la regarda approcher avec une certaine appréhension. Son alliance se mit à le picoter. Il lui jeta un bref coup d'œil. L'or blanc étincelait et pesait lourdement à son doigt ; cela mis à part, il demeurait inaltéré.

— Aie pitié de moi, souffla le lépreux.

Il frémit d'entendre sa voix voler en éclats, dont le tintement se répercuta à l'infini.

Elena était trop fascinée par Terracine pour prêter attention à sa détresse. Plantée sur la rive tel un acolyte impatient qu'on lui révèle les voies divines, elle attendait le
bateau vide.

En silence, celui-ci vint s'échouer dans la pente, au sec.
Amok s'inclina en une profonde révérence, puis sauta
agilement dedans. Ses pieds ne produisirent aucun bruit
quand ils touchèrent les planches. Le jeune homme se
dirigea vers la poupe et s'assit en calant ses bras sur le
bastingage avec une grimace de propriétaire.

Morin le rejoignit. Elena s'installa au milieu, son Bâton
posé en travers des genoux. Covenant comprit que son
tour était venu. Tremblant, il saisit la proue à deux mains
et se hissa à bord. Ses bottes heurtèrent bruyamment le
fond de l'esquif et leur écho résonna tel un contrepoint
moqueur au martèlement du sang dans ses tempes.

Bannor poussa la barque dans l'eau et sauta à l'intérieur. Le temps qu'il s'asseye, elle s'était immobilisée à
quelques pieds de la berge, comme si Terracine s'était soli-
difié autour d'elle.

Pendant plusieurs secondes, les passagers ne pipèrent
mot. Ils attendaient en retenant leur souffle que la force
invisible qui avait conduit l'embarcation jusqu'à eux les
porte au loin. Mais il ne se passa rien.

Un début de migraine tenait le crâne de Covenant dans
son étau. D'une voix dure, l'Incrédule défia les échos.

— Et maintenant, qu'est-ce qu'on fait ?

À sa grande surprise, le bateau évolua et s'arrêta de
nouveau.

Il promena un regard éberlué à la ronde. Ses compagnons gardèrent le silence. Devant lui, il voyait les épaules
crispées d'Elena. Il jeta un coup d'œil à Amok, mais ne put
supporter longtemps le spectacle de son sourire ravi.

Sentant un mouvement dans son dos, il tourna la tête.
Bannor venait de se lever et d'empoigner la planche qui lui
servait de siège. Il se cala contre le plat-bord et la plongea
dans l'eau d'un geste vigoureux. La rame improvisée lui fut

brutalement arrachée des mains. Sans produire la moindre éclaboussure, elle coula à pic.

Bannor la regarda s'abîmer dans les profondeurs, haussant un sourcil comme s'il se demandait quel genre de force pouvait aussi facilement avoir raison d'un sangarde. Il semblait plus intrigué que vexé. Covenant, en revanche, s'exclama :

— Par les feux de l'enfer !

De nouveau, l'embarcation progressa avant de s'immobiliser.

L'Incrédule fit face à Elena. « J'ai compris ! » voulut-il s'exclamer. Il n'en eut pas le temps.

— Oui, mon bien-aimé, acquiesça la jeune femme, soulagée. (La pirogue se remit à avancer.) C'est le son de nos voix qui propulse cet esquif. Il nous conduira de lui-même à notre destination en voguant sur l'écho que nous générons.

Elle avait vu juste. Tant que les ondulations cristallines de sa voix se propagèrent à la surface de Terracine, la barque louvoya entre les piliers tel un aimant attiré par un point magnétique. Mais dès qu'elle se tut, elle se figea.

Covenant poussa un grognement. Il craignait qu'Elena ne lui demande de parler, et que sa langue ne le trahisse et ne révèle involontairement les termes de son plan.

— Eh bien ? Dis quelque chose, grommela-t-il afin de la prendre de vitesse.

Un sourire ambigu flotta sur les lèvres d'Elena.

— N'aie pas peur, mon bien-aimé. Nous sommes loin d'avoir épuisé tous les sujets de conversation. Tu recèles encore de nombreux secrets, des mystères que je perçois vaguement, mais dont la nature exacte m'échappe. Et même si je t'ai déjà beaucoup parlé de moi, il est un événement capital sur lequel je me suis tue jusqu'à présent. Cet endroit me semble fort approprié pour t'ouvrir enfin mon cœur. Aussi vais-je te raconter comment une ranyhyn emmena jadis la fille de Léna dans la cordillère Sudronne, afin de la soumettre à un rituel qui devait bouleverser le cours de sa vie.

Elle se redressa majestueusement et fit face à Covenant.

Plantant le Bâton de la Loi dans le fond du bateau, elle leva la tête vers le plafond de l'immense caverne.

— Seigneur suprême Thomas Covenant, Incrédule et porteur d'or blanc, orréchal, mon bien-aimé... (Sa voix se déploya autour d'elle telle une trame de lumière de roche scintillante.) Tu as connu Myrha. Dans sa jeunesse, elle vint à Mithil-Stèlage pour tenir la promesse que ses frères t'avaient faite. Ainsi as-tu, sans le savoir, été à l'origine de l'épisode le plus marquant de mon enfance. Avant que cette guerre touche à son terme, je dois te révéler les conséquences de ton pacte.

« Aie pitié de moi ! » songea douloureusement le lépreux. Mais il était trop intimidé par Terracine, trop effrayé par son étrange écho pour protester tout haut. En proie à une angoisse muette, il écouta Elena lui relater son expérience tandis que la pirogue filait gracieusement.

L'aventure avait eu lieu la troisième fois où Léna sa mère l'avait autorisée à monter un ranyhyn. Les deux années précédentes, un vieil étalon avait roulé des yeux quand Trell son grand-père lui avait fait la courte échelle pour l'aider à monter sur le dos large du coursier. Au printemps suivant, une jeune jument appelée Myrha vint à la place de son aîné. Lorsqu'elle fixa Elena, la fillette perçut l'invitation qu'elle lui lançait – et même si elle n'en comprit pas la nature, elle lui fit implicitement confiance. Elle ne jeta pas un seul regard en arrière tandis que Myrha l'emmenait loin de sa famille et de son stèlage natal.

Pendant un jour et une nuit, Myrha galopa vers le sud, suivant des pistes de montagne et franchissant des cols inconnus des peuples du Fief. Le lendemain matin, elle pénétra dans une vallée verdoyante nichée entre des falaises abruptes. Un petit lac alimenté par la fonte des neiges s'étendait en son centre. Ses eaux noires, qui ne reflétaient pas la lumière du soleil, lui conféraient un aspect mystérieux. Sur sa rive se massaient des centaines de ranyhyn, fiers, à la robe lustrée et au front orné d'une étoile.

L'émerveillement initial d'Elena se mua très vite en frayeur. Saluée par un chœur de hennissements, Myrha la porta jusqu'au lac. Puis elle la déposa à terre et s'éloigna,

470

la laissant seule au milieu des autres ranyhyn. Alors, ceux-ci se mirent à galoper dans la vallée.

Ils trottèrent d'abord dans toutes les directions, se bousculant les uns les autres et frôlant Elena au passage. Petit à petit, ils pressèrent l'allure. Plusieurs d'entre eux se détachèrent du groupe pour venir boire avant de foncer de nouveau vers la masse grouillante de leurs frères, comme si un feu liquide coulait dans leurs veines.

Tandis que le soleil poursuivait sa course dans le ciel, ils galopèrent à perdre haleine, ne s'interrompant que le temps de se cabrer ou de s'abreuver avant de reprendre leur danse folle. Elena resta plantée au milieu d'eux, paralysée de terreur face aux sabots qui étincelaient à quelques centimètres de son visage. Il lui semblait que si elle remuait ne fût-ce que le petit doigt, elle se ferait instantanément piétiner.

Le fracas de la course des ranyhyn résonnait à ses oreilles tel un grondement de tonnerre. Étourdie par sa panique grandissante, elle perdit conscience un long moment.

Quand elle revint à elle, elle était toujours debout, pétrifiée dans la pâle lumière du couchant. Les ranyhyn ne couraient plus. Ils l'avaient encerclée et la dévisageaient. Certains étaient si proches qu'elle sentait leur souffle chaud et humide sur sa peau, humait leur odeur âcre.

Les coursiers attendaient qu'elle fît quelque chose. Leur volonté, concentrée sur elle, sapait son immobilité. Lentement, Elena pivota et, d'une démarche aussi raide que celle d'une marionnette, se dirigea vers le lac.

Elle s'agenouilla au bord de l'eau et but.

Soudain, le haut seigneur interrompit sa narration pour entonner une complainte vibrante de colère, dont les échos passionnés emplirent la caverne.

> Où est le Pouvoir qui préserve la beauté de la décomposition,
> Qui protège la vérité contre le mensonge,
> Qui garde la fidélité de la lente souillure de la corruption ?
> Comment le Mépris peut-il nous diminuer à ce point ?
> Pourquoi la pierre ne se soulève-t-elle pas contre le chaos,
> Ou ne tombe-t-elle pas en poussière sous le coup de la honte ?

Pour des raisons que Covenant ne pouvait que deviner, elle reprenait à son compte les lamentations de Kevin le Dévastateur, faisait siennes l'angoisse et la révolte de son illustre prédécesseur.

Tandis que sa voix se répercutait à la surface de Terracine, elle fixa l'Incrédule pour la première fois depuis qu'elle avait entamé son récit.

— Mon bien-aimé... Comment t'expliquer la transformation qui s'opéra alors en moi ? Ce fut comme une seconde naissance. Le contact de l'eau dissipa la cécité et l'ignorance dans lesquelles mon cœur avait vécu jusqu'alors. Ma peur s'évanouit et je pus partager la communion des ranyhyn. Je sus qu'afin d'honorer la promesse faite à l'orréchal, ils m'avaient conviée à leur rituel le plus secret, qu'ils effectuaient une fois par génération pour se transmettre la légende du puissant Kelenbhrabanal. Et je compris que leur course folle était l'expression de la rage et du chagrin qui les consumaient depuis la mort de leur ancêtre.

« Car Kelenbhrabanal était le père des chevaux, l'étalon originel. Lorsque les loups de Crochal envahirent les plaines de Ra, il organisa la défense de son territoire. Le conflit se poursuivit longtemps sans qu'aucun des deux camps ne parvînt à triompher. Accablé par la puanteur de la mort et la vision de tant de chair lacérée, Kelenbhrabanal se présenta à Crochal et lui dit : "Mettons un terme à ce carnage. Je perçois ta haine ; je sais que tu as besoin de victimes, sans quoi, ta passion se retournera contre toi et te détruira. Je m'offre donc à toi. Tue-moi et laisse mon peuple vivre en paix. Que mon sang étanche ta soif et que le glas de mon existence sonne la fin de cette guerre." Crochal accepta le marché. Alors, Kelenbhranabal lui offrit sa gorge et succomba entre ses mâchoires.

« Mais Crochal ne tint pas parole et les loups attaquèrent de nouveau. Privés de chef, foudroyés par la douleur, les ranyhyn n'étaient plus en état de lutter. Les survivants durent fuir dans les montagnes. Ils ne regagnèrent leurs plaines bien-aimées que lorsque le peuple de Ra fit le vœu de les servir et les aida à chasser les envahisseurs.

« Depuis, à chaque génération, ils effectuent le rituel

ancestral pour perpétuer le souvenir de l'étalon originel – pour se remémorer son courage et son abnégation, le chagrin qu'ils ressentirent à sa mort, et la rage que leur inspira la trahison de Crochal. Ils boivent l'eau qui unit les esprits et, pendant un jour et une nuit, déversent leur passion dans la terre en la martelant de leurs sabots. Ce printemps-là, je courus, pleurai et tempêtai avec eux jusqu'au lever du soleil. Gagnée par leur folle exaltation, je m'abandonnai corps et âme au rêve de vengeance des ranyhyn.

À présent, Covenant comprenait tout. Le regard étrangement dédoublé d'Elena, la flamme qui brûlait en elle et surtout, le danger qui la menaçait. Déjà, la vision de la jeune femme semblait se focaliser et il apercevait l'ombre d'une déflagration monumentale au coin de ses yeux.

Tiraillé entre sa crainte et son amour pour celle qui s'était offerte à lui, il chuchota d'une voix rauque :

— Je ne comprends toujours pas ce que Turpide espère retirer de tout cela.

25

Le septième tabernacle

IMMOBILE, LES MAINS CRISPÉES SUR LE BÂTON, Elena foudroya le lépreux du regard. Des étincelles crépitaient dans ses prunelles comme un prélude d'incendie.

Au bout d'un long moment, elle se ressaisit. Les ténèbres se retirèrent de son visage, et elle se rassit.

— *Tout cela ?* répéta-t-elle sur un ton menaçant. Tu te demandes de quelle façon Turpide pourrait bénéficier des événements que je viens de te relater ?

— Oui, mais pas seulement, répondit très vite Covenant. (Il ne se souciait plus de l'écho ; il n'aspirait qu'à remédier, fût-ce partiellement, à la fausseté de sa position.) Tu l'as dit toi-même : si tu es devenue ce que tu es aujourd'hui, c'est à cause du pacte que j'ai conclu autrefois avec les ranyhyn. En vérité, je songeais au présent plutôt qu'au passé. Tu m'as rappelé dans le Fief et nous sommes en quête du septième tabernacle. J'aimerais savoir ce que Turpide espère y gagner. Jamais il ne gaspillerait une telle occasion.

— Il n'est pour rien dans ton retour parmi nous, répliqua froidement Elena. Cette fois, c'est moi qui ai choisi de te conjurer, pas lui.

— Du moins, c'est ce que tu penses, insinua Covenant. Rappelle-toi : le Rogue est passé maître dans l'art de

474

manipuler ses adversaires. Combien d'autres seigneurs ont déjà fait son jeu sans le réaliser ?

Elena ouvrit la bouche pour protester. Il l'arrêta d'un geste.

— Dis-moi : qu'est-ce qui t'a décidée à m'appeler ? Je sais, tu l'aurais fait tôt ou tard pour la seule raison que j'ai la malchance de porter une alliance en or blanc et d'avoir été amputé de deux doigts. Mais pourquoi ce jour-là plutôt qu'un autre ?

— Parce que le repenti *dukkha* venait de nous apporter des informations nouvelles sur Crochal et le pouvoir qu'il détenait.

— Des *informations nouvelles*, hein ? ricana Covenant. Crois-tu vraiment que c'était un accident ? Turpide l'a relâché ! Il a libéré ce pauvre bougre parce qu'il savait très bien comment tu réagirais. Il voulait que je reparaisse dans le Fief à cet instant précis, ni plus tôt ni plus tard.

Il vit qu'Elena était ébranlée, qu'elle commençait à le prendre au sérieux. Pourtant, ce fut sur un ton presque désinvolte qu'elle demanda :

— Pourquoi ? En quoi cela a-t-il servi son dessein ?

Covenant tenta d'abord d'esquiver la question. Il ne voulait pas affronter le fond de sa pensée.

— Si je le savais, peut-être serais-je en mesure de le combattre. Mis à part le fait que je suis censé détruire le Fief...

Mais Elena le fixait d'un air grave. Elle s'était offerte à lui. Elle l'aimait. Alors, il rassembla son courage.

— Songe à tout ce qui s'est produit à cause de moi. J'ai réveillé le *krill* de Loric. Du coup, Amok s'est manifesté et tu es sur le point de déverrouiller le septième tabernacle. C'est aussi bien réglé qu'un mécanisme d'horloge. Si tu m'avais appelé plus tôt, à ce stade de ta quête, tu n'éprouverais pas l'urgence d'utiliser un pouvoir que tu ne comprends pas encore. Si, au contraire, tu avais attendu, jamais tu ne serais venue à Melenkurion Barreciel ; tu aurais été trop occupée à livrer bataille au côté de la milice.

« En ce qui me concerne... (Le lépreux déglutit et détourna les yeux avant d'approcher la source de son marché.) C'est le seul moyen de m'en tirer. Si les choses s'étaient passées différemment, j'aurais été obligé d'apprendre à me servir de mon anneau. Mais là, ton attention a été détournée : tu poursuis le septième tabernacle plutôt que la magie sauvage. Or, Turpide ne veut pas que j'apprenne à utiliser l'or blanc, parce qu'il craint que je ne retourne son pouvoir contre lui.

« Ne comprends-tu pas ? C'est lui qui nous guide depuis le début. Il a relâché *dukkha* dans le seul dessein de nous amener ici aujourd'hui. Je le reconnais bien là. Il aime anéantir les gens à travers les choses mêmes qui leur donnent des raisons d'espérer. Ainsi les pousse-t-il à souiller et à détruire... Pas étonnant que ce soir soit une nuit sans lune. (Conscient qu'il allait à l'encontre de son propre intérêt, il chuchota :) Elena, le septième tabernacle pourrait être le pire fléau que le Fief ait jamais connu.

La jeune femme secoua la tête.

— Non, mon bien-aimé. Je n'y crois pas. Le haut seigneur Kevin a conçu les tabernacles avant de succomber au désespoir. Crochal n'a pas pu les pervertir. Le Pouvoir du Commandement est peut-être dangereux, mais il n'a rien de maléfique.

Covenant n'était pas convaincu. Toutefois, il se garda bien de protester. Terracine donnait trop d'emphase au moindre de ses mots. Morose, il fixa les pieds d'Elena en grattant son annulaire gauche qui le démangeait.

Le silence retomba et la pirogue s'immobilisa au milieu de Terracine. Pendant un long moment, aucune voix ne s'éleva pour la propulser. Covenant et Elena étaient plongés chacun dans ses pensées. Puis la jeune femme reprit la parole. Sur un ton doux et respectueux, elle récita la complainte du seigneur Kevin. Le bateau se remit à glisser sur la nappe de bronze liquide.

Comme il contournait un pilier, une gigantesque chute d'eau se révéla à la vue des cinq passagers. Son sommet se perdait dans l'ombre du plafond, mais le torrent qui s'en déversait sans un bruit captait la lumière de roche en des milliers de points. Covenant songea qu'elle ressemblait à une cascade de rubis.

L'esquif se dirigea vers une jetée de pierre située sur la droite. À peine s'était-il immobilisé qu'Amok sauta à terre.

Ses compagnons ne bougèrent pas, fascinés par la splendeur silencieuse du spectacle.

— Venez, haut seigneur, s'impatienta le jeune homme. Le septième tabernacle est tout proche. Je dois conclure ma mission.

Elena secoua la tête comme si elle se rappelait soudain ses limites, sa fatigue et son ignorance. Covenant se couvrit les yeux pour s'arracher à sa contemplation.

Puis Morin grimpa sur la jetée et Elena l'imita en soupirant. Agrippant le bastingage à deux mains, Covenant les rejoignit. Bannor fut le dernier à quitter l'embarcation.

Amok dévisagea les quêteurs avec une gravité inhabituelle. Il semblait avoir vieilli durant la traversée de Terracine. Sa bonne humeur juvénile s'était évaporée. Ses lèvres remuèrent, mais il ne dit rien. Comme s'il cherchait un soutien, il fixa chacun de ses compagnons, puis pivota et se dirigea vers la chute d'un pas étrangement lourd. Quand il atteignit les premiers rochers humides, il les escalada et s'avança jusqu'à la cataracte.

— N'ayez pas peur, jeta-t-il par-dessus son épaule. Ce n'est que de l'eau ordinaire. Terracine puise son pouvoir à une autre source. Suivez-moi.

Elena se raidit. Aiguillonnée par la proximité du septième tabernacle, elle oublia sa lassitude et se hâta d'obtempérer. Covenant lui emboîta le pas à contrecœur. Malgré l'angoisse qui le taraudait, il ne pouvait pas rester en arrière.

Elena disparut derrière le rideau liquide. Un peu d'écume éclaboussa le visage du lépreux. Les roches étaient glissantes sous ses pieds maladroits et il dut se mettre à quatre pattes pour ne pas tomber. Mieux valait ramper que solliciter l'aide de Bannor. Retenant son souffle, il se lança à travers la cascade tête baissée, comme il aurait plongé dans une avalanche.

Son poids faillit l'aplatir ; l'eau le pilonnait telle la somme de ses illusions se déversant sur lui d'un seul coup. Mais tandis qu'il arquait le dos pour lui résister, il sentit un peu de sa vitalité se communiquer à lui et chasser la fatigue de ses membres. Cette ablution forcée était un baptême, une purification à laquelle les quêteurs devaient se soumettre pour se rendre dignes du septième tabernacle.

Le flot assaillait Covenant comme s'il voulait dénuder ses os. Il mettait ses nerfs à vif sans réussir à toucher son visage ou sa poitrine. Quelques instants plus tard, le lépreux émergea de l'autre côté, trempé, mais inchangé.

Il s'ébroua en frissonnant. Ses mains lui disaient qu'il se tenait sur de la pierre à la fois sèche et glissante, qui semblait se dérober sous ses paumes. Des ténèbres épaisses l'enveloppaient. Il ne voyait rien, n'entendait pas le moindre bruit. En revanche, l'air était chargé d'une odeur si puissante qu'elle masquait celle de son corps, le prenait à la gorge telle la puanteur de la gangrène, lui brûlait les poumons comme des relents de soufre. Elle ne ressemblait pourtant à rien qui lui fût familier. Comme Terracine à la surface de bronze poli, comme l'immense caverne éclairée par la lumière de roche, comme la masse écrasante et silencieuse de la chute, comme l'immuable stabilité de Melenkurion Barreciel, elle accablait sa conscience en lui rappelant la fragilité de sa chair et l'insignifiance de son existence.

C'était l'émanation du Pouvoir de la Terre.

Covenant ne pouvait la supporter. Il était prostré devant elle, le front pressé contre la roche froide et les mains nouées sur la nuque.

Un crépitement étouffé résonna près de lui. Elena venait d'allumer le Bâton de la Loi. Lentement, il leva la tête. L'effluve lui fit monter les larmes aux yeux ; il cligna des paupières et regarda autour de lui.

Il se trouvait dans un tunnel obscur qui filait en ligne droite. En son centre coulait un ruisseau large de trois pieds. Malgré la lueur bleutée du Bâton de la Loi, son eau apparaissait aussi rouge que du sang frais. C'était la source de l'odeur entêtante, la dangereuse puissance qui alimentait Terracine.

Covenant se leva maladroitement et recula jusqu'à la paroi de gauche. Il voulait mettre le plus de distance possible entre lui et le ruisselet. Ses bottes glissèrent sur le sol comme s'il était couvert de verglas, mais il atteignit le mur et s'y plaqua craintivement. Alors, il reporta son attention sur Elena.

Elle fixait l'extrémité de la galerie avec une expression hypnotisée. Elle paraissait plus grande que jamais, comme si la flamme du Bâton de la Loi attisait son feu intérieur et lui révélait des images de victoire. Le menton fièrement dressé, elle ressemblait à une prêtresse, exécutrice de rites sacrés approchant de la source occulte de son pouvoir. Dans les failles de son regard dédoublé se bousculaient des augures exaltés et sauvages.

À cette vue, Covenant oublia la senteur âcre qui l'assaillait et les larmes qui ruisselaient sur ses joues, et s'avança pour la mettre en garde. Il perdit aussitôt l'équilibre et se rattrapa de justesse. Avant de pouvoir faire un pas de plus, il entendit Amok dire :

— Venez. La fin est toute proche.

Sa voix était aussi spectrale qu'une invocation adressée aux morts. Comme si elle l'attirait irrésistiblement, Elena se mit en marche. Covenant chercha de l'aide du regard et aperçut Bannor près de lui. Il saisit le bras du sangarde pour le supplier : « Arrêtez-la ! Ne voyez-vous pas ce qu'elle s'apprête à faire ? » Mais les mots refusèrent de franchir ses lèvres. Il avait fait un marché. Aussi tenta-t-il de rattraper Elena.

Ses pieds ne trouvaient pas de prise ; pourtant, il se força à avancer. Au prix d'un gros effort de volonté, il mit moins d'énergie dans ses enjambées, attaqua le sol plus doucement. Ainsi parvint-il à contrôler ses mouvements. Mais il ne marchait pas assez vite pour rejoindre Elena, ne pouvait même pas regarder où elle allait : il devait rester concentré sur sa propre progression.

Il garda les yeux rivés au plancher jusqu'à ce que l'odeur omniprésente enfle soudain, menaçant de le jeter à terre. De nouveau, des larmes envahirent ses yeux, et sa vue se brouilla. Du moins ce brusque assaut lui apprit-il qu'il avait atteint l'origine du ruisseau rouge.

Il vit vaciller la flamme d'Elena, s'essuya les yeux de la manche et regarda autour de lui.

Il se tenait dans une vaste cavité. Face à lui, un plan rocheux incliné et scintillant se découpait dans la paroi sombre du fond. Ses émanations faisaient onduler la vision du lépreux, lui donnant l'impression qu'il contemplait un mirage – une anomalie dans la solidité matérielle de l'existence, une membrane poreuse dans le fondement du temps et de l'espace. Un liquide écarlate suintait sur toute la surface, dégoulinait jusqu'à une rigole grossière et s'éloignait en direction de Terracine.

— Contemplez le sang de la Terre, souffla Amok. Ici et maintenant, je vais remplir le dessein qui présida jadis à ma création. Je suis le septième tabernacle de la Sagesse de Kevin. Le pouvoir dont je suis la voie et la porte se trouve devant vous.

Tandis qu'il parlait, sa voix se fit plus grave, plus creuse, plus ancienne. Le fardeau de sa longue existence lui courba l'échine. Il semblait conscient que les minutes lui étaient comptées, qu'il devait finir son discours avant que son immunité au temps l'abandonne.

— Haut seigneur, écoutez-moi. L'atmosphère de ce lieu me délie. Je dois conclure ma mission.

— Alors, parle, le pressa Elena. Je t'écoute.

— « À quoi sert de parler si la sagesse fait défaut aux oreilles qui écoutent ? » récita Amok.

Un instant, il parut s'abîmer dans une rêverie mélancolique. Puis il se ressaisit.

— Advienne que pourra. J'obéis à la loi de ma création. Elle ne peut rien exiger d'autre de moi.

« Haut seigneur, contemplez le sang de la Terre, l'ichor essentiel de Melenkurion Barreciel, le pouvoir qui forme les sommets et les maintient debout. Il s'écoule ici, peut-être parce que le poids de la montagne le fait jaillir de la pierre ou parce qu'elle accepte de dévoiler le nectar de son cœur à ceux qui sont dans le besoin. Quelle que soit la cause, le résultat demeure. Tout mortel qui boit le sang de la Terre acquiert le Pouvoir du Commandement. (Soutenant le regard intense d'Elena, Amok poursuivit :)

« Ce dernier est aussi rare que dangereux. Une fois absorbé, il doit être utilisé rapidement, sous peine de détruire son réceptacle. Nul ne peut en prendre plus d'une gorgée : les mortels ne sont pas faits pour contenir une telle puissance.

« Néanmoins, ces contraintes ne suffisent pas à expliquer pourquoi le haut seigneur Kevin ne goûta pas lui-même au Pouvoir du Commandement. Car celui qui le détient peut donner n'importe quel ordre à la pierre, à la terre, à l'herbe, au bois, à l'eau ou à la chair vive et voir son désir aussitôt réalisé. S'il enjoint à Melenkurion Barreciel de s'écrouler, elle obéira sur-le-champ. S'il somme les lions de feu de dévaster Ridjeck Thome, ils quitteront instantanément les pentes du mont Tonnerre pour attaquer l'antre du Rogue. En vérité, il peut obtenir du destinataire de l'ordre tout ce que celui-ci sera en mesure d'accomplir. Pourtant, le haut seigneur Kevin ne l'a jamais utilisé.

« J'ignore quel dessein guida son cœur quand il renonça à boire le sang de la Terre. Aussi vais-je me contenter de vous exposer les périls du Pouvoir du Commandement.

La voix d'Amok devenait de plus en plus caverneuse. Covenant s'y accrochait désespérément, comme suspendu par ses doigts meurtris et ensanglantés au-dessus du gouffre de ses paroles. Un feu liquide coulait dans ses veines et des larmes pareilles à un flot de magma ruisselaient sur ses joues en sueur. L'odeur du Pouvoir de la Terre le faisait suffoquer. Son alliance le démangeait atrocement. Il n'arrivait pas à garder l'équilibre, car le sol se dérobait sans cesse sous ses pieds. Pourtant, ses perceptions passaient au travers de ses tourments. Ses sens submergés se tendaient comme s'ils allaient enfin sortir la tête de l'eau.

Il prit conscience d'un changement dans l'atmosphère de la caverne. Au-delà de l'entêtant parfum, il en capta un autre, déplacé en ce lieu : un relent qui rampait insidieusement dans l'air, tel un défi oblique opposé à une force immense et néanmoins incapable de l'arrêter. Mais il n'arrivait pas à localiser sa source.

Personne ne semblait avoir remarqué que quelque chose clochait. Après une courte pause, Amok reprit d'un ton las :

— Le premier des périls, mais pas forcément le plus redoutable, est la limite du Pouvoir du Commandement. Il ne possède aucune emprise sur ce qui ne fait pas naturellement partie de la Création. Ainsi, on ne peut l'utiliser

481

pour ordonner au Rogue de mettre un terme à ses agisse-
ments ou de se donner la mort. Le Mépris existait déjà
avant que l'arche du temps soit forgée ; le Pouvoir du
Commandement ne saurait donc le gouverner. Peut-être
est-ce la raison pour laquelle Kevin n'a pas bu le sang de
la Terre : parce qu'il ne voyait aucun moyen de s'en servir
contre son adversaire.

« Cependant, il est un second danger bien plus vaste et
bien plus subtil. Tout mortel qui aura le courage d'ingérer
le sang de la Terre ne recevra pas la capacité de prévoir
les conséquences de l'ordre qu'il a donné. S'il réclamait la
destruction de la Pierre de Maleterre, la force maléfique
que contient celle-ci survivrait peut-être – et qui sait si,
libérée de ses entraves matérielles, elle ne ravagerait pas le
Fief ? Déchaîner une puissance aussi dévastatrice, c'est
prendre le risque qu'elle se retourne contre vous et trahisse
votre dessein. Il existe des profanations que même le désespoir du haut seigneur Kevin n'aurait pu le pousser à
envisager.

La puanteur ambiante ne cessait de s'amplifier. Covenant ne parvenait toujours pas à l'identifier. Il n'arrivait
même pas à se concentrer sur elle : une question lui brûlait
les lèvres, mais l'ambiance étouffante lui serrait la gorge et
l'empêchait de la formuler.

Pendant qu'il luttait pour reprendre son souffle, Amok
tituba et se plia en deux. On aurait dit que quelque chose
venait de se briser en lui. Quand il se redressa, ses yeux
étaient écarquillés de douleur ou de chagrin et autour
d'eux, des rides profondes se dessinaient, comme si une
main invisible froissait sa peau. Ses joues duveteuses se
creusèrent ; sa chevelure devint grise. Quand il reprit la
parole, ce fut d'une voix faible et ténue.

— Je ne puis rien ajouter. Mon existence touche à sa
fin. Adieu, haut seigneur. Ne trahissez pas le Fief.

— Et l'or blanc ? réussit à prononcer Covenant.

Depuis le gouffre insondable des années qui venaient de
le rattraper, Amok répondit :

— L'or blanc existe par-delà l'arche du temps. Il
échappe au Pouvoir du Commandement.

Une convulsion le fit frissonner de la tête aux pieds. Il chancela jusqu'au ruisseau.

— Aide-le ! s'exclama Covenant.

Mais Elena se contenta de lever son Bâton en un salut flamboyant et muet.

Au prix d'un immense effort, Amok se redressa. Tournant son visage vers le plafond, il poussa un cri déchirant :

— Kevin ! La vie est douce, et j'ai eu si peu de temps pour en profiter ! Dois-je vraiment disparaître ?

Une troisième secousse le parcourut telle une réponse à sa supplique. Il trébucha comme si son squelette venait de se disloquer et tomba dans la rigole. En un clin d'œil, le sang de la Terre consuma sa chair flétrie.

— Amok ! gémit Covenant.

À travers ses larmes vaines, il fixa le ruisselet dans lequel leur guide venait de disparaître. Un vertige monta de la pierre instable, imprégnant ses muscles. La tête lui tourna. Il vacilla et tendit la main vers Elena pour se retenir.

L'épaule de la jeune femme était si dure qu'il lui sembla étreindre des os nus sous le lainage de la robe. Une détermination inflexible, une passion tangible et ravageuse irradiaient de son corps. Elle était sur le point de commettre un acte irrémédiable.

L'Incrédule en fut atterré. Malgré son malaise qui privait ses perceptions de tout ancrage, il localisa enfin la source de la mystérieuse corruption. Elle émanait d'Elena.

La jeune femme ne semblait pas consciente du mal qui l'habitait.

— Amok n'est plus, mais il a accompli sa mission. Il n'y a plus une seconde à perdre. Pour le salut de la Terre, je dois boire et ordonner.

Aux oreilles du lépreux, la voix d'Elena, vibrante d'excitation, débordait de conclusions erronées. Tant de besoins, de devoirs et d'intentions se bousculaient en elle qu'elle semblait sur le point de se briser.

Un éclair de lucidité frappa Covenant telle une main mouillée s'abattant sur sa nuque. Ses jambes se dérobèrent sous lui. Quand Elena se dégagea et s'approcha du ruisseau, il eut l'impression qu'elle venait de lui arracher ses dernières défenses.

Il resta à genoux, pris dans l'étau d'une vision. Il réalisait enfin toutes les façons dont il était responsable d'Elena, les diverses manières dont il l'avait amenée à devenir ce qu'elle était et guidée vers cette décision. Sa duplicité, sa violence et son égoïsme avaient, directement ou non, modelé chacun des aspects de l'existence de sa fille. Brusquement, il se souvint de l'apocalypse tapie dans son regard. C'était ça, la corruption qu'il avait perçue en elle.

Un frisson d'angoisse le parcourut. Il la regarda à travers le flou de ses larmes. Quand elle se pencha pour goûter au sang de la Terre, il bondit au mépris de la pierre glissante et cria d'une voix rauque :

— Elena ! Non ! Ne fais pas ça !

Elle se figea, mais ne se retourna pas. La rigidité de son dos se concentra en une question : « Pourquoi ? »

— Ne comprends-tu pas ? hoqueta Covenant. C'est encore une manigance de Turpide. Quelque chose de terrible va se produire !

Un moment, Elena demeura silencieuse pendant qu'il souffrait et haletait derrière elle. Puis, sur un ton d'austère conviction, elle lâcha :

— Je ne peux pas laisser passer cette chance de servir le Fief. J'ai été prévenue. Si ceci est une ruse de Crochal pour nous vaincre, c'est aussi un moyen de l'atteindre. Je n'ai pas peur de mesurer ma volonté à la sienne. Et je détiens le Bâton de la Loi. Il ne peut pas le manier ; sinon, jamais il ne nous l'aurait livré. Le Bâton est mon garant. Le Rogue ne peut rien contre ma vision.

— Ta vision ! (Covenant tendit les mains vers elle en un geste suppliant.) Ne réalises-tu pas d'où elle vient ? Elle vient de moi, de ce marché inique que j'ai passé avec les ranyhyn et qui a échoué, Elena !

— Bien qu'il ne t'ait servi à rien, il semble qu'il ait porté des fruits inattendus, contra la jeune femme. En échange de ce que tu leur offrais, les ranyhyn ont donné bien plus que tu ne pouvais prévoir.

Covenant ne sut pas quoi répondre et elle enchaîna :

— Qu'est-ce qui te prend, Incrédule ? Sans toi, jamais je ne serais arrivée jusqu'ici. À la Pierre Fendue, tu m'as apporté ton aide spontanément et sans la marchander, alors même que mon injuste colère venait de te mettre en péril. À présent, tu cherches à me retarder. Thomas Covenant, serais-tu lâche ?

— Lâche ? Par les feux de l'enfer ! Je suis un poltron de la pire espèce ! (Un peu de son ancienne rage lui revint, et il cracha à travers les larmes et la sueur qui emplissaient sa bouche :) Comme tous les lépreux. Nous n'avons pas le choix !

Elena pivota, tournant vers lui son regard flamboyant.

Sous le choc, Covenant s'écroula. Mais il se releva aussitôt et, mû par la peur qu'il éprouvait pour elle, osa affronter son pouvoir. Vacillant, il abandonna toute précaution et plongea tête la première.

— Je te parle de manipulation, Elena. Connais-tu la signification de ce mot ? Manipuler quelqu'un, c'est jouer sur ses failles psychologiques pour l'amener à servir un dessein qu'il n'a pas choisi. Et cette fois, il ne s'agit pas de Turpide, mais de moi !

« Je t'ai dit que j'avais passé un nouveau pacte. Cependant, je me suis bien gardé de t'expliquer en quoi il consistait. Je me suis promis de faire mon possible pour t'aider à retrouver le septième tabernacle ; en contrepartie, je voulais t'utiliser pour me dérober à mes responsabilités. J'ai attisé ta passion afin que tu défies le Rogue sans réfléchir aux conséquences de ton geste, afin que le sort du Fief retombe sur tes épaules et que je puisse m'échapper indemne !

« Par les feux de l'enfer, Elena ! Comprends-tu ce que j'essaie de te dire ? Si tu bois le sang de la Terre, Turpide nous anéantira !

La jeune femme parut n'entendre qu'une partie de ses révélations.

— M'as-tu jamais aimée ? demanda-t-elle en le dévisageant.

— Bien sûr que oui ! aboya Covenant, touché en plein cœur. (Il se ressaisit. Peu importaient ses sentiments ; tout ce qui comptait, c'était de faire entendre raison à Elena.) Je n'ai même pas envisagé de me servir de toi jusqu'à… après l'avalanche, quand j'ai compris ce dont tu étais capable. Je t'aimais bien avant ça. Et je t'aime toujours. Je suis juste un salaud dénué de scrupules. Je t'ai utilisée ; à présent, je le regrette. (Usant des ressources de sa voix, il la supplia :) Elena, oublie le Pouvoir du Commandement et retourne à Pierjoie. Laisse le conseil décider de ce qu'il convient de faire.

Mais la façon dont le regard de la jeune femme quitta son visage pour incendier les murs de la caverne lui apprit qu'il ne l'avait pas convaincue. Quand elle parla, elle ne fit que confirmer son échec.

— Je serais indigne de mon statut de haut seigneur si je renonçais si près du but. Amok nous a offert le septième tabernacle parce qu'il sentait que le besoin du Fief dépassait les conditions de sa création. En ce moment même, Crochal livre bataille à nos troupes. Il menace la Terre et la vie qu'elle porte en elle. Tant que je disposerai de la moindre arme, tant que le plus léger souffle de pouvoir m'animera, je ne l'y autoriserai pas ! (Elle se radoucit.) Et si tu m'aimes vraiment, comment pourrais-je ne pas t'aider à t'échapper ? Tu n'avais pas besoin de tenir ton marché secret. Je t'aime. Je veux te servir. Tes regrets ne font que renforcer ma détermination.

Brandissant le Bâton, elle tonna :

— *Melenkurion abatha !* Garde-toi bien, Crochal, car je ne connaîtrai pas de repos avant de t'avoir détruit !

Puis elle pivota et s'accroupit au bord du ruisseau.

Covenant lutta pour la rejoindre, mais ses pieds patinèrent sur la roche et il s'étala de tout son long. Tandis qu'Elena se penchait vers le sang de la Terre, il protesta :

— Ce n'est pas la bonne réponse ! Que fais-tu de ton serment de paix ?

Son cri ne parvint pas à pénétrer l'exaltation de la jeune femme. Sans hésitation, elle but une gorgée de liquide rouge.

Elle se releva d'un bond, aussi droite et raide que si elle était possédée. Sa silhouette parut enfler telle une icône distordue. Les flammes turquoise se propagèrent sur la longueur du Bâton de la Loi. Lorsqu'elles gagnèrent ses mains, son être entier s'embrasa.

— Elena !

Covenant rampa vers elle, mais la puissance du brasier le repoussa. Il s'essuya les yeux pour mieux voir Elena. À l'intérieur du halo flamboyant qui l'enveloppait, elle était indemne et déchaînée. Elle leva les bras et le visage vers le plafond. Un instant, elle demeura immobile au centre de la conflagration. Puis elle parla comme si elle crachait des salves de feu.

— Viens à moi ! J'ai goûté le sang de la Terre ! Tu dois te plier à ma volonté ! Les murs de la mort s'écroulent devant moi ! Kevin fils de Loric, je te somme d'apparaître !

— Non ! hurla Covenant. Ne fais pas ça !

Son cri fut noyé par une voix tonitruante qui fit vibrer l'air de telle sorte qu'il lui sembla l'entendre non avec ses oreilles, mais avec toute la surface de son corps.

— Idiote ! Renonce !

Transportée par la puissance sauvage qui l'habitait, Elena ne prêta aucune attention à cette mise en garde.

— Kevin, entends-moi ! Tu ne peux pas te dérober ! Le sang de la Terre te force à m'obéir ! C'est à toi que j'ai choisi d'adresser mon ordre ! Kevin, apparais !

— Idiote ! Tu ne te rends pas compte de ce que tu fais !

La voix vomissait des vagues d'angoisse qui submergèrent Covenant.

L'instant d'après, l'atmosphère changea brutalement, comme si une tombe glaciale venait de s'ouvrir au milieu de la grotte. Des lames d'agonie déferlèrent sur le lépreux, le faisant frémir de la tête aux pieds. Il se recroquevilla sur le sol et leva les yeux.

Nimbé par une pâle lumière, le spectre de Kevin le Dévastateur se découpait dans les airs face à Elena. Tel un monument de rigidité et de désolation, il surplombait la jeune femme comme s'il faisait partie intégrante de la montagne – comme s'il se manifestait à travers la pierre plutôt que dans l'espace de la caverne. Sa bouche était pareille à une plaie ; les ravages de la profanation grouillaient dans ses yeux et sur son front, un bandage semblait recouvrir une blessure mortelle.

— Libère-moi ! gronda-t-il. J'ai déjà fait bien assez de mal pour une seule âme !

— Alors, sers-moi ! hurla Elena, extatique. Je t'offre une occasion unique de te racheter. Tu es Kevin fils de Loric, dévastateur du Fief. Tu as bu la coupe du désespoir jusqu'à la lie et goûté le nectar empoisonné du fiel. Tu possèdes une force et des connaissances dont aucun mortel vivant ne peut se prévaloir.

« Haut seigneur Kevin, je te somme de combattre et de vaincre le seigneur Turpide le Rogue ! Détruis Crochal ! Par le Pouvoir du sang de la Terre, je te l'ordonne !

L'apparition la fixa d'un air consterné et leva les poings comme pour la frapper.

— Idiote !

Un choc terrible ébranla le sol et les murs. Comme si la porte d'une crypte venait de se refermer, une dernière vague d'angoisse assaillit Elena et ses compagnons. La flamme de la jeune femme s'éteignit telle une vulgaire chandelle et les ténèbres envahirent la caverne.

Kevin disparut.

Un long moment s'écoula. Covenant demeura prostré à quatre pattes, savourant l'obscurité et le retour à la normale. Puis il se souvint d'Elena. Il se redressa maladroitement et projeta sa voix vers elle.

— Elena ? Viens. Il faut sortir d'ici.

Il ne reçut pas de réponse.

Soudain, une flamme bleue troua les ténèbres. Elena avait allumé son Bâton. Le dos voûté et la tête basse, elle était assise par terre telle une épave échouée. Quand elle tourna son visage épuisé vers le lépreux, il constata que la crise était passée. L'ordre qu'elle venait de donner avait consumé son exaltation.

Il s'approcha d'elle et l'aida à se relever.

— Viens, répéta-t-il. Partons.

La jeune femme secoua vaguement la tête et dit d'une voix blanche :

— Il m'a traitée d'idiote. Qu'ai-je fait ?

— J'espère que nous ne le découvrirons jamais, répondit Covenant.

Il voulait réconforter Elena, mais ne savait pas comment s'y prendre ; aussi s'écarta-t-il pour lui laisser le temps de se ressaisir.

Son regard se posa sur Bannor, qui affichait une mine surprise et presque hostile. Cette expression peu familière remplit le lépreux d'appréhension : elle semblait dirigée contre lui. Cherchant une explication, il demanda :

— C'était bien Kevin, n'est-ce pas ?

Bannor acquiesça.

— Au moins, ce n'était pas ce fichu mendiant, marmonna l'Incrédule. Nous savons désormais que ce n'est pas Kevin qui m'a choisi pour cette mission.

Le regard de Bannor ne changea pas. Covenant se sentait exposé et mal à l'aise, comme s'il y avait en lui quelque chose d'indécent dont il n'avait pas conscience. Perplexe, il reporta son attention sur le haut seigneur.

Soudain, une explosion silencieuse ébranla la grotte telle une secousse sismique. Déséquilibrés, Covenant et Elena s'écroulèrent.

— Kevin revient, annonça Morin d'une voix atone.

La tombe enfouie dans l'air se rouvrit et la présence de Kevin vibra de nouveau sur la peau de Covenant. Cette fois, le spectre apportait avec lui une puanteur de chair pourrie et d'essence de rose, ainsi qu'un grondement de pierre broyée.

Le lépreux leva les yeux. Tout dans l'attitude de Kevin trahissait une intense fureur. Ses poings serrés tremblaient de colère. Un brasier émeraude emplissait ses orbites, dégageant une fumée nauséabonde, et il dégoulinait de lumière verte comme s'il venait de s'extirper d'un bourbier.

— Idiote ! glapit-il, au paroxysme de l'angoisse. Maudite traîtresse ! En brisant la loi de la mort pour m'appeler, tu as ouvert les portes de la Terre à des maux incommensurables, et le Rogue m'a maîtrisé aussi aisément que si j'étais un enfant ! La Pierre de Maleterre me consume ! Défends-toi, idiote ! J'ai reçu l'ordre de te détruire !

Rugissant telle une multitude démoniaque, il tendit une main vers Elena.

La jeune femme ne bougea pas. Elle était atterrée par les conséquences de son audace.

Mais Morin réagit instantanément.

— Kevin ! Arrière ! hurla-t-il en bondissant au secours du haut seigneur.

Kevin parut l'entendre et le reconnaître. Un souvenir très ancien resurgit de sa mémoire ; il hésita. Cela donna à Morin le temps d'atteindre Elena et de la pousser derrière lui. Quand Kevin se ressaisit, ses doigts se refermèrent sur le dragon au lieu du haut seigneur. Il le souleva d'un geste vif. Son bras passa à travers la pierre. Las ! Morin ne pouvait en faire autant. Il s'écrasa contre le plafond. L'impact l'arracha à l'étreinte de Kevin, mais le tua sur le coup. Son corps disloqué retomba comme une brindille brisée.

Cette vision dissipa l'hébétude d'Elena. En un éclair, elle réalisa quel danger la menaçait. Elle brandit le Bâton.

Un rayon de flammes bleues fusa vers Kevin. Atteint en pleine poitrine, le spectre recula d'un pas, mais il se reprit aussitôt et, poussant un grognement de douleur, s'avança pour saisir son adversaire.

— *Melenkurion abatha !* hurla Elena.

Elle bloqua la main tendue avec l'instrument. L'extrémité enflammée du haut bois brûla la paume de Kevin, qui battit en retraite, maugréant et agitant ses doigts meurtris.

Elena profita de ce répit pour crier une invocation et faire tournoyer le Bâton trois fois. Un bouclier de pouvoir se déploya autour d'elle. Quand Kevin fit mine de l'empoigner, il ne réussit pas à refermer sa main. Le cocon d'énergie s'enfonça légèrement sous ses doigts, mais il ne put atteindre sa proie.

Rugissant de frustration, il changea de tactique. Il se redressa de toute sa hauteur, serra les poings et les abattit sur le sol. La roche tressauta violemment. La secousse déséquilibra Covenant et projeta Bannor contre la paroi opposée.

Un frisson pareil à une convulsion de douleur ébranla la montagne. La grotte réagit sous l'impact ; un grondement d'avalanche emplit les oreilles du lépreux.

Puis une fissure apparut sous les pieds d'Elena. Avant que celle-ci réalise ce qui se passait, le sol ouvrit tout grand ses mâchoires de pierre, telle une gueule avide prête à l'engloutir. Le haut seigneur dégringola dans le vide.

Hurlant comme un dément, Kevin s'élança à sa suite et disparut.

Cependant, la bataille n'était pas terminée. Un geyser de feu seigneurial jaillit du gouffre. Le rugissement de la pierre torturée martela les murs et la cavité se souleva comme si une violente nausée tordait les entrailles de Melenkurion Barreciel. Horrifié, Covenant crut que la montagne allait s'écrouler sur lui.

Puis une main puissante le redressa et il entendit Bannor s'époumoner à travers le tumulte.

— Sauvez-la !

— Je ne peux pas ! se lamenta-t-il. Je ne peux pas !

L'exigence du sangarde retournait le couteau de son impuissance dans la plaie ; il ne pouvait pas supporter cette torture.

— Vous devez le faire !

La poigne de fer de Bannor ne lui laissait pas le choix.

— Comment ? (Agitant ses mains vides sous le nez du sangarde, il cracha :) Avec ça ?

— Oui !

Bannor lui saisit le poignet gauche et le força à regarder sa main.

À son annulaire, l'alliance palpitait d'un éclat féroce ; elle dardait son pouvoir et sa lumière tel un puissant artefact suppliant qu'on l'utilise.

Un instant, le lépreux la contempla bouche bée, comme si elle l'avait trahi. Puis, oubliant son idée de fuite, son instinct de survie et même son ignorance de la magie sauvage, il se dégagea de l'étreinte de Bannor et tituba vers la crevasse. Sans réfléchir, il sauta dans le vide pour rejoindre Elena.

26

Montgibet

LA TENTATIVE DE SAUVETAGE DE COVENANT était vouée à l'échec. Il était incapable de se préparer au genre de combat qui faisait rage en contrebas. Alors qu'il bondissait, il fut frappé de plein fouet par une explosion de pouvoir pareille à une éruption souterraine. Il était sans défense contre elle ; elle étouffa sa conscience comme une flamme ténue.

Un moment, il se débattit dans les ténèbres. Il courut dans un vide obscur et hurlant qui se dressa et retomba sur lui, le faisant tanguer tel un navire au mât brisé. Il ne percevait rien d'autre que la force qui le bringuebalait en tout sens.

Puis une main saisit la sienne comme pour lui fournir un point d'ancrage. Il crut d'abord que c'était celle Elena, que la jeune femme le tenait comme la première nuit après son retour dans le Fief. Mais quand il s'arracha au noir, ce fut le visage de Bannor qui apparut à ses yeux. Le sangarde le tirait hors de la crevasse.

Cette vision entérina son abjecte défaite. Il s'était enfin décidé à agir au mépris de sa sécurité et avait échoué. Trop peu, trop tard… Lorsque Bannor le reposa sur ses pieds, il vacilla au milieu du tumulte de la bataille telle une coque éventrée, une cale vide dans laquelle la mort s'engouffrait par une brèche au-dessous de sa ligne de flottaison. Il ne résista pas, ne posa pas la moindre question tandis que Bannor l'entraînait hors de la caverne.

Seuls des ricochets de lueur bleue et verte éclairaient le tunnel, mais Bannor se déplaçait d'un pas sûr sur la pierre glissante. En quelques instants, il eut conduit son protégé titubant jusqu'à la cascade. Il le souleva dans ses bras et le porta comme un enfant pour lui faire traverser le rideau liquide.

Baigné par la lumière de roche de Terracine, il se dirigea vers la pirogue, déposa Covenant sur un des sièges et sauta à bord. Puis il se mit à parler dans la langue natale des haruchai. L'embarcation se détacha de la jetée et se faufila entre les premiers piliers. Mais au bout de quelques centaines de mètres, le sangarde perçut une résistance. Tel un chien tirant sur sa laisse, la proue cherchait à dévier de sa direction initiale. Il se tut. Aussitôt, l'esquif effectua un quart de tour et prit de la vitesse.

Covenant ne réagit pas. Hagard, il fixait le vide sans le voir.

Bannor haussa un sourcil, mais ne dit rien. Il garda le silence pendant un long moment, attendant que leur nouvelle destination se révèle à eux.

Au détour d'une colonne, il découvrit enfin la cause de leur changement de trajectoire. Très loin devant eux, la lumière de roche flamboyait le long d'une fracture horizontale qui s'étendait à perte de vue des deux côtés du bateau. L'eau de Terracine s'y engouffrait en cataractes silencieuses.

Sans se troubler, Bannor sortit une corde de *glutor* de son paquetage et attacha Covenant à son siège. En réponse à l'expression vaguement interrogatrice du lépreux, il expliqua :

— L'affrontement de Kevin et du haut seigneur a ouvert une fissure dans le fond de Terracine. Nous devons descendre le courant et chercher un moyen de ressortir plus bas.

Il saisit une des planches et l'arracha au plat-bord. Ses gestes précis et efficaces étaient dénués de la moindre hésitation, comme s'il se préparait à cette épreuve depuis toujours. Tenant à deux mains le long morceau de bois incurvé, il pivota vers la proue pour jauger la distance qui les séparait de la chute.

La ligne écarlate ne se trouvait plus qu'à une centaine de mètres devant eux. Aspirée par le courant, la pirogue filait vers elle de plus en plus vite.

Bannor se pencha vers Covenant.

— Seigneur suprême, vous devez utiliser l'*orcrest*, dit-il d'une voix autoritaire dont les échos se réverbérèrent à la surface de Terracine.

Le lépreux le dévisagea sans comprendre.

— Elle est dans votre poche, insista Bannor. Sortez-la.

Un instant, Covenant continua à le fixer sans réagir. Puis il s'arracha à l'hébétude et obtempéra. Il tendit maladroitement la pierre dans sa main droite mutilée, comme s'il n'arrivait pas à la serrer avec son pouce et ses deux doigts restants.

À présent, la brèche béait moins de dix mètres devant eux. Bannor ne perdit pas son calme pour autant.

— Prenez-la dans votre main gauche, ordonna-t-il sur un ton ferme. Tenez-la au-dessus de votre tête pour qu'elle éclaire notre chemin.

Lorsque l'*orcrest* entra en contact avec l'anneau palpitant du lépreux, un rayon argenté jaillit de son cœur, soulignant le contour de la planche que tenait Bannor et faisant pâlir la lumière de roche alentour. Covenant leva le galet à bout de bras telle une torche. Le sangarde eut un hochement de tête approbateur. Son visage exprimait une intense satisfaction, comme si après des siècles d'attente et de service, il venait enfin de remplir les conditions de son vœu.

Puis la proue bascula et le torrent emporta ses deux passagers dans les profondeurs obscures de Terracine. Autour d'eux, l'eau bouillonnait follement, mais à la clarté de l'*orcrest*, Bannor repéra qu'une des extrémités de la crevasse débouchait sur une autre caverne. À l'aide de sa perche improvisée, il manœuvra dans cette direction.

Le flot frénétique entraîna les deux hommes à travers un long cauchemar de remous tumultueux, de rochers déchiquetés, de goulets d'étranglement et de chutes abruptes. Ils frôlèrent la mort à plusieurs reprises.

Avec un grondement de tonnerre, le lac se ruait dans un dédale de failles et de galeries : les boyaux insondables de Melenkurion Barreciel. Chaque fois qu'il menaçait d'engloutir l'esquif, le bois puissant dans lequel il avait été taillé le ramenait à la surface.

Lorsqu'une cascade se déversait sur Bannor et Covenant, l'eau se contentait de les gifler sans consumer leur chair. Le sang de la Terre perdait peut-être son pouvoir en s'éloignant de sa source – ou peut-être s'était-il déjà trop dilué dans les nappes souterraines traversées en chemin.

Bien que ballotté en tout sens, Covenant continuait à brandir l'*orcrest*. Une endurance jusqu'alors insoupçonnable verrouillait ses doigts sur la pierre et maintenait son bras en l'air. Grâce à l'éclat argenté du talisman, Bannor pouvait manœuvrer la pirogue, éviter les écueils, négocier les courbes et maintenir le cap.

La violence du courant ne tarda pas à briser sa perche, mais il la remplaça par l'autre moitié du plat-bord. Quand celle-ci tomba en morceaux à son tour, il utilisa un siège comme gouvernail. Ses ressources semblaient aussi infinies que sa force et sa détermination à protéger Covenant.

Soudain, une immense vague projeta le bateau à l'intérieur d'une cavité apparemment sans issue. Dans cet espace clos, l'eau captive se déchaînait et rugissait tel un fauve en cage. Un tourbillon vicieux s'empara de l'embarcation et commença à l'entraîner par le fond.

Bannor lutta pour rejoindre Covenant. Il lui crocheta ses jambes autour de la taille, lui prit l'*orcrest* et, s'y accrochant comme à une bouée de sauvetage, plaqua sa main libre sur le nez et la bouche du lépreux.

Quelques instants plus tard, le bateau coula et l'eau se referma au-dessus de la tête des passagers. Bannor sentit ses yeux s'enfoncer dans leurs orbites et un éclair de douleur traverser ses tympans. Covenant se débattit furieusement dans son étreinte, mais il tint bon et l'empêcha de respirer.

Puis la barque fut aspirée par un tunnel latéral. Immédiatement, la pression de l'air emprisonné la propulsa vers le haut. Covenant s'affaissa contre Bannor. Les poumons du sangarde étaient en feu ; pourtant, il conserva assez de présence d'esprit pour se redresser tandis que l'esquif s'engouffrait dans la crevasse de la Pierre Fendue.

Un instant, l'éclat aveuglant du soleil, le ciel d'azur et la masse sombre du Garrot tanguèrent autour de Bannor. Des taches noires dansèrent devant ses yeux ; puis les impératifs de son vœu reprirent le dessus. Enveloppant la poitrine de Covenant de ses deux bras, il lui imprima une violente secousse qui fit repartir ses poumons.

Le lépreux hoqueta et toussa. Quelques secondes s'écoulèrent avant qu'il reprenne connaissance. Son anneau pulsait comme pour lui communiquer l'énergie de la magie sauvage. Enfin, il ouvrit les yeux et découvrit le visage du sangarde penché sur lui.

Il s'agita faiblement dans ses entraves de *glutor*. Bannor le surplombait tel un djinn veillant une âme damnée. « Non ! Par les feux de l'enfer ! » songea-t-il. Puis il réalisa où il était, se rappela comment il y était arrivé et ce qu'il avait laissé derrière lui. Son regard se voila. Immobile, il attendit que Bannor dénoue la corde qui l'entravait.

Par-dessus l'épaule de Bannor, il aperçut l'immense falaise de la Pierre Fendue et les pics jumeaux de Melenkurion Barreciel qui rapetissaient tandis que le bateau s'éloignait au fil de la rivière. Une épaisse fumée noire, sporadiquement traversée par des éclairs, s'échappait de la crevasse. La bataille se poursuivait dans les entrailles de la montagne. Des détonations assourdies ébranlaient la roche, ravageant la tombe des âges. Covenant avait l'impression de flotter sur une vague de destruction.

Il jeta un coup d'œil craintif à son alliance. L'or blanc palpitait avec une férocité inchangée. Instinctivement, il le recouvrit de sa main droite. Puis il pivota vers la proue, tournant le dos au sangarde et à la Pierre Fendue comme pour se protéger contre une inspection.

Pendant toute la journée, il resta recroquevillé sur luimême. Il n'adressa pas la parole à Bannor, ne l'aida pas à manœuvrer l'embarcation, ne regarda pas une seule fois derrière lui. Les courants souterrains que vomissait Melenkurion Barreciel menaçaient de faire déborder la Noire ; sur ses flots impétueux, la pirogue filait entre les arbres sévères, qui l'encadraient tels des murs impénétrables. Le soleil scintillait à la surface de l'eau sombre, mais Covenant la fixait sans jamais cligner des yeux, comme si l'épuisement avait anéanti jusqu'aux réflexes de ses paupières.

Bannor lui offrit de la nourriture détrempée, qu'il avala mécaniquement, la main gauche coincée entre ses cuisses. L'après-midi s'écoula sans qu'il s'arrache à la torpeur. À la tombée de la nuit, il était toujours prostré sur son siège, serrant son anneau contre sa poitrine comme pour se prémunir contre le coup de poignard d'une ultime révélation.

Tandis que la pénombre s'épaississait autour de lui, il prit conscience de la musique. Une chanson sans paroles flottait dans l'air du Garrot. Cette étrange mélodie, qui semblait émaner de chaque feuille, formait un vif contraste avec le tumulte lointain de Melenkurion Barreciel, l'hymne de violence que dégorgeait la Pierre Fendue. Lentement, Covenant leva la tête pour l'écouter. Il percevait en elle des inflexions douloureuses, une rage puissante et antique contenue à grand-peine.

Dans la lumière de l'*orcrest*, il vit Bannor guider le bateau vers une haute colline qui se découpait contre le ciel nocturne, non loin de la berge sud de la Noire. Aucune plante ne poussait sur ses pentes dénudées, comme si sa capacité à alimenter la vie avait été anéantie depuis bien longtemps. Pourtant, elle semblait être la source du mystérieux fredonnement. Les notes qu'elle envoyait vers la rivière résonnaient aux oreilles du lépreux telle la complainte d'une horde de furies enfin apaisées.

Covenant la détailla sans la moindre curiosité. Il n'avait plus la force de s'interroger, plus l'envie de s'intéresser à quoi que ce soit. Les lambeaux de sa raison vacillante étaient focalisés sur les bruits de combat qui résonnaient dans son dos et sur la main qui dissimulait son alliance. Quand Bannor accosta et le prit par le coude pour l'aider à descendre de la barque, il s'appuya sur lui et le suivit sans discuter.

Le sangarde l'entraîna vers la butte. Il la gravit d'une démarche raide, le regard perdu dans le vague.

Bientôt, une curieuse sensation traversa le brouillard de son hébétude. Il percevait la mort du sol à travers ses semelles – si tangible qu'il avait l'impression de fouler un cadavre. Mais c'était une mort salutaire, car elle découlait du massacre d'ennemis ancestraux. La haine qu'elle dégageait crispa douloureusement les articulations du lépreux. Il se mit à transpirer et à trembler comme s'il portait le poids d'une atrocité sur ses épaules.

Arrivé aux trois quarts de la pente, Bannor s'arrêta et leva l'*orcrest*. Alors, Covenant aperçut le gibet dressé au sommet de l'éminence. Un géant s'y balançait au bout d'une corde. À ses pieds, des gens que l'Incrédule connaissait bien le fixaient comme s'il était une apparition cauchemardesque.

Mhoram se tenait très droit dans sa robe bleue crasseuse. Sa main gauche agrippait son bâton et une vision figeait ses traits. Derrière lui, Callindrill était encadré par deux sangardes : Quaan et Amorine. L'ombre de la défaite obscurcissait ses yeux d'ordinaire si clairs. Sur la droite de Mhoram, qui le soutenait de sa main, se trouvait Hile Troy.

L'insigne de la milice avait perdu ses lunettes et son bandeau. La peau qui recouvrait ses orbites vides était plissée et il penchait la tête sur le côté comme pour mieux entendre. Covenant comprit instinctivement qu'il avait perdu le don de vue accordé par le Fief.

Un peu à l'écart du groupe, le lépreux avisa un homme qu'il n'avait jamais rencontré. Il était grand et mince, avait les cheveux blancs et des yeux argentés, dénués de pupilles. C'était lui qui chantait, fredonnant tout bas comme pour arroser le sol de sa mélodie. Covenant devina qu'il s'agissait de Caerroil Folbois.

Quelque chose de sévère mais respectueux dans l'expression du forestal rappela l'Incrédule à lui-même. Enfin, il perçut l'angoisse de ceux qui l'observaient et s'écarta de Bannor pour assumer seul le poids de son fardeau. Il affronta l'inévitable avec un regard si intense que son front le brûla.

À l'instant où il ouvrait la bouche pour parler, une détonation en provenance de la Pierre Fendue lui fit perdre l'équilibre. Il tendit la main vers Bannor pour se retenir et exposa involontairement son anneau.

Faisant face à Mhoram et à Troy avec tout le courage dont il était capable, il grogna :

— Elle est perdue. Je l'ai perdue.

Un rictus tordit ses lèvres et ses paroles en émergèrent brisées, comme des fragments de son cœur.

Sa révélation parut étouffer la musique et amplifier la clameur assourdie de la Pierre Fendue. Chaque déflagration le frappait tel un coup au plexus. Cependant, la sensation de mort sous ses pieds devenait de plus en plus vivace et il ne pouvait ignorer le géant pendu face à lui. Il réalisa qu'il s'adressait à des êtres qui avaient, eux aussi, survécu à maintes épreuves. Il frémit, mais ne tomba pas quand ils commencèrent à protester, quand Troy poussa un cri étranglé : « Perdue ? Comment ça ? », et quand Mhoram demanda d'une voix blanche : « Que s'est-il passé ? »

Sous le ciel nocturne, au sommet de la colline sans vie éclairée par les étoiles, par les braises jumelles des yeux de Caerroil Folbois et par la lumière de l'*orcrest*, Covenant s'accrocha à Bannor tel un infirme s'apprêtant à témoigner contre lui-même. Avec des phrases balbutiantes, il relata la quête du haut seigneur Elena. Il ne mentionna ni la concentration de son regard ni la passion qui l'avait consumée. Mais il raconta le reste : le marché qu'il avait conclu, la descente à Terracine, la fin d'Amok, le rappel de Kevin le Dévastateur et la chute d'Elena.

Quand il se tut, un silence atterré plana telle une condamnation.

— Je suis désolé, bredouilla-t-il. (Se forçant à boire jusqu'à la lie la coupe amère de l'impuissance, il ajouta :) Je l'aimais. Je l'aurais sauvée si j'avais pu.

— Vous l'aimiez ? murmura Troy. Et vous l'avez laissée seule ?

Sa voix était trop faible pour exprimer l'immensité de sa douleur.

Mhoram se couvrit les yeux d'un geste brusque et baissa la tête. Quaan, Amorine et Callindrill se rapprochèrent les uns des autres, comme s'ils avaient besoin de leur soutien mutuel pour supporter ce qu'ils venaient d'entendre.

Une nouvelle déflagration vibra dans l'air. Alors, Mhoram releva la tête et fixa Covenant, les joues ruisselantes de larmes.

— Vous aviez raison, souffla-t-il. La folie n'est pas le seul danger qui guette le rêveur.

Covenant grimaça. Il n'avait rien de plus à dire. Toutefois, Bannor parut capter un sous-entendu dans les paroles de Mhoram. Comme pour corriger une injustice, il sortit de son paquetage le buste d'*anundivian yajña* et le lui tendit en expliquant :

— Le haut seigneur l'a offert au seigneur suprême.

Mhoram prit la sculpture et une lueur de compréhension passa dans ses yeux. Il comprenait le lien qui unissait Elena aux ranyhyn et la signification du présent. Un sanglot contracta son visage. Il se ressaisit très vite et se tourna vers Covenant.

— C'est un cadeau précieux, lui dit-il doucement.

Le lépreux fut aussi touché par son attitude conciliante que par le soutien inattendu de Bannor. Mais il n'avait plus assez de force pour leur manifester sa gratitude. Son regard était rivé sur Hile Troy.

Tandis que les éléments du tableau s'ordonnaient dans son esprit, l'insigne tressaillait comme sous des coups de boutoir répétés. En lui, une tempête couvait. Il semblait revoir Elena, se souvenir des jours passés auprès d'elle, humer son parfum, s'émouvoir de sa beauté... Contempler sa fin vaine et solitaire.

— *Perdue ?* haleta-t-il, en proie à une fureur grandissante. Perdue ? Seule ? (Soudain, il explosa.) Vous appelez ça de l'amour ? Lépreux ! Incrédule ! (Il cracha ces mots comme s'ils étaient les pires insultes qui se pussent concevoir.) Ce n'est qu'un jeu pour vous. Vous l'avez manipulée. En fait, votre infirmité est plus morale que physique. Vous êtes trop égoïste pour aimer quiconque d'autre que vous-même. Vous avez le pouvoir de faire n'importe quoi et refusez de l'utiliser. Vous auriez pu la sauver, mais vous lui avez tourné le dos.

« Vous êtes abject, méprisable ! rugit-il.

Les muscles de son cou saillaient et les veines de ses tempes étaient gonflées comme si la haine allait les faire exploser.

Covenant perçut la vérité dans ses propos. Son marché l'avait exposé à de telles accusations et Troy perçait à jour sa vulnérabilité, comme si une clairvoyance prophétique le guidait par-delà la cécité. Lorsqu'il marqua une pause avant de livrer l'assaut suivant, le lépreux protesta faiblement :

— Mon incrédulité n'a rien à voir là-dedans. Elena était ma fille.

— Quoi ?

— Ma fille, répéta-t-il avec la finalité d'un verdict. J'ai violé la fille de Trell. Elena était sa petite-fille.

— Votre fille…

Tant de dépravation ! Trop abasourdi pour crier, Troy poussa un grognement. Les crimes du lépreux étaient si monumentaux que son esprit n'arrivait pas à les appréhender.

— Mon ami, intervint prudemment Mhoram, telle est l'information que je vous ai dissimulée. Je cherchais à vous ménager et n'ai réussi qu'à vous blesser. Veuillez me pardonner. Le conseil craignait que vous ne preniez l'Incrédule en horreur.

— Et il avait bien raison, haleta Troy.

Incapable de se contenir plus longtemps, il tendit une main et, guidé par un instinct infaillible, s'empara du bâton de Mhoram. Il pivota sur lui-même pour prendre son élan et l'abattit de toutes ses forces sur la tête de Covenant.

La soudaineté de l'attaque prit Bannor de court. Mais il se ressaisit très vite et bondit sur Troy pour dévier le coup. Ainsi, seule l'extrémité ferrée de l'instrument heurta le front de Covenant.

Déséquilibré, le lépreux bascula en arrière et roula dans la pente. Il parvint à freiner sa chute et se redressa sur les genoux. Quand il porta une main à son crâne, il la retira couverte de sang. Une entaille lui barrait le front à l'endroit où Troy l'avait frappé. La haine et la mort qui irradiaient du sol l'imprégnaient jusqu'à la moelle, et un liquide tiède dégoulinait sur ses joues comme si quelqu'un lui avait craché à la figure.

L'instant d'après, Mhoram arracha le bâton des mains de Troy tandis que Quaan le ceinturait.

— Imbécile ! gronda le seigneur. Vous oubliez le serment de paix !

Fou de rage, Troy se débattit dans l'étreinte du brandebourg.

— Je n'ai prêté aucun serment ! Lâchez-moi ! s'époumona-t-il.

— Vous êtes l'insigne de la milice, répliqua Mhoram sur un ton menaçant. Le serment de paix vous lie autant que nous. Si ce n'est pas une raison suffisante pour vous empêcher de commettre un meurtre, songez que l'armée du Rogue est détruite et que le Lamineur se balance au bout d'une corde.

— Nous avons été décimés ! À quoi bon une victoire si coûteuse ? Il aurait mieux valu que nous perdions ! s'étrangla Troy, comme asphyxié par la perfidie qui émanait de Covenant.

Mhoram ne se laissa pas émouvoir. Il saisit l'aveugle par le plastron et le secoua.

— Alors, retenez votre bras, parce que le haut seigneur vit toujours.

— Comment ça ? sursauta Troy. Elle n'est pas morte ?

— Nous l'entendons encore se battre. Ne comprenez-vous pas l'origine de ces détonations ? En ce moment même, Elena continue à lutter contre le spectre de Kevin, affirma Mhoram. Le Bâton de la Loi lui prête sa force et Kevin n'est pas aussi puissant qu'elle le croyait. Mais la preuve la plus flagrante qu'elle est en vie, c'est que l'Incrédule se trouve toujours parmi nous. C'est elle qui l'a invoqué ; il restera dans le Fief jusqu'à sa mort. Ainsi en fut-il voilà quarante ans, quand Sialon Larvae l'appela pour la première fois.

— Elle se bat encore ? hoqueta Troy. Alors, nous devons l'aider !

Mhoram frémit comme s'il l'avait giflé. La douleur crispa son visage.

— Comment ? lâcha-t-il sur un ton affligé.

— Comment ? fulmina Troy. Vous osez me le demander ? C'est vous le seigneur ! Faites quelque chose !

Mhoram se redressa.

— Cinquante lieues nous séparent de la Pierre Fendue. À dos de ranyhyn, il nous faudrait un jour et une nuit pour atteindre le pied de la falaise. Ensuite, Bannor devrait nous guider jusqu'au cœur de la montagne. Il se peut que les répercussions du combat aient déjà détruit les souterrains ou que ceux-ci s'effondrent si nous les traversons. Quand bien même nous parviendrions à rejoindre le haut seigneur, nous n'aurions à lui offrir que le soutien de deux seigneurs. Grâce au Bâton de la Loi, elle est plus puissante que nous.

Les deux hommes se toisèrent comme si leur esprit s'affrontait par-delà la cécité de Troy. Mhoram ne se déroba pas face à la rage de l'insigne. Son chagrin se lisait clairement sur son visage, mais il ne niait ni ne maudissait son impuissance. Troy dut se tourner vers quelqu'un d'autre.

— Vous ! hurla-t-il en pivotant vers Covenant. Si vous êtes trop lâche pour la sauver vous-même, donnez-moi une chance de le faire à votre place ! Confiez-moi votre alliance ! Je la sens d'ici ! Remettez-la-moi ! Vite ! C'est son seul espoir !

Agenouillé sur la terre morte de Montgibet, Covenant leva la tête et dévisagea l'aveugle à travers le sang qui lui coulait dans les yeux. Un moment, il ne put lui répondre. L'adjuration de Troy le submergeait telle une avalanche, balayant ses ultimes défenses et mettant sa honte à nu. Il aurait dû être capable de sauver Elena. Il en avait le pouvoir – ce pouvoir qui palpitait à son annulaire gauche. Mais il ne l'avait pas utilisé. L'ignorance n'était pas une excuse valable.

La poitrine comprimée par l'atmosphère stérile de la colline, il se releva péniblement et remonta la pente. Il ne voyait pas où il allait et sa tête lui faisait mal comme si des échardes d'os s'enfonçaient dans son cerveau. En lui, une voix silencieuse protestait : « Non ! Ne fais pas ça ! » Il l'ignora. De sa main mutilée, il saisit son anneau. Celui-ci parut résister, mais en arrivant au niveau de Troy, il réussit enfin à l'arracher de son doigt. D'une voix gargouillante, comme si sa bouche était pleine de sang, il dit :

— Prenez-le. Sauvez-la.

Il le déposa dans la paume tendue de l'insigne.

Le contact du métal palpitant raviva l'exaltation de Troy. Il se détourna et s'élança vers le sommet de la butte. Là, il s'immobilisa, tourna la tête en tous sens et tendit l'oreille pour localiser la Pierre Fendue d'après le fracas qui résonnait dans l'air. Tel un titan, il brandit le poing vers le ciel. L'or blanc s'embrasa comme si son pouvoir répondait à l'appel de sa passion.

— Elena ! rugit-il. Elena !

Soudain, le grand homme aux cheveux blancs apparut à son côté. Sa mélodie prit une inflexion dangereuse qui se répandit telle une brume paralysante à la surface de l'éminence. Covenant, les deux seigneurs, les sangardes et même Troy se figèrent.

Caerroil Folbois leva son sceptre noueux.

— Non, chantonna-t-il d'une voix aiguë. Je ne puis te laisser faire. Tu oublies la dette que tu as contractée envers moi. Si tu parvenais à maîtriser la magie sauvage, peut-être t'en servirais-tu pour te délier de tes obligations.

De l'extrémité de son bâton, il toucha le poing dressé de Troy. L'alliance tomba. Elle n'avait pas plus tôt quitté la main de l'insigne que son pouvoir et sa lumière s'estompèrent. Quand elle toucha le sol sans vie, roula sur les volutes de la mélodie et vint s'immobiliser aux pieds de Covenant, elle ne ressemblait déjà plus qu'à un anneau ordinaire.

— Ta promesse est irrévocable, reprit Caerroil Folbois. Au nom de la Forêt primordiale et du Garrot qui n'oublie ni ne pardonne, j'exige mon dû. (Il posa solennellement la pointe de son sceptre sur le front de Troy.) Homme sans yeux, tu t'es engagé à me verser le prix de mon choix en échange de mon aide. Je réclame ta vie.

Mhoram voulut protester, mais la mélopée l'en empêcha. Il ne put qu'assister, impuissant, à la transformation de Troy.

— Désormais, tu seras Caer-Caveral, mon disciple, fredonna Caerroil Folbois. Tu m'assisteras dans ma tâche. Ensemble, nous arpenterons le Garrot. Je t'enseignerai les voies de la forêt, la chanson des arbres et le nom des bois vénérables qui demeurent en éveil. Tant que leur conscience perdurera, nous les servirons. Nous chérirons chacune de leurs pousses et serons l'instrument de leur vengeance contre toute haïssable intrusion humaine. Oublie ton amie insensée. Tu ne peux pas la secourir. Caer-Caveral, je t'ordonne de rester ici et de devenir mon apprenti !

Peu à peu, la musique remodelait le corps de Troy. Sous son influence, les jambes de l'aveugle se soudèrent. Des racines jaillirent de ses pieds et s'enfoncèrent dans le sol. Ses vêtements se couvrirent d'une mousse sombre. Son corps se changea en un tronc à l'écorce rugueuse et son bras droit en une branche unique dressée vers le ciel. Des feuilles d'un vert tendre se déplièrent autour de son poing.

— Ensemble, nous guérirons le Garrot, conclut Caerroil Folbois d'une voix douce.

Puis il se tourna vers les seigneurs et Covenant. L'éclat argenté de ses yeux s'intensifia, faisant pâlir jusqu'à la lumière de l'*orcrest*. Des notes pareilles à des perles de rosée tombèrent de sa bouche.

> Mais la hache et le feu m'ont ravagée ;
> J'ai goûté l'avidité destructrice des hommes.
> Pour sauver la rouge sève de votre cœur, fuyez
> Car désormais ma haine ne connaît plus de bornes.

Tandis que ses paroles transperçaient l'Incrédule et ses compagnons, il disparut, comme si la mélodie avait tissé un cocon d'invisibilité autour de lui. Mais l'écho de son avertissement s'attarda dans l'air, répétant son ordre pour mieux le graver dans leur esprit.

Lentement, tels des dormeurs s'arrachant avec difficulté aux brumes de leur rêve, Covenant et les seigneurs promenèrent un regard à la ronde. Quaan et Amorine se précipitèrent vers l'arbre moussu. Un profond chagrin se lisait sur leur visage, mais leur long calvaire avait sapé leurs forces et engourdi leur cœur. Ils n'étaient plus capables de se révolter ni d'éprouver la moindre horreur. Amorine fixa Caer-Caveral, hébétée ; visiblement, elle ne comprenait pas ce qui venait de se passer. Les yeux pleins de larmes, Quaan lança :

— Salut à vous, insigne !

505

L'atmosphère funeste de Montgibet étouffa sa voix. Il n'ajouta rien.

Derrière lui, Mhoram s'affaissa. De ses mains tremblantes, il leva son bâton en un adieu muet. Callindrill le rejoignit ; tous deux se mirent épaule contre épaule, comme pour se soutenir mutuellement.

Covenant se laissa tomber à genoux pour ramasser son alliance. Il s'en saisit tel un acolyte inclinant le front vers le sol et la glissa à son annulaire gauche. Puis il tenta d'essuyer le sang qui lui coulait dans les yeux.

À cet instant, une détonation en provenance de la Pierre Fendue ébranla la colline. Le lépreux s'écroula face contre terre. Des ténèbres qui semblaient jaillir du sol ravagé envahirent son champ de vision. Derrière lui, Melenkurion Barreciel poussa un grognement d'agonie.

Un frisson parcourut le Garrot ; un craquement monstrueux fit vibrer l'atmosphère. Covenant sentit de l'agitation autour de lui. Des gens se déplaçaient, mais il ne les entendait pas. Ses tympans étaient assaillis par un hurlement strident, cri de triomphe poussé par des milliers de voix discordantes. La clameur s'intensifia jusqu'à ce qu'elle dépasse la portée de ses perceptions et résonne directement dans son cerveau.

Puis des mots lui parvinrent au-delà de son ouïe saturée.

— La Pierre Fendue a éclaté, dit Bannor. Le Fief va être inondé.

— À tout le moins, cela devrait nettoyer les catacombes du mont Tonnerre, fit remarquer Callindrill.

— Prenez garde ! s'exclama Mhoram. L'Incrédule nous quitte. Le haut seigneur est tombée.

Mais toutes ces choses dépassaient Covenant ; il ne pouvait pas s'y raccrocher. La terre noire de Montgibet se déployait devant son visage telle une nuit incarnée. Le hurlement démoniaque monta dans les aigus, emplissant son crâne, sa poitrine et ses membres comme pour réduire ses os en poudre. Il le submergea. Covenant lui répondit par un cri silencieux.

27

Lépreux

LE HURLEMENT SE FIT PLUS IMPITOYABLE et tranchant. Covenant le sentit briser les barrières de sa compréhension et le précipiter au fond d'un gouffre vertigineux. L'impact fut si violent qu'il rebondit. Quand il s'immobilisa enfin, il sentit une surface dure contre son visage et sa poitrine.

Peu à peu, il réalisa qu'elle était humide et poisseuse, et qu'une odeur cuivrée s'en dégageait.

Cette perception rétablit la frontière qui existait entre lui et son environnement ; elle lui permit de différencier le glapissement injurieux qui l'assaillait du dehors et la douleur qui le torturait de l'intérieur. Frémissant comme un supplicié, il leva une main pour essuyer ses yeux couverts de sang coagulé. Puis il les ouvrit lentement.

Sa vision fut d'abord aussi floue que si ses rétines étaient deux objectifs mal réglés ou couverts de taches de gras. Au bout d'un moment, elle se focalisa et il put distinguer les choses qui l'entouraient. Une lumière jaune dénuée de chaleur tombait depuis le plafond. Les pieds de son canapé se dressaient non loin de sa tête, fichés dans l'épaisse moquette du salon. Covenant gisait prostré près de la table basse, comme s'il était tombé d'un catafalque. De sa main gauche, il tenait contre son oreille un objet qui hurlait.

Il le plaça devant ses yeux et constata qu'il s'agissait d'un combiné de plastique gris. Ce qu'il avait pris pour le glapissement d'une horde démoniaque n'était que le son strident du téléphone. Il se demanda vaguement depuis combien de temps Joan avait raccroché.

Poussant un grognement, il roula sur le côté et leva les yeux vers l'horloge murale. Il ne parvint pas à lire l'heure ; sa vision était encore trop trouble. Mais par la fenêtre, il aperçut les premières lueurs d'une aube dont il pressentit qu'elle ne lui apporterait aucun réconfort. Il était resté inconscient la moitié de la nuit.

Il tenta de se relever et s'affaissa de nouveau comme une douleur atroce explosait sous son crâne. Il craignit de s'évanouir une fois de plus. Puis les vibrations se dissipèrent et il put se mettre à genoux.

Il balaya du regard le salon si soigneusement agencé. Sa tasse et la photo de Joan étaient toujours posées sur le guéridon. En heurtant le coin du plateau, il n'avait même pas renversé une goutte de café.

La familiarité de ce sanctuaire ne lui apporta nulle consolation. Chaque fois qu'il tentait de se concentrer sur l'ordre prémédité de la pièce, son regard glissait et revenait malgré lui vers le sang séché, presque noir, qui s'était incrusté dans la moquette. Cette souillure pareille à un chancre le narguait. « Tu te croyais en sécurité ici ? Eh bien, tu avais tort ! » semblait-elle ricaner. Pour s'en éloigner, il prit son courage à deux mains et se mit debout.

Un vertige le saisit. La tête lui tourna ; il se retint à l'accoudoir du canapé. Prudemment, comme s'il redoutait de réveiller un démon endormi, il reposa le combiné téléphonique sur son socle et poussa un soupir de soulagement lorsque la sonnerie agressive s'interrompit.

Un écho résonnait toujours dans son oreille gauche, menaçant son équilibre. Il l'ignora de son mieux et se mit à déambuler dans la maison tel un aveugle, s'accrochant à tout ce qui lui tombait sous la main : le chambranle de la porte, le comptoir de la cuisine…

Arrivé dans la salle de bains, il agrippa le bord du lavabo et s'immobilisa, haletant.

Quand il eut repris son souffle, il fit couler de l'eau froide et se lava mécaniquement les mains – première étape de son rituel de purification et de défense contre une rechute. Pendant une bonne minute, il frotta ses paumes et ses doigts sans lever la tête. Enfin, il se regarda dans le miroir.

La vue de son visage l'arrêta net. C'était celui qu'Elena avait sculpté, à un détail près. Mais la blessure qui lui barrait le front ne faisait que compléter l'image modelée par la jeune femme. Il distinguait l'éclat blanc d'un os à travers la croûte noire qui assombrissait son front et ses joues, s'étalant autour de ses yeux et y faisant miroiter un terrible dessein. Cette plaie et ce masque de sang lui donnaient l'aspect d'un faux prophète, d'un homme qui avait trahi ses propres rêves.

— Elena ! cria-t-il d'une voix enrouée. Qu'ai-je fait ?

Incapable de supporter son reflet, il se détourna et jeta un coup d'œil à sa salle de bains. Dans la fluorescence du néon, l'émail de la baignoire et le chrome des robinets aux saillies dangereuses étincelaient comme pour réfuter sa douleur. Leur superficialité lisse semblait affirmer que le chagrin était un sentiment futile et irréel, hors de propos.

Il les fixa un long moment, s'imprégnant de leur froideur détachée. Puis il sortit de la pièce en traînant les pieds. Délibérément, il s'abstint de laver son front souillé. Il choisit de ne pas récuser l'accusation qui y était inscrite.

Glossaire

Acence : stèlagienne ; sœur d'Atiaran

affranchis : étudiants de la Sagesse dégagés de leurs responsabilités

ahamkara : Hoerkin, « la Porte »

Ahanna : peintre ; fille d'Hanna

aliantha : baies prodigieuses

amanibhavam : herbe curative pour les chevaux, mais dangereuse pour les hommes

Amhatin : seigneur ; fille de Mhatin

Amok : mystérieux guide et serviteur de l'ancienne Sagesse

Amorine : premier chevron de la milice

anathème (ou mot d'avertissement) : rebutant puissant et destructeur

anundivian yajña : art de la sculpture sur os, développé puis oublié par le peuple de Ra ; également appelé « moellage »

apatrides : surnom donné aux géants

apophtegme : parole, sentence mémorable, exprimée de façon claire et concise

Arbre primordial : arbre mystique dans le bois duquel fut taillé le Bâton de la Loi

Asuraka : doyenne du Bâton à la Loge

Atiaran Trell-mie : stèlagienne ; fille de Tiaran, épouse de Trell et mère de Léna

aubiers · dirigeants d'une sylve

baies prodigieuses : fruits nourrissants qui poussent partout dans le Fief

Banas Nimoram : autre nom de la célébration du printemps

Bann : sangarde assigné à la protection du seigneur Trevor

Bannor : sangarde assigné à la protection de Thomas Covenant

Baradakas : magistère de la Haute Sylve

Basses Terres : territoire situé à l'est de la Faille

Bâton (le) : une des branches de la Sagesse de Kevin

Bâton de la Loi : taillé par Berek dans le bois de l'Arbre primordial

Berek Demi-Main : fondateur de la dynastie des seigneurs ; premier des vénérables

Brathair : peuple rencontré par les géants durant leur errance

Birinair : magistère et hospitalier de la Citadelle

Boijovial : siège de la Loge

Borillar : magistère et hospitalier de la Citadelle

Brabha : ranyhyn ; monture de Korik

brandebourg : commandant en second de la milice

caamora : épreuve du feu que les géants s'imposent afin de combattre les tourments de l'âme

Caer-Caveral : apprenti forestal

Caerroil Folbois : forestal du Garrot

Callindrill Faer-mi : seigneur

célébration du printemps : danse des esprits d'Andelain par une nuit sans lune survenant au milieu du printemps

cercle des anciens : instance dirigeante d'un stèlage

Cerrin : sangarde assigné à la protection du seigneur Shetra

chevron : commandant d'une légion

chutes Ferlées : chute d'eau à Pierjoie

Citadelle : séjour des seigneurs ; également appelée Pierjoie

closerie : salle du conseil à la Citadelle

Cœur du Tonnerre : caverne de pouvoir située à l'intérieur du mont Tonnerre

Cœur-Vaillant : Berek Demi-Main

Colosse (le) : antique statue qui garde les Hautes Terres

conclave : assemblée de géants

Corimini : aïeul de la Loge

Corruption : nom donné par la sangarde au seigneur Turpide

Créateur (le) : légendaire ennemi du seigneur Turpide

Creuset : laboratoire de pouvoir des démondims

Crochal l'Équarrisseur : nom donné par le peuple de Ra au seigneur Turpide

Crowl : sangarde

Crypte (la) : demeure du Rogue

Damelon Gigamis : fils de Berek Demi-Main ; ancien haut seigneur

danse des esprits : célébration du printemps

démondims : créatures maléfiques ayant engendré les ur-vils et les repentis

Désespérance (la) : surnom donné à Coercri, la cité des géants

Désolation : ère de ruine qui suivit le rituel de profanation

dharmakshetra : « le brave » ; ancien nom du repenti *dukkha*

Doar : sangarde

doyen de l'Épée : gardien de la branche de l'Épée à la Loge

dragon : commandant de la sangarde

Drinishok : doyen de l'Épée à la Loge

Drinny : ranyhyn ; poulain d'Hynaril ; monture du seigneur Mhoram

dukkha : « la victime » ; nouveau nom du repenti *dharmakshetra*

Dura Flanclair : mustang femelle ; monture de Thomas Covenant

duramen : lieu de réunion des sylvestres

eau de roche : liqueur fabriquée par les géants

écuyer : rang le plus élevé au sein du peuple de Ra

Elena : haut seigneur ; fille de Léna

Élohim : peuple rencontré par les géants durant leur errance

Épée (l') : une des branches de la Sagesse de Kevin

épreuve de vérité (ou test de vérité) : détection de la sincérité utilisant le *lomillialor* ou l'*orcrest*

Espar Posequille : géant ; père de triplés

esprits d'Andelain : créatures de lumière vivante qui dansent pendant la célébration du Printemps

Faer : épouse du seigneur Callindrill
ferlé : bannière du haut seigneur
feu seigneurial : manifestation du pouvoir des seigneurs
feu ferlé *(Furl's Fire)* : signal de danger à Pierjoie
Fief (le) : territoire défini par la carte
forestal : protecteur des vestiges de la Forêt primordiale
Forêt primordiale : forêt qui recouvrait autrefois l'ensemble du Fief
frère/sœur de roc : terme d'affection utilisé entre humains et géants

galon : commandant d'une phalange
gardien de la Sagesse : professeur enseignant à la Loge
Gayl : valet du peuple de Ra
géants : les apatrides ; amis de longue date des seigneurs
gîte : lieu de repos pour les voyageurs
glutor : cuir adhésif
Gorak Krembal : autre nom de Mordouve
gorgones des sables : monstres
Gravin Threndor : autre nom du mont Tonnerre
griffon : créature ailée à corps de lion
guinguet : alcool léger, très désaltérant

haruchai : peuple dont descendent les sangardes
haut bois : bois issu de l'Arbre primordial, également appelé *lomillialor*
haut seigneur : chef du conseil des seigneurs
Hautes Terres : territoire situé à l'ouest de la Faille
hauteurs (les) : plateau situé au-dessus de Pierjoie
Herem : ravageur ; également appelé le Massacreur et *turiya*
Hile Troy : insigne de la milice du haut seigneur Elena
Hoerkin : galon ; « la Porte »
hospitalier : responsable de l'éclairage, du chauffage et de l'accueil des visiteurs de la Citadelle
Howor : sangarde assigné à la protection du seigneur Loerya

Hynaril : ranyhyn ; monture de Tamarantha, puis de Mhoram

Hyrim : seigneur ; fils de Hoole

Hyrun : ranyhyn ; monture de Terrel

ignescentes : pierres que la tradition du feu peut faire briller

ignessire : maître de la tradition du feu

Incrédule (l') : Thomas Covenant

insigne : commandant de la milice

Irin : guerrière de la troisième phalange de la milice

Jehannum : ravageur ; également appelé le Lamineur et *moksha*

Kelenbhrabanal : père des chevaux dans les légendes des ranyhyn ; l'étalon originel

Kevin le Dévastateur : fils de Loric Vilmotu ; dernier haut seigneur des vénérables

Kiril Threndor : caverne de pouvoir sise dans les entrailles du mont Tonnerre ; également appelée le Cœur du Tonnerre

Koral : sangarde assigné à la protection du seigneur Amhatin

Korik : sangarde ; commandant de l'ancienne armée des haruchai

kresh : loups jaunes, monstrueux et sauvages

krill (le) : épée enchantée de Loric, au pouvoir réveillé par Thomas Covenant

Kurash Plenethor : région jadis appelée Pierre Rompue, et désormais connue sous le nom de la Mémoriade

La Victoire du seigneur Mhoram : tableau peint par Ahanna

Lamineur (le) : ravageur de géants ; également appelé Jehannum et *moksha*

lémures : créatures maléfiques qui vivent sous le mont Tonnerre

légion : unité de la milice, composée de vingt phalanges et d'un chevron

Léna : stèlagienne ; fille d'Atiaran et de Trell, mère d'Elena

lillianrill : nom désignant à la fois la tradition du bois et ses maîtres

lions de feu : magma du mont Tonnerre

Lithe : écuyer du peuple de Ra

Llaura : aubier de la Haute Sylve

Loerya Trevor-mie : seigneur

Loge : école située à la Mémoriade où l'on étudie la Sagesse de Kevin

loi de la mort : séparation des vivants et des morts

lomillialor : haut bois

Loric Vilmotu : haut seigneur ; fils de Damelon Gigamis

lor-liarill : vermeillan

magistère : maître de la tradition du bois

Marny : ranyhyn ; monture de Tuvor

Massacreur (le) : ravageur de géants ; également appelé Herem et *turiya*

Mehryl : ranyhyn ; monture d'Hile Troy

melenkurion abatha : invocation ou phrase de pouvoir

Mépris : pouvoir maléfique

Mhoram : seigneur ; fils de Varil

milice : armée de la Citadelle

moellage : art de la sculpture sur os, perdu par le peuple de Ra ; également appelé *anundivian yajña*

moksha : ravageur ; également appelé Jehannum et le Lamineur

Montgibet : lieu où se déroulent les exécutions au Garrot

Morin : dragon de la sangarde ; commandant de l'ancienne armée des haruchai

Morril : sangarde assigné à la protection du seigneur Callindrill

Myrha : ranyhyn ; monture d'Elena

Nécropole (la) : demeure des lémures sous le mont Tonnerre

Ondulée Florissante : géante ; épouse d'Espar Posequille et mère de triplés

orcrest : pierre de pouvoir

orréchal : nom donné par le peuple de Ra à Thomas Covenant

Osondrea : seigneur ; fille de Sondrea

panseglaise : boue aux propriétés curatives

peuple de Ra : peuple servant les ranyhyn

père fondateur (le) : Berek Demi-Main

phalange (Eoman) : unité de la milice, composée de vingt guerriers et d'un galon

pic des Lions de Feu : autre nom du mont Tonnerre

Pierjoie : Citadelle des seigneurs, située dans les montagnes

Pierre de Maleterre : source de pouvoir maléfique découverte sous le mont Tonnerre

Pierre Rompue : ancien nom de la Mémoriade

pierres de feu : autre nom des ignescentes

Pietten : enfant sylvestre envoûté par les suppôts du seigneur Turpide ; fils de Soranal

Pilonneur (le) : ravageur ; également appelé Sheol et *samadhi*

pisteur : deuxième rang au sein du peuple de Ra

Ponterrier : entrée des catacombes situées sous le mont Tonnerre

Porib : sangarde

Pouvoir de la Terre : source de tout le pouvoir dans le Fief

premier chevron : commandant en troisième de la milice

premier tabernacle de la Sagesse de Kevin : savoir primordial laissé par le haut seigneur Kevin

Prothall : haut seigneur ; fils de Dwillian

Pulverâme : nom donné par les géants au seigneur Turpide

Quaan : galon de la troisième phalange de la milice ; plus tard, brandebourg, puis insigne

ranyhyn : grands chevaux sauvages et libres des plaines de Ra

ravageurs : les trois anciens serviteurs du seigneur Turpide

rebutant : mur de pouvoir

repentis : créatures qui entretiennent les gîtes et s'opposent aux ur-vils, bien qu'étant également issues des démondims

rhadhamaerl : nom désignant à la fois la tradition de la pierre et ses maîtres

Ridjeck Thome : autre nom de la Crypte du Rogue

rillinlure : poussière de bois aux vertus curatives

rituel d'affranchissement : cérémonie qui libère les affranchis de leurs responsabilités

rituel de profanation : acte désespéré par lequel Kevin détruisit les vénérables et propagea la ruine dans le Fief

Rogue (le) : titre donné au seigneur Turpide

Ruel : sangarde assigné à la protection d'Hile Troy

Runnik : sangarde

Sagesse de Kevin : connaissance et pouvoir laissés par Kevin dans les sept tabernacles

Salin Suilécume : géant ; ami de Thomas Covenant

samadhi : ravageur ; également appelé Sheol et le Pilonneur

sanctuaire : lieu où l'on dit les vêpres à Pierjoie

sangarde (la) : corps d'élite chargé de la protection des seigneurs

Sanguinaire : nom donné par les géants au seigneur Turpide

Scintillia : lac situé sur les hauteurs de Pierjoie

seigneur : titre donné à toute personne maîtrisant deux des branches de la Sagesse de Kevin : l'Épée et le Bâton

seigneur suprême : titre donné à Thomas Covenant

seigneur Turpide : nom donné par les seigneurs à l'ennemi du Fief

sept mots (les) : mots de pouvoir

sept tabernacles (les) : coffrets dans lesquels est enfermée la Sagesse de Kevin

serment de paix : serment prêté par les habitants du Fief, qui s'engagent ainsi à renoncer à toute violence inutile

Sheol : ravageur ; également appelé le Pilonneur et *samadhi*

Shetra Verement-mie : seigneur

Shull : sangarde

Sialon Larvae : lémure ayant retrouvé le Bâton de la Loi

Sill : sangarde assigné à la protection du seigneur Hyrim

Slen Teras-mi : stèlagien

Stabula : résidence principale de peuple de Ra

stèlage : village entièrement construit en pierre

stèlagien(ne) : habitant(e) d'un stèlage

suru-pa-maerl : art consistant à créer des images avec de la pierre sans altérer celle-ci à l'aide d'outils sylve : village dans les bois

sylvestre : habitant(e) d'une sylve

tabernacle : partie de la Sagesse de Kevin

Tamarantha Varil-mie : seigneur ; fille d'Enesta

Teras Slen-mie : stèlagienne

terramis : titre que Berek Demi-Main fut le premier à porter

Terrel : sangarde assigné à la protection du seigneur Mhoram ; commandant de l'ancienne armée des haruchai

Thomin : sangarde assigné à la protection du seigneur Verement

Thorm : ignessire et hospitalier de la Citadelle

Trell Atiaran-mi : ignessire de Mithil-Stèlage ; époux d'Atiaran et père de Léna

tradition de la guerre : maîtrise de l'Épée dans la Sagesse de Kevin

Trevor Loerya-mi : seigneur

Triock : stèlagien ; fils de Thuler

Tueur Gris : nom donné au seigneur Turpide par les habitants des plaines

Tull : sangarde

turiya : ravageur ; également appelé Herem et le Massacreur

Tuvor : dragon de la sangarde du temps du haut seigneur Prothall

ur-vils : créatures maléfiques engendrées par les démondims

Vailant : ancien haut seigneur

Vale : sangarde

valet : rang le plus bas au sein du peuple de Ra

vallée des Deux Rivières : site où se trouve Boijovial

Varil Tamarantha-mi : seigneur ; fils de Pentil ; ancien haut seigneur

vénérables : seigneurs antérieurs au rituel de profanation

Verement Shetra-mi : seigneur

vermeil : arbre ressemblant à un érable aux feuilles dorées

vermeillan : bois imprégné de pouvoir, tiré des vermeils

viancome : lieu de réunion à Boijovial

vilmestre : chef d'un groupe d'ur-vils

vils : seigneurs démondims

vœu : serment des haruchai qui donna naissance à la sangarde

Vorace (le) : surnom du grand marécage situé dans les Basses Terres

Table

Troisième partie
LE SANG DE LA TERRE

Composition et mise en pages : FACOMPO, Lisieux

Achevé d'imprimer sur les presses de

BUSSIÈRE

GROUPE CPI

à Saint-Amand-Montrond (Cher)
en septembre 2006

N° d'édition : 8243. — N° d'impression : 062746/1.
Dépôt légal : septembre 2006.

Imprimé en France

SO-AXY-356

INVISIBLE PREY

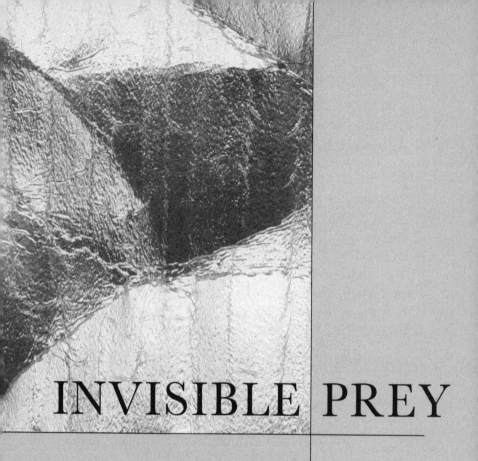

INVISIBLE PREY

John Sandford

DOUBLEDAY LARGE PRINT HOME LIBRARY EDITION

G. P. PUTNAM'S SONS
New York

This Large Print Edition, prepared especially for Doubleday Large Print Home Library, contains the complete, unabridged text of the original Publisher's Edition.

G. P. PUTNAM'S SONS
Publishers Since 1838
Published by the Penguin Group
Penguin Group (USA) Inc., 375 Hudson Street, New York, New York 10014, USA • Penguin Group (Canada), 90 Eglinton Avenue East, Suite 700, Toronto, Ontario M4P 2Y3, Canada (a division of Pearson Penguin Canada Inc.) • Penguin Books Ltd, 80 Strand, London WC2R 0RL, England • Penguin Ireland, 25 St Stephen's Green, Dublin 2, Ireland (a division of Penguin Books Ltd) • Penguin Group (Australia), 250 Camberwell Road, Camberwell, Victoria 3124, Australia (a division of Pearson Australia Group Pty Ltd) • Penguin Books India Pvt Ltd, 11 Community Centre, Panchsheel Park, New Delhi–110 017, India • Penguin Group (NZ), 67 Apollo Drive, Rosedale, North Shore 0745, Auckland, New Zealand (a division of Pearson New Zealand Ltd) • Penguin Books (South Africa) (Pty) Ltd, 24 Sturdee Avenue, Rosebank, Johannesburg 2196, South Africa

Penguin Books Ltd, Registered Offices: 80 Strand, London WC2R 0RL, England

ISBN 978-0-7394-7762-5

Printed in the United States of America

This is a work of fiction. Names, characters, places, and
incidents either are the product of the author's imagination
or are used fictitiously, and any resemblance to actual
persons, living or dead, businesses, companies, events, or
locales is entirely coincidental.

While the author has made every effort to provide accurate
telephone numbers and Internet addresses at the time of
publication, neither the publisher nor the author assumes
any responsibility for errors, or for changes that occur after
publication. Further, the publisher does not have any
control over and does not assume any responsibility for
author or third-party websites or their content.

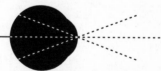

This Large Print Book carries the
Seal of Approval of N.A.V.H.

INVISIBLE PREY

1

An anonymous van, some-kind-of-pale, cruised Summit Avenue, windows dark with the coming night. The killers inside watched three teenagers, two boys and a girl, hurrying along the sidewalk like windblown leaves. The kids were getting somewhere quick, finding shelter before the storm.

The killers trailed them, saw them off, then turned their faces toward Oak Walk.

The mansion was an architectural remnant of the nineteenth century, red brick with green trim, gloomy and looming in the dying light. Along the wrought-iron fence, well-tended beds of blue and yellow iris, and clumps of pink peonies, were going gray to the eye.

Oak Walk was perched on a bluff. The back of the house looked across the lights of St. Paul, down into the valley of the Mississippi, where the groove of the river had already gone dark. The front faced Summit Avenue; Oak Walk was the second-richest house on the richest street in town.

Six aging burr oaks covered the side yard. In sunlight, their canopies created a leafy glade, with sundials and flagstone walks, charming with moss and violets; but moon shadows gave the yard a menacing aura, now heightened by the lightning that flickered through the incoming clouds.

"Like the Munsters should live there," the bigger of the killers said.

"Like a graveyard," the little one agreed.

The Weather Channel had warned of *tornadic events,* and the killers could feel a twister in the oppressive heat, the smell of ozone thick in the air.

The summer was just getting started. The last snow slipped into town on May 2, and was gone a day later. The rest of the month had been sunny and warm, and by the end of it, even the ubiquitous paper-pale blondes were showing tan lines.

Now the first of the big summer winds. Refreshing, if it didn't knock your house down.

On the fourth pass, the van turned into the driveway, eased up under the portico, and the killers waited there for a porch light. No light came on. That was good.

They got out of the van, one Big, one Little, stood there for a moment, listening, obscure in the shadows, facing the huge front doors. They were wearing coveralls, of the kind worn by automotive mechanics, and hairnets, and nylon stockings over their faces. Behind them, the van's engine ticked as it cooled. A Wisconsin license plate, stolen from a similar vehicle in a 3M parking lot, was stuck on the back of the van.

Big said, "Let's do it."

Little led the way up the porch steps. After a last quick look around, Big nodded again, and Little pushed the doorbell.

They'd done this before. They were good at it.

They could feel the footsteps on the wooden floors inside the house. "Ready," said Big.

A moment later, one of the doors opened. A shaft of light cracked across the porch, flashing on Little's burgundy jacket. Little said a few words—"Miz Peebles? Is this where the party is?"

A slender black woman, sixtyish, Peebles said, "Why no . . ." Her jaw continued to work wordlessly, searching for a scream, as she took in the distorted faces.

Little was looking past her at an empty hallway. The groundskeeper and the cook were home, snug in bed. This polite inquiry at the door was a last-minute check to make sure that there were no unexpected guests. Seeing no one, Little stepped back and snapped, "Go."

Big went through the door, fast, one arm flashing in the interior light. Big was carrying a two-foot-long steel gas pipe, with gaffer tape wrapped around the handle-end. Peebles didn't scream, because she didn't have time. Her eyes widened, her mouth dropped open, one hand started up, and then Big hit her on the crown of her head, crushing her skull.

The old woman dropped like a sack of bones. Big hit her again, as insurance, and then a third time, as insurance on the insurance: three heavy floor-shaking impacts, *whack! whack! whack!*

———

Then a voice from up the stairs, tentative, shaky. "Sugar? Who was it, Sugar?"

Big's head turned toward the stairs and Little could hear him breathing. Big slipped out of his loafers and hurried up the stairs in his stocking feet, a man on the hunt. Little stepped up the hall, grabbed a corner of a seven-foot-long Persian carpet and dragged it back to the black woman's body.

And from upstairs, three more impacts: a gasping, thready scream, and *whack! whack! whack!*

Little smiled. Murder—and the insurance.

Little stooped, caught the sleeve of Peebles's housecoat, and rolled her onto the carpet. Breathing a little harder, Little began dragging the carpet toward an interior hallway that ran down to the kitchen, where it'd be out of sight of any of the windows. A pencil-thin line of blood, like a slug's trail, tracked the rug across the hardwood floor.

Peebles's face had gone slack. Her eyes were still open, the eyeballs rolled up, white against her black face. Too bad about the rug, Little thought. Chinese, the original dark blue gone pale, maybe 1890. Not a great rug, but a good one. Of course, it'd need a good cleaning now, with the blood-puddle under Peebles's head.

Outside, there'd been no sound of murder. No screams or gunshots audible on the street. A window lit up on Oak Walk's second floor. Then another on the third floor, and yet another, on the first floor, in the back, in the butler's pantry: Big and Little, checking out the house, making sure that they were the only living creatures inside.

When they knew that the house was clear, Big and Little met at the bottom of the staircase. Big's mouth under the nylon was a bloody O. He'd chewed into his bottom lip while killing the old woman upstairs, something he did when the frenzy was on him. He was carrying a jewelry box and one hand was closed in a fist.

"You won't believe this," he said. "She had it around her neck." He opened his fist—his hands were covered with latex kitchen gloves—to show off a diamond the size of a quail's egg.

"Is it real?"

"It's real and it's blue. We're not talking Boxsters anymore. We're talking SLs." Big opened the box. "There's more: earrings, a necklace. There could be a half million, right here."

"Can Fleckstein handle it?"

Big snorted. "Fleckstein's so dirty that he wouldn't recognize the *Mona Lisa*. He'll handle it."

He pushed the jewelry at Little, started to turn, caught sight of Peebles lying on the rug. "Bitch," he said, the word grating through his teeth. "Bitch." In a second, in three long steps, he was on her again, beating the dead woman with the pipe, heavy impacts shaking the floor. Little went after him, catching him after the first three impacts, pulling him away, voice hard, "She's gone, for Christ's sakes, she's gone, she's gone . . ."

"Fucker," Big said. "Piece of shit."

Little thought, sometimes, that Big should have a bolt through his neck.

Big stopped, and straightened, looked down at Peebles, muttered, "She's gone." He shuddered, and said, "Gone." Then he turned to Little, blood in his eye, hefting the pipe.

Little's hands came up: "No, no—it's me. It's me. For God's sake."

Big shuddered again. "Yeah, yeah. I know. It's you."

Little took a step back, still uncertain, and said, "Let's get to work. Are you okay? Let's get to work."

Twenty minutes after they went in, the front door opened again. Big came out, looked both ways, climbed into the van, and eased it around the corner of the house and down the side to the deliveries entrance. Because of the pitch of the slope at the back of the house, the van was no longer visible from the street.

The last light was gone, the night now as dark as a coal sack, the lightning flashes closer, the wind coming like a cold open palm, pushing against Big's face as he got out of the van. A raindrop, fat and round as a marble, hit the toe of his shoe. Then another, then more, cold, going pat-pat . . . pat . . . pat-pat-pat on the blacktop and concrete and brick.

He hustled up to the back door; Little opened it from the inside.

"Another surprise," Little said, holding up a painting, turning it over in the thin light. Big squinted at it, then looked at Little: "We agreed we wouldn't take anything off the walls."

"Wasn't on the walls," Little said. "It was stuffed away in the storage room. It's not on the insurance list."

"Amazing. Maybe we ought to quit now, while we're ahead."

"No." Little's voice was husky with greed. "This time . . . this time, we can cash out. We'll never have to do this again."

"I don't mind," Big said.

"You don't mind the killing, but how about thirty years in a cage? Think you'd mind *that*?"

Big seemed to ponder that for a moment, then said, "All right."

Little nodded. "Think about the SLs. Chocolate for you, silver for me. Apartments: New York and Los Angeles. Something right on the Park, in New York. Something where you can lean out the window, and see the Met."

"We could buy . . ." Big thought about it for a few more seconds. "Maybe . . . a Picasso?"

"A Picasso . . . " Little thought about it, nodded. "But first—I'm going back upstairs. And you . . ."

Big grinned under the mask. "I trash the place. God, I love this job."

Outside, across the back lawn, down the bluff, over the top of the United Hospital buildings and Seventh Street and the houses below, down three-quarters of a mile away, a towboat pushed a line of barges toward the moorings at Pig's Eye. Not hurrying. Tows never hurried. All around, the lights of St. Paul sparkled like diamonds, on the first line of bluffs, on the second line below the cathedral, on the bridges fore and aft, on the High Bridge coming up.

The pilot in the wheelhouse was looking up the hill at the lights of Oak Walk, Dove Hill, and the Hill House, happened to be looking when the lights dimmed, all at once.

The rain-front had topped the bluff and was coming down on the river.

Hard rain coming, the pilot thought. *Hard* rain.

Sloan carried a couple of Diet Cokes over to the booth where Lucas Davenport waited, sitting sideways, his feet up on the booth seat. The bar was modern, but with an old-timey decor: creaking wooden floors, high-topped booths, a small dance floor at one end.

Sloan was the proprietor, and he dressed like it. He was wearing a brown summer suit, a tan shirt with a long pointed collar, a white tie with woven gold diamonds, and a genuine straw Panama hat. He was a slat-built man, narrow through the face, shoulders, and hips. Not gaunt, but narrow; might have been a clarinet player in a fading jazz band, Lucas thought, or the cover character on a piece of 1930s pulp fiction.

"Damn Diet Coke, it fizzes like crazy. I thought there was something wrong with the pump, but it's just the Coke. Don't know why," Sloan said, as he dropped the glasses on the table.

At the far end of the bar, the bartender was reading a *Wall Street Journal* by the light from a peanut-sized reading lamp clamped to the cash register. Norah Jones burbled in the background; the place smelled pleasantly of fresh beer and peanuts.

Lucas said, "Two guys in the bar and they're both drinking Cokes. You're gonna go broke."

Sloan smiled comfortably, leaned across the table, his voice pitched down so the bartender couldn't hear him, "I put ten grand in my pocket last month. I never had so much money in my life."

"Probably because you don't spend any money on lights," Lucas said. "It's so dark in here, I can't see my hands."

"Cops like the dark. You can fool around with strange women," Sloan said. He hit on the Diet Coke.

"Got the cops, huh?" The cops had been crucial to Sloan's business plan.

"Cops and schoolteachers," Sloan said with satisfaction. "A cop and schoolteacher bar. The teachers drink like fish. The cops hit on the schoolteachers. One big happy family."

The bartender laughed at something in the *Journal,* a nasty laugh, and he said, to no one in particular, "Gold's going to a thousand, you betcha. *Now* we'll see what's what."

They looked at him for a moment, then Sloan shrugged, said, "He's got a B.S. in economics. And I do mean a B.S."

"Not bad for a bartender . . . So what's the old lady think about the place?"

"She's gotten into it," Sloan said. He was happy that an old pal could see him doing well. "She took a course in bookkeeping, she handles all the cash, running these QuickBook things on the computer. She's talking about taking a couple weeks in Cancun or Palm Springs next winter. Hawaii."

"That's terrific," Lucas said. And he *was* pleased by all of it.

So they talked about wives and kids for a while, Sloan's retirement check, and the price of a new sign for the place, which formerly had been named after a tree, and which Sloan had changed to Shooters.

Even from a distance, it was clear that the two men were good friends: they listened to each other with a certain narrow-eyed intensity, and with a cop-quick skepticism. They were close, but physically they were a study in contrasts.

Sloan was slight, beige and brown, tentative.

Lucas was none of those. Tall, dark haired, with the thin white line of a scar draped across his tanned forehead, down into an eyebrow, he might have been a thug of the leading-man sort. He had intense blue eyes, a hawk nose, and large hands and square shoulders; an athlete, a onetime University of Minnesota hockey player.

Sloan knew nothing about fashion, and never cared; Lucas went for Italian suits, French ties, and English shoes. He read the men's fashion magazines, of the serious kind, and spent some time every spring and fall looking at suits. When he and his wife traveled to Manhattan, she went to the Museum of Modern Art, he went to Versace.

Today he wore a French-blue shirt under a linen summer jacket, lightweight woolen slacks, and loafers; and a compact .45 in a Bianchi shoulder rig.

Lucas's smile came and went, flashing in his face. He had crow's feet at the corners of his eyes, and silver hair threaded through the black. In the morning, when shaving, he worried about getting old. He had a way to go before that happened, but he imagined he could see it, just over the hill.

When they finished the Diet Cokes, Sloan went and got two more and then said, "What about Burt Kline?"

"You know him, right?" Lucas asked.

"I went to school with him, thirteen years," Sloan said. "I still see him around, when there's a campaign."

"Good guy, bad guy?" Lucas asked.

"He was our class representative in first grade and every grade after that," Sloan said. "He's a politician. He's always been a politician. He's always fat, greasy, jolly, easy with the money, happy to see you. Like that. First time I ever got in trouble in school, was when I pushed him into a snowbank. He reported me."

"Squealer."

Sloan nodded.

"But what's even more interesting, is that

you were a school bully. I never saw that in you," Lucas said. He scratched the side of his nose, a light in his eye.

Sloan made a rude noise. "I weighed about a hundred and ten pounds when I graduated. I didn't bully anybody."

"You bullied Kline. You just said so."

"Fuck you." After a moment of silence, Sloan asked, "What'd he do?"

Lucas looked around, then said, quietly, "This is between you and me."

"Of course."

Lucas nodded. Sloan could keep his mouth shut. "He apparently had a sexual relationship with a sixteen-year-old. And maybe a fifteen-year-old—same girl, he just might've been nailing her a year ago."

"Hmm." Sloan pulled a face, then said, "I can see that. But it wouldn't have been rape. I mean, rape-rape, jumping out of the bushes. He's not the most physical guy."

"No, she went along with it," Lucas said. "But it's about forty years of statutory."

Sloan looked into himself for a minute, then said, "Not forty. Thirty-six."

"Enough."

Another moment of silence, then Sloan sighed and asked, "Why don't you bust him? Don't tell me it's because he's a politician."

Lucas said to Sloan, "It's more complicated than that." When Sloan looked skeptical, he said, "C'mon, Sloan, I wouldn't bullshit you. It really *is* more complicated."

"I'm listening," Sloan said.

"All right. The whole BCA is a bunch of Democrats, run by a Democrat appointee of a Democratic governor, all right?"

"And God is in his heaven."

"If we say, 'The girl says he did it,' and bust him, his career's over. Whether he did it or not. Big pederast stamp on his forehead. If it turns out he *didn't* do it, if he's acquitted, every Republican in the state will be blaming us for a political dirty trick—a really dirty trick. Five months to the election. I mean, he's the president of the state senate."

"Does the kid have any evidence?" Sloan asked. "Any witnesses?"

"Yes. Semen on a dress," Lucas said. "She also told the investigator that Kline has moles or freckles on his balls, and she said they look like semicolons. One semicolon on each nut."

An amused look crept over Sloan's face: "She's lying."

"What?"

"In this day and age," he asked, "how many sixteen-year-olds know what a semicolon is?"

Lucas rolled his eyes and said, "Try to concentrate, okay? This is serious."

"Doesn't sound serious," Sloan said. "Investigating the family jewels."

"Well, it is serious," Lucas said. "She tells the initial investigator . . ."

"Who's that?"

"Virgil Flowers."

"That fuckin' Flowers," Sloan said, and he laughed. "Might've known."

"Yeah. Anyway, she tells Virgil that he's got semicolons on his balls. And quite a bit of other detail, including the size of what she calls 'his thing.' She also provides us with a dress and there's a semen stain on it. So Virgil gets a search warrant . . ."

Sloan giggled, an unattractive sound from a man of his age.

". . . gets a search warrant, and a doctor, and they take a DNA scraping and examine Kline's testicles," Lucas said. "Sure enough, it's like they came out of Microsoft Word:

one semicolon on each nut. We got the pictures."

"I bet they're all over the Internet by now,"
Sloan said.

"You'd bet wrong. These are not attrac-
tive pictures—and everybody involved
knows that their jobs are on the line," Lucas
said. "You don't mess with Burt Kline unless
you can kill him."

"Yeah, but the description, the semen . . .
sounds like a big indict to me," Sloan said.

"However," Lucas said.

"Uh-oh." Sloan had been a cop for twenty
years; he was familiar with howevers.

"Burt says he never had sex with the
daughter, but he did sleep with her mom,"
Lucas said. "See, the state pays for an
apartment in St. Paul. Kline rents a place
from Mom, who owns a duplex on Grand
Avenue, what's left from a divorce settle-
ment. Kline tells Virgil that he's staying
there, doing the people's work, when Mom
starts puttin' it on him."

"Him being such a looker," Sloan said.

"Kline resists, but he's only human. And,
she's got, Virgil believes, certain skills. In
fact, Virgil said she's been around the block
so often it looks like a NASCAR track. Any-

way, pretty soon Burt is sleeping with Mom every Monday, Wednesday, and Friday."

"How old's Mom?" Sloan asked.

"Thirty-four," Lucas said.

"With a sixteen-year-old daughter?"

"Yeah. Mom started young," Lucas said. "Anyway, Burt says Mom got the idea to blackmail him, because she's always hurting for money. He says she put the daughter up to it, making the accusation. Burt said that she would have all the necessary grammatical information."

"And Mom says . . ."

"She said that they had a hasty affair, but that Burt really wanted the daughter, and she was horrified when she found out he'd gotten to her," Lucas said. "She says no way would she have done what she would have had to do to see the semicolons, or get semen on the neckline of the dress. That's something that her daughter had to be forced into."

"Mom was horrified."

"Absolutely," Lucas said. "So Virgil asks her if she'd gained any weight lately."

"She was heavy?"

"No, not especially. I'd say . . . solid. Plays broomball in the winter. Blades in the summer. Or, more to the point, about a size ten-twelve. She said no, she hadn't gained any weight since she had the kid, sixteen years ago. So Virgil points out that the dress with the semen stain is a size ten and the girl herself is about a size four. The kid looks like that fashion model who puts all the cocaine up her nose."

"Oooo." Sloan thought about it for a moment, then asked, "What's Mom say?"

"She says that they trade clothes all the time," Lucas said. "If you want to believe that a size-four fashion-aware teenager is going to drag around in a size ten."

"That's a . . . problem," Sloan agreed.

"Another problem," Lucas said. "Virgil put the screws on a neighbor boy who seemed to be sniffing around. The neighbor kid says the girl's been sexually active since she was twelve. That Mom knew it. Maybe encouraged it."

"Huh."

"So what do you think?" Lucas asked.

"Mom's on record saying she doesn't do oral?" Sloan asked.

"Yeah."

"Jury's not gonna believe that," Sloan said. "Sounds like there's a lot of sex in the family. She can't get away with playing the Virgin Mary. If they think she's lying about that, they'll think she's lying about the whole thing."

"Yup."

Sloan thought it over for a while, then asked, "What's the point of this investigation?"

"Ah, jeez," Lucas said. He rubbed his eyes with his knuckles. "That's another problem. I don't know what the point is. Maybe the whole point is to push Burt Kline out of his job. The original tip was anonymous. It came into child protection in St. Paul. St. Paul passed it on to us because there were out-state aspects—the biggest so-called overt act might've been that Kline took the girl up to Mille Lacs for a naked weekend. Anyway, the tip was anonymous. Maybe Kline said something to a Democrat. Or maybe . . . Virgil suspects the tip might've come from Mom. As part of a blackmail hustle."

"Flowers is smart," Sloan admitted.

"Yeah."

"And Mom's cooperating now?"

"She runs hot and cold," Lucas said. "What she doesn't believe is, that she can't cut off the investigation. She thought we'd be working for her. Or at least, that's what she thought until Virgil set her straight."

"Hmph. Well, if the point is to push Burt out of his job . . . I mean, that's not good," Sloan said. He shook a finger at Lucas. "Not good for you. You don't want to get a rep as a political hit man. If the point is to stop a pederast . . ."

"If he is one."

Silence.

"Better get that straight," Sloan said. "Here's what I think: I think you ask whether it was rape. Do you believe he did it? If you do, screw him—indict him. Forget all the politics, let the chips fall."

"Yeah," Lucas said. He fiddled with his Coke glass. "Easy to say."

More silence, looking out the window at a freshly striped parking lot. A battered Chevy, a repainted Highway Patrol pursuit car, with rust holes in the back fender, pulled in. They were both looking at it when Del Capslock climbed out.

"Del," Lucas said. "Is he hangin' out here?"

"No," Sloan said. "He's been in maybe twice since opening night. Where'd he get that nasty car?"

"He's got an undercover gig going," Lucas said.

Capslock scuffed across the parking lot, and a moment later, pushed inside. Lucas saw the bartender do a check and a recheck, and put down the paper.

Del was a gaunt, pasty-faced man with a perpetual four-day beard and eyes that looked too white. He was wearing a jeans jacket out at the elbows, a black T-shirt, and dusty boot-cut jeans. The T-shirt said, in large letters, *I found Jesus!* and beneath that, in smaller letters, *He was behind the couch.*

Lucas called, "Del." Del looked around in the gloom, saw them in the booth, and walked over.

Sloan said, "My tone just got lowered."

"Jenkins said you might be here," Del said to Lucas. "I was in the neighborhood . . ." He waved at the bartender. "'Nother Coke. On the house." To Sloan, he said, "Whyn't you turn on some goddamn lights?" And to Lucas, "People have been trying to call you. Your cell phone is turned off."

"I feel like such a fool," Lucas said, groping for the phone. He turned it on and waited for it to come up.

"That's what they thought you'd feel like," Del said. "Anyway, the governor's calling."

Lucas's eyebrows went up. "What happened?" His phone came up and showed a list of missed calls. Six of them.

"You know Constance Bucher?" Del asked. "Lived up on Summit?"

"Sure . . ." Lucas said. The hair prickled on the back of his neck as he picked up the past tense in *lived*. "Know *of* her, never met her."

"Somebody beat her to death," Del said. He frowned, picked at a nit on his jeans jacket, flicked it on the floor. "Her and her maid, both."

"Oh, boy." Lucas slid out of the booth. "When?"

"Two or three days, is what they're saying. Most of St. Paul is up there, and the governor called, he wants your young white ass on the scene."

Lucas said to Sloan, "It's been wonderful."

"Who is she?" Sloan asked. He wasn't a St. Paul guy.

"Constance Bucher—Bucher Natural Resources," Lucas said. "Lumber, paper mills, land. Remember the Rembrandt that went to the Art Institute?"

"I remember something about a Rembrandt," Sloan said doubtfully.

"Bucher Boulevard?" Del suggested.

"*That* Bucher," Sloan said. To Lucas: "Good luck. With both cases."

"Yeah. You get any ideas about your pal, give me a call. I'm hurtin'," Lucas said. "And don't tell Del about it."

"You mean about Burt Kline?" Del asked, his eyebrows working.

"That fuckin' Flowers," Lucas said, and he went out the door.

3

Lucas was driving the Porsche. Once behind the wheel and moving, he punched up the list of missed calls on his telephone. Three of them came from the personal cell phone of Rose Marie Roux, director of the Department of Public Safety, and his real boss; one came from the superintendent of the Bureau of Criminal Apprehension, his nominal boss; the other two came from one of the governor's squids. He tapped the phone, and Rose Marie answered after the first ring.

"Where are you?" she asked without preamble. He was listed in her cell-phone directory.

"In Minneapolis," Lucas said. "I'm on my way. She's what, four doors down from the cathedral?"

"About that. I'm coming up on it now.

About a million St. Paul cops scattered
all . . . Ah! Jesus!"

"What?"

She laughed. "Almost hit a TV guy . . .
nothing serious."

"I hear the governor's calling," Lucas said.

"He is. He said, quote, I want Davenport
on this like brass on a doorknob, unquote."

"He's been working on his metaphors
again," Lucas said.

"Yeah. He thinks it gives him the common
touch," she said. "Listen, Lucas, she was
really, *really* rich. A lot of money is about
to go somewhere, and there's the election
coming."

"I'll see you in ten minutes," Lucas said.
"You got an attitude from St. Paul?"

"Not yet. Harrington is here somewhere,
I'll talk to him," Rose Marie said. "I gotta put
the phone down and park . . . He'll be happy
to see us—he's trying to get more overtime
money from the state." Harrington was the
St. Paul chief.

"Ten minutes," Lucas said.

He was on the west side of Minneapolis.
He took Highway 100 north, got on I-394,

aimed the nose of the car at the IDS building in the distance, and stepped on the
accelerator, flashing past minivans, SUVs,
pickups, and fat-assed sedans, down to
I-94.

Feeling all right, whistling a little.

He'd had a past problem with depression.
The depression, he believed, was probably
genetic, and he'd shared it with his father
and grandfather; a matter of brain chemi-
cals. And though depression was always off
the coast, like a fog bank, it had nothing to
do with the work. He actually *liked* the hunt,
liked chasing assholes. He'd killed a few of
them, and had never felt particularly bad
about it. He'd been dinged up along the
way, as well, and never thought much about
that, either. No post-traumatic stress.

As for rich old ladies getting killed, well,
hell, they were gonna die sooner or later.
Sometimes, depending on who it was, a
murder would make him angry, or make him
sad, and he wouldn't have wished for it. But
if it was going to happen, he'd be pleased
to chase whoever had done it.

He didn't have a mission; he had an *interest.*

———

Emmylou Harris came up on the satellite radio, singing "Leaving Louisiana in the Broad
Daylight," and he sang along in a crackling
baritone, heading for bloody murder
through city traffic at ninety miles per hour;
wondered why Catholics didn't have something like a St. Christopher's medal that
would ward off the Highway Patrol. He'd
have to talk to his parish priest about it, if he
ever saw the guy again.

Gretchen Wilson came up, with Kris
Kristofferson's "Sunday Mornin' Comin'
Down," and he sang along with her, too.

The day was gorgeous, puffy clouds with a
breeze, just enough to unfold the flags on
buildings along the interstate. Eighty degrees, maybe. Lucas took I-94 to Marion
Street, around a couple of corners onto
John Ireland, up the hill past the hulking
cathedral, and motored onto Summit.

Summit Avenue was aptly named. Beginning atop a second-line bluff above the Mississippi, it looked out over St. Paul, not only
from a geographical high point, but also an

economic one. The richest men in the history of the city had built mansions along Summit, and some of them still lived there.

Oak Walk was a three-story red-brick mansion with a white-pillared portico out front, set back a bit farther from the street than its gargantuan neighbors. He'd literally passed it a thousand times, on his way downtown, almost without noticing it. When he got close, the traffic began coagulating in front of him, and then he saw the TV trucks and the foot traffic on the sidewalks, and then the wooden barricades—Summit had been closed and cops were routing traffic away from the murder house, back around the cathedral.

Lucas held his ID out the window, nosed up to the barricades, called "BCA" to the cop directing traffic, and was pointed around the end of a barricade and down the street.

Oak Walk's driveway was jammed with cop cars. Lucas left the Porsche in the street, walked past a uniformed K-9 cop with his German shepherd. The cop said, "Hey, hot dog." Lucas nodded, said, "George," and climbed the front steps and walked through the open door.

Just inside the door was a vestibule, where arriving or departing guests could gather up their coats, or sit on a bench and wait for the limo. The vestibule, in turn, opened into a grand hallway that ran the length of the house, and just inside the vestibule door, two six-foot bronze figures, torchieres, held aloft six-bulb lamps.

Straight ahead, two separate stairways, one on each side of the hall, curled up to a second floor, with a crystal chandelier hanging maybe twenty feet above the hall, between the stairs.

The hallway, with its pinkish wallpaper, would normally have been lined with paintings, mostly portraits, but including rural agricultural scenes, some from the American West, others apparently French; and on the herringboned hardwood floors, a series of Persian carpets would have marched toward the far back door in perfectly aligned diminishing perspective.

The hall was no longer lined with paintings, but Lucas knew that it had been, because the paintings were lying on the floor, most faceup, some facedown, helter-skelter. The rugs had been pulled askew, as though somebody had been looking beneath them. For what, Lucas couldn't guess. The glass doors on an enormous china cabinet had been broken; there were a dozen collector-style pots still sitting on the shelves inside, and the shattered remains of more on the floor, as if the vandals had been looking for something hidden in the pots. What would that be?

A dozen pieces of furniture had been dumped. Drawers lay on the floor, along with candles and candlesticks, knick-knacks, linen, photo albums, and shoe boxes that had once contained photos. The photos were now scattered around like leaves; a good number of them black-and-white. There was silverware, and three or four gold-colored athletic trophies, a dozen or so plaques. One of the plaques, lying faceup at Lucas's feet, said, "For Meritorious Service to the City, This Key Given March 1, 1899, Opening All the Doors of St. Paul."

Cops were scattered along the hall, like clerks, being busy, looking at papers, chatting. Two were climbing the stairs to the second floor, hauling with them a bright-yellow plastic equipment chest.

Lieutenant John T. Smith was in what Lucas thought must have been the music room, since it contained two grand pianos and an organ. Smith was sitting backward on a piano bench, in front of a mahogany-finished Steinway grand, talking on a cell phone. He was looking at the feet and legs of a dead black woman who was lying facedown on a Persian carpet in a hallway off the music room. All around him, furniture had been dumped, and there must have been a thousand pieces of sheet music lying around. "Beautiful Brown Eyes." "Camping Tonight." "Itsy Bitsy Teenie Weenie Yellow Polka Dot Bikini." "Tammy."

An amazing amount of shit that rich people had, Lucas thought.

Smith saw Lucas, raised a hand. Lucas nodded, stuck his head into the hallway, where a St. Paul crime-scene crew, and two men from the medical examiner's office, were working over the body.

Not much to see. From Lucas's angle, the woman was just a lump of clothing. One of the ME's investigators, a man named Ted, looked up, said, "Hey, Lucas."

"What happened?"

"Somebody beat the shit out of her with a pipe. Maybe a piece of re-rod. Not a hammer, nothing with an edge. Crushed her skull, that's what killed her. Might have some postmortem crushing, we've got lacerations but not much bleeding. Same with Mrs. Bucher, upstairs. Fast, quick, and nasty."

"When?"

Ted looked up, and eased back on his heels. "Johnny says they were seen late Friday afternoon, alive, by a researcher from the Historical Society who's doing a book on Summit Avenue homes. He left at four-thirty. Neither one of them went to church on Sunday. Sometimes Mrs. Bucher didn't, but Mrs. Peebles always did. So Johnny thinks it was after four-thirty Friday and before Sunday morning, and that looks good to me. We'll rush the lab work . . ."

"That's Peebles there," Lucas said.

"Yo. This is Peebles."

Smith got off the cell phone and Lucas stepped over, grinned: "You'll be rolling in glory on this one," he said. "Tom Cruise will probably play your character. Nothing but watercress sandwiches and crème brûlée from now on."

"I'm gonna be rolling in something," Smith said. "You getting involved?"

"If there's anything for me to do," Lucas said.

"You're more'n welcome, man."

"Thanks. Ted says sometime between Friday night and Sunday morning?"

Smith stood up and stretched and yawned. "Probably Friday night. I got guys all over the neighborhood and we can't find anybody who saw them Saturday, and they were usually out in the garden on Saturday afternoon. Beheading roses, somebody said. Do you decapitate roses?"

"I don't know," Lucas said. "I don't, personally."

"Anyway, they got four phone calls Saturday and three more Sunday, all of them kicked through to the answering service,"

Smith said. "I think they were dead before the phone calls came in."

"Big storm Friday night," Lucas said.

"I was thinking about that—there were a couple of power outages, darker'n a bitch. Somebody could have climbed the hill and come in through the back, you wouldn't see them come or go."

Lucas looked back at Peebles's legs. Couldn't be seen from outside the house. "Alarm system?"

"Yeah, but it was old and it was turned off. They had a series of fire alarms a couple of years ago, a problem with the system. The trucks came out, nothing happening. They finally turned it off, and were going to get it fixed, but didn't."

"Huh. Who found them?"

"Employees. Bucher had a married couple who worked for them, did the housekeeping, the yard work, maintenance," Smith said. "They're seven-thirty to three, Monday through Friday, but they were off at a nursery this morning, down by Hastings, buying some plants, and didn't get back here until one o'clock. Found them first thing, called nine-one-one. We checked, the story seems good. They were freaked out. In the right way."

"Anything stolen?"

"Yeah, for sure. They got jewelry, don't know how much, but there's a jewelry box missing from the old lady's bedroom and another one dumped. Talked to Bucher's niece, out in L.A., she said Mrs. Bucher kept her important jewelry in a safe-deposit box at Wells Fargo. Anything big she had here she'd keep in a wall safe behind a panel in the dining room . . ." He pointed down a hall to his right, past a chest of drawers that had held children's clothing, pajamas with cowboys and Indians on them, and what looked like a coonskin cap; all been dumped on the floor. "The dining room's down that way. Whoever did it, didn't find the panel. The safe wasn't touched. Anyway, the jewelry's probably small stuff, earrings, and so on. And they took electronics. A DVD player definitely, a CD player, a radio, maybe, there might be a computer missing . . . We're getting most of this from Mrs. Bucher's friends, but not many really knew the house that well."

"So it's local."

"Seems to be local," Smith said. "But I

don't know. Don't have a good feel for it yet."

"Looking at anybody?"

Smith turned his head, checking for eavesdroppers, then said, "Two different places. Keep it under your hat?"

"Sure."

"Peebles had a nephew," Smith said. "He's in tenth grade over at Cretin. His mother's a nurse, and right now she's working three to eleven at Regions. When she's on that shift, he'll come here after school. Peebles'd feed him dinner, and keep an eye on him until his mom picked him up. Sometimes he stayed over. Name is Ronnie Lash. He'd do odd jobs for the old ladies, edge trimming, garden cleanup, go to the store. Pick up laundry."

"Bad kid?"

Smith shook his head. "Don't have a thing on him. Good in school. Well liked. Wasn't here Friday night, he was out dancing with kids from school. But his neighborhood . . . there are some bad dudes on his street. If he's been hanging out, he could've provided a key. But it's really sensitive."

"Yeah." A black kid with a good school record, well liked, pushed on a brutal double murder. All they had to do was ask a question and there'd be accusations of racism. "Gotta talk to him, though," Lucas said. "Get a line going, make him one of many. You know."

Smith nodded, but looked worried anyway. The whole thing was going to be enough of a circus, without a civil-rights pie fight at the same time.

"You said two things," Lucas prompted.

"There's a halfway house across the street, down a block. Drugs, alcohol. People coming and going. You could sit up in one of those windows and watch Bucher's house all night long, thinking about how easy it would be."

"Huh. Unless you got something else, that sounds as good as the nephew," Lucas said.

"Yeah, we're trying to get a list out of corrections."

"Was there . . . did the women fight back? Anything that might show some DNA?"

Smith looked over his shoulder toward Peebles. "Doesn't look like it. It looks like the assholes came in, killed them, took what they wanted, and left. The women didn't run, didn't hide, didn't struggle as far as we can tell. Came in and killed them. Peebles was probably killed at the front door and dragged back there on the rug. We think the rug should be right in front of the door."

They thought about it for a minute, then Smith's cell phone rang, and Lucas asked quickly, "Can I look around?"

"Sure. Go ahead." Smith flipped open the phone and added, "Your boss was out in the backyard talking to the chief, ten minutes ago . . . Hello?"

Lucas took the stairs up to the bedroom level, where another team was working over Bucher's body. The bedroom was actually a suite of four rooms: a sitting room, a dressing room, a bathroom, and the main room. The main room had a big king-sized bed covered with a log-cabin quilt, two lounge chairs, and a wood-burning fireplace. All four rooms had been dumped: drawers pulled out of chests, a jewelry box upside down on the carpet.

A half-dozen paintings hung crookedly on the walls and two lay on the floor. Another quilt, this one apparently a wall hanging, had been pulled off the wall and left lying on the floor. Looking for a safe? The bath opened off to the right side and behind the bed. The medicine cabinet stood open, and squeeze bottles of lotion, tubes of antiseptic and toothpaste littered the countertop beneath it. No prescription medicine bottles.

Junkies. They'd take everything, then throw away what they couldn't use; or, try it and see what happened.

A St. Paul investigator was squatting next to a wallet that was lying on a tile by the fireplace.

"Anything?" Lucas asked.

"Look at this," the investigator said. "Not a dollar in the wallet. But they didn't take the credit cards or the ATM cards or the ID."

"Couldn't get the PINs if Bucher and Peebles were already dead," Lucas said.

The cop scratched his head. "Guess not. Just, you don't see this every day. The cards not stolen."

Lucas browsed through the second floor, nodding at cops, taking it in. One of the cops pointed him down the hall at Peebles's apartment, a bedroom, a small living room with an older television, a bathroom with a shower and a cast-iron tub. Again, the medicine cabinet was open, with some of the contents knocked out; another quilt had been pulled off the wall.

The other bedrooms showed paintings knocked to the floor, bedcovers disturbed.

A door to a third floor stood open and Lucas took the stairs. Hotter up here; the air-conditioning was either turned off, or didn't reach this far. Old-time servants' quarters, storage rooms. One room was full of luggage, dozens of pieces dating back to the early part of the twentieth century, Lucas thought. Steamer trunks. A patina of dust covered the floor, and people had walked across it: Lucas found multiple footprints came and went, some in athletic shoes, others in plain-bottomed shoes.

He browsed through the other rooms, and found a few more footprints, as well as stacks of old furniture, racks of clothing, rolls of carpet, shelves full of glassware, a few old typewriters, an antique TV with a screen that was nearly oval, cardboard boxes full of puzzles and children's toys. A room full of framed paintings. A cork bulletin board with dozens of promotional pins and medallions from the St. Paul Winter Carnival. The dumbshits should have taken them, he thought; some of the pins were worth several hundred dollars.

He was alone in the dust motes and silence and heat, wondered about the footprints, turned around, went back downstairs, and started hunting for his boss.

On the first floor, he walked around the crime scene in the hallway and past another empty room, stopped, went back. This was the TV room, with a sixty-inch high-definition television set into one wall.

Below it was a shelf for electronics, showing nothing but a bunch of gold cable ends. He was about to step out, when he saw a bright blue plastic square behind the half-open door of a closet. He stepped over, nudged the door farther open, found a bookcase set into the closet, the top shelves full of DVD movies, the bottom shelves holding a dozen video games. He recognized the latest version of Halo, an Xbox game. There was no Xbox near the TV, so it must have been taken with the rest of the electronics.

Were the old ladies playing Halo? Or did this belong to the Lash kid?

Smith went by, and Lucas called, "Hey, Johnny . . . have you been up on the third floor?"

"No. I was told there wasn't much there," Smith said.

"Who went up?" Lucas asked.

"Clark Wain. You know Clark? Big pink bald guy?"

"Yeah, thanks," Lucas said. "When're you talking to Peebles's nephew?"

"Soon. You want to sit in?"

"Maybe. I noticed that all the electronics were taken, but there were a bunch of games and DVDs there that weren't," Lucas said. "That's a little odd, if it's just local ass-holes."

Smith rubbed his lip, then said, "Yeah, I know. I saw that. Maybe in a hurry?"

"They had time to trash the place," Lucas said. "Must have been in here for half an hour."

"So . . ."

"Maybe somebody asked them not to," Lucas said.

"You think?" They were talking about the Lash kid.

"I don't know," Lucas said. "They stole the game console, but not the games? I don't know. Maybe check and see if Lash has another console at home."

Lucas found Rose Marie in the small kitchen talking with the state representative for the district, an orange-haired woman with a black mustache who was leaking real tears, brushing them away with a Kleenex. Lucas came up and Rose Marie said, "You know Kathy. She and Mrs. Bucher were pretty close."

"I-ba-I-ba-I-ba . . ." Kathy said.

"She identified the bodies," Rose Marie said. "She lives two doors up the street."

"I-ba-I-ba . . ."

Lucas would have felt sorrier for her if she hadn't been such a vicious political wolverine, married to a vicious plaintiffs' attorney. And he couldn't help feeling a *little* sorry for her anyway. "You oughta sit down," he said. "You look tippy."

"Come on," Rose Marie said, taking the

other woman's arm. "I'll get you a couch."
To Lucas: "Back in a minute."

The kitchen had been tossed like the rest of
the house, all the cabinet drawers pulled
out, the freezer trays lying on the floor, a
flour jar dumped along with several other
ceramic containers. Flour was everywhere,
mixed with crap from the refrigerator. Dried
pickles were scattered around, like olive-
drab weenies, and he could smell ketchup
and relish, rotting in the sunshine, like the
remnants of a three-day-old picnic, or a
food tent at the end of the state fair.

To get out of the mess, Lucas walked
through the dining room and stepped out on
the back porch, a semicircle of warm yellow
stone thirty feet across. Below it, the lawn
slipped away to the edge of the bluff, and
below that, out of sight, I-35, then United
Hospital, then the old jumble of West Seventh, and farther down, the Mississippi.
Cops were standing around on the lawn,
talking, clusters and groups of two and
three, a little cigarette and cigar smoke drifting around, pleasantly acrid. One of the
cops was Clark Wain, the guy who'd ex-

plored the third floor. Lucas stepped over, said, "Clark," and Wain said, "Yeah, Lucas, what's going on?"

"You went up to the third floor?"

"Me and a couple of other guys," Wain said. "Making sure there wasn't anybody else."

"Were there footprints going up? In the dust?"

"Yeah. We had them photographed but there wasn't anything to see, really—too many of them," Wain said. "Looked like people were up there a lot."

"Nothing seemed out of place?"

Wain's eyes drifted away as he thought it over, then came back to Lucas: "Nothing that hit me at the time. They didn't trash the place like they did some of the other rooms. Maybe they took a peek and then came back down—if it was even their footprints. Could have been anyone."

"All right . . ." Rose Marie came out on the porch looking for him, and Lucas raised a hand to her. To Wain he said, "Gotta talk to the boss."

They stepped back into the dining room. Rose Marie asked, "What do you have going besides Kline?"

"The Heny killing down in Rochester, that's still pooping along, and we've got a girl's body down by Jackson, we don't know what happened there. The feds are pushing for more cooperation on illegal aliens, they want us to put somebody in the packing plants down in Austin . . . But Kline is the big one. And this."

"Did Burt do it?" Rose Marie asked. She and Kline were old political adversaries.

"Yeah. I don't know if we can prove it," Lucas said.

He told her about the DNA and the size-ten dress, and the girl's sexual history. She already knew about the semicolons and that Kline had admitted an affair with Mom.

"The newest thing is, Kline wants to do something like a consent agreement," Lucas said. "Everybody agrees that nobody did anything wrong and that nobody will ever do it again. He, in return, pays them another year's rent on the room and a car-storage fee for her garage, like twenty thousand bucks total."

"That's bullshit. You can't sign a consent agreement that gets you out of a statutory-rape charge," Rose Marie said. "Especially not if you're a state senator."

"So I'll send Virgil around and you tell him what you want him to do," Lucas said.

She made a rude noise, shook her head. "That fuckin' Flowers . . ."

"C'mon, Rose Marie."

She sighed. "All right. Send him up. Tell him to bring the file, make a presentation. Three or four people will be there, he doesn't have to be introduced to them, or look them up later. Tell him to wear a jacket, slacks, and to get rid of those goddamn cowboy boots for one day. Tell him we don't need an attitude. Tell him if we get attitude, I'll donate his ass to the Fulda City Council as the town cop."

"I'll tell him . . ." He looked around. Several panels in the wall of the dining room had been pulled open. One showed a safe door; another, rows of liquor bottles; a third, crockery serving dishes with molded vegetables as decoration.

"Listen. This is a sideshow," she said, waving a hand at the trashed room. "The governor wants a presence here, because she's big political and social money. But you need to focus on Kline." She popped a piece of Nicorette gum, started chewing rapidly, rolling it with her tongue. "I don't care who fixes it, but it's gotta be fixed."

"Why don't we just go the grand jury route? You know, 'We presented it to the grand jury and in their wisdom, they decided to indict'? Or not indict?"

"Because we're playing with the legislature, and the Republicans still own it, and they *know* that's bullshit. Radioactive bullshit. We need to be in position before this girl shows up on Channel Three."

Ϫ

Lucas walked her out to her car; when she'd gotten out of her spot in a neighboring driveway, he started back to the house. On the way, thinking more about Kline than about the Bucher murder, he spotted a red-haired reporter from the *Star Tribune* on the other side of the police tape. The reporter lifted a hand and Lucas stepped over.

"How'd she get it?" Ruffe Ignace asked. He was smiling, simple chitchat with a friend.

"There are two of them," Lucas said quietly. "A maid named Sugar-Rayette Peebles and Constance Bucher. Peebles was killed downstairs, near the front door. Her body was wrapped in a Persian carpet in a hallway. The old lady was killed in her bedroom. They were beaten to death, maybe with a pipe. Skulls crushed. House is ransacked, bedrooms tossed. Probably Friday night."

"Any leads?" Ignace was taking no notes, just standing on the neighbor's lawn with his hands in his jacket pockets. He didn't want to attract the attention of other reporters. Lucas had found that Ignace had an exceptional memory for conversation, for however long it took him to go somewhere and write it down.

"Not yet," Lucas said. "We'll be talking to people who knew the women . . ."

"How about that place down the street?" Ignace asked. "The halfway house? Full of junkies."

"St. Paul is looking into that," Lucas said.

"Did it look like junkies?" Ignace asked.

"Something like that, but not exactly," Lucas said.

"How not exactly?"

"I don't know—but *not exactly,*" Lucas said. "I'll get back to you when I figure it out."

"You running it?"

"No. St. Paul. I'll be consulting," Lucas said.

"Okay. I owe you," Ignace said.

"You already owed me."

"Bullshit. We were dead even," Ignace said. "But now I owe you one."

A woman called him. "Lucas! Hey, Lucas!" He turned and saw Shelley Miller in the crowd along the sidewalk. She lived down the street in a house as big as Oak Walk.

"I gotta talk to this lady," Lucas said to Ignace.

"Call me," Ignace said. He drifted away, fishing in his pocket for a cell phone.

Miller came up. She was a thin woman; thin by sheer willpower. "Is she . . . ?" Miller was a cross between fascinated and appalled.

"Yeah. She and her maid," Lucas said. "How well did you know her?"

"I talked to her whenever she was outside," Miller said. "We used to visit back and forth. How did they kill her?"

"With a pipe, I think," Lucas said. "The ME'll figure it out."

Miller shivered: "And they're still running around the neighborhood."

Lucas's forehead wrinkled: "I'm not sure. I mean, if they're from the neighborhood. Do you know Bucher's place well enough to see whether anything was taken? I mean, the safe was untouched and we know one jewelry box was dumped and another might have been taken, and some electronics . . . but other stuff?"

She nodded. "I know it pretty well. Dan and I are redoing another house, down the street. We talked about buying some old St. Paul paintings from her and maybe some furniture and memorabilia. We thought it would be better to keep her things together, instead of having them dispersed when she died . . . I guess they'll be dispersed, now. We never did anything about it."

"Would you be willing to take a look inside?" Lucas asked. "See if you notice anything missing?"

"Sure. Now?"

"Not now," Lucas said. "The crime-scene guys are still working over the place, they'll want to move the bodies out. But I'll talk to the lead investigator here, get you into the house later today. His name is John Smith."

"I'll do it," she said.

Lucas went back inside, told Smith about Shelley Miller, then drifted around the house, taking it in, looking for something, not knowing what it was, watching the crime-scene techs work, asking a question now and then. He was astonished at the size of the place: A library the size of a high school library. A ballroom the size of a basketball court, with four crystal chandeliers.

John Smith was doing the same thing. They bumped into each other a few times.

"Anything?"

"Not much," Lucas said.

"See all the silverware behind that dining room panel?" Smith asked.

"Yeah. Sterling."

"Looks like it's all there."

Lucas scratched his forehead. "Maybe they figured it'd be hard to fence?"

"Throw it in a car, drive down to Miami, sayonara."

"It's got names and monograms . . ." Lucas suggested.

"Polish it off. Melt it down," Smith said. "Wouldn't take a rocket scientist."

"Maybe it was too heavy?"

"Dunno . . ."

Lucas wandered on, thinking about it. A hundred pounds of solid silver? Surely, not that much. He went back to the dining room, looked inside the built-in cabinet. Three or four sets of silverware, some bowls, some platters. He turned one of the platters over, thinking it might be gilded pewter or something; saw the sterling mark. Hefted it, hefted a dinner set, calculated . . . maybe forty pounds total? Still, worth a fortune.

A uniformed cop walked by, head bent back, looking at the ceiling.

"What?" Lucas asked.

"Look at the ceiling. Look at the crown molding." Lucas looked. The ceiling was molded plaster, the crown molding was a frieze of running horses. "The crown molding is worth more than my house."

"So if it turns up missing, we should look in your garage," Lucas said.

The cop nodded. "You got that right."

———

A couple of people from the ME's office wheeled a gurney through the dining room and out a side door; a black plastic body bag sat on top of it. Peebles.

Lucas went back to the silver. Where was he? Oh yeah—must be worth a fortune. Then a stray thought: Was it really?

Say, forty pounds of solid silver; 640 ounces . . . but silver was weighed in troy ounces, which, if he remembered correctly, were about ten percent heavier than regular ounces. Sterling wasn't pure, only about 90 percent, so you'd have some more loss. Call it roughly 550 troy ounces of pure silver at . . . he didn't know how much. Ten bucks? Fifteen? Not a fortune. After fencing it off, reworking it and refining it, getting it to the end user, the guys who carried it out of the house would be lucky to take out a grand.

In the meantime, they'd be humping around a lot of silver that had the dead woman's initials all over it. Maybe, he thought, they didn't take it because it wasn't worth the effort or risk. Maybe smarter than your average cokehead.

Another gurney went by in the hall, another body bag: Bucher. Then a cop stuck his head in the dining room door: "The Lash kid is here. They've taken him into the front parlor."

Lucas went that way, thinking about the silver, about the video games, about the way the place was trashed, the credit cards not stolen . . . Superficially, it looked local, but under that, he thought, it looked like something else. Smith was getting the same bad feeling about it: something was going on, and they didn't know what it was.

Ronnie Lash was tall and thin, nervous— scared—a sheen of perspiration on his coffee-brown forehead, tear tracks on his cheeks. He was neatly dressed in a red short-sleeved golf shirt, tan slacks, and athletic shoes; his hands were in his lap, and he twisted and untwisted them. His mother, a thin woman in a nurse's uniform, clutched a black handbag the size of a grocery sack, stood with him, talking to John Smith.

"They always say, get a lawyer," Mrs. Lash said. "Ronnie didn't do anything, to anybody, he loved Sugar, but they always say, get a lawyer."

"We, uh, Mrs. Lash, you've got to do what you think is right," Smith said. "We could get a lawyer here to sit with Ronnie, we could have somebody here in an hour from the public defender, won't cost you a cent." Which was the last thing Smith wanted. He wanted the kid alone, where he could lie to him.

Mrs. Lash was saying, ". . . don't have a lot of money for lawyers, but I can pay my share."

Ronnie was shaking his head, looking up at his mother: "I want to get this over with, Ma. I want to talk to these guys. I don't want a lawyer."

She put a hand on his shoulder. "They always say get a lawyer, Ronnie."

"If you need one, Ma," the Lash kid said. "I don't need one. Jesus will take care of me. I'll just tell the truth."

She shook a finger at him: "You talk to them then, but if they start saying stuff to you, you holler for me and we'll get a lawyer up here." To John Smith: "I still don't understand why I can't come in. He's a juvenile."

"Because we need to talk to Ronnie—not to the two of you. We need to talk to you, too, separately."

"But I didn't . . ." she protested.

"We don't think you did, Mrs. Lash, but we've got to talk to everybody," Smith said. His voice had lost its edge, now that he knew he'd be able to sweat Ronnie, without a lawyer stepping on his act.

Lucas leaned against the hallway wall, listening to the exchange, mother and son going back and forth. The Lashes finally decided that Ronnie could go ahead and talk, but if the cops started saying stuff to him . . .

"I'll call you, Ma."

At that point, Lucas was eighty-three percent certain that Ronnie Lash hadn't killed anyone, and hadn't helped kill anyone.

They put Mrs. Lash on a settee in the music room and took Ronnie into the parlor, John

Smith, a fat detective named Sy Schuber, and Lucas, and shut the door. They put Ronnie on a couch and scattered around the room, dragging up chairs, and Smith opened by outlining what had happened, and then said, "So we've got to ask you, where were you this weekend? Starting at four-thirty Friday afternoon?"

"Me'n some other guys took a bus over to Minneapolis, right after school on Friday," Lash said. "We were going over to BenBo's on Hennepin. They were having an under-age night."

BenBo's was a hip-hop place. Ronnie and four male friends from school spent the next five hours dancing, hanging out with a group of girls who'd gone over separately: so nine other people had been hanging with Ronnie most of the evening. He listed their names, and Schuber wrote them down. At ten o'clock, the mother of one of the kids picked up the boys in her station wagon and hauled them all back to St. Paul.

"What kind of car?" Lucas asked.

"A Cadillac SUV—I don't know exactly what they're called," Lash said. "It was a couple of years old."

Coming back to St. Paul, Ronnie had

been dropped third, so he thought it was shortly before eleven o'clock when he got home. His mother was still up. She'd bought a roasted chicken at the Cub supermarket, and they ate chicken sandwiches in the kitchen, talked, and went to bed.

On weekends, Lash worked at a food shelf run by his church, which wasn't a Catholic church, though he went to a Catholic school. He started at nine in the morning, worked until three o'clock.

"They don't pay, but, you know, it goes on your record for college," he said. "It's also good for your soul."

Schuber asked, "If you're such a religious guy, how come you were out at some hip-hop club all night?"

"Jesus had no problem with a good time," Ronnie said. "He turned water into wine, not the other way around."

"Yeah, yeah." Smith was rubbing his eyeballs with his fingertips. "Ronnie, you got a guy down the block from you named Weldon Godfrey. You know Weldon?"

"Know who he is," Ronnie said, nodding. He said it so casually that Lucas knew that he'd seen the question coming.

"You hang out?" Smith asked.

"Nope. Not since I started at Catholic school," Lash said. "I knew him most when I went to public school, but he was two grades ahead of me, so we didn't hang out then, either."

"He's had a lot of trouble," Schuber said.

"He's a jerk," Ronnie said, and Lucas laughed in spite of himself. The kid sounded like a middle-aged golfer.

Smith persisted: "But you don't hang with Weldon or any of his friends?"

"No. My ma would kill me if I did," Ronnie said. He twisted and untwisted his bony fingers, and leaned forward. "Ever since I heard Aunt Sugar was murdered, I knew you'd want to talk to me about it. It'd be easy to say, 'Here's this black kid, he's a gang kid, he set this up.' Well, I didn't."

"Ronnie, we don't . . ."

"Don't lie to me, sir," Ronnie said. "This is too serious."

Smith nodded: "Okay."

"You were saying . . ." Lucas prompted.

"I was saying, I really loved Aunt Sugar and I really liked Mrs. Bucher." A tear started down one cheek, and he let it go. "Aunt Sugar brought me up, just like my ma. When Ma was going to school, Aunt Sugar was my full-time babysitter. When Aunt Sugar got a job with Mrs. B, and I started going to Catholic school, I started coming over here, and Mrs. B gave me money for doing odd jobs. Gave me more money than she had to and she told me that if she lived long enough, she'd help me with college. No way I want those people to get hurt. I wouldn't put the finger on them for anybody, no matter how much they stole."

Lucas bought it. If the kid was lying, and could consciously generate those tears, then he was a natural little psychopath. Which, of course, was possible.

Lucas felt John Smith sign off, Schuber shrugged, and Lucas jumped in: "So what'd they steal, kid?"

"I don't know. Nobody would let me look," Lash said.

Lucas to Smith: "Can I drag him around the house one time?"

Smith nodded. "Go ahead. Get back to me."

"We all done?" Ronnie asked.

"For now," Smith said, showing a first smile. "Don't book any trips to South America."

Ronnie's face was dead serious. "No sir."

_____

Out in the hallway, Mrs. Lash was standing with her back to the wall, staring at the door. As soon as Lucas stepped through, she asked, "What?"

Lucas shrugged. "Ronnie's offered to show me around the house."

She asked Ronnie, "They say anything to you?"

"No. They don't think I did it," Lash said.

To Lucas: "Is that right?"

Lucas said, "We never really did. But we have to check. Is it all right if he shows me around?"

She eyed him for a moment, an always present skepticism that Lucas saw when he dealt with blacks, as a white cop. Her eyes shifted to her son, and she said, "I've got to talk to the police about Sugar. About the funeral arrangements. You help this man, and if he starts putting anything on you, you shut up and we'll get a lawyer."

"What I want to know, is what these people took," Lucas told Lash. "We know they took some electronics . . . a game machine, probably a DVD. What else?"

They started with the TV room. "Took a DVD and an Xbox and a CD player—Mrs. B liked to sit in here and listen to her albums and she figured out how to run the CD player with the remote, and also, it was off here, to the side, so she didn't have to bend over to put a CD in. The DVD was on the shelf below the TV and she couldn't get up if she bent over that far, Aunt Sugar had to do that," Lash said. He looked in the closet: "Huh. Didn't take the games." He seemed to look inward, to some other Ronnie Lash, who knew about the streets, and muttered to himself, "Games is same as cash."

"Your games?" Lucas asked.

"Yes. But why didn't they take them?"

Lucas scratched his nose. "What else?"

"There was a money jar in the butler's pantry." Lash led the way to the small kitchen where Lucas had run into Rose Marie and the weeping politician.

"This is a butler's pantry?" Lucas asked, looking around. "What the hell is that?"

"The real kitchen is down in the basement. When you had a big dinner, the food would get done down there, and then it'd come on this little elevator—it's called a dumbwaiter." Lash opened a panel to show off an open shaft going down. "The servants would get it here and take it to the table. But for just every day, Mrs. B had the pantry remodeled into a kitchen."

"Okay."

An orange ceramic jar, molded to look like a pumpkin, with the word "Cookies" on the side, sat against a wall on the kitchen counter. Lash reached for it but Lucas caught his arm. "Don't touch," he said. He got a paper towel from a rack, put his hand behind the jar, and pushed it toward the edge of the countertop. When it was close enough to look into, he took the lid off, gripping the lid by its edges. "Fingerprints."

Lash peered inside. "Nope. Cleaned it out. There was usually a couple of hundred bucks in here. Sometimes more and sometimes less."

"Slush fund."

"Yes. For errands and when deliverymen came," Lash said. "Mostly twenties, and some smaller bills and change. Though . . . I wonder what happened to the change barrel?"

"What's that?" Lucas asked.

"It's upstairs. I'll show you."

Lucas called a crime-scene tech, who'd stretch warning tape around the kitchen counter. Then they walked through the house, and Lash mentioned a half-dozen items: a laptop computer was missing, mostly used by the housekeeping couple, but also by Lash for his schoolwork. A Dell, Lash said, and he pointed to a file drawer with the warranty papers.

Lucas copied down the relevant information and the serial number. Also missing: a computer printer, binoculars, an old Nikon spotting scope that Bucher had once used for birding, two older film cameras, a compact stereo. "Stamps," Lash said. "There was a big roll of stamps in the desk drawer . . ."

The drawer had been dumped.

"How big was the printer?" Lucas asked.

"An HP LaserJet, about so big," Lash said, gesturing with his hands, indicating a two-foot square.

"Heavy?"

"I don't know. I didn't put it in. But pretty heavy, I think," Lash said. "It looked heavy. It was more like a business machine, than like a home printer."

"Huh."

"What means 'huh'?" Lash asked.

Lucas said, "You think they put all this stuff in a bag and went running down the street?"

Lash looked at him for a minute, then said, "They had a car." He looked toward the back of the house, his fingers tapping his lower lip. "But Detective Smith said they probably came in through the back, up the hill."

"Well?"

Lash shrugged: "He was wrong."

In the upstairs hallway, a brass vase—or something like a vase, but four feet tall—lay on its side. Lucas had noticed it among the other litter on his first trip through the house, but had just seen it as another random piece of vandalism.

Lash lifted it by the lip: "Got it," he said. To Lucas: "Every night, Mrs. B put the change she got in here. Everything but pennies. She said someday, she was going to call the Salvation Army at Christmas, and have them send a bell ringer around, and she'd give, like, the whole vase full of coins."

"How much was in there?"

Lash shook his head: "Who knows? It was too heavy to move. I couldn't even tip it."

"So hundreds of dollars."

"I don't know. It was all nickels, dimes, and quarters, so, quite a bit," Lash said. "Maybe thousands, when you think about it."

On the rest of the floor, Lash couldn't pick out anything that Lucas didn't already suspect: the jewelry, the drugs. Maybe something hidden in the dressers, but Lash had never looked inside of them, he said, so he didn't know what might be missing.

On the third floor, they had a moment: Lash had spent some time on the third floor, sorting and straightening under Bucher's direction. "Sugar said Mrs. B was getting ready to die," Lash said.

They'd looked into a half-dozen rooms, when Lash said, suddenly, "Wait a minute." He walked back to the room they'd just left, which had been stacked with furniture and a number of cardboard boxes; a broken lamp stuck out of one of them. Lash said, "Where're the chairs?"

"The chairs?"

"Yeah. There were two old chairs in here. One was turned upside down on the other one, like in a restaurant when it's closing. At least . . ." He touched his chin. "Maybe they were in the next one."

They stepped down to the next room. Several chairs, but not, Lash said, the two he was thinking of. They went back to the first room. "They were right here."

"When did you last see them?"

Lash put a finger in his ear, rolled it for a moment, thinking, then said, "Well, it's been a while. I was cleaning this room out . . . gosh, Christmas vacation. Six months."

"Two old chairs," Lucas said.

"Yeah."

"Maybe Mrs. Bucher got rid of them?"

Lash shrugged. "I suppose. She never said anything. I don't think she thought about them."

"Really old, like French antiques or something?" Lucas asked.

"No, no," Lash said. "More like my mom's age. Or maybe your age."

"How do you know?"

"Because they were like . . . swoopy. Like one big swoop was the back and the other swoop was the seat. They were like, you know, what'd you see on old TV—*Star Trek,* like that. Or maybe chairs at the Goodwill store."

"Huh. So you couldn't mistake them," Lucas said.

"No. They're not here."

As they went through the last few rooms, Lash said, finally, "You know, I'm not sure, but it seems like somebody's been poking around up here. Things are not quite like it was. It seems like stuff has been moved."

"Like what?"

Lash pointed across the room, to a battered wooden rocking chair with a torn soft seat. Behind the rocker, four framed paintings were stacked against the wall. "Like somebody moved that rocker. When the old lady wanted something moved, she usually got me to do it."

"Was there something back there?"

Lash had to think about it for a moment, then went and looked in another room, and came back and looked at the old rocker and said, "There might have been more pictures than that. Behind the rocker."

"How many?" Lucas asked.

"I don't know, but the stack was thicker. Maybe six? Maybe five. Or maybe seven. But the stack was thicker. One of the frames was gold colored, but all covered with dust. I don't see that one. Let me see, one said 'reckless' on the back . . ."

"Reckless?"

"Yeah, somebody had painted 'reckless' on it," Lash said. "Just that one word. On the back of the painting, not the picture side. In dark gray paint. Big letters."

"Portrait, landscape . . . ?"

"I don't know. I didn't look at the front, I just remember that word on the back. There are a couple of paintings gone. At least two."

"There were some pictures down the hall in that third room, the one with the ironing boards," Lucas said.

"No, no, I know about those," Lash said. "These up here had frames that were, like, carved with flowers and grapes and stuff. And the gold one. Those other ones are just plain."

"Chairs that weren't very old, and maybe some paintings," Lucas said.

"Yeah." They stood in silence for a moment, then Lash added, "I'll tell you what, Mr. Davenport, Weldon Godfrey didn't steal any chairs and paintings. Or maybe he'd take the chairs, because his house never had much furniture. But Weldon wouldn't give you a dollar for any painting I can think of. Unless it was like a blond woman with big boobs."

They tramped back through the house, and on the way, Lash's pocket started to play a rock version of "The Battle Hymn of the Republic." He took a cell phone out of his pocket, looked at it, pushed a button, and stuck it back in his pocket.

"You've got a cell phone," Lucas said.

"Everybody's got a cell phone. Mom'n me, we don't have a regular phone anymore."

Back on the first floor, they ran into Smith again. Smith's left eyebrow went up, a question.

"Maybe something," Lucas said. "Ronnie thinks a few things may have been taken.

Can't nail it down, but stuff looks like it's been moved on the third floor. Couple of chairs may be missing, maybe a painting or two."

"Tell him about the car," Lash said.

"Oh yeah," Lucas said. "They used a car to move the stuff. Or a van or a truck."

Lucas explained and Smith said, "The Hill House has a security system with cameras looking out at the street. Maybe we'll see something on the tapes."

"If they took those chairs, it'd have to be pretty good-sized," Lash said. "Not a car. A truck."

"Maybe they'll turn up on *Antiques Road-show?*" Smith said.

"Maybe. But we're not sure what's missing," Lucas said. "Ronnie's not even sure that Bucher didn't get rid of the chairs herself."

Mrs. Lash was sitting in the foyer, waiting for her son. When Lucas brought him back, she asked Ronnie, "Are you okay?"

"I'm fine. But just wait here for one minute, I want to look at something. I noticed it when the police brought us in . . ." He went back down the hall and into the music room, his feet cracking through bits and pieces of broken glass.

"He's been a big help," Lucas said to Mrs. Lash. "We appreciate it."

"I'm sure," she said. Then, "I've seen you at Hennepin General. I used to work over there."

"My wife's a surgeon, she's on staff at Hennepin," Lucas said. "I'd hang out sometimes."

"What's her name?" Lash asked.

"Weather Karkinnen."

Lash brightened: "Oh, I know Dr. Karkinnen. She's really good."

"Yeah, I know." He touched a scar at his throat, made by Weather with a jackknife. Ronnie came back, gestured toward the music room with his thumb.

"There's a cabinet in there with a glass front. It used to be full of old vases and dishes and bowls. One of them had Chinese coins in it. I'm not sure, because some of it's broken, but I don't think there are as many pieces as there used to be. It looks too . . . loose."

"Could you identify any of it? If we came up with some stuff?"

Lash shook his head doubtfully. "I don't

know anything about it. I never really looked at it, except, one time when Mrs. Bucher showed me the coins. It just looks too loose. It used to be jammed with vases and bowls. Coins are all over the floor now, so they didn't take those."

"Okay . . . Any other last thoughts?"

Ronnie said to Lucas, "'The love of money is the root of all evils.' Timothy, six-ten."

The little asshole was getting on top of him.

Lucas said, "'Money is better than poverty, if only for financial reasons.' Woody Allen."

His mother cracked a smile, but Ronnie said, "I'll go with Timothy."

4

As the Lashes left, Smith and another cop came rolling down the hall, picking up their feet, in a jacket-flapping, gun-flashing hurry.

"Got a break," Smith said, coming up to Lucas. "Let's go."

Lucas started walking. "What happened?"

"Guy showed up at Rhodes's with some jewelry in a jewelry box. Jewelry was cheap but the box was terrific. Our guys turned it over, it's inscribed 'Bucher' on the back."

Rhodes's was a pawnshop. Lucas asked, "Do they know who brought it in?"

"That's the weird thing," Smith said. "They *do.*"

"Where're we going?" Lucas asked.

"Six-twelve Hay. It's off Payne, nine blocks north of Seventh. SWAT is setting up in the parking lot behind the Minnesota Music Café."

"See you there."

Payne Avenue was one of the signature drags across St. Paul's east side, once the Archie Bunker bastion of the city's white working class. The neighborhood had been in transition for decades, reliable old employers leaving, a new mix of Southeast Asians and blacks moving in. Lucas dropped past the cathedral, onto I-94 in a minute or so, up the hill to Mounds Boulevard, left and left again.

The café was an old hangout of his, at the corner of East Seventh and Payne, with a graveled parking lot in back, and inside, the best music in town. A dozen cars were in the lot, cops pulling on body armor. A half-dozen civilians were watching from the street. Smith arrived ten seconds after Lucas, and they walked over to Andy Landis, the SWAT squad commander.

"What you got?" Smith asked.

"We're in the house behind him and on both sides," Landis said. "Name is Nathan Brown. Don't have anything local on him, but the people in the house behind him say he moved here from Chicago four or five years ago. There're about fifty Nathan and Nate Browns with files down in Chicago, so we don't know who he is."

"Got the warrant?" Smith asked.

"On the way. Two minutes," Landis said.

"Love this shit," Smith said to Lucas.

"You ever been on the SWAT squad?"

"Ten years, until the old lady nagged me out of it," Smith said. "Turned my crank."

"Wasn't it called something else? They called you the 'breath mint'?"

"CIRT," Smith said. "Critical Incident Response Team."

"SWAT's better," Lucas said.

The warrant arrived and the SWAT squad moved out in three groups. Lucas and Smith tagged behind.

"The couple who found the bodies . . . did they notice anything missing around the house?" Lucas asked.

Smith shook his head. "Not that they mentioned. But they weren't housekeepers— the wife does the cooking, the husband did maintenance and gardening and the lawn. And with shit thrown all over the place like it was . . . The niece is on the way from California. She'll probably know something."

The SWAT team came in three groups: a blocking group at the back door, and two at the front of the house, one from each side. They came across the neighboring lawns, armored, face shields, carrying long arms. Moved diagonally across the lawn of the target house, quietly swarming the porch, doing a peek at the window, then kicking the front door in.

Nathan Brown, as it happened, was asleep in a downstairs bedroom. His girl-friend was feeding her kids grilled-cheese sandwiches in the kitchen, and began screaming when the cops came through, had the phone in her hand screaming "Nine-one-one, nine-one-one," and the kids were screaming, and then the cops were in the bedroom on top of Brown.

Brown was yelling, "Hey . . . hey . . . hey," like a stuck record.

Lucas came in as they rolled him and cuffed him; his room smelled of old wallpaper, sweat, and booze. Brown was shirtless, dazed, wearing boxer shorts. He'd left a damp sweat stain on the sheet of the queen-sized bed.

After some thrashing around, the freaked-out girlfriend sat in a corner sobbing, her two children crying with her. The cops found a plastic baggie with an assortment of earrings on the floor by Brown's pants. Asked where he got them, Brown roused himself to semicoherence, and said, "I shoulda known, there ain't no fuckin' toot' fairy."

"Where'd you get them?"

He shook his head, not in refusal, but knowing the reaction he'd get: "I got them off a bus bench."

That was stupid enough that it stopped everybody. "Off a bus bench?" Smith said.

"Off a bus bench. Up at . . . up at Dale. Dale and Grand," Brown said. His eyes tended to wander in his head. "Friday night. Midnight. Lookin' for a bus so I don't got to walk downtown. The box was sittin' right there, like the toot' fairy left it."

"Full of jewelry," said one of the cops.

"Not full. Only a little in there." He craned his neck toward the door. He could hear the children, still screaming, and their mother now trying to calm them down. Cops were starting to prop themselves in the doorway, to listen to what Brown was saying. "Did you knock the door down?" Brown asked. "Why the kids crying? Are the kids okay?"

"The kids are okay . . ." The air was going out of the SWAT guys.

"Is the house hurt?" There was a pleading note in Brown's voice.

Smith stepped away, put a radio to his face. Lucas asked, "Anybody see you pick this box up?"

Brown said, "Not that I seen. I just seen the box, thought somebody left it, opened it up, didn't see no name."

"There was a name on the bottom of the box."

"Didn't look on the bottom of the box," Brown said helplessly.

Lucas didn't take long to make up his mind. Smith was uncertain, but after talking to Brown, and then to Brown's girlfriend, Lucas was pretty sure that Brown was telling the truth about the jewelry box.

Smith served the search warrant on the woman, who owned the house, and the cops started tearing it apart.

———

Lucas went back to his car alone, rolled down Payne to the café, got a notebook from behind the car seat, took a table on the sidewalk out in front of the place, bought a beer, and started doodling his way through the killings.

The murders of Bucher and Peebles looked like a gang-related home invasion. Two or three assholes would bust a house, tape up the occupants—most often older people, scouted in advance—and then take their time cleaning the house out. Easier, safer, and often more lucrative than going into liquor or convenience stores, which had hardened themselves with cameras, safes, and even bulletproof screens.

But with Bucher and Peebles, the robbers had not taken credit cards or ATM cards. In most house invasions, those would be the first targets, because they'd yield cash. Bucher and Peebles appeared to have been killed quickly, before they could resist. Most home invaders, even if they were planning to kill the victims, would keep them alive long enough to squeeze out the PIN numbers for the ATM cards.

ATMs had cameras, but it was easy enough to put a rag over your face. They might not have intended to kill. Say they came onto Peebles, somebody got excited and swatted her with a pipe. Then they'd have to kill Bucher just to clean up.

But there was no sign that Peebles resisted . . .

The halfway house was becoming more interesting. Lucas made up a scenario and played it through his head: suppose you had a couple of real hard guys in the halfway house, looking out the second-floor windows, watching the housekeepers come and go, the two old ladies in the garden during the day, the one or two bedroom lights at night, one light going out, then the other.

They'd be in a perfect spot to watch, sitting in a bedroom all evening, nothing to do, making notes, counting heads, thinking about what must be inside.

Get a car, roll down there during a storm. Real hard guys, knowing in advance what they were doing, knowing they were going to kill, maybe drinking a little bit, but wearing gloves, knowing about DNA . . .

But why would they take a bunch of junk? Stereos and game machines? The stuff they'd taken, as far as Lucas knew of it, wouldn't be worth more than several hundred dollars on the street, not counting the cash, stamps, the vase full of change, and any jewelry they might have gotten. If they'd kept the old ladies alive long enough to get PINs, they could have probably taken down a thousand dollars a day, Friday through Sunday, all cash, *then* killed them and run with a car full of stuff.

Maybe, though, there was something else in the house. What happened to those chairs? The paintings? Were those figments of Ronnie Lash's imagination? How much could a couple of swoopy chairs be worth, anyway?

He took out his cell phone and called home: the housekeeper answered. "Could you get the address book off Weather's desk, and bring it to the phone?" The housekeeper put down the phone, and was back a minute later. "There should be a listing for a cell phone for a Shelley Miller."

Lucas jotted the number in the palm of his hand, rang off, and dialed Miller, the woman he'd talked to at Oak Walk. The cops had been taking her inside when Lucas and Smith left for the raid.

She came up on the phone: "This is Shelley . . ."

"Shelley, this is Lucas. Anything?"

"Lucas, I'm not sure. There's just too much stuff lying around. God, it makes me want to cry. You know, my great-uncle is in one of the portraits with Connie's husband's father . . ." She sniffed. "But . . . Connie always liked to wear nice earrings and I think she probably kept those at her bedside. She had diamonds, emeralds, rubies, sapphires, pearls . . . uh, probably a couple of more things. They weren't small. For the single-stone earrings, I'd say two or three carats each. Then she had some dangly ones, with smaller stones; and she always wore them. I'd see her out working on the lawn, grubbing around in the dirt, and she'd have very nice earrings on. She also had a blue single-ton diamond, a wedding gift from her husband, that she always wore around her neck on a platinum chain, probably eight or ten carats, and her engagement ring, also blue, a fragment of the neck stone, I think, probably another five carats. I really doubt that she locked them up every night."

After digesting it for a moment, Lucas asked, "How much?"

"Oh, I don't know. I really don't. It would depend so much on quality—but the Buchers wouldn't get cheap stones. I wouldn't be surprised if, huh. I don't know. A half million?"

"Holy shit."

"I thought you should know."

The café's owner, Karen Palm, came by, patted him on the shoulder. She was a nice-looking woman, big smile and dark hair on her shoulders, an old pal; as many St. Paul cops hung out at the café as Minneapolis cops hung out at Sloan's place on the other side of the river.

"Were you with the SWAT team?" she asked.

"Yeah. You heard about the Bucher thing."

"Terrible. Did you get the guy?" she asked.

"I don't think so," Lucas said. "He was just in the wrong place at the wrong time . . ."

"Well, shoot . . ."

They chatted for a minute, catching up, then Carol called and Palm went back to work. Carol said, "I'm switching you over to McMahon."

McMahon was a BCA investigator. He came on and said, "I looked at the people from the halfway house. I've run them all against the feds and our own records, and it's, uh, difficult."

"What's difficult?" Lucas asked.

"These guys were cherry-picked for their good behavior. That's the most famous halfway house in the Cities. If that place flies, nobody can complain about one in their neighborhood. So, what you've got is a bunch of third-time DUI arrests and low-weight pot dealers from the university. No heavy hitters."

"There can't be *nobody* . . ."

"Yes, there can," McMahon said. "There's not a single violent crime or sex crime against any of them. There's not even a hit-and-run with the DUIs."

"Not a lot of help," Lucas said.

McMahon said, "The guy who runs the place is named Dan Westchester. He's there every night until six. You could talk to him in person. I'll run a few more levels on the records checks, but it doesn't look like there'll be much."

Lucas dropped a five-dollar bill on the table, stretched, thought about it, then drove back to Brown's house. Brown was in the back of a squad, his girlfriend and her daughter sitting on a glider on the front porch, the girlfriend looking glumly at the busted door.

Smith was standing in the kitchen doorway and Lucas took him aside.

"I've got a friend who knew Bucher. She says Bucher used to wear some diamonds, big ones . . ." Lucas said. He explained about Miller, and her thoughts about the jewelry. Smith said, "A half million? If it's a half million, no wonder they didn't take the ATM cards. A half million could be pros."

"Unless it was just a couple of dopers who got lucky," Lucas said. "There could be some little dolly dancing on Hennepin Avenue with a ten-carat stone around her neck, thinking it's glass."

"So . . ."

"These guys take the game box, but not the games. They take diamonds and swoopy chairs and a painting, but they also take a roll of stamps and a DVD player and a printer and a laptop. It's not adding up, John."

"Brown's not adding up, either," Smith said. "He's an alcoholic, he's on the bottle, really bad, and there's a liquor cabinet full of the best stuff in the world back there, and it's not touched." Smith looked down to the squad where Brown was sitting. "Jesus. Why couldn't it be easy?"

Lucas left the raid site, headed back to the Bucher house and the halfway house. The crowd outside had gotten thinner— dinnertime, he thought—and what was left was coalescing around four TV trucks, where reporters were doing stand-ups for the evening news.

Inside, the crime-scene people were expanding their search, but had nothing new to report. He walked through the place one last time, then headed across the street to the halfway house.

The halfway house looked like any of the fading mansions on the wrong side of Summit, a brown-brick three-story with a carriage house out back, a broad front porch with white pillars, now flaking paint, and an empty porch swing.

Dan Westchester somewhat resembled the house: he was on the wrong side of fifty, the fat side of two-twenty, and the short side of five-ten. He had a small gray ponytail, a gold earring in his left earlobe, and wore long cotton slacks, a golf shirt, and sandals. The name plaque on his desk showed a red-yellow-green Vietnam ribbon under his name.

"I already talked to St. Paul, and I talked to your guy at the BCA," he said unhappily. "What do you want from us?"

"Just trying to see what's what," Lucas said. "We've got two murdered old ladies across the street from a halfway house full of convicted criminals. If we didn't talk to you, our asses would get fired."

"I know, but we've worked so hard . . ."

"I can believe that," Lucas said. "But . . ." He shrugged.

Westchester nodded. "The guys here . . . we've had exactly six complaints since we opened the facility, and they involved alcoholic relapses," he said. "None of the people were violent. The DOC made a decision

early on that we wouldn't house violent of-
fenders here."

Lucas: "Look. I'm not here to dragoon the
house, I'm just looking for an opinion: If one
of your guys did this, who would it be?"

"None of them," Westchester snapped.

"Bullshit," Lucas snapped back. "If this
was a convent, there'd be two or three nuns
who'd be more likely than the others to do a
double murder. I'm asking for an assessment, not an accusation."

"None of them," Westchester repeated.
"The guys in this house wouldn't beat two
old ladies to death. Most of them are just
unhappy guys . . ."

"Yeah." Unhappy guys who got drunk and
drove cars onto sidewalks and across cen-
terlines into traffic.

Westchester: "I'm not trying to mess with
you. I'm not silly about convicted felons.
But honest to God, most of the people here
are sick. They don't intend to do bad,
they're just *sick*. They're inflicted with an
evil drug."

"So you don't have a single guy . . ."

"I can't give you a name," Westchester
said. "But I'll tell you what: you or St. Paul
can send over anyone you want, and I'll go

over my guys, file by file, and I'll tell you everything I know. Then *you* make the assessment. I don't want a goddamn killer in here. But I don't think I've got one. I'm sure I don't."

Lucas thought about it for a moment: "All right. That's reasonable." He stood up, turned at the office door. "Not a single guy?"

"Not one."

"Where were *you* Friday night?"

Westchester sat back and grinned. "I'm in a foosball league. I was playing foosball. I got two dozen 'ballers to back me up."

Lucas left, a little pissed, feeling thwarted: he'd wanted a name, any name, a place to start. Halfway down the sidewalk, his cell phone rang, and when he looked at the number, saw that it came from the governor's office.

"Yeah. Governor," Lucas said.

"You catch them?"

"Not yet."

"Well, fuck 'em then, they're too smart for you," the governor said. "Now: I want you to talk to Neil tomorrow morning. He has some suggestions about the way you conduct the Kline investigation, okay?"

"Maybe not," Lucas said. "I hate the charge, 'suborning justice.'"

"We're not going to suborn anything, Lucas," said the governor, putting a little buttermilk in his voice. "You know me better than that. We're managing a difficult situation."

"Not difficult for me, at this point," Lucas said. "Could get difficult, if I talk to Neil."

"Talk to Neil. Talk. How can it hurt?" the governor asked.

"Ask the White House guys in federal minimum security . . . Listen, sir, there's a straightforward way to handle this."

"No, there isn't," the governor said. "We've gone over all the options. We need more. If you can think up some reasonable options, then we won't have to turn Neil loose. So talk to him."

At dinner, Lucas told the Bucher story to his wife, Weather; his fifteen-year-old ward, Letty; and his son, Sam, who was almost two feet tall now, and who'd developed an intense interest in spoons.

Weather was a short blonde with a bold nose, square shoulders, and shrewd Finnish eyes; she was a plastic and microsurgeon and spent her days fixing heads and faces, revising scars, and replacing skin and cutting out lesions. When he was done with the story, Weather said, "So it was a robbery."

"Odd robbery," Lucas said, with a shake of his head. "If they were after the jewelry, why did they trash the rest of the house? If they were after paintings, why were there terrific old paintings all over the place? Why would they take swoopy furniture? The kid said it looked like they took it off the *Star Trek* set. It's just weird: They stole a printer? They stole an Xbox but not the hottest game on the market?"

"That is definitely strange," Letty said. She was a lanky girl, dark haired, and was growing into a heart-stopper.

"All that other stuff was to throw you off, so you'd think dopers did it, but it's really a gang of serious antique and jewel thieves," Weather said. "They took a few special pieces and scattered the rest around to conceal it. It's as plain as the nose on your face."

"Weather . . ." Lucas said impatiently.

"Lucas," Weather snapped. "Look around, if you can get your head out of your butt long enough."

Letty giggled. ". . . head out of your butt." Sam pointed his spoon and yelled, "Butt!"

"We have three antiques," Weather said. "The most expensive one cost sixteen thousand."

"Sixteen thousand?" Lucas was appalled. "Which one was that?"

"The china cabinet," Weather said. "Most real antique people would tell you it is a piece of junk. When I redid the house, how much do you think I spent on furniture? Just give me a ballpark figure."

Lucas's eyes wandered down the dining room, toward the living room; thought about the new bedroom set, the couches in the den, the living room, the family room, and the TV room. The latter now needed new covers because he kept putting his feet on the arms. "I don't know. Forty, fifty thousand?"

It sounded high, but better high than low.

Weather stared at him, then looked at Letty, and back to Lucas. "Lucas, I mean, sweet-bleedin' . . ."

She looked at Letty again, who filled in, "Jesus."

Lucas said, "We're letting our mouths get a little out of control here . . ." That was an uphill fight he'd never win. He was laying down a smoke screen to cover his furniture-pricing faux pas, if that's what it was.

Weather said, "Lucas, I spent two hundred and ten thousand dollars, and that wasn't the really good stuff that I actually wanted."

His mouth didn't drop open, but he felt as if it had.

She continued: "Lucas, a fair-to-middling couch with custom coverings *starts* at five thousand dollars. This table"—she rapped with her knuckles on the dining table—"cost nine thousand dollars with eight chairs. And that's nothing. Nothing. Rich people would spit on this table."

"Not with me around," Lucas said.

Weather jabbed a fork at him. "Now. You say Bucher has as much money as your old pal Miller."

"Yeah. Same league," Lucas said. "Maybe some of the same ancestors."

"Those people were billionaires when a billion dollars was serious money," Weather said. "Everything in their houses would be top quality—and an eighty-year-old woman's house would be stuffed to the gills with antiques . . . Lucas, I don't know much about antiques, but I know you could get a million dollars' worth in a van. Paintings, who knows what they're worth? I thought maybe I'd buy a couple of nice old American paintings for the living room. But you know what old American impressionist-style paintings go for now? You could put twenty million dollars in the trunk of your Porsche. I'm not even talking about the biggest names. Painters you never heard of, you have to pay a half million dollars for their work."

Now he was impressed. He pushed back from the table: "I didn't . . . I gotta get a book."

Weather marched on: "This Lash kid, he said she had some old pots, and you said there were smashed pots lying around. They were covering up for what they took. Art Deco pots can go for fifty thousand dollars. Swoopy chairs with leather seats? There are Mies van der Rohe swoopy chairs that go for five thousand dollars each. I know, because Gloria Chatham bought two, and she never stops talking about it. Lucas, they could've taken millions out of this place. Not even counting those diamonds."

Lucas looked down at his roast, then back up to Weather: "You paid nine thousand dollars for this table? We could have gone over to IKEA."

"Fuck IKEA," Weather said.

Letty giggled. "I'd like to see that."

Sam hit a glass with a spoon; Weather looked at him and smiled and said, "Good boy."

When they were done with dinner, Lucas hiked down to the Highland Park bookstore and bought a copy of Judith Miller's *Antiques Price Guide,* which was the biggest and slickest one. Back at home, sitting in the quiet of the den, he flipped through it. Weather hadn't been exaggerating. Lamps worth as much as $100,000; vases worth $25,000; Indian pots worth $30,000; a Dinky truck—*a Dinky truck like Lucas had played with new, as a kid, made in 1964!*—worth $10,000. Tables worth $20,000, $50,000, $70,000; a painting of a creek in winter, by a guy named Edward Willis Redfield, of whom Lucas had never heard, valued at $650,000.

"Who'd buy this shit?" he asked aloud. He spent another fifteen minutes with the book, made some notes, then got his brief-case, found his phone book, and called Smith at home.

"You catch 'em?" Smith asked.

"No. I've already been asked that," Lucas said. "By the governor."

"Well, shit."

"Listen, I've been doing some re-search . . ."

Lucas told Smith about the antiques book, and what he thought had to be done at the murder scene: "Interrogate the rela-tives. Try to nail down every piece of furni-ture and every painting. Get somebody who's good at puzzles, go over to that pot cupboard, whatever you call it, and glue those smashed pots back together. Get an antiques dealer in there to evaluate the place. My guys checked her insurance, but there's some bullshit about writs and pri-vacy, so it'd probably be easier to check her safe-deposit box; or maybe there's a copy in one of those file cabinets. We need some paperwork."

Smith was uncertain: "Lucas, those pot pieces are smaller'n your dick. How in the hell are we going to get them back together?"

"The pots don't have to be perfect. We need to see what they are, and get somebody who knows what he's doing, and put a value on them. I've got this idea . . ."

"What?"

"If the people who hit the place are big-time antique thieves, if this is some kind of huge invisible heist, I'll bet they didn't bust up the good stuff," Lucas said. "I bet there's twenty thousand bucks worth of pots in the cupboard, there's a thousand bucks worth of busted pots on the floor, and the six missing pots are worth a hundred grand. That's what I think."

After a moment of silence, Smith sighed and said, "I'll freeze the scene, won't allow anybody to start cleaning anything out. Take pictures of everything, inch by inch. I'll get a warrant to open the safe-deposit box, get the insurance policies. I'll find somebody who can do the pots. I don't know any artists, but I can call around to the galleries. What was that the Lash kid said? A painting that said 'reckless'?"

"I put it in Google, and got nothing," Lucas said. "There's a guy here in town named Kidd, he's a pretty well-known artist. He's helped me out a couple of times, I'll give him a call, see if he has any ideas."

Off the phone with Smith, he considered for a moment. The media were usually a pain in the ass, but they could also be a useful club. If the robbery aspect of the murders were highlighted, it could have two positive effects: if the killers were local, and had already tried to dump the stuff, then some useful leads might pop up. If they were professionals, hitting Bucher for big money, it might freeze the resale of anything that was taken out. That'd be good, because it'd still be on their hands when the cops arrived.

There was no doubt in Lucas's mind that the cops would arrive, sooner or later. He looked in his address book again, and dialed a number. Ruffe Ignace, the reporter from the *Star Tribune,* said, without preface, "This better be good, because I could get laid tonight if I don't go back to the office. It's a skinny blonde with a deep need for kinky sex."

"You owe me," Lucas said. "Besides, I'm doing you another favor, and then you'll owe me two."

"Is this a favor that'll keep me from getting laid?" Ignace asked.

"You gotta work that out yourself," Lucas said. "What I'm going to tell you comes from an anonymous source close to the investigation."

"Are you talking about Brown? I got that."

"Not Brown," Lucas said. "But to me, it looks like a smart reporter might speculate that the murders and the trashing of the Bucher house were covers for one of the biggest arts and antiquities thefts in history, but one that's invisible."

Open cell phone: restaurant dishes clinking in the background. Then, hushed, "Holy shit. You think?"

"It could be speculated," Lucas said.

"How could I find out what they had in there?"

"Call Shelley Miller. Let me get you that number. Don't tell her that I gave it to you."

"Motherfucker," Ignace groaned. "The blonde just walked up to the bar. She's wearing a dress you can see her legs through. She's like wearing a thong? In Minneapolis? You know how rare that is? And she wants my body? You know how rare *that* is?"

"That number is . . . You gotta pen?"

"Davenport, man, you're killing me," Ignace said.

"Ruffe, listen: Tell her the story. The whole thing, the murders, everything. Tell her that Deep Throat called. Take her back to your office, drive as fast as you can, scream into your cell phone at the editors while you're driving. Fake it, if nobody's working. Then when you get there, sit her down, write the story, and ask her what she thinks. Then make some change she suggests; joke that she ought to get a share of the byline."

"Yeah, bullshit. The Ignace doesn't share bylines."

"Listen, Ruffe, she'll be all over you," Lucas said. "You'll nail her in the front seat of your car."

"I got a Prelude, man. With a stick shift. It'd hit her right in the small of the back."

"Whatever," Lucas said. "This will not mess up your night. I swear to God. You're good as gold—but try to get it in tomorrow morning, okay? I need this."

"You need that and I need this—" The phone clicked off.

But Lucas smiled.

He knew his reporters. No way Ignace wouldn't write the story.

And late that night, in bed, Weather reading the latest Anne Perry, Lucas said, "I'm worried about the Kline thing. The governor's got me talking to Mitford tomorrow."

"I thought you liked him. Mitford."

"I do—but that doesn't mean that he's not a rattlesnake," Lucas said. "You gotta watch your ankles when he's around."

"You've never talked to the girl, have you?" Weather asked. "It's all been that fuckin' Flowers."

"No. I haven't talked to her. I should. But we've been trying to keep it at the cop level, apolitical. Now Kline's trying to cut a separate deal, but Rose Marie says that's not gonna fly. Nobody'll buy it. I expect I'm going to have to talk to Kline and then we're gonna bring in the Ramsey County attorney. That little chickenshit will do everything he can to turn it into a three-ring circus."

"Don't get in too deep, Lucas," Weather

said. "This sounds like it'll require scape-goats."

"That worries me," he said.

"And sort of interests you, too."

He sat for a moment looking at the book in his lap. He was learning more about antiques. Then he grinned at her and admitted, "Maybe."

5

Lucas read the paper in the morning, over breakfast, and was happy to see Ignace's story on the possible theft; and he truly hoped that Ignace had gotten laid, which he, like most newspaper reporters, of both sexes, desperately needed.

In any case, the story should wake somebody up.

Sam was still working on his spoon technique, slopping oatmeal in a five-foot radius of his high chair; the housekeeper was cursing like a sailor, something to do with the faucet on the front of the house wouldn't turn off. Weather was long gone to work, where she spent almost every morning cutting on people. Letty was at school, the first summer session.

Lucas noticed a story on a zoning fight in the Dakota County suburbs south of the

Twin Cities. One of the big shopping centers, the Burnsville Mall, was looking to ex-
pand, and some of its commercial neighbors thought that was a bad idea.

Lucas thought, "Hmmm," and closed his
eyes. *Dakota County* . . .

Lucas told the housekeeper to call a
plumber, kissed Sam on the head, dodged
a spoonful of oatmeal, and went to look up
Kidd's phone number. Kidd was the artist
who might be able to help with the reckless
painting. Lucas found his book, dialed, and
got a dairy. Kidd had either changed numbers, or left town.

He glanced at his watch: Kidd's apartment was down by the river. He could drop
by after he talked with Neil Mitford. Mitford
was the governor's hatchet man; he tried to
cut out at least one gizzard every morning
before going out for a double latte grande.

Lucas finished his coffee and headed up
the stairs to suit up; and once outside, it
was another great day, puffy fair-weather
clouds under a pale blue sky, just enough
wind to ruffle the stars 'n' stripes outside an
elementary school. He motored along Sum-

mit Avenue toward the Capitol, elbow out, counting women on cell phones making illegal turns.

Mitford had a modest office down the hall from the governor's, in what he said had been a janitor's closet when the building was first put up. With just enough room for a desk, a TV, a computer, a thousand books, and a pile of paper the size of a cartoon doghouse, it might have been.

Mitford himself was short and burly, his dark hair thinning at the crown. He'd been trying to dress better lately, but in Lucas's opinion, had failed. This morning he was wearing pleated khaki slacks with permanent ironed-in wrinkles, a striped short-sleeved dress shirt, featureless black brogans with dusty toes, a chromed watch large enough to be a cell phone, and two actual cell phones, which were clipped to his belt like cicadas on a tree trunk.

Altogether, five or six separate and simultaneous fashion faux pas, in Lucas's view, depending on how you counted the cell phones.

"Lucas." Mitford didn't bother to smile. "How are we going to handle this?"

"That seems to be a problem," Lucas said, settling in a crappy chair across the desk from Mitford. "Everybody's doing a tap dance."

"You know, Burt backed us on the school-aid bill," Mitford said tentatively.

"Fuck a bunch of school-aid bill," Lucas said. "School aid is gonna be a bad joke if the word gets out that he'd been banging a ninth-grader."

Mitford winced. "Tenth-grader."

"Yeah, now," Lucas said. "But not when they started, if she's telling the truth."

"So . . ."

"I've got one possibility that nobody has suggested yet, and it's thin," Lucas said.

"Roll it out," Mitford said.

"The girl says Kline once took her to the Burnsville Mall and bought her clothes—a couple of blouses, skirts, some white cotton underpants, and a couple of push-up bras. She said he liked to have a little underwear-and-push-up-bra parade at night. Anyway, he got so turned on that they did a little necking and groping in the parking lot. She said she, quote, cooled him off, unquote."

"All right. So . . . the push-up bra?"

"She said he bought her gifts in return for the sex."

Mitford digressed: "He really said, 'Oh God, lick my balls, lick my balls'?"

"According to Virgil Flowers, Kline admits he might have said it, but he would've said it to Mom, not the daughter," Lucas said.

"Ah, Jesus," Mitford said. "This is dreadful."

"Kline said his old lady never . . ."

"Hey, hey—forget it." Mitford rubbed his face, and shuddered. "I know his old lady. Anyway, he took the kid to the Burnsville Mall and groped her and she cooled him off . . . Is that a big deal?"

"That'd be up to you," Lucas said. "We can make an argument that he was buying the clothes in return for sex, because of the kid's testimony. And then there was the touching in the car, what you call your basic manual stimulation. So one element of the crime happened at the mall."

"So what?"

"The mall is in Burnsville," Lucas said, "which happens to be in Dakota County. Dakota County, in its wisdom, elected itself a Republican as county attorney."

Mitford instantly brightened. "Holy shit! I knew there was a reason we hired you."

"That doesn't mean . . ." Lucas began.

Mitford was on his feet, circling his desk, shaking a finger at Lucas. "Yes, it does. One way or the other, it does. If we can get a Republican to indict this cocksucker . . ."

"Actually, *he* wasn't the . . ."

". . . then we're in the clear. Our hands are clean. There is no Democratic involvement in the process, no goddamn little intransigent Democratic cockroach publicity-seeking motherfucking horsefly Ramsey County attorney to drag us all down. It's a Republican problem. Yes, it is."

"Virgil is coming up here today to brief some people on the details," Lucas said.

"Yeah. I'll be going. I've been hearing some odd things about Flowers," Mitford said. "Somebody said he once whistled at a guy in an interrogation cell until the guy cracked and confessed."

"Well, yeah, you have to understand the circumstances, the guy belonged to a cult . . ."

Mitford didn't care about Flowers and whistling. "Goddamn! Lucas! A Republican county attorney! You my daddy!"

Lucas was feeling okay when he took the hill down into the St. Paul loop. He zig-zagged southeast until he got to a chunky red-brick building that had once been a warehouse, then a loft association, and was now a recently trendy condominium.

One of the good things about the Bucher and Kline cases was that the major crime sites were so close to his house—maybe ten minutes on residential streets; and they were even closer to his office. He knew all the top cops in both cases, and even most of the uniformed guys. In the past couple of years he'd covered cases all over the southern half of Minnesota, on the Iron Range in the north, and in the Red River Valley, which was even farther north and west. Minnesota is a tall state, and driving it can wear a guy out.

Not these two cases. These were practically on his lawn.

He was whistling as he walked into the condo. An elderly lady was coming through the inner doors with a shopping bag full of old clothes. He held it for her, she twinkled at him, and he went on inside, skipping past the apartment buzzers.

Kidd came to the door looking tired and slightly dazed. He had a wrinkled red baby, about the size of a loaf of Healthy Choice bread, draped over one shoulder, on a towel. He was patting the baby's back.

"Hey . . ." He seemed slightly taken aback. Every time Lucas had seen him, he'd seemed slightly taken aback.

"Didn't know you had children," Lucas said.

"First one," Kidd said. "Trying to get a burp. You want to take him?"

"No, thanks," Lucas said hastily. "I've got a two-year-old, I just got done with that."

"Uh . . . come on in," Kidd said, stepping back from the door. Over his shoulder he called, "Lauren? Put on some pants. We've got company. It's the cops."

Kidd led the way into the living room. He was a couple inches shorter than Lucas, but broader through the shoulders, and going gray. He'd been a scholarship wrestler at the university when Lucas played hockey. He still looked like he could pull your arms off.

He also had, Lucas thought, the best apartment in St. Paul, a huge sprawling place put together from two condos, bought when condos were cheap. Now the place was worth a million, if you could get it for that. The balcony looked out over the Mississippi, and windows were open and the faint smell of riverbank carp mixed with the closer odor of spoiled milk, the odor that hangs around babies; and maybe a touch of oil paint, or turpentine.

"Ah, God," Kidd called. "Lauren, we're gonna need a change here. He's really wet. Ah . . . shit."

"Just a minute . . ." Lauren was a slender, dark-haired, small-hipped woman with a wide mouth and shower-wet hair down to her shoulders. She was barefoot, wearing a black blouse and faded boot-cut jeans. She came out of the back, buttoning the jeans. "You could do it, you ain't crippled," she said to Kidd.

Kidd said, "Yeah, yeah. This is Detective Davenport . . . He's probably got an art problem?" This last was phrased as a question, and they both looked at Lucas as Lauren took the baby.

Lucas nodded. "You heard about the killings up on Summit?"

"Yeah. Fuckin' maniacs," Kidd said.

"We're wondering if it might not be a cover for a crime . . ." Lucas explained about the murders, about the china cabinet swept of pots, and his theory that real art experts wouldn't have broken the good stuff, and about getting restorers and antique experts. "But there's this kid, the nephew of one of the dead women, who said he thinks a couple of old paintings are missing from the attic. All he knows is that they're old, and one of them had the word 'reckless' written on the back. Actually, he said it was painted on the back. I wonder if that might mean something to you? You know of any paintings called *Reckless*? Or databases that might list it? Or anything?"

Kidd's eyes narrowed, then he said, "Capital *r* in 'reckless'?"

"I don't know," Lucas said. "Should there be?"

"There was an American painter, first half of the twentieth century named Reckless. I might have something on him . . ."

Lucas followed him through a studio, into a library, a narrow, darker space, four walls jammed with art books, Lauren and the baby trailing behind. Kidd took down a huge book, flipped through it . . . "Alphabetical," he muttered to himself, and he turned more pages, and finally, "Here we go. Stanley Reckless. Sort of funky impressionism. Not bad, but not quite the best."

He showed Lucas a color illustration, a riverside scene. Next to them, the baby made a bad smell and seemed pleased. Lucas asked, "How much would a painting like that be worth?"

Kidd shook his head: "We'll have to go to the computer for that . . . I subscribe to an auction survey service."

"I want to hear this," Lauren said. "Bring the laptop into the baby's room while I change the diaper." To the baby: "Did you just poop? Did you just poop, you little man? Did you just . . ."

Kidd had a black Lenovo laptop in the living room, and they followed Lauren to the baby's room, a bright little cube with its own view of the river. Kidd had painted cheerful, dancing children all around the lemon-colored walls.

"Really nice," Lucas said, looking around.

"Uh." Kidd brought up the laptop and Lauren began wiping the baby's butt with high-end baby-butt cleaner that Lucas recognized from his own changing table. Then

Kidd started typing, and a moment later he said, "Says his paintings are rare. Auction record is four hundred fifteen thousand dollars, that was two years ago, and prices are up since then. He had a relatively small oeuvre. The range is down to thirty-two thousand dollars . . . but that was for a watercolor."

"Four hundred fifteen thousand dollars," Lucas repeated.

"Yup."

"That seems like a lot for one painting, but then, my wife tells me that I'm out of touch," Lucas said.

"Shoot, Kidd makes that much," Lauren said. "He's not even dead."

"Not for one painting," Kidd said.

"Not yet . . ."

"Jeez, I was gonna ask you how much you'd charge to paint my kid's bedroom," Lucas said, waving at the walls of the room. "Sorta be out of my range, huh?"

"Maybe," Kidd said. "From what I've read, your range is pretty big."

Lucas wrote *Stanley Reckless* and *$415,000* in his notebook as they drifted out toward the door. "You know," Lauren said, squinting at him. "I think I met you once, a long time ago, out at the track. You gave me a tip on a horse. This must have been . . . what? Seven or eight years ago?"

Lucas studied her face for a minute, then said, "You were wearing cowboy boots?"

"Yes! I went off to place the bet, and when I got back, you were gone," Lauren said. She touched his arm. "I never got to thank you."

"Well . . ."

"Enough of that," Kidd said, and they all laughed.

"You know, these killings . . . they might be art pros, but they aren't professional thieves," Lauren said. "A pro would have gone in there, taken what he wanted, maybe trashed the place to cover up. But he wouldn't have killed anybody. You guys would have sent some new detective over there to write everything down, and he would have come back with a notebook that said, 'Maybe pots stolen,' and nobody would care."

Lucas shrugged.

"Come on. Tell the truth. Would they care? Would anybody really care if some old bat got her pots stolen, and nobody got hurt? Especially if she didn't even know which pots they were?"

"Probably not," Lucas said.

"So they might be art pros, but they weren't professional burglars," Lauren said. "If you kill an old lady, everybody gets excited. Though, I suppose, it could be a couple of goofy little amateur crackheads. Or maybe acquaintances or relatives, who *had* to kill them."

Lucas's forehead wrinkled. "What do you do, Lauren? You weren't a cop?"

"No, no," she said. "I'm trying to be a writer."

"Novels?"

"No. I don't have a fictive imagination. Is that a word? *Fictive?*"

"I don't know," Lucas said.

She bounced the baby a couple of times; stronger than she looked, Lucas thought. "No," she said. "If I can get something published, it'll probably be more on the order of true crime."

When Lucas left, Lauren and Kidd came to the door with the baby, and Lauren took the baby's hand and said, "Wave goodbye to the man, wave goodbye . . ."

Lucas thought, hmm. A rivulet of testosterone had run into his bloodstream. She was the kind of skinny, cowgirl-looking woman who could make you breathe a little harder; and she did. Something about the tilt of her eyes, as well as her name, reminded him of Lauren Hutton, the best-looking woman in the world. And finally, she made him think about the killers. Her argument was made from common sense, but then, like most writers, she probably knew jack-shit about burglars.

There were a half-dozen cops at Bucher's, mostly doing clerical work—checking out phone books and answering-machine logs, looking at checks and credit cards, trying to put together a picture of Bucher's financial and social life.

Lucas found Smith in the music room. He was talking to a woman dressed from head to toe in black, and a large man in a blue seersucker suit with a too-small bow tie under his round chin.

Smith introduced them, Leslie and Jane

Little Widdler, antique experts who ran a shop in Edina. They all shook hands; Leslie was six-seven and fleshy, with fat hands and transparent braces on his teeth. Jane was small, had a short, tight haircut, bony cold hands, and a strangely stolid expression.

"Figure anything out yet?" Lucas asked.

"Just getting started," Jane Widdler said. "There are some very nice things here. These damn vandals . . . they surely don't realize the damage they've done."

"To say nothing of the killings," Lucas said.

"Oh, well," Jane said, and waved a hand. She somehow mirrored Lucas's guilty attitude: old ladies came and went, but a Louis XVI gilt-bronze commode went on forever.

Lucas asked Smith, "Get the insurance papers?"

"Yeah." Smith dipped into his briefcase and handed Lucas a sheaf of papers. "Your copy."

Lucas told him about Kidd's take on Stanley Reckless. "Between the jewelry and this one painting, we're talking big money, John. We don't even know what else is missing. I'm thinking, man, this is way out of Nate Brown's league."

Smith said, "Ah, Brown didn't do it. I don't think he's bright enough to resist the way he has been. And I don't think he's mean enough to kill old ladies. He's sort of an old hangout guy."

"What's the Reckless painting?" Leslie Widdler asked, frowning. "It's not on the insurance list."

"Should it be?"

"Certainly. A genuine Stanley Reckless painting would be extremely valuable. Where was it hung? Did they take the frame, or . . ."

"Wasn't hung," Lucas said. "It would have been in storage."

"In storage? You're sure?"

"That's what we've been told," Lucas said. "Why?"

Widdler pursed his lips around his braces. "The thing is, some of these paintings here, I mean . . . frankly, there's a lot of crap. I'm sure Mrs. Bucher had them hung for sentimental reasons."

"Which are purely legitimate and understandable," Jane Widdler said, while managing to imply that they weren't.

". . . but a genuine Reckless shouldn't have been in storage. My goodness . . ." Widdler looked at the high ceiling, his lips moving, then down at Lucas: "A good Reckless painting, today, could be worth a half-million dollars."

Smith to Lucas: "It's piling up, isn't it? A pro job."

"I think so," Lucas said. "Professional, but maybe a little nuts. No fight, no struggle, no sounds, no signs of panic. Whack. They're dead. Then the killers take their time going through the house."

"Pretty goddamned cold."

"Pretty goddamned big money," Lucas said. "We both know people who've killed somebody for thirty bucks and for no reason at all. But this . . ."

Smith nodded. "That Ignace guy from the *Star Tribune* really nailed us. We've got calls coming in from all over."

"New York Times?"

"Not yet, but I'm waiting," Smith said.

"Best find the killer, John," Lucas said.

"I know." Smith wasn't happy: still didn't have anything to work with, and the case was getting old. "By the way, Carol Ann

Barker's upstairs, checking out Bucher's stuff."

"Barker?" Lucas didn't remember the name.

"The niece, from L.A.," Smith said. "She's the executor of the will. She's, uh, an actress."

"Yeah?"

"Character actress, I think. She's got a funny nose." He glanced at the Widdlers. "I didn't actually mean that . . ."

"That's all right," Jane Widdler said, with a wooden smile. "Her nose *is* quite small."

Lucas wanted to talk to Barker. On the way up the stairs, he thumbed through the insurance papers, which, in addition to the standard boilerplate, included a ten-page inventory of household items. Ten pages weren't enough. He noticed that none of the furniture or paintings was valued at less than $10,000, which meant that a lot of stuff had been left off.

He counted paintings: ten, twelve, sixteen. There were at least thirty or forty in the house. Of course, if Widdler was right, many of them had only sentimental value.

Lucas would have bet that none of the sentimental-value paintings were missing . . .

Lucas found Barker sitting on the floor of Bucher's bedroom, sorting through family photo albums. She was a little too heavy, her hair was a little too big, and she had glasses that were three fashions ahead of anything seen in the Twin Cities.

The glasses were perched on one of the smallest noses Lucas had ever seen on an adult; its carefully sculpted edges suggested a major nose job. Weather would have been interested. She had a whole rap on rhinoplasties, their value, and the problems that come up. Barker had been ill served by her surgeon, Lucas thought.

She looked up when Lucas loomed over her. The glasses slipped a quarter inch, and she peered at him over the black plastic frames. "There are way too many pictures, but this should give us a start."

"On what?" Lucas asked.

She pushed the glasses back up her tiny nose. "Oh, I'm sorry—you're not with the police?"

"I'm with the state police, not St. Paul," Lucas said. "Give us a start on what?"

She waved her hand at three stacks of leather-bound photo albums. "Aunt Connie used to have big Christmas and birthday parties. There were Easter-egg hunts both inside and outside, and a lot of pictures were taken," Barker said. "We can probably get most of the furniture in one picture or another."

"Great idea," Lucas said, squatting next to her, picking up one of the photos. Connie Bucher, much younger, with a half-dozen people and a drinks cabinet in the background. "What about her jewelry?" Lucas asked. "One of her friends said even the bedside jewelry was worth a lot."

"She's right. Unfortunately, most of it was old, so there aren't any microphotographs. All we have is descriptions in the insurance rider and those are essentially meaningless. If the thieves are sophisticated, the loose stones might already be in Amsterdam."

"But we could probably find out weights and so on?" Lucas asked.

"I'm sure."

"Have you ever heard of a painter called Stanley Reckless?"

She shook her head. "No."

"Huh. There supposedly was a painting up in the storage rooms that had 'reckless' written on the back," Lucas said. "There's an artist named Stanley Reckless, his paintings are worth a bundle."

Barker shook her head: "It's possible. But I don't know of it. I could ask around the other kids."

"If you would."

A cop came in with a handful of photographs. "We're missing one," he said. "The photograph was taken in the music room, but I can't find it anywhere."

Lucas and Barker stood up, Barker took the photo and Lucas looked at it over her shoulder. The photo showed a diminutive brown table, just about square on top. The top was divided in half, either by an inlaid line or an actual division. Below the table-top, they could make out a small drawer with a brass handle.

After looking at it for a moment, Barker said, "You know, I remember that. This was years and years ago, when I was a child. If you folded the top back, there was a checkerboard inside. I think it was a checkerboard. The kids thought it was a se-

cret hiding place, but there was never anything hidden in it. The checkers were kept in
the drawer."

"Is it on the insurance list?" Lucas asked.
"Any idea what it's worth?" He thumbed
his papers.

The cop shook his head: "I checked
John's list. Doesn't look like there's anything
like it. Checkers isn't mentioned, that's for
sure."

"There are some antique experts downstairs," Lucas said. "Maybe they'll know."

He and Barker took the photos down to the
Widdlers. Barker coughed when they were
introduced, and pressed her knuckles
against her teeth for a moment, and said,
"Oh, my. I think I swallowed a bug."

"Protein," Jane Widdler said. She added,
still speaking to Barker, "That's a lovely
necklace . . . Tiffany?"

"I hope so," Barker said, smiling.

Lucas said to the dealers, "We've got a
missing table. Think it might be a folding
checkerboard." He handed the photograph
of the table to Leslie Widdler, and asked,
"Any idea what it's worth?"

The two dealers looked at it for a moment, then at each other, then at the photograph again. Leslie Widdler said to his wife, "Fifty-one thousand, five hundred dollars?"

She ticked an index finger at him: "Exactly."

"You can tell that closely?" Lucas asked.

Leslie Widdler handed the photograph back to Lucas. "Mrs. Bucher donated the table—it's a China-trade backgammon table, not a checkerboard, late eighteenth century—to the Minnesota Orchestra Guild for a fund-raising auction, let's see, must've been two Decembers ago. It was purchased by Mrs. Leon Cobler, of Cobler Candies, and she donated it to the Minneapolis Institute." He stopped to take a breath, then finished, "Where it is today."

"Shoot," Lucas said.

The governor called and Lucas drifted down a hallway to take it. "Good job. Your man Flowers was here and gave an interesting presentation," the governor said. His name was Elmer Henderson. He was two years into his first term, popular, and trying to put together a Democratic majority in both houses in the upcoming elections. "We pushed the Dakota County proposal and Flowers agreed that it might be feasible. We—you—could take the evidence to Dakota County and get them to convene a grand jury. Nice and tidy."

"If it works."

"Has to," the governor said. "This girl . . . mmm . . . the evidentiary photos would suggest that she is not, uh, entirely undeveloped. I mean, as a woman."

"Governor . . . sir . . ."

"Oh, come on, loosen up, Lucas. I'm not going to call her up," Henderson said. "But that, 'Oh God, lick my balls'—that does tend to attract one's attention."

"I'll talk to Dakota County," Lucas said.

"Do so. By the way, why does everybody call your man 'that fuckin' Flowers'?"

6

Earlier that morning, Leslie Widdler had been sitting on his marigold-rimmed flagstone patio eating toast with low-calorie butter substitute and Egg Beaters, looking out over the brook, enjoying the sun, unfolding the *Star Tribune*; his wife, Jane, was inside, humming along with Mozart on Minnesota Public Radio.

A butterfly flapped by, something gaudy, a tiger swallowtail, maybe, and Leslie followed it for a second with his eyes. This was typical, he thought, of the kind of wildlife experience you had along the creek—no, wait, it was the *brook;* he had to remember that—and he rather approved.

A butterfly wasn't noisy, like, for instance, a crow or a blue jay; quite delicate and pretty and tasteful. A plane flew over, but well to the east, and he'd become accustomed to the sound. A little noise wasn't significant if you lived on the brook. Right *on* the brook—it was right there in his backyard when he shook open the paper, and at night he could hear it burbling, when the air conditioner wasn't running.

Jane was working on her own breakfast, consumed by the music, projected across the kitchen by her Bang & Olufsen speakers; it was like living inside an orchestra, and by adjusting the speakers according to the Bang & Olufsen instructions, she could vary her position from, say, the violas, back through the woodwinds, and all the way around the violins. It was lovely. She never referred to the speakers as speakers; she always referred to them as the Bang & Olufsens.

Jane Widdler, née Little. At Carleton College, where she and Leslie had met and become a couple, Leslie had been known to his roommates as Big Widdler, which the roommates had found hilarious for some obscure reason that Leslie had never discovered.

And when he courted and then, halfway through his senior year, married a woman named Little, of course, they'd become Big and Little Widdler. For some reason, the same ex-roommates thought that was even more hilarious, and could be heard laughing at the back of the wedding chapel.

Jane Little Widdler disapproved of the nicknames; but she rarely thought of it, since nobody used them but long-ago acquaintances from Carleton, most of whom had sunk out of sight in the muck of company relations, widget sales, and circus management.

Jane was putting together her breakfast smoothie. A cup of pineapple juice, a cup of strawberries, a half cup of bananas, a little of this, a little of that, and some yogurt and ice, blended for one annoying minute, the whining of the blender drowning out the Mozart. When it stopped, she heard Leslie's voice, through the sliding screen door: "Oh, my God!"

She could tell from his tone that it was serious. She couldn't frown, exactly, because of the Botox injections, but she made a frowning look and stepped to the door: "What? Is it the brook?"

The Widdlers were leading a petition drive to have the name officially changed from Minnehaha Creek to Minnehaha Brook, a combination they felt was more euphonic. They'd had some trashy kayakers on the brook lately—including one who was, of course, a left-wing lawyer, who had engaged in a shouting match with Leslie. Paddling for the People. Well, fuck that. The brook didn't belong to the people.

But it wasn't the creek, or the brook, that put the tone in Big Widdler's voice. Leslie was on his feet. He was wearing a white pullover Egyptian long-staple cotton shirt with loose sleeves, buttoned at the wrists with black mother-of-pearl buttons, madras plaid shorts, and Salvatore Ferragamo sandals, and looked quite good in the morning sunlight, she thought. "Check this out," he said.

He passed her the *Star Tribune.*

The big headline said: *Did Murders Conceal Invisible Heist?* Under that, in smaller type, *Millions in Antiques May Be Missing.*

"Oh, my gosh," Jane said. Her frowning look grew deeper as she read. "I wonder who Ruffe Ignace is?"

"Just a reporter. That's not the problem," said Big Widdler, flapping his hands like a butterfly. "If they do an inventory, there may be items . . ." The Bang & Olufsen slimline

phone started to ring from its spot next to
the built-in china cabinet, and he reached
toward it. ". . . on the list that can be identified, and we won't know which ones they
are. If there are photos . . ."

He picked up the phone and said,
"Hello?" and a second later, "Uh, Detective?
Well, sure . . ."

Jane was shaken, placed one hand on
her breast, the other on the countertop. This
could be it: everything they'd worked for,
gone in the blink of an eye.

Leslie said, "Hello, yes, it is . . . uh huh, uh
huh . . ." Then he smiled, but kept his voice
languid, professional. "We'd be delighted to
help, as long as it wouldn't prejudice our
position in bidding, if there should be an estate auction. I can't see why it would, if all
you want is an opinion . . . Mmm, this afternoon would be fine. I'll bring my wife. Our
assistant can watch the shop. One o'clock,
then. See you after lunch."

He put down the phone and chuckled:
"We've been asked to advise the St. Paul
police on the Bucher investigation."

Jane made a smiling look. "Leslie, that's
too rich. And you know what? It's really going to piss off Carmody & Loan."

Carmody & Loan were their only possible competition, in terms of quality, in the Cities. If C&L had been asked to do the valuations, Jane would have been *royally* pissed. She couldn't *wait* to hear what Melody Loan had to say about *this*. She'd be furious. She said, "Maybe we could find a way to get the news of the appointment to this Ruffe Ignace person."

Leslie's eyebrows went up: "You mean to rub it in? Mmmm. You are such a *bitch* sometimes. I like it." He moved up to her, slipped his hand inside her morning slacks, which were actually the bottoms of a well-washed Shotokan karate gi, down through her pubic hair.

She widened her stance a bit, put her butt back against the counter, bit her lip, made a look, the best she could, considering the Botox, of semi-ecstasy. "Rub it in, big guy," she whispered, the smoothie almost forgotten.

But as Leslie was inclined to say, the Lord giveth, and the Lord is damn well likely to taketh it away in the next breath. They spent the morning at the shop, calling customers and other dealers, dealing with bills, arguing with the State Farm agent about their umbrella policy. At noon, they stopped at a sandwich shop for Asiago roast-beef sandwiches on sourdough bread, then headed for St. Paul.

They were driving east on I-494 in Jane's Audi A4, which she now referred to as "that piece of junk," when another unwelcome call came in. Jane fumbled her cell phone out and looked at the screen. The caller ID said *Marilyn Coombs.*

"Marilyn Coombs," she said to Leslie.

"It's that damned story," Leslie said.

Jane punched the answer button, said, "Hello?"

Marilyn Coombs was an old lady, who, in Jane's opinion, should have been dead a long time ago. Her voice was weak and thready: she said, "Jane? Have you heard about Connie Bucher?"

"Just read it in the paper this morning," Jane said. "We were shocked."

"It's the same thing that happened to Claire Donaldson," Coombs whimpered. "Don't you think we should call the police?"

"Well, gosh, I'd hate to get involved with the police," Jane said. "We'd probably have to wind up hiring lawyers, and we wouldn't want . . . you know."

"Well, we wouldn't say anything about *that,*" Coombs said. "But I got my clipping of when Claire was killed, and Jane, they're just *alike.*"

"I thought Claire was shot," Jane said. "That's what I heard."

"Well, except for that, they're the same," Coombs said. Jane rolled her eyes.

"You know, I didn't know Claire that well," Jane said.

"I thought you were friends . . ."

"No, no, we knew who she was, through the quilt-study group, but we didn't really *know* her. Anyway, I'd like to see the clipping. I could probably tell you better about the police, if I could see the clipping."

"I've got it right here," Coombs said.

"Well. Why don't we stop by this evening," Jane suggested. "It'll probably be late, we're out on an appointment right now. Let me take a look at it."

"If you think that'd be right," Coombs said.

"Well, we don't want to make a mistake."

"Okay, then," Coombs said. "After dinner."

"It'll be later than that, I'm afraid. We're on our way to Eau Claire. What time do you go to bed?"

"Not until after the TV news."

"Okay. We'll be back before then. Probably . . . about dark."

That gave them something to talk about. "Is it all falling apart, Leslie? Is it all falling apart?" Jane asked. She'd been in drama club, and was a former vice president of the Edina Little Theater.

"Of course not," Leslie said. "We just need to do some cleanup."

Jane sighed. Then she said, "Do you think the Hermès is too much?" She was wearing an Hermès scarf with ducks on it, and the ducks had little red collars and were squawking at each other.

"No, no. I think it looks quite good on you."

"I hope it's not falling apart on us," Jane said.

"Most cops are dumber than a bowl of spaghetti," Leslie said. "Not to worry, sweet."

Still, Jane, with her delicate elbow on the leather bolster below the Audi's window, her fingers along her cheek, couldn't help think, if it *were* all coming to an end, if there might not be some way she could shift all the blame to Leslie.

Perhaps even . . . She glanced at him, speculatively, at his temple, and thought, *No. That's way premature.*

Then they met the cops. And talked about missing antiques, including a painting by Stanley Reckless.

On the way out of Oak Walk, Jane said, "That Davenport person is *not* dumber than a bowl of spaghetti."

"No, he's not," Leslie said. He held the car door for her, tucked her in, leaned forward and said, "We've got to talk about the Reckless."

"We've got to get rid of it. Burn it," Jane said.

"I'm not going to give up a half-million-dollar painting," Leslie said. "But we have to do something."

They talked it over on the way home. The solution, Jane argued, was to destroy it.

There was no statute of limitations on murder, and, sometime, in the future, if the call of the money was too strong, they might be tempted to sell it—and get caught.

"A new, fresh Reckless—that's going to attract some attention," she said.

"Private sale," Leslie said.

"I don't know," Jane said.

"Half-million dollars," Leslie said, and when he said it, Jane knew that she wanted the money.

They went home, and after dinner, Leslie stood on a stool and got the Reckless out of the double-secret storage area in the rafters of the attic.

"Gorgeous piece?" he said. He flipped it over, looked at the name slashed across the back of the canvas. Though Leslie ran to fat, he was still strong. Gripping the frame tightly, he torqued it, wiggled the sides, then the top and bottom, and the frame began to spread. When it was loose enough, he lifted the canvas, still on stretchers, out of the frame, and put it under a good light on the dining room table.

"Got a strong signature," he said. Reckless had carefully signed the front of the painting at the lower right, with a nice red signature over a grassy green background. "Don't need the one on the back."

"Take it off?"

"If we took it off, then it couldn't be identified as the Bucher painting," Leslie said.

"There'd always be some . . . remnants."

"Not if you don't want to see it," Leslie said. He looked at the painting for a moment, then said, "Here's what we do. We stash it at the farm for now. Wrap it up nice and tight. Burn the frame. When I get time, I'll take the 'Reckless' off the back—it'll take me a couple of weeks, at least. We get some old period paint—we should be able to get some from Dick Calendar—and paint over the area where the 'Reckless' was. Then we take it to Omaha, or Kansas City, or even Vegas, rent a safe-deposit box, and stick it away for five years. In five years, it's good as gold."

Bad idea, Jane thought: but she *yearned* for the money.

Three hours later, the Widdlers were rolling again.

"There is," Leslie said, his hands at ten o'clock and four on the wood-rimmed wheel of his Lexus, "a substantial element of insanity in this. No coveralls, no gloves, no hairnets. We are shedding DNA every step we take."

"But it's eighty percent that we won't have to do anything," Jane said. "Doing nothing would be best. We pooh-pooh the newspaper clipping, we scare her with the police, with the idea of a trial. Then, when we get past the lumpy parts, we might come back to her. We could do that in our own good time. Or maybe she'll just drop dead. She's old enough."

They were on Lexington Avenue in St. Paul, headed toward Como Park, a half hour past sunset. The summer afternoon lingered, stretching toward ten o'clock. Though it was one of the major north-south streets, Lexington was quiet at night, a few people along the sidewalks, light traffic. Marilyn Coombs's house was off the park, on Iowa, a narrower, darker street. They'd park a block away, and walk; it was a neighborhood for walking.

"Remember about the DNA," Leslie said. "Just in case. No sudden moves. They can find individual hairs. Think about *gliding* in there. Let's not walk all over the house. Try not to touch anything. Don't pick anything up."

"I have as much riding on this as you do," Jane said, cool air in her voice. "Focus on what we're doing. Watch the windows. Let me do most of the talking."

"The DNA . . ."

"Forget about the DNA. Think about anything else."

There was a bit of a snarl in her voice. Leslie glanced at her, in the little snaps of light coming in from the street, and thought about what a delicate neck she had . . .

They were coming up on the house. They'd been in it a half-dozen times with the quilt-study group. "What about the trigger?" Leslie asked.

"Same one. Touch your nose. If I agree, I'll touch my nose," Jane said.

"I'll have to be behind her. Whatever I do, I'll have to be behind her."

"If that finial is loose . . ." The finial was a six-inch oak ball on the bottom post of Coombs's stairway banister. The stairway came down in the hallway, to the right of the inner porch door. "If it's just plugged in there, the way most of them are . . ."

"Can't count on it," Leslie said. "I'm not sure that a competent medical examiner would buy it anyway."

"Old lady, dead at the bottom of the stairs, forehead fracture that fits the finial, hair on the finial . . . What's there to argue about?" Jane asked.

"I'll see when I go in," he said. "We might get away with it. They sure as shit won't believe she fell on a kitchen knife."

"Watch the language, darling. Remember, we're trying." Trying for elegance. That was their watchword for the year, written at the top of every page of their Kliban Cat Calendar: *Elegance!* Better business through *Elegance!* Jane added, "Two things I don't like about the knife idea. First, it's not instantaneous. She could still scream . . ."

"Not if her throat was cut," Leslie said. Leslie liked the knife idea; the idea made him hot.

"Second," Jane continued, "she could be spraying blood all over the place. If we track it, or get some on our clothes . . . it could be a mess. With the finial, it's *boom.* She goes down. We won't even have to move her, if we do it right."

"On the way out."

"On the way out. We're calm, cool, and collected while we're there," Jane said. She could see it. "We talk. If it doesn't work, we make nice, and we get her to take us to the door."

"I walk behind her, get the glove on."

"Yes. If the finial comes loose, you either have to hit her on the back of her skull, low, or right on her forehead. Maybe . . . I'm thinking of how people fall. Maybe we'll have to break a finger or something. A couple of fingers. Like she caught them on the railing on the way down."

Leslie nodded, touched the brakes for a cyclist in the street. "I could pick her up, and we could scratch her fingernails on the railing, maybe put some carpet fiber in the other hand. She's small, I could probably lift her close enough, all we need to do is get some varnish under a fingernail . . ."

"It's a plan," Jane said. "If the finial comes loose."

"Still, the knife has a certain appeal," Leslie said, after a moment of silence. "Two older women, their skulls crushed, three days apart. *Somebody* is going to think it's a pretty heavy coincidence. The knife is a different MO and it looks stupid. Another little junkie thing. And if *nothing* is taken . . ."

"Probably be better to take something, if we do it with the knife," Jane said. "I mean, then there'll be no doubt that it's murder. Why kill her? To rob her. We don't want a mystery. We want a clear story. Kill her, take her purse. Get out. With the finial, if they figure out it was murder, there'll be a huge mystery."

"And they'll see it as *smart.* They'll know it wasn't some little junkie."

Jane balanced the two. "I think, the finial," Jane said. "If the finial works, we walk away clear. Nobody even suspects. With the knife, they'll be looking for something, chasing down connections."

Then, for about the fifteenth time since they left home, Leslie said, "If the finial comes out . . ."

"Probably won't do it anyway," Jane said. "We'll scare the bejesus out of the old bat."

———

Marilyn Coombs lived in a nice postwar home, the kind with a big picture window and two-car garage in back, once unattached, now attached with a breezeway that was probably built in the '60s. The siding was newer plastic, with heated plastic gutters at the eaves. The front yard was narrow, decorative, and steep. Five concrete steps got you up on the platform, and another five to the outer porch door. The backyard, meant for boomers when they were babies, was larger and fenced.

They climbed the steps in the yard, up to the porch door, through the porch door; in these houses, the doorbell was inside the porch. On the way up, Leslie pulled a cotton gardening glove over his right hand, and pushed the doorbell with a glove finger, then slipped the hand into his jacket pocket.

Coombs was eighty, Jane thought, or even eighty-five. Her hair had a pearly white quality, nearly liquid, fine as cashmere, as she walked under the living room lights. She was thin, and had to tug the door open with both hands, and smiled at them: "How are you? Jane, Leslie. Long time no see."

"Marilyn . . ."

"I have cookies in the kitchen. Oatmeal. I made them this afternoon." Coombs squinted past Leslie at the sidewalk. "You didn't see any gooks out there, did you?"

"No." Leslie looked at Jane and shrugged, and they both looked out at the empty sidewalk.

"Gooks are moving in. They get their money from heroin," Coombs said, pushing the door shut. "I'm thinking about getting an alarm. All the neighbors have them now."

She turned toward the kitchen. As they passed the bottom of the stairs, Leslie reached out with the gloved hand, slipped it around the bottom of the finial, and lifted. It came free. It was the size of a slo-pitch softball, but much heavier. Jane, who'd turned her head, nodded, and Leslie let it drop back into place.

A platter of oatmeal cookies waited on a table in the breakfast nook. They sat down, Coombs passed the dish, and Jane and

Leslie both took one, and Leslie bolted his and mumbled, "Good."

"So, Marilyn," Jane said. "This newspaper clipping."

"Yes, yes, it's right here." Coombs was wearing a housecoat. She fumbled in the pocket, extracted a wad of Kleenex, a bottle of Aleve, and finally, a clipping. She passed it to Jane, her hand shaking a bit. Leslie took another cookie.

A noted Chippewa Falls art collector and heir to the Thune brewing fortune was found shot to death in her home Wednesday morning by relatives . . .

"They never caught anybody. They didn't have any leads," Coombs said. She ticked off the points on her fingers: "She came from a rich family, just like Connie. She was involved in quilting, just like Connie. She collected antiques, just like Connie. She lived with a maid, like Connie, but Claire's maid wasn't there that night, thank goodness for her."

"She was shot," Jane said. "Connie was killed with a pipe or a baseball bat or something."

"I know, I know, but maybe they had to be quieter," Coombs said. "Or maybe they wanted to change it, so nobody would suspect."

"We really worry about getting involved with the police," Jane said. "If they talk to you, and then to us, because of the quilt connection, and they say, 'Look, here's some people who know all of the murdered people' . . . then they'll begin to suspect. Even though we're innocent. And then they might take a closer look at the Armstrong quilts. We really don't want that."

Coombs's eyes flicked away. "I'd feel so guilty if somebody else got hurt. Or if these people got away scot-free because of me," she said.

"So would I," Jane said. "But . . ."

And Coombs said, "But . . ."

They talked about it for a while, trying to work the old woman around, and while she was deferential, she was also stubborn. Finally, Jane looked at Leslie and touched her nose. Leslie nodded, rubbed the side of his nose, and said to Coombs, "I have to say, you've talked me around. We've got to be really, really careful, though. They've got some smart police officers working on this."

He stopped and stuffed another oatmeal cookie in his mouth, mumbling around the crumbs. "We need to keep the quilts out of it. Maybe I could send an anonymous note mentioning the antique connection, and leave the quilts out of it."

Coombs brightened. She liked that idea. Jane smiled and shook her head and said, "Leslie's always liked you too much. I think we should stay away from the police, but if you're both for it . . ."

Coombs shuffled out to the front door as they left, leading the way. In the rear, Leslie pulled on the cotton gloves, and at the door, Jane stepped past Coombs as Leslie pulled the finial out of the banister post. He said, "Hey, Marilyn?"

When she turned, he hit her on the forehead with the finial ball. Hit her hard. She bounced off Jane and landed at the foot of the stairs. They both looked at her for a moment. Her feet made a quivering run, almost as though dog-paddling, then stopped.

"She dead?" Jane asked.

Leslie said, "Gotta be. I swatted her like a fuckin' fly with a fuckin' bowling ball."

"Elegance!" Jane snapped.

"Fuck that . . ." Leslie was breathing hard. He squatted, watching the old lady, watching her, seeing never a breath. After a long two minutes, he looked up and said, "She's gone."

"Pretty good. Never made a sound," Jane said. She noticed that Leslie's bald spot was spreading.

"Yeah." Leslie could see hair, a bit of skin and possibly a speck of blood on the wood of the finial ball. He stood up, turned it just so, and slipped it back on the mounting down in the banister post, and tapped it down tight. The hair and skin were on the inside of the ball, where Coombs might have struck her head if she'd fallen. "Fingers?" he asked. "Break the fingers?"

"I don't think we should touch her," Jane said. "She fell perfectly . . . What we could do . . ." She pulled off one of Coombs's slippers and tossed it on the bottom stair. "Like she tripped on the toe."

"I'll buy that," Leslie said.

"So . . ."

"Give me a minute to look around," Jane said. "Just a minute."

"Lord, Jane . . ."

"She was an old lady," Jane said. "She might have had something good."

Out in the car, they drove fifty yards, turned onto Lexington, went half a mile, then Leslie pulled into a side street, continued to a dark spot, killed the engine.

"What?" Jane asked, though she suspected. They weren't talking Elegance here.

Leslie unsnapped his seat belt, pushed himself up to loosen his pants, unzipped his fly. "Gimme a little hand, here. Gimme a little hand."

"God, Leslie."

"Come on, goddamnit, I'm really hurtin'," he said.

"I won't do it if you continue to use that kind of language," Jane said.

"Just do it," he said.

Jane unsnapped her own seat belt, reached across, then said, "What did you do with that package of Kleenex? It must be there in the side pocket . . ."

"Fuck the Kleenex," Leslie groaned.

The next two days were brutal. Kline was hot, and Lucas had no time for the Bucher case. He talked to Smith both days, getting updates, but there wasn't much movement. The papers were getting bad tempered about it and Smith was getting defensive.

Reports came in from the insurance companies and from the Department of Corrections; the halfway house was looking like a bad bet. The St. Paul cops did multiple interviews with relatives, who were arriving for the funeral and to discuss the division of the Bucher goodies. There were rumors of interfamilial lawsuits.

Despite the onset of bad feelings, none of the relatives had accused any of the others of being near St. Paul at the time of the murder. They'd been more or less evenly divided between Santa Barbara and Palm

Beach, with one weirdo at his apartment in Paris.

All of them had money, Smith said. While Aunt Connie's inheritance would be a nice maraschino cherry on the sundae, they already had the ice cream.

Lucas had three long interviews over the two days, and twice as many meetings.

The first interview went badly.

Kathy Barth had both tits and ass: and perhaps a bit too much of each, as she slipped toward forty. Her daughter, Jesse, had gotten her momma's genes, but at sixteen, everything was tight, and when she walked, she quivered like a bowl of cold Jell-O.

While she talked like a teenager, and walked like a teenager, and went around plugged into an iPod, Jesse had the face of a bar-worn thirty-year-old: too grainy, too used, with a narrow down-turned sullen mouth and eyes that looked like she was afraid that somebody might hit her.

At the first interview, she and Kathy Barth sat behind the shoulder of their lawyer, who was running through a bunch of mumbo-jumbo: ". . . conferring to see if we can decide exactly *what* happened and *when,* and if it really makes any sense to continue this investigation . . ."

Virgil Flowers, a lean, tanned blond man dressed in jeans, a blue cotton shirt with little yellow flowers embroidered on it, and scuffed black cowboy boots, said, "We've already got her on tape, Jimbo."

"That would be 'James' to *you,* Officer," the lawyer said, pretending to be offended.

Flowers looked at Lucas, "The old Jimster here is trying to put the screws to Kline." He looked back at the lawyer. "What'd you find? He's got some kind of asset we didn't know about?" His eyes came back to Lucas: "I say we take a research guy, pull every tax record we can find, run down every asset Kline has got, and attach it. Do a real estate search, put Kline on the wall . . ."

"Why do you want to steal the rightful compensation from this young woman?" the lawyer demanded. "It's not going to do her any good if Burt Kline goes to jail and that's it. She may need years of treatment—years!—if it's true that Mr. Kline had sexual contact with her. Which, of course, we're still trying to determine."

"Motherfucker," Flowers said.

The lawyer, shocked—*shocked*—turned to Jesse and said, "Put your hands over your ears."

Jesse just looked at Flowers, twisted a lock of her hair between her fingers, and stuck a long pink tongue out at him. Flowers grinned back.

"She's hot," Flowers said when they left the house. They had to step carefully, because a yellow-white dog with bent-over ears, big teeth, and a bad attitude was chained to a stake in the center of the yard.

"She's sixteen years old," Lucas said, watching the dog.

"Us Jews bat mitzvah our women when they're fourteen, and after that, they're up for grabs," Flowers said. "Sixteen's no big thing, in the right cultural context."

"You're a fuckin' Presbyterian, Virgil, and you live in Minnesota."

"Oh, yeah. Ya got me there, boss," Flowers said. "What do we do next?"

The second interview was worse, if you didn't like to see old men cry.

Burt Kline sat in his heavy leather chair, all the political photos on the walls behind him, all the plaques, the keys, the letters from presidents, and put his face in his hands, rocked back and forth, and wept. Nothing faked about it. His son, a porky twenty-three-year-old and heir apparent, kept smacking one meaty fist into the palm of the other hand. He'd been a football player at St. Johns, and wore a St. Johns T-shirt, ball cap, and oversized belt buckle.

Burt Kline, blubbering: "She's just a girl, how could you think . . ."

Flowers yawned and looked out the window. Lucas said, "Senator Kline . . ."

"I-I-I d-d-didn't do it," Kline sobbing. "I swear to God, I never touched the girl. This is all a lie . . ."

"It's a fuckin' lie, he didn't do it, those bitches are trying to blackmail us," Burt Jr. shouted.

"There's that whole thing about the semen and the DNA," Flowers said.

The blubbering intensified and Kline

swiveled his chair toward his desk and dropped his head on it, with a thump like a pumpkin hitting a storm door. "That's got to be some kind of mistake," he wailed.

"*You're* trying to frame us," Burt Jr. said. "You and that whole fuckin' bunch of tree-hugging motherfuckers. That so-called lab guy is probably some left-wing nut . . ."

"Here's the thing, Senator Kline," Lucas said, ignoring the kid. "You know we've got no choice. We've got to send it to a grand jury. Now we can send it to a grand jury here in Ramsey County, and you know what *that* little skunk will do with it."

"Oh, *God* . . ."

"Just not right," Burt Jr. said, smacking his fist into his palm. His face was so red that Lucas wondered about his blood pressure. Lucas kept talking to the old man: "Or, Jesse Barth said you once took her on a shopping trip to the Burnsville Mall and bought her some underwear and push-up bras . . ."

"Oh, *God* . . ."

"If you did that for sex, or if we feel we can claim that you did, then that aspect of the crime would have taken place in Dakota

County. Jim Cole is the county attorney there, and runs the grand jury."

The sobbing diminished, and Kline, damp faced, looked up, a line of calculation back in his eyes. "That's Dave Cole's boy."

"I wouldn't know," Lucas said. "But if you actually took Jesse over to Burnsville . . ."

"I never had sex with her," Kline said. "But I might've taken her to Burnsville once. She needed back-to-school clothes."

"They wear push-up bras to high school?" Lucas asked.

"Shit, yes. And thongs," Flowers said. "Don't even need Viagra with that kind of teenybopper quiff running around, huh, Burt?"

"You motherfucker, I ought to throw you out the fuckin' window," Burt Jr. snarled at Flowers.

"You said something like that last time," Flowers said. He didn't move, but his eyes had gone flat and gray like stones. "So why don't you do it? Come on, fat boy, let's see what you got."

The kid balled his fists and opened and shut his mouth a couple of times, and then Kline said to him, "Shut up and sit down," then asked Lucas, "What do I gotta do?"

"Agree that you took her to Burnsville. Agent Flowers will put that in his report and we will make a recommendation to the county attorney."

"Dave Cole's boy . . ."

"I guess," Lucas said. "Neil Mitford would like to talk to you. Just on the phone."

"I bet he would," Kline said.

On the street, Flowers said, "I don't like the smell of this, Lucas."

Lucas sighed. "Neither do I, Virgil. But there's a big load of crap coming down the line, no matter what we do, and there's no point in *our* people getting hurt, if we can confine the damage to Kline."

"And the Republicans."

"Well, Kline's a Republican," Lucas said.

"Fuck me," Flowers said.

Lucas said, "Look, I've got loyalties. People have helped me out, have given me a job chasing crooks. I like it. But every once in a while, we catch one of these. If you can tell me who we ought to put in jail here—Burt Kline or Kathy Barth—then I'll look into it. But honest to God, they're a couple of dirtbags and nobody else ought to get hurt for it."

"Yeah, yeah." Flowers was pissed.

Lucas continued rambling. "There's a guy I talk to over at the *Star Tribune.* Ruffe Ignace. He's a guy who can sit on a secret, sit on a source. I'd never talk to Ruffe about something like this—I've got those loyalties—but we go out for a sandwich, now and then, and we always argue about it: Who has the right to know what? And when? And what about the people who get hurt? Is it going to help Jesse to get her ass dragged through the courts?"

"Yeah, yeah," Flowers said again.

"So I gotta go talk to this Cole guy, down in Dakota County," Lucas said.

"Sounds like another in a long line of assholes," Flowers said.

"Probably," Lucas said.

They walked along for a while and then Flowers grinned, clapped Lucas on the shoulder, and said, "Thanks, boss. I needed the talk."

The third interview was better, but not much, and Lucas left it feeling a little more grime on his soul.

Jim Cole was a stiff; a guy who'd get out

of the shower to pee. He said, "That all sounds a little thin, Agent Davenport, on the elements, but I'll assign my best person to it." Behind him, on the wall, among the political pictures, plaques, and a couple of gilt tennis trophies, was a photo-painting that said, "Dave Cole—A Man for the Ages."

Lucas thought the elder Cole looked like a woodpecker, but, that was neither here nor there. Dave's boy, Jim, bought the case.

"I would assume there's been a lot of concern about this," Cole said. "It seems like a touchy affair."

"Yes, it is."

"Why don't you ask Neil Mitford to give me a call—I'd like to discuss it. Purely off the record, of course."

"Sure," Lucas said.

All of that took two days. On the third day, Lucas made a quick call to Smith about the Bucher case. She was still dead.

"I'm gonna get eaten alive if something doesn't break," Smith said. "Why don't you do some of that special-agent shit?"

"I'll think about it," Lucas said.

He did, and couldn't think of anything.

He had his feet on his top desk drawer, and was reading *Strike! Catch Your River Muskie!,* a how-to book, when his secretary came into the office and shut the door behind her.

"There's a hippie chick here to see you," she said. The secretary was a young woman named Carol, with auburn hair and blue eyes. She had been overweight, but recently had gone on a no-fat diet, which made her touchy. Despite her youth, she was famous in the BCA for her Machiavellian ruthlessness. "About the Bucher case, and about her grandmother, who fell down the stairs and died."

Lucas was confused, his mind still stuck in how to fish the upstream side of a wing dam without losing your lower unit; something, in his opinion, that all men should know. "A hippie? Her grandmother died?"

She shrugged. "What can I tell you? But I know you're attracted to fucky blondes, especially the kind with small but firm breasts . . ."

"Be quiet," Lucas said. He peered through the door window past the secretary's desk into the waiting area. He couldn't see anybody. "Is she nuts?"

"Probably," Carol said. "But she made enough sense that I thought you should talk to her."

"Why doesn't she talk to Smith?" Lucas asked.

"I don't know. I didn't ask her."

"Ah, for Christ's sakes . . ."

"I'll send her in," Carol said.

Gabriella Coombs had an oval face and blue-sky eyes and blond hair that fell to her small but firm breasts. Lucas couldn't tell for sure—she was wearing a shapeless shift of either gingham or calico, he could never remember which one was the print, with tiny yellow coneflowers, black-eyed Susans— but from the way her body rattled around in the shift, he suspected she could, as his subordinate Jenkins had once observed of another slender blond hippie chick, "crack walnuts between the cheeks of her ass."

She had a string of penny-colored South American nuts around her neck, and silver rings pierced both the lobes and rims of her ears, and probably other parts of her body, unseen, but not unsuspected.

Given her dress and carriage, her face would normally be as unclouded as a drink of water, Lucas thought, her *wa* smooth and round and uninflected by daily trials. Today she carried two horizontal worry lines on her forehead, and another vertically between her guileless eyes. She sat down, perched on the edge of Lucas's visitor's chair, and said, "Captain Davenport?"

"Uh, no," Lucas said. "I'm more like a special agent; but you can call me Lucas."

She looked at him for a moment, then said, "Could I call you mister? You're quite a bit older than I am."

"Whatever you want," Lucas said, trying not to grit his teeth.

She picked up on that. "I want us both to be comfortable and I think appropriate concepts of life status contribute to comfort," she said.

"What can I do for you? You are . . . ?"

"Gabriella Coombs. Ruffe Ignace at the *Star Tribune* said I should talk to you; he's the one who told me that you're a captain. He said that you were into the higher levels of strategy on the Bucher case, and that you provide intellectual guidance for the city police."

"I try," Lucas said modestly, picked up a pen and scrawled, *Get Ruffe,* on a notepad. "So . . ."

"My mother, Lucy Coombs, two fifty-seven . . ." She stopped, looked around the room, as if to spot the TV cameras. Then, "Do you want to record this?"

"Maybe later," Lucas said. "Just give me the gist of it now."

"My mom didn't hear from Grandma the night before last. Grandma had a little stroke a few months ago and they talk every night," Coombs said. "So anyway, she stopped by Grandma's place the morning before last, to see what was up, and found her at the bottom of the stairs. Dead as a doornail. The cops say it looks like she fell down the stairs and hit her head on one of those big balls on the banister post. You know the kind I mean?"

"Yup."

"Well, I don't believe it. She was murdered."

———

Lucas had a theory about intelligence: there was critical intelligence, and there was silly intelligence. Most people tended toward one or the other, although everybody carried at least a little of both. Einstein was a critical intelligence in physics; with women, it was silly.

Cops ran into silly intelligences all the time—true believers without facts, who looked at a cocaine bust and saw fascism, or, when somebody got killed in a back-alley gunfight, reflexively referred to the cops as murderers. It wasn't that they were stupid—they were often wise in the ways of public relations. They were simply silly.

Gabriella Coombs . . .

"I think the medical examiner could probably tell us one way or the other, Miss Coombs," Lucas said.

"No, probably not," Coombs said, genially contradicting him. "Everybody, including the medical examiner, is influenced by environmental and social factors. The medical examiner's version of science, and figuring out what happened, is mostly a social construct, which is why all the crime-scene television shows are such a load of crap."

"Anyway." He was being patient, and let it show.

"Anyway, the police tell the medical examiner that it looks like a fall," she said. "The medical examiner doesn't find anything that says it wasn't a fall, so he rules it a fall. That's the end of the case. Nobody's curious about it."

Lucas doodled a fly line with a hook, with little pencil scratches for the fly's body, around the *Get Ruffe.* "You know, a person like yourself," he said. ". . . have you studied psychology at all?"

She nodded. "I majored in it for three quarters."

He was not surprised. "You know what Freud said about cigars?"

"That sometimes they're just cigars? Frankly, Mr. Davenport, your point is so simple that it's moronic."

He thought, *Hmm, she's got teeth.*

She asked, "Are you going to listen to what I have to say, or are you going to perform amateur psychoanalysis?"

"Say it," Lucas said.

She did: "My grandmother was killed by a blow to the head that fractured her skull. Last Friday or Saturday, Constance Bucher and Sugar-Rayette Peebles died the same way. Grandma and Connie were friends. They were in the same quilt group; or, at least, they had been. A story in the *Star Tribune* said that Mrs. Bucher's murder might have been a cover-up for a robbery. When Grandma died, I was supposed to inherit a valuable music box that her grandmother—my great-great-grandmother—brought over from the Old Country. From Switzerland."

"It's missing?" Lucas asked, sitting up, listening now.

"We couldn't find it," Coombs said. "It used to be in a built-in bookshelf with glass doors. The police wouldn't let us look everywhere, and she could have moved it, but it's been in that bookcase since she bought the house. Everything else seems to be there, but the music box is gone."

"Do you have a description?" Lucas asked. "Was it insured?"

"Wait a minute, I'm not done," Coombs said, holding up an index finger. Lucas noticed that all her fingers, including her thumbs, had rings, and some had two or three. "There was another woman, also rich, and old, in Chippewa Falls. That's in Wisconsin."

"I know," Lucas said. "I've been there."

Her eyes narrowed. "To drink beer, I bet."

"No. It was for a police function," Lucas lied. He'd gone on a brewery tour.

She was suspicious, but continued: "Sometimes Grandma and Connie Bucher would go over to this other lady's house for quilt group. They weren't in the same quilt groups, but the two groups intersected. Anyway, this other woman—her name was Donaldson—was shot to death in her kitchen. She was an antique collector. Grandma said the killers were never caught. This was four years ago."

Lucas stared at her for a moment, then asked, "Is your grandma's house open? Have the St. Paul police finished with it?"

"No. We're not allowed in yet. They took us through to see if there was anything unusual, or disturbed, other than the blood spot on the carpet. But see, the deal always was, when Grandma died, her son and daughter would divide up everything equally, but since I was the only grand-daughter, I got the music box. It was like, a woman-thing. I looked for it when the police took us through, and it was missing."

Lucas did a drum tap with his pencil. "How'd you get down here?"

She blinked a couple of times, and then said, "I may look edgy to you, Mr. Davenport, but I *do* own a car."

"All right." Lucas picked up the phone, said to Carol, "Get me the number of the guy who's investigating the death of a woman named Coombs, which is spelled . . ."

He looked at Coombs and she nodded and said, "C-O-O-M-B-S."

". . . In St. Paul. I'll be on my cell." He dropped the phone on the hook, took his new Italian leather shoulder rig out of a desk drawer, put it on, took his jacket off the file cabinet, slipped into it. "You can meet me at your grandma's house or you can ride with me. If you ride with me, you can give me some more detail."

"I'll ride with you," she said. "That'll also save gasoline."

As they headed out of the office, Carol

called after them, "Hey, wait. I've got Jerry Wilson on his cell phone."

Lucas went back and took the phone. "I'd like to take a look at the Coombs place, if you're done with it. I've got her grand-daughter over here, she thinks maybe something else is going on . . . uh-huh. Just a minute." He looked at Coombs. "Have you got a key?"

She nodded.

Back to the phone: "She's got a key. Yeah, yeah, I'll call you."

He hung up and said, "We're in."

Coombs had parked on the street. She got a bag and a bottle of Summer Sunrise Herbal Tea from her salt-rotted Chevy Cav-alier and carried it over to the Porsche. The Porsche, she said, as she buckled in, was a "nice little car," and asked if he'd ever driven a Corolla, "which is sorta like this. My girlfriend has one."

"That's great," Lucas said, as they eased into traffic.

She nodded. "It's nice when people drive small cars. It's ecologically sensitive." Lu-cas accelerated hard enough to snap her neck, but she didn't seem to notice. Instead, she looked around, fiddling with her bottle of tea. "Where're the cup holders?"

"They left them off," Lucas said, not moving his jaw.

Halfway to Grandma's house, she said, "I drove a stick shift in Nepal."

"Nepal?"

"Yeah. A Kia. Have you ever driven a Kia?"

Being a detective, Lucas began to suspect that Gabriella Coombs, guileless as her cornflower eyes might have been, was fucking with him.

The streets were quiet, the lawns were green and neat, the houses were older but well kept. Lucas might have been in a thousand houses like Marilyn Coombs's, as a uniformed cop, trying to keep the peace, or to find a window peeper, or to take a break-in report, or figure out who stole the lawn mower. They left the car on the street at the bottom of the front lawn, and climbed up to the porch.

"Not a bad place," Lucas said. "I could see living my life around here."

"She got very lucky," Coombs said. The comment struck Lucas as odd, but as Coombs was pushing through the front door, he let it go.

They started with a fast tour, something Lucas did mostly to make sure there was nobody else around. Marilyn Coombs's house was tidy without being psychotic about it, smelled of cooked potatoes and cauliflower and eggplant and pine-scent spray, and old wood and insulation. There were creaking wooden floors with imitation oriental carpets, and vinyl in the kitchen; brown walls; doilies; three now-dried-out oatmeal cookies sitting on a plate on the kitchen table.

An old electric organ was covered with gilt-framed photographs of people staring at the camera, wearing clothes from the '40s, '50s, '60s, '70s, '80s, and '90s. The earliest were small, and black-and-white. Then a decade or so later, color arrived, and now was fading. The organ looked as though it probably hadn't been played since 1956, and sat under a framed painting of St. Christopher carrying the Christ Child across the river.

There was a blood spot, about the size of a saucer, on the floor next to the bottom of the stairway.

"They took the ball," Coombs said, pointing to the bottom post on the stairway. The post had a hole in it, where a mounting pin would fit. "They supposedly found hair and blood on it."

"Huh."

He looked up the stairs, and could see it. Had seen it, once or twice, an older woman either killing or hurting herself in a fall down the stairs. The stairs were wooden, with a runner. The runner had become worn at the edges of the treads, and Coombs might have been hurrying down to the phone and had caught her foot on a worn spot . . .

"Could have been a fall," Lucas said.

"Except for the missing music box," Coombs said. "And her relationships with the other mysteriously murdered women."

"Let's look for the box."

They looked and didn't find it. The box, Coombs said, was a distinctive black-lacquered rectangle about the size of a ream of paper, and about three reams thick.

On top of the box, a mother-of-pearl inlaid decoration showed a peasant girl, a peasant boy, and some sheep. "Like the boy was making a choice between them," Coombs said, still with the guileless voice.

When you opened the box, she said, four painted wooden figures, a boy, a girl, and two sheep, popped up, and then shuttled around in a circle, one after the other, as music played from beneath them.

"Is the boy following the girl, or the sheep?" Lucas asked.

"The girl," Coombs said, showing the faintest of smiles.

"I think we're okay, then," Lucas said.

Although they didn't find the box, they did find what Coombs said, and Lucas conceded might possibly be, a faint rectangle in the light dust on the surface of the bookshelf where the box should have been.

"Right there," Coombs said. "We need a light . . ." She dragged a floor lamp over, pulled off the shade, replugged it, turned it on. "See?"

The light raked the shelf, which had perhaps a week's accumulation of dust. There may have been a rectangle. "Maybe," Lucas said.

"For sure," she said.

"Maybe."

"Only two possibilities," Coombs said. "Grandma was killed for the music box, or the cops stole it. Pick one."

The house didn't have anything else that looked to Lucas like expensive antiques or pottery, although it did have a jumble of cracked and reglued Hummel figurines; and it had quilts. Coombs had decorated all the rooms except the living room with a variety of quilts—crib quilts and single-bed crazy quilts, carefully attached to racks made of one-by-two pine, the racks hung from nails in the real-plaster walls.

"No quilts are missing?" Lucas asked.

"Not that I know of. My mom might. She's started quilting a bit. Grandma was a fanatic."

"It doesn't seem like there'd be much more space for them," Lucas said.

"Yeah . . . I wish one of the Armstrongs were left. I'd like to go to India for a while."

"The Armstrongs?"

"Grandma . . . this was ten years ago . . . Grandma bought a bunch of quilts at an es-

tate sale and they became famous,"
Coombs said. "Biggest find of her life. She
sold them for enough to buy this house. I
mean, I don't know exactly how much, but
with what she got for her old house, and the
quilts, she bought this one."

They were at the top of the stairs, about
to come down, and Coombs said, "Look
over here."

She stepped down the hall to a built-in
cabinet with dark oak doors and trim, and
pulled a door open. The shelves were
packed with transparent plastic cases the
size of shoe boxes, and the cases were
stuffed with pieces of fabric, with quilting
gear, with spools of thread, with needles
and pins and scissors and tapes and stuff
that Lucas didn't recognize, but that he
thought might be some kind of pattern-
drawing gear.

The thread was sorted by hue, except for
the stuff in two sewing containers. Containers, because only one of them was the traditional woven-wicker sewing basket; the
other was a semitransparent blue tackle
box. All the plastic boxes had been labeled
with a black Sharpie, in a neat school script:
"Threads, red." "Threads, blue."

"A lot of stuff," Lucas said. He put a finger in the wicker sewing basket, pulled it out an inch. More spools, and the spools looked old to him. Collector spools? Which tripped off a thought. "Do you think these Armstrongs, would they have been classified as antiques?"

"No, not really," Coombs said. "They were made in what, the 1930s? I don't think that's old enough to be an antique, but I really don't know. I don't know that much about the whole deal, except that Grandma got a lot of money from them, because of the curse thing."

"The curse thing."

"Yes. The quilts had curses sewn into them. They became . . . what?" She had to think about it for a second, then said, "I suppose they became feminist icons."

Like this, she said:

Grandma Coombs had once lived in a tiny house on Snelling Avenue. Her husband had died in the '70s, and she was living on half of a postal pension, the income from a modest IRA, and Social Security. She haunted estate sales, flea markets, and garage sales all over the Upper Midwest, buying cheap, reselling to antique stores in the Cities.

"She probably didn't make ten thousand dollars a year, after expenses, but she enjoyed it, and it helped," Coombs said. Then she found the Armstrong quilts at an estate sale in northern Wisconsin. The quilts were brilliantly colored and well made. Two were crazy quilts, two were stars, one was a log-cabin, and the other was unique, now called "Canada Geese."

None of that made them famous. They were famous, Coombs said, because the woman who made them, Sharon Armstrong, had been married to a drunken sex freak named Frank Armstrong who beat her, raped her, and abused the two children, one boy and one girl, all in the small and oblivious town of Carton, Wisconsin.

Frank Armstrong was eventually shot by his son, Bill, who then shot himself. Frank didn't die from the gunshot, although Bill did. The shootings brought out all the abuse stories, which were horrific, and after a trial, Frank was locked up in a state psychiatric hospital and died there twenty years later.

Sharon Armstrong and her daughter

moved to Superior, where first the mother and then the daughter got jobs as cooks on the big interlake ore ships. Sharon died shortly after World War II. The daughter, Annabelle, lived, unmarried and childless, until 1995. When she died, her possessions were sold off to pay her credit-card debts.

"There were six quilts. I was in Germany when Grandma found them, and I only saw them a couple of times, because I was moving around a lot, but they were beautiful. The thing is, when Grandma bought them, she also bought a scrapbook that had clippings about Frank Armstrong, and Sharon Armstrong, and what happened to them.

"When Grandma got home, she put the quilts away for a while. She was going to build racks, to stretch them, and then sell them at an art fair. She used to do that with old quilts and Red Wing pottery.

"When she got them out, she was stretching one, and she noticed that the stitching looked funny. When she looked really close, she saw that the stitches were letters, and when you figured them out, they were curses."

"Curses," Lucas said.

"Curses against Frank. They were harsh:

they said stuff like 'Goddamn the man who sleeps beneath this quilt, may the devils pull out his bowels and burn them in front of his eyes; may they pour boiling lead in his ears for all eternity' . . . They went on, and on, and on, for like . . . hours. But they were also, kind of, *poetic,* in an ugly way."

"Hmmm." Lucas said, "Grandma sold them for what?"

"I don't know, exactly. Mom might. But enough that she could sell her old house and buy this one."

"All this quilt stuff ties to Connie Bucher."

"Yeah. There are thousands of quilt groups all over the country. They're like rings, and a lot of the women belong to two rings. Or even three. So there are all these connections. You can be a quilter on a dairy farm in Wisconsin and you need to go to Los Angeles for something, so you call a friend, and the friend calls a friend, and the next thing you know, somebody's calling you from Los Angeles, ready to help out. The connections are really amazing."

"They wouldn't be mostly Democrats, would they?" Lucas asked.

"Well . . . I suppose. Why?"

"Nothing. But: your grandma was connected to Bucher. And there was another woman killed. Do you have a name?"

"Better than that. I have a newspaper story."

Lucas didn't want to sit anywhere in the room where the elderly Coombs had died, in case it became necessary to tear it apart. He took Gabriella Coombs and the clipping into the kitchen, turned on the light.

"Ah, God," Coombs stepped back, clutched at his arm.

"What?" Then he saw the cockroaches scuttling for cover. A half dozen of them had been perched on a cookie sheet on the stove. He could still see faint grease rings from a dozen or so cookies, and the grease had brought out the bugs.

"I've gotta get my mom and clean this place up," Gabriella said. "Once you get the bugs established, they're impossible to get rid of. We should call an exterminator. How long does it take the crime-scene people to finish?"

"Depends on the house and what they're looking for," Lucas said. "I think they're pretty much done here, but they'll probably wait until there's a ruling on the death."

"You think I could wash the dishes?" she asked.

"You could call and ask. Tell them about the bugs."

They sat at the kitchen table, and Lucas took the newspaper clip. It was printed on standard typing paper, taken from a website. The clip was the top half of the front page in the *Chippewa Falls Post,* the text running under a large headline, *Chippewa Heiress Murdered.*

A noted Chippewa Falls art collector and heir to the Thune brewing fortune was found shot to death in her home Wednesday morning by relatives, a Chippewa Falls police spokesman said Wednesday afternoon.

The body of Claire Donaldson, 72, was discovered in the kitchen of her West Hill mansion by her sister, Margaret Donaldson Booth, and Mrs. Booth's husband, Landford Booth, of Eau Claire.

Mrs. Donaldson's secretary, Amity Anderson, who lives in an apartment in Mrs. Donaldson's home, was in Chicago on business for Mrs. Donaldson, police said. When she was unable to reach Mrs. Donaldson by telephone on Tuesday evening or Wednesday morning, Anderson called the Booths, who went to Donaldson's home and found her body.

Police said they have several leads in the case.

"Claire Donaldson was brilliant and kind, and that this should happen to her is a tragedy for all of Chippewa Falls," said the Rev. Carl Hoffer, pastor of Prince of Peace Lutheran Church in Chippewa Falls, and a longtime friend of Mrs. Donaldson . . .

Lucas read through the clip, which was long on history and short on crime detail; no matter, he could get the details from the Chippewa cops. But, he thought, if you changed the name and the murder weapon, the news story of Claire Donaldson's death could just as easily have been the story of Constance Bucher's murder.

———

"When we get back to the office, I'll want a complete statement," he told Coombs. "I'll get a guy to take it from you. We'll need a detailed description of that music box. This could get complicated."

"God. I wasn't sure you were going to believe me," Coombs said. "About Grandma being murdered."

"She probably wasn't—but there's a chance that she was," Lucas said. "The idea that somebody hit her with that ball . . . That would take some thought, some knowledge of the house."

"And a serious psychosis," Coombs said.

"And that. But it's possible."

"On the TV shows, the cops never believe the edgy counterculture person the first time she tells them something," Coombs said. "Two or three people usually have to get killed first."

"That's TV," Lucas said.

"But you have to admit that cops are prejudiced against us," she said.

"Hey," Lucas said. "I know a guy who walks around in hundred-degree heat in a black hoodie because he's always freezing because he smokes crack all day, supports himself with burglary, and at night he spray-paints glow-in-the-dark archangels on box-cars so he can send Christ's good news to the world. He's an edgy counterculture person. You're a hippie."

She clouded up, her lip trembling. "That's a cruel thing to say," she said. "Why'd you have to say that?"

"Ah, man," Lucas said. "Look, I'm sorry . . ."

She smiled, pleased with herself and the trembling lip: "Relax. I'm just toyin' with you."

On the way out of the house, they walked around the blood spot, and Coombs asked, "What's a doornail?"

"I don't know."

"Oh." Disappointed. "I would have thought you'd have heard it a lot, and looked it up. You know, dead as a doornail, and you being a cop."

He got her out of the house, into the Porsche, fired it up, rolled six feet, then stopped, frowned at Coombs, and shut it down again.

"Two things: If your grandma's name was Coombs, and your mother is her daughter, how come your name . . . ?"

"I'm a bastard," Coombs said.

"Huh?"

"My mom was a hippie. I'm second-generation hippie. Anyway, she slept around a little, and when the bundle of joy finally showed up, none of the prospective fathers did." She flopped her hands in the air. "So. I'm a bastard. What was the second thing?"

"Mmm." He shook his head, and fished his cell phone out of his pocket. "I'm going to call somebody and ask an unpleasant question about your grandmother. If you want, you could get out and walk around the yard for a minute."

She shook her head. "That's okay. I'd be interested in hearing the question."

Lucas dialed, identified himself, and asked for the medical examiner who'd done the postmortem on Coombs. Got her and asked, "What you take out of her stomach. Uh-huh? Uh-huh? Very much? Okay . . . okay."

He hung up and Coombs again asked, "What?"

"Her stomach was empty. If she fell when

she was by herself, I wonder who ate nine oatmeal cookies?" Lucas asked.

Back at BCA headquarters, he briefed Shrake, put Coombs in a room with him, and told them both that he needed every detail. Five minutes later he was on the line with an investigator with the Chippewa County Sheriff's Office, named Carl Frazier, who'd worked the Donaldson murder.

"I saw the story in the paper and was going to call somebody, but I needed to talk to the sheriff about it. He's out of town, back this afternoon," Frazier said. "Donaldson's a very touchy subject around here. But since you called *me . . .*"

"It feels the same," Lucas said. "Donaldson and Bucher."

"Yeah, it does," Frazier said. "What seems most alike is that there was never a single lead. Nothing. We tore up the town, and Eau Claire, we beat on every asshole we knew about, and there never was a thing. I've gotten the impression that the St. Paul cops are beating their heads against the same wall."

"You nail down anything as stolen?"

"Nope. That was another mystery," Frazier said. "As far as we could tell, nothing was touched. I guess the prevailing theory among the big thinkers here was that it was somebody she knew, they got in an argument . . ."

"And the guy pulled out a gun and shot her? Why'd he have a gun?"

"That's a weak point," Frazier admitted. "Would have worked better if she'd been killed like Bucher—you know, somebody picked up a frying pan and swatted her. That would have looked a little more spontaneous."

"This looked planned?"

"Like D-Day. She was shot three times in the back of the head. But what for? A few hundred dollars? Nobody who inherited the money needed it. There hadn't been any family fights or neighborhood feuds or anything else. The second big-thinker theory was that it was some psycho. Came in the back door, maybe for food or booze, killed her."

"Man . . ."

"I know," Frazier said. "But that's what we couldn't figure out: *What for?* If you can't figure out *what for,* it's harder than hell to figure out *who.*"

"She's got these relatives, a sister and brother-in-law, the Booths," Lucas said. "They still around?"

"Oh, yeah. The sheriff hears from them regularly."

"Okay. Then, I'll tell you what, I'm gonna go talk to them," Lucas said. "Maybe I could stop by and look at your files?"

"Absolutely," Frazier said. "If you don't mind, I'd like to ride along when you do the interview. Or, I'll tell you what. Why don't we meet at the Donaldson house? The Booths still own it, and it's empty. You could take a look at it."

"How soon can you do it?"

"Tomorrow? I'll call the Booths to make sure they'll be around," Frazier said.

Weather and Lucas spent some time that night fooling around, and when the first round was done, Lucas rolled over on his back, his chest slick with sweat, and Weather said, "That wasn't so terrible."

"Yeah. I was fantasizing about Jesse Barth," he joked. She swatted him on the stomach, not too hard, but he bounced and complained, "Ouch! You almost exploded one of my balls."

"You have an extra," she said. "All we need is one." She was trying for a second kid, worried that she might be too old, at forty-one.

"Yeah, well, I'd like to keep both of them," Lucas said, rubbing his stomach. "I think you left a mark."

She made a rude noise. "Crybaby." Then, "Did you hear what Sam said today . . . ?"

And later, she asked, "What happened with Jesse Barth, anyway?"

"It's going to the grand jury. Virgil's handling most of it."

"Mmm. Virgil," Weather said, with a *tone* in her voice.

"What about him?"

"If I was going to fantasize during sex, which I'm not saying I'd do, Virgil would be a candidate," she said.

"Virgil? Flowers?"

"He has a way about him," Weather said. "And that little tiny butt."

Lucas was shocked. "He never . . . I mean, made a *move* or anything . . ."

"On me?" she asked. "No, of course not. But . . . mmm."

"What?"

"I wonder why? He never made a move? He doesn't even flirt with me," she said.

"Probably because I carry a gun," Lucas said.

"Probably because I'm too old," Weather said.

"You're not too old, believe me," Lucas said. "I get the strange feeling that Virgil would fuck a snake, if he could get somebody to hold its head."

"Sort of reminds me of you, when you were his age," she said.

"You didn't know me when I was his age."

"You can always pick out the guys who'd fuck a snake, whatever age they are," Weather said.

"That's unfair."

"Mmm."

A minute later, Lucas said, "Virgil thinks that going to Dakota County was a little . . . iffy."

"Politically corrupt, you mean," Weather said.

"Maybe," Lucas admitted.

"It is," Weather said.

"I mentioned to Virgil that I occasionally talked to Ruffe over at the *Star Tribune.*"

She propped herself up on one arm. "You suggested that he call Ruffe?"

"Not at all. That'd be improper," Lucas said.

"So what are the chances he'll call?"

"Knowing that fuckin' Flowers, about ninety-six percent."

She dropped onto her back. "So you manipulated him into making the call, so the guy in Dakota County can't bury the case."

"Can you manipulate somebody into something, if he knows that you're manipulating him, and wants to be?" Lucas asked, rolling up on his side.

"That's a very feminine thought, Lucas. I'm proud of you," Weather said.

"Hey," Lucas said, catching her hand and guiding it. "Feminine *this.*"

8

Another great day, blue sky, almost no wind, dew sparkling on the lawn, the neighbor's sprinkler system cutting in. Sam loved the sprinkler system and could mimic its chi-chi-chi-chiiiii sound almost perfectly.

Lucas got the paper off the porch, pulled it out of the plastic sack, and unrolled it. Nothing in the *Star Tribune* about Kline. Nothing at all by Ruffe. Had he misfired?

Lucas never liked to get up early—though he had no problem staying up until dawn, or longer—but was out of the house at 6:30, nudging out of the driveway just behind Weather. Weather was doing a series of scar revisions on a burn case. The patient was in the hospital overnight to get some sodium numbers fixed, and was being waked as she left the driveway. The patient would be on the table by 7:30, the first of three operations she'd do before noon.

Lucas, on the other hand, was going fishing. He took the truck north on Cretin to I-94, and turned into the rising sun; and watched it rise higher for a bit more than an hour as he drove past incoming rush-hour traffic, across the St. Croix, past cows and buffalo and small towns getting up. He left the interstate at Wisconsin Exit 52, continuing toward Chippewa, veering around the town and up the Chippewa River into Jim Falls.

A retired Minneapolis homicide cop had a summer home just below the dam. He was traveling in Wyoming with his wife, but told Lucas where he'd hidden the keys for the boat. Lucas was on the river a little after eight, in the cop's eighteen-foot Lund, working the trolling motor with his foot, casting the shoreline with a Billy Bait on a Thorne Brothers custom rod.

Lucas had always been interested in newspapers—thought he might have been a reporter if he hadn't become a cop—and had gotten to the point where he could sense something wrong with a newspaper story. If a story seemed reticent, somehow; deliberately oblique; if the writer did a little tap dance; then, Lucas could say, "Ah, there's something going on." The writer knew something he couldn't report, at least, not yet.

Lucas, and a lot of other cops, developed the same sense about crimes. A solution was obvious, but wasn't right. The story was hinky. Of course, cops sometimes had that feeling and it turned out that they were wrong. The obvious *was* the truth. But usually, when it seemed like something was wrong, something was.

There'd been a car at the murder scene— if there hadn't been, then somebody had been running down the street with a sixty-pound printer on his back. So there'd been a car. But if there'd been a car, why wasn't a lot of the other small stuff taken? Like the TV in the bedroom, a nice thirty-two-inch flat screen. Could have carried it out under one arm.

Or those video games.

On the other hand, if the killers were professionals after cash and easy-to-hock jewelry, why hadn't they found the safe, and at least tried to open it? It wasn't that well hidden . . . Why had they spent so much time in the house? Why did they steal that fuckin' printer?

The printer bothered him. He put the fishing rod down, pulled his cell phone, was amazed to see he actually had a signal, and called back to the office, to Carol.

"Listen, what's that intern's name? Sandy? Can you get her? Great. Get the call list going: I want to know if anybody in the Metro area found a Hewlett-Packard printer. Have her call the garbage haulers, too. We're looking for a Hewlett-Packard printer that was tossed in a dumpster. You can get the exact model number from John Smith. And if somebody saw one, ask if there's anything else that might have come from Bucher's place, like a DVD player. Yeah. Yeah, tell everybody it's the Bucher case. Yeah, I know. Get her started, give her some language to explain what we're doing."

He'd no more than hung up when he had another thought, fished out the phone, and called Carol again. "Has anyone shown

Sandy how to run the computer? Okay. After she does the call list, get her to pull
every unsolved murder in the Upper Midwest for the last five years. Minnesota,
Iowa, Wisconsin. Might as well throw in the
Dakotas. Don't do Illinois, there'd be too
much static from Chicago. Have her sift
them for characteristics similar to the
Bucher case. But don't tell her where I am—
don't tell her about Donaldson. I want to see
if she catches it. No, I'm not trying to fuck
her over, I just want to know how good a job
she did of sifting them. Yeah. Goodbye."

Feeling as though he'd accomplished
something, he floated the best part of a mile
down the river, and then, with some regret,
motored back up the opposite shore to the
cop's house and the dock.

The river was cool, green, friendly. He
could spend a lot of time there, he thought,
just floating. Hadn't seen a single muskie;
usually didn't—which meant that he didn't
smell like fish slime, and wouldn't have to
stop at a McDonald's to wash up.

Despite the interruption of the cell-phone
call, he *had* seen a mink, several ducks, a

brooding Canada goose, and a nearly empty Fanta orange bottle, floating down the river. He'd hooked it out, emptied it, and carried it up to the truck. Returned the keys to their hiding spot, put away the rod, wrote a thank-you note to the cop, and left it in the mailbox.

Not a bad way to start the day, he thought, rumbling up the hill to the main road. Took a right and headed into Chippewa.

The Donaldson mansion was on the hill on the west side of town. There were other big houses scattered around, but the Donaldson was the biggest. Frazier was already there, leaning against an unmarked car that everyone but a blind man would recognize as a cop car, talking on a cell phone. Lucas parked, got out of the truck, locked it, and walked over.

Frazier was a short man in his fifties, stout, with iron gray hair cut into a flattop. He was wearing khaki slacks, a red golf shirt, and a blue sport coat. His nose was red, and spidery red veins webbed his cheekbones. He looked like he should be carrying a bowling bag. He took the phone away from his mouth and asked, "Daven-port?"

Lucas nodded and Frazier said into the phone, "Could be a while, but I don't know how long." He hung up, grinned at Lucas as they shook hands, and said, "My old lady. My first priority is to get the dry cleaning and the cat food. My second priority is to solve the Donaldson killing."

"You gotta have your priorities," Lucas said. He looked up at the mansion. "That's a hell of a house," Lucas said. "Just like the Bucher house. When are the Booths . . . ?"

"Probably about seven minutes from now," Frazier said, looking at his watch. "They always keep me waiting about seven or eight minutes, to make a point, I think. We're the public servants, and they are . . . I don't know. The Dukes of Earl, or some-thing."

"Like that," Lucas said.

"Yup." He handed Lucas a brown-paper portfolio, as thick as a metropolitan phone book. "This is every piece of paper we have on the Donaldson case. Took me two hours to Xerox it. Most of it's bullshit, but I thought you might as well have it all."

"Let me put it in the truck," Lucas said.

He ran the paper back to the truck, then caught Frazier halfway up the sidewalk to the house. "Isn't a hell of a lot to see, but you might as well see it," Frazier said.

Frazier had keys. Inside, the house smelled empty, the odor of dry wallpaper and floor wax. The furniture was sparse and to Lucas's eye, undistinguished, except that it was old. The few paintings on the walls were mostly oil portraits gone dark with age. As they walked around, their footfalls echoed down the hallways; the only other sound was the mechanical whir of an air-conditioner fan.

"What's going on here is that the house isn't worth all that much," Frazier said. "It'd need a lot of updating before you'd want to take out a mortgage on it. New wiring, new plumbing, new heating system, new roof, new windows, new siding. Basically, it'd cost you a million bucks to get the place into tip-top shape."

"But the woman who lived here was rich?"

"Very rich. She was also very old," Frazier said. "Her friends say she didn't want to be annoyed by a lot of renovation when she only had a few years left. So. She didn't do some things, and the house was perfectly fine for the way she used it. Went to Palm Beach in the winter, and so on."

After Donaldson was murdered, Frazier said, the Booths tried to sell it, but it didn't sell. Then somebody came up with the idea that the Booths could donate the place to the city as a rich-lumber-family museum. That idea limped along and then somebody else suggested it could be a venue for arts programs.

"Basically, what was going on is, the Booths couldn't sell it, so they were encouraging all this other bullshit. They'd donate the house and a few paintings and old tables to the city at some ridiculous valuation, like two million bucks, which they would then deduct from their income tax," Frazier said. "That'd save them, what, about eight hundred thousand dollars? If they can't get that done, if the house just sits here and rots . . . well, what they've got is about two city lots at fifty thousand dollars each, and it'd probably cost them half of that to get the place torn down and carted away. In the meantime, they pay property tax."

"Life is tough and then you die," Lucas said.

"Wasn't tough for the Booths," Frazier grunted. "They've been rich forever . . . You want to see where the murder was?"

Donaldson had been killed in the kitchen. There was nothing to see but slightly dusty hardwood floors and appliances that had stepped out of 1985. The refrigerator and stove were a shade of tobacco-juice yellow that Lucas remembered from his first house.

"Very cold," Frazier said. "I'd talked myself into the idea that it was a traveling killer, passing through, saw a light and wanted money and a sandwich, and went up and killed her with a crappy .22. Stood there and ate the sandwich and looked at the body and never gave a shit. In my brain-movie, he *so* doesn't give a shit, he doesn't even give a shit if he was caught."

"Any proof on the sandwich?" Lucas asked, joking.

Frazier wasn't joking: "Yeah. There was a bread crumb in the middle of Donaldson's back. Loose. Not stuck on her blouse, or anything. It was like it fell on her, after she hit the floor. Sea-Bird brand sourdough bread. There was a loaf of it on the counter."

"Huh." Lucas scratched his forehead. "Let me tell you about these oatmeal cookies . . ."

The Booths arrived ten minutes later, in a black Mercedes-Benz S550. Landford Booth looked like a terrier, as short as Frazier, but thin, with small sharp eyes, a bristly white mustache, and a long nose with oversized pores. He wore a navy blue double-breasted jacket with silver buttons, and gray slacks. Margaret Booth had silvery hair, a face tightened by cosmetic surgery, and pale blue eyes. She wore a cranberry-colored dress and matching shoes, and blinked a lot, as though she were wearing contact lenses. Landford was a well-tended seventy-five, Lucas thought. His wife about the same, or possibly a bit older.

Lucas and Frazier had just come back from the kitchen and found the Booths standing in the open front door, Margaret's hand on Landford's arm, and Landford cleared his throat and said, "Well? Have you discovered anything new?"

The Booths knew almost nothing—but not quite nothing.

Lucas asked about missing antiques.

Margaret said, "Claire was a collector—and a seller. Pieces would come and go, all the time. One day there'd be a sideboard in the front hall, and the next week, there'd be a music cabinet. One week it'd be Regency, the next week Gothic Revival. She claimed she always made a profit on her sales, but I personally doubt that she did. I suspect that what she really wanted was the company—people buying and selling. People to argue with and to talk about antiques with. She considered herself a connoisseur."

"Was anything missing, as far as you know?" Lucas asked.

"Not as far as we know—but we don't know that much. We have an insurance list, and of course we had to make an inventory of her possessions for the IRS," Landford said. "There were items on the insurance list that weren't in the house, but there were things in the house that weren't on the insurance list. The fact is, it's difficult to tell."

"How about sales records?"

"We have a big pile of them, but they're a mess," Landford said. "I suppose we could go back and check purchases, and what she had when she died, against sales. Might be able to pinpoint something that way," Landford said.

"Could you do that?" Lucas asked.

"We could get our accountant to take a look, she'd be better at it," Landford said. "Might take a couple of weeks. The papers are a mess."

The Booths made one claim, and made it to Lucas, ignoring Frazier as though he were an inconvenient stump: "Somebody should look carefully at Amity Anderson. I'm sure she was involved," Margaret Booth said.

Landford quivered: "There is no doubt about it. Although our sheriff's department seems to doubt it."

Behind their backs, Frazier rolled his eyes. Lucas said to Margaret: "Tell me why she must have been involved."

"It's obvious," she said. "If you go through all the possibilities, you realize, in the end, that the killer-person, whoever he was, *was inside the house with Claire*." She put the last phrase in vocal italics. "Claire would *never* let anybody inside, not when she was alone, unless she knew them well."

Landford: "The police checked all her friends, and friends-of-friends, and everybody was cleared. There was no sign of forced entry, and Claire always kept the doors locked. Ergo, Amity Anderson gave somebody a key. She had quite the sexual history, Claire used to tell me. I believe Amity gave the house key to one of her boyfriends, told him where Claire kept her cash—she always liked to have some cash on hand—and then went to Chicago as an alibi. It's perfectly clear to me that's what happened."

"Exactly," Margaret said.

"How much cash?" Lucas asked.

"A couple of thousand, maybe three or four, depending," Landford said. "If she'd just gotten back from somewhere, or was about to go, she'd have more on hand. That doesn't sound like much to you and me . . ." He hesitated, looking at the cops, as though he sensed that he might have insulted them. Then he pushed on, ". . . but to a person like Amity Anderson, it probably seemed like a fortune."

"Where is Anderson now?" Lucas asked.

Frazier cleared his throat. "Her address is in the file I gave you. But you know where the Ford plant is, the one by the river in St. Paul?"

"Yes."

"She lives maybe . . . six, seven blocks . . . straight back away from the river, up that hill. Bunch of older houses. You know where I mean?"

"It's about a ten-minute walk from my house," Lucas said, "If you're walking slow."

"How far from Bucher's?" Landford asked.

"Five minutes, by car," Lucas said.

"Holy shit," Frazier said.

They talked for another ten minutes, and spent some more time looking around the house with the Booths, but the crime had been back far enough that Lucas could learn nothing by walking through the house. He said goodbye to the Booths, gave them a card, and when they'd left, waited until Frazier had locked up the house.

"Why isn't Amity Anderson involved?" Lucas asked.

"I'm not saying it's impossible," Frazier

said. "But Amity Anderson is a mousy little girl who majored in art and couldn't get a job. She wound up being Donaldson's secretary, though really, she was more like a servant. She did a little of everything, and got paid not much. One reason we don't think her boyfriend did it is that there's no evidence that she had a boyfriend."

"Ever?"

"Not when she lived here. Mrs. Donaldson had a live-in maid, and she told us that Amity never went anywhere," Frazier said. "Couldn't afford it, apparently had no reason to. In any case, she had no social life—didn't even get personal phone calls. Go talk to her. You'll see. You'll walk away with frost on your dick."

On the way back to the Cities, Lucas got a call from Ruffe Ignace.

"I got a tip that you've been investigating Burt Kline for statutory rape," Ignace said. "Can you tell me when you're gonna bust him?"

"Man, I don't know what you're talking about," Lucas said, grinning into the phone.

"Ah, c'mon. I've talked to six people and

they all say you're in it up to your hips,"
Ignace said. "Are you going to testify for the
Dakota County grand jury?"

"They've got themselves a grand jury?"
Lucas eased the car window down, and
held the phone next to the whistling slipstream. "Ruffe, you're breaking up. I can
barely hear you."

"I'll take that as a 'no comment,'" Ignace
said. "Davenport said, 'No comment, you
worthless little newspaper prick,' but confirmed that he has sold all of his stock in
Kline's boat-waxing business."

"You get laid the other night?" Lucas
asked.

"Yes. Now: will you deny that you're investigating Kline?" Lucas kept his mouth
shut, and after ten seconds of silence,
Ignace said, "All right, you're not denying
it."

"Not denying or confirming," Lucas said.
"You can quote me on that."

"Good. Because that confirms. Is this
chick . . ." Pause, paper riffling, ". . . Jesse
Barth . . . Is she really hot?"

"Ah, fuck."

"Thank you," Ruffe said. "That'd be Jesse
with two esses."

"Listen, Ruffe, I don't know where you're getting this, but honest to God, you'll never get another word out of me if you stick me with the leak," Lucas said. "Put it on Dakota County."

"I'm not going to put it on anybody," Ignace said. "It's gonna be like mystery meat—it's gonna come out of nowhere and wind up on the reader's breakfast plate."

"That's not good enough, because people are going to draw conclusions," Lucas argued. "If they conclude that I leaked it, I'll be in trouble, and you won't get another word out of me or anybody else in the BCA. Let people think it's Dakota County. Whisper it in their ear. You don't have to say the words."

"I'm going after the mother this afternoon," Ignace said. "Let's see, it's . . . Kathy? Is she hot?"

"Ruffe, you're breaking up really bad. I'm hanging up now, Ruffe."

∇

Despite his weaseling, Lucas was pleased. Flowers had done the job, and Ignace would nail Kline to a wall. Further, Ignace wouldn't give up the source, and if the game was played just right, everybody would assume the source was Dakota County.

He called Rose Marie Roux. He didn't like to lie to her, but sometimes did, if only to protect her; necessity is a mother. "I just talked to Ruffe Ignace. He knows about Kline. He's got Jesse Barth's name, he's going to talk to Kathy Barth. I neither confirmed nor denied and I am not his source. But his source is a good one and it comes one day after we briefed Dakota County. We need to start leaking around that Dakota County was talking to Ignace."

"We can do that," she said, also pleased. "This is working out."

"Tell the governor. Maybe he could do an off-the-record joke with some of the reporters at the Capitol, about Dakota County leaks," Lucas said. "Maybe get Mitford to put something together. A quip. The governor likes quips. And metaphors."

"A quip," she said. "A quip would be good."

Lucas called John Smith. Smith was at the Bucher mansion, and would be there for a while. "I'll stop by," Lucas said.

The Widdlers were there, finishing the inventory. "There's a lot of good stuff here," Leslie told Lucas. He was wearing a pink bow tie that looked like an exotic lepidopteran. "There's two million, conservatively. I really want to be here when they have the auction."

"Nothing missing?"

He shrugged and his wife picked up the question. "There didn't seem to be any obvious holes in the decor, when you started putting things back together—they trashed the place, but they didn't move things very far."

"Did you know a woman named Claire Donaldson, over in Eau Claire?"

The Widdlers looked at each other, and then Jane said, "Oh my God. Do you think?"

Lucas said, "There's a possibility, but I'm having trouble figuring out a motive. There doesn't seem to be anything missing from the Donaldson place, either."

"We were at some of the Donaldson sales," Leslie Widdler said. "She had some magnificent things, although I will say, her taste wasn't as extraordinary as everybody made out." To his wife: "Do you remember that awful Italian neoclassical commode?"

Jane poked a finger at Lucas's chest. "It looked like somebody had been working on it with a wood rasp. And it obviously had been refinished. They sold it as the original finish, but there was no way . . ."

The Widdlers went back to work, and Lucas and John Smith stepped aside and watched them scribbling, and Lucas said, "John, I've got some serious shit coming down the road. I'll try to stick with you as much as I can, but this other thing is political, and it could be a distraction."

"Big secret?"

"Not anymore. The goddamn *Star Tribune* got a sniff of it. I'll try to stay with you . . ."

Smith flapped his hands in frustration: "I got jack-shit, Lucas. You think this Donaldson woman might be tied in?"

"It feels that way. It feels like this one," Lucas said. "We might want to talk to the FBI, see if they'd take a look."

"I hate to do that, as long as we have a chance," Smith said.

"So do I."

Smith looked glumly at Leslie Widdler, who was peering at the bottom of a silver plant-watering pot. "It'd spread the blame, if we fall on our asses," he said. "But I want to catch these motherfuckers. Me."

On the way out the door, Lucas asked Leslie Widdler, "If we found that there were things missing, how easy would it be to locate them? I mean, in the antiques market?"

"If you had a good professional photograph and good documentation of any idiosyncrasies—you know, dents, or flaws, or repairs—then it's *possible*," Widdler said. "Not likely, but possible. If you don't have that, then you're out of luck."

Jane picked it up: "There are literally hundreds of thousands of antiques sold every year, mostly for cash, and a lot of those sales are to dealers who turn them over and over and over. A chair sold here might wind up in a shop in Santa Monica or Palm Beach after going through five different dealers. They may disappear into somebody's house and not come out for another twenty or thirty years."

And Leslie: "Another thing, of course, is

that if somebody spends fifty thousand dollars for an armoire, and then finds out it's stolen, are they going to turn it over to the police and lose their money? That's really not how they got rich in the first place . . . So I wouldn't be too optimistic."

"There's always hope," Jane said. She looked as though she were trying to make a perplexed wrinkle in her forehead. "But to tell you the truth, I'm beginning to think there's nothing missing. We haven't been able to identify a single thing."

"The Reckless painting," Lucas said.

"If there was one," she said. "There are a number of Reckless sales every year. If we find no documentation that suggests that Connie owned one, if all we have is the testimony of this one young African-American person . . . well, Lucas . . . it's gone."

9

Ruffe Ignace's story wasn't huge, but even with a one-column head, and thirty inches of carefully worded text, it was big enough to do all the political damage that Kline had feared.

Best of all, it featured an ambush photograph of Dakota County attorney Jim Cole, whose startled eyes made him look like a raccoon caught at night on the highway. Kline was now a Dakota County story.

Ignace had gotten to Kathy Barth. Although she was identified only as a "source close to the investigation," she spoke from the point of view of a victim, and Ignace was skilled enough to let that bleed through. *". . . the victim was described as devastated by the experience, and experts have told the family that she may need years of treatment if the allegations are true."*

———

Neil Mitford led Lucas and Rose Marie Roux into the governor's office and closed the door. The governor said, "We're all clear, right? Nobody can get us on leaking the story?" He knew that Lucas had ties with the local media; that Lucas did, in fact, share a daughter with the leading Channel Three editorialist.

"Ruffe called me yesterday and asked for a comment and I told him I couldn't give him one," Lucas said, doing his tap dance. "It's pretty obvious that he got a lot of his information from the victim's mother."

"Is Kathy Barth still trying to cut a deal with Burt?" Mitford asked Lucas.

"They want money. That was the whole point of the exercise," Lucas said. "But now, she's stuck. She can't cut a deal with the grand jury."

"And Burt's guilty," the governor said. "I mean, he did it, right? We're not simply fucking him over?"

"Yeah, he did it," Lucas said. "I think he might've been doing the mother, too, but he definitely was doing the kid."

Rose Marie: "Screw their negotiations. They can file a civil suit later."

"Might be more money for the attorney," Mitford said. "If he's taking it on contingency."

"Lawyers got to eat, too," the governor said with satisfaction. To Rose Marie and Lucas: "You two will be managing the BCA's testimony before the grand jury? Is that all set?"

"I talked to Jim Cole, he'll be calling with a schedule," Rose Marie said. "There's a limited amount of testimony available—the Barths, Agent Flowers, Lucas, the technical people from the lab. Cole wants to move fast. If there's enough evidence to indict, he wants to give Kline a chance to drop out of the election so another Republican can run."

"Burt might get stubborn . . ." the governor suggested.

"I don't think so," Rose Marie said, shaking her head. "Cole won't indict unless he can convict. He wants to nail down the mother, the girl, the physical evidence, and then make a decision. With this newspaper story, he's got even more reason to push. If he tells Burt's lawyer that Burt's going down, and shows him the evidence, I think Burt'll quit."

The governor nodded: "So. Lucas. Talk to your people. We don't want any bleed-back, we don't want anybody pointing fingers at us, saying there's a political thing going on. We want this straightforward, absolutely professional. We regret this kind of thing as much as anybody. It's a tragedy for everybody involved, including Burt Kline."

"And especially the child. We have to protect the children from predators," Mitford said. "Any contacts with the press, we always hit that point."

"Of course, absolutely," the governor said. "The children always come first. Especially when the predators are Republicans."

Nobody asked about the Bucher case, which was slipping off the front pages.

When they were finished, Lucas walked down the hall with Rose Marie, heading for the parking garage. "Wonder why with Republicans, it's usually fucking somebody that gets them in trouble. And with the Democrats, it's usually stealing?"

"Republicans have money. Most of them

don't need more," she suggested. "But they come from uptight, sexually repressed backgrounds, and sometimes, they just go off. Democrats are looser about sex, but half the time, they used to be teachers or government workers, and they're desperate for cash. They see all that money up close, around the government, the lobbyists and the corporate guys, they can smell it, they can taste it, they see the rich guys flying to Paris for the weekend, and eating in all the good restaurants, and buying three-thousand-dollar suits. They just want to reach out and take some."

"I see money in this, for my old company," Lucas said. He'd once started a software company that developed real-time emergency simulations for 911 centers. "We could make simulation software that would teach Republicans how to fuck and Democrats how to steal."

"Jeez, I don't know," Rose Marie said. "Can we trust Republicans with that kind of information?"

Back at his office, Carol told him that the intern, Sandy, had been up half the night preparing a report on Hewlett-Packard printers and on murders in the Upper Midwest. He also had a call from one of Jim Cole's assistant county attorneys.

Lucas called the attorney, and they agreed that Lucas and Flowers would testify before the grand jury the following day. The assistant wanted to talk to Flowers before the grand-jury presentation, but said it would not be necessary to review testimony with Lucas himself.

"You'll do the basic bureaucratic outline, confirm the arrival of the initial information, the assignment of Agent Flowers to the case, and Flowers's delivery of the technical evidence to the crime lab. We'll need the usual piece of paper that says the evidence was properly logged in. That's about it."

"Excellent," Lucas said. "I'll call Agent Flowers now and have him get back to you."

Lucas called Flowers: "You're gonna have to carry the load, Virgil, so you best memorize every stick of information you put in the files. I wouldn't be surprised if somebody from Kline's circle has been talking to somebody from Cole's circle, if you catch my drift."

"After that newspaper story, I don't see how Cole could bail out," Flowers said.

"I don't see it, either. But depending on what may have been said behind the chicken house, we gotta be ready," Lucas said. "Tell them what you got, don't get mousetrapped into trying out any theories."

"Gotcha," Flowers said. "Gonna get my mind *tightly* wrapped around this one, boss. Tightly."

Lucas, exasperated, said, "That means you're going fishing, right?"

"I'll talk to the lab people and make sure the paperwork is right, that we got the semen sample and the pubic hair results, the photos of Kline's nuts. Copies for everyone. And so on, et cetera. I'll polish my boots tonight."

"You're not going fishing, Virgil," Lucas said. "This is too fuckin' touchy."

"How's the little woman?" Flowers asked.

"Goddamnit, Virgil . . ."

Lucas got his share of the paperwork done, reviewed it, then gave it to Carol, who had a nose for correct form. "Look it over, see if there are any holes. Same deal as the Carson case. I'll be back in five."

"Sandy's been sitting down in her cubicle all day, waiting for you . . ."

"Yeah, just a few more minutes."

While Carol was looking over the paperwork, he walked down to the lab and checked the evidence package, making sure everything was there. Whatever else happened, Lucas didn't want Kline to walk because of a bureaucratic snafu. Back at his office, he sat at his desk, kicked back, tried to think of anything else he might need. But the prosecutor had said it: Lucas was essentially the bureaucrat-in-charge, and would be testifying on chain-of-evidence, rather than the evidence itself.

Carol came in and said, "I don't see any holes. How many copies do you want? And you want me to call Sandy?"

"Just give me a minute. I gotta call John Smith."

Smith was leaving a conference on the stabbing of a man at Regions Hospital a few weeks earlier. The stabbed man had died, just the day before, of an infection, that might or might not have been the result of the stabbing. The screwdriver-wielding drunk might be guilty of a minor assault, or murder, depending.

"Depending," Smith said, "on what eight different doctors say, and they're all trying to tap-dance around a malpractice suit."

"Good luck," Lucas said. "Anything new on Bucher?"

"Thanks for asking," Smith said.

"Look, I'm going to interview this Amity Anderson. I told you about her, she was the secretary to the Wisconsin woman."

"Yeah, yeah . . . Hope something comes out of it."

Amity Anderson worked at the Old Northwest Foundation in Minneapolis. Lucas tracked her through a friend at Minnesota Revenue, who took a look at her tax returns. Her voice on the phone was a nasal soprano, with a touch of Manhattan. "I have clients all afternoon. I could talk to you after four o'clock, if it's really urgent," she said.

"I live about a half mile from you," Lucas

said. "Maybe I could drop by when you get home? If you're not going out?"

"I'm going out, but if it won't take too long, you could come at five-fifteen," she said. "I'd have to leave by six."

"See you at five-fifteen."

He hung up and saw a blond girl standing by Carol's desk, peeking at him past the edge of his open door. He recognized her from a meet-and-greet with the summer people. Sandy.

"Sandy," he called. "Come in."

She was tall. Worse, she thought she was *too* tall, and so rolled her shoulders to make herself look shorter. She had a thin nose, delicate cheekbones, foggy blue eyes, and glasses that were too big for her face. She wore a white blouse and a blue skirt, and black shoes that were wrong for the skirt. She was, Lucas thought, somebody who hadn't yet pulled herself together. She was maybe twenty years old.

She hurried in and stood, until he said, "Sit down, how y'doing?"

"I'm fine." She was nervous and plucked at the hem of her skirt. She was wearing nylons, he realized, which had to be hot. "I looked up that information you wanted. They let me stay late yesterday."

"You didn't have to . . ."

"No, it was really interesting," she said, a spot of pink appearing in her cheeks.

"What, uh . . ."

"Okay." She put one set of papers on the floor by her feet, and fumbled through a second set. "On the Hewlett-Packard printers. The answer is, probably. Probably everybody saw a Hewlett-Packard printer, but nobody knows for sure. The thing is, there are all kinds of printers that get thrown away. Nobody wants an old printer, and there are supposed to be restrictions on how you get rid of them, so people put them in garbage sacks and hide them in their garbage cans, or throw them in somebody else's dumpster. There are dozens of them every week."

"Shit . . ." He thought about the word, noticed that she flushed. "Excuse me."

"That's okay. The thing is, because so many printers are in garbage sacks, they don't get seen until they're already in the trash flow, and they wind up getting buried at the landfill," she said.

"So we're out of luck."

"Yes. I believe so. There's no way to tell what printer came from where. Even if we found the right printer, nobody would know what truck it came from, or where it was picked up."

"Okay. Forget it," Lucas said. "I should have known that."

She picked up the second pack of papers. "On the unsolved murders, I looked at the five states you asked about, and I also looked at Nebraska, because there are no big cities there. I found one unsolved that looks good. A woman named Claire Donaldson was murdered in Chippewa Falls, Wisconsin. I told Carol as soon as I found it, but she said I wouldn't have to work anymore on that, because you already knew about it."

Lucas nodded. "Okay. Good job. And that was the only one?"

"That was the only unsolved," Sandy said. "But I found one solved murder that also matches everything, except the sex of the victim."

Lucas frowned. "Solved?"

She nodded. "In Des Moines. An elderly man, wealthy, living alone, house full of antiques. His name was Jacob Toms. He was well known, he was on a lot of boards. An art museum, the Des Moines Symphony, an insurance company, a publishing company."

"Jeez, that sounds pretty good. But if it's solved . . ."

"I pulled the newspaper accounts off LexisNexis. There was a trial, but there wasn't much of a defense. The killer said he couldn't remember doing it, but wouldn't be surprised if he had. He was high on amphetamines, he'd been doing them for four days, he said he was out of his mind and couldn't remember the whole time he was on it. There wasn't much evidence against him—he was from the neighborhood, his parents were well-off, but he got lost on the drugs. Anyway, people had seen him around the neighborhood, and around the Toms house . . ."

"Inside?"

"No, outside, but he knew Toms because he'd cut Toms's lawn when he was a teenager. Toms had a big garden and he didn't like the way the lawn services cut it, because they weren't careful enough, so he hired this guy when he was a teenager. So the guy knew the house."

"There had to be more than that."

"Well, the guy admitted that he might have done it. He had cuts on his face that might have been from Toms defending himself . . ." She leaned forward, her eyes narrowing: "But the interesting thing is, the stuff that was stolen was all stuff that could be sold on the street, including some jewelry and some electronics, but none of it was ever found."

"Huh."

"An investigator for the public defender's office told the *Register* that the case was fabricated by the police because they were under pressure to get somebody, and here was this guy," Sandy said.

"Maybe he did it," Lucas said.

"And maybe he didn't," Sandy said.

Lucas sat back in his chair and stared at her for a moment, until she flinched, and he realized that he was making her even more nervous. "Okay. This is good stuff, Sandy. Now. Do you have a driver's license?"

"Of course. My car is sorta iffy."

"I'll get you a state car. Could you run

down to Des Moines today and Xerox the trial file? I don't think the cops would be too happy about our looking at the raw stuff, but we can get the trial file. If you have to, you could bag out in a Des Moines hotel. I'll get Carol to get you a state credit card."

"I could do that," she said. She scooched forward on the chair, her eyes brightening. "God, do you think this man might have gone to prison for something he didn't do?"

"It happens—and this sounds pretty good," Lucas said. "This sounds like Bucher and Donaldson and Coombs . . ."

"Who?"

"Ah, a lady named Coombs, here in the Cities. Anyway. Let's go talk to Carol. Man, looking at *solved* cases. That was *terrific*. That was a terrific idea."

Later, as Lucas left the office, Carol said, "You really got Sandy wound up. She'd jump out of an airplane for you."

"It'll wear off," Lucas said.

"Sometimes it does, and sometimes it doesn't," Carol said.

———

Amity Anderson probably would not have jumped out of an airplane for him, Lucas decided after meeting her, but she might be willing to push him.

He saw her unlocking the front door of her house, carrying a purse and what looked like a shopping bag, as he walked up the hill toward her. She looked down the hill at him, a glance, and disappeared inside.

She lived in a cheerful postwar Cape Cod–style house, with yellow-painted clapboard siding, white trim, and a brick chimney in the middle of the roof. The yard was small, but intensely cultivated, with perennials pushing out of flower beds along the fences at the side of the house, and bright annuals in two beds on either side of the narrow concrete walk that led to the front door. A lopsided one-car garage sat off to the side, and back.

Lucas knocked, and a moment later, she answered. She was a midsized woman, probably five-six, Lucas thought, and in her early to middle thirties. Her dark hair was tied in a severe, schoolmarmish bun, without style; she wore a dark brown jacket over a beige blouse, with a tweedy skirt and practical brown shoes. Olive-complected, she had dark brown eyes, overgrown eyebrows, and three small frown wrinkles that ran vertically toward her forehead from the bridge of her short nose. She looked at him through the screen door; her face had a sullen aspect, but a full lower lip hinted at a concealed sensuality. "Do you have any identification?"

He showed her his ID. She let him in, and said, "I have to go back to the bathroom. I'll be just a minute."

The inside of the house was as cheery as the outside, with rugs and quilts and fabric hangings on the brightly painted plaster walls and the spotless hardwood floors. A bag sat on the floor, next to her purse. Not a shopping bag, but a gym bag, with three sets of handball gloves tied to the outside, stiff with dried sweat. A serious, sweating handball player . . .

A toilet flushed, distantly, down a back hallway, and a moment later Anderson came out, tugging down the back of her skirt. "What can I do for you, Mr. Davenport?"

"You worked for Claire Donaldson when she was killed," Lucas said. "The most specific thing I need to know is, was anything taken from the house? Aside from the obvious? Any high-value antiques, jewelry, paintings, that sort of thing?"

She pointed him at a sofa, then perched on an overstuffed chair, her knees primly tight. "That was a long time ago. Has something new come up?"

Lucas had no reason not to tell her: "I'm looking at connections between the Donaldson murder and the murder of Constance Bucher and her maid. You may have read about it or seen it on television . . ."

Anderson's hand went to her cheek. "Of course. They're very similar, aren't they? In some ways? Do you think they're connected?"

"I don't know," Lucas said. "We can't seem to find a common motive, other than the obvious one of robbery."

"Oh. Robbery. Well, I'm sure the police told you she usually had some money around," Anderson said. "But not enough to kill somebody for. I mean, unless you were a crazy junkie or something, and this was in Chippewa Falls."

"I was thinking of antiques, paintings . . ."

She shook her head. "Nothing like that was taken. I was in charge of keeping inventory. I gave a list of everything to the police and to Claire's sister and brother-in-law."

"I've seen that," Lucas said. "So you don't know of anything specific that seemed to be missing, and was valuable."

"No, I don't. I assume the Booths told you that I was probably involved, that I gave a key to one of my many boyfriends, that I went to Chicago as an alibi, and the boyfriend then came over and killed Claire?"

"They . . ." He shrugged.

"I know," she said, waving a hand dismissively.

"So you would categorize that as 'Not true,'" Lucas suggested with a grin.

She laughed, more of an unhappy bark: "Of course it's not true. Those people . . . But I will tell you, the Booths didn't have as much money as people think. I know that, from talking to Claire. I mean, they had enough to go to the country club and pay their bills, and go to Palm Springs in the winter, but I happen to know that they rented in Palm Springs. A condo. They were very tight with money and they were *very* happy to get Claire's—and they got all of it. She had no other living relatives."

"You sound unhappy about that," Lucas said. "Were you expecting something?"

"No. Claire and I had a businesslike arrangement. I was a secretary and I helped with the antiques, which was my main interest. We were friendly, but we had no real emotional connection. She was the boss, I was the employee. She didn't pay much, and I was always looking for another job."

They looked at each other for a moment, then Lucas said, "I suppose you've been pretty well worked over by the sheriff's investigators. They found no boyfriends, no missing keys . . ."

"Officer Davenport. Not to put too fine a point on it, I'm gay."

"Ah." He hadn't gotten that vibe. Getting old.

"At that moment, I had no personal friend. Chippewa is not a garden spot for lesbians. And I wasn't even sure I was gay."

"Okay." He slapped his knees, ready to get up. "Does the name Jacob Toms mean anything to you? Ever heard of him? From Des Moines?"

"No, I don't think so. I've never been to Des Moines. Is he another . . . ?"

"We don't know," Lucas said. "How about a woman named Marilyn Coombs. From here in St. Paul?"

Her eyes narrowed. "God. I've heard of the name. Recently."

"She was killed a couple of days ago," Lucas said.

Anderson's mouth actually dropped: "Oh . . . You mean there are three? Or four? I must've heard Coombs's name on television. Four people?"

"Five, maybe, including Mrs. Bucher's maid," Lucas said.

"That's . . . crazy," Anderson said. "Insane. For what?"

"We're trying to figure that out," Lucas said. "About the Booths. Do you think *they* were capable of killing Mrs. Donaldson? Or of planning it?"

"Margaret was genuinely horrified. I don't doubt that," Anderson said, her eyes lifting toward the ceiling, as she thought about it. "Glad to get the money, but horrified by what happened. Landford wasn't horrified. He was just glad to get the money."

Then she smiled for the first time and

looked back at Lucas. "Thinking that Landford . . . no. He wouldn't do it himself, because he might get blood on his sleeve. Thinking that he might know somebody who'd do it for him, you know, a killer—that's even more ridiculous. You have to know them. Deep in their hearts, way down in their souls, the Booths are twits."

He smiled back at her and stood up. She was right about the twits. "One last question, just popped into my head. Did you know Connie Bucher? At all? Through antiques, or whatever?"

"No." She shook her head. "One of my jobs at the foundation is roping in potential donors, especially those who are old and infirm and have buckets of cash, but she was well tended by other people. She was surrounded, really. I bet she got twenty calls a week from 'friends,' who were really calling about money. Anyway, I never met her. I would never have had a chance to clip her money, under any circumstances, but I would have liked to have seen her antiques."

" 'Clip her money,' " Lucas repeated.

"Trade talk," she said.

Lucas's cell phone rang.

He dug it out of his pocket, looked at the screen, and said to Anderson, "Excuse me. I have to take this . . ."

He stepped away from her, toward the front door, turning a shoulder in the unconscious pretend-privacy that cell-phone users adopt. In his ear, Flowers said, "I'm at the Barths with Susan Conoway—have you talked to her, she's from Dakota County?"

"No. I talked to somebody. Lyle Pender?"

"Okay, that's somebody else. Anyway, Susan was assigned to prep the Barths, but Kathy's heard that she can take the Fifth, if she thinks she might have committed a crime. Or might be accused of one. So now she says she doesn't want to talk to Susan, and Susan's got a date that she doesn't want to miss. The whole fuckin' thing is about to go up in smoke. I could use some weight over here."

"Damnit. What does Barth's lawyer say?"

"He's not here. Kathy's nervous—I don't think this is coming from her lawyer," Flowers said. "It might be coming from somewhere else."

"I'm sure Kline wouldn't have . . . Ah, Jesus. You think Burt Jr. might have talked to her?"

"Maybe. The thought occurred to me, that fat fuck," Flowers said. "If he has, I'll put his ass in jail. I told Kathy that the grand jury could give her immunity and that she'd have to testify, or go to jail. Nobody told her that. But if she decides to take the Fifth, it's gonna mess up the schedule and it could create some complications. If Cole started getting cold feet, or Kline's buddies in the legislature got involved . . . We need to get this done."

"Why doesn't Conoway talk to her?" Lucas asked.

"Says she can't. Says the Barths have an attorney, and without the other attorney here, she's not comfortable examining a reluctant witness. That's not exactly what she said, but that's what she means."

"Listen: It'll take me at least ten or fifteen minutes to get there. I have to walk home, I'm six or seven minutes away from my car," Lucas said. "What is Jesse saying? Is she letting Kathy do the talking, or can you split them, or what?"

"They were both sitting on the couch. It's all about the money, man."

Lucas groaned. "I don't know why the Klines are holding on like this. You'd think they'd try to deal. Suborning a witness . . . they'd have to be crazy. How could they think they'd get away with it?"

Flowers said, "Burt's a fuckin' state legislator, Lucas."

"I know, but I'm always the optimist."

"Right," Flowers said. "Ten minutes?"

Lucas glanced at Anderson, who at that moment tipped her wrist to look at her watch. "I need a minute or two to finish here, then walk home, so . . . give me fifteen."

He rang off and stepped back into the living room, took a card from his pocket, and handed it to Anderson. "I've got to run. Thanks for your time. If you think of *anything* . . . About Donaldson, about Bucher, about possible ties between them, I'd like to hear it."

She took the card, said, "I'll call. I've got what we call a grip-and-grin, trying to soak up some money. So I've got to hurry myself."

"Seems like everything is about money," Lucas said.

"More and more," Anderson said. "To tell you the truth, I find it more and more distasteful."

Lucas hurried home, waved at a neighbor, stuck his head into the kitchen, blurted, "Got something going, I'll tell you when I get back," to Weather, and took off; Weather called after him, "When?" He shouted back, "Half an hour. If it's longer, I'll call."

There was some traffic, but the Barths lived only three miles away, and he knew every street and alley. By chopping off a little traffic, and taking some garbage-can routes, he made it in the fifteen minutes he'd promised Flowers.

Flowers was leaning in a doorway, chatting with a solid dishwater-blond woman with a big leather bag hanging from her shoulder: Conoway. Lucas had never met her, but when he saw her, he remembered her, from a lecture she gave at a child-abuse convention sponsored by the BCA.

A small-town cop, working with volunteer help and some sheriff's deputies who lived in the area, and a freelance social therapist, had busted a day-care center's owner, her son, and two care providers and charged them with crimes ranging from rape to blasphemy.

Conoway, assigned as a prosecutor, had shredded the case. She'd demonstrated that the day-care center operators were innocent, and had shown that if the children had been victimized by anyone, it had been the cops and the therapist, who were involved in what amounted to an anti-pederasty cult. She hadn't endeared herself to the locals, but she had her admirers, including Lucas.

Lucas came up the walk, noticed that the yellow-white dog was gone, the stake sitting at an angle in the yard. He wondered if the dog had broken loose.

Conoway looked tired; like she needed to wash her hair. She saw Lucas coming, through the screen door, cocked an eyebrow, said something to Flowers, and Flowers stepped over and pushed open the door.

"You know Susan Conoway . . ."

Conoway smiled and shook hands, and

Lucas said, "We haven't met, but I admired your work in the Rake Town case."

"Thank you," she said. "The admiration isn't universal."

Lucas looked at Flowers: "What do you need?"

Flowers said, "We just need you—somebody—to talk to the Barths in a polite, nonlegal way, that would convince them to cooperate fully with Ms. Conoway, who has a hot date tonight with somebody who couldn't possibly deserve her attentions."

Lucas said, "Huh."

Conoway said, "Actually, he *does* deserve my attentions. If they're not going to talk, I'm outa here."

"Give me a minute," Lucas said. "I've got to work myself into a temper tantrum."

Kathy and Jesse Barth were perched side by side on a green corduroy sofa, Kathy with a Miller Lite and a cigarette and Jesse with Diet Pepsi. Lucas stepped into the room, closed the door, and said, "Kathy, if Ms. Conoway leaves, and this thing doesn't go down tomorrow, you'll have messed up your life. Big-time. You'll wind up in the women's prison and your daughter will wind up in a juvie home. It pisses me off, because I hate to see that happen to a kid. Especially when her mom does it to her."

Kathy Barth was cool: "We've got a lawyer."

Lucas jabbed a finger at her, put on his hardest face: "Every asshole in Stillwater had a lawyer. Every single fuckin' one of them." She opened her mouth to say something, but Lucas waved her down, bullying her. "Have you talked to your lawyer about this?"

"Doesn't answer his cell. But we figured, what difference do a few hours make?"

"I'll tell you what difference it makes—it means somebody either got to you, or tried to get to you," Lucas said. "You can't sell your testimony, Kathy. That's a felony. That's mandatory jail time."

Jesse shifted on her seat, and Kathy glanced at her, then looked back at Lucas. "Burt owes us." She didn't whine, she just said it.

"So sue him," Lucas said. "Kline broke a state law and he has to pay for it. Pay the state. If you interfere with the state getting justice, then you're committing a crime.

Judges don't fool around with people who mess with witnesses, or witnesses who sell their testimony. They get the max, and they don't get time off for good behavior. You don't fuck with the courts, Kathy, and that's what you're doing."

Jesse said, "Mom, I don't want to go to jail."

"He's bullshitting us, hon," Kathy said, looking at Lucas with skepticism; but unsure of herself.

Lucas turned to Jesse and shook his head. "If your mom goes down this road, you've got to take care of yourself. I can't even explain how stupid and dangerous this is. You won't get any money *and* you'll be in jail. If your lawyer were here, he'd tell you that. But if Conoway leaves—she's got a date tonight—she's going to pull the plug on your testimony tomorrow, then she's going to turn off her cell phone, and then you are truly fucked. You've got about one minute to decide. Then she's gonna walk."

"She can't do that . . ." Kathy said.

"Horseshit," Lucas said. "She's already after-hours, working on her own time. She's got a right to a life. This isn't the biggest deal of her career, it's not even the biggest deal of her week. She doesn't have to put up with some crap where somebody is trying to sell her daughter's ass to a pederast. She's gonna walk."

"I'm not trying to sell anybody . . ." Kathy said.

"I'll talk to her," Jesse blurted. To her mother: "I'm gonna talk to her, Mom. I don't care if we don't get any money from Burt. I'm not going to jail."

"Smart girl," Lucas said.

Back in the hallway, Lucas said to Conoway, "Give them a minute."

"What're they doing," Flowers asked, "sopping up the blood?"

"Jesse's telling Kathy what's what," Lucas said. "I think we're okay."

A moment later Jesse stuck her head into the hall, looked at Conoway. Kathy was a step behind her. "We'll talk to you," Jesse said.

Conoway sighed, said, "I thought I was outa here. Okay, let's go, girls . . ." And to Lucas: "Thanks. You must throw a good tantrum."

10

Amity Anderson was annoyed: with life, with art, with rich people, with Lucas Davenport. So annoyed that she had to suppress a little hop of anger and frustration as she drifted past the Viking warrior. The warrior was seven feet tall, made of plaster, carried an ax with a head the size of a manhole cover, and wore a blond wig. He was dressed in a furry yellow skin, possibly from a puma, if puma hides are made of Rayon, and his carefully draped loins showed a bulge of Scandinavian humor.

Anderson wasn't amused. The reception was continuing. If she ate even one more oat cracker with goat cheese, she'd die of heart congestion. If she had one more glass of the Arctic Circle Red Wine, her taste buds would commit suicide.

She moved slowly through the exhibit,

clutching the half-empty wineglass, smiling and nodding at the patrons, while avoiding eye contact, and trying, as much as she could, to avoid looking at the art itself. Scandinavian minimalism. It had, like all minimalism, she thought, come to the museum straight from a junkyard, with a minimal amount of interference from an artist.

An offense to a person of good taste. If somebody had pointed a gun at her head and told her that she had to take a piece, she'd have asked for the Viking warrior, which was *not* part of the show.

Anderson had changed into her professional evening dress: a soft black velvet blouse, falling over black velvet pants, which hid the practical black shoes. The Oslo room was built from beige stone with polished stone floors. The stone look good, but killed your legs, if you had to stand on it too long. Thank God foundation staffers weren't expected to wear high heels. Heels would have been the end of her.

The Viking warrior guarded the entrance. The art exhibit itself, mostly sculpture with a few paintings, spread down the long walls.

The end wall was occupied by a fifteen-foot model of a Viking ship, which appeared to have been built of scrap wood by stupid un-skilled teenagers. The best thing about the ship was that the stern concealed a door. The door led onto the patio, and once every fifteen minutes or so, Anderson could slip outside and light up.

So the art sucked. The people who were looking at the art also sucked. They were rich, but not rich enough. Millionaires, for sure, but a million wasn't that much any-more. A million dollars well invested, taking inflation and taxes into account, would gen-erate an income about like a top-end Social Security check.

That was nothing. That was chicken feed. You couldn't lease a BMW for that; you'd be lucky to get a Chrysler minivan. You needed ten million; or twenty million. And if you were one of these guys, you sure as shit weren't going to give a million of it to some unknown gay chick at an exhibit of bent-up car fenders, or whatever this was.

Anderson knew all that, but her bosses wanted somebody at the show. Somebody to smile and nod and eat goat-cheese oat crackers. No skin off their butt. She wasn't getting paid for the time. This was a required voluntary after-hours function; most small foundations had work rules that would have appalled the owners of a Saigon sweatshop.

She looked at her watch. She'd given it fifty-four minutes. Not nearly enough. She idled toward the Viking ship, turned and checked the crowd, and when she judged that no one was looking at her, stepped backward and went out the door.

The evening air was like a kiss, after the refrigerated air of the gallery. Night was coming on. The patio looked over a maple-studded lawn toward the evening lights of downtown Minneapolis, a pretty sight, lights like diamonds on a tic-tac-toe grid. She fumbled the Winstons out of her purse, lit one, blew smoke, trying to keep it away from her hair, and thought about Davenport and Claire Donaldson and Constance Bucher and Marilyn Coombs.

Goddamn money. It all came down to money. The wrong people had it—heirs, car dealers, insurance men, corporate suits who went through life without a single aesthetic impulse, who thought a duck on a pond at sunset was *art*.

Or these people, who bought a coffee-table book on minimalism, because they thought it put them out on the *cutting edge*. Made them mini-Applers. But they were still the same bunch of parvenu buck-lickers, the men with their washing-machine-sized Rolexes and the women with the "forever" solitaire hanging between their tits, not yet figuring out that "forever" meant until something fifteen years younger, with bigger tits, came along.

Damn, she was tired of this.

The door popped open and she flinched. A red-haired woman, about Anderson's age, stepped outside, and said, "I thought I saw you disappear." She took a pack of Salems out of her purse. "I was just about to start screaming."

"I saw you talking to the Redmonds," Anderson said. "Do any good?"

"Not much. I'm working on the wife," the redhead said. A match flared, the woman inhaled, and exhaling, said, "I'll get five thousand a year if I'm lucky."

"I'd take that," Anderson said. "We could get a new TV for the employee lounge."

"Well, I'll *take* it. It's just that . . ." She waved her hand, a gesture of futility.

"I know," Anderson said. "I was pitching Carrie Sue Thorson. She had her DNA analyzed. She's ninety percent pure Nazi. The other ten percent is some Russian who must've snuck in the back door. I was over there going, 'It's so *fascinating* to know that our ancestors reach back to the *European Ice Age*.' Like, 'Thank Christ they didn't come from Africa in the last hundred generations or so.' "

"Get anything?" the redhead asked.

"Not unless you count a pat on the ass from her husband," Anderson said.

"You might work *that* into something."

"Yeah. A whole-life policy," Anderson said.

The redhead laughed, blew smoke and screeched, "Run away, run away."

Anderson wound up staying for almost two hours and failed to raise a single penny—but she scored in one way. An hour and forty-five minutes into the reception, she took a cell-phone call from her supervisor, who "just wanted to check how things were going."

"I've eaten too much cheese," Anderson said, sweetly. She understood her dedication was being tested and she'd aced the test. "But the art's okay. Carrie Sue is right over here, isn't she a friend of yours?"

"No, no, not really," her supervisor said hastily. "I'd hate to bother her. Good going, Amity. I'll talk to you tomorrow."

Five minutes later, she was out of there. She drove a Mazda, cut southwest across town, down toward Edina. Time for a gutsy move. She knew the truth, and now was the time to use it.

And she didn't want much.

A couple of years in France, or maybe a year in France and another Italy. She could rent her own house, bank the money, come back in a couple of years with the right languages, she could talk about Florence and Venice and Aix and Arles. With a little polish, with the background, she could move up in the foundation world. She could get an executive spot, she could take a shortcut up the ladder, she

wouldn't have to go to any more Arctic
Circle Red receptions.

Worth the risk. Of course, she needed to
be prepared. As she turned the corner at
the top of the last block, she reached under
the car seat, found the switchblade, and
slipped it into the pocket of her velvet
pants.

The Widdler house was an older two-story,
with cedar shingles and casement windows, built on a grassy lot, with the creek
behind. She glanced at her watch: ten-
fifteen. There was a light in an upstairs bedroom and another in the back of the house.
An early night for the Widdlers, she thought.

She parked in the drive, went to the front
door, and rang the bell. Nothing. She rang it
again, and then felt the inaudible vibrations
of a heavy man coming down a flight of
steps. Leslie Widdler turned on a light in the
hallway, then the porch light, squinted at her
through the triple-paned, armed-response-
alarmed front door. Widdler was wearing a
paisley-patterned silk robe. As fucked up
and crazy as the Widdlers might be, there

was nothing inhibited about their sex life, Anderson thought.

Widdler opened the inner door, unlocked and pushed open the screen door, and said, "Well, well. Look what washed up on our doorstep. Nice to see you."

Anderson walked past him and Widdler looked outside, as though he might see somebody else sneaking along behind. Nobody. He shut the door and locked it, turned to Anderson, pushed her against the wall, slipped one big hand up under her blouse, pulled her brassiere down, and squeezed her breast until the pain flared through her chest. "How have you been?" he asked, his face so close that she could smell the cinnamon toothpaste.

Her own hand was inside his robe, clutching at him. "Ah, Leslie. Where's Jane?"

"Upstairs," Leslie said.

"Let's go up and fuck her."

"What a good idea," Widdler said.

And that's what they did, the three of them, on the Widdlers' king-sized bed, with scented candles burning all around.

Then, when the sweat had dried, Anderson rolled off the bed, found her purse, dug out a cigarette.

"Please don't smoke," Jane said.

"I'll go out on the back porch, but I need one," she said. She groped for her pants, said, "Where's that lighter?" She got both the lighter and the switchblade. "We need to talk."

They didn't bother with robes; they weren't done with the sex yet. Anderson led the way down the stairs in the semidarkness, Leslie poured more wine for himself and Jane, and got a fresh glass from the cupboard and gave a glass to Anderson. They moved out to the porch, and Jane and Anderson settled on the glider, the soft summer air flowing around them, while Leslie pulled a chair over.

"Well," Jane said. She took a hit of the wine, then dipped a finger in it, and dragged a wet finger-pad over one of Anderson's nipples. "You were such a pleasant surprise."

"I want a cut," Anderson said. "Of the Connie Bucher money. Not much. Enough to take me to Europe for a couple of years. Let's say . . . a hundred and fifty thousand.

You can put it down to consulting fees, seventy-five thousand a year."

"Amity . . ." Leslie said, and there was a cold thread in the soft sound of her name.

"Don't start, Leslie. I know how mean and cruel you are, and you know I like it, but I just don't want to deal with it tonight. I spotted the Bucher thing as soon as it happened. It had your names written all over it. But I wouldn't have said a thing, I wouldn't have asked for a nickel, except that you managed to drag *me* into it."

After a moment of silence, Jane said, *"What?"*

"I got a visit from a cop named Lucas Davenport. This afternoon. He's an agent with the state police . . ."

"We know who he is. We're police consultants on the Bucher murder," Leslie said.

Anderson was astonished; and then she laughed. "Oh, God, you might know it."

But Jane cut through the astonishment: "How did he get to you?"

"He hooked the Bucher murder to the Donaldson case. He's looking at the Coombs murder. He *knows.*"

"Oh, shit." Anderson couldn't see it, but she could feel Jane turn to her husband.

"He's a danger. I told you, we've got to do something."

Leslie was on his feet and he moved over in front of Anderson and put a hand on her head and said, "Why shouldn't we just break Amity's little neck? That would close off that particular threat."

Anderson hit the button on the switch-blade and the blade *clack*ed open. She pressed the side of the blade against him. "Take your hand off my head, Leslie, or I swear to God, I will cut your cock off."

Jane snorted, amused, and said, "A switchblade. You know, you *should* take off about four inches, just to make him easier to deal with."

"I'll take off nine inches if he doesn't take his hand off my head," Anderson snarled. She could feel the heat coming off Leslie's thighs.

"Fuck you," Leslie said, but he moved away and sat down again.

Anderson left the blade extended. "One good reason for you not to break my neck: Davenport will then know that the thieves are close. And when they investigate either my death or disappearance, the police will unlock the center drawer of my desk, where they will find a letter."

"The old letter ploy," Jane said, still amused, but not as amused as she'd been with the switchblade.

"It's what I had to work with," Anderson said. "About Davenport. He's working on the Bucher case and now on Donaldson and Coombs, but he's also working on a sex scandal. There was a story in the paper this morning. Some state legislator guy has been screwing some teenager."

"I saw it," Leslie said. "So what?"

"So Davenport is running that case, too, and that's apparently more important. He was interviewing me and he had to run off to do something on the other one. Anyway, I heard him talking on his cell phone, and I know the name of the people involved. The girl's name."

"Really," Jane said. "Is that a big deal?"

"It could be," Anderson said, "If you want to distract Davenport."

11

Sandy the intern was sitting next to Carol's desk when Lucas came in. He was running a little late, having taken Sam out for a morning walk. He was wearing his grand-jury suit: navy blue with a white shirt, an Hermès tie with a wine-colored background and vibrating commas of a hard blue that the saleslady said matched his eyes; and cap-toed black tie-shoes with a high shine. His socks had clocks and his shorts had paisleys.

Sandy, on the other hand, looked like she'd been dragged through hell by the ankles—eyes heavy, hair flyaway, glasses smudged. She was wearing a pink blouse with plaid pants, and the same scuffed shoes she'd worn the day before. Some-body, Lucas thought, should give her a book.

She stood up when she saw him, sparks in her eyes: "He's innocent."

Lucas thought, "Ah, shit." He didn't need a crusader, if that's what she was morphing into. But he said, "Come on in, tell me," and to Carol, "I've gotta be at the Dakota County courthouse at one o'clock and it's a trip. I'm gonna get out of here soon as I can and get lunch down there, with Virgil."

"Okay," Carol said. "Rose Marie called, she's got her finger in the media dike, but she says the leakers are going crazy and she doesn't have enough fingers. The governor's gone fishing and can't be reached. Kline has issued a statement that said the charges are without foundation and that he can't be distracted because he's got to work up a budget resolution for a special session in July."

"I bet the papers jumped on *that* like a hungry trout," Lucas said. "You're in a news meeting and you have the choice of two stories. A—President of the Senate works on budget resolution. B—President of the Senate bangs hot sixteen-year-old and maybe her mother, too, and faces grand-jury indictment. Whatta you going to do?"

"You think he did them both at the same time? I mean, simultaneously?" Carol asked.

"I don't want to think about why you want to know," Lucas said. "Sandy, let's talk."

She sat across the desk from him with a four-inch-thick file. "Lots of people have sex when they're sixteen," she ventured. "Probably, now, most."

"Not with the president of the Minnesota Senate," Lucas said. He dropped into his chair and leaned back. "When did you get in?"

"I came back last night, about midnight. Then I stayed up reading until five . . . I had some luck down there."

"Start from the beginning," Lucas said.

She nodded. "I went down and found the Polk County Courthouse. Des Moines is in Polk County. Anyway, I went to the clerk's office, and there was this boy there—another intern. I told him what I was looking for, and he really helped a lot. We got the original trial file, and Xeroxed that, and then we discovered that Duane Child—that was the man who was convicted of killing Toms—we found out that Child *appealed*.

His attorney appealed. They claimed that the investigation was terrible, and that the trial judge let a lot of bad information get in front of the jury."

"What happened with the appeal?" Lucas asked.

"They lost it. Child is in prison. But the appeals court vote was six to three for a new trial, and the three judges who voted for it wrote that there was no substantial evidence, either real or circumstantial, that supported conviction."

"So . . ."

She held up a finger: "The main thing, from our point of view, that Bill showed me . . . Bill is the other intern . . . is that when they appealed, they got the entire police investigative file entered as evidence. So I got that, too."

"Excellent!" Lucas said.

"Reading through it, I cannot figure out two things: I cannot figure out why he was indicted, and I cannot figure out how he was convicted," Sandy said. "It was like all the cops testified that he did it and that was good enough. But there was almost no evidence."

"None?"

"Some. Circumstantial," she said.

"Circumstantial is okay . . ." Lucas said.

"Sure. Sometimes. But if that's all you've really got . . ."

"What about connections between the Toms murder and the others?" Lucas asked.

"That's another thing, Mr. Davenport . . ." she began.

"Call me Lucas, please."

"That's another thing, Lucas. They are almost identical," she said. "It's a perfect pattern, except for two things. Mr. Toms was male. All the others are female. And he was strangled with a piece of nylon rope, instead of being shot, or bludgeoned. When I was reading it last night, I thought, 'Aha.' "

"Aha."

"Yes. The killers are smart enough to vary the method of murder, so if you're just looking at the murders casually, on paper, you've got one woman clubbed to death, one woman shot, one woman dies in a fall, and one man is strangled," Sandy said. "There's no consistent method. But if you look at the killings structurally, you see that they are otherwise identical. It looks to me like the killers deliberately varied the method of murder, to obscure the connections, but they couldn't obscure what they were up to. Which was theft."

"Very heavy," Lucas said.

"Yes. By the way, one of the things that hung Duane Child is that he was driving an old Volkswagen van, yellow, or tan," Sandy said. "The night that Toms was murdered, a man was out walking his dog, an Irish setter. Anyway, he saw a white van in the neighborhood, circling the block a couple of times. This man owns an appliance company, and he said the van was a full-sized Chevrolet, an Express, and he said he knew that because he owns five of them. The cops said that he just *thought* the van was white, because of the weird sodium lights around there, that the lights made the yellow van look whiter. But the man stuck with it, he said the van was a Chevy. A Chevy van doesn't look anything like the Volkswagen that Child drove. I know because I looked them up on Google. I believe the van *was* the killers' vehicle, and they needed the van to carry away the stuff they were stealing."

"Was there a list of stolen stuff?"

"Yes, and it's just like the list Carol

showed me, of the stuff taken from Bucher's house. All small junk and jewelry. Obvious stuff. And in Toms's case, a coin collection which never showed up again. But I think—and Carol said you think this happened at Bucher's—I think they took other stuff, too. Antiques and artworks, and they needed the van to move it."

"Have you read the entire file?" Lucas asked.

She shook her head. "Most of it."

"Finish it, and then go back through it. Get some of those sticky flag things from Carol, and every time you find another point in the argument, flag it for me," Lucas said. "I've got to do some politics, but I'll be back late in the afternoon. Can you have it done by then?"

"Maybe. There's an ocean of stuff," she said. "We Xeroxed off almost a thousand pages yesterday, Bill and I."

"Do as much as you can. I'll see you around four o'clock."

Before he left, he checked out with Rose Marie, and with Mitford, the governor's aide. Mitford said, "I had an off-the-record with

Cole. He doesn't plan to do any investigation. He's says it'll rise or fall on the BCA presentation. They could possibly put it off for a couple of weeks, if you need to develop some elements, but his people are telling him they should go ahead and indict. That they've got enough, as long as the Barths testify."

"Everybody wants to get rid of it; finish it, except maybe the Klines," Lucas said.

Virgil Flowers was waiting in the parking lot of the Dakota County courthouse. Lucas circled around, picked him up, and they drove into the town of Hastings for lunch. Like Lucas, Flowers was in his grand-jury suit: "You look more like a lawyer than I do," Lucas said.

"That's impossible."

"No, it's not. My suit's in extremely good taste. Your suit looks like a lawyer suit."

"Thanks," Flowers said. "I just wasted thirty bucks on it, and you're putting it down."

They went to a riverside café, sitting alone on a back patio with checkered-cloth-covered tables, looking toward the Mississippi; ordered hamburgers and Cokes. "Everything is arranged," Lucas said, when the waitress had gone.

"Yes. The whole package is locked up in the courthouse. The jury starts meeting at one o'clock, Cole and Conoway will make the first presentation, then they'll bring in Russell from Child Protection to talk about the original tip. Then you go on, testify about assigning the investigation to me, and you'll also testify about chain-of-custody on the evidence that came in later, that everything is okay, bureaucratically. Then I go on and testify about the investigation, then we have the tech people coming up, then they get the Barths. After that, they go to dinner. They reconvene at six-thirty, Conoway summarizes, and then they decide whether they need more, or to vote an indictment."

"Does Conoway think they'll vote?"

"She says they'll do what she tells them to do, and unless something weird happens, they're gonna vote," Flowers said.

"Okay. You've done a good job on this, Virgil."

"Nice to work in the Cities again," Flowers

said, "but I gotta get back south. You know Larry White from Jackson County?"

"Yeah. You're talking about that body?"

"Down the riverbank. Yeah. It was the girl. DNA confirms it, they got it back yesterday," Flowers said. "The thing is, she went to school with Larry's son and they were friendly. Not dating, but the son knew her pretty well since elementary school, and Larry doesn't want to investigate it himself. He wants us carrying the load, because . . . you know, small town."

"Any chance his kid actually did it?" Lucas asked.

"Nah," Flowers said. "Everybody in town says he's a good kid, and he's actually got most of an alibi, and like I said, he wasn't actually seeing the girl. Didn't run with her crowd. Larry's just trying to avoid talk. He's got the election coming up, and they haven't got the killer yet . . . if there is one."

"Any ideas? She didn't get on the riverbank by herself."

The waitress came back with the Cokes, and said, with a smile, "I haven't seen you fellas around before. You lawyers?"

"God help us," Flowers said. When she'd gone, Flowers said, "There's a guy name

Floyd. He's a couple years older than the girl, he's been out of school for a while. Does seasonal work at the elevator and out at the golf course, sells a little dope. I need to push him. I think he was dealing to the girl, and I think she might have been fooling around with him."

"Any dope on the postmortem?"

"No. She'd been down way too long. When they pulled her off the riverbank, they got most of her clothes and all of the bones except from one foot and a small leg bone, which probably got scattered off by dogs or coyotes or whatever. There's no sign of violence on the bones. No holes, no breaks, hyoid was intact. I think she might have OD'd."

"Can you crack the kid?"

"That's my plan . . ."

They sat shooting the breeze, talking about cases, talking about fishing. Flowers had a side career going as an outdoor writer, and was notorious for dragging a fishing boat around the state while he was working. Lucas asked, "You go fishing last night?"

"Hour," Flowers admitted. "Got a line wet, while I was thinking about the grand jury."

"You're gonna have to decide what you want to do," Lucas said. "I don't think you can keep writing and keep working as a cop. Not full-time, anyway."

"I'd write, if I could," Flowers said. "Trouble is, I made fifteen thousand dollars last year, writing. If I went full-time, I could probably make thirty. In other words, I'd starve."

"Still . . ."

"I know. I think about it," Flowers said. "All I can do is, keep juggling. You see my piece last month in *Outdoor Life*?"

"I did, you know?" Lucas said. "Not bad, Virgil. In fact, it was pretty damn good. Guys were passing it around the office."

The first session of the grand jury was as routine as Flowers had suggested it would be. Lucas sat in a waiting room until 1:45, got called in. The grand jury was arrayed around a long mahogany-grained table, with two assistant county attorneys managing files. The lead attorney, Susan Conoway, had Lucas sworn in by a clerk, who then left. She led him through his handling of the original tip, to the assignment of Flowers, and through the BCA's handling procedures for evidence. After checking to make sure the signatures on the affidavits were really his, she sent him on his way.

In the hallway, Flowers said, "I'll call you about that Jackson case," and Lucas said, "See ya," and he was gone.

Back at the office, Sandy had gone.

"I sent her home," Carol said, as she trailed Lucas into his office. The file was sitting squarely in front of Lucas's chair, with a dozen blue plastic flags sticking out of it. "She was about to fall off the chair. She said you could call her there, and she'd come in . . . but I think you could let it go until tomorrow. She's really beat."

"Did she finish the file?" Lucas took off his jacket, hung it on his coatrack, and began rolling up his shirtsleeves.

"Yes. She flagged the critical points. She said she flagged them both pro and con, for and against it being the same killers."

"She's pretty good," Lucas said. "I hope she doesn't go overboard, start campaigning to free this Child guy. If his appeal got turned down, we'd be better off working it from the other end. Find the real killers."

He started on the file, looking first at the flagged items, and going back to the original arrest, the interviews, and immediately saw how Child got himself in trouble: He hadn't denied anything. He had, in fact, meekly agreed that he might have done it. He simply didn't know—and he stuck to that part of the story.

There were other bits of evidence against him. He'd been in the neighborhood the night of the murder; he'd stopped to see if he could get some money from his father. His father had given him thirty dollars, and Child had spent some of it at a Subway, on a sandwich, and had been recognized there by a former schoolmate.

He knew the Toms house. He was driving a van, and a van had been seen circling the block. He had cuts on his face and one arm, which he said he got from a fall, but which might have been defensive cuts received as he strangled Toms. On the other hand, Toms had no skin under his fingernails—there'd been no foreign DNA at all.

Child had what the police called a history of violence, but he'd never been arrested for it—as far as Lucas could tell, he'd had a number of fights with another street person near the room where he lived, and Child had said that the other bum had started the fights: *"He's a crazy, I never started any-thing."*

But it had been the lack of any denial that had hung him up.

At the sentencing, he made a little speech apologizing to the victim's family, but still maintained that he couldn't remember the crime.

The judge, who must have been running for reelection, if they reelected judges in Iowa, said in a sentencing statement that he rejected Child's memory loss, believed that he did remember, and condemned him as a coward for not admitting it. Child got life.

Carol stuck her head in, said, "I forgot to tell you, Weather got done early and she was heading home. She wants to take the kids out to the Italian place."

"I'll call her . . ."

The Italian place at six, Weather said; she'd load the kids up, and meet him there. Lucas looked at his watch. Four-twenty. He could get to the Italian place in ten minutes, so he had an hour and a half to read. It'd be quiet. People were headed out of the building, Carol was getting her purse together, checking her face.

He heard the phone ring, and then Carol called, "You got Flowers on one. Flowers the person."

Lucas picked up: "Yeah."

"We got another problem."

"Ah, shit. What is it?" Lucas asked.

"Jesse didn't come home from school," Flowers said.

"What?"

"Didn't come home. She left school on time, Kathy checked with her last class and some friends of hers, they saw her on the street, but she never showed up at home. Kathy might be bullshitting us, but she seems pretty stressed. Conoway doesn't know whether to be pissed or worried. The grand jury's been put on hold for a while, but if we don't find her in the next hour or so, they're gonna send them home. I'm headed up that way, but it's gonna take a while. If you've got a minute, you could run over to their house . . ."

"Goddamnit," Lucas said. "If they're fucking with us, I'm gonna break that woman's neck."

"Hope that's what it is, but Kathy . . . I don't know, Lucas. Didn't sound like bullshit," Flowers said. "Of course, it could be something that Jesse thought up on her own. But she was set to go, she seemed ready . . ."

"I'm on my way," Lucas said. "Call me when you get close."

12

Kathy Barth was standing in front of her house talking to a uniformed St. Paul cop and a woman in a green turban. Lucas parked at the curb and cut across the small front lawn. They all turned to look at him. Barth called, "Did you find her?" and Lucas knew from the tone of her voice that she wasn't involved in whatever had happened to her daughter; wherever she'd gone.

"I just heard," Lucas said. "Virgil Flowers was down at the grand jury, he's on his way up." To the cop: "You guys looking?"

The cop shrugged, "Yeah, we're looking, but she's only a couple hours late. We don't usually even look this soon, for a sixteen-year-old."

"Get everybody looking," Lucas said. "She was supposed to be talking to a grand jury about now. If there's a problem, I'll talk to the chief. We need everybody you can spare." To Barth: "We need to know what she was wearing . . . the names of all her friends. I need to talk to her best friend right now."

The woman in the turban hadn't said anything, but now spoke to Barth: "Kelly McGuire."

"I called, but she's not home yet," Barth said. Her face was taut with anxiety. She'd seen it all before, on TV, the missing girl, the frantic mother. "She's at a dance place and the phone's off the hook. She won't be home until five-thirty."

"You know what dance place?" Lucas asked.

"Over on Snelling, by the college," Barth said. "Just south of Grand."

"I know it," Lucas said to the cop, "I'm going over there. Let me give you my cell number . . ." The cop wrote the number on a pad. "If you need any more authority, call me. I'll call the governor if I have to. Talk to whoever you need to, and tell them that this could be serious. You want everybody out there looking, because the press is gonna get on top of this and by tomorrow, if we don't have this kid, the shit is gonna hit the fan."

"All right, all right," the cop said. And to Barth: "You said she had a yellow vest . . ."

Lucas hustled back to his car, cranked it, and took off. The dance studio was called Aphrodite, the name in red neon with green streaks around it. The windows were covered by venetian blinds, but through the slots between the blinds and the window posts, you could see the hardwood floor and an occasional dancer in tights.

Lucas parked at a hydrant and pushed through the studio's outer door. An office was straight ahead, the floor to the right, with a door in the back leading to the locker rooms; it smelled like a gym. An instructor had a half-dozen girls working from a barre, the girls all identically dressed in black. Another woman, older, sat behind a desk in the office, and peered at Lucas over a pair of reading glasses. Lucas stepped over and she said, "Can I help you?"

Lucas held out his ID. "I'm with the state Bureau of Criminal Apprehension. We have a missing girl, and I need to talk to one of your students. A Kelly McGuire?"

"Who's missing?" the woman asked.

"One of her classmates. Is Kelly still here?"

"Yes . . . Just a minute." She got up, stepped onto the floor, and called, "Kelly? Could you come over here for a moment?"

McGuire was a short, slender, dark-haired girl who actually looked like professional dancers Lucas had met. She frowned as she stepped away from the barre and walked across the floor: "Did something happen?"

Everybody paused to listen. Lucas said, "Ah, I'm a police officer, I need to talk to you for a second about a friend of yours. Could you step outside, maybe?"

"I'll have to get my shoes . . . Or, it's nice, I could go barefoot . . ." She took off her dance shoes and followed Lucas outside. "What happened?"

"Have you seen Jesse Barth today?" Lucas asked.

"Yes. When school got out." Her eyes were wide; she'd see it all on TV, too. "I talked to her, we usually walk home, but I had a band practice and then my dance lesson . . . Is she hurt?"

"We can't locate her at the moment," Lucas said. "She was . . ."

"She was going to testify to a jury today, tonight," McGuire said. "She was pretty nervous about it."

"If she decided to chicken out, where would she go?" Lucas asked. "Does she have any special friends, a boyfriend?"

McGuire was troubled: "Jeez, I don't know . . ."

"Look, Kelly: if she doesn't want to testify, she doesn't have to. But. We can't find her. That's what we're worried about," Lucas said. "Somebody saw her on the street, walking home, but she never showed up. We've got to know where she might've gone. If she's okay, we can work it out. But if she's not . . ."

"Ah . . ." She stared at Lucas for a moment, then turned and looked at a bus, and then said, "Okay. If she hid out, it'd be either Mike Sochich's house, or she might have gone to Katy Carlson's—or she might have taken a bus to Har Mar, to go to a movie. Sometimes she goes up to Har Mar and sits there for hours."

"Where can I find these people . . . ?"

McGuire was an assertive sort: She said, "Give me two minutes to change. I'll show you. That'd be fastest."

She took five minutes, and hustled out with a bag of clothes. In the car, she said, "Turn around, we want to go over to the other side of Ninety-four, into Frogtown. Mike would be the best possibility . . . Best to go down Ninety-four to Lexington, then up Lexington. I'll show you where to turn . . ."

He did a U-turn on Snelling, caught a string of greens, accelerated down the ramp onto I-94, then up at Lexington, left, and north to Thomas, right, down the street a few blocks until McGuire pointed at a gray-shingled house behind a waist-high chain-link fence. Lucas pulled over and McGuire slumped down in her seat and said, "I'll wait here."

Lucas said, with a grin, "If she's here, she's gonna know you ratted her out. Might as well face the music." He popped the door to get out, and heard her door pop a second later. She followed him across the parking strip to the gate. There was a bare spot in the yard with a chain and a stake, and on the end of the chain, the same yellow-white dog he'd seen at the Barth's.

"Jesse's dog," Lucas said.

"Naw, that's Mike's dog," McGuire said. "Sometimes Jesse walks home with it. Dog likes her better than Mike."

Again, they stepped carefully. The dog barked twice and snarled, but knew where the end of the chain was. And a good thing, Lucas thought. All he needed this afternoon was a pitbull-wannabe hanging on his ass.

Mike's house had a low shaky porch, with soft floorboards going to rot. The aluminum storm door was canted a bit, and didn't close completely. Lucas rang the doorbell, then knocked on the door. He heard a thump from inside, and a minute later, saw the curtain move in a window on the left side of the porch.

He felt the tension unwind a notch. He banged on the door, pissed off now. "Jesse. Goddamnit, Jesse, answer the door. Jesse . . ."

There was a moment's silence, then Lucas said to McGuire, "If she comes to the door, yell for me."

He stepped off the porch, circled the dog, and hurried around to the back of the house: five seconds later, Jesse Barth came sneaking out the back door, carrying a backpack.

"Goddamnit, Jesse," he said.

Startled, she jerked around, saw him at the corner of the house. Gave up: "Oh, shit. I'm sorry."

"Come on—I've got to call your mom," Lucas said. "She's freaked out, half the cops in St. Paul are out looking for you. People thought you were kidnapped."

"I was just scared," Jesse said as he led her through the ankle-deep grass back around the house. "What if I make a mistake?" Her lip trembled. "I don't want to make a mistake and go to jail."

"Did Conoway say she was going to put you in jail?" Lucas asked. "Who said they were gonna put you in jail?"

"Well, you did, for one."

"That's if you tried to sell your testimony," Lucas said. "If you just go down and tell the truth, you're fine. You're the *victim* here."

"But if I make a mistake . . ."

"There's a difference between lying and making a mistake," Lucas told her. "They're not gonna put you in jail for making a mistake. You have to deliberately lie, and know you're lying, and it's gotta be an important lie. You talked to Conoway about what you're going to say. Just say that, and you're fine."

They cleared the front of the house and found McGuire on the porch, talking to a tall, bespectacled kid wearing a Seal T-shirt and jeans: Mike. McGuire said: "Jesse, they were afraid you were kidnapped. I'm sorry, I was so worried, you know, you see on the news all the time . . ."

"That's okay," Jesse said. "I'm just fucked up."

Lucas called Kathy Barth: "I got her. She was hiding out with a friend. You've still got time to get down to Dakota County."

"I've got to talk to Jesse," Barth said.

"She's willing to go. You're holding up a lot of people here," Lucas said.

"Oh, God." Long silence, as though she were catching her breath. "Well, I've got to change . . ."

Lucas called Flowers, who was just crossing the Mississippi bridge into South St. Paul. He was ten minutes away: "Man, I thought she was gone," Flowers said. "I was thinking all this shit about the Klines and finding her body under a bridge . . ."

"Can you pick her up? That'd be best: I'm here with the Porsche and I got a rider."

"Fast as I can get there. If we turn right around, we'll just about be on time."

He told Flowers how to find the house, then called the St. Paul cops and canceled the alert: "Yeah, yeah, so I'll go kill myself," he told a cop who was inclined to pull his weenie.

The three younger people sat on the porch, waiting for Flowers, and Lucas gave Jesse a psychological massage, telling her of various screw-ups with grand juries, and explained the difference between grand juries and trial juries. Jesse unsnapped the dog, whose name, it turned out, was Screw. She put it on a walking leash and the dog rolled over in the dirt and panted and licked its jaws and whimpered when Jesse scratched its stomach. "You're gonna make him come," Mike said.

"No . . ." Jesse was embarrassed.

Lucas moved and the dog twitched. "I don't think he likes me."

"Bit a paperboy once," Mike said. "They were gonna sue us, but Mom said, 'For what?' so they didn't."

"That's great," Lucas said.

Flowers arrived, towing a boat. He got out of his car, ambled over, shaking his head, and said to Jesse, "I ought to turn you over my knee."

"Oo. Do me, do me," McGuire said.

In the car, McGuire said she might as well go home, since her class would be ending. "Hope the neighbors see me coming home in a Porsche. They'll think I'm having a fling."

"Maybe I oughta put a bag over my head," Lucas said.

"That'd be no fun," she said. "I want people to see it's a big tough old guy."

Lucas was still cranked from Flowers's original call, and, in the back of his head, couldn't believe that they'd found Jesse so quickly. He dropped McGuire off at her home in Highland. She waved goodbye going up the walk, and he thought she was a pretty good kid. He looked at his watch. If he took a little time, rolled down Ford Parkway with his arm out the window, enjoying the day and the leafy street, and maybe blowing the doors off the Corvette that had just turned onto the parkway in front of him, he'd just about make dinner with the wife and kids.

He was done with Kline and the Barths.

Now he had a motherfucker who was killing old people, and he was going to run him down like a skunk on a highway.

Dinner with the kids was fine; in the evening, he read a Chuck Logan thriller novel. Late at night, Flowers called: "We got an indictment. They're going to process the paper tomorrow, talk to Kline's attorney, set up a surrender late tomorrow afternoon, and then make the announcement day after tomorrow. Cole's set it up so they can arrest and book him before the press finds out, he'll make bail, then go hide out. Then the announcement."

"Sounds good to me," Lucas said. "You headed back south?"

"I'm here tonight, I'm heading back to-morrow at the crack of dawn."

In the morning, after a few phone calls, Lu-cas took a meeting at Bucher's house. He'd asked Gabriella Coombs to come over, to sit in.

The Widdlers had almost finished the ap-praisals of the contents of the house, with negative results. "In other words," Smith said, "there's nothing missing."

"There are a few things missing, John," Lucas said. "The Reckless painting, for one. A couple of chairs."

"According to a kid, who admitted that he hadn't been up there for a while, and that maybe Bucher got rid of them herself," Smith said.

"The whole thing smells. And we've now got a couple of other deals . . ."

"Lucas, I'm not saying you're wrong," Smith said. "What I'm saying is, you've got a killing years ago in Eau Claire where a woman was shot and nothing was taken but some money. An old man was strangled in Des Moines and the case was cleared. An-other woman probably fell, according to the medical examiner, with all respect to Miss Coombs here. We've got nothing to work with. It's been a while since you worked at the city level, but I'll tell you what, it has gotten worse. I'm up to my ass in open investigations, and until we get more to go on . . ."

"That's not right," Coombs said. "My grandmother was murdered and her house was robbed."

"That's not what . . ." Smith shook his head.

Leslie Widdler came in, carrying a white paper bag. He said, "We've got a bunch of sticky buns from Frenchy's. Who wants one?"

Lucas held up his hand and Leslie handed him the sack. Lucas took out a sticky bun and passed the bag to Smith, who took one and passed it to Coombs, who took one, and then they all sat chewing and swallowing and Lucas said, "Thanks, Les . . . John tells me you haven't found a single goddamn stick of furniture missing. Is that right?"

"We've gone through the photographs one at a time, and we've found two pieces that are not actually here," Widdler said.

"We've accounted for both of them. Both were given away."

"What about the swoopy chairs that the Lash kid was talking about?"

Widdler shrugged. "Can't put our finger on them. 'Swoopy' isn't a good enough description. He can't even tell us the color of the upholstery, or whether the seats were leather or fabric. All he ever looked at were the legs."

"Well . . . if he's right, how much would they be worth?"

"I can't tell you that, either," Widdler said. "Everything depends on what they were, and condition. A pristine swoopy chair, of a certain kind, might be worth a thousand dollars. The same chair, in bad shape, might be worth fifty. Or, it might be a knockoff, which is very common, and be worth zero. So—I don't know. What I do know is, there's a lot of furniture here that's worth good money, and they didn't take it. There are some old, old oriental carpets, especially one up in Mrs. Bucher's bedroom, that would pull fifty thousand dollars on the open market. There are some other carpets rolled up on the third floor. If these people were really sophisticated, they could have

brought one of those carpets down and unrolled it in Mrs. Bucher's bedroom, taken
the good one, and who would have known?
Really?"

They chewed some more, and Smith
said, "One more bun. Who wants it? I'm all
done . . ."

Widdler said, "Me." Smith passed him the
sack and Widdler retrieved the bun, took a
bite, and said, "The other thing is, we know
for sure that Mrs. Bucher gave things away
from time to time. There may have been
some swoopy chairs and a Reckless painting. Has anybody talked to her accountants
about deductions the last couple of years?"

"Yeah, we did," Smith said. "No swoopy
chairs or Reckless anything."

"Well . . ." Widdler said. And he pressed
the rest of the bun into his face as though
he were starving.

"Not right," Coombs said again, turning
away from Widdler and the sticky bun.

Lucas sighed, and said, "I'll tell you what.
I want you to go over every piece of paper
you can find in your grandma's house. *Anything* that could tie her to Bucher or Donaldson or Toms. I'll do the same thing here, and

I'll get Donaldson's sister working on it from her end."

"The St. Paul cops won't let me into the house yet," Coombs said. "They let me clean up the open food, but that's it."

"I'll call them," Lucas said. "You could get in tomorrow."

"Okay," Coombs said.

"Hope you come up with something, because from my point of view, this thing is drifting away to never-never land," Smith said. "We need a major break."

"Yeah," Lucas said. "I hear you."

"How much time can you put into it?" Smith asked.

"Not much," Lucas said. "I've got some time in the next two weeks, but with this election coming up, any sheriff with a problem case is gonna try to shift it onto us—make it look like something is getting done. The closer we get to the election, the busier we'll be."

"Not right," said Coombs. "I want Grandma's killer found."

"We're giving it what we can," Lucas said. "I'll keep it active, but John and I know . . . we've been cops a long time . . . it's gonna be tough."

"Bucher's gonna be tough," Smith said. "With your grandma and the others . . . hell, we don't even know that they're tied together. At all. And Donaldson and Toms are colder than ice." He finished the sticky bun and licked the tips of his fingers. "Man, that was good, Les."

"The French aren't all bad," Widdler said, using his tongue to pry a little sticky bun out of his radically fashionable clear-plastic braces.

Lucas walked Coombs out to her car. "You can't give up," she said.

Lucas shook his head. "It's not like we're giving up—it's that right now, we don't have any way forward. We'll keep pushing all the small stuff, and maybe something will crack."

She turned at the car and stepped closer and patted him twice on the chest with an open hand. "Maybe I'm obsessive-compulsive; I don't think I can get on with life until this is settled. I can't stop thinking about it. I need to get something done. I spent all those years screwing around, lost. Now I've finally got my feet on the ground, I've got some ideas about what I might want to do, I'm getting some friends . . . it's like I'm just getting started with real life. Then . . . *this.* I'm spinning my wheels again."

"You got a lot of time, you're young," Lucas said. "When I was your age, everything seemed to move too slow. But this will get done. I'll keep working on Grandma, St. Paul will keep working. We'll get somebody, sooner or later."

"You promise?" She had a really nice smile, Lucas thought, soft, and sadly sexy. Made you want to protect her, to take her someplace safe . . . like a bed.

"I promise," he said.

The St. Paul cops had gone through the papers in the Bucher house on-site, and not too closely, because so much of it was clearly irrelevant to the murders.

With Coombs agreeing to comb through her grandmother's papers, Lucas established himself in the Bucher house-office and began going through the paper files. Later, he'd move on to the computer files, but a St. Paul cop had told him that Bucher rarely used the computer—she'd learned to call up and use Microsoft Word for letter-writing, but nothing more—and Peebles never used it.

Lucas had no idea what he was looking for: something, anything, that would reach outside the house, and link with Donaldson, Toms, or Coombs. He'd been working on it for an hour when it occurred to him that he hadn't seen any paper involving quilts.

There was an "art" file, an inventory for insurance, but nothing mentioned the quilts that hung on the walls on the second floor. And quilts ran through all three murders that he knew of. He picked up the phone, dialed his office, got Carol: "Is Sandy still free?"

"If you want her to be."

"Tell her to call me," Lucas said.

He walked out in the hall where the Widdlers seemed to be packing up. "All done?"

"Until the auction," Jane Widdler said. She rubbed her hands. "We'll do well off this, thanks to you police officers."

"We now know every piece in the house," Leslie Widdler explained. "We'll work as stand-ins for out-of-state dealers who can't make it."

"And take a commission," Jane Widdler said. "The family wants to have the auction pretty quickly, after they each take a couple of pieces out . . . This will be fun."

"Hmm," Lucas said. "My wife is interested in antiques."

"She works for the state as well?" Leslie Widdler asked.

Lucas realized that Widdler was asking about income. "No. She's a plastic and microsurgeon over at Hennepin General."

"Well, for pete's sake, Lucas, we're always trying to track down people like that. Give her our card," Jane Widdler said, and dug a card out of her purse and passed it over. "We'll talk to her anytime. Antiques can be great investments."

"Thanks." Lucas slipped the card in his shirt pocket. "Listen, did you see any paper at all on the quilts upstairs? Receipts, descriptions, anything? All these places . . . I don't know about Toms . . ."

His cell phone rang and he said, "Excuse me . . ." and stepped away. Sandy. "Listen, Sandy, I want you to track down the Toms relatives, whoever inherited, and ask them if Toms had any quilts in the place. Especially, collector quilts. Okay? Okay."

He hung up and went back to the Widdlers. "These murders I'm looking at, there seems to be a quilt thread . . . Is that a joke? . . . Anyway, there seems to be a quilt thing running through them."

Leslie Widdler was shaking his head. "We didn't see anything like that. Receipts. And those quilts upstairs, they're not exactly collector quilts . . . I mean, they're collected, but they're not antiques. They're worth six hundred to a thousand dollars each. If you see a place that says 'Amish Shop,' you can get a quilt just like them. Traditional designs, but modern, and machine-pieced and quilted."

"Huh. So those aren't too valuable."

Leslie Widdler shook his head. "There's a jug in the china cabinet in the music room that's worth ten times all the quilts put together."

Lucas nodded. "All right. Listen. Thanks for your help, guys. And thanks for those sticky buns, Les. Sorta made my morning."

Out of the house, Leslie Widdler said, "We've got to take him out of it."

"God, we may have overstepped," Jane said. "If we could only go back."

"Can't go back," Leslie said.

"If they look into the Armstrong quilts, they'll find receipts, they'll find people who remember stuff . . . I don't know if they can do it, but they might find out that Coombs didn't get all the money she should have. Once they get on that trail—it'd be hard, but they might trace it on to us."

"It's been a long time," Leslie said.

"Paperwork sticks around. And not only paperwork—there's that sewing basket. If Jackson White still has a receipt, or a memory, he could put us in prison." Jackson White sold them the sewing basket. "I should have looked for the sewing basket instead of that damn music box. That music box has screwed us."

"What if we went back to Coombs's place, put the music box someplace that wasn't obvious, and took the basket? That'd solve that thing," Leslie said.

"What about Davenport?"

"There's Jesse Barth," Leslie said. "Amity might have been right."

"So dangerous," Jane said. "So dangerous."

"Have to get the van, have to steal another plate."

"That's no problem. That's fifteen seconds, stealing the plate," Jane said. She was thinking about it.

"Davenport said he has a week or two to work on it—if we can push him through another week, we could be good," Leslie said. "He's the dangerous one. Smith already wants to move on. It's Davenport who's lingering . . ."

"He could come back to it," Jane said. "He smells the connection."

"Yes, but the older things get, and the fuzzier . . . Maybe Jackson White could have a fire," Leslie said. "If they find the music box, that might erase the Coombs connections. If he has to go chasing after Jesse Barth, that'll use a lot of time. All we need is a little time."

"So dangerous to go after Jesse Barth," Jane said. "We almost have to do it tonight."

"And we can. She's not the early-to-bed kind. And she walks. She walked over to her boyfriend's yesterday, maybe she'll be walking again."

"We should have taken her yesterday," Jane said.

"Never had a clear shot at her . . . and it didn't seem quite so necessary."

"Oh, God . . ." Jane scrubbed at her deadened forehead. "Can't even think."

"Be simpler to wait for Davenport outside his house, and shoot him. Who'd figure it out?" Leslie said. "There must be dozens or hundreds of people who hate him. Criminals. If he got shot . . ."

"Two problems. First, he's not an old lady and he's not a kid and he carries a gun and he's naturally suspicious. If we missed, he'd kill us. Look at all those stories about him," Jane said. "Second, we only know two cases he's working on. One of them is almost over. If the cops think the Bucher killers went out and killed a cop, especially a cop like Davenport who has been working as long as he has . . . they'd tear up everything. They'd never let go. They'd work on it for years, if they had to."

They rode in silence for a while. Then Jane said, "Jesse Barth."

"Only if everything is perfect," Leslie said. "We only do it if everything is exactly right. We don't have to pull the trigger until the last second, when we actually stop her. Then if we do it, we've got an hour of jeopardy until we can get her underground. They don't have to know she's dead. They can think she ran away. But Davenport'll be working it forever, trying to find her."

"Only if everything is perfect," Jane said. "Only if the stars are right."

13

Lucas was still poring over paper at Bucher's when Sandy called back. "I talked to Clayton Toms. He's the grandson of Jacob Toms— the murdered man," she said. "He said there were several quilts in the house, but they were used as bedspreads and weren't worth too much. He still has one. None of them were these Armstrong quilts. None of them were hung on walls. He's going to check to see if there's anything that would indicate that he knew Mrs. Bucher or Mrs. Donaldson or Mrs. Coombs."

"Thanks," Lucas said. Maybe quilts weren't the magic bullet.

Gabriella Coombs decided to put off her re-search into Grandma's quilts. She had a date, the fifth in a series. She liked the guy all right, and he definitely wanted to get her clothes off, and she was definitely willing to take them off.

Unfortunately, he wanted them off for the wrong reason. He was a painter. The owner of the High Plains Drifter Bar & Grill in Minneapolis wanted a naked-lady painting to hang over his bar, and the painter, whose name was Ron, figured that Gabriella would be perfect as a model, although he suggested she might want to "fill out your tits" a little.

She didn't even mind *that* idea, as long as she got laid occasionally. The problem was, he worked from photographs, and Gabriella's very firm sixteenth Rule of Life was Never Take Off Your Clothes Around a Camera.

Ron had been pleading: "Listen, even if I did put your picture on the Internet, who'd recognize it? Who looks at faces? The facts are, one in every ten women in the United States, and maybe the world, is naked on the Internet. Nobody would look at your face. Besides, I won't put it on the Internet."

On that last part, his eyes drifted, and she had the bad feeling that she'd be on the Internet about an hour after he took the picture. And three hours after that, the wife of some friend would call up to tell her that everyone was ordering prints from Pussy-R-Us.

So the question was, was he going to make a move? Or did he only want her body in a computer file?

Coombs was a lighthearted sort, like her mother, and while she carefully chose her clothing for the way it looked on her, she didn't use much in the way of makeup. That was trickery, she thought. She *did* use perfume: scents were primal, she believed, and something musky might get a rise out of the painter. If not, well, then, Ron might be missing out on a great opportunity, she thought.

She dabbed the perfume on her mastoids, between her breasts, and finally at the top of her thighs. As she did it, her thoughts drifted to Lucas Davenport. The guy was growing on her, even though he was a cop and therefore on the Other Side, but he had a way of talking with women that made her think photography wouldn't be an issue. And she could feel little attraction molecules flowing out of him; he liked her looks. Of course, he was married, and older. Not that marriage always made a difference. And he wasn't *that* much older.

"Hmm," she said to herself.

Jesse Barth used a Bic lighter to fire up two cigarettes at once, handed one of them to Mike. The evening was soft, the cool humid air lying comfortably on her bare forearms and shoulders. They sat on the front porch, under the yellow bug light, and Screw, the pooch, came over and snuffed at her leg and then plopped down in the dirt and whimpered for a stomach scratch.

Two blocks away, Jane Widdler, behind the wheel, watched for a moment with the image-stabilizing binoculars, then said, "That's her."

"About time," Leslie said. "Wonder if the kid's gonna walk her home?"

"If he does, it's off," Jane said.

"Yeah," Leslie said. But he was hot. He had a new pipe, with new tape on the handle, and he wanted to use it.

Lucas was drinking a caffeine-free Diet Coke out of the bottle, his butt propped against a kitchen counter. He said to Weather, "There's a good possibility that whoever killed Coombs didn't have anything to do with the others. The others fit a certain profile: they were rich, you could steal from them and nobody would know. They were carefully spaced both in time and geography—there was no overlap in police jurisdictions, so there'd be nobody to compare them, to see the similarities. Still: Coombs knew at least two of them. And the way she was killed . . ."

Weather was sitting at the kitchen table, eating a raw carrot. She pointed it at him and said, "You *might* be wasting your time with Coombs. But in the lab, when we're looking at a puzzle, and we get an interesting outlier in an experiment—Coombs would be an outlier—it often cracks the puzzle. There's something going on with it, that gives you a new angle."

"You think I might be better focusing on Coombs?"

"Maybe. What's the granddaughter's name?" Weather asked.

"Gabriella."

"Yes. You say she's looking at all the paper. That's fine, but she doesn't have your eye," Weather said. "What you should do, is get her to *compile* it all. Everything she can find. Then *you* read it. The more links you can find between Coombs and the other victims, the more likely you are to stumble over the solution. You need to pile up the data."

A stretch of Hague Avenue west of Lexington was perfect. The Widdlers had gone around the block, well ahead of Jesse, and scouted down Hague, spotted the dark stretch.

"If she stays on this street . . ." Jane said.

They circled back, getting behind her again, never getting closer than two blocks. The circling also gave them a chance to spot cop cars. They'd seen one, five minutes earlier, five blocks away, quickly departing, as though it were on its way somewhere.

That was good.

They could see Jesse moving between streetlights, walking slowly. Leslie was in the back of the van, looking over the passenger seat with the glasses. He saw the dark stretch coming and said, "Move up, move up. In ten seconds, she'll be right."

"Nylons," Jane said.

They unrolled dark nylon stockings over their heads. They could see fine, but their faces would be obscured should there be an unexpected witness. Better yet, the dark stockings, seen from any distance, made them look as though they were black.

"Why is she walking so slow?" Jane asked.

"I don't know . . . she keeps stopping," Leslie said. "But she's getting there . . ."

"So dangerous," Jane said.

"Do it, goddamnit," Leslie snarled. "She's there. Put me on her."

Jesse heard the sudden acceleration of the van coming up behind her. In this neighborhood, that could be a bad thing. She turned toward it, her face a pale oval in the dark patch. The van was coming fast, and just as quickly lurched to a stop. Now she was worried, and already turning away, to run, when the van's sliding door slammed open, and a big man was coming at her, running,

one big arm lifting overhead, and Jesse
screamed . . .

Leslie hoped to be on her before she could
scream, realized somewhere in the calculat-
ing part of his brain that they'd done it
wrong, that they should have idled up to
her, but that was all done now, in the past.
He hit the grass verge, running, before the
van had even fully stopped, his chin hot
from his breath under the nylon stocking,
his arm going up, and he heard the girl
scream "Shoe," or "Shoot," or "Schmoo."

Or "Screw"?

He was almost there, the girl trying to run,
he almost had her when he became aware
of something like a soccer ball flying at his
hip, he had the pipe back ready to swing,
and cocked his head toward whatever it
was . . .

Then Screw hit him.

Leslie Widdler hit the ground like a side of
beef, a solid *thump*, thrashing at the dog,
the dog's snarls reaching toward a ravening
lupine howl, Leslie thrashing at it with the
pipe, the dog biting him on the butt, the leg,
an upper arm, on the back, Leslie thrashing,

finally kicking at the dog, and dog fastening on his ankle. Leslie managed to stagger upright, could hear Jane screaming something, hit the dog hard with the pipe, but the dog held on, ripping, and Leslie hit it again, still snarling, and, its back broken, the dog launched itself with its front paws, getting Leslie's other leg, and Leslie, now picking up Jane's "Get in get in get in . . ." threw himself into the back of the van.

The dog came with him, and the van accelerated into a U-turn, the side door still open, almost rolling both Leslie and the dog into the street, and Leslie hit the dog on the skull again, and then again, and the dog finally let go and Leslie, overcome with anger, lurched forward, grabbed it around the body, and threw it out in the street.

Jane screamed, "Close the door, close the door."

Leslie slammed the door and they were around another corner and a few seconds later, accelerating down the ramp onto I-94.

"I'm hurt," he groaned. "I'm really hurt."

Lucas and Letty were watching *Slap Shot* when Flowers called. "I'm down in Jackson.

Kathy Barth just called me and said that somebody tried to snatch Jesse off the street. About twenty minutes ago."

"You gotta be shittin' me." Lucas was on his feet.

"Jesse said somebody in a white van, a really big guy, she said, pulled up and tried to grab her. She was walking this dog home from her boyfriend's . . ."

"Screw," Lucas said.

"What?"

"That's the dog's name," Lucas said. "Screw."

"Yeah. That yellow dog. Anyway, she said Screw went after the guy, and the guy wound up back in the van with Screw and that's the last she saw of them," Flowers said. "She said the van did a U-turn and headed back to Lexington and then turned toward the interstate and she never saw them again. She ran home and told Kathy. Kathy called nine-one-one and then called me. She's fuckin' hysterical."

"Call Kathy, tell her I'm coming over," Lucas said. "Are the cops looking for a van?"

"I guess, but the call probably didn't go out for ten minutes after Jesse got jumped," Flowers said. "She said the guy was big and beefy and mean, like a football player. Who do we know like that?"

"Junior Kline . . . Can you get back on this?" Lucas asked.

"I could, but I'm a long way away," Flowers said.

"All right, forget it," Lucas said. "I'll get Jenkins or Shrake to find Junior and shake his ass up."

"Jesus, tell them not to beat on the guy unless they know he's guilty," Flowers said. "Those guys can get out of hand."

"Tell Barth I'm on the way," Lucas said.

The artist was wearing a black T-shirt, black slacks, and a black watch cap on his shaven head, a dramatic but unnecessary touch, since it was probably seventy degrees outside, Coombs thought, as she peered at him over the café table.

There was tension in the air, and it involved who was going to be the first to look at the check. The photographer was saying, "Camera had eight-bit color channels, and I'm asking myself, eight-bit? What the hell is that all about? How're you gonna get any color depth with eight-bit channels? Furthermore, they compress the shit out of the files, which means that the highlights get absolutely blown out, and the blacks fill up with noise . . ."

Coombs knew it was a lost cause. Almost without any personal volition, her fingertips crawled across the table toward the check.

Jane pulled the van into the garage and said, "Let's go look. Can you walk?"

"Yeah, I can walk," Leslie said. "Ah, God, bit me up. The fuckin' dog. That's why the kid was walking so slow. She had the dog on a goddamn leash, why didn't you see that? You had the binoculars . . ."

"The dog was just too close to the ground, or the leash was too long, or something, but I swear to God, I never had a hint," Jane said.

They went inside, Jane leading the way, up to the master bath. Leslie was wearing the anti-DNA coveralls, which were showing patches of blood on the back of his upper right arm, his right hip, and down both legs. He stripped the coveralls off and Jane gaped: "Oh, my God."

Probably fifteen tooth-holes, and four

quarter-sized chunks of loose flesh. Leslie looked at himself in the mirror: he'd stopped leaking, but the wounds were wet with blood. "No arteries," he said. "Can't get stitches, the cops will call the hospitals looking for dog bites."

"So what do you think?" Jane asked. She didn't want to touch him.

"I think we use lots of gauze pads and tape and Mycitracin, and you tape everything together and then . . . When you had that bladder infection, you had some pills left over, the ones that made you sick."

"I've still got them," Jane said. The original antibiotics had given her hives, and she'd switched prescriptions.

"I'll use those." He looked at himself in the mirror, and a tear popped out of one eye and ran down his cheek. "It's not just holes, I'm going to have bruises the size of saucers."

"Time to go to Paris," Jane said. "Or Budapest, or anywhere. Antique-scouting. If anybody should take your shirt off in the next month . . ."

"But we're not done yet," Leslie said. "We've got to get that music box back in place, we've got to get the sewing basket."

"Leslie . . ."

"I've been hurt worse than this, playing ball," Leslie said. Another tear popped out. "Just get me taped up."

A St. Paul cop car was sitting at the curb at Barth's house. Every light in the house was on, and people who might have been neighbors were standing off the stoop, smoking. Lucas pulled in behind the cop car, got out, and walked up to the stoop.

"They're pretty busy in there," one of the smokers said.

"I'm a cop," Lucas said. He knocked once and let himself into the house. Two uniformed cops were standing in the living room, talking with the Barths, who were sitting on the couch. Lucas didn't recognize either of the cops, and when they turned to him, he said, "Lucas Davenport, I'm with the BCA. I worked with the Barths on the grand jury."

One of the cops nodded and Lucas said to Jesse, "You all right?"

"They got Screw," she said.

"But *you're* all right."

"She's scared *shitless*, if that's all right," Kathy snapped.

"We just got a call from another squad," one of the cops said. "There's a dead dog on the side of the road, just off Lexington. It's white, sounds like . . . Screw."

"All right," Lucas said. Back to Jesse. "You think you could come down with me, look at the dog?"

She snuffled.

The cop said, "We called Animal Control, they're gonna pick it up."

Lucas to Jesse: "What do you think?"

"I could look," she said. "He saved my life."

"Tell me exactly what happened . . ."

She told the story in an impressionistic fashion—touches of color, touches of panic, not a lot of detail. When the dog hit the big man, she said, she was already running, and she was fast. "I didn't look back for a block and then I saw him jump in the van and Screw was stuck on his leg. Then the van went around in a circle, and that's the last I saw. They turned on Lexington toward the interstate. Then I ran some more until I got home."

"So there had to be at least two people," Lucas said.

"Yeah. Because one was driving and the other one tried to hit me," she said.

"What'd he try to hit you with?" Lucas asked.

"Like a cane."

"A cane?"

"Yeah, like a cane," she said.

"Could it have been a pipe?"

She thought for a minute, and then said, "Yeah. It could have been a pipe. About this long." She held her hands three feet apart.

Lucas turned away for a second, closed his eyes, felt people looking at him. "Jesus."

"What?" Kathy Barth was peering at him. "You havin' a stroke?"

"No, it's just . . . Never mind." He thought: the van guys were in the wrong case. To Jesse: "Honey, let's go look at the dog, okay?"

They found the dog lying in the headlights of a St. Paul squad car. The cop was out talking to passersby, and broke away when

Lucas pulled up. This cop he knew: "Hey, Jason."

"This your dog?" Jason was smiling, shaking his head.

"It's sorta mine," Jesse said. She looked so sad that the cop's smile vanished. She got up close and peered down at Screw's body. "That's him. He looks so . . . dead."

The body was important for two major reasons: it confirmed Jesse's story; and one other thing . . .

Lucas squatted next to it: the dog was twisted and scuffed, but also, it seemed, broken. Better though: its muzzle was stained with blood.

Lucas stood up and said to the cop, "Somebody said Animal Control was coming?"

"Yeah."

"I don't know how to do this, exactly, but I want an autopsy done," Lucas said. "I'd like to have it done by the Ramsey medical examiner, if they'll do it."

"An autopsy?" Jason looked doubtfully at the dead dog.

"Yeah. I want to know how he was killed. Specifically, if it might have been a pipe," Lucas said. "I want the nose, there, the mouth, checked for human blood. If there is human blood, I want DNA."

"Who'd he bite?" the cop asked.

"We don't know. But this is seriously important. When I find this guy, I'm gonna hang him up by his . . . I'm gonna hang him up," Lucas said.

"By his balls," said Jesse.

Gabriella didn't notice the broken window in the back door until she actually pushed the door open and was reaching for the kitchen light switch. The back door had nine small windows in it, and the broken one was bottom left, above the knob. The glass was still there, held together by transparent Scotch tape, but she could see the cracks when the light snapped on. She frowned and took a step into the kitchen and the other woman was right there.

Jane Widdler had just come down the stairs, carrying the sewing basket. She turned and walked down the hall into the kitchen, quiet in running shoes, Leslie twenty feet behind, when she heard the key in the back door lock and the door popped open and the light went on and a woman stepped into the kitchen and there they were.

The woman froze and blurted, "What?" and then a light of recognition flared in her eyes.

Jane recognized her from the meeting at Bucher's. The woman shrank back and looked as though she were about to scream or run, or scream *and* run, and Jane knew that a running fight in a crowded neighborhood just wouldn't work, not with the dog bites in Leslie's legs, and Leslie was still too far away, so she dropped the basket and launched herself at Coombs, windmilling at her, fingernails flying, mouth open, smothering a war shriek.

Coombs put up a hand and tried to backpedal and Jane hit her in the face and the two women bounced off the doorjamb and went down and rolled across the floor, Coombs pounding at Jane's midriff and legs, then Leslie was there, trying to get behind Coombs, and they rolled over into the kitchen table, and then back, and then Leslie plumped down on both of them and got an arm around Coombs and pulled her off of Jane like a mouse being pulled off fly-paper.

Coombs tried to scream, her mouth open, her eyes bulging as Leslie choked her, and she was looking right in Jane's eyes when her spine cracked, and her eyes rolled up and her body went limp.

Jane pushed the body away and Leslie said, "Motherfucker," and backed up to the door, then turned around and closed it.

Jane was on her hands and knees, used the table to push herself up. "Is she dead?"

"Yeah." Leslie's voice was hoarse. He'd been angry with the world ever since the dog. His arms, ass, and legs burned like fire, and his heart was pounding from the surprise and murder of Coombs.

Coombs lay like a crumpled rag in the nearly nonexistent light on the kitchen floor; a shadow, a shape in a black-and-white photograph. "We can't leave her," Leslie said. "She's got to disappear. She's one too many dead people."

"They'll know," Jane said, near panic. "We've got to get out of here."

"We've got to take her with us. We'll go back to the house, get the van, we've got to move the van anyway. We'll take her down to the farm, like we were gonna do with the kid," Leslie said.

"Then what? Then what?"

"Then tomorrow, we go to see John Smith at Bucher's, give him some papers of some kind, tell him we forgot something," Leslie said "We let him see us: see that I'm not all bitten up. I can fake that. We tell him we're thinking of a scouting trip . . . and then we take off."

"Oh, God, Leslie, I'm frightened. I think . . ." Jane looked at the shadow on the floor. What she thought was, *This won't work.* But better not to tell Les. Not in the mood he was in. "Maybe. Maybe that's the best plan. I don't know if we should go away, though. Going away won't help us if they decide to start looking for us . . ."

"We can talk about that later. Get your flashlight, see if there're some garbage bags here. We gotta bag this bitch up and get rid of her. And we've gotta pick up this sewing shit . . . What'd you do, you dumb-shit, *throw* it at her?"

"Don't be vulgar. Not now. Please."

———

They scrabbled around in the dark, afraid to let the light of the flash play against the walls or windows. They got the sewing basket back together, hurriedly, and found garbage bags in a cleaning closet next to the refrigerator. They stuffed the lower half of Coombs's limp body into a garbage bag, then pulled another over the top of her body.

Leslie squatted on the floor and sprayed around some Scrubbing Bubbles cleaner, then wiped it up with paper towels and put the towels in the bags with the body. He did most of the kitchen floor that way, waddling backward away from the wet parts until he'd done most of the kitchen floor.

"Should be good," he muttered. Then: "Get the car. Pull it through the alley. I'll meet you by the fence."

She didn't say a word, but went out the back door, carrying the wicker sewing basket. And she thought, *Won't work. Won't work.* She moved slowly around the house, in the dark, then down the front lawn and up the street to the car. She got in, thinking, *Won't work.* Some kind of dark, disturbing mantra. She had to break out of it, had to think. Leslie didn't see it yet, but he would.

Had to think.

The alley was a line of battered garages, with one or two new ones, and a broken up, rolling street surface. She moved through it slowly and carefully, around an old battered car, maybe Coombs's, paused by the back gate to Coombs's house, popped the trunk: felt the weight when the body went in the trunk. Then Leslie was in the car and said, "Move it."

She had to think. "We need supplies. We need to get the coveralls. If we're going to dig . . . we need some boots we can leave behind. In the ground. We need gloves. We need a shovel."

Leslie looked out the window, at the houses passing on Lexington Avenue, staring, sullen: he got like that after he'd killed someone. "We've got to go away," he said, finally. "Someplace . . . far away. For a couple of months. Even then . . . these goddamn holes in me, they're pinning us down. We don't dare get in a situation where somebody wants to look at my legs. They don't even have to suspect us—if they start looking at antique dealers, looking in general, asking about dog bites, want to look at my legs . . . We're fucked."

Maybe you, Jane thought. "We can't just go rushing off. There's no sign that they'll be looking at you right away, so we'll tell Mary Belle and Kathy that we're going on a driving loop, that we'll be gone at least three weeks. Then, we can stretch it, once we're out there. Talk to the girls tomorrow, get it going . . . and then leave. End of the week."

"Just fuckin' itch like crazy," Leslie said. "Just want to pull the bandages off and scratch myself."

"Leslie, could you please . . . watch the language? Please? I know this is upsetting, but you know how upset *I* get . . ."

Leslie looked out the window and thought, *We're fucked.* It was getting away from them, and he knew it. And with the bites on his legs, he was a sitting duck. He could run. They had a good bit of cash stashed, and if he loaded the van with all the highest-value stuff, drove out to L.A., and was very, very careful, he could walk off with a million and a half in cash.

It'd take some time; but he could buy an

ID, grow a beard, lose some weight. Move to Mexico, or Costa Rica.

Jane was a problem, he thought. She required certain living standards. She'd run with him, all right, but then she'd get them caught. She'd talk about art, she'd talk about antiques, she'd show off . . . and she'd fuck them. Leslie, on the other hand, had grown up on a dairy farm and had shoveled his share of shit. He wouldn't want to do that again, but he'd be perfectly content with a little beach cantina, selling cocktails with umbrellas, maybe killing the occasional tourist . . .

He sighed and glanced at Jane. She had such a thin, delicate neck . . .

At the house, Jane went around and rounded up the equipment and they both changed into coveralls. She was being calm. "Should we move the girl into the van?"

Leslie shook his head: "No point. The police might be looking for a van, after the thing with the kid. Better just to go like we are. You follow in the car, I take the van, if I get stopped . . . keep going."

―――

But there was no problem. There were a million white vans. The cops weren't even trying. They rolled down south through the countryside and never saw a patrol car of any kind. Saw a lot of white vans, though.

The farm was a patch of forty scraggly acres beside the Cannon River, with a falling-down house and a steel building in back. When they inherited it, they'd had some idea of cleaning it up, someday, tearing down the house, putting in a cabin, idling away summer days waving at canoeists going down the river. They'd have a vegetable garden, eat natural food . . . And waterfront was always good, right?

Nothing ever came of it. The house continued to rot, everything inside was damp and smelled like mice; it was little better than a place to use the bathroom and take a shower, and even the shower smelled funny, like sulfur. Something wrong with the well.

But the farm was well off the main highways, down a dirt road, tucked away in a hollow. Invisible. The steel building had a good concrete floor, a powerful lock on the only door, and was absolutely dry.

The contractor who put in the building said, "Quite the hideout."

"Got that right," Leslie had said.

They put the van in the building, then got a flashlight, and Jane carried the shovel and Leslie put the girl in a garden cart and they dragged her up the hill away from the river; got fifty yards with Leslie cursing the cart and unseen branches and holes in the dark, and finally he said, "Fuck this," and picked up the body, still wrapped in garbage bags, and said, "I'll carry her."

Digging the hole was no treat: there were dozens of roots and rocks the size of skulls, and Leslie got angrier and angrier and angrier, flailing away in the dark. An hour after they started, taking turns on the shovel, they had a hole four feet deep.

When Leslie was in the hole, digging, Jane touched her pocket. There was a pistol in her pocket, their house gun, a snub-nosed .38. A clean gun, bought informally at a gun show in North Dakota. She could take it out, shoot Leslie in the head. Pack him into the hole under the girl. Go to the police: "Where's my husband . . . ? What happened to Leslie?"

But there were complications to all that. She hadn't thought about it long enough. This was the perfect opportunity, but she just couldn't see far enough ahead . . .

She relaxed. Not yet.

They packed the body in, and Leslie started shoveling the dirt back.

"Stay here overnight," Leslie said. "To-morrow, we can come up and spread some leaves around. Drag that stump over it . . . Don't want some hunter falling in the hole. Or seeing the dirt."

"Leslie . . ." She wanted to say it, wanted to say, "This won't work," but she held back.

"What?"

"I don't know. I hate to stay here. It smells funny," she said.

"Gotta do it," he grunted. He was trampling down the dirt. "Nothing has been working, you know? Nothing."

The bed they slept in was broken down; tended to sag in the middle. Neither could sleep much; and Leslie woke in the middle of the night, his eyes springing open.

Two people in the world knew about him and the killings. One was Amity Anderson, who wanted money. They'd promised her a cut, as soon as they could move the furniture, which was out in the steel building.

The other one was Jane.

A tear dribbled down his face; good old Jane. He unconsciously scratched at a dog bite. He could pull Anderson in with the promise of money—come on out to the house, we've got it. Kill her, bring her out here.

And Jane . . . Another tear.

14

Jenkins was asleep in the visitor's chair when Lucas arrived at his office the next morning. Carol said, "He was asleep when I got here," and nodded toward the office. Lucas eased the door open and said, quietly, "Time to work, bright eyes."

Jenkins was wearing a gray suit, a yellow shirt, and black shoes with thick soles, and, knowing Jenkins's penchant for kicking suspects, the shoes probably had steel toes. He'd taken off his necktie and gun and placed them under his chair.

He didn't move when Lucas spoke, but Lucas could tell he was alive because his head was tipped back and he was snoring. He was tempted to slam the door, give him a little gunshot action, but Jenkins might return fire before Lucas could slow him down.

So he said, louder this time: "Hey! Jenkins! Wake up."

Jenkins's eyes popped open and he stirred and said, "Ah, my back . . . This is really a fucked-up chair, you know that?" He stood up and slowly bent over and touched his toes, then stood up again, rolled his head and his hips, smacked his lips. "My mouth tastes like mud."

"How long you been here?" Lucas asked.

"Ahhh . . . Since six? I found the Kline kid last night, then I went out with Shrake and had a few."

"Until six?"

"No, no. Five-thirty, maybe," Jenkins said. "Farmer's market was open, I ate a tomato. And one of those long green things, they look like a dildo . . ."

"A cucumber?" Lucas ventured.

"Yeah. One of those," Jenkins said.

"What about the kid?"

"Ah, whoever was in the truck, it wasn't Kline," Jenkins said. He yawned, scratched his head with both hands. "He was out with some of his business-school buddies. They're not the kind to lie to the cops. Stuffy little cocksuckers. They agree that he was with them from eight o'clock, or so, to midnight."

"That would have been too easy, anyway." Jenkins yawned again, and that made Lucas yawn.

"Girl have any kind of description?" Jenkins asked.

"The guy had a nylon on his head," Lucas said. "She was too scared to look for a tag number. All we got is the dead dog and a white van, and we don't know where the van is."

"Well, the dog's something. I bet they're doing high-fives over at the ME's office," Jenkins said. He yawned and shuffled toward the door. "Maybe I'll go out for a run. Wake myself up."

"Call nine-one-one before you start," Lucas said. Jenkins was not a runner. The healthiest thing he did was sometimes smoke less than two packs a day.

"Yeah." He coughed and went out. "See ya."

"Eat another tomato," Lucas called after him.

———

Lucas couldn't think of what to do next, so he phoned John Smith at the St. Paul cops: "You going up to Bucher's?"

"Yeah, eventually, but I don't know what I'm going to do," Smith said.

"Anybody up there?"

"Barker, the niece with the small nose, an accountant, and a real estate appraiser. They're doing an inventory of contents for the IRS—everything, not just what the Widdlers did. Widdlers are finished. School got out, and the Lash kid called to see if he could go over and pick up his games. He'll be up there sometime . . . probably some people in and out all day, if you want to go over. If there's nobody there when you get there, there's a lockbox on the door. Number is two-four-six-eight."

"All right. I'm gonna go up and look at paper," Lucas said.

"I understand there'll be some excitement in Dakota County this morning, and you were involved," Smith said.

"Oh, yeah. Almost forgot," Lucas said. "Where'd you hear that?"

"*Pioneer Press* reporter," Smith said. "He

was on his way out to Dakota County. Politicians don't do good in Stillwater."

"Shouldn't fuck children," Lucas said.

He checked out of the office and headed over to Bucher's, took a cell-phone call from Flowers on the way. Flowers wanted the details on Jesse Barth: "Yeah, it happened, and no, it wasn't the Kline kid," Lucas said. He explained, and then asked about the girl's body on the riverbank. Flowers was pushing it. "Keep in touch," Lucas said.

In his mind's eye, Lucas could see the attack of the night before. A big man with a pipe—or maybe a cane—in a white van, going after Jesse. A man with a pipe, or a cane, killed Bucher. But as far as he knew, there hadn't been a van.

A van had figured into the Toms case, but Toms had been strangled.

Coombs's head had hit a wooden ball, which St. Paul actually had locked up in the lab—and it had a dent, and hair, and blood, and even smudged handprints, but the handprints were probably from people coming down the stairs. But then, Coombs probably had nothing to do with it anyway . . . except for all those damn quilts. And the missing music box. He hadn't heard from Gabriella Coombs, and made a mental note to call her.

There was a good possibility that the van was a coincidence. He remembered that years before, during a long series of sniper attacks in Washington, D.C., everybody had been looking for a white van, and after every attack, somebody remembered seeing one. But the shooters hadn't been in a white van. They'd been shooting through a hole in the trunk of a sedan, if he remembered correctly. The fact is, there were millions of white vans out there, half the plumbers and electricians and carpenters and roofers and lawn services were working out of white vans.

Barker and the accountant and the real estate appraiser had set up in the main dining room. Lucas said hello, and Barker showed him some restored pots, roughly glued together by the wife of a St. Paul cop who'd taken pottery lessons: "Just pots," she said. "Nothing great."

"Huh."

"Does that mean something?" she asked.

"I don't know," he said.

In the office, he started flipping through paper, his heart not in it. He really didn't feel like reading more, because he hadn't yet found anything, and he'd looked through most of the high-probability stuff. Weather had said that he needed to pile up more data; but he was running out of data to pile up.

The pots. No high-value pots had been smashed, but the cabinet had been full of them. Maybe not super-high value, but anything from fifty to a couple of hundred bucks each.

The pots on the floor were worth nothing, as if only the cheaper pots had been broken. If a knowledgeable pot enthusiast had robbed the place, is that what he'd do? Take the most valuable, put the somewhat valuable back—perhaps out of some aesthetic impulse—and then break only the cheap ones as a cover-up? Or was he, as Kathy Barth suggested the night before, simply having a stroke?

The Widdlers came in, Leslie cheerful in his blue seersucker suit and, this time, with a blue bow tie with white stars; Jane was dressed in shades of gold.

"Bringing the lists to Mrs. Barker," Jane called, and they went on through. Five minutes later, they went by the office on the way out. Lucas watched them down the front walk, toward their Lexus. Ronnie Lash rode up on a bike as they got to the street, and they looked each other over, and then Lash turned up the driveway toward the portico.

Lash walked in, stuck his head in the office door, and said, "Hi, Officer Davenport."

"Hey, Ronnie."

Lash stepped in the door. "Figured anything out yet?"

"Not yet. How about you?" Lucas asked.

"You know when we discovered that whoever did it, had to have a car?"

"Yeah?"

"Detective Smith said they'd check the security camera at the Hill House to see what cars were on it. Did he do it?" Lash asked.

"Yup. But the cameras operate on a motion detector that cover the grounds," Lucas said. "They didn't have anything in the time frame we needed."

"Huh. How about that halfway house?"

Lucas said, "They're mostly drunks. We've been looking at their histories . . ."

"I mean the camera," Lash said. "They've got a camera on their porch roof pointing out at the street."

Lucas scratched his chin: "Really?"

"Yeah. I just came by there," Lash said.

"I'll call John Smith. Ask him to look into it. Thanks, Ronnie."

"You're welcome."

Lucas called Smith. Smith said he would check it right away. "If it's there, what I'm interested in would be a van," Lucas said.

"Probably won't be anything," Smith said. "Nothing goes longer than about forty-eight hours, you know, those tapes. But I'll give them a call."

Ronnie came back through, carrying a shopping bag full of video games. "I talked to Mrs. Barker, and she showed me those vases. Those pots, the ones that got glued back together."

"You recognize them?" Lucas asked.

"Yeah. Last time I saw them, they were upstairs. On a table upstairs. They were never in that glass cabinet."

"You sure?"

"I'm sure," Lash said. "They were in a corner, in a jog of the hallway, on a little table. I dusted them off myself, when I was helping Aunt Sugar."

Lucas paced around the office, impatient with himself for not getting anywhere. He watched Lash go down the walk, get on his bike, and wobble off, the games bag dangling from one hand. There *had* been a robbery. He didn't give a shit what the Widdlers said.

His cell phone rang, and he glanced at the screen: Smith.

"Yeah?"

"We got a break—they archive the tapes for a month, in case they've got to see who was with who. I'm gonna run over there and take a look."

"Van," Lucas said.

He shut the phone, but before he could put it in his pocket, it rang again: Carol, from the office. He flipped it open. "Yeah?"

"You need to make a phone call. A Mrs. Coombs . . ."

"Gabriella. I've been meaning to call her."

"This is Lucy Coombs. The mother. She's calling about Gabriella. Lucy says Gabriella's disappeared, and she's afraid something happened to her."

Lucy Coombs was at her mother's house. She was tall, thin, and blond, like her daughter, with the same clear oval face, but threaded with fine wrinkles; a good-looking woman, probably now in her late fifties, Lucas thought. She met him on the front lawn, twisting a key ring in her hands.

"I called you because Gabriella said she was working with you," she said. "I can't find her. I've been looking all over, I called the man she was dating, and he said he dropped her off at her apartment last night and that she planned to come over here to look at papers and so I came over here and I . . ."

She paused to take a breath and Lucas said, "Slow down, slow down. Have you been inside?"

"Yes, there's no sign of anything. But there's a broken window on the back door, right by the latch. And I found these by the back porch." She held up the key ring. "They're her keys."

Lucas thought, *Oh, shit.* Out loud, he said, "Let's go look around. Does she have a cell phone?"

"No, we don't believe in cell phones," Coombs said. "Because of EMI."

"Okay . . . Has she done this before? Wandered off?"

"Not lately. I mean she did when she was younger, but she's been settling down," Coombs said. "She's been in touch every day since my mom died. I mean, I found her *keys*." She was no fool; the keys were a problem, and there was fear in her eyes.

They went around the house and through the back door, Coombs showing Lucas where she'd found the keys, off the back steps, as if they'd been dropped or thrown. "Maybe she dropped them in the dark and couldn't find them," Lucas suggested. "Did you look for her car?"

"No, I didn't think to. I wonder . . . sometimes she parked in the alley, behind the fence." They walked out through the backyard, to a six-foot-high woven-board privacy fence that separated Marilyn Coombs's house from the alley. The gate was hanging open, and as soon as Lucas pushed through, he saw Gabriella's rusty Cavalier.

"Oh, God," Lucy Coombs said. She hurried past Lucas and then almost tiptoed up to the car, as if she were afraid to look in the windows. But the car was empty, except for some empty herbal tea bottles on the floor of the backseat. The car wasn't locked; but then, Lucas thought, why would it be? There was nothing in it, and who would steal it?

"Back to the house," he said.

"What do you think happened?"

"I don't know," Lucas said. "She's probably just off somewhere. Maybe I oughta go talk to her boyfriend."

"I think you should," Lucy Coombs said. "I know it wasn't going very well. I think Gabriella was about to break it off."

"Let's check the house and then I'll go talk to the guy," Lucas said. "Do you have any relatives or know any girlfriends or other boyfriends . . . ?"

They walked through the house: nobody there. Lucas looked at the broken window. He'd never actually seen it done, but he'd read about it in detective novels—burglars making a small break in a window, usually by pushing the point of a screwdriver against the glass, to get a single pressure crack. Then they'd work the glass out, open the door with a wire, then put the pane back in place and Scotch-tape it. With any luck, the owners didn't notice the break for a while—sometimes a long while—and that would obscure the date and time of the break-in . . .

It did suggest a certain experience with burglary. Or perhaps, with detective novels.

"I'm going to make a call, get the St. Paul cops to go over the place," Lucas said. "If you could give me the boyfriend's name . . ."

They were talking in the kitchen, next to the phone, and the color caught his eye: a flash of red. He thought it might be blood, but then instantly knew that it wasn't. Blood was purple or black. This was scarlet, in the slot between the stove and refrigerator. He hadn't seen it when he and Gabriella Coombs were in the kitchen, and he'd looked—he'd been doing his typical crime-scene check, casually peering into cracks and under tables and chairs.

"Excuse me," he said. He went over to the stove and looked down.

"What?"

"Looks like . . . Just a minute." He opened a kitchen cabinet, took out a broom, and used the handle to poke out the red thing.

A spool of thread.

The spool popped out of the stove space, rolled crookedly in a half circle, and bumped into his shoe. He used a paper towel to pick it up, by the spool edge on one end, and put it on the stove. They both looked at it for a moment.

"How'd it get there?" Lucy asked.

"I don't know," Lucas said. "Wasn't there before. There was a closetful of quilting stuff upstairs. Maybe Gabriella came and took it?"

Lucy frowned. "She doesn't quilt. I've been trying to get her interested, but she's more interested in a social life. Besides, if she took it, where'd she put it? It's not in her car."

"Neither is she. Maybe she came over with a girlfriend, who quilts . . ." Lucas was bullshitting, and he knew it. Making up fairy stories.

"That's from the old basket," Lucy said. "It's old thread, see? I don't think they even make it anymore. This says Arkansas on it. Now, most of it comes from China or Vietnam."

"Let's go look at the basket," Lucas said.

They climbed the stairs together, to the big linen closet, and Lucas used the paper towel to open the door.

"Ah, fuck me," he said.

No wicker sewing basket.

But there, under a neat stack of fabric clippings, where the basket had been, was a black lacquer box with mother-of-pearl inlay.

The music box.

15

Lucas called Jerry Wilson, the St. Paul cop who'd caught the investigation of Marilyn Coombs's death, and told him about the disappearance of Gabriella Coombs, about the keys and the car, about the broken window with the Scotch tape, about the spool of thread and the music box.

Wilson said, "That sounds like an Agatha Christie book."

"I know what it sounds like," Lucas said. "But you need to cover this, Jerry—we need to find Gabriella. I'll talk to her boyfriend, but I could use some cops spread out behind me, talking to her other friends."

"Okay. You got names? And I'll tell you what—that window wasn't broken day before yesterday."

"I'll get you names and phone numbers," Lucas said. "If you find her, God bless you, but I've got a bad feeling about this." Lucas was on his cell phone, looked back to the house, where Lucy Coombs was locking the front door. "I've got a feeling she's gone."

Lucy Coombs wanted to come along when Lucas confronted Ron Stack, the artist boyfriend. Lucas told her to go home and get on the phone, and he lied to her: "There's an eighty percent chance that she's at a friend's house or out for coffee. We've just got to run her down, and anything you can do to help . . ."

On the way to Stack's place, Lucas called Carol: "Have you seen Shrake?"

"Yes, but I'm not sure he saw me. He's getting coffee, and he needs it. His eyes are the color of a watermelon daiquiri."

"Fuck him. Tell him to meet me at the Parkside Lofts in Lowertown. Ten minutes."

When Lucas got back downtown, Shrake was sitting on a park bench across the street from Stack's apartment building. He got shakily to his feet when Lucas pulled into the curb. He was a tall man in a Britishcut gray suit and white shirt, open at the collar. His eyes, as Carol said, were Belgian-hare pink, and he was hungover.

"I hope we're gonna kill something," he said, when Lucas got out of the car. "I really need to kill something."

"I know. I talked to Jenkins this morning," Lucas said. "We're looking for an artist. His girlfriend disappeared last night." Lucas told him about it as they crossed the street.

The Parkside was a six-story building, a onetime warehouse, unprofitably converted to loft apartments, with city subsidies, and was now in its fourth refinancing. They rode up to the top floor in what had been a freight elevator, retained either for its boho cool or for lack of money. For whatever reason, it smelled, Lucas thought, like the inside of an old gym shoe.

As they got off the elevator, Lucas's cell phone rang. Lucas looked at the Caller ID: the medical examiner's office. He said, "I've got to take this."

The ME: "You know, I like doing dogs," he said. "It's a challenge."

"Find anything good?" Lucas asked.

"A lot of people think all we can do is routine, run-of-the-mill dissections and lab tests, like it's all cut-and-dried," the ME said. "That's not what it's about, is it? It's a heck of a lot more than that . . ."

"Listen, we'll have lunch someday and you can tell me about it," Lucas said. "What happened with the dog?"

"You're lying to me about the lunch. You're just leading me on . . ."

"What about the fuckin' dog?" Lucas snarled.

"Pipe," the ME said. "I did Bucher—and man, if it ain't the *same* pipe, it's a brother or a cousin. The dog's skull was crushed, just like Bucher's and Peebles's, and the radius of the crushing blow is identical. I don't mean somewhat the same, I mean, *identical.* We got mucho blood samples, but I don't know yet whether they're human or dog."

"Give me a guess," Lucas suggested.

"My guess is, it's human," the ME said. "It looks to me like the mutt was chewing on somebody. We've got enough for DNA, if it's human."

"That's great," Lucas said. "And the pipe . . ."

"You're hot," the ME said. "You're onto something."

"Get a break?" Shrake asked, when Lucas rang off.

"Maybe, but not on Gabriella."

Ron Stack was in 610. Lucas knocked on the door, and a moment later a balding, bad-tempered, dark-complected man peered out at them over a chain. He was wearing a nasal spreader on his nose, the kind football players use to help them breathe freely. He was holding a cup of coffee and had a soul patch under his thin lower lip. "What?"

Lucas held up his ID. "Bureau of Criminal Apprehension. We're investigating the disappearance of Gabriella Coombs," Lucas said.

Stack's chin receded into his throat. "Disappearance? She disappeared?"

"You're the last person we know for sure who saw her. Can we come in?"

Stack turned and looked back into his loft, then at Lucas again. "I don't know. Maybe I should call my lawyer."

"Well, whatever you want to do, Mr. Stack, but we aren't going anywhere until you talk to us. I can have a search warrant down here in twenty minutes if you want to push us. But it'd be a lot easier to sit on the couch and talk, than having you on the floor in handcuffs, while we tear the place apart."

"What the fuck? Is that a threat?" His voice climbed an octave.

From behind Stack, a woman's voice said, "Who's that, Ron?"

Stack said, "The police."

"What do they want?" the woman asked.

"Shut up. I'm trying to think." Stack scratched his chin, then asked, "Am I a suspect?"

"Absolutely," Lucas said.

Shrake, the nice guy: "Look, all we're doing is trying to find Gabriella. We don't know where she's gone. She's involved in another case, and now . . ."

"Okay," Stack said. "I'm gonna push the door shut a little so I can take the chain off."

He did, and let them in.

The loft was an open cube with floor-to-ceiling windows along one wall. The other three walls were concrete block, covered with six-foot-wide oil paintings of body parts. The place smelled of turpentine, broccoli, and tobacco.

A kitchen area, indicated by a stove, re-frigerator, and sink gathered over a plastic-tile floor, was to their left; and farther to the left, a sitting area was designated by an ori-ental carpet. A tall blond woman, who looked like Gabriella Coombs, but was not, sat smoking on a scarlet couch.

At the other end of the cube, a door stood open, and through the open door, Lucas could see a towel rack: the bathroom. Over-head, a platform was hung with steel bars from the fifteen-foot ceiling, with a spiral staircase going up. Bedroom.

At the center of the cube was an easel, on a fifteen-foot square of loose blue carpet; against the right wall, three battered desks with new Macintosh computer equipment.

Shrake wandered in, following Lucas, sniffed a couple of times, then tilted his head back and took in the paintings. "Whoa. What *is* this?"

"My project," Stack said, looking around at all the paintings. There were thirty of them, hung all the way to the ceiling, all along one wall and most of the end wall. One showed the palm of a hand, another the back of the hand. One showed a thigh, another a hip, one the lower part of a woman's face. "I unwrapped a woman." He paused, then ventured, "Deconstructed her."

"It's like a jigsaw puzzle," Shrake asked.

Stack nodded. "But conceptually, it's much more than that. These are views that you could never see on an actual woman. I took high-resolution photographs of her entire body, so you could see every pore and every hair, and reproduced them here in a much bigger format, so you *can* see every hair and pore. You couldn't do that, just looking at somebody. I call it *Outside of a Woman.* It was written up last month in *American Icarus.*"

"Wow, it's like being there," Shrake enthused. He pointed: "Like this one: you're right there inside her asshole."

Wrong foot, Lucas thought. To Stack: "We can't find Gabriella. Her mother tells us that you were out together last night, and Gabriella broke it off with you . . ."

"Who's Gabriella?" the woman asked.

"How ya doing?" Shrake asked. He winked at her, and pointed up at the paintings. "Is this you?"

"No," the woman said, with frost.

"Gabriella's a potential model," Stack said to her. Then to Lucas: "Look, she didn't break anything off, because there was nothing to break off. We went down to Baker's Square and had a sandwich, and we couldn't make a deal on my new project, and I said, 'Okay,' and she said, 'Okay,' and that was it. She took off." He shrugged and pushed his hands into his jeans pocket.

"You go there together?" Shrake asked.

"No. We met there."

"Where were you last night?" Lucas asked.

"Here," Stack said. He turned to the woman: "With her."

"He was," the woman said. To Stack: "This Gabriella's just a model?"

"Just a model," Stack agreed.

"What kind of a car do you drive?" Lucas asked.

"An E-Class Mercedes-Benz station wagon."

"What color?" Lucas asked.

"Black," Stack said.

"You must do pretty well for yourself," Shrake said. "A Benz."

"It's a 'ninety-four," Stack said. "I bought

it used, with eighty-nine thousand miles on it."

"Where's the van—the one you use for moving paintings?" Lucas asked.

Stack was mystified: "What van? I have a friend with a blue pickup, when I'm moving big sheets of plywood, but I never used a van."

"Did you know Marilyn Coombs?" Lucas asked.

"No. Gabriella told me about her dying and about you guys investigating," Stack said. "In fact, I think she sorta had the hots for you."

"For Lucas?" Shrake asked skeptically.

"If you're the guy who took her around her grandmother's house," Stack said to Lucas. "Yeah."

"What'd you mean by 'had'?" Shrake asked. "You said she 'had' the hots for Lucas. Do you think she's dead? Or just stopped having the hots?"

"Hell, *you're* the guys who think she's dead," Stack said. "That's the way you're talking."

"Did she say where she was going last night?" Lucas asked.

"Well, yeah," Stack said. "She said she

had to go because you—or somebody—asked her to go through her grandma's papers. Looking for clues, or something. Is that, uh . . . Where'd she disappear from, anyway?"

Lucas looked at Shrake, felt an emotional squeeze of fear and the cold finger of depression. "Bad," he said. "Bad. Goddamnit to hell, this is bad."

They pushed the painter for another ten minutes, then Lucas left Shrake with Stack and the woman, to get details of where they were overnight, to get an ID on the woman, to probe for holes in their stories.

On the way out to the car, Smith called: "We got a van. A two thousand one Chevy Express, looks to be a pale tan, but one of the geniuses here tells me that could be the light. It might be white. It went past the halfway house three times on Friday night, the night the storm came in. Can't see the occupants, but we think the tag is Wisconsin and we think we know two letters, but we can't make out the other letter or the numbers. We're going to send it off to the feds, see if they can do some photo magic with it. In the meantime, we're sorting vans out by the letters we know."

"That's something," Lucas said. "Listen, feed every name you've got associated with Bucher into the computer. I'll get you all the names I can pull out of the Donaldson and Toms files, and the Coombs stuff. Find that van . . . Once we know who we're looking for . . ."

"Get me the names," Smith said.

"And listen: do me a favor," Lucas said. "Go see this girl in the Kline case, her name is Jesse Barth. She lives up on Grand, her mother is Kathy, they're in the phone book. Have her look at the van. See if she thinks it might be the same one."

"If it is . . . what does that mean?" Smith asked.

"I don't know. I'm freakin' out here, man. Just have her look at it, okay?"

"Okay," Smith said. "I'll tell you something else: I'm gonna get that fuckin' Ronnie Lash and turn his ass into a cop."

Lucas was in a hurry now, with Gabriella missing.

He kept thinking, *The quilts, the van, the*

pipe; the quilts, the van, the pipe. The quilts, the van, the pipe . . .

He couldn't get at the van. Too many of them and he didn't have a starting place, unless Smith or the feds came up with something. The pipe didn't make any difference, unless he found the actual pipe that did the killing; a killer could buy as much pipe as he wanted at Home Depot.

That left the quilts. Gabriella had said that her mother was messing with quilts. He got in the car, and pointed it toward the Coombs house, got Lucy Coombs on the phone: "Her friends say anything?"

"Nobody's seen her. Oh, God, *where's my baby*?"

"I'm coming over," Lucas said.

Lucy Coombs lived in the Witch Hat neighborhood off University Avenue, in an olive-green clapboard house with a stone wall separating the front yard from the sidewalk. The yard had no grass, but was an overgrown jumble of yellow and pink roses, and leggy perennials yet to flower. The house had a damp, mossy, friendly look, with a flagstone pathway running from the front stoop around the side of the house and out of sight.

The front door was open and Lucas banged on the loosely hung screen door. He could hear people talking, and felt a twitch of hope: Had Gabriella shown up? Then a heavyset woman in a purple shift and long dangly earrings came to the door, said, "Yes?"

Lucas identified himself and the woman pushed the door open and whispered, "Anything?"

"No."

"Lucy is terrified," she said.

Lucas nodded. "I have to talk to her about her mother . . ."

There were three more unknown women in the kitchen with Coombs. Lucy Coombs saw him and shuffled forward, shoulders rounded, hands up in front of her as though she might punch him: "Where is she?"

"I don't know," Lucas said. "We're looking, I've got the St. Paul cops out looking around, we're pushing every button we know."

She wanted to shout at him, and to cry;

she was crippled with fear: "You've got to find her. I can't stand this, you've *got* to find her."

Lucas said, "Please, please, talk to me about your mother."

"She was murdered, too, wasn't she?" Coombs asked. "They killed her and came back and took my baby . . ."

"Do you have any idea . . . who're *they*?"

"I don't know—the people who killed her."

Lucas said, intent on Coombs: "This thing is driving me crazy. We have three dead women, and one missing. Two of them were involved in antiques, but your mother wasn't—but she had one antique that was taken, and then maybe returned, by somebody who may also have taken a quilting basket."

"And Gabriella," Coombs blurted.

Lucas nodded. "Maybe."

"It's the Armstrong quilts," one of the women said. "The curses."

Lucas looked at her: She was older, thin, with dry skin and a pencil-thin nose. "The curses . . . the ones sewn into the quilts? Gabriella told me . . ."

The woman looked at the others and

said, "It's the curses working. Not only three women dead, but the son who committed suicide, the father dies in the insane asylum."

Another of the women shivered: "You're scaring me."

"Did Bucher and Donaldson have something to do with the Armstrong quilts?" Lucas asked, impatient. He didn't believe in witchcraft.

Coombs said, "Yes. They both bought one from my mom, after Mom found them."

Lucas said, "There were what, five quilts? Six, I can't remember . . ."

"Six," the thin-nosed woman said. "One went to Mrs. Bucher, one went to Mrs. Donaldson, the other four were sold at auction. Big money. I think two of them went to museums and two went to private collectors. I don't know who . . ."

"Who did the auction?"

Coombs said, "One of the big auction houses in New York. Um, I don't know how to pronounce it, Sotheby's?"

"Are there any here in Minneapolis?" Lucas asked.

The dangly-earring woman said, "At the Walker Gallery. Mrs. Bucher donated it."

"Good. I'll go look at it, if I have time," Lucas said. "Have you ever heard the name Jacob Toms?"

The women all looked at each other, shaking their heads. "Who's he?"

He was on his way out the door, intent on tracing the Armstrong quilts, when he was struck by a thought and turned around, asked Coombs: "The music box. You don't think Gabriella had it, do you? That she just used it to get an investigation going?"

Coombs shook her head: "No. I found Mom, and called the police, and then called Gabriella. The police were already there when she came over. She was sad and mentioned the music box, and we went to look at it, and it wasn't there."

"Okay. So somebody brought back the music box and took the sewing basket," Lucas said. "Why did they do that? Why did they take the sewing basket? Was that part of the Armstrong quilt thing?"

"No, she just bought that kind of thing when she was hunting for antiques—I don't know where she got it."

"I remember her talking about it at quilt

group," said the big woman in the purple shift. "She said she might see if she could sell it to a museum, or somewhere that did restorations, because the thread was old and authentic. Nothing special, but you know—worth a few dollars and kinda interesting."

Coombs said, "There might be a . . . clue . . . wrapped up in the quilts. But that won't save Gabriella, will it? If they took her? A clue like that would take forever to work out . . ." Tears started running down her face.

Lucas lied again: "I still think it's better than fifty-fifty that she went off someplace. She may have lost her keys in the dark, called somebody over to pick her up. She's probably asleep somewhere . . ." He looked at his watch: she'd been gone for sixteen or eighteen hours. Too long.

"I'm running," he said. "We'll find her."

From his office, he looked up Sotheby's in New York, called, got routed around by people who spoke in hushed tones and non–New York accents, and finally wound up with a vice president named Archie Carton. "Sure. The auctions are public, so there's no secret about who bought what— most of the time, anyway. Let me punch that up for you . . ."

"What about the rest of the time?" Lucas asked.

"Well, sometimes we don't know," Carton said. "A dealer may be bidding, and he's the buyer of record, but he's buying it for somebody else. And sometimes people bid by phone, to keep their identity confidential, and we maintain that confidentiality—but in a police matter, of course, we respond to subpoenas."

"So if one of these things was a secret deal . . ."

"That's not a problem. I've got them onscreen, and all four sales were public," Carton said. "One went to the Museum of Modern Art here in New York, one went to the National Museum of Women's Art in Washington, D.C., one went to the Amon Carter in Fort Worth, Texas, and one went to the Modern in San Francisco."

"Does it say how much?"

"Yup. Let me run that up for you . . ." Lucas could hear keys clicking, and then Carton said, "The total was four hundred seventy thousand dollars. If you want, I could send you the file. I could have it out in five minutes."

"Terrific," Lucas said. "If my wife ever buys another antique, I'll make sure she buys it from you."

"We'll be looking forward to it," Carton said.

That'd been easy. Lucas leaned back and looked at the number scrawled on his notepad: $470,000. He thought about it for a moment, then picked up the phone and called Carton back.

"I'm sorry to bother you again, but I was looking in an antiques book, and I didn't see any quilts that sold for this much," Lucas said. "Was there something really special about these things?"

"I could get you to somebody who could answer that . . ."

Two minutes later, a woman with a Texas accent said, "Yes, the price was high, but they were unique. The whole history of them pushed the price, and the curses themselves have almost a poetic quality to them.

Besides, the quilts are brilliant. Have you seen one?"

"No. Not yet," Lucas said.

"You should," she said.

"So you'd pay, what, a hundred and twenty-five thousand for one?"

The woman laughed. "No. Not exactly. What happened, was, the owner of the quilts, a Mrs. Coombs, put them up for sale, and we publicized the sale. Now, as it happened, two of the original six quilts had already been acquired by museums . . ."

"Two?"

"Yes. One was donated to the Art Institute of Chicago, and the other to the Walker Gallery in Minneapolis," she said.

"I knew about the Walker."

"The Walker and Chicago. Their original sales price established a price *level.* Then, when the other four came up, the museums that were interested would have reached out to their donor base, informed them of the Armstrong quilt history, and they would have asked for support on this specific acquisition. All of these museums have thousands of supporters. All they had to do was find a hundred and thirty women interested in donating a thousand dollars each. Remember: these quilts commemorate a woman fighting for her freedom and safety, for her very life, the only way she knew how. And how many affluent veterans of the feminist wars do we have donating to museums? Many, many."

"Ah." That made sense, he thought.

"Yes. So raising the money wouldn't have been a problem," the woman said. "There were a dozen bids on each of them, mostly other regional museums, and, we had the four winners."

"Thank you."

Who'd said it? The woman with the dangly earrings? The thin-nosed woman? One of them had said, *"Big money."* Lucas turned and looked up at the wall over his bookcase, at a map of St. Paul. Gabriella Coombs had told him that her grandmother "got lucky" with the quilts, and with the money, and the money she had in her former house, and been able to buy in the Como neighborhood.

But houses on Coombs's block didn't cost $470,000, certainly not when she bought, and not even now, after the big price run-up. They might cost $250,000 now, probably not more than two-thirds of that when Coombs bought. Maybe $160,000, or $175,000. And Gabriella said she'd put in money from her old house . . .

There was money missing. Where was it?

For the first time, Lucas had the sense of moving forward. Most murders didn't involve big money. Most involved too many six-packs and a handy revolver. But if you had a murder, and there was big money missing . . . the two were gonna be related.

Bucher and Donaldson and Coombs, tied by quilts and methods.

As for the kidnap attempt on Jesse Barth, by somebody in a van, that was most likely a coincidence, he thought now. An odd co-incidence, but they happened—and as he'd thought earlier, there were many, many vans around, especially white vans.

The two cases were separate: Coombs/Bucher on one side, Barth/Kline on the other.

———

All of Marilyn Coombs's papers were in her house. He had Gabriella's keys in a bag in his car, he could use them to get in. All that time at Bucher's house, looking at paper, had been wasted. He'd been looking at the wrong paper. He needed Coombs's.

He was on his way north in the Porsche, when John Smith called.

"We showed the tape to Jesse Barth. She swears it's the same van."

"What?"

"That's what she says. The van in the film shows what looks like a dent in the front passenger-side door, and she swears to God, she remembers the dent."

Lucas had no reply, and after a moment, Smith asked, "So. What does that mean? Lucas?"

16

Marilyn Coombs's house was not as orga-
nized as Bucher's. There were papers all
over the place, some in an old wooden file
cabinet, others stuffed in drawers in the
kitchen, the living room, and the bedroom.
Lucas found a plastic storage bin full of
checkbooks trailing back to the '70s, but
tax returns going back only four years.

He finally called his contact at the state
tax office, and asked her to check
Coombs's state returns, to see when she'd
gotten the big money.

He had the answer in five minutes—
computers made some things easier: "She
had a big bump in income for one year, a
hundred eighty-six thousand dollars and
then, let's see, a total of thirty-three thousand dollars the year before, and thirty-five
thousand nine hundred dollars the year af-

ter. We queried the discrepancy, and there's an accountant's letter reporting it as a onetime gain from the sale of antique quilts bought two years earlier. I don't have the letter, just the notation. Does that help?"

"I'll call you later and tell you," Lucas said.

He spent an hour scratching through the pile of check registers, stopping now and again to peer sightlessly at the living room wall, thinking about the van. What the fuck was it? Where was the van coming from?

The checks were in no particular order— it seemed that she'd simply tossed the latest one in a drawer, and then, when the drawer got full, dumped the old ones in a plastic tub and started a new pile in the drawer.

He finally found one that entered a check for $155,000. The numbers were heavily inked, as though they'd been written in with some emotion. He went through check registers for six months on either side of the big one, and found only two exceptionally large numbers: a check for $167,500 to Central States Title Company. She'd bought the house.

A few months later, she registered a

check for $27,500; and then, a week later, a
check payable to U.S. Bank for $17,320.
The $27,500 was the sale of her old house,
Lucas thought. She'd taken out a swing
loan to cover the cost of her new house,
and the check to U.S. Bank was repayment.

He'd been sitting on a rug as the sorted
through the checks, and now he rocked
back on his heels. Not enough coming in.
There'd been $470,000 up for grabs, and
she only showed $155,000 coming in as a
lump sum. He closed one eye and divided
$470,000 by $155,000 . . . and figured the
answer was very close to three.

He got a scrap of paper and did the actual
arithmetic: $470,000 divided by three was
$156,666. If Marilyn Coombs had gotten a
check for that amount, and to use the $1,666
as a little happy-time mad money . . . then
she might have deposited $155,000.

Where was the rest? And what the fuck
was that van all about?

He called Archie Carton at Sotheby's, and
was told that Carton had left for the day,

that the administrative offices were closed, and no, they didn't give out Carton's cell-phone number. Lucas pressed, and was told that they didn't know Carton's cell-phone number, which sounded like an un-truth, but Lucas was out in flyover country, on the end of a long phone line, and the woman he was talking to was paid to frus-trate callers.

"Thanks for your help," he snarled, and rang off. Carton would have to wait overnight: he was obviously the guy to go to. In the meantime . . .

Alice Schirmer was the folk art curator at the Walker. She was tall and too thin with close-cropped dark hair and fashionable black-rimmed executive glasses. She wore a dark brown summer suit with a gold silk scarf as a kind of necktie. She said, "I had two of our workpersons bring it out; we've had it in storage."

"Thank you."

"You said there was a woman miss-ing . . . ?" Schirmer asked. She did a finger twiddle at a guy with a two-day stubble and a $400 haircut.

"Yeah. One of the heirs to the Armstrong fortune, in a way," Lucas said. "Grand-daughter of the woman who found them. That woman may also have been mur-dered."

"Mrs. Coombs?"

"Yup."

"Good God," Schirmer said, touching her lips with three bony fingers. "They really do hold a curse. Like the tomb of Tutan-khamen."

"Maybe you could palm it off on another museum," Lucas suggested. "Get a picture or a statue back."

"I don't think . . . we'd get enough," Schirmer said, reluctantly. She pointed: "Through here."

They walked past a painting that looked like a summer salad. "Why wouldn't you get enough?"

"I'm afraid the value of the Armstrongs peaked a while ago. Like, the year we got it."

"Really."

"First the stock market had problems, and art in general cooled off, and then, you know, we began to get further and further from the idealism of the early feminists," she said. "The cycle turns, women's folk art be-gins to slip in value. Here we go."

They stepped past a sign that said GALLERY CLOSED, INSTALLATION IN PROGRESS, into an empty, white-walled room. The quilt was stretched between naturally finished timber supports; it was a marvel of color: black, brown, red, blue, and yellow rectangles that seemed to shape and reshape themselves into three-dimensional triangles that swept diagonally across the fabric field.

"Canada Geese," Schirmer said. "You can almost see them flapping, can't you?"

"You can," Lucas agreed. He looked at it for a moment. He didn't know anything about art, but he knew what he liked, and he liked the quilt.

"This was donated by Ms. Bucher?" Lu-cas asked.

"Yes."

"Where are the curses?" he asked.

"Here." Schirmer's suit had an inside pocket, just like a man's, and she slipped out a mechanical pencil and a penlight. They stood close to the quilt and she pointed out the stitches with the tip of the pencil. "This is an *M*. See it? You read this way around the edge of the piece, 'Let the man who lies beneath this quilt . . .' "

Lucas followed the curse around the quilted pieces, the letters like hummingbird tracks across fallen autumn leaves. "Jesus," he said after a moment. "She was really pissed, wasn't she?"

"She was," Schirmer said. "We have documents from her life that indicate exactly *why* she was pissed. She had the right to be. Her husband was a maniac."

"Huh." A thread of scarlet caught Lucas's eye. He got closer, his nose six inches from the quilt. "Huh."

Had to be bullshit. Then he thought, *no it doesn't*—as far as he could tell, the thread was exactly the same shade as the thread on the spool he'd found behind the stove at Marilyn Coombs's. But that thread had come from Arkansas . . .

He said, "Huh," a third time, and Schirmer asked, "What?"

Lucas stepped back: "How do you authenticate something like this?"

"Possession is a big part of it. We know where Mrs. Coombs bought them, and we confirmed that with the auctioneer," she said. "A couple of Mrs. Armstrong's friends verified that she'd once been a pretty busy quilter, and that she'd made these particular quilts. She signed them with a particular mark." She pointed at the lower-left-hand corner of the quilt. "See this thing, it looks like a grapevine? It's actually a script SA, for Sharon Armstrong. We know of several more of her quilts without the curses, but the same SA. She used to make them when she was working on the ore boats . . . You know about the ore boats?"

"Yeah, Gabriella . . . the missing woman . . . mentioned that Armstrong worked on the boats."

"Yes. She apparently had a lot of free time, and not much to do, so she made more quilts. But that was after Frank was in the asylum, so there was no need for curses."

"Huh." Lucas poked a finger at the quilt. "Can you tell by the fabric, you know, that they're right? For the time? Or the style, or the cloth, or something?"

"We could, if there was any doubt," she said.

Lucas looked at her. "What would I have

to do," he asked, "to get a little teeny snip of this red thread, right here?"

An Act of Congress, it turned out, or at least of a judge from the Hennepin County district court.

Schirmer escorted him to the elevator that went down to the parking garage. "If it had been up to me, I'd let you have the snip. But Joe thinks there's a principle involved."

"Yeah, I know. The principle is, 'Don't help the cops,'" Lucas said.

He said it pleasantly and she smiled: "I'm sure it won't be any trouble to get a piece of paper."

"If I weren't looking for Gabriella Coombs . . ."

"You think the snip of thread would make a difference?" she asked.

"Maybe . . . hell, probably not," Lucas admitted. "But I'd like a snip. I'll talk to a judge, send the paper."

"Bring it yourself," she said. "I'd be happy to show you around. I haven't seen you here before . . ."

"When I was in uniform, with the Minneapolis cops, I'd go over to the spoon-

and-cherry . . ." He was talking about the Claes Oldenburg spoon bridge in the sculpture garden across the street. He smiled reflexively, and then said, "Never mind."

"You did not *either!*" she said, catching his sleeve. What she meant was, *You did not either fuck in the spoon.*

He shrugged, meaning to tell her that he'd chased people off the spoon a couple of times. Before he could, she leaned close and said, "So'd I." She giggled in an uncuratorlike way. "If I'd been caught and fired, it still would have been worth it."

"Jeez, you crazy art people," Lucas said.

He said goodbye and went down to the car, rolled out of the ramp. A white van was just passing the exit; he cut after it, caught the Minnesota plates—wrong state—and then a sign on the side that said "DeWalt Tools."

Getting psycho, he thought.

With nobody behind him, he paused at the intersection, fished through his notebook, and found a number for Landford and Margaret Booth, the Donaldson brother-in-law and sister. He dialed and got Margaret: "I need to know the details of how your sister acquired one of the Armstrong quilts, which she donated to the Milwaukee Art Museum."

"Do you think it's something?" she asked.

"It could be."

"I bet Amity Anderson is involved," she said.

"No, no," Lucas said. "This thing is branching off in an odd direction. If you could look through your sister's tax records, though, and let me know how she acquired it, and when she donated it, I'd appreciate it."

"I will do that this evening; but we are going out, so could I call you back in the morning?"

"That'd be fine," Lucas said.

He looked at his watch. Five o'clock. He called Lucy Coombs, and from the way the phone was snatched up after a partial ring, knew that Gabriella had not been found: "Any word at all?" he asked.

"Nothing. We don't have anybody else to call," Lucy Coombs sobbed. "Where is she? Oh, my God, where is she?"

Smith couldn't tell him. He did say the St. Paul cops were going door-to-door around Marilyn Coombs's neighborhood, looking for anything or anybody who could give them a hint. "And what about the van? Still no thoughts?"

"Not a thing, John. Honest to God, it's driving me nuts."

He thought about going over to Bucher's, and looking at her tax records. But he knew the valuation and the date of the donation, and couldn't think of what else he might find there. With a sense of guilt, he went home. Home to dinner, wondering where Gabriella Coombs might be; or her body.

After dinner, Weather said, "You're really messed up."

"I know," Lucas said. He was in the den, staring at a TV, but the TV was turned off. "Gabriella Coombs is out there. I'm sitting here doing nothing."

"That thread," Weather said. Lucas had

told her about the spool of thread at Marilyn Coombs's house, and the thread in the quilt. "If that's the same thread, you're suggesting that something is wrong with the quilts?"

"Yeah, but they all wound up in museums, and the woman who benefited is dead," Lucas said. "It seems like some of the money is missing. She didn't get enough money. Maybe. It's all so long ago. Maybe the Sotheby's guy could tell me about it tomorrow, but Gabriella's out there now . . . And what about the van?"

"You're going crazy sitting here," Weather said. "Why don't you go over to Bucher's place, and see if she has anything on the quilt she donated to the Walker? You'll need to look sooner or later. Why not now? You'd be doing something . . ."

"Because it feels like the wrong thing to do. I feel like I ought to be out driving down alleys, looking for Gabriella."

"You're not going to find her driving up and down alleys, Lucas."

He stood up. "I'm going to eat some cheese and crackers."

"Why don't you take them with you?"

———

He did, a bowl of sliced cheese and water crackers on the passenger seat of the Porsche, munching through them as he wheeled down to Bucher's house. The mansion was brightly lit. Inside, he found the Bucher heirs, six people, four women and two men, dividing up the goodies.

Carol Ann Barker, the woman with the tiny nose, came to greet him. "The St. Paul people said we could begin some preliminary marking of the property," she explained. "People are getting ready to go back home, and we wanted to take this moment with the larger pieces."

Lucas said, "Okay—I'll be in the office, looking at paper. Have you seen check registers anywhere? Stuff going back a few years? Or tax returns . . . ? Anything to do with the buying and donation of the Armstrong quilt?"

"The Armstrong quilt?"

She didn't know what it was, and when Lucas explained, pursed her lips, and said, "She had an annual giving program. There are some records in her office, we looked to see if we could find anything about the Reckless painting. We didn't find anything, but there are documents on donations.

Check registers are filed on the third floor, there's a room with several old wooden file cabinets . . . I don't know what years."

Barker showed him the file: it was an inch thick, and while Barker went back to marking furniture, he thumbed through it, looking for the quilt donation. Not there. Looked through it again. Still found nothing.

He had the date of the quilt donation, and found donations of smaller items on dates on either side of it. Scratched his head. Rummaged through the files, looking for more on art, or donations. Finally, gave up and climbed the stairs to the third floor.

The file room was small and narrow and smelled of crumbling plaster; dust and small bits of plaster littered the tops of the eight file cabinets. The room was lit by a row of bare bulbs on the ceiling. Lucas began opening drawers, and in the end cabinets, the last ones he looked at, found a neat arrangement of check registers, filed by date. There was nothing of interest that he could see around the time of the quilt donation; but as he worked backward from the donation, he eventually found a check for $5,000 made out to Marilyn Coombs.

For the quilt? Or for something else

Coombs had found? He looked in his note-books for the date of the quilt auction in New York. The check to Coombs had been issued seven months earlier. Maybe not re-lated; but why hadn't there been any other check to Coombs? In fact, the only large check he'd seen had been to a car dealer.

He was still stuck. Stuck in a small room, dust filtering down on his neck. He ought to be out looking for Gabriella . . .

The heirs were finishing up when Lucas came back down the stairs. Barker asked, "Find anything?"

"No. Listen, have you ever heard of a woman named Marilyn Coombs?"

Barker shook her head: "No . . . should I have?"

"She was an acquaintance of your aunt's, the person who originally found the Arm-strong quilts," Lucas said. "She was killed a few days ago . . . If you find anything with the name 'Coombs' on it, could you call me?"

"Sure. Right away. You don't think there's a danger to us?" The other heirs had stopped looking at furniture, and turned toward him.

"I don't think so," he said. "We've got a complicated and confusing problem, we may have had a couple of murders and maybe a kidnapping. I just don't know."

There was a babble of questions then, and he outlined the known deaths. One man asked anxiously, "Do you think it's just random? Or is there a purpose behind the killings? Other than money?"

"I don't know that, either," Lucas said. "Part of this may be coincidence, but I'm starting to think not. If these killings are connected somehow, I would think it would have to do with some special knowledge that would give away the killers. In addition to the money angle, the robbery aspect."

The man exhaled: "Then I'm good. I don't know nothin' about nothin'."

Discouraged, Lucas went back to the car, making a mental list of things to do in the morning, calls to make. He didn't want to call Lucy Coombs, because he didn't want to talk to her again. Instead, he called John Smith, who was home watching television.

"Not a thing," Smith said. "I'll get a call as soon as anybody finds anything. Finds a shoelace. So far, we haven't found a thing."

Heading toward home, a fire truck, siren blasting away, went by on a cross street. He could hear more sirens to the south, not far away, and halfway home, with the windows in the car run down, he could smell the distinctive odor of a burning house. He'd never figured out what it was, exactly— insulation, or plaster, or old wood, or some combination—but he'd encountered it a dozen times in his career, and it never smelled good.

Back at home, he found Weather in the kitchen, sitting at the counter with a notepad. She asked, "You have time to run to the store?"

"Yeah, I guess," he said. Ought to be doing something.

"I'm making a list . . ."

He was waiting for the list when his cell phone rang. He looked at the caller ID: Flowers.

"Yeah?"

"I just got a call from Kathy Barth," Flowers said. "Somebody just firebombed her house."

17

The fire was out by the time Lucas got back. He'd driven right past it on the way home, but a block north, hadn't seen the smoke against the night sky, and the flames had been confined to the back side of the house.

Kathy and Jesse Barth were standing in the front yard talking to firemen when Lucas walked across the fire line. Jesse Barth saw him coming and pointed him out to her mother, who snapped something at her daughter, and then started toward Lucas.

"My house is burned down because of you assholes," she shouted.

Lucas thought she was going to hit him, and put his hands up, palms out. "Wait, wait, wait . . . I just heard. Tell me what happened."

"Somebody threw a firebomb through my

back window, right in the kitchen, right through the window, everything's burned and screwed up and there's water . . ."

She suddenly went to her knees on the dirty wet grass, weeping. Jesse walked up to stand next to her, put her hand on her mother's shoulder. "Virgil said nothing would happen," the kid said. "Virgil said you'd look out for us."

Lucas shook his head: "We don't know what's going on here," he said. "We can't find anybody who might have tried to pull you off the street, who killed Screw . . ."

"It's those fuckin' Klines, you fuckin' moron," Kathy Barth shouted, trying to get back on her feet. The fireman caught her under one arm, and helped her get up.

Lucas said, "Ah, Jesus, I'm sorry about this . . ."

"It's all my pictures, all of Jesse's things from when she was a kid, all of her school papers, my wedding dress . . ." She took a step toward the house, and the fireman said, "Whoa. Not yet."

Lucas asked him, "How bad is it?"

"The kitchen's a mess. Miz Barth used a fire extinguisher on it, which was pretty brave, and that held it down some, and we got here pretty quick," the fireman said. "The actual fire damage is confined to the kitchen, but there's smoke damage, and foam. Some of the structure under the back of the house could be in trouble."

Lucas asked Kathy Barth, "Do you have insurance?"

"Yes. Part of the mortgage."

"Then you'll get it fixed. Better than it was," Lucas said. "A new kitchen. If it's only smoke, you can save a lot of your stuff, but as soon as the fire guys let you, you've got to get in, and get your photo stuff out."

She came back at him: "Why can't you stop those guys? They're crazy." And to Jesse: "We should never have gotten involved with them. We should never have gone to the cops. Now our house . . . Oh, jeez, our house . . ."

"Tell me what happened," Lucas said.

"We were watching television, and there was a crash in the kitchen—" Jesse began.

Kathy interrupted: "One minute before that I was in the kitchen getting Cheez-Its. I would have been exploded and burned up."

Jesse, continuing: "—and we heard this window crash, this glass, and boom, there was fire all over the kitchen and I was screaming—"

"I ran and got the fire extinguisher from the closet—" Kathy said.

Jesse: "I called nine-one-one and got the fire department to come—"

"I squirted the fire extinguisher but there was fire all over, I could smell the gasoline and it wouldn't go out, the whole kitchen was full of fire and we had to run," Kathy said. She was looking anxiously at the house.

Jesse: "The fire department took forever to get here . . ."

"Six minutes from when the call came in," the fireman said. "Fire was out in seven."

Lucas found the fireman in charge in the backyard. He was talking with another fireman, pointing up at the roof, broke off when Lucas came up. Lucas flashed his ID: "These folks were part of an investigation we did at the BCA."

"The Klines—they told us," the fireman said.

"Yeah. They say it was a bomb, came in

through the window. What do you think?"
Lucas asked.

"Our arson guy'll look it over when he
gets here, but it could have been. There was
a big flash all over the kitchen, all at once.
You can still smell the propellant if you get
close. Gas and oil."

"A Molotov cocktail?"

"Something on that order," the fireman
said. "Maybe like a gallon cider jug."

"Be pretty heavy to throw," Lucas said.

The fireman nodded. "You ever in the
Army?"

"No."

"Well, in the Army they've got this thing in
Basic Training where you try to throw a
dummy grenade through a window from
twenty or thirty feet. Most guys can't do it,
even with three chances. You got grenades
bouncing all over the place," the fireman
said. "Most guys couldn't throw a bottle any
better. I'd say somebody ran up to the window, and dunked it, like a basketball." He
hesitated, then added, "If it was an outsider
who did it."

"The alternative would be . . . ?"

The fireman shrugged. "The owner wants
a vacant lot. This is a nice piece of property,

and it might even be worth more if the house wasn't here. The house isn't so hot. You take the insurance, you sell the lot . . . you move to Minnetonka."

Lucas looked back at the house. He could see Kathy Barth on the front lawn, arms wrapped tight around herself.

"Uh-uh." He shook his head. "She was worried about their pictures being burned, Jesse's school stuff, her wedding dress."

"Well, that's something," the fireman agreed. "You don't see people burning up that kind of thing, not unless it's a revenge trip. They don't burn up their own stuff that much."

The second fireman chipped in: "There was a lot of damage right over the kitchen sink. There are dishes in the sink, and we haven't gone through it yet, but I betcha that bottle landed in the sink, and a lot of the gas wound up in the sink, instead of shooting all over the place. That helped confine it; the arson guys'll know better."

"So who's your arson guy?"

Lucas took down the name of the head arson investigator, and thanked them for their time. Back in the front yard, he asked Kathy, "You got a credit card?"

"Why?"

"Gonna have to stay in a motel tonight," Lucas said. "Probably for a few nights."

She nodded. "Yeah. Okay."

"Got some cash, got an ATM card?"

She nodded again. "We're okay. We're just . . . we just . . ."

"We're just really scared," Jesse finished.

Lucas called the Radisson in downtown St. Paul, got them a room. Told them not to tell anyone else where they were staying. A fireman said he would take them inside to get what they could out of the house. A neighbor volunteered space in her garage, where they temporarily could store whatever they could get out of the house.

The fireman suggested a couple of cleaning companies that could clean up the part of the house that wasn't damaged. "If you guys hadn't been home, if it'd taken another five minutes before somebody reported it, if you hadn't used that fire extinguisher to slow it down, you'd be looking at a hole in the ground. You get it cleaned up, you could be living in it again in a week," he said. "I see it all the time."

———

Lucas called Jenkins and Shrake. They were at the White Bear Yacht Club, having a few drinks after a round of golf, part of what they said was an investigation into gambling on golf courses. "Get your asses out of the country club, and get onto the Klines. Jack those fuckers up. My gut feeling is that they're not involved, but I want you to prove it," Lucas told Jenkins.

"Can't prove a negative," Jenkins said.

"Not before this," Lucas said. "You guys are gonna do it, though, or we're gonna do a gay prostitution sting, and your ass will be on the corner."

"We get to wear nylons?" Jenkins asked. He didn't threaten well.

Lucas's voice went dark: "I'm not fuckin' around here, man. We had an attempted kidnapping, we got a dead dog, now we got a firebomb."

"We'll jack them up, no shit," Jenkins promised. "We're on the case."

"Flowers is coming up. He'll get in touch."

———

Off the phone, Lucas started walking around the neighborhood, checking the houses on each side of the Barths' house, then across the alley in back, and so on, up and down both streets and the houses on the alley. Four houses up from the Barths, and across the alley, he found an elderly man named Stevens.

"I was cooking some Weight Watchers in the microwave, and I saw a car go through the alley," Stevens said. He was tall, and too thin, balding, with a dark scab at the crest of his head, as if he'd walked into something. They were in the kitchen, and he pointed a trembling hand at the window over the sink, the same arrangement as in the Barths'. "Then, maybe, ten minutes later I was just finished eating, and I took the dish to the trash, and saw more lights in the alley. I didn't see the car, but I think it was the same one. They both had blue headlights."

"Blue?"

"Not blue-blue, but bluish. Like on German cars. You know, when you look in your rearview mirror on the interstate, and you see a whole bunch of yellow lights, and then, mixed in, some that look blue?"

"Yeah. I've got blue lights myself," Lucas said.

"Like that," Stevens said. "Anyway, I'd just sat back down again, and I heard the sirens."

"That was right after you saw the blue headlights."

"I got up to take the dish to the trash during a commercial," Stevens said. "Saw the lights, came in, sat back down. The sirens came before there was another commercial."

"You didn't see what kind of a car it was? The time you actually saw it?"

"Nope. Just getting dark," Stevens said. "But it was a dark-colored car, black, dark blue, dark green, and I think a sedan. Not a coupe."

"Not a van."

"No, no. Not a van. A regular, generic car. Maybe bigger than most. Not a lot bigger, a little bigger. Not an SUV. A car."

"You see many cars back in the alley?" Lucas asked.

"Between five and six o'clock, there are always some, with the garages off the alley. But not with blue lights. None with blue lights. That's probably why I noticed it."

That was all he'd seen: he hadn't heard the bomb, the screaming, hadn't heard anything until the sirens came up. He'd been watching *Animal Planet.*

"Live here alone?" Lucas asked, as he went out.

"Yeah. It sucks."

Lucas continued walking, found a woman who thought she'd seen a car with bluish lights, but wasn't exactly certain what time. She'd seen it coming out of the alley at least sometime before the sirens, and added nothing to what Stevens said, except to confirm it.

He checked out with the firemen at the Barths'. The arson investigator had shown up, and said he'd have some preliminary ideas in the morning. "But I can tell you, there was gasoline." He sniffed. "Probably from BP. I'd say, ninety-two octane." Lucas frowned and the arson guy grinned: "Pulling your weenie. Talk to you in the morning."

Lucas got home at midnight and found Weather in bed, reading a book on cottage gardens. "I think we live in a cottage," she said.

"Good to know," he grunted.

"So, I think we should hire a couple of gardeners next year, and get a cottage garden going," she said. "Maybe a white picket fence."

"Picket fence would be nice," he said, grumpily.

She put the book down. "Tell me about it."

He told her about it, walking back and forth from the bathroom, waving his arms around, getting into his pajamas. He'd brought up a bottle of caffeine-free Diet Coke, with a shot of rum. He sat on the edge of the bed drinking it as he finished, and finally said, "The ultimate problem is, there is no connection between the two cases. But we've got a serious psycho killing people over quilts, and another serious psycho trying to get at the Barths, and they seem to be driving the same van, and goddamnit . . . I can't find a single fuckin' thing in common between the two cases. There is nothing. The Barths—straight political bullshit. Bucher is a robbery-murder, by people who killed at least one and maybe two other people, and somehow involves quilts. They've got jack-shit to do with each other."

He calmed down after a while, and Weather turned out the lights. Lucas usually lay awake in the dark for a while, brooding, even when there wasn't anything to brood about, while Weather dropped off after three deep breaths. This night, she took a half-dozen deep breaths, then lifted her head, said sleepily, "I can think of one thing the cases have in common."

"What's that?"

"You." She rolled back over, and went to sleep.

That gave him something to brood about, so he did, for half an hour, coming up with nothing before he drifted away to sleep. At three-fourteen in the morning, his eyes popped open—he knew it was three-fourteen, exactly, because as soon as he woke up, he reached out and touched the alarm clock, and the illuminated green numbers popped up.

The waking state had not been created by an idea, by a concept, by a solution— rather, it had come directly from bladder pressure, courtesy of a late-night twenty-ounce Diet Coke. He navigated through the dark to the bathroom, shut the door, turned on the light, peed, flushed, turned off the light, opened the door, and was halfway across the dark bedroom when another light went on, this one inside his head:

"That fuckin' Amity Anderson," he said aloud.

He lay awake again, thinking about Amity Anderson. She'd worked for Donaldson, lived only a couple of miles from Bucher, and even closer to the Barths. She was an expert on antiques, and must have been working for Donaldson about the time the Armstrong quilt went through.

But the key thing was, she'd heard him talking about the Kline investigation, and he was almost certain that he'd mentioned the Barths' names. At that same time, Ruffe Ignace had published the first Kline story, mentioning Lucas by name. Amity Anderson could have put it all together.

He had, at that point, already hooked the Donaldson killing to Bucher, and he'd told her that. If he had frightened her, if her purpose had been to distract him from Bucher and Donaldson, to push him back at Kline . . . then she'd almost done it.

He kicked it around for forty-five minutes or so, before slipping off to sleep again. When he woke, at eight, he was not as sure about Anderson as when he'd gone to sleep. There were other possibilities, other people who knew he was working both cases.

But Anderson . . . did she have, or had she ever had, a van?

18

Weather was in the backyard, playing with Sam, who had a toy bulldozer that he was using as a hammer, pounding a stick down into the turf. "He's got great hand-eye coordination," Weather said, admiring her son's technique. She was wearing gardening gloves, and had what looked like a dead plant in her hand.

"Great," Lucas said. "By the way, you're a genius. That tip last night could turn out to be something."

Sam said, "Whack! Whack!"

Lucas told him, "Go get the football."

Sam looked around, spotted the Nerf football, dropped the bulldozer, and headed for the ball.

"What tip?" Weather asked.

"That I was the common denominator in these cases," Lucas said.

She looked puzzled. "I said that?"

"Yeah. Just before you went to sleep."

"I have no memory of it," she said.

Sam ran up with the ball, stopped three feet from Lucas, and threw it at Lucas's head. Lucas snatched it out of the air and said, "Okay, wide receiver, down, juke, and out."

Sam ran ten feet, juked, and turned in. He realized his mistake, continued in a full circle, went out, and Lucas threw the ball, which hit the kid in the face and knocked him down. Sam frowned for a moment, uncertain whether to laugh or cry, then decided to laugh, and got up and went after the ball.

"Medical school," Lucas said. "On a football scholarship."

"Oh, no. He can play soccer if he's interested in sports," Weather said.

"Soccer? That's not a sport, that's a pastime," Lucas said. "Like whittling or checkers."

"We'll talk about it some other year."

Down at his office, Lucas began a list:

- *Call Archie Carton at Sotheby's.*

- *Call the Booths about the quilt*

*donation to the Milwaukee
Art Museum.*

- *Get a court order for a snip of red
  thread from the Walker Gallery quilt.*

- *Call Jenkins and Shrake, and find out
  where Flowers is.*

- *Find out exactly when Amity Anderson
  worked for Donaldson, and how she
  would have known Bucher, Coombs—
  through the quilts, probably—and
  Toms, the dead man in Des Moines.*

- *Start a biography on Amity Anderson.*

"Carol!"

Carol popped her head in the door.
"Yup?"

"Is that Sandy kid still around?"

"Yeah."

"Get her ass in here."

Both Shrake's and Flowers's cell phones
were off. Jenkins answered his and said,
"Lucas, Jesus, Kline is gonna get a court order to keep us away from him."

"What happened? Where are you?"

"I'm up in Brainerd. Kline Jr. was four-wheeling yesterday up by the family cabin," Jenkins said. "He and his pals went around drinking in the local bars in the evening."

"What about his old man?" Lucas asked.

"Shrake looked him up last night. He says he was home the whole time, talked to a neighbor late, about the Twins game when they were taking out the garbage, the game was just over. Shrake checked, and that was about the time of the fire."

"So they're alibied up."

"Yeah. And they're not smug about it. They're not like, 'Fuck you, figure this out.' They're pissed that we're still coming around. Junior, by the way, is gonna run for his old man's Senate seat, and says they're gonna beat the sex charge by putting Jesse on the stand and making the jurors figure out about how innocent she was."

"That could work," Lucas admitted. "You know where Flowers is?"

"I talked to him last night," Jenkins said. "He was on his way to see the Barths. He'd be getting in really late, he might still be asleep somewhere."

"Okay. That's what I needed. Go home," Lucas said.

"One more thing."

"Yeah?"

Jenkins said, "I don't know if this means anything to you. Probably not."

"What?"

"I was talking to Junior Kline. He and his buddies were all wrapped up in Carhartt jackets and boots and concho belts and CAT hats, and they all had Leathermans on their belts and dirt and all that, and some-how . . . I got the feeling that they might be singin' on the other side of the choir. A bunch of butt-bandits."

"Really?"

"Yeah. And you know what? I don't think I'm wrong," Jenkins said. "I don't know how that might reflect on the attacks on the Barths . . . I mean, I just don't know."

"Neither do I," Lucas said.

He got Carol started on getting a court or-der for a snip of thread from the quilt.

Sandy hurried in. "You called?"

Lucas said, "There's a woman named Amity Anderson. I've got her address,

phone number, and I can get her Social Security number and age and all that. I need
the most complete biography you can get
me. I need it pretty quick. She can't know
about it."

Sandy shrugged: "No problem. I can rip
most of it off the Net. Be nice if I could see
her federal tax returns."

"I can't get you the federals, but I can get
you the state . . ."

The Booths came through with a date on
the donation to the Milwaukee museum.
"The woman who handled the donation for
the museum was Tricia Bundt. B-U-N-D-T.
She still works there and she'll be in this
morning. Her name is on all the letters to
Claire," Landford Booth said.

"She related to the Bundt-cake Bundts?"
Lucas asked.

Booth chuckled, the first time Lucas had
seen anything that resembled humor in him.
"I asked her that. She isn't."

Archie Carton came through on the quilts.
"The quilts had two owners. One was a Mrs.

Marilyn Coombs, who got a check for one hundred sixty thousand dollars and fifty-nine cents, and one to Cannon Associates, for three hundred and twenty thousand dollars."

"Who's Cannon Associates?"

"That I don't know," Carton said. "All we did was give them a check. The dealings on the quilts were mostly between our folk art specialist at the time, James Wilson, and Mrs. Coombs. The company, Cannon, I don't know . . . Let me see what I can get on the check."

"Can I talk to Wilson?" Lucas asked.

"Only if you're a really good Anglican," Carton said.

"What?"

"I'm afraid James has gone to his final reward," Carton said. "He was an intensely Anglican man, however, so I suspect you'd find him in the Anglican part of heaven. Or hell, depending on what I didn't know about James."

"That's not good," Lucas said.

"I suspect James would agree . . . I'm looking at this check, I actually have an image of it, it was deposited to a Cannon Associates account at Wells Fargo. Do you want the account number?"

"Absolutely . . ."

"Carol!"

She popped in: "What?"

"I need to borrow Ted Marsalis for a while," Lucas said. "Could you call over to Revenue and run him down? I need to get an old check traced."

"Are we hot?"

"Maybe. I mean, we're always hot, but right now, we're maybe *hot*."

He got Tricia Bundt on the phone, explained that he was investigating a murder that might somehow involve the Armstrong quilts. "We're trying to track down what happened at the time they were disposed of . . . at the time they were donated. I know you got the donation from Claire Donaldson, but could you tell me, was there anybody else on the Donaldson side involved in the transaction? Or did Mrs. Donaldson handle all of it?"

"No, she didn't," Bundt said. Bundt

sounded like she had a chipped front tooth, because all of her sibilant Ss whistled a bit. "Actually, I only talked to her twice. Once, when we were working through the valuation on the quilts, and then at the little reception we had with our acquisitions committee, when it came in."

"So who handled it from the Donaldson side?"

"Her assistant," Bundt said. "Let me see, her name was something like . . . Anita Anderson? That's not quite right . . ."

"Amity Anderson." He got a little thrill from saying the name.

"That's it," Bundt said. "She handled all the paperwork details."

Lucas asked, "Could you tell me, how did you nail down the evaluation on the quilt?"

"That's always difficult," Bundt said. "We rely on experienced appraisers, people who operate quilt galleries, previous sales of similar quilts, and so on," she whistled.

"Then let me ask you this," Lucas said. "Do museums really care about what the appraisal is? I mean, you're getting it for free, right?"

"Oh, we *do* care," Bundt said. "If we simply inflated everything, so rich people could get tax write-offs, then pretty soon Congress would change the rules and we wouldn't get anything."

"Hmph."

"Really," she said. But she said "really" the way a New Yorker says "really," which means "maybe not really."

"Does the quilt still have its original value?" Lucas asked.

"Hard to say," she said. "There are no more of them, and their creator is dead. That always helps hold value. They're exceptional quilts, even aside from the curses."

Lucas thanked her for her help, and just before he rang off, she said, "You didn't ask me if I was related to the Bundt-cake Bundts."

"Didn't occur to me," he said.

"Really."

As soon as he hung up, his phone rang again, and Carol said, "I'm ringing Ted Marsalis for you."

Marsalis came on a minute later, and Lucas said, "I need you to check with your sources at Wells Fargo. I'm looking to see what happened to an account there, and who's behind it . . ."

Lucas sat back at his desk and closed his eyes. He was beginning to see something back there: a major fraud. Two rich old ladies, both experienced antique buyers, buy quilts cheaply from a well-known quilt stitcher, and then turn around and donate them to museums.

For this, they get a big tax write-off, probably saving $50,000 or $60,000 actual dollars from their tax bills. Would that mean anything to people as rich as they were? Of course it would. That's how rich people stayed rich. Watch your pennies and the dollars take care of themselves.

The donations established the value of the quilts and created a stir in the art community. The remaining quilts are then moved off to Sotheby's, where they sell for equally large prices to four more museums. Why the museums would necessarily be bidding, he didn't know. Could be fashion, could be something he didn't see.

In any case, Marilyn Coombs gets enough money to buy a house, and put a few bucks in her pocket. Two-thirds of the money disappears into Cannon Associates, which, he would bet, was none other than Amity Anderson.

How that led to the killings, he didn't know yet. Anderson had to have an accomplice. Maybe the accomplice was even the main motivator in the whole scheme . . .

He got on the phone to Jenkins again: "How would you feel about around-the-clock surveillance?"

"Oh, motherfucker . . . don't do this to me."

More doodling on a notepad, staring out a window. Finally, he called up the Amon Carter Museum in Fort Worth, and got the head of the folk arts department, and was told that the curator who had supervised the acquisition of the quilt had moved on; she was now at the High Museum in Atlanta.

Lucas got the number, and called her. Billie Walker had one of the smooth Southern Comfort voices found in the western parts of the Old South, where the word *bug* had three vowels between the *b* and *g* and they all rhymed with *glue.*

"I remember that clearly," she said. "No, we wouldn't have bought it normally, but an outside foundation provided much of the money. A three-to-one match. In other words, if we came up with thirty thousand dollars, they would provide ninety thousand."

"Is this pretty common?"

"Oh my, yes. That's how we get half of our things," Walker said. "Find some people willing to chip in, then find a foundation willing to come up with a matching grant. There are many, many foundations with an interest in the arts."

"Do you remember the name of this one?" Lucas asked.

"Of course. In my job, you don't forget a funding source. It was the Thune Foundation of Chicago." Lucas asked her how she spelled it. "T-h-u-n-e."

"Did you have to dig them out of the underbrush to get the donation? Or did they come to you?"

"That's the odd thing. They volunteered. Never heard from them before," she said. "Took no sucking-up at all."

Lucas scribbled *Thune* on his desk pad. "Have you ever heard of a woman named Amity Anderson?"

"No . . . not that I recall. Who is she?"

He'd heard the name Thune, he thought. He didn't know where, but he'd heard it, and recently. At Bucher's, one of the relatives? He couldn't put his finger on it, and finally dialed Chicago directory assistance, got a number for the Thune Foundation, and five minutes later, was talking to the assistant director.

He explained, briefly, what he was up to, and then asked, "Do the names Donaldson, Bucher, or Toms mean anything to you?"

"Well, Donaldson, of course. Mr. Thune owned a large brewery in Wisconsin. He had no sons, but one of his daughters married George Donaldson—this would have been way back—and they became the stalwarts of this foundation."

"Really."

"Yes."

"Claire Donaldson?" Lucas asked. "I believe she was the last Donaldson?"

"Yes, she was. Tragic, what happened.

She was on our board for several years, chairwoman, in fact, for many years, although she'd stepped aside from that responsibility before she died."

"Did she have anything to do with grants? Like, to museums?"

"She was on our grants committee, of course . . ."

Lucas got off the phone and would have said, "Ah-ha!" if he hadn't thought he'd sound like a fool.

A new piece: even the prices paid for the quilts in the auction were a fraud. He'd bet the other purchases were similarly funded. He'd have Sandy nail it down, but it gave him the direction.

A very complicated scheme, he thought, probably set up by Anderson and her accomplice.

Create the quilts. Create an ostensible value for them by donating them to museums, with appraisals that were, he would bet, as rigged as the later sales.

Sell the quilts at Sotheby's to museums who feel that they're getting a great deal, because most of the money is coming from charitable foundations. Why would the foundations give up money like that? Because of pressure from their founders . . .

The founders would be banned from actually getting money from the foundations themselves. That was a definite no-no. But this way, they got it, and they got tax write-offs on top of it.

He put down boxes with arrows pointing to the boxes: Anderson sets it up for a cut; the funders, Bucher and Donaldson, get tax write-offs. At the Sotheby's sale, the money is distributed to Coombs and Cannon Associates—Amity Anderson. Anderson kicks back part of it—a third?—to Donaldson and Bucher . . .

What a great deal. Completely invisible.

Then maybe, Donaldson cracks, or somebody pushes too hard, and Donaldson has to go. Then Bucher? That would be . . . odd.

And what about Toms? Where did he fit in?

Ted Marsalis called back. "The Wells Fargo account was opened by a woman named

Barbra Cannon," he said. "Barbra without the middle *a*, like in Barbra Streisand. There was a notation on the account that said the owners expected to draw it down to much lower levels fairly quickly, because they were establishing an antiques store in Palm Springs, and were planning to use the money for original store stock. Did I tell you this was all in Las Vegas?"

"Las Vegas?"

"In Nevada," Marsalis said.

"I know where it is. So what happened?"

"So they drew the money down, right down to taking the last seven hundred dollars out of the account from an ATM, and that's the last Wells Fargo heard from them," Marsalis said. "After the seven hundred dollars, there were six dollars left in the account. That was burned up by account charges over the years, so now, there's nothing. Account statements sent to the home address were returned. There's nobody there."

"Shit."

"What can I tell you?" Marsalis said.

"What'd the IRS have to say about that?" Lucas asked.

"I don't think they said anything. You want me to call them?"

"Yeah. Do that. That much money can't just go up in smoke," Lucas said.

"Sure it can," Marsalis said. "You're a cop. You ever heard of drug dealers? This is how they make money go away."

Drug dealers? He didn't even want to think about that. He had to focus on Amity Anderson. Jenkins and Shrake would stake her out, see who she hung with. He needed as much as he could get, because this was all so obscure . . . He was pretty sure he had it right, but what if the red thread came back as something made only in Wisconsin? Then the whole structure would come down on his head.

He called Sandy: "Anything on Anderson?"

"A lot of raw records, but I haven't coordinated them into a report, yet," she said.

"I don't want a fu . . . friggin' Power-Point—where'd she work? You look at her tax stuff?"

"She worked at her college as a teaching

assistant, at Carleton College in Northfield, and then she worked at a Dayton's store in St. Paul," Sandy said. "Then she worked for Claire Donaldson, which we know about, and then she went straight to the Old Northwest Foundation, where she still is," Sandy said. "Also, I found out, she has a little tiny criminal record."

"What was it?" Something involving violence, he hoped.

"She got caught shoplifting at Dayton's. That's why she left there, I think. The arrest is right at the time she left."

"Huh."

"Then I've got all kinds of tax stuff, but I have to say, I don't think there's anything that would interest you," Sandy said. "She does claim a mortgage exemption. She bought her house six years ago for a hundred and seventy thousand dollars, and she has a mortgage for a hundred and fifty thousand, so she put down about the minimum—like seventeen thousand dollars."

"Any bank records?"

"Not that I've gotten, but she only got like forty dollars in interest on her savings account last year. And she doesn't report in-

terest or capital gains on other investments accounts."

"Car?" Lucas asked.

"I ran her through DMV," Sandy said.
"She has a six-year-old Mazda. One speed-
ing ticket, three years ago."

"Ever own a van?"

"There's no record of one."

There was more of the same—but overall,
Amity Anderson's biography seemed to
paint a picture of a woman who was keeping her head above water, but not easily.

"This does not," Lucas said to Sandy,
"seem like the biography of a woman who
came into an untaxed quarter-million bucks
a few years ago."

"It isn't," Sandy said. "I'll keep looking,
but if she's got the money, she's hidden it
pretty well. Did you ever think about the
possibility that she just bought antiques?
That her house is her bank?"

"I've been in her house. It's not full of antiques."

"Well, maybe there's a big lump of cash
moldering in the basement. But if I were her,

I would have spent at least some of it on a new car."

"Yeah. Damnit. This isn't turning out the way I thought it would," Lucas said.

He sent Sandy back to the salt mines—actually, an aging Dell computer and a stool—to continue the research, and called Jenkins: "You talk to Shrake?"

"Yeah. We figure to start tracking her tonight. We don't know what she looks like, so trying to pick her up outside that foundation . . . that'd be tough."

"Tonight's fine. I wasn't serious about twenty-four hours . . . put her to bed, keep her there for half an hour, pick her up in the morning," Lucas said. "Mostly, I want to know who she hangs with. Need a big guy: somebody who could snatch Jesse Barth off the street."

Flowers lounged in the door, looking too fresh. "Sat up most of the night with the Barths. They're scared spitless," he said.

"Well, they got a firebomb through the kitchen window. They say."

"Oh, they did," Flowers said. He moved over to the visitor's chair, sat down, and propped one foot on the edge of Lucas's desk. "I talked to the arson guy—there was no glass in the sink, but there was some burned stuff that he thinks is what's left of a half-gallon paper milk jug. Probably had a burning rag stuck in the spout. Said it'd be like throwing a ball of gas through the window; better than a bottle."

"Yeah?"

"Yes." He propped another foot over the first. "He says wine bottles work fine if you're throwing them onto tanks, but if you throw them onto an ordinary kitchen floor, half the time they'll just bounce along, and not break."

"Really," Lucas said.

"Yup. So what're we doing?"

"I got this concept . . ."

"We needed a concept," Flowers said. "Like, bad."

Lucas explained about Amity Anderson. Flowers listened and said, "So call this chick at the Walker and find out if she dealt with Amity Anderson on the Bucher deal."

Lucas nodded: "I was about to do that."

———

Alice Schirmer was mildly pissed: "Well, we got the court order, and your lab person was here, and we butchered the quilt. Hope you're happy."

Lucas had the feeling that she was posing. He had no time for that, and snapped: "There are several people dead, and one missing and probably dead. For an inch of thread or whatever . . ."

"I'm sorry, let's start over," she said quickly. "Hello, this is Alice."

Lucas took a breath. "When you dealt with Bucher on the quilt, did you ever meet a woman named Amity Anderson?"

"Amity? I know Amity Anderson, but she wasn't involved in the Bucher bequest," Schirmer said.

"Where do you know her from? Amity?" Lucas asked.

"She works for a foundation here that provides funding for the arts."

"That's it? You don't know her socially, or know who she hangs with, or know about any ties that might take her back to Bucher?"

"No, I've never mixed with her socially," Schirmer said. "I know she was associated for a while with a man named Don Harvey, but Don moved to Chicago to run the New Gallery there. That was a couple of years ago."

"A boyfriend?"

"Yes. They were together for a while, but I don't know what she's been up to lately," Schirmer said.

"Uh, just a moment." Lucas took the phone away from his face and frowned.

Flowers asked, "What?"

Lucas went back to the phone. "I had understood . . . from a source . . . that Amity Anderson is gay."

"Amity? No-o-o, or maybe, you know, she likes a little of both," Schirmer said. "She definitely had a relationship with Don, and knowing Don, there was nothing platonic about it. With good ol' Don, it was the more, the merrier."

"Huh. What does Don look like? Football-player type?"

She laughed. "No. He's a little shrimp with a big mouth and supposedly, a gargantuan . . . You know. I doubt that he ever lifted anything heavier than a glass of scotch."

"You say he runs a gallery," Lucas said. "An antique gallery? Or would he know about antiques?"

"He's a paintings-and-prints guy. Amity's an antique savant, though," Schirmer said. "I expect she'll wind up as a dealer someday. If she can get the capital."

"Okay. Listen, keep this conversation to yourself," Lucas said.

"Sure," she said.

"And that thread . . ."

"From the butchered quilt?" Now she was kidding.

"That one. Is it on the way back here?" Lucas asked.

"It is. Your man left here more than an hour ago."

Lucas said to Flowers, "Amity Anderson lied to me, in a way most people wouldn't do. I asked her about boyfriends and she said she's gay. I bought it at the time—but it turns out she's not."

"That make's a difference?" Flowers asked.

"It does if you need somebody large to carry a fifty-thousand-dollar table," Lucas said. "Somebody you can trust with murder."

———

The lab man said, "We've got tests to do, but I took a look at it with a 'scope: it's identical. I mean, identical. I'd be ninety-seven percent surprised if it didn't come off the same spool. We're gonna do some tests on the dye, and so on, just to nail it down."

"The curator said you really butchered the quilt."

"Yeah. We took a half-inch of loose thread off an overturned corner. You couldn't find the same spot without a searchlight and a bloodhound."

Lucas hung up. Flowers again asked, "What?"

"There was a major fraud, probably turned over a half-million dollars or so, involving all these people. Think that's enough to kill for?"

"You can go across the river in the wintertime and get killed for a ham sandwich," Flowers said. "But you told me it was a theft, not a fraud."

"Here's what I think now," Lucas said. "I think they all got to know each other through this fraud. That may have seemed like a little game. Or maybe, the rich people didn't even know the quilts were fake. But that opened the door to these guys, who looked around, and cooked up another idea—get to know these people a little, figure out what they had, and how much it was worth, and then, kill them to get it."

"Kind of crude, for arty people."

"Not crude," Lucas said. "Very selective. You had to know exactly what you were doing. You take a few high-value things, but it has to be the obscure stuff. Maybe the stuff kept in an attic, and forgotten about. An old painting that was worth five hundred dollars, when you bought it fifty years ago, but now it's worth half a million. They looked for people who were isolated by time: old, widows and widowers, with heirlooms going back a hundred or a hundred and fifty years. So a few pieces are missing, a pot here, a table there, a painting from the attic, who's going to know? Some distant nephew? Who's going to know?"

Flowers stood up, stuffed his hands in his pockets, wandered over and looked at a five-foot-tall wall map of Minnesota. "It's the kind of thing that could piss you off," he said. "If you're civilized at all."

"Yeah. You can't get crazier than that, except that, for money . . . you can kind of understand it, in its own insane way. But now they're starting to swat people who just get in the way." He peered past Flowers at the wall map. "Where the fuck is Gabriella Coombs? Where are you, honey?"

19

Lucas was sitting in the den with a drawing pad and pen, trying to figure how to get at Amity Anderson, when his cell phone rang. He slipped it out of his pocket and looked at the caller ID: Shrake. He glanced at his watch: ten minutes after midnight. Shrake had taken over the surveillance of Amity Anderson, and was due to go home. He flipped open the phone: "Yeah?"

"What, you put me and Jenkins on the gay patrol, right? We pissed you off, so you sent Jenkins to watch Boy Kline, and now . . ."

"What are you talking about?"

"Amity Anderson went on a date, lot of kissy-face, had dinner, spent three hours at her date's town house, and now we're headed back to Anderson's house. Soon as I get her in bed, I'm going back to her date's

place and see if *I* can get a date,"
Shrake said.

"She *is* gay?"

"Either that or she's dating the swellest
looking guy I've ever seen," Shrake said.
"World-class ass, and red hair right down to
it."

"Goddamnit. Anderson's supposed to
have a boyfriend," Lucas said.

"I can't help you there, Lucas. Her date
tonight definitely wasn't a boy," Shrake
said. "What do you want me to do?"

"Go home."

"You don't want an overnight?"

"Nah. We're looking for her friends," Lucas said. "Give it half an hour after lights-
out . . . Hell, give it an hour . . . then go on
home. Jenkins'll pick her up in the morning."

In the morning, after Weather and Letty had
gone, and the housekeeper had settled in
with Sam, Lucas went out to the garage,
and walked around the nose of the Porsche
to a door in the side wall. The door opened
to the flight of steps that went up to what
the builders called a "bonus room"—a

semi-finished warm-storage loft above the garage.

Lucas had supervised the construction of the house from top to bottom, had driven the builders crazy with questions and un- wanted advice, had issued six dozen change orders, and, in the end, had gotten it right; and when the builders had walked away, satisfied, he'd added a couple things on his own.

He looked back over his shoulder to the entry from the house, then knelt on the bot- tom landing, groped under the edge of the tread of the first step, felt the metal edge. He worked it for a moment with his finger- nail, and it folded out, like the blade of a pocketknife.

He pulled on the blade, hard, and the face of the step popped loose. A drawer. He would have bet that not even a crime-scene crew could have found it. Inside, he kept his special cop stuff: two cold pistols with mag- azines; a homemade silencer that fit none of his guns, and that he kept meaning to throw away, but never had; an old-fashioned lead- and-leather sap; a hydraulic door-spreader that he'd picked up from a burglary site; five thousand dollars in twenty-dollar bills in a paper bank envelope; an amber-plastic bottle of amphetamines; a box of surgical gloves lifted from Weather's office; and a battery-powered lock rake.

The rake was about the size and shape of an electric toothbrush. He took it out of the drawer, along with a couple of latex gloves, slipped the drawer back in place, pushed the blade-grip back in place, and took the rake and gloves to his truck.

Back inside the house, he got Weather's digital camera, a pocket-sized Canon G7, got his jacket, and told the housekeeper he was leaving. Kissed Sam.

On the phone to Jenkins: "You still got her?"

"Yeah. She just got in the elevator. So what do I do now, sit on my ass?"

"Ah . . . yeah," Lucas said. "Go on over and sit in the Starbucks."

"Listen, if she wants to get out, there's a back stairs that comes out on the other side of the building," Jenkins said. "Or she can walk down into the Skyways off the elevators on the second floor, or she could come all the way down and walk out the front door. There's too much I can't see, and if I guess wrong, I'll be standing here with my dick in my hand."

"She shouldn't have any idea that we're watching her, so she's not gonna be sneaking around," Lucas said.

"I'm just saying," Jenkins warned. "We either get three or four guys over here, or she could walk on us."

"I know what you're saying. Just . . . sit. Call me if you see her moving."

Her house was two minutes away in the truck. He parked under a young maple tree, a half block out, watched the street for a moment, then slipped the rake in one pocket, the camera and gloves in the other, and walked down to her door. The door was right out in the open, but with tall ornamental cedars on each side. A dental office building was across the street, with not much looking at him.

He rang the doorbell, holding it for a long time, listening to the muffled buzz. No reaction; no movement, no footfalls. He rang it again, then pulled open the storm door, as if talking to somebody inside, and pushed the lock-snake into the crappy 1950s Yale. The rake chattered for a moment, then the lock turned in his hand. He was in.

"Hello?" he called. "Hello? Amity? Amity?"

Nothing. A little sunlight through the front window, dappling the carpet and the back of the couch; little sparkles of dust in the light of the doorway to the kitchen. "Amity?"

He stepped inside, shut the door, pulled on the latex gloves, did a quick search for a security system. Got a jolt when he found a keypad inside the closet next to the front door. And then noticed that the '80s-style liquid-crystal read-out was dead.

He pushed a couple of number-buttons: nothing.

He could risk it, he thought. If the cops came, maybe talk his way out of it. But still: move quick. He hurried through the house, looking for anything that might be construed as an antique. Found a music box—was she a music-box collector? That would be interesting. He took a picture of it. Up to the bedroom, taking shots of an oil painting, a rocking chair, a drawing, a chest of drawers that seemed too elegant for the bedroom.

Into the bathroom: big tub, marijuana and

scented candle wax, bottles of alprazolam and Ambien in the medicine cabinet. Stress? Under the sink, a kit in a velvet bag. He'd seen kits like that, from years ago, but what . . . He opened it: ah, sure. A diaphragm. So she swung both ways. Or had, at one time.

His cell phone rang, and vibrated at the same time, in his pocket, nearly giving him a heart attack.

Carol: "Mrs. Coombs called. She wants to talk to you. She's really messed up."

"I'll get back to her later," Lucas said.

"She's pretty messed up," Carol said.

Not a goddamn thing he could do about it, either. He snapped: "Later. Okay?"

Quick through the bedroom closet, through the chest of drawers, under the bed; looked down the basement, called "Hello?" and got nothing but a muffled echo. Back up the stairs, into a ground-floor bedroom used as an office. He'd been inside a long time now—five, six minutes—and the pressure was growing.

The office had an ornate table used as a desk; everything expensive looked like ma-

hogany to Lucas, and this looked like mahogany, with elaborately carved feet. He
took a picture of it. The desk had one center drawer, full of junk: paper clips, en-
velopes, ticket stubs, a collection of old
ballpoints, pencils, rubber bands. He had
noticed with the upstairs closets that while
the visible parts of the house were neatly
kept, the out-of-sight areas were a mess.

The office had two file cabinets, both
wooden. Neither looked expensive. He
opened a drawer: papers, paid bills. Not
enough time to check them. Another
drawer: taxes, but only going back four
years. He pulled them out, quickly, looked
at the bottom numbers on the federal returns: all in the fifties. Two more drawers full
of warranties, car-maintenance records—
looked at the maintenance records, which
covered three different cars, all small, no
vans—employment stuff and medical records.

No time, no time, he thought.

He checked a series of personal photographs on the wall behind the desk. One
showed a much younger Amity in a gradua-
tion gown with several other people, also in
gowns, including a guy large enough to

carry a $50,000 table. The guy looked familiar, somehow, but Lucas couldn't place him. He turned off the camera's flash, so that it wouldn't reflect off the protective glass, and took a picture of the photograph.

Inside too long.

Damn. If he could have half an hour with the desk drawers . . . But then, he had the sense that she was careful.

He took a last look around, and left, locking the door behind himself.

Back in the truck, he called Jenkins. "I drank about a gallon of coffee. If my heart quits, it's your fault," Jenkins said. "I ain't seen her, but I called her office ten minutes ago, and she was in a conference. I told them I'd call back."

"Don't want to make her curious," Lucas said.

"I'll take care."

Ten minutes to a Target store. He pulled the memory card out of the camera and at the Kodak kiosk, printed five-by-sevens of Amity Anderson's furniture. In the photos, it sure didn't look like much; but what'd he know?

But he did know somebody who'd know what it was. He looked up John Smith's cell-phone number and called him: "I need to talk to the Widdlers about some furniture. Want to see if it's worth something."

"On the case? Or personal?"

"Maybe semirelated to the case, but I don't know. I think they're done at Bucher's, right?"

"Yup. They're out in Edina. You need to see them right away?"

"I'm over on the airport strip, I can be there in ten minutes."

"Let me get you the address . . ."

The Widdlers had a neat two-story building in old Edina, brown brick with one big display window in front. A transparent shade protected the window box from sunlight, and behind the window, a small oil painting in an elaborate wood frame sat on a desk something like Amity Anderson's, but this desk was smaller and better-looking. The desk, made from what Lucas guessed was mahogany, sat on a six-by-four-foot oriental carpet. The whole arrangement looked like a still-life painting.

Lucas pushed through the front door; a bell tinkled overhead. Inside, the place was jammed with artifacts. He couldn't think of another word for the stuff: bottles and pottery and bronze statues of naked girls with geese, lamps and chairs and tables and desks and busts. The walls were hung with paintings and rugs and quilts and framed maps.

He thought, *quilts*. Hum.

A stairway went up to the second floor, and looking up the stairwell, he could see even more stuff behind the second-floor railing. A severe-looking portrait of a woman, effective, though it was really nothing more than an arrangement in gray and black, hung on the first landing of the stairway. She was hatchet-faced, but broad through the shoulders, and as with the photograph he'd seen that morning, he had the feeling that he'd seen her before.

He was peering at it when a woman's voice said, "Can I help you?"

He jumped and turned. A motherly woman, white haired and sixtyish, had snuck up behind him from the back room, and was looking pleased with herself for having done it; or at least, amused that she'd startled him. He said, "Uh, jeez, is Leslie around? Or Jane?"

"No. They're in Minnetonka on an appraisal. They won't be back until after lunch, and they'll be in tomorrow . . . If there's anything I can help you with?"

"Oh, I had some questions about some furniture . . ." He looked back again at the painting. "That woman looks familiar, but I can't place her."

"That's Leslie's mom," the shop lady said. "Painted by quite a talented local artist, James Malone. Although I think he has since moved to New York City."

A little click in the back of Lucas's mind.

Of course it was Leslie's mom. He could see Leslie's face in the woman's face, although the woman was much thinner than the Leslie that Lucas had met, who was running to fat.

But he hadn't always been fat, Lucas knew. Lucas knew that because Leslie wasn't fat in the picture in Amity Anderson's office. Amity Anderson and the Widdlers:

and Leslie was easily big enough to carry a $50,000 table out of a house.

In fact, Leslie was a horse. You didn't see it, because of the bow ties and the fussy clothes and the fake antiquer-artsy accent he put on, but Leslie was a goddamn Minnesota farm boy, probably grew up humping heifers around the barn, or whatever you did with heifers.

The woman said, "So, uh . . ."

"I'll just come back tomorrow," Lucas said. "If I have time. No big deal, I was passing by."

"They should be in right at nine, because I'm off tomorrow," the woman said.

"I'll talk to them then," Lucas said. On the way out the door, he stopped, as with an afterthought: "Do you know, did they take the van?"

The woman was puzzled: "They don't have a van."

"Oh." Now Lucas put a look of puzzlement on *his* face. "Maybe I'm just remembering wrong, but I saw them at an auction and they were driving a van. A white van. I thought."

"Just a rental. They rent when they need one, it's a lot cheaper than actually owning," the woman said. "That's what I do, when I'm auctioning."

Lucas nodded: "Hey. Thanks for the help."

Outside in the parking lot, he sat in the truck for a moment, then got on the phone to John Smith:

"If you happen to see them, don't tell the Widdlers I was going out to their place," Lucas said.

After a moment of silence, Smith said, "You gotta be shittin' me."

"Probably nothing, but I need to look them up," Lucas said. "How did they get involved in assessing the Bucher place?"

"I called them," Smith said. "I asked around, they were recommended. I called them and they took it on."

"But you didn't call them because somebody suggested them specifically?" Lucas asked. "Somebody at Bucher's?"

"Nope. I called a guy at the Minneapolis museum who knows about antiques, and he gave me two names. I looked them up in the Yellow Pages and picked the Widdlers because they were closer."

"All right," Lucas said. "So: if you talk to them, don't mention me."

Next, he got Carol at the office:

"Get somebody—not Sandy—and have him go out to all the local car-rental agencies and see if there's a record of a Leslie or Jane Widdler—W-I-D-D-L-E-R—renting a white van. Or any van.

"Then, Sandy is doing research on a woman named Amity Anderson. I want her to keep doing that, but put it on the back burner for today. Right now, I need to know everything about Leslie and Jane Widdler. They're married, they own an antique store in Edina. I think they went to college at Carleton. I want a bunch of stuff figured out by the time I get back there."

"When are you getting back?"

"Half hour," Lucas said.

"Not much time," Carol said.

"Sandy's gotta hurry," Lucas said. "I'm in a really big fuckin' hurry. And get that rental check going. Going right now."

Carol got in the last word: "Lucy Coombs called again."

20

"He was a big guy, dark complexion, blue eyes. Asking about a white van."

"A van? We haven't had a van in years," Jane Widdler said. "I'm not getting a clear picture of him. You say, a big guy?"

The sales assistant nodded. "He looked . . . sort of French. Big shoulders, black hair with a little salt and pepper. Good-looking, but tough," she said. "He had a scar that started up in his hair and came down across his eye. Not an ugly scar, a white line."

"He wasn't as big as Leslie," Jane Widdler suggested.

"No . . . not as tall, and also . . ." Widdler's sales assistant groped for a word.

"Not so fat," Jane Widdler said.

"He looked like he was in really good shape," the sales assistant said, staying away from the topic of Leslie's heft. "He didn't look like an antiques person."

"I might know who he is," Jane Widdler said. She smiled, just a little, because of the Botox. "It might be better if you didn't mention him to Leslie. I think this man is . . . an old friend of mine. There's nothing going on, but I don't want Leslie to get upset."

The sales assistant nodded. "Okay. I'll let you deal with it." She *definitely* didn't like the idea of upsetting Leslie.

"That would be best," Jane Widdler said.

Jane thought about it for a long time, until a headache began creeping down her neck from the crown of her head. Finally, she got her BlackBerry from her purse, looked up a number, and punched it in.

"Hello, Jane," Amity Anderson said.

"We've got to get together. Right now. Without Leslie," Jane said.

"Why?"

"Because," Jane Widdler said.

"I just want out," Amity said.

"That's all I want," Jane Widdler said. "But things may be getting . . . difficult."

They hooked up in a coffee shop in the Skyway. Widdler arrived on the street level, before going up to the Skyway, walking right past Jenkins who sat behind a window in Starbucks, but he'd never seen her before. Anderson came down to the second floor to the Skyway, never going to the street, leaving Jenkins sitting in the Starbucks, with, at least metaphorically, his dick in his hand.

The Skyway shop, a Caribou, had a selection of chairs and tables and Widdler and Anderson both got medium light-roasts and chocolate raspberry thumbprint cookies, and hunched over a table in the corner. Widdler said, "This state agent who talked to you, Davenport. He came to the shop and he asked about a white van. He knows."

"Knows what?" Amity Anderson took a bite of her thumbprint.

"You know," Widdler said irritably. They'd never talked about it, but Anderson *knew.*

"The only thing I know is that we went to college together and you recommended that Mrs. Donaldson buy a rare Armstrong quilt, which was later donated to the Milwaukee, and that's all I know," Anderson said. She popped the last of the thumbprint in her mouth and made a dusting motion with her hands.

"I really didn't want to be unpleasant about this," Widdler said, "but I've got no choice. So I will tell you that if they take me off to prison, you will go with me. I will make a deal to implicate the rest of the gang, in exchange for time off. Meaning you and Marilyn Coombs."

Anderson's faced tightened like a fist: "You bitch. I did *not* . . ."

"You knew. You certainly knew about the quilts, and if you knew about the quilts, then any jury is going to believe you knew about the rest of it," Widdler said. "You *worked* for Donaldson, for Christ's sake. You live five minutes from Bucher. Now, if Davenport knows, and he does, he will eventually be able to put together a fairly incriminating case. We dealt with all those people— Donaldson, Bucher, Toms. There are records, somewhere. Old checks."

"Where's my money? You were going to get me the money." Anderson hissed. "I'm going to Italy."

"I'll get you the money and you can go to

Italy," Jane said. "But we've got to get out of this."

"If you're talking about doing something to Davenport . . ."

Widdler shook her head. "No, no. Too late for that. Maybe, right back at the beginning . . ." She turned away from Anderson, her eyes narrowing, reviewing the missed opportunity. Then back to Anderson: "The thing is, cops are bureaucrats. My stepfather was a cop, and I know how they work. Davenport's already told somebody what he thinks. If we did something to him, there'd be eight more cops looking at us. They'd never give up."

"So who . . ." Anderson had the paper cup at her lips, looking into Widdler's eyes, when the answer came to her. "Leslie?"

Widdler said, "I never signed anything. He endorsed all the checks, wrote the estimates. He did the scouting while I watched the shop. They could make a better case against him than they could against me."

"So what are you thinking?"

Widdler glanced around. A dozen other patrons were sitting in chairs or standing at the counter, but none were close enough to hear them over the chatter and dish-and-silverware clank of the shop. Still, she leaned closer to Anderson. "I'm thinking Leslie could become despondent. He could talk to me about it, hint that he'd done some things he shouldn't have. I could get the feeling that he's worried about something."

"Suicide?"

"I have some small guns . . . a house gun, and car guns, for self-protection. Leslie showed me how they work," Widdler said.

"So . . ."

"I need a ride. I don't just want him to *shoot* himself, I want him to . . . do it on a stage, so to speak. I want people looking in a different direction."

"And you need a ride?" Anderson was astonished. They were talking about a murder, and the killer needed *a ride.*

"I can't think of any other way to do it—to get him where I need him, to get back home. I need to move quickly to establish an alibi . . . I need to be home if somebody calls. I can't take a taxi, it's just . . . it's just all too hard to work out, if you don't help."

"All I have to do is give you a ride?"

"That's all," Widdler said. "It's very convenient. Only a few minutes from your house."

They argued for another five minutes, in hushed tones, and finally Anderson said, "I couldn't stand it in prison. I couldn't stand it."

"Neither could I," Widdler said. Anderson was watching her, and her lips trembled as much as they could. She reached out and put her hand on Anderson's. "Can you do this? Just this one thing?"

"Just the ride," Anderson said.

"That's all—and then . . . about the money. Leslie keeps all the controversial stuff in a building at our country place."

"I didn't know you had a country place," Anderson said.

"Just a shack, and a storage building. I'll give you the key. You can take whatever you want. If you can get it out to the West Coast . . . just the small things could be worth a half-million dollars. You could get enough to stay in Europe for ten years, if you were careful. You can take whatever you want."

"Whatever I want?" Eyebrows up.

"Whatever you want," Widdler said. "The police will find it sooner or later. I'm not going to get a penny of it, no matter what happens. If you can get there first, take what you want."

Anderson thought it over: Jane's offer seemed uncharacteristically generous. But then, she was in a serious bind. "So I don't have to do anything else: I just give you a ride."

"That's all," Jane said.

"When?"

"Right away. I've started talking to Leslie about it, letting him brood. His tendency, anyway . . ." She shrugged.

"Is to go crazy," Anderson finished. "Your husband is a fuckin' lunatic."

Widdler nodded.

Anderson pressed it: "So when?"

"Tonight. I want to do it tonight."

Widdler gave her a key to what she said was the storage building. "I'll put a map in the mail this afternoon—Leslie's got one in his car." When they broke up, Widdler went back down the escalator and walked past the Starbucks, but Jenkins didn't see her.

Jenkins had gone. Lucas had pulled him.

———

Lucas found Sandy hunched in front of her ancient computer, chewing on a fingernail, and she looked up, her hair flyaway, and said, "We had some luck. The Widdlers were written up in a Midwest Home article on antiques, and they have a website with vitae. They both graduated from Carleton the year before Amity Anderson. They had to know each other—Jane Widdler majored in art history, and Amity Anderson in art, and Leslie Widdler had a scholarship in studio art. He did ceramics."

Lucas dragged a chair over and asked, "On their website, is there anything about clients?"

"No, it's just an ad, really—it's one of the preformatted deals where you just plug stuff in. The last change was dated a month ago."

"Motor vehicles?"

"Never owned a van," Sandy said. "Not even when they were in college. But: I looked at their tax records and they both had student loans. And the *Home* article says they both had scholarships. Leslie—this is funny—Leslie Widdler had an art scholarship, but I get the impression from the website and the *Home* article that all he did was play football."

"What's funny about that?" Lucas asked. He'd gone to the University of Minnesota on a hockey scholarship.

"Well, Carleton doesn't have athletic scholarships, see, so they get this giant guy to play football and they give him a scholarship in art . . ."

"Maybe he was a good artist," Lucas said, a bit stiff. "Athletes have a wide range of interests."

She looked at him: "You were a jock, weren't you?"

"So what were you saying?" Lucas asked.

"Did you get a free Camaro?"

"What were you saying?" Lucas repeated.

Unflustered—her self-confidence, Lucas thought, seemed to be growing in leaps and bounds—she turned back to the computer, tapped a few keys, and pulled up a page of notes. "So, about the scholarships. They apparently didn't have a lot of family money. They get married in their senior year, move to the Twin Cities, start an antique store. Here

they are ten years later, starting from nothing, they've got to be millionaires. They own
their store, they have a house on Minnehaha
Creek, they drive eighty thousand dollars'
worth of cars . . ."

"That's interesting. But: it could be that
they're really smart," Lucas said.

"And maybe Leslie learned leadership by
participating in football," she suggested.

Lucas leaned back: "Why do women give
me shit?"

"Basically, because you're there," she said.

Sandy had done one more thing. "I made a
graph of their income." She touched a few
more keys, and the graph popped up. The
income line started flat, then turned up at a
forty-five-degree angle, then flattened a bit
over the years, but continued up. "Here are
the quilts." She tapped a flat area, just before an upturn. "The upturn in income would
come a year later—it would take them a
while to flow the money into their sales."
She pointed out two other upturns: "Toms
and Donaldson."

"Bless my soul," Lucas said. Then, "Can
you go back to Des Moines? Right now?"

Jenkins was sitting in Carol's visitor's chair when Lucas got back to his office, moving fast. "Come on in," Lucas said.

"What's going on?" He followed Lucas into the inner office. Lucas was studying a printout of Sandy's graph.

"I think we finally got our fingernails under something," Lucas said. "I want you to go to Eau Claire—I'd fly you if it were faster, but I think it would be faster to drive. You're going to talk to some people named Booth and look at some check duplicates and some purchase records for antiques."

Jenkins said, "Man, you're all cranked up—but you gotta know, if this Gabriella Coombs didn't take off with a boyfriend or something, then she's gone by now."

Lucas nodded. "I know. Now I just want to get the motherfuckers. You're looking for some people named Widdler . . ."

Lucas briefed him; Sandy stopped in, halfway through, and said, "I'm on my way. I'll call you tonight."

"Good. Try to get back here tonight, or

early tomorrow. We're gonna have a conference about all of this, get everybody together. Tomorrow morning, I hope."

She nodded, and was gone.

He finished briefing Jenkins, who asked,
"So you're gonna take Bucher?"

"Yeah, and I've got some politics to do
with the St. Paul cops and I gotta go see
Lucy Coombs. I'll be on my phone all
night—until one in the morning, anyway.
Call me."

"I'm outa here."

21

The St. Paul Police Department is a brown-brick building that looks like a remodeled brewery, and it's built in a place where a brewery should have been built: across a lot of freeways on the back side of the city.

Lucas parked in the cops' lot, put a sign on the dash, and found John Smith in a cubicle. Another detective sat three cubicles down, playing with a Rubik's Cube so worn that it might have been an original. A third was talking so earnestly on a telephone that it had to be to his wife, and he had to be in trouble. Either that, or she'd just found out that she was pregnant.

Lucas said, "Let's go somewhere quiet."

Smith sat up. "Widdlers?"

The second detective said, without looking up from the Rubik's Cube, "That's right, talk around me. Like I'm an unperson."

"You *are* an unperson," Smith said. To Lucas: "Come on this way." Lucas followed him down the hall to the lieutenant's office. Smith stuck his head inside, said, "I thought I heard him leave. Come on in."

Lucas said, "We're going full steam ahead on the Widdlers. It's not a sure thing by a long way. At the very least, I'll talk to Leslie Widdler and ask him to roll up his pant legs. See if he has any Screw bites."

"When?"

"Midday tomorrow. I've got people going to Eau Claire and Des Moines right now. I've hooked both Marilyn Coombs and Donaldson to Amity Anderson, and Anderson is a longtime friend of the Widdlers. I think they were involved in a tax fraud together, selling these fake quilts, and I think it went from there. We know the killers involve one very big man, and that they know a lot about antiques, and that they have a way to dispose of them. In other words, the Widdlers."

"You don't have them directly connected to anybody? I mean, the Widdlers to Donaldson, Bucher, or Toms?"

"Not yet," Lucas said.

"How about the van?" Smith asked.

"No van."

"Goddamnit. There's got to be a van," Smith said.

"I talked to a woman at the Widdlers' who said they rented vans," Lucas said. "That's being checked."

"The van in the tape on Summit was too old to be a rental—unless they went to one of the Rent-a-Wreck places."

"I don't know," Lucas said. "The van is like a loose bolt in the whole thing."

"Without a van, without a direct connection . . . I don't think you have enough to get a warrant to search Leslie."

Lucas grinned at him: "I was thinking *you* might want to get the warrant. You probably have more suck with one of the local judges."

Smith said, "I've got some suck, but I've got to have *something.*"

"Maybe we will tomorrow morning," Lucas said. "And if we don't, I can always ask Leslie to roll up his pant leg. If he tells me to go fuck myself, then we'll know."

Lucas got the key to Bucher's place, went out, sat in his car, stared at his cell phone, then sighed and dialed. Lucy Coombs snatched up the phone and said, "What?"

"This is Lucas Davenport . . ."

When he got to Coombs's house, she was sitting in the kitchen with a neighbor, eyes all hollow and black, and as soon as she saw Lucas, she started to cry again: "You think she's gone."

Lucas nodded: "Unless she's with a friend. But she was so intent on getting to the bottom of this, her relationship seemed to be breaking up, this is what she wanted to do. I don't think she would have simply dropped it. I think we have to be ready for . . . the worst."

"What do you mean 'we,'" Coombs sobbed. "This is your fucking *job*. She's not your daughter."

"Miz Coombs . . . Ah, jeez, Gabriella got me going on this," Lucas said. "She probably was the key person who'll bring all these killers down—and they've killed more people than you know."

"My mother and my daughter," Coombs said, her voice drying out and going shrill.

"More than that—maybe three elderly

people, they may have attacked a teenager, there may be people who we don't have any idea about," Lucas said.

"You know who they are?"

"We're beginning to get some ideas."

"What if they've just kidnapped her? What if they're just keeping her for . . . for . . ." She couldn't think of why they might be keeping her. Neither could Lucas.

He said, "That's always a possibility. That's what we hope for. We hope to make some kind of a move tomorrow—and I hope you'll keep that under your hat. Maybe we'll find out something fairly soon. One way or another."

"Oh, shit," Coombs said. She looked around the kitchen, then snatched a ceramic plate from where it was hanging on the wall, a plate with two crossed-fish, artsy-craftsy, and hurled it at the side wall, where it shattered.

"Miz Coombs . . ."

"Where is she . . . Where's my baby?"

Out on the street, he exhaled, looked back at Coombs's house, and shook his head. In her place, he thought, he wouldn't be screaming, or crying—and maybe that was bad. Maybe he should behave that way, but he knew he wouldn't. He could see Weather grieving as Coombs did; he could see most normal people behaving that way.

What Lucas would feel, instead, would be a murderous anger, an iceberg of hate. He would kill anyone who hurt Weather, Sam, or Letty. He'd be cold about it, he'd plan it, but the anger would never go away, and sooner or later, he would find them and kill them.

Bucher's house was dark as a tomb. Lucas let himself in, flipped on lights by the door, and headed for the office. This time, he spent two hours, looking at virtually every piece of paper in the place. Nothing. He moved to the third-floor storage room, with the file cabinets. A small, narrow room, cool; only one light, hanging bare from the ceiling, and no place to sit. Dusty . . .

He went down the hall, found a chair, and carried it back across the creaking plank floor. As he put the chair down, he thought he heard footsteps, down below, some-place distant, trailing off to silence. The hair rose on the back of his neck. He stepped to the doorway, called, "Hello? Hello?"

Nothing but the air moving through the air conditioners. A light seemed to flicker in the stairway, and he waited, but nothing else moved. The hair was still prickling on the back of his neck, when he went back to the paper.

An amazing amount of junk that people kept: old school papers, newspaper clippings, recipes, warranties and instruction books, notebooks, sketchpads, Christmas, Easter, and birthday cards, postcards from everywhere, old letters, theater programs, maps, remodeling contracts, property-tax notices. An ocean of it.

A current of cold air touched the back of his neck and he shivered; as though somebody had passed in the hallway. He stepped to the door again, looked down the silent hall.

Ghosts. The thought trickled through his mind and he didn't laugh. He didn't believe in them, but he didn't laugh, either, and had never been attracted to the idea of screwing around in a cemetery at night. Two people killed here, their killers not found, blood still drying in the old woodwork . . . the silence seemed to grow from the hallway walls; except for the soft flowing sound of the air conditioner.

He went back to the paper, feeling his skin crawl. There was nobody else in the house: he knew it, and still . . .

The phone buzzed, and almost gave him his second heart attack of the day.

He took it out of his pocket, looked at it: out-of-area. He said, "Hello?"

There was a pause and then a vaguely metallic man's voice said, "Hi! This is Tom Drake! We'll be doing some work in your neighborhood next week, sealing driveways. As a homeowner . . ."

"Fuck you," Lucas said, slamming the phone shut. Almost killed by a computer voice.

He found a file, two inches thick, of receipts for furniture purchases. Began to go through it, but all the furniture had been bought through decorators, none of them the Widdlers. Still, he was in the right neighborhood, the furniture neighborhood.

The phone took a third shot at his heart: it buzzed again, he jumped again, swore, looked at the screen: out-of-area. He clicked it open: "Hello?"

"Lucas? Ah, Agent Davenport? This is . . ."

"Sandy. What's up?" Lucas thought he heard something in the hallway, and peeked out. Nobody but the spirits. He turned back into the room.

Sandy said, "I got your Widdlers. The Toms cousin had a file of purchases, and Mr. Toms, the dead man, bought three paintings from them, over about five years. He spent a total of sixteen thousand dollars. There's also a check for five thousand dollars that just says 'appraisals,' but doesn't say what was appraised."

The thrill shook through him. Gotcha. "Okay! Sandy! This is great! That's exactly what we need—we don't have to figure out what the appraisals were, all we have to do is show contact. Now, the originals on those papers, can you get them copied?"

"Yes. They have a Xerox machine right here," she said.

"Copy them," Lucas said. "Leave the originals with your guy there, tell him that the local cops will come get them tomorrow, or maybe somebody from the DCI."

"The who?"

"The Iowa Division of Criminal Investigation," Lucas said. "I got a friend down there, he can tell us how to deal with the documents. But bring the copies back with you. When can you get here?"

"Tonight. I can leave in twenty minutes," she said. "I'd like to get a sandwich or something."

"Do what you've got to," Lucas said. "Call me when you get back."

He slapped the phone shut. This was just exactly . . .

A man spoke from six inches behind his ear. "So what's up?"

Lucas lurched across the narrow room, nearly falling over the chair, catching himself on the file cabinet with one hand, the other flailing for his gun, his heart trying to bore through his rib cage.

John Smith, smile fading, stood in the doorway, looked at Lucas's face, and asked, "What?"

"Jesus Christ, I almost shot you," Lucas rasped.

"Sorry . . . I heard you talking and came

on up," Smith said. "I thought you might appreciate some help."

"Yeah." Lucas ran his hands through his
hair, shook himself out. His heart was still
rattling off his ribs. "It's just so damn quiet
in here."

Smith nodded, and looked both ways
down the hall: "I spent a couple of evenings
by myself. You can hear the ghosts creeping
around."

"Glad I'm not the only one," Lucas said.
He turned back to the file cabinets. "I've
done two of them, I'm halfway down
the third."

"I'll take the bottom drawer and work up,"
Smith said. He went down the hall, got an-
other chair, pulled open the bottom drawer.
"You been here the whole time?"

Lucas glanced at his watch. "Three
hours. Did the office, started up here. Went
over and talked to Miz Coombs, before I
came over. She's all messed up. Oh, and by
the way—we put the Widdlers with Toms."

Smith, just settling in his chair, looked up,
a light on his face, and said, "You're kidding."

"Nope."

Smith scratched under an arm. "This

might not look good—you know, calling in the killers to appraise the estate. If they're the killers."

"I'm not gonna worry about it," Lucas said. "For one thing, there was no way to know. For another . . ." He paused.

Smith said, "For another?"

"Well, for another, I didn't do it." Lucas smiled. "*You* did."

"Fuck you," Smith said. He dipped into the bottom file drawer and pulled out a file, looked at the flap. "Here's a file that says 'Antiques.'"

"Bullshit," Lucas said.

"Man, I'm not kidding you . . ."

Lucas took the file and looked at the flap: "Antiques."

Inside, a stack of receipts. There weren't many of them, not nearly as many as there were in the furniture file. But one of them, a pink carbon copy, said at the top, "Widdler Antiques and Objets d'Art."

He handed it over to Smith who looked at it, then looked at Lucas, looked at the pink sheet again, and said, "Kiss my rosy red rectum."

"We got them with Toms and Bucher, and we know that their good friend actually worked with Donaldson, and they pulled off a fraud. That's enough for a warrant," Smith said.

"At the minimum, we get Leslie to lift up his pant legs," Lucas said. "If he's got bite holes, we take a DNA and compare it to the blood on Screw. At that point, we've got him for attempted kidnapping . . ."

"And cruelty to animals."

"I'm not sure Screw actually qualified as an animal. He was more of a beast."

"Can't throw a dog out a car window. Might be able to get away with an old lady, but not a dog," Smith said. "Not in the city of St. Paul."

Lucas was a half block from his house when Jenkins called from Wisconsin. He fumbled the phone, caught it, said, "Yeah?"

"Got 'em," Jenkins said.

22

The whole story was so complicated that Jane Widdler almost couldn't contain it. She wrote down the major points, sitting at her desk while Leslie was upstairs in the shower, singing an ancient Jimmy Buffett song, vaguely audible through the walls.

Jane wrote:
- *No way out*
- *Arrested*
- *Disgraced*
- *Attorneys*
- *Prison forever*

Then she drew a line, and below it wrote:
- *Arrested*
- *Disgraced*
- *Attorneys*
- *Time in prison?*

Then she drew a second line and wrote:
• *Save the money*

The last item held her attention most of the afternoon, but she was working through the other items in the back of her head. Davenport, she thought, was probably unstoppable. It was possible that he wouldn't get to them, but unlikely. She'd seen him operating.

She nibbled on her bottom lip, looked at the list, then sighed and fed it into the shredder.

If he did get to them, could Davenport convict? Not if Leslie hadn't been bitten by the dog. But with the dog bites, Leslie was cooked. If she hadn't taken some kind of preemptive action before then, she'd be cooked with him.

From watching her stepfather work as a cop, and listening to him talk about court cases, she felt the most likely way to save herself was to give the cops another suspect. Build reasonable doubt into the case. As much reasonable doubt as possible.

As for the money . . .

They had a safe-deposit box in St. Paul where they had more than $160,000 in hundreds, fifties, and twenties. The cash came from stolen antiques, from four dead old women and one dead old man, each in a different state. The Widdlers had worked the cash slowly back through the store, up-grading their stock, an invisible laundry that the mafia would have appreciated.

With Leslie looking at a china collection in Minnetonka, Jane, after talking to Ander-son, had gone alone to the bank, retrieved the money, and wrapped it in Ziploc bags. Where to put it? She'd eventually taken it home and buried it in a flower garden, care-fully scraping the bark mulch back over it.

Amity Anderson, Jane knew, was on the edge of cracking. One big fear: that Ander-son would crack first, and go to the cops hoping to make a deal. Anderson knew her-self well enough to know that she couldn't tolerate prison. She was too fragile for that. Too much of a free spirit. All she wanted was to go to Italy; look at Cellini and Car-avaggio. Amity believed that if she could only get to Italy, somehow, the problems would be left behind.

Magical thinking. Jane Widdler had no

such illusions. The victims had been too rich, the money too big, the publicity too great. The cops would be all over them once they had a taste; and Davenport had gotten a taste.

Still, Jane could pull it off, if she had time.

Leslie called, said he was on the way home. Jane hurried over to the shop, opened the safe in the back, and took out the coin collection and a simple .38-caliber pistol.

The coin collection came from the Toms foray, fifty-eight rare gold coins from the nineteenth century, all carefully sealed in plastic grading containers, all MS66 through MS69—so choice, in fact, that they'd been a little worried about moving the coins. They still had all but two, but if necessary, she could take them to Mexico and move them there.

The coins went deep in a line of lilacs, behind and to one side of the house, halfway to the creek. She dug them six inches down, covered them with sod, dusted her hands. If she didn't make it back . . . what a waste.

The pistol went into her purse. She'd

never learned not to jerk the trigger, but that wouldn't matter if you were shooting at a range of half an inch.

She wondered where the jail was. Would it be Hennepin County, or Ramsey? Somehow, she thought it might be Ramsey, since that's where the murders occurred. And Ramsey, she thought, might be preferable, with a better class of felon. Surely they had separate cells, you were presumed innocent until proven guilty. And if Leslie had passed away, the house would be hers to use as a bond for bail . . .

She went inside. Leslie was perched on the couch in the den, wearing yellow walking shorts and a loose striped shirt from a San Francisco clothier, pale blue stripes on a champagne background that went well with the shorts and the Zelli crocodile slippers, $695. He said, "Hi. I heard you come in . . . Where'd you go?"

"I thought I saw the fox out back. I walked around to see. But he was gone."

"Yeah? I'd like a fox tail for the car."

"We've got to talk," Jane said. "Something awful happened today."

When she told him about Davenport visiting the shop, about his question about a white van, Leslie touched one fat finger to his fat nose and said, "He's got to go."

"There's no time," Jane said, pouring the anxiety into her voice. "If he was asking about the van this afternoon, he'll be looking at all the files tomorrow. Once that gets into the system . . ."

Leslie was digging in a pocket. He came up with a pack of breath mints and popped two. "Listen," he said, clicking the mints off his lower teeth, "we do it tonight. Just have to figure out how."

"I looked him up," Jane volunteered. "He lives on Mississippi River Boulevard in St. Paul. I drove by; a very nice house for a cop. He must be on the take."

"Maybe *that's* a possibility," Leslie suggested. "If he's crooked . . ."

"No. Too late, too late . . . The thing is, have you seen him with that gun? And he's going to be wary, I'd be afraid to approach him."

"So what do you think?" Leslie let her do most of the thinking.

"If you think we should do it, I suggest that rifle. God knows it's powerful enough. You shoot from the backseat, I drive. We'll ambush him right outside his house. If the opportunity doesn't present itself, we go back tomorrow morning."

"If we see him in a window—a .300 Mag won't even notice a piece of window glass," Leslie said.

"Whatever."

"If we're going to do it, we've got things to do," Leslie said cheerfully. The thought of killing always warmed him up. "I'm gonna take a shower, clean up the gun. Take my car, I'll sit in the back. We'll need earplugs, but I've got some. What's the layout?"

"We can't park on River Boulevard, it's all no-parking. But there's a spot on the side street, under a big elm tree. It looks sideways at his garage and front door. If he goes anywhere . . ."

"Too bad it's summer," Leslie said. "We'll be shooting in daylight."

"We can't go too early," Jane said. "It has to be dark enough that people can't read our faces."

"Not before nine-fifteen, then," Leslie said. "I've played golf at nine, but sometime around nine-fifteen or nine-thirty, you can't see the golf ball anymore."

"Get there at nine-thirty and hope for the best," Jane said. "Maybe there'd be some way to lure him out?"

"Like what?"

"Let me think about it."

He went up to take a shower, and she thought about it: how to get Davenport outside, with enough certainty that Leslie would buy the idea. Then she sat down and made her list, looked at the list, dropped it in the shredder, and thought about it some more.

Leslie was working on "Cheeseburger in Paradise" when she stepped into his office and brought up the computer. She typed two notes, one a fragment, the other one longer, taken from models on the Internet. When she was done, she put them in the Documents file, signed off, pushed the chair back in place, walked up the stairs, and called through the bathroom door, "I've got to run out: I'll be back in twenty minutes."

The water stopped. "Where're you going?"

"Down to Wal-Mart," she said through the door. "We need a couple of baseballs."

When she got back home, Leslie was in the living room, sliding the rifle, already loaded, into an olive-drab gun case. He was dressed in a black golf shirt and black slacks.

"God, I hate to throw this thing away," he said. "We'll have to, but it's really a nice piece of machinery."

"But we have to," Jane said. She had a plastic bag in her hand, and took out two boxes with baseballs inside.

"Baseballs?"

"You think, being the big jock, that you could hit a house a hundred feet away with a baseball?"

"Hit a house?" Leslie was puzzled.

"Suppose you're a big-shot cop sitting in your house, and you hear a really loud thump on your front roof, or front side of the house at nine-thirty at night," Jane said. "Do you send your wife out to take a look?"

Leslie smiled at her. "I can hit a house. And you get smarter all the time."

"We're both smart," Jane said. "Let's just see if we can stay ahead of Davenport."

"Wish we'd done this first, instead of that harebrained dog thing," Leslie said. "You oughta see the holes in my legs."

"Maybe later." Jane looked at her watch. "I have to change, and we have to leave soon. Oh God, Leslie, is this the end of it?" That, she thought, was what Jane Austen would have asked.

She turned to look back at the house when they left. She'd get back tonight, she thought, but then, if the police arrested her, she might not see it for a while. A tear trickled down one cheek, then the other. She wiped them away and Leslie growled, "Don't pussy out on me."

"You know how I hate that word," she said. She wiped her face again. "I'm so scared. We should never have done Bucher. Never have killed at home."

"We'll be okay," Leslie said. He reached over and patted her thigh. "We've just got to kill our way out of it."

"I know," she said. "It scares me so bad . . ."

They got to Davenport's at nine-fifteen and cruised the neighborhood. Still too light. They went out to a bagel place off Ford Parkway and got a couple of bagels with cream cheese for Leslie. Nine-thirty. There were more people around than they'd expected, riding out the last light of day on the River Boulevard bike trail, and walking dogs on the sidewalk. But the yards were big, and they could park well down the darker side street and still see Davenport's house, one down beyond the corner house.

There were lights all over Davenport's house; the family was *in*.

"I could probably kill him with the baseball from here," Leslie said, when they rolled into the spot Jane had picked. He had gotten in the backseat at the bagel shop. Now he slipped the rifle out of the case, and sitting with his back to the driver's side of the car, pointed the rifle through the raised back window at Davenport's front porch.

"No problem," he said, looking through the scope. Jane put the yellow plastic ear protectors in her ears. Leslie fiddled with the rifle for a moment, then snapped it back to his shoulder. "No problem. A hundred and fifty feet, if these are hundred-foot lots, less if they're ninety feet . . ." His voice was muffled, but still audible.

"God. I'm so scared, Les," she said, slipping the revolver out of her purse. Checked the streets: nobody in sight. "I'm not sure I can do it."

"Hey," Leslie said. "Don't pussy out."

She lifted the gun to his temple and pulled the trigger. There was a one-inch spit of flame, not as bright as a flash camera, and a tremendous *crack*.

She recoiled from it, dropped the gun, hands to her ears, eyes wide. She looked out through the back window. The gunshot had sounded like the end of the world, but the world, a hundred feet away, seemed to go on. A car passed, and ten seconds later, a man on a bicycle with a leashed Labrador running beside him.

Leslie was lying back on the seat, and in the dim light, looked terrifically dead. "Damn gun," Jane muttered into the stench of gunpowder and blood. She had to kneel on the seat and reach over the back to get the revolver off the floor. She wiped it with a paper towel, then pressed it into one of

Leslie's limp hands, rolling it, making sure of at least one print.

Leslie kept his cell phone plugged into the car's cigarette lighter. She picked it up, called Amity Anderson. When Anderson picked up, she said, "Can you come now?"

"Right now?" The anxiety was heavy in Anderson's voice.

"That would be good."

"Did you . . ."

"This is a radio," Widdler said. "Don't talk, just come."

She checked for watchers, then let herself out of the car. Shut the door, locked it with the second remote. That was a nice piece of work, she thought. Locked from the inside, with the keys still in Leslie's pocket. These keys, the second set, would go back in the front key drawer, to be found by the investigators.

She walked away into the dark. She was sure she hadn't thought of everything, but she was confident that she'd thought of enough. All she wanted was a simple "Not guilty." Was that too much to ask?

Amity found her on the corner.

Jane wasn't all that cranked: Leslie had been on his way out. His actual passing was more a matter of *when* than *if*. And though she was calm enough, she had to seem cranked. She had to be frantic, flustered, and freaked. As she came up to the corner she brushed her hair forward, messing it up; her hair was never messed up. She slapped herself on the face a couple of times. She muttered to herself, bit her lip until tears came to her eyes. Slapped herself again.

Amity found her freshly slapped and teary eyed, on the corner, properly disheveled for a recent murderess.

Jane got in the car: "Thank God," she moaned.

"You did it."

"We have to go to your house," Jane said. "For one minute. I'm so scared. I'm going to wet my pants. I just . . . God, I can't hold it in."

"Hold it, hold it, we'll be there in two minutes," Amity said. Down Cretin, left on Ford, up the street past the shopping centers, up the hill, into the driveway.

In the bathroom, Jane pulled down her pants, listened, then stood up and opened the medicine cabinet. Two prescription bottles. She took the one in the back. Sat down, peed, waddled to the sink with her pants down around her ankles, looked in, then turned around and carefully and silently pried open the shower door. Hair near the drain. She got a piece of toilet paper, and cleaned up some hair, put it in her pocket.

Almost panting now. The cops might be on their way at any moment: a passerby happens to glance into the car, sees a shoe . . . and she had a lot to get done. She sat back on the toilet, flushed, stood up, pulled up her pants. Lot to get done.

Amity was shaky. "When do you think, ah, what . . . ?"

"Let's go," Jane said. "Now, we're in a hurry."

In the car, headed west across the bridge, Jane said, "I mailed you the map. You should get it tomorrow. Don't wait too long before you go. Leslie owned the land through a trust, and they'll find it pretty quick. Make sure you're not being followed. Davenport's talked to you, if he knows anything else, if he's investigating the quilts . . . then you might be followed."

Amity looked in the rearview mirror. "How do you know we're not being followed now?"

Jane made a smile. "We can't be," she said.

"Why not?"

"Because if we are, we're finished."

Amity looked at her, white-faced. "That's it? We can't be because we can't be?"

"Actually, they'd be much more likely to be following Leslie and me," Jane said. "If they were, they probably would have picked me up back at Davenport's house, don't you think?"

Amity nodded. That made sense. "Maybe

I should drop you off around the block from your place. Just in case."

"You could do that," Jane said. "Just to be perfectly clear about this, you're now an accomplice in whatever it is that happened to Leslie. I happen to think it was a suicide, and you should think that, too. Because if you ever even hint that I know something about it, well, then, you're in it, too."

"All I want to do is go to Italy," Amity said.

Amity dropped her off around the block, and Jane strolled home in the soft night light, listening to the insects, to the frogs, to the rustlings in the hedges: cats on their nightly missions, a possum here, a fox there, all unseen.

Nobody waiting. And she thought, *No Les, no more.* She made a smile-look, reflecting at her own courage, her own ability to operate under pressure. It was like being a spy, almost . . .

With one more mission that night. She backed the car out of the garage, took the narrow streets out to I-494, watching the mirror, took 494 to I-35, and headed south. The country place wasn't that far out, down past the Northfield turnoff to County 1, and east with a few jogs to the south, into the Cannon River Valley.

The country place comprised forty acres of senile maple and box elder along the west or north bank of the Cannon, depending on how you looked at it, with a dirt track leading back to it. Her lights bored a hole through the cornfields on either side of the track, the wheels dropping into washouts and pots, until she punched through to the shack.

When they first bought it, they talked of putting up a little cabin that didn't smell like mold—the shack smelled like it had been built from mold—with a porch that looked out over the river, and Leslie could fish for catfish and Jane could quilt.

In the end, they put up a metal building with good locks, and let the shack slide into ruin. The cabin was never built because, in fact, Leslie was never much interested in catfish, and Jane never got the quilt-making thing going. There was too much to do in the Cities, too much to see, too much to buy. Couldn't even get the Internet at the shack. It was like a hillbilly patch, or something.

But a good place to stash stolen antiques.

She let herself into the shed, fumbling in her headlights with the key. Inside, she turned on the interior lights and then went back and turned off the car lights. She took the amber prescription bottle from her pocket, and rolled it under the front seat of the van.

From her purse, she got a lint roller, peeled it to get fresh tape, and rolled it over the driver's seat. They were always fastidious about the van, wearing hairnets and gloves and jumpsuits, in case they had to ditch it. There shouldn't be a problem, but she was playing with her life.

She rolled it, and then rolled it again, and a third time.

Then she took the wad of hair from her pocket.

Looked at it, and thought, *soap*. Nibbled at her lip, sighed, thought, *do it right*, and walked over to the shack and went inside. They kept the pump turned off, so she had to wait for it to cycle and prime, and then to pump out some crappy, shitty water, waiting until it cleared. When it was, she rinsed the wad of hair—nasty—and then patted it dry on a paper towel.

When it was dry, she pulled out a few strands, pinched them in the paper towel, and carried them back to the van. Two here, curled over the back of the seat, not too obvious, and another one here, on the back edge of the seat. She took the rest of the hair and wiped it roughly across the back of the seat, hoping to get some breaks and split ends . . .

Good as she could do, she thought. That was all she had.

Jane Widdler was home in bed at two a.m. There were no calls on her phone, and the neighborhood was dark when she pulled into the garage. Upstairs, she lit some scented candles and sank into the bathtub, letting the heat carry away her worries.

Didn't work.

She lay awake in the night like a frightened bat, waiting for the day to come, for the police, for disgrace, for humiliation, for lawyers.

———

Lucas, on the other hand, slept like a log until five-thirty, when his cop sense woke him up. The cop sense had been pricked by a flashing red light on the curtains at the side of the house, the pulsing red light sneaking in under the bottom of the black-out shades.

He cracked his eyes, thought, *the cops.* What the hell was it? Then he heard a siren, and another one.

He slipped out of bed—Weather had no cop sense, and would sleep soundly until six, unless Sam cried out—and walked to the window, pulled back one side of the shade. Two cop cars, just up the street, then a third arriving, all gathered around a dark sedan.

What the hell? It looked and smelled like a crime scene.

He got into his jeans and golf shirt, and slipped sockless feet into loafers, and let himself out the front door. As he came across the lawn, his ankles wet with dew, one of the St. Paul cops recognized him. "Where're you coming from?" the cop asked.

"I live right there," Lucas said. "What've you got?"

"Guy ate his gun," the cop said. "But he was up to something . . . You live right there?"

But Lucas was looking in the back window of what he now knew was a Lexus, a Lexus with a bullet hole in the roof above the back window, and at the dead fat face of Leslie Widdler.

"Ah, no," he said. "Ah, Jesus . . ."

"What? You know him?" the cop asked.

23

Rose Marie Roux came steaming through the front door, high heels, nylons, political-red skirt and jacket, white blouse, big hair. She spotted Lucas and demanded, "Are you all right?"

Lucas was chewing on an apple. He swallowed and said, "I'm fine. My case blew up, but I'm fuckin' wonderful."

"What's this about a guy with a rifle?" Rose Marie said. "They said a guy with a rifle was waiting for you."

"Must have changed his mind," Lucas said. "Come on. Everything's still there. You saw the cops when you came in?"

"Of course. A convention. So tell me about it."

———

A guy was out running shortly after first light, Lucas told her. He was a marathoner, running out of his home, weaving down the Minneapolis side of the Mississippi, across the Ford Bridge into St. Paul, weaving some more—he tried to get exactly six miles in— north to the Lake Street Bridge and back across the river to Minneapolis.

One of his zigs took him around the corner from Lucas's house. As he approached the Lexus, in the early-morning light, he noticed a splash on the back window that looked curiously like blood in a thriller movie. As he passed the car, he glanced into the backseat and saw the white face and open mouth of a dead fat man, with a rifle lying across his belly.

"Freaked me out when I looked in there," Lucas admitted. "Last thing in the world that I expected. Leslie Widdler."

"Better him than you," Rose Marie said. "What kind of rifle? If he'd taken a shot at you?"

"A .300 Mag," Lucas said. "Good for elk, caribou, moose. If he'd shot me with that thing, my ass'd have to take the train back from Ohio."

"Nice that you can joke about it," Rose Marie said.

"I'm not laughing," Lucas said. They walked up to a cop who was keeping a sharp eye on the yellow crime-scene tape. Lucas pointed at Rose Marie and said, "Rose Marie Roux. Department of Public Safety."

The cop lifted the tape, and asked her, "Can I have a job?"

She patted him once on the cheek. "I'm sure you're too nice a boy to work for me."

"Hey, I'm not," the cop said to her back. "I'm a jerk. Really." To Lucas, as Lucas ducked under the tape, "Seriously. I'm an asshole."

"I'll tell her," Lucas said.

Rose Marie had briefly been a street cop before she moved into administration, law school, politics, and power. She walked carefully down the route suggested by one of the crime-scene cops, cocked an eye in the window, looked at Widdler, backed away, and said, "That made a mark."

"Yeah."

"He killed Bucher? For sure?" she asked.

"He and his wife, I think. I don't know what all of *this* is about—except . . . You've been briefed on the Jesse Barth kidnapping attempt, and the firebombing."

She nodded: "Screw the pooch."

"The Screw thing and bomb, might have been an . . . effort, attempt, something . . . to distract me," Lucas said. "To get me looking at something else, while the Bucher thing went away. Might have worked, too, except for the white van, and then Gabriella." He scratched his head. "Man, is this a mess, or what?"

"Then he decided on direct action, shooting you with a moose gun, but chickened out and shot himself instead?" She was dubious.

"That's what I got," Lucas said. "Doesn't make me happy."

"What about the wife?"

"As soon as the crime-scene guys get finished with the basics, we're going to lift up Leslie's pant legs," Lucas said. "See if he's got Screw holes. If he does, we go have an unpleasant talk with Jane."

"If he doesn't?"

"We'll still have an unpleasant conversation with Jane. Then everybody'll talk to lawyers and we go back into the weeds to figure out what to do next," Lucas said.

"How much of this would have happened if Burt Kline hadn't been banging a teenager?"

Lucas had to think about it, finally sighed: "Maybe . . . there'd be one or two more people alive, but we wouldn't solve the Bucher case."

They were standing, talking, when John Smith showed up, looking sleepy, said, "Really?"—looked into the car, said, "Holy shit."

"You want to come along and talk to Jane?" Lucas asked.

"Yeah," Smith said. "This whole thing is . . ." He waved a hand in the air; couldn't think of a phrase for it.

"Screwed up?" Rose Marie offered.

Eventually four guys from the Medical Examiner's Office carefully lifted, pulled, and rolled Leslie Widdler's body out of the Lexus and onto a ground-level gurney. "Guy shoulda worn a wide-load sign," one of them said. When they got him flat, one of the ME investigators asked Lucas, "Which leg?"

"Both," Lucas said.

They only needed the first one. Widdler's left leg was riddled with what looked like small-caliber gunshot wounds, surrounded by half-dollar-sized bruises going yellow at the edges. There were a few oohs and aahs from the crowd. Though they didn't really need it, they pulled up the other pant leg and found more bites.

"Good enough for me," Smith said. "DNA will confirm it, but that, my friends, is what happens when you fuck with a pit bull."

"Half pit bull," Lucas said.

"What was the other half?" Rose Marie asked.

"Nobody knows," Lucas said. "Probably a rat terrier."

On the way to Widdler's, Lucas and Smith talked about an arrest. They believed that Leslie had been bitten by a dog, but had no proof that Screw had done the biting. That was yet to come, with the DNA tests. But DNA tests take a while. They knew there had been a second person involved, a driver. They knew that Jane Widdler had probably profited from at least three killings, in the looting of the Donaldson, Bucher, and Toms mansions, but they didn't have a single piece of evidence that would prove it.

"We push her," Smith said. "We read her rights to her, we push, see if she says anything. We make the call."

"We take her over to look at Leslie, put some stress on her," Lucas said. "I've got a warrant coming, both for her house and the shop. I'll have my guys sit on both places . . . look for physical evidence, records. We'll let her know that, maybe crack her on the way to see Leslie."

"If she doesn't crack?"

"We do the research. We'll get her sooner or later," Lucas said. "There's no way Leslie Widdler pulled these killings off on his own. No way."

The thing about Botox, Lucas thought later, was that when you'd had too much, as Jane Widdler had, you then had to fake reactions just to look human—and it's impossible to distinguish real fake reactions from fake fake reactions.

Widdler was at her shop, working the telephone, her back to the door, when Lucas and Smith trailed in, the bell tinkling overhead. Widdler was alone, and turned, saw them, sat up, made a fake look of puzzlement, and said into the phone, "I've got to go. I've got visitors."

She hung up, then stood, tense, vibrating, gripped the back of the chair, and said, "What?"

"You seem . . . Do you know?" Lucas asked, tilting his head.

"Where's my husband?" The question wasn't tentative; it came out as a demand.

Lucas looked at Smith, who said, "Well, Mrs. Widdler, there's been a tragedy . . ."

A series of tiny muscular twitches crossed her face: "Oh, God," she said. "I knew it. Where is he? What happened to him?"

Lucas said, "Mrs. Widdler, he apparently took his own life."

"Oh, no!" she shouted. Again, Lucas couldn't tell if it was real or faked. It looked fake . . . but then, it would. "He wouldn't do that, would he?" she cried. "Leslie wouldn't . . . Did he jump? Did he jump?"

"I'm afraid he shot himself," Smith said.

"Oh, no. No. That's not Leslie," Widdler said. She half turned and dropped into the chair, and made a weeping look, and might have produced a tear. "Leslie would never . . . his face wasn't . . . was he hurt?"

Lucas thought, *If she's faking it, she's good.* Her questions were crazy in pretty much the right way.

"I'm afraid you'll have to come with us, to make a technical identification of the body, but there's really no doubt," Smith said. "Both Lucas and I know him, of course . . . Where did you think he was last night? Was he here? Did he go out early?"

Widdler looked away, her voice hesitant, breaking. "He . . . never came home."

"Had he ever done that before?"

"Only . . . yes. I don't think . . . well, he wouldn't have done it again, under the same circumstances . . ." Her face was turned up at them, eyes wide, asking for an explanation. "But why? Why would he hurt himself? He had everything to live for . . ."

She made the weeping face again, and Lucas thought, *Jeez.*

Smith said, "There are some other problems associated with his death, Mrs. Widdler. Some illegal activity has turned up, and we think you know about it. We have to inform you that you have the right to remain silent, that anything you say can and will be used against you in a court of law. You have the right to speak to an attorney . . ."

"Oh, God!" She was horrified by the ritual words. "You can't think *I* did anything?"

They were in Lucas's truck, but Smith drove. Lucas sat in the back with Widdler. Lucas asked, "How well did you know Claire Donaldson?"

"Donaldson? From Chippewa Falls?"

"Yes."

Widdler made a frownie look: "Well, I knew *of* her, but I never met her personally. We bought some antiques from her estate sale, of course, it was a big event for this area. Why?"

"Your husband murdered her," Lucas said.

"You shut up," Jane Widdler shouted. "You shut up. Leslie wouldn't hurt anybody . . ."

"And Mrs. Bucher and a man named

Toms in Des Moines. Did you know Mrs. Bucher or Mr. Toms?"

She had covered her head with her arms; hadn't simply buried her face in her hands, but had wrapped her arms around her skull, her face slumped almost into her lap, and she said, "I'm not listening. I'm not listening."

She snuffled and wept and groaned and wept some more and dug in her purse for the crumpled Kleenex that all women are apparently required to carry, and rubbed her nostrils raw with it, and Lucas stuck her again.

"Do you know a woman named Amity Anderson?"

The snuffling stopped, and Widdler uncoiled, her eyes rimmed with red, her voice thick with mucus, and she asked, "What does that bitch have to do with this?"

"You know her?" Getting somewhere.

She looked down in her purse, took out the crumpled Kleenex, wiped her nose again, looked out the window at the houses along Randolph Street, and said, "I know her."

"How long?" Looking for a lie.

"Since college," Widdler said. "She . . . knew Leslie before I did."

"Knew him? Had a relationship with him?" Smith asked, eyes in the rearview mirror.

Snuffle: "Yes."

Lucas asked, "Did, uh . . . were there ever any indications that a relationship continued?"

She leaned her head against the side window, staring at the back of Smith's head; the morning light through the glass was harsh on her face, making her look older and paler and tougher and German, like a fifteenth-century portrait by Hans Memling or a twentieth-century farm woman by Grant Wood. "Yes."

"When you say yes . . . ?"

"When he stayed out all night . . . that's where he was," she said.

"With Amity Anderson," Lucas said.

"Yes. She had some kind of hold on him. Some kind of emotional hold on him. Goddamn her." Turning to Lucas, teeth bared: "Why are you asking about her? How is she involved in this?"

Lucas looked back at her, and saw a puzzle of Botox tics and hair spray, expensive jewelry and ruined makeup. "I don't know," he said.

When Leslie Widdler was in the car, he looked somewhat dead. There might have been other possibilities, that he was drunk or drugged, sprawled uncomfortably in the backseat of the car, at least until you saw the hole in his temple.

At the ME's, they had peeled him out of the body bag and placed him on a steel table, ready to do a rush autopsy. There, under the harsh white lights, he looked totally dead, pale as a slab of Crisco. His expensive black alligator driving shoes pointed almost sideways, his tongue was visible at the side of his mouth, his eyes were still open. He looked surprised, in a dead way.

Jane blinked and walked away. "Yes," she said as she went, and outside the examining room, she crumbled into a chair.

Lucas said, "We'll ask you to wait here. Detective Smith and I have to discuss the situation."

They walked just far enough down the

hall to be out of earshot, and Lucas asked, "What do you think?"

"I don't think we've got an arrest," Smith said. "What about the warrants?"

"We got crime scene both at her house and the business. If you want to send along a couple guys . . ."

"I'll do that," Smith said. He looked down the hall at Jane Widdler. "Cut her loose?"

Lucas looked at her, turned back to Smith, and nodded, but reluctantly. "I agree that we don't have an arrest. Yet. We tell her to get a lawyer, and we talk to the lawyer: keep her in town, don't start moving money, or she goes inside. We can always find something . . . possession of stolen property."

"If we find any."

Lucas grinned. "Okay. Suspected possession of stolen property. Or how about, conspiracy to commit murder? We can always apologize later."

"Tell that to her attorney."

They walked back down the hall, Widdler watching nervously, twisting her Kleenex. Lucas said, "Mrs. Widdler. You need to get an attorney, somebody we can talk to. We believe that you may be involved in the illegal activities surrounding Leslie's death . . ."

"You're going to arrest me?" She looked frightened; fake-frightened, but who could tell?

"We're searching your home and your business right now," Lucas said. "We're not going to arrest you at the moment, but that could change as we work through the day. You need to be represented. You can get your own attorney, or we can get one for you . . ."

"I'll get my own . . ."

Lucas was looking in her eyes when he told her that she wouldn't be arrested; she blinked once, and something cleared from her gaze, almost like a nictitating membrane on a lizard. "You can call from here, we can get you privacy if you want it," Lucas said, "or you can wait until you get home."

"I don't care about privacy," she said. "I do want to make some calls, get an attorney." Her chin trembled, and she made a dismayed look. "This is all so incomprehensibly dreadful."

They offered to drive her home, since they were going there anyway. This time, she sat in the backseat by herself, calling on her cell phone. She talked first to her personal attorney, took down a number, and called that: "Joe Wyzinsky, please? Jane Widdler: Mr. Wyzinsky was recommended by my personal attorney, Laymon Haycraft. I'm with police officers right now. They are threatening to arrest me. Charges? I don't know exactly. Thank you."

When Wyzinsky's name came up, Lucas and Smith looked at each other and simultaneously grimaced.

Widdler, in the backseat, said, "Mr. Wyzinsky? Jane Widdler, of Widdler Antiques and Objets d'Art. My husband was shot to death this morning, apparently suicide. The police say that he was involved in murder and theft, and I believe they are talking about the Bucher case. They suspect me of being involved, but I'm not."

She listened for a moment, then said, "Yes, yes, of course, I'm very capable . . . With two police officers, they're driving me home. They say my home and business are being searched. No, I'm not under arrest, but they say they might arrest me later this afternoon, depending on the search."

She sounded, Lucas thought, like she was making a deal on an overpriced antique tea table. Too cool.

". . . Yes. Lucas Davenport, who is an agent of the state, and John Smith, who is on the St. Paul police force. What? Yes. Hang on." She handed the phone to Lucas. "He wants to talk to you."

Lucas took the phone and said, "What's happening, big guy?"

Wyzinsky asked, "You Miranda her?"

"Absolutely. John Smith did it, I witnessed. Then we insisted that she get representation, so there'd be no problem. Glad she got a pro." Lucas wiggled his eyebrows at Smith.

"You're taking her to her house?" Wyzinsky asked.

"Yup."

"She says you might arrest her. For what?"

"Murder, kidnapping, conspiracy to murder, attempted murder, arson, theft, possession and sale of stolen goods," Lucas said.

"Cruelty to animals," Smith added.

"And cruelty to animals," Lucas said. "We

believe she took part in the killing of a dog named Screw, after which Screw's body was thrown out on the streets of St. Paul. Make that, cruelty to animals and littering."

"Anything else?"

"Probably a few federal charges," Lucas said. "We believe she may have been involved in murders in Chippewa Falls and Des Moines, as well as here in St. Paul, so that would be interstate flight, transportation of stolen goods, some firearms charges, et cetera."

"Huh. Sounds like you don't have much of a case, all that bullshit and no arrest," Wyzinsky said.

"We're nailing down the finer points," Lucas said.

"Yeah, I got a nail for you right here," Wyzinsky said. "How's Weather?"

"She's fine."

"You guys going to Midsummer Ball?"

"If Weather makes me," Lucas said. "I do look great in a tux."

"So do I," Wyzinsky said. "We ought to stand next to each other, and radiate on the women."

"I could do that," Lucas said.

"So—let me talk to her again," Wyzinsky

said. "Is it Widdler? And, Lucas—don't ask her any more questions, okay?"

Widdler took the phone, listened, said, "See you there, then." She rang off and said to Lucas, "You two seemed pretty friendly."

"We've known each other for a while," Lucas said. "He's a good attorney."

"He won't let friendship stand in the way of defending me?"

"He'd tear my ass off if he thought it'd help his case," Lucas said. "Joe doesn't believe people should go to jail."

"Especially when they're innocent," she said. "By the way, he told me not to answer any more questions."

Four cops were working through Widdler's house. Lucas suggested that she pack a suitcase, under the supervision of one of the crime-scene people, and move to a motel.

"We're not going to leave you alone in here, until we're finished. We can't take the chance that you might destroy something, or try to."

"Can I use the bathroom?" she asked.

"If they're done with a bathroom," Lucas said. "And Mrs. Widdler: don't try to leave the area. We're right on the edge of arresting you. If you go outside the 494–694 loop, we probably will."

Wyzinsky showed up while Widdler was packing. He was short, stocky, and balding, with olive skin, black eyes, and big hands, and women liked him a lot. He was bull-shitting a cop at the front driveway when Lucas saw him. Lucas stepped on the porch, whistled, and waved Wyzinsky in. The lawyer came up, grinning, rubbed his hands together. "This is gonna be good. Where is she?"

"Upstairs packing," Lucas said. He led the way into the house. "Try not to destroy any evidence."

"I'll be careful."

Smith came over: "We thought she'd be happier if she moved out while we tear the place apart."

Wyzinsky nodded: "You finished with any of the rooms yet? Something private?"

"The den." Lucas pointed. Two big chairs and a wide-screen TV, with French doors.

"I'll take her in there," Wyzinsky said. To Smith, he said, "Jesus, John, you ought to eat the occasional pizza. What do you weigh, one-twenty?"

"Glad to know you care," Smith said.

"Of course I care, you're nearly human," the lawyer said. He looked around, doing an appraisal on the house; its value, not the architecture. He made no effort to hide his glee. "Man, this is gonna be good. A dog named Screw? Can you say, 'Hello, Fox News,' 'Hello, Court TV'? Who's that blond chick on CNN who does the court stuff? The one with the glitter lipstick? Hel-lo, blondie."

"In your dreams," Smith said, but he was laughing, and he went to get Widdler.

Wyzinsky and Widdler were talking in the den when a cop came out of the home office: "You guys should come and look at this," he said.

Smith: "What?"

"Looks like we have a suicide note. Or two. Or three."

Eventually, they decided that there were either three or four suicide notes, depending on how you counted them. One was simply a note to Jane, telling her the status of investment accounts at U.S. Bank, Wells Fargo, and Vanguard, and noting that the second-quarter income-tax payments had all been made. Whether that was a suicide note, or not, depended on context.

The other three notes were more clearly about suicide: about depression, about growing trouble, about the unfairness of the world, about the sense of being hunted, about trying to find a solution that would work. One said, to Jane, "If I don't get back to you, I really loved you."

Wyzinsky and Widdler talked for more than an hour, then Wyzinsky emerged from the den and said, "Mrs. Widdler has some information that she wants to volunteer. She says that she has to do it now, or it might not be useful. If any of this ever comes to a trial, I want it noted that she cooperated on this. That she was helping the investigation. I would like to make the point that she is not opening herself to a general interrogation, but is making a limited statement."

"That's fine with me. We'll record it, if that's okay," Lucas said.

"That's okay, though we don't really need it," Wyzinsky said. "This isn't definitive evidentiary testimony, it's simply a point that she wishes to make, a suggestion."

"Better to record," Lucas said. "Just take a minute."

They got a recorder from one of the crime-scene guys, and a fresh cassette, and set up in the den. Lucas turned it on, checked that it worked, started over, said his name, the date, time, and place of the recording, the names of the witnesses, and turned the show over to Widdler.

Jane Widdler said, "I understand that I'm suspected of being an accomplice to my husband in illegal activities. I deny all of that. However, to help the investigation, I believe that the police must watch Amity Anderson, who has had a romantic attachment to my husband since we were in college, and which I thought was finished. However, I was told by Agent Davenport today that Amity Anderson figures in this investigation. I know Amity and I believe now that she is involved, and now that Leslie is . . . gone . . . she will try to run away. That is her response to crisis, and always has been. She wouldn't even fight with me over Leslie's affections. Once she is gone, she will be very hard to find, because she is quite familiar with Europe, both eastern and western. If she has money, from these supposed illegal activities, it could take years to find her. That's all I have to say."

Lucas said, "You think she was involved?"

Wyzinsky made a face, tilted his head, thought it over, then nodded at Widdler.

"I don't know," Widdler said. "I can't believe my husband was involved in anything illegal. Why should he be? Everything is going wonderfully in the business. We are the top antique and objets d'art destination in the Twin Cities. But I can't explain how he was found this morning, where he was found, and I can't explain the rifle. Agent Davenport said that he must have had an accomplice, and accused me of being the accomplice. I am not and never have been an accomplice. I'm a storekeeper. But Amity Anderson . . . I don't know if she did anything wrong, but I think she must be watched, or she will run away."

"That's pretty much it," Wyzinsky said.

Lucas peered at Jane Widdler for a moment, then reached out and turned off the recorder. "All right. Do not leave the Twin Cities, Mrs. Widdler."

"Are you going to watch Amity?"

"We're working on all aspects of the case. I don't want to compromise the case by talking about it with a suspect," Lucas said.

"He'll watch her," Wyzinsky grunted. "Not much gets past Agent Davenport."

Widdler left with Wyzinsky, and the crime-scene people continued to pull the house apart. Lucas got bored, went over to the Widdler shop, talked to the crime-scene guy in charge, who said, "More shit than you can believe, but none of it says 'Bucher' on the bottom. Haven't found any relevant names in the files . . ."

"Keep looking," Lucas said.

The ME, done with the autopsy late in the day, said that it could be suicide, or it could be murder. "Given the circumstances, we just can't tell," he said. "The gun was pointed slightly upward and straight into the temple, two inches above the cheekbone, and judging from the burns and powder content inside the wound, the end of the barrel was probably touching the skin. There was almost no dispersion of powder outside the wound, very little tattooing on the skin, so the barrel was close. I could see a murder being done that way . . . but it'd be rare, especially since the victim doesn't appear to have been restrained in any way."

As the sun was going down, Lucas stood in his office, calling the members of his crew; and he called Rose Marie, and borrowed an investigator named Jerrold from the Highway Patrol.

"We're taking Widdler's word for it," he told them all. "We're gonna stake out Anderson."

24

They got together in Lucas's family room: Del, Jenkins, Flowers, Jerrold, Smith, and Lucas, Letty sitting in, the four state agents gently bullshitting her, Letty giving it back. Shrake was already on Anderson, picking her up in St. Paul, tagging her back home.

Smith was uneasy with state cops he didn't know well, although he and Del went way back. Lucas passed around bottles of Leinie's, except for Letty, who wanted a Leinie's but took a Coke. Smith and Lucas, who'd be talking to Amity Anderson, also took Cokes.

"I think it would be perfectly all right for me to drink one beer in the house," Letty said.

"If I gave it to you, I'd have to arrest myself," Lucas said.

"And probably beat the shit out of himself, too," Del said, winking at Letty.

Lucas briefed them on Amity Anderson. Jenkins, who'd worked the casual surveillance, suggested good spots to sit, "as long as we don't get rousted by St. Paul."

"I talked to the watch commander, he'll pass it along to patrol, so you're okay on that," Smith said.

With six people, they could track her in four-hour shifts, four on and eight off. That would wear them down after a while, but Lucas planned to put pressure on Amity, to see if he could make her run, see what she took with her.

Lucas and Flowers would take the first shift, from eight to midnight. Shrake and Jenkins would take midnight to four, Del and Jerrold from four to eight, and then Lucas and Flowers would be back.

Tonight, after the meeting, Flowers would be set up, on the street and watching, and then Lucas and Smith would call on Anderson and rattle her cage.

———

Lucas and Smith drove to Anderson's house separately, and Lucas left his truck at the end of an alley that looked at the back of the house. Then he got into Smith's Ford, and they drove around the corner and pulled into Anderson's driveway. Smith said, "I oughta take a shift."

"No need to," Lucas said. "The rest of us have all worked together . . . no problem."

"Yeah, but you know," Smith said. He didn't want to, but it was only polite to offer.

"I know—but no problem."

They went up the walk, saw the curtains move and a shape behind them, and then Lucas knocked on the door and a second later, Anderson opened it, looking at Lucas over a chain. She was holding a stick of wet celery smeared with orange cheese. "Lucas Davenport, I spoke to you once before," Lucas said. "This is Detective John Smith from the St. Paul police. We need to speak to you."

"What about?" Didn't move the chain.

Lucas got formal, putting some asshole in his voice: "A friend of yours, Leslie Widdler, was found dead in a car a few blocks from here this morning. Shot to death. We have questioned his wife, Jane, and she has hired an attorney. But our investigation, along with statements made by Jane Widdler, suggests that you could help us in the investigation. Please open the door."

"Do you have a warrant?"

"No, but we could get one in a couple of minutes," Lucas said, talking tougher, his voice dropping into a growl. "You can either talk to us here, or we'll get a warrant, come in and get you and take you downtown. It's your call."

"Do I get an attorney?" Anderson asked.

"Anytime you want one," Lucas said. "If you can't get one to come tonight, we'll take you downtown, put you in a cell, and we can wait until one gets here tomorrow."

"But I haven't done anything," Anderson said.

"That's what we need to talk about," Lucas said.

In the end, she let them in, then called an attorney friend, who agreed to come over. While they waited, they watched *American Volcanoes* for forty-five minutes, a TV story of how Yellowstone could blow up at any minute and turn the entire United States into a hellhole of ash and lava; Anderson drank two glasses of red wine, and then the attorney arrived.

Lucas knew her, as it happened, Anna-belle Ramford, a woman who did a lot of pro bono work for the homeless, but not a lot of criminal law.

"We meet again," she said, with a thin smile, shaking his hand.

"I hope you can help us," Lucas said. "Miz Anderson needs some advice."

Anderson admitted knowing the Wid-dlers. She looked shocked when Lucas suggested that she'd had a sexual relation-ship with Leslie Widdler, but admitted it.

"You told me you're gay," Lucas said.

"I am. When I had my relationship with Leslie, I didn't know it," she said.

"But your relationship with Leslie contin-ued, didn't it?"

She looked at Ramford, who said, "You don't have to say anything at all, if you don't wish to."

They all looked at Anderson, who said, "What happens if I don't?"

"I'll make a note," Lucas said. "But we will

find out, either from you, with your cooperation, or from other people."

"You don't have to take threats, either," Ramford said to Anderson.

"That really wasn't a threat," Lucas said, his voice going mild. "It's the real situation, Annabelle. If we're not happy when we leave here, we'll be taking Miz Anderson with us. You could then recommend a criminal attorney and we can all talk tomorrow, at the jail."

"No-no-no," Anderson said. "Look, my relationship with Leslie . . . continued . . . to some extent."

"To some extent?" Smith asked. "What does that mean?"

"I was . . ." She bit her lip, looked away from them, then said, "I was actually more interested in Jane."

"In Jane? Did you have a physical relationship with Jane?" Lucas asked.

"Well . . . yes. Why would I want to fuck a great big huge fat guy?"

Lucas had no answer for that; but he had more questions for Jane Widdler.

He turned to the quilts, taking notes as Anderson answered the questions. She believed the quilts were genuine. They'd been spotted by Marilyn Coombs, she said, who took them to the Widdlers for confirmation and evaluation.

The Widdlers, in turn, had sent them away for laboratory tests, and confirmed with the tests, and other biographical information about Armstrong, that the quilts were genuine. The Widdlers then put together an investment package in which the quilts would be sold to private investors who would donate them to museums, getting both a tax write-off and a reputation for generosity.

"We have reason to believe that the quilts are faked—that the curses were, in any case. That the primary buyers paid only a fraction of what they said they paid, and took an illegal tax write-off after the donations," Lucas said.

"I don't know about any of that," Anderson said. "I was the contact between the Widdlers and Mrs. Donaldson. I brought her attention to the quilts, but she made her own decisions and her own deals. I never handled money."

"You told me that you didn't know Mrs. Bucher," Lucas said.

She shrugged. "I didn't. I knew who she was, but I didn't know her."

"And you still . . . maintain that position?"

"It's the truth," she said.

"You didn't go there with Leslie Widdler and kill Mrs. Bucher and her maid?"

"Of course not! That's crazy!"

He asked her about Toms: never heard of him, she said. She'd never been to Des Moines in her life, not even passing through.

"Were you with Leslie Widdler last night?" Smith asked.

"No. I was out until about eight, then I was here," she said.

"You didn't speak to him, didn't ride around with him . . ."

"No. No. I didn't speak to him or see him or anything."

They pushed all the other points, but Anderson wouldn't budge. She hadn't dealt in antiques with either Leslie or Jane Widdler. She had no knowledge of what happened with the Armstrong quilts, after Donaldson, other than the usual art-world reports, gossip, and hearsay. She could prove, she thought, that on the Friday night that the

Buchers were killed, she'd been out late with three other women friends, at a restaurant in downtown Minneapolis, where she'd not only drunk a little too much, but remembered that there'd been a birthday party in an upper loft area of the restaurant that had turned raucous, and that she was sure people would remember.

When they were done, Anderson said, "Now I have a question. I have the feeling that Jane Widdler has been telling you things that aren't true. I mean, if Jane and Leslie were killing these people, I don't know why Jane would try to drag me into it. Is she trying to do that?"

"Maybe," Lucas said.

"Do you think they could kill people?" Smith asked.

Anderson turned her face down, thinking, glanced sideways at Ramford, then said, "You know, Jane . . . has always struck me as greedy. Not really a bad person, but terribly greedy. She wants all this stuff. Diamonds, watches, cars, Hermès this and Tiffany that and Manolo Blahnik something else. She might kill for money—it'd have to be money—but . . . I don't know."

Her mouth moved some more, without words, and they all sat and waited, and she went on:

"Leslie, I think Leslie might kill. For the pleasure in it. And money. In college, we had this small-college football team. Football didn't mean anything, really. You'd go and wave your little pennant or wear your mum and nobody cared if you won or lost. A lot of people made fun of football players . . . but Leslie liked to hurt people. He'd talk about stepping on people's hands with his cleats. Like, if one of the runner-guys did too well, they'd get him down and then Leslie would 'accidentally' step on his hand and break it. He claimed he did it several times. Word got around that he could be dangerous."

Smith said, "Huh," and Lucas asked, "Anything heavier than that? That you heard of? Did you get any bad vibrations from Leslie when Mrs. Donaldson was killed?"

She shook her head, looking spooked: "No. Not at all. But now that you mention it . . . I mean, jeez, their store really came up out of nowhere." She looked at Lucas,

Smith, and Ramford. "You know what I mean? Most antique people wind up in these little holes-in-the-wall, and the Widdlers are suddenly rich."

"Makes you think," Smith said, looking up at Lucas.

There was more, but the returns were diminishing. Lucas finally stood up, sighed, said to Ramford, "You might want to give her a couple of names, just in case," and he and Smith took off.

"Let's drive around for a while, before you drop me off. Get Ramford out of there," Lucas said to Smith. "I don't know where she parked, I wouldn't want her to pick me up." He got on his radio and called Flowers as they walked to the car.

"I'm looking right at you," Flowers said.

"There should be a lawyer coming out in a few minutes. Stay out of sight, and call when she's gone."

Smith drove them up to Grand Avenue, and they both got double-dip ice cream cones, and leaned on the hood of Smith's car and watched the college girls go by; blondes and short shirts and remarkably little laughter, intense brooding looks, like they'd been bit on the ass by Sartre or Derrida or some other Frenchman.

Lucas was getting down to cone level on his chocolate pecan fudge when his radio beeped. Flowers said, "The lawyer is getting in her car."

"I'll be in place in five minutes," Lucas said.

Surveillance could be exciting, but hardly ever was. This night was one of the hardly-evers, four long hours of nothing. Couldn't even read, sitting in the dark. He talked to Flowers twice on the radio, had a long phone chat with Weather—God bless cell phones—and at midnight, Jenkins eased up behind him.

"You good?" Lucas asked, on the radio.

"Got my video game, got my iPod. Got two sacks of pork rinds and a pound of barbeque ribs, and a quart of Diet Coke for propellant. All set."

"Glad I'm not in the car with you," Lucas said. "Those goddamn pork rinds."

"Ah, you open the door every half hour or

so, and you're fine," Jenkins said. "You might not want to light a cigarette."

Weather was cutting again in the morning, and was asleep when Lucas tiptoed into the bedroom at twelve-fifteen. He took an Ambien to knock himself down, a Xanax to smooth out the ride, thought about a martini, decided against it, set the alarm clock, and slipped into bed.

The alarm went off exactly seven hours and forty minutes later. Weather was gone; that happened when he was working hard on a case, staying up late. They missed each other, though they were lying side by side . . .

He cleaned up quickly, looking at his watch, got a Ziploc bag with four pieces of cornbread from the housekeeper, a couple of Diet Cokes from the refrigerator, the newspaper off the front porch, and was on his way. Hated to be late on a stakeout; they were so boring that being even a minute late was considered bad form.

As it was, he pulled up on the side street at two minutes to eight, got the hand-off from Jerrold, called Del, who'd just been pushed by Flowers, and who said that a light had come on ten minutes earlier. "She's up, but she's boring," Del said.

The newspapers had the Widdler story, and tied it to Bucher, Donaldson, and Toms. Rose Marie said that more arrests were imminent, but the *Star Tribune* reporter spelled it "eminent" and the *Pioneer Press* guy went with "immanent."

You should never, Lucas thought, trust a spell-checker.

Anderson stepped out of her house at 8:10, picked up the newspaper, and went back inside. At 8:20, carrying a bag and the newspaper, she walked down to the bus stop, apparently a daily routine, because the bus arrived two minutes later.

They tagged her downtown and to her office, parked their cars in no-parking zones, with police IDs on the dashes, and Lucas took the Skyway exit while Flowers took the street. There was a back stairs, but Lucas didn't think the risk was enough to worry about . . .

As he waited, doing nothing, he had the feeling he might be wrong about that, and worried about it, but not too much: he *always* had that feeling on stakeouts. A few years earlier, he'd had a killer slip away from a stakeout, planning to use the stakeout itself as his alibi for another murder . . .

A few minutes before noon, Shrake showed up for the next shift, and Lucas passed off to him, and walked away, headed back to the office. He'd gone fifty feet when his cell phone rang: Shrake. "She's moving," and he was gone. Lucas looked back. Shrake was ambling along the Skyway, away from Lucas, on the phone. Talking to somebody else on the cell, probably to Jenkins, probably afraid to use the radio because he was too close to the target; she had practically walked over him.

Seventy-five feet ahead of Shrake, Lucas could see the narrow figure of Amity Anderson speed-walking through the crowd.

Going to lunch? His radio chirped: Flowers. "You want to hang in, until we figure out where she's going?"

"Yeah."

Shrake took her to a coffee shop, where she bought a cup of coffee to go, and an orange scone, and then headed down to the street, where Jenkins picked her up. "Catching a bus," Jenkins said.

They took her all the way back to her house. Off the bus, she paused to throw the coffee-shop sack into a corner trash barrel, then headed up to her house, walking quickly, in a hurry. She went straight to the mailbox and took out a few letters, shuffled them quickly, picked one, tore the end off as she went through the door.

"What do you think?" Flowers asked, on the radio.

"Let's give her an hour," Lucas said.

"That's what I think," Flowers said. Shrake and Jenkins agreed.

Half an hour later, Anderson walked out of her house wearing a long-sleeved shirt and jeans and what looked like practical shoes or hiking boots. She had a one-car detached garage, with a manual lift. She pushed the door up, backed carefully out, pulled the door down again, pointed the car up the hill, and took off.

"We're rolling," Jenkins said. "We're gone."

25

Lucas got on the radio: "This could be something, guys. Stack it up behind her, and take turns cutting off, but don't lose her."

Shrake: "Probably going to the grocery store."

Lucas: "She turned the wrong way. There's one just down the hill."

They had four cars tagging her, but no air. As long as they stayed in the city, they were good—they'd each tag her for a couple of blocks, then turn away, while the next one in line caught up. They tracked her easily along Ford to Snelling, where she took a right, down the bluff toward Seventh. Snelling was a chute; if she stopped there, they'd all be sacked right on top of her. Flowers followed her down while Lucas,

Jenkins, and Shrake waited at the top of the hill.

"I got her," Flowers said. "She took a left on Seventh, come on through."

They moved fast down the hill, through the intersection, Flowers peeling away as Lucas came up behind him. They got caught at a stoplight just before I-35, and Lucas hooked away, into a store parking lot, afraid she'd pick up his face if he got bumper-to-bumper. "Jenkins?"

"Got her. Heading south on Thirty-five E."

Lucas pulled out of the parking lot, now last in line, and followed the others down the ramp onto I-35. Lucas got on the radio, looking for a highway-patrol plane, but was told that with one thing or another, nobody could get airborne for probably an hour. "Well, get him going, for Christ's sake. This chick may be headed for Des Moines, or something."

The problem with a four-car tag was that Anderson wasn't a fast driver, and they had to hold back, which meant they'd either loom in her rearview mirror, or they'd have to hold so far back that they might lose her to a sudden move. If she hooked into a shopping center, and several were coming up, they'd be out of luck.

"Jenkins, move up on her slow," Lucas said. "Get off at Yankee Doodle, even if she doesn't."

"Got it."

She didn't get off; Jenkins went up the off-ramp, ran the lights at the top, and came down the on-ramp, falling in behind Lucas.

They played with her down the interstate, the speed picking up. She didn't get off at the Burnsville Mall, a regional shopping center that Lucas had thought would be a possibility. Instead, she pushed out of the metro area, heading south into the countryside.

Lucas could see the possible off-ramps coming on his nav system, and called them out; one of them would fall off at each, then reenter. She didn't get off, but stayed resolutely in the slow lane, poking along at the speed limit.

South, and more south, thirty miles gone before she clicked on her turn signal and carefully rolled up the ramp at Rice County 1, two cars behind Flowers. Flowers had to guess, and Lucas shouted into the radio, "She went to Carleton. Go left. Go east."

Flowers turned left, the next car went right, and Anderson turned left behind Flowers. Carleton was off to the east in Northfield, but they'd already gone past the Northfield exit; still, she might be familiar with the countryside around it, Lucas thought, and that had been a better bet than the open countryside to the west.

Now they had a close tag on her, but from the front. Flowers slowly pulled away, leading her into the small town of Dundas; but just before the town, she turned south on County 8, and Flowers was yelling, "I'm coming back around," and Shrake said, "I got her, I got her."

Well back, now. Not many cars out, and all but Lucas had been close to her, and she might pick one of them out. They kept south, onto smaller and narrower roads, Shrake breaking away, Jenkins moving up, until she disappeared into a cornfield.

"Whoa. Man, she turned," Jenkins said. "She's, uh, off the road, hang back guys, I'm gonna go on past . . ."

Hadn't rained in a few days, and when Jenkins went past the point where she'd disappeared, he looked down a dirt track, weeds growing up in the middle, and called back, "She looks like she's going into a field. I don't know, man . . . you can probably track her by the dust coming up."

"That's not a road," Lucas said, peering at his atlas. "Doesn't even show up here; I think it must go down to the river."

"Maybe she's going canoeing," Flowers said. "This is a big canoe river."

Lucas said into a live radio, "Ah, holy shit."

"What?"

"It's the Cannon River, man."

"Yeah?"

"The money that got laundered in Las Vegas, on the quilts—it went to Cannon, Inc., or Cannon Associates, or something like that."

Shrake came back: "Dust cloud stopped. I think she's out of her car; or lost. What do you want to do?"

"Watch for a minute," Lucas said. "Flowers, you're wearing boots?"

"Yup."

"I got my gators," Shrake said. "I didn't think we were gonna be creeping around in a cornfield."

"Gators for me," Jenkins said.

"You guys get a truckload deal?" Flowers asked.

"Shut up," Lucas said. "Okay, Flowers and I are gonna walk in there. Jenkins and Shrake get down the opposite ends of the road. If she comes out, you'll be tracking her."

"How do we hide the cars?" Flowers asked.

"Follow me," Lucas said. He went on south, a hundred yards, a hundred and fifty, found an access point, and plowed thirty feet into the cornfield. The corn didn't quite hide the truck, but it wouldn't be obvious what kind it was, unless you rode right up to it. Flowers followed him in and got out of his state car shaking his head. "Gonna be one pissed-off farmer."

"Bullshit. He'll get about a hundred dollars a bushel from us," Lucas said. "Let's go."

Flowers said, "I got two bottles of water in the car."

"Get them. And get your gun," Lucas said.

"The gun? You think?"

"No. I just like to see you wearing the

fuckin' gun for a change," Lucas said. "C'mon, let's get moving."

Hot day. Flowers pulled his shoulder rig on as they jogged along the rows of shoulder-high corn, ready to take a dive if Anderson suddenly turned up in the car.

"Looks like she's down by the water," Flowers said. They could see only the crowns of the box elders and scrub cedar along the river, so she was lower than they were, and they should be able to get close. At the track, they turned toward the river, panting a bit now, hot, big men in suits carrying guns and a pound of water each, no hats; the track was probably 440 yards long, Lucas thought, one chunk of a forty-acre plot; but since it was adjacent to the river, there might be some variance.

"Sand burrs," Flowers grunted. Their feet were kicking up little puffs of dust.

They ran the four-forty in about four minutes, Lucas thought, and at the end of it, he decided he needed to start jogging again; the rowing machine wasn't cutting it. When the field started to look thin, and the terrain started to drop, they cut left into the corn-field and slowed to a walk, then a stooped-over creep. The corn smelled sweet and hot and dusty, and Lucas knew he'd have a couple of sweaty corn cuts on his neck be-fore he got out of it.

At the edge of the field, they looked down a slope at a muddy stream lined on both sides with scrubby trees, and a patch of trees surrounding a shack and a much newer steel building. The access door on the front of the building was standing open; the garage door was down. Anderson's car was backed up to the garage door. The building had no windows at all, and Lucas said, "Cut around back."

They went off again, running, stooping, watching the building. They were down the side of it when they heard the garage door going up, and they eased back in the corn-field, squatting next to each other, watch-ing.

Anderson came out of the building. She'd taken off the long-sleeve shirt, and was now wearing a green T-shirt; she was carrying two paintings.

"Got her," he muttered to Flowers.

"So now what?"

"Well, we can watch her, and see what she does with the stuff, or we can go ahead and bust her," Lucas said.

"Make the call," Flowers said.

"She's probably moving it somewhere out-of-state. Dumping it. Cashing it in. Getting ready to run." He sat thinking about it for another thirty seconds, then said, "Fuck it. Let's bust her."

Anderson had gone back inside the garage and they eased down right next to it, heard her rattling around inside, then stepped around the corner of the open door, inside. The place was half full of furniture, arranged more or less in a U, down the sides and along the back of the building. The middle of the U was taken up by an old white Chevy van, which had been backed in, and was pointing out toward the door.

Lucas felt something snap when he saw it, a little surge of pleasure: Anderson had

her back to them and he said, "How you doing, Amity?"

She literally jumped, turned, took them in,
then took three or four running steps toward
them and screamed "No," and dashed
down the far side of the van.

Flowers yelled, "Cut her off," and went
around the back of the van, while Lucas ran
around the nose. Anderson was fifteen feet
away and coming fast when Lucas crossed
the front of the van and she screamed,
"No," again, and then he saw something in
her hand and she was throwing it, and he almost had time to get out of the way before
the hand-grenade-sized vase whacked him
in the forehead and dropped him like a sack
of kitty litter.

He groped at her as she swerved around
him out into the sunlight, then Flowers
jumped over him. Lucas struggled back to
his feet and saw her first run toward her car,
and then, as Flowers closed in, swerve into
the shack, the door slamming behind her.

Lucas was moving again, forehead burning like fire—the woman had an arm like
A-Rod.

Flowers yelled, "Back door," as he kicked
in the front, and Lucas ran down the side of

the house in time to see Anderson burst onto the deck on the river side of the house. She saw him, looked back once, then ran, arms flapping wildly, down toward the river. Lucas shouted, "Don't!"

He was five steps away when she hurled herself in.

Flowers ran down to the bank, stopped beside Lucas, and said, "Jesus. She's gonna stink."

The river was narrow, murky, and, in front of the shack, shallow. Anderson had thrown herself into four inches of water and a foot of muck, and sat up, groaning, covered with mud. "You got boots on," Lucas said to Flowers. "Reach in there and get her."

"You got longer arms," Flowers said.

"You're up for a step increase and I'm your boss," Lucas said.

"Goddamnit, I was hoping for a little drama," Flowers said. Anderson had turned over now, on her hands and knees. Flowers stepped one foot into the muck, caught one of her hands, and pried her out of the stuff.

Lucas said to her, "Amity, you are under arrest. You have the right to remain silent..."

Flowers said, "Cuffs?" Lucas said, "Hell, yes, she's probably killed about six people. Or helped, anyway."

"I did not," Anderson wailed. "I didn't . . ."

Lucas ignored her, walked up the bank toward the steel building, turned the radio back up and called Jenkins and Shrake. "Come on in. We grabbed her; and we got a building full of loot."

Flowers checked Anderson for obvious weapons, removed a switchblade from her side pocket, put her on the ground at the front of the car, and cuffed her to the bumper. She started to cry, and didn't stop.

Lucas put the switchblade on top of Flowers's car, where they wouldn't forget it, and walked around to the trunk. Inside were three plastic-wrapped paintings and an elaborate china clock. Small, high-value stuff, he thought. He looked at the backs of all three paintings, found one old label from Greener Gallery, Chicago, and nothing else.

Flowers had gone inside the steel building, and Lucas followed. "Hell of a lot of furniture," Flowers said. "I could use a couple pieces for my apartment."

"Couple pieces would probably buy you a house," Lucas said. "See any more paintings? Or swoopy chairs?"

"There're a couple of swoopy chairs . . ."

Sure enough: there was no other way to describe them. They were looking at the chairs when Shrake and Jenkins came in, and Flowers waved at them, and Lucas saw a wooden rack with more plastic-wrapped paintings. He pulled them down, one-two-three, and ripped loose the plastic on the back. One and three were bare.

The back of two had a single word, written in oil paint with a painter's brush, a long time ago: *Reckless.*

26

Amity Anderson went to jail in St. Paul, held without bail on suspicion of first-degree murder in the deaths of Constance Bucher and Sugar-Rayette Peebles. Flowers said she cried uncontrollably all the way back and tried to shift the blame to Jane Widdler.

Everybody thought about that, and on the afternoon of Anderson's arrest, two officers and a technician went to Widdler's store with a search warrant, and, after she'd spoken to her attorney, spent some time using sterile Q-tips to scrub cells from the lining of her cheeks.

DNA samples were also taken from Anderson, and from the body of Leslie Widdler, and were packed off to the lab. At the same time, five crime-scene techs from the BSA and the St. Paul Police Department began working over the white van, the steel building, and the shack.

Ownership of the land, shack, and building was held by the Lorna C. Widdler Trust. Lorna was Leslie's mother, who'd died fourteen years earlier; Leslie was the surviving trustee. No mention of Jane. The land surrounding the shack, the cornfield, was owned by a town-farmer in Dundas, who said he'd seen Leslie—"A big guy? Dresses like a fairy?"—only twice in ten years. He'd had a woman with him, the farmer said, but he couldn't say for certain whether it was Jane Widdler or Amity Anderson. They paid the farmer $225 for damage to his cornfield.

Smith called Lucas the evening of the arrest and said, "We found a pill bottle under the front seat of the van. It's a prescription for Amity Anderson."

"There you go," Lucas said.

"Yeah, and we got some hair, long brown hair. Doesn't look like Widdler's. It does look like Anderson's."

"Anything on Leslie?"

"Well, there's some discoloration on the back of the passenger seat, might be blood. One of the techs says it is, so we've got some DNA work to do."

"If it's either a dog or Leslie . . ."

"Then we're good."

The Reckless painting and the swoopy chairs were confirmed by the Lash kid, a painting was found on an old inventory list held by the Toms family in Des Moines, and two pieces of furniture were found on purchase receipts in Donaldson's files.

St. Paul police, making phone checks, found a call from Leslie Widdler's phone to Anderson's house on the night Widdler killed himself.

The quilts were defended by their museum owners as genuine.

So the reporters came and went, and the attorneys; the day after the arrest, Lucas was chatting with Del when Smith came by. Smith had been spending time with Anderson and her court-appointed attorney. They shuffled chairs around Lucas's office and Carol brought a coffee for Smith, and Smith sighed and said, "Gotta tell you, Lucas. I think there's an outside possibility that we got the wrong woman."

"Talk to me."

"The hair's gonna be Anderson's—or maybe, somebody we just don't know. But I looked at her hair really close, and it's the same. I mean, the same. Color, texture, split ends . . . We gotta wait for the DNA, but it's hers."

"What does she say?" Lucas asked.

"She says she was never in the van," Smith said.

"Well, shit, you caught her right there," Del said. "What more do you want?"

"We asked her about the phone call from Leslie, the night Leslie killed himself. Know what she says?"

"Is this gonna hurt?" Lucas asked.

Smith nodded. "She says that Jane Widdler called her, not Leslie. She said that Jane told her that her car had broken down, and since Anderson was only a few blocks away, asked her to come over and pick her up, give her a ride home. Anderson said she did. She said Widdler told her she had to pee, so they stopped at Anderson's house, and Widdler went in the bathroom. That's when Widdler picked up the prescription bottle and the hair, Anderson says."

"She's saying that Jane Widdler murdered Leslie," Lucas said.

"Yep."

"Anderson never saw a body?"

"She never saw the car, she says," Smith said. "She says Widdler told her that she was afraid to wait in a dark area, and walked out to Cretin. She said she picked up Widdler on Cretin, took her back to her house to pee, and then took her home."

"How long was the phone call?" Lucas asked.

"About twenty-three seconds."

"Doesn't sound like a call between a guy about to commit suicide, and his lover," Lucas said to Del.

"I don't know," Del said. "Never having been in the position."

"She's got this story, and she admits it sounds stupid, but she's sticking to it. And she does it like . . ." Smith hesitated, then said it: ". . . like she's innocent. You know those people who never stop screaming, and then it turns out they didn't do it? Like that."

"Hmm," Lucas said.

"Another thing," Del said. "Even if we find some proof that Widdler was involved, how do we ever convict? A defense attorney would put Anderson on trial and shred the case."

"So you're saying we ought to convict Anderson because we can?" Lucas asked.

"No," Del said. "Though it's tempting."

"You oughta go over and talk to her—Anderson," Smith said to Lucas.

"Maybe I will," Lucas said. "All right if I take a noncop with me?"

"Who'd that be?"

"A bartender," Lucas said.

Amity Anderson had never been big, and now she looked like a Manga cartoon character when the crime boss fetches her out of the dungeon. She'd lost any sparkle she'd ever had; her hair hung lank, her nails were chewed to her fingertips.

"This is all off the record," Lucas said.

Anderson's lawyer nodded. "For your information: no court use, no matter what is said."

Lucas introduced Sloan, who'd put on his best brown suit for the occasion. "Mr. Sloan is an old friend and a former police officer who has always had a special facility in . . . conversations with persons suspected of crimes," Lucas said carefully. "I asked him to come along as a consultant."

Everybody nodded and Anderson said, "I didn't know about any killings. But I knew Leslie and Jane, and when Mrs. Donaldson was killed, I worried. But that's all. I didn't have any proof, I didn't have any knowledge. With Mrs. Bucher, it never crossed my mind . . . then, when I read about Marilyn Coombs being killed, I thought about it again. But I pushed it away. Just away—I didn't *want* to think about it."

Sloan took her back through the whole thing, with a gentle voice and thin teacher's smile, working more like a therapist than a cop, listening to the history: about how Anderson and the Widdlers had become involved in college, and then drifted apart. How the surprise call came years later, about the quilts. About her move to the Cities, occasional contacts with the Widdlers, including a sporadic sexual relationship with Jane Widdler.

"And then you drove down to a barn full of stolen antiques and began stealing them a second time—with a key you had in your pocket," Lucas said.

"That's because Jane set me up," Anderson said through her teeth, showing the first bit of steel in the interrogation. "I couldn't believe it—I couldn't believe how she must have worked it. She knew I was friends with Don Harvey. He's a very prominent museum person from Chicago, he used to be here. She said he was coming to town, and if he authenticated some paintings for them, that they would give me fifteen percent of the sale price, above their purchase price. She thought I had some influence with Don because we'd dated once, and were friends. If he okayed the paintings—I mean, if he'd okayed that Reckless painting, I could have gotten seventy-five thousand dollars in fees for that one painting."

She shook her head again, a disbelieving smile flickering across her face: "She gave me a key and said she'd send me a map in the mail. I got it out of my mailbox when you were watching me."

Lucas nodded. They'd seen her get home, go straight to the mailbox, and then out to the car.

"John Smith found the map . . ." Anderson began.

"He said it was a really old map, Xeroxed, with your fingerprints all over it."

"And the envelope . . ." Anderson said.

"Just an envelope . . ."

"Well, can't you do some science stuff that shows the key was inside? Or the map? I see all this stuff on *Nova*, where is it?"

"On *Nova*," Lucas said.

Her eyes drifted away: "My God, she completely tangled me up . . ."

They talked to her for another half hour, Sloan watching her face, backtracking, poking her with apparently nonrelevant questions that knitted back toward possible conflicts in what she was saying.

When he was done, he nodded to Lucas, and Lucas said, "It's been fun. We'll get back to you."

"Do you believe me?" she asked Lucas.

"I believe evidence," Lucas said. "I don't know about Sloan."

Sloan said, "I gotta think about it."

As they were leaving, Anderson said, with a wan, humorless smile, "You know the last mean thing that Botox bitch did? She stole my alprazolam to put in the van, just when I needed it most. I could really use some stress meds right now."

Out in the hallway, Sloan looked at Lucas. Lucas was leaning against the concrete-block wall, rubbing his temples, and Sloan said, "What?"

Lucas pushed away from the wall and asked, "What do you think?"

"She was bullshitting us some, but not entirely," Sloan said. "I'd probably convict her if I were on a jury, based on the evidence, but I don't think she killed anyone."

"Okay."

"What happened with you?" Sloan asked. "You look like you've seen a ghost."

Lucas called the evidence guys at St. Paul, then the supervisor of the crime-scene crew who'd gone over Anderson's house. Then he went down to Del's desk and said, "Let's take a walk around the block."

Outside, summer day, hot again, puffy white fair-weather clouds; flower beds showing a little wilt from the lack of rain. Del asked, "What's happening?"

"Remember all that shit Smith said? About the evidence coming in?"

"Yeah." Del nodded.

"So one of the clinchers was an amber plastic prescription bottle," Lucas said. "You know the kind, with the click-off white tops?"

"Uh-huh. I know about the bottle."

"When I was looking into Anderson, when I first tripped over her, I didn't have anything to go on," Lucas continued. "I thought I might take an uninvited look around her house."

"Ah." They'd both done it before, breaking-and-entering, a dozen times between the two of them. Life in the big city.

"In the bathroom, I found a bottle of alprazolam and a bottle of Ambien," Lucas said. "I noticed them because I use them myself. The thing is, there wasn't any alprazolam in Anderson's house when St. Paul went through the place last night. And the stuff in the van was only three weeks old— it was a new prescription. Unless they used the van some other time, that we don't know about, and that seems unlikely, because they'd had some problems the last two times out . . . how did the alprazolam get in the van?"

"That's awkward," Del said.

"No shit."

"Hey. Don't get all honorable about it," Del said. "I can think of ways that bottle got there—like maybe she went down to take some other pictures out, or maybe she went down to clean out the van, and lost the bottle. Won't do any good for you to start issuing affidavits about breaking-and-entering."

Lucas grinned. "I wasn't going to do that. But . . ."

"We need to think about this," Del said.

They finished walking down the block, and back, and nothing had occurred to them. At the door, as they were going back in the BCA building, Del asked, "Did anybody ever ask Anderson about Gabriella?"

"No . . . Gabriella. She's just gone."

But that evening, sitting in the den listening to the soundtrack from *Everything Is Illuminated,* Lucas began to think about Gabriella, and where she might have gone. Assuming that she'd been killed by Leslie Widdler, where would he put her? Because of the "Don't Mow Ditches" campaign, it was possible that he'd just heaved her out the van door, the way he'd heaved Screw, and she was lying in two feet of weeds off some back highway. On the other hand, he had, not far away, an obscure wooded tract where he had to take the van anyway, assuming he'd used the van when he killed Gabriella. And if he had a body in it . . .

He got on the phone to Del, then to Flowers: "Can you come back up here?"

"I'm not doing much good here," Flowers said. He'd gone back south, still pecking away at the case of the girl found on the riverbank. "My suspect's about to join the Navy to see the world. Which means he won't be around to talk to."

"All right. Listen, meet Del and me tomorrow at the Widdlers' shack. Wear old clothes."

They hooked up at eleven o'clock in the morning, out at the Widdlers' place, the highway in throwing up heat mirages, the cornfield rustling in the spare dry wind, the sun pounding down. They unloaded in front of the shack, which had been sealed by the crime-scene crew. Flowers was towing a boat, and inside the boat, had a cooler full of Diet Coke and bottles of water.

Lucas and Del were in Lucas's truck, and unloaded three rods of round quarter-inch steel, six feet long; Lucas had ground the tips to sharp points.

He pointed downstream. "We'll start down there. It's thicker. Look at any space big enough to be a grave. Just poke it; it hasn't rained, so if it's been turned over, you should be able to tell."

Flowers was wearing a straw cowboy hat and aviator glasses. He looked downstream and said, "It's gonna be back in the woods, I think. Probably on the slope down toward the river. If he thought about it, he wouldn't want to put her anyplace that might be farmed someday."

"But not too close to the river," Lucas said. "He wouldn't want it to wash out."

They were probing, complaining to each other about the stupidity of it, for an hour, and were a hundred yards south of the house when Flowers said, "Hey." He was just under the edge of the crown of a box elder, thirty feet from the river.

"Find something?"

"Something," Flowers said. They gathered around with their rods, probing. The earth beneath them had been disturbed at some time—squatting, they could see a depression a couple of feet across, maybe four feet long. The feel of the dirt changed across the line. But there was also an aspen tree, with a trunk the size of a man's ankle, just off the depression, with one visible root growing across it.

"I don't know. The tree . . ."

"But feel this . . ." Flowers gave his rod to Lucas. "You can feel how easy it went down, how it got softer the lower you go . . . and then, doesn't that feel like a plastic sack or something? You can *feel* it . . ."

"Feel something," Lucas admitted.

They passed the rod to Del, who said he could feel it, too. Lucas wiped his lower lip with the back of his hand: sweaty and getting dirty. "What do you think? Get crime scene down here, or go get a shovel?"

They all looked up at the shack, and the cars, and then Del said, "Would you feel like a bigger asshole if you got a crew down here and there was nothing? Or if you dug a hole yourself and it was something?"

Lucas and Flowers looked at each other and they shrugged simultaneously and Flowers said, "I'll get the shovel."

While Flowers went for the shovel, Del probed some more with the rod, scratched it with the tip of a pocketknife, pulled it out and looked at the scratch. "Three feet," he said. "Or damn close to it."

They decided to cut a narrow hole, straight down, one shovel wide, two feet long. The ground was soft all the way, river-bottom silt; grass roots, one tree root, then sandy stuff, and at the bottom of the hole, a glimpse of green.

"Garbage bag," Flowers grunted. He lay down, reached in the hole and began pulling dirt out with one hand. When they'd cleared a six-inch square of plastic, Del handed him his knife, and Flowers cut the plastic. Didn't smell much of anything; Flowers pulled the sliced plastic apart, then said to Lucas, "You're standing in the light, man."

Lucas moved to the other side of the hole, still peering in, and Flowers got farther down into the hole, poked for a moment, then pushed himself out and rolled onto his butt, dusting his hands. "I can see some jeans," he said.

The crime-scene supervisor gave them an endless amount of shit about digging out the hole, until Lucas told him to go fuck himself and didn't smile.

The guy was about to try for the last word when Flowers, his shirt still soaked with sweat and grime, added, "If you'd done the crime-scene work right, we wouldn't have had to come down and do it for you, dick-weed."

"Hey. You didn't say anything about a fuckin' graveyard."

"It's all a crime scene," Flowers said. He wasn't smiling, either. "You shoulda found it."

They took two hours getting the bag out of the hole. Lucas didn't want to look at it. He and Flowers and Del gathered around the back of Flowers's boat and drank Diet Cokes and Flowers pulled out a fishing rod and reel and rigged a slip sinker on it, talking about going down to the river and trying for some catfish.

"Got a shovel, we'll find some worms somewhere . . ."

The crime-scene guy came over and said, "It's out. Whoever it is had a short black haircut and wore thirty-six/thirty-four Wrangler jeans, Jockey shorts, and size-eleven Adidas."

Lucas was bewildered. "Size eleven? Jockey shorts?"

And, one of the crime-scene guys said a few minutes later, whoever it was still carried his wallet. Inside the wallet was an Illinois driver's license issued eight years earlier in the name of Theodore Lane.

"What the fuck is going on here?" Del asked.

The crime-scene guy called for a bigger crew with ground-penetrating radar and a gas sniffer. Two dozen people milled around, talking about secret graveyards, but there was no real graveyard.

At three o'clock they found the only other

grave that they would find. It was fifty yards south of the first one, in an area that Lucas, Del, and Flowers had walked right over. The top of the grave was occupied by a drift-wood stump, which was why they missed it. The bottom was occupied by Gabriella Coombs, curled into a knot in a green plastic garbage bag, wasted and shot through with maggots, almost gone now . . .

At home that night, after taking a twenty-minute shower, trying to get the stink of death off him, Lucas went down to dinner and grumped at everyone. Coombs was going to haunt him for a while; chip a chunk off the granite of his ass.

The other thing that bothered him a bit was that he knew, from experience, that he'd forget her, that in a year or so, he'd have put her away, and would hardly think of her again.

He'd gotten down a beer and was watching a Cubs game, when Weather came with the phone, and handed it to him. The medical examiner said, "I took a look and can tell you only one thing: it's gonna be tough. Nothing obvious on the body, nothing under her fingernails. We'll process anything we find, but if there wasn't much to start with, and it's been days since she went into the ground . . ."

"Goddamnit," Lucas said. "There's gotta be something."

There was; but it took him a while to think of it.

27

Lucy Coombs came to the door barefoot and when she saw Lucas standing there, hands in his pockets, asked through the screen door, "Why didn't you come and tell me?"

Coombs had gone to look at her daughter at the medical examiner's. Lucas had avoided all of it: had sent Jerry Wilson, the original St. Paul investigator in the Marilyn Coombs murder, to tell Lucy that her daughter's body had been found.

Now, standing on her porch, he said, "I couldn't bear to do it."

She looked at him for a few seconds, then pushed the screen door open. "You better come in."

She had a plastic jug of iced tea in the refrigerator and they went out back and sat on the patio, and she told him how she, a man that she thought may have been Gabriella's father, and another couple, had traveled around the Canadian Rockies in a converted old Molson's beer truck, smoking dope and listening to all the furthest-out rock tapes, going to summer festivals and living in provincial parks . . . and nailing a couple of other good-looking guys along the way. "I always had this thing for hot-looking blond guys, no offense."

"None taken."

"Summer of my life. Good time, good dope, good friends, and knocked up big-time," she said, sitting sideways on a red-wood picnic-table bench. "God, I loved the kid. But I wasn't a good mother. We used to fight . . . we started fighting when she was twelve and didn't quit until she was twenty-two. I think we both had to grow up."

She rambled on for a while, and then asked the question that had been out there, in the papers and everywhere else. "Are you sure Amity Anderson did it?"

"No," Lucas said. "In fact, I don't think she did. She might have, but there are some problems . . ."

He'd gone back to Eau Claire, he told her, and talked to Frazier, the sheriff's deputy, and all the other investigators they could reach. Amity Anderson had no boyfriend, they said. Just didn't have one. They accounted for her nights, they looked at phone records, at gasoline credit-card receipts, they checked her mail. She had no boyfriend . . .

And she had that alibi for the night Donaldson was killed. The alibi was solid. Would Leslie Widdler have gone into the house on his own? Wouldn't he have wanted a backup? The night Gabriella disappeared, there were two phone calls from Anderson's house, one early, one fairly late. The recipients of the phone calls agreed that they'd spoken to her.

"That doesn't mean she couldn't have done it, but it's pretty thin," Lucas said.

"You think Widdler's wife, I saw her name in the newspaper . . ."

"Jane."

"You think she was involved?" Coombs asked.

"I think so," Lucas said. "Anderson insists

that she was—and to some of us, she sounds like she's telling the truth."

"So it would be Jane Widdler who killed Gabriella."

"Probably helped her husband," Lucas said. "Yes. They worked as a team."

Coombs took a sip of lemonade, sucked on an ice cube for a moment. "Are you going to get her?"

"I don't know," Lucas said. "I see a possibility—but we'd need your help."

"My help?"

"Yes. Because of your mother, and the Armstrong quilts, you're in . . . sort of a unique position to help us," Lucas said.

She looked him over for a minute, sucking on the ice cube, then let it slip back into the glass, and leaned toward him. "I'll help, if I can. But you know what I'd really like? Because of Mom and Gabriella?"

"What?"

Her voice came out as a snarl: "I'd like a nice cold slice of revenge. That's what I'd like."

Jane Widdler was sitting on the floor in a pool of light, working the books and boxes

and shipping tape. The cops had photographed everything, with measurement
scales, and were looking at lists of stolen
antiques. But Widdler knew that the store
stock was all legitimate; she had receipts
for it all.

Leslie's suicide and implication in the
Bucher, Donaldson, and Toms murders had
flashed out over the Internet antique fo-
rums, so everybody who was anybody
knew about it. She'd had tentative calls
from other dealers, sniffing around for
deals.

At first, she'd been angry about it, the
goddamn vultures. Then she realized she
could move quite a bit of stuff, at cost or
even a small profit, and pile up some serious dollars. She was doing that—took Visa,
MasterCard, or American Express, shipping
the next day . . .

Her clerk had walked out. Left a note
saying that she couldn't deal with the pressure, asked that her last paycheck be
mailed to her apartment. Good luck on that,
Widdler thought, pouring plastic peanuts
around a bubble-wrapped nineteenth-cen-
tury Tiffany-style French-made china clock,
set in a shipping box. Eight hundred dollars,

four hundred less than the in-store price, but cash was cash.

There was a knock on the front door, on the glass. The CLOSED sign was on the door, and she ignored it. Knock again, louder this time. Maybe the police? Or the lawyer?

She made a frown look and got to her feet, spanked her hands together to get rid of the Styrofoam dust, and walked to the door. Outside, a woman with huge bushy blond hair, dressed in a shapeless green muumuu and sandals, had cupped her hands around her eyes and was peering through the window in the door.

Irritated, Widdler walked toward the door, shaking her head, jabbing her finger at the CLOSED sign. The woman held up a file folder, then pressed it to the glass and jabbed her own finger at it. Making an even deeper frown look, Widdler put her nose next to the glass and peered at the tab on the file folder. It said, in a spidery hand, "Armstrong quilts."

The woman on the other side shouted, loud enough to be heard through the door, "I'm Lucy Coombs. I'm Marilyn Coombs's daughter. Open the door."

Widdler thought, "Shit," then thought,

"Elegance." What is this? She threw the lock, opened the door a crack.

"I'm closed."

"Are you Jane Widdler?"

Widdler thought about it for a second, then nodded. "Yes."

The words came tumbling out of the woman's mouth, a rehearsed spiel: "My mother's house has been attached by the Walker and now by the Milwaukee museum. They say the Armstrong quilts are fakes and they want their money back and that it was all a big tax fraud. I have her file. There's a letter in it and there's a note that says you and your husband were Cannon Associates and that you got most of the money. Mom's house was worth two hundred thousand dollars and I'm supposed to be the heir and now I'm not going to get anything. I'll sell you the original file for two hundred thousand dollars, or I'm going to take it to the police. The museums can get the money back from you, not from me."

The woman sounded crazy-angry, but the part about Cannon and the Armstrongs wasn't crazy.

"Wait-wait-wait," said Widdler, opening the door another inch.

"I'm not going to talk to you here. I'm afraid of you and I'm afraid the police are tapping your telephones. They tap everything now, everything, the National Security Agency, the CIA, the FBI. I brought this copy of the file and the letter and inside there's a telephone number where you can call me at eleven o'clock tomorrow morning. It's at a Wal-Mart and if you don't call me, you won't be able to find me and I'll go to the police."

The woman thrust the file through the door and Widdler took it, as much to keep it from falling to the floor, as anything, and Widdler said, "Wait-wait-wait" but the woman went running off through the parking lot, vaulted into the junkiest car that had ever been parked at the store, a battered Chevy that looked as though it had been painted yellow with a brush, with rust holes in the back fender. The woman started it, a throaty rumble, and sped away.

Jane looked at the file. "What?"

At ten o'clock the next morning, Jane Widdler got self-consciously into her Audi and drove slowly away from her house, watching everything. Looking for other cars, for the same cars, for cars that were driving too slow, for parked cars with men in them. She would be headed, eventually, for the Wal-Mart.

The night before, given the phone number by Coombs, she'd found the Wal-Mart in a cross-reference website. She'd also found Coombs's address. She'd sat and thought about it for a while, and then she'd driven slowly, carefully, watchfully out to scout the Wal-Mart, where she found a block of three pay phones on the wall inside the entrance. One showed the number given her by Coombs. She'd noted the number of all three, then had driven another circuitous route out to the interstate, and then across town to Coombs's house.

She considered the possibility of shooting the woman at her own door; but then, what about the file? Would she have time to find it? Were there other people in the house?

Too much uncertainty. She'd gone home—the police had finished their search—and had drunk most of a bottle of wine.

In the morning, at ten o'clock, she started out, a feeling of climax sitting on her shoulders.

She drove six blocks, watching her back, then hooked into the jumble of narrow streets to the north, on backstreets, long narrow lanes, into dead ends, where she turned and came back out, looking at her tail. In ten minutes, she'd seen precisely nothing . . .

Lucas was in his car three blocks away, Flowers bringing up the rear, Jenkins and Shrake on the flanks. Overhead—way overhead—Jerrod was in a Highway Patrol helicopter, tracking Widdler with glasses. Del was with Coombs.

They tracked her for a half mile, out to the interstate, away from the Wal-Mart, into a Best Buy. She disappeared into the store.

"What do we do?" Flowers called.

"Shrake? Jenkins?" Lucas called. "Can one of you go in?"

"Got it," Shrake said.

But Shrake had been a block away and almost got clipped by a cell-phone user when he tried to make an illegal turn. The parking lot was jammed and he didn't want to dump the car at the door; she might spot it. By the time he got parked, and got out and crossed the lot without running, and got through the front door, he was too late. She was walking directly toward him, toward the exit. He continued toward the new-release movie rack, and when she'd gone out, he called, "She's out, she's out . . ."

"Got her," Lucas said, watching from across the street. "What'd she do in there?"

"Don't know. Want me to ask around?"

Lucas thought, then said, "Ah . . . fuck it. Catch up with us. She's back in her car."

"She's heading for the Wal-Mart," Jerrold called five minutes later. "Tell Del to put Coombs in the store."

Lucas and his group tracked her right into the Wal-Mart parking lot, past the main entrance, to the Garden Shop. "She's going in the back side, through the Garden Shop," Lucas called to Del.

"I'm heading that way . . . I'm heading that way," Del called back. Then "I got her," and "Lucy is headed for the phones."

———

Widdler watched Coombs from halfway across the store. Watched her for three or four minutes, looking for anybody who might be a cop. Coombs was wearing another muumuu, a blue one this time. She was a heavy woman, big gut, chunky around the hips, a potato-eating prole, a leftover hippie. She stood just inside the entrance, looking at the bank of three yellow pay phones.

Widdler, in Women's Clothing, watched for another minute. Nothing moving. She saw Coombs looking at her watch. If Davenport was behind this, Widdler thought, he could have tapped the phone, but they wouldn't have let Coombs come in here by herself, would they?

Widdler took the cell phone out of her pocket and dialed. She watched Coombs pick up the pay phone. Coombs said, "Hello," and Widdler said, "Hang up, and go two phones down. I'll call you on that one in two seconds."

Coombs hung up the phone, moved down two. Stared at the phone—didn't call anyone, didn't look at anyone. Widdler punched in the number. Coombs answered and Widdler said, "I don't have two hundred thousand dollars. I could get eighty thousand now and pay you the rest later, but I want the original of the letter."

"Why would you pay me the rest later?" Coombs asked. "If I didn't have the letter?"

"Because you could cause me a lot of trouble by talking to the police, even without the original," Widdler said. "You'd be in trouble yourself, for destroying evidence, but I don't know how crazy you are. I'd pay you, all right, but I don't have the cash now."

"I don't know," Coombs said.

Widdler: "You don't have any time to think about it. Say yes or say no, or I'll hang up."

"Ah, God. You'd pay me?"

Coombs sounded exactly like a stoned-out hippie, hoping against all expectation that something good might happen to her. "Yes. Of course. I've already started getting the money together."

"All right," Coombs said. "But I'll go to the cops if you don't pay me the rest . . ."

"*Just tell me what you want to do.*"

"Here's what I've worked out," Coombs said. "I don't trust you and I want to look at the money. So I want to do it in a semipublic place where I can scream for help if you try to hurt me, but where we'll have a little privacy. I'll scream, I really will."

"Where?"

"There's a farmers' market today in St. Paul, downtown, across from Macy's . . ."

"No. That's too open," Widdler said. "The ladies' room at Macy's, there'd still be people around . . ."

"But we couldn't say a word, I couldn't look at the money . . ." Coombs whined.

"The Macy's parking ramp in St. Paul?" Widdler suggested.

"That's too scary . . . Do you know where Mears Park is? Where the art studios are?"

"That'll be good, that'd be perfect," Widdler said. "One o'clock?"

"I'll scream if you do anything," Coombs said.

"Then I go to trial and you won't get a penny," Widdler said.

Another long pause. Then, "Okay."

"Bring the originals. I'm not bargaining anymore. Bring the originals or I'm gone," Jane Widdler said.

With Jerrold in the air, and Flowers, Shrake, and Jenkins on the ground escorting Widdler back to her shop, Lucas and Del helped Coombs out of the muumuu and then out of the ballistic vest and the wire. "Jeez, that thing is hot," she said. She'd told them about the phone conversation on the way out of the store. "She was behind me?"

"Yeah. And I was behind her," Del grunted. "We were cool."

"Think she'll come?" Coombs asked.

"I hope," Lucas said.

"What happened with the phone?" Del asked.

"We don't know, but she didn't use her own and she switched phones inside," Lucas said. "I think she bought a phone at Best Buy."

"She's no dummy," Del said.

"But we sold her," Lucas said, grinning at the other two. "Lucy, you were great. You could be a cop."

She shook her head. "No, I couldn't. Cops pretend to be friends with people, and then they turn them in. I couldn't do that."

The key, Lucas told Coombs, was to get Widdler on tape acknowledging the quilt fraud, that she knew of the Donaldson killing . . . anything that would get her into the slipstream of the killings. Once they had her there, circumstantial evidence would do the rest.

"Get her talking," Del said. "Get her rolling . . ."

Mears Park was a leafy square, one block on each edge. The buildings on three sides were rehabbed warehouses, combinations of apartments, studios, offices, and retail, including the studio of Ron Stack, the artist that Gabriella had dated. The fourth side was newer, offices, a food court, and apartments in brick-and-glass towers.

"As soon as she's in the park, we'll have you come around the block in the car, since she's seen the car," Lucas told Coombs. "Shrake will pull away from the curb, and that'll leave a parking space open for you."

Del pointed at an unmarked cop car, already in the parking slot. Lucas pointed out the route: "Pull in, then walk down the sidewalk over here. Del's gonna be on the other side of the park, back through the trees, closing in, as soon as we know where she's at. Flowers and I will be behind the doors in Parkside Lofts. We'll be invisible, but as long as you're on the sidewalk, we'll be right across the street from you. Sit on this bench . . ." He pointed. "There's gonna be a guy on the bench eating his lunch."

"Pretty obvious," Coombs said.

Lucas shook his head: "Not really. When people are suspicious, they look for a bum pushing a shopping cart or a woman with a baby carriage, but a guy in a suit eating a peanut-butter sandwich and talking on a cell phone . . . Won't look at him twice. Besides, as soon as you show up, he's gonna walk away. That gives you the bench. Talk to her on the bench."

"What if she doesn't want to talk there?" Coombs asked.

"Go with the flow—but as soon as you feel the slightest bit uncomfortable about *anything*, break it off," Lucas said. "Anything, I'm serious. If you feel uncomfortable, you're probably right, something's screwed up. Get out. Scream, run, whatever. Get away from her."

Coombs nodded, and started to tear up. "It'd be a shame if she got all three of us."

"Don't even think that," Lucas said.

Del said to Lucas, "Man, I'm getting the shakes. Bringing a civilian in . . ."

Lucas looked at Coombs. "What do you think, Lucy? We can call it off, try to get her to talk by phone."

Coombs shook her head, wiped her eyes with her knuckles. "I'm a big chicken—if she looks at me cross-eyed, I'm runnin'."

Jane Widdler got to the park at noon, an hour early. She'd parked in the Galtier Plaza parking ramp, had taken the elevator to the Skyway level, had scouted the Skyways and then the approaches to the park, tagged by three female cops borrowed from St. Paul. Finally, she walked all four sides of the park, and walked in and out of the buildings on all four sides.

"She's figuring out where she can run," Flowers said. They were on the second floor of the Parkside Lofts, looking out a window.

Lucas nodded. "Yup. We haven't seen her in anything but high heels. Now she's wearing sneaks."

When she'd finished scouting, Widdler walked across the street to Galtier Plaza, went to the Subway in the food court, got a roasted chicken sandwich, and sat in a window looking out at the park.

Jenkins was at the opposite end of the food court with three slices of pizza and a Diet Coke. "She's cool," he told Lucas, talking on his cell phone, sitting sideways to Widdler, watching her with peripheral vision.

At two minutes to one, Lucas called Del and said, "Put her in."

Shrake had been hiding in a condo lobby. Now he ambled up to the corner, waited for a car to pass, jaywalked to his car, got in, watched in his rearview mirror until he saw Coombs turn the corner. He pulled out, turned the corner, and was out of sight . . .

Coombs saw him leave, pulled up to the parallel-parking spot, and spent three minutes getting straight, carefully plugged the meter, and then started walking around the perimeter of the park, looking down into it.

Jenkins, on the cell phone, said, "She's moving."

Lucas and Flowers had moved to the

glass doors of the building across the street from the bench. Coombs was walking slowly on the sidewalk, peering into the park. She was still wearing the blue muumuu and was carrying a Macy's bag, looking fat and slow.

Widdler stepped out of Galtier into the sunshine, slipping on sunglasses. She was carrying an oversized Coach bag, black leather, big enough to hold eighty thousand. She crossed the street, walking casually. She was forty yards behind Coombs, and closing.

"Lucy doesn't see her," Flowers said.

"We're okay, we're okay," Lucas said.

A guy eating his lunch got off the park bench, tossed the brown bag in a trash container, and started across the street, talking on a cell phone, not looking back. A St. Paul vice cop. Del called: "I'm coming in."

"We're in," Shrake said. He and Jenkins were moving down the east side of the park, where they could cut Widdler off, if she made a run for it.

From Lucas's point of view, everything seemed to slow down.

Coombs plodding toward the bench, sitting down in slow motion, looking tired, the Macy's bag flapping on the bench . . .

Widdler closing in on her, from behind, twenty yards, ten, five, her hand going in her purse, back out.

Lucas: "Shit. She's got a gun."

He and Flowers hit the door simultaneously, Flowers screaming, "Lucy, Lucy, watch out, gun . . ."

Widdler never heard them or saw them. Her world had narrowed to the target on the bench, the big fat hippie with the bushy hair and the Macy's bag, and there was nobody around and she was moving in fast, the woman might never see her . . .

Widdler had the gun in her hand, a four-inch double-trigger, double-barreled derringer that Leslie had given her to keep in her car. He'd said, "It's not accurate at more than two feet, so you pretty much got to push it right against the guy . . ." He'd been talking about a rapist, but there was no reason that Coombs should be any different.

The gun was coming up and somewhere, in the corner of her mind, she realized that there was a commotion but she was committed and then Coombs was half standing and turning to meet her and the gun was going and she heard somebody shout and then she shot Coombs in the heart. The blast was terrific, and her hand kicked back, and there was a man in the street and car brakes screeching and she never thought, just reacted, and she turned and the gun was still up . . .

And suddenly she was swatted on the ankle and a screaming pain arced through her body and she hit the ground and she registered a shot; she got a mouthful of concrete dust and her glasses came off and she rolled and Lucas Davenport was looking down at her . . .

Lucas nearly ran through a car. The car screeched and he was knocked forward and registered the face of a screaming woman behind the windshield, and he saw Coombs get shot and he was rolling and then he heard a shot from behind him, saw Flowers with a gun and saw Widdler go down, then he was up and running and looking down at Widdler.

Coombs was on her hands and knees,

looking up at him, and she said, "I'm okay, I'm okay."

And Lucas turned to Flowers, as he straddled Widdler, his heart thumping, Flowers pale as an Irish nun, and Lucas asked, "Why'd you shoot her in the foot?"

Then Widdler screamed, the pain flooding her, hit in the ankle, her foot half gone. "No, no, no . . ."

Lucas said, "Get an ambulance rolling," and he turned to Coombs, who'd gone back to her hands and knees.

"You sure you're . . . ?"

Coombs was right there with Widdler's derringer. She pointed the tiny gun at Widdler's eye from one inch away and pulled both triggers.

The second blast was as big as the first one, and Widdler's head rocked back as though she'd been kicked by a horse.

Lucas dropped on Coombs and twisted the gun out of her hand, but before he got that done, Coombs had just enough time to look into Widdler's single remaining dead eye and say, "Fuck you."

28

The St. Paul cops closed off the park and the street where the shooting took place, stringing tape and blocking access with squad cars. Local television stations put cameras in the surrounding condos, and got some brutal shots of Widdler's dead body, faceup and crumbled like a ball of paper, crime-scene guys in golf shirts standing around like death clerks.

Coombs went to jail for three days. In the immediate confusion over the shooting, Ramsay County attorney Jack Wentz showed up for the cameras and announced that he would charge Coombs with murder; and that he would further investigate the regrettable actions by state investigative officers, which led to an unnecessary killing on his turf.

Lucas, talking behind the scenes, argued

that the shooting was part of a continuing violent action—that the killing of Widdler was an unfortunate but understandable reaction of a woman who'd been shot and hit, and the fact that she was wearing a ballistic vest did not lessen the shock. The close-range shooting, he said, combined with the real shooting of Widdler by Flowers, the fact that Coombs had seen Lucas knocked down by a car, that people had been screaming at her, that Widdler had been thrashing around on the ground next to her, had so confused Coombs that she'd picked up the loose gun and fired it without understanding the situation.

Wentz, replying off the record, said Lucas was trying to protect himself and the other incompetents who'd set up the sting.

The next day, the local newspaper columnists unanimously landed on the county attorney's back, and the television commentators followed on the noon, evening, and late-night news.

The *Star Tribune* columnist said, "Mrs. Coombs's mother and daughter were killed by this witch, and she'd just been shot in the chest herself—thank God she was wearing a bulletproof vest, or the whole family would have been wiped out by one serial killer. That Wentz would even consider bringing charges suggests that he needs some quiet time in a corner, on a stool, with a pointy hat to focus his thoughts, if he has any . . ."

The police federation said it would revisit its endorsement of Wentz for anything, and the governor said off-the-record that the county attorney was full of shit, which was promptly reported, of course, then disavowed by Neil Mitford, but the message had been sent.

The county attorney said that what he'd really meant to say was that he'd investigate, and the issue would be taken to the grand jury.

Coombs was released after three days in jail, with her house as bond. She never went back—the election was coming, and the grand jury, which did what Wentz told them to do, decided not to indict.

Rose Marie Roux told Lucas, "You got lucky. About six ways. If Coombs had wound up dead, you might be looking for a job—this being an election year."

"I know. The thought never crossed my mind that Widdler'd yank out a gun and try to shoot her in broad daylight on a main street," Lucas said. "And you know what? If it'd been real, if it hadn't been a setup, she'd have gotten away with it. She'd have walked across the street and gone upstairs to the Skyway and then over to Galtier and down in the parking garage, and that would have been it."

Mitford, who had come over to listen in, said, to Rose Marie, "We pay him to be lucky. Lucky is even better than good. Everybody is happy." And to Lucas: "Don't get unlucky."

The public argument would have gone on, and could have gotten nastier, except that Ruffe Ignace published an exclusive interview with the teenage victim of Burt Kline's sexual attentions.

Ignace did a masterly job of combining jiggle-text with writing-around, and everybody over fourteen understood that Kline had semicolon-shaped freckles where many people wouldn't have looked, and that the comely teenager had been asked (and agreed) to model white cotton thongs and a half-shell bra in a casino hotel in Mille Lacs. Ignace did not actually say that little pink nipples were peeking out, but you got the idea.

Coombs moved to page seven.

Amity Anderson was charged with receiving stolen goods, but in Wentz's opinion, nothing would hold up. "We don't have any witnesses," he complained. "They're all dead."

The Des Moines prosecutor who had gotten a conviction in the Toms' case said, "I'm still convinced that Mr. Child was involved in the murder," but the tide was going out, and the state attorney general said the case would be revisited. Sandy spent a week in Iowa leading a staff attorney through the paper accumulated in Minnesota.

The estates of Claire Donaldson, Jacob Toms, and Constance Bucher sued the estates of Leslie and Jane Widdler for recovery of stolen antiques, for wrongful death, and for a laundry list of other offenses that guaranteed that all the Widdler assets would wind up in the hands of the heirs of Donaldson, Toms, and Bucher, et al., and an assortment of lawyers. The Widdler house on Minnehaha Creek was put up for sale, under the supervision of the Hennepin County District Court, as part of the consolidation of Widdler assets.

Lucas asked Flowers again, "Why in the hell did you shoot her in the foot?"

Flowers shook his head. "I was aiming for center-of-mass."

"Jesus Christ, man, you gotta spend some time on the range," Lucas said, his temper working up.

"I don't want to shoot anyone," Flowers said. "If you manage things right, you shouldn't have to."

"You believe in management?" Lucas asked, getting hot. "Fuckhead? You believe in management?"

"I didn't get my ass run over by a car," Flowers snapped. "I managed that."

Del, who was there, said, "Let's back this off."

Lucas, that night, said to Weather, "That fuckin' Flowers."

She said, "Yeah, but you gotta admit, he's got a nice ass."

After a brief professional discussion, the museums that owned the Armstrong quilts decided that the sewing basket had probably been Armstrong's and that the quilts were genuine.

Coombs said, "They know that's wrong."

Lucas said, "Shhh . . ." He was visiting, on the quiet, two weeks after the shooting of Widdler; they were sitting on the back patio, drinking rum lemonades with maraschino cherries.

She said, "You know, I had time not to shoot her. I did it on purpose."

Lucas: "Even if I'd heard you say that, I'd ask, 'Would you do it again if you thought you'd spend thirty years in prison?'"

Coombs considered, then said, "I don't know. Sitting there in jail, the . . . practicalities sort of set in. But the way it worked out, I'm not sorry I did it."

"You should go down to the cathedral and light a couple of candles," Lucas said. "If there wasn't an election coming, Wentz might have told everybody to go fuck themselves and you'd have a hard road to go."

"I'd have been convicted?"

"Oh . . . probably not," Lucas said, taking a sip of lemonade. "With Flowers and me testifying for you, you'd have skated it, I think. Probably would have had to give your house to an attorney, though."

She looked around her house, a pleasant place, mellow, redolent of the scent of candles and flowers and herbs of the smokable kind, and said, "I was hoping to leave it to Gabriella, when I was ninety and she was seventy."

"I'm sorry," Lucas said. And he was, right down in his heart. "I'm so sorry."

At the end of the summer, a man named Porfirio Quique Ramírez, an illegal immigrant late of Piedras Negras, was cutting a new border around the lilac hedge on the Widdlers' side yard, in preparation for the sale of the house. The tip of his spade clanged off something metallic a few inches below the surface. He brushed away the dirt and found a green metal cashbox.

Porfirio, no fool, turned his back to the house as he lifted it out of the ground, popped open the top, looked inside for five seconds, slammed the lid, stuffed the box under his shirt, pinned it there with his elbow, and walked quickly out to his boss's truck. All the way out, he was thinking, "Let them be real."

They were. Two weeks later, he crossed the Rio Grande again, headed south. All but three of the gold coins were hidden in the roof of the trunk of his new car, which was used, but had only twenty-five thousand on the clock.

The Mexican border guard waved him through, touched the front fender of the silver SL500—the very car the Widdlers had dreamed of—for good luck, and called, smiling, to the mustachioed, sharp-dressed hometown boy behind the wheel,

"Hey, man! Mercedes-Benz!"

Author's Note

There are two people mentioned in this book who are *not* fictional.

Mentioned in passing is Harrington, the St. Paul chief of police. His full name is John Harrington, he *is* the chief, and years ago, when he was a street cop, he used to beat the bejesus out of me at a local karate club. One time back then, I was walking past a gun shop near the dojo, and saw in the window a shotgun with a minimum-length barrel and a pistol grip. I bumped into Harrington going in the door of the dojo—he was dressed in winter street clothes—and I mentioned the shotgun to him. He said, "Let's go look." So we walked back to the shop, big guys, unshaven, in jeans and parkas and watch caps, and maybe a little beat-up, and went inside, and John said,

"My friend here saw a shotgun . . ." The clerk got it out and delivered his deathless line as he handed it over the counter to Sergeant Harrington: "Just what you need for going into a 7-Eleven, huh?" In any case, my wife and I were delighted when John was named St. Paul chief. He's the kind of guy you want in a job like that.

Karen Palm, mentioned early in the book as the owner of the Minnesota Music Café, is a longtime supporter of the St. Paul Police Federation and hosts some of the more interesting music to come through town; along with a lot of cops. Sloan's bar, Shooters, is modeled on the Minnesota Music Café.

Nancy Nicholson (who is not mentioned by name as a character) took a good chunk of time out of her busy day to show me around the most spectacular private mansion in St. Paul, and introduced me to such subjects as torchieres and butlers' pantries, the existence of which I hadn't even suspected, much less known how to spell. Thank you, Nancy.

Lucas used *The Antiques Price Guide,* by Judith Miller, when he was researching antiques. That's a real guide, published by Dorling Kindersley (DK), and I used it to get a hold on the values mentioned in the book.

—J.S.